R
O
D0313866
C
E

LESLEY PEARSE

SEGUE O CORAÇÃO

NÃO OLHES PARA TRÁS

TRADUZIDO DO INGLÊS POR

ISABEL ALVES

ASA

Título original:
NEVER LOOK BACK

Capa: José Manuel Reis
Imagem da capa: Craig Fordham
Fotografia da autora: Roderick Field
Paginação: GSamagaio
Impressão e acabamentos: Multitipo

1.ª edição: Novembro de 2010
5.ª edição: Julho de 2011
Depósito legal n.º 317150/10
ISBN 978-989-23-1058-9

Edições ASA II, S.A.
Uma editora do Grupo Leya
Rua Cidade de Córdova, n.º 2
2610-038 Alfragide – Portugal
Telef.: (+351) 214 272 200
Fax: (+351) 214 272 201
edicoes@asa.pt
www.asa.pt
www.leya.com

Dedico este livro à minha filha mais nova, Jo, por ter fé suficiente para acreditar que eu era capaz de conduzir do Missouri à Costa Oeste da América, sem me perder, e por me ajudar de bom grado na extensa pesquisa necessária a este livro. Espero que seja uma lembrança constante das gargalhadas que demos pelo caminho.

E a Elizabeth «Toots» Olmsted, no Oregon, por ter permanecido uma amiga querida durante quase trinta anos e conservar interesse e dedicação suficientes para passar a pente fino livrarias americanas em busca de material para a minha pesquisa. Quem teria pensado, quando nos conhecemos, tantos anos antes, a trabalhar para as Páginas Amarelas, que as nossas vidas nos levariam por caminhos tão diferentes, mas que os nossos corações, os nossos espíritos, continuariam tão firmemente ligados?

AGRADECIMENTOS

A Harriet Evans e Louise Moore, não apenas pela sua competência e tacto na revisão do meu trabalho, mas pelo seu jovial entusiasmo, encorajamento e calorosa amizade. Adoro-vos a ambas.

A Peter Bowron, John Bond, Nicky Stonehill e restante equipa da Penguin, que trabalharam afincadamente em meu nome. Não tenho palavras para vos agradecer.

A Marcy e Alan Culpin de Denver, Colorado, pelos seus vastos conhecimentos sobre a História da América e por terem andado a investigar para encontrar as respostas às minhas perguntas mais obscuras. Espero que gostem da obra acabada e se recordem desse jantar, agora tão distante, em que vos falei pela primeira vez sobre as minhas ideias. Inspiraram-me mais do que imaginam.

Um agradecimento especial aos funcionários bem informados e extraordinariamente prestáveis de: The American Museum, Claverton, Bath, Inglaterra; The Lower East Side Tenement Museum, Manhattan; South Seaport Museum, Manhattan; Biblioteca Pública de Nova Iorque; Ellis Island Immigrant Museum, Porto de Nova Iorque; The National Frontier Trails Centre, Independence, Missouri; Fort Laramie, Wyoming; The Emigrant Trail Museum, Truckee, Califórnia.

Seria impossível referir o vasto número de livros que li durante a minha pesquisa, mas alguns foram particularmente espantosos e estimulantes, de tal forma que merecem uma menção especial: *The Historical Atlas of New York City*, de Eric Homberger; *San Francisco from Hamlet to City*, de Roger W. Lotchin; *The Prairie Traveler*, do capitão Randolph B. Marcy; *Women of the Gold Rush*, de Elizabeth Margo; *How the other Half Lives*, de Jacob A. Riis. As suas fotografias evocativas e antigas dos pobres de Nova Iorque, juntamente com as vívidas descrições da maneira como viviam, proporcionaram-me percepções extraordinárias sobre a vida dos desfavorecidos no século XIX; *Low Life*, de Luc Sante; *Women's Diaries of the Westward Journey*, de Lillian Schissel; *Soiled Doves*, de Anne Seagraves; *The Way West* e *The Civil War*, de Geoffrey C. Ward; *Foreign and Female*, de Doris Weatherford.

Um último e especial agradecimento a todas as generosas e prestáveis pessoas com quem me cruzei por breves momentos, durante o meu próprio «périplo» pela América, em motéis, hotéis, restaurantes, lavandarias, bares, ruas e locais de interesse histórico. Recordo todos com afecto, ainda que não me lembre dos vossos nomes. Mas especialmente a Kate Deline e Ken, do Illinois, os motociclistas que me salvaram quando fiquei sem gasolina em pleno deserto do Nevada. Abençoada ajuda!

PRÓLOGO

Nova Iorque, 1900

— Ela é doida? — murmurou Fanny Lubrano ao pai quando este acabou de instalar a senhora idosa num banco na proa do rebocador.

Era um dia cinzento de Março, o vento soprava em rajadas directamente do Atlântico e, mesmo no abrigo da casa do leme, fazia muito frio.

— Tem de ser doida para me oferecer cem dólares — respondeu Giuseppe, com uma expressão de absoluta perplexidade no rosto curtido. — Mas a verdade é que não fala como se fosse!

Antes de se prepararem para se fazerem à água, olharam para a velha pela janela da casa do leme. Ela tinha o estilo e a pose das mulheres ricas que viviam na Fifth Avenue, envolta num casaco de zibelina com chapéu a condizer; contudo, esse género de mulher não era susceptível de desejar um passeio pela Baía de Nova Iorque num velho rebocador.

Fanny disse que achava que a senhora estava vestida com roupas demasiado modernas para alguém de idade avançada, e as suas delicadas botas, com botões de lado, não eram as mais indicadas para uma viagem de barco. Giuseppe mostrava-se mais preocupado por ela não estar acompanhada e achou suspeita a sua postura tensa, a maneira como os seus olhos inspeccionavam a zona ribeirinha.

— E se ela for doida, papá, e a família andar à procura dela? — disse Fanny subitamente. — Eu sei que ela saiu de uma carruagem fina e que o condutor disse que esperava por ela, mas, se apanhar um resfriado, atiram-nos as culpas.

Giuseppe afastou o boné para trás e coçou a cabeça. — Calculo que, se não a levarmos nós, a leva outra pessoa e às tantas também a rouba. Além disso, ela parece saber o que está a fazer e entende de embarcações fluviais. Perguntou-me há quanto tempo eu trabalhava no porto, fez-me perguntas sobre ti e onde morávamos. Caramba, Fanny, quero agradar-lhe, foi muito simpática, mas se calhar não devia ter aceitado o dinheiro dela, cem dólares é de mais.

Fanny sorriu levemente perante estas palavras. Apesar do ar empedernido, o pai tinha um coração de cordeiro. Os idosos, as crianças e os muito necessitados tocavam-lhe sempre de uma forma especial. Há muito que perdera a conta aos empréstimos que ele fizera aos irmãos e irmãs que nunca eram pagos; era uma das razões por que ainda viviam num apartamento exíguo no East Side.

— Aquele casaco de pele custou muito mais do que ganhamos em dois anos. — Ela encolheu os ombros. — Não fomos nós que lhe pedimos tanto dinheiro, pois não? Foi ela que o ofereceu. Acho por isso melhor pormos boa cara e zarpar antes que ela mude de ideias.

Enquanto o rebocador avançava, pachorrento, ao longo dos cais movimentados, a senhora idosa inalou o ar fumarento, a cheirar a peixe, e sorriu perante as recordações que evocava. Haviam passado cinquenta e oito anos desde que aqui chegara aos dezassete como imigrante, tendo ficado cinco anos antes de seguir viagem, e entretanto o lugar transformara-se dramaticamente. No seu tempo, South Street estava pejada de graciosos barcos à vela, os gurupés chegando até meio do cais empedrado e as velas a secar batendo e estalando ao vento. Os armazéns, os celeiros de grão, os bares e as pensões dos marinheiros eram, na sua maioria, construções precárias de madeira erigidas atabalhoadamente. Agora os navios eram quase todos vapores, os edifícios eram de tijolo robusto e de qualidade — somente o odor, os sons das carroças periclitantes, os marinheiros e os estivadores aos gritos uns com os outros se mantinham inalterados.

Manhattan era a visão da prosperidade. Onde ela recordava terras de lavoura, havia agora rua atrás de rua de elegantes casas de arenito pardo. Edifícios tão altos que ela ficava com torcicolo só de olhar para eles, passeios pavimentados e ruas bem iluminadas. As pessoas viajavam em comboios aéreos e até se falava na construção de um subterrâneo. Tinham lojas enormes, a que chamavam grandes armazéns, que vendiam de tudo, desde peles e tapetes a um rolo de elástico e uma carteira de botões.

No seu tempo, Central Park não passava de um terreno baldio e pantanoso e os operários irlandeses mais desesperados, aqueles que construíram o Aqueduto de Croton, esse milagre que trouxe água limpa encanada à cidade, instalavam-se aí em bairros miseráveis com os porcos e as cabras. O parque era maravilhoso e ela regozijava-se com o facto de as pessoas da cidade terem um lugar sereno e belo para onde escapar, mas, a seu ver, a nova Ponte de Brooklyn era ainda mais esplêndida. Embora a Natureza tivesse criado a verdadeira magia do parque, a ponte era um milagre inteiramente humano, a engenharia e a arte combinando-se para produzir algo que parecia frágil e belo, mas que era suficientemente forte para resistir aos elementos e ao tráfego mais pesado.

Não sentia qualquer pena por a cidade exibir poucas semelhanças com aquela a que chegara meio século antes, porque já não era a rapariga entusiasmada, de olhos arregalados, que se apaixonara pela sua exuberância honesta, insolente e arrojada.

Ambas haviam sido transformadas pelas circunstâncias, pela ambição, pela ganância e por homens poderosos. No entanto, essa honestidade que tanto amara ainda estava presente. Esperava também ter preservado a sua.

Ouvindo gargalhadinhas, olhou sobre o ombro para a casa do leme. Agradou-lhe ver o proprietário do rebocador e a filha a trabalhar tão alegremente em conjunto. Podiam, naturalmente, estar a rir-se dela, mas não tinha importância.

Escolhera este barco por mero sentimentalismo, ao saber que Giuseppe era viúvo e que trabalhava com a filha. O pai dela fora um homem do rio no Tamisa e também haviam tido uma relação chegada. Quando vira os seus rostos francos e amigáveis, duplicara a quantia que tencionava oferecer inicialmente. O dinheiro que lhes dera pôr-lhes-ia mais comida na mesa, talvez a rapariga pudesse comprar um vestido bonito. Lembrava-se perfeitamente de como as raparigas novas sonhavam com frivolidades.

Não havia tantos italianos quando desembarcara pela primeira vez. Nesse tempo os imigrantes eram predominantemente ingleses, irlandeses e alemães. Contudo, a partir de 1845, haviam chegado às centenas e aos milhares italianos, polacos, russos, judeus e muitas outras raças, cada nacionalidade acrescentando um pouco mais de sal e carácter à cidade populosa.

Mas Giuseppe não falava com sotaque italiano. Devia ter nascido aqui, e talvez a mãe fosse holandesa ou alemã para lhe ter dado aqueles olhos azuis e cabelo louro. A filha – Fanny, tinha ele dito – recordava-lhe ela própria com dezassete anos. Cabelo louro espesso, olhos tão azuis como miosótis e uma aparência robusta e prática. Parecia estranho que usasse roupa de homem, mas, por outro lado, supunha que um vestido comprido num barco não seria muito prático. Além disso, ela própria decidira usar calças de homem, em várias ocasiões, em 1949, no Oeste, quando não era aconselhável ter um ar demasiado feminino numa cidade a transbordar de bêbados inveterados na corrida ao ouro.

À medida que o rebocador se aproximava do *ferry* de Staten Island, o seu coração começou a bater mais depressa, pois, logo atrás, ficava State Street, onde vivera quando aqui chegara. Infelizmente, a pequena e pitoresca casa de madeira e algumas das belas casas federais vizinhas tinham sido demolidas para dar lugar a escritórios e armazéns. Poucas pessoas viviam agora neste bairro, todas se haviam mudado para a zona alta da cidade. Wall Street era agora uma rua de bancos e instituições financeiras; a igreja de Trinity, na ponta, que encerrava tantas recordações para ela, era um dos poucos edifícios antigos sobreviventes. Achou triste que a elegante flecha da igreja, o ponto de referência mais alto quando aqui chegara, viesse a ser em breve eclipsado pelas construções gigantes pelas quais os nova-iorquinos pareciam ter uma predilecção especial. Mas a verdade é que os Americanos pareciam não sentir nostalgia pelos lugares antigos.

No entanto, Castle Clinton parecia não ter mudado muito, embora no seu tempo tivesse sido uma ilha, acessível através de um caminho de ligação a partir de Battery. A zona litoral fora recuperada há já muitos anos, coberta de toneladas de entulho e relva para criar Battery Park. Castle Clinton tornara-se um centro de acolhimento de imigrantes, agora era um aquário, mas em 1842 tinha sido um salão de concertos, rodeado de espaços verdes, e fora aqui que conhecera Flynn O'Reilly.

Por um momento, fechou os olhos, recordando o seu primeiro beijo. Parecia estranho que, ao fim destes anos todos, ainda se lembrasse da magia desse instante e das turbulentas emoções que ele despertara no seu coração.

— Gostava de saber o que teria acontecido — pensou em voz alta.

— A quem, minha senhora?

Ficou surpreendida ao dar com a rapariga ao seu lado, a olhar interrogativamente para ela. Mas não se sentiu embaraçada. Uma das poucas vantagens da velhice era a liberdade de fazer e dizer exactamente o que lhe apetecia, incluindo falar sozinha.

— A mim, se tivesse fugido com o meu primeiro amor — explicou com um grande sorriso.— A minha vida podia ter sido muito diferente.

Fanny ficou deliciada por a velhota parecer querer conversar. Além de uma intensa curiosidade a respeito desta estranha passageira, a sua vida de trabalho era dominada por homens, e muitas vezes ansiava por companhia feminina. Assim, munida de uma manta quente como pretexto para entabular conversa, tinha-se aproximado dela para saber se ela estava com frio.

— Ele era rico? — perguntou ela, mantendo um tom ligeiro.

A senhora abanou a cabeça, com um brilho divertido nos seus olhos azul-claros. — Não, era um rapaz irlandês pobre.

— Então ainda bem que não fugiu com ele — retorquiu Fanny. — É sabido que não há muitos irlandeses que façam fortuna. Mas não faltam cervejarias que enriqueceram à custa do que eles bebem.

— Podem beber, mas sabem amar — respondeu, pensativa, a idosa. — Acho que prefiro a paixão à riqueza.

Por um momento, Fanny ficou confusa. Apesar de estar habituada a que as pessoas da sua classe fizessem comentários truculentos sobre o sexo oposto, não estava à espera de uma observação daquelas de uma autêntica senhora. Ofereceu a manta, explicou que o vento seria mais forte quando estivessem na baía, cobriu com ela o regaço da senhora e depois, respirando fundo, lançou a pergunta que queria fazer: — Porque é que quis vir aqui, minha senhora?

Por um momento, a idosa olhou para Fanny com um ar avaliador. Estava com um casaco de marinheiro coçado, demasiado largo, e um cachecol às riscas à volta da cabeça e do pescoço. Tinha a ponta do nariz vermelha do frio, mas os seus olhos azuis brilhavam de interesse. Pensou que era mais uma coisa que tinham em comum, também ela fora sempre incorrigivelmente curiosa.

— Acho que a idade nos torna sentimentais. Queria ver todas as mudanças — disse ela, indicando o litoral com uma mão enluvada. — Tinha a tua idade quando cheguei a Nova Iorque, minha linda, só cá passei alguns anos, mas de certo modo coloriu e moldou toda a minha vida. Agora estou com desejos de voltar para casa e quero levar comigo novas recordações juntamente com as antigas.

— Em que estado é a sua «casa»? — perguntou Fanny.

A velha riu-se, não uma risadinha delicada, mas uma gargalhada profunda e gutural.

— Em que estado é a minha casa? — Repetiu a pergunta, imitando o sotaque de Fanny e rindo-se novamente. — Agora deste-me uma alegria, minha querida. Durante cinquenta anos, fiz tudo o que podia para falar e agir como uma americana. Mas toda a gente que conhecia adivinhava logo que eu era inglesa mal abria a boca. E agora, quando estou prestes a partir, tomas-me por uma ianque. Deus te abençoe.

— Bem, estou para a minha vida — disse Fanny, sentando-se no banco ao lado dela. De facto, notara algo de diferente na fala da mulher, mas em Nova Iorque havia tantos sotaques diferentes como bares. — Fiquei com a ideia de que fosse de uma dessas mansões elegantes na Fifth Avenue. Fale-me de si. Isto é, se lhe apetecer.

— Chamo-me Matilda Jennings — disse a velha senhora numa voz enérgica e distinta. — Hoje vim de uma mansão elegante, mas nasci há setenta e quatro anos numa zona de Londres tão má como as que há aqui no Lower East Side.

Fanny abriu a boca, chocada. Não conhecia muitas pessoas inglesas, mas aquelas com quem falara tinham-lhe dado a ideia de que a Inglaterra estava cheia de castelos, palácios e mansões grandiosas. Nunca nenhuma delas admitira que também havia bairros degradados. Mas, por mais surpreendida que tivesse ficado ao ouvir isto, ficou mais espantada ainda ao descobrir a idade da mulher. Onde ela vivia, as pessoas raramente chegavam aos sessenta anos e tinham um ar acabado muito antes disso. No entanto, esta mulher tinha caminhado até ao rebocador sem ajuda, num passo lesto, e embora o seu rosto exibisse rugas, possuía uma maciez e a pele uma claridade que uma mulher de vinte anos invejaria. — Está a brincar comigo? — retorquiu. — Não pode ser assim tão velha!

Matilda não respondeu de imediato, descalçando lentamente as luvas de pelica macia e estendendo as mãos a Fanny. — Que vês então aí?

As mãos de Fanny estavam calejadas de içar cordas, vermelhas do vento e da água, mas as da velha senhora provavam que a idade podia ser ainda mais cruel do que os elementos. Eram mãos grandes para uma mulher tão delicada e esbelta, as costas encarquilhadas com rugas e veias púrpura inchadas. Os nós dos dedos eram grossos e deformados e faltavam-lhe algumas unhas, revelando desagradável tecido cicatrizado.

— Teve de trabalhar arduamente — disse Fanny em voz baixa, espantada porque não contava com isto. Virou as mãos ao contrário e olhou para as palmas, passando um dedo pela pele, que parecia muito seca e estalada, como as folhas no Outono. *Eram* as mãos de uma mulher muito idosa, mas ao segurar nelas, subitamente sentiu que não as separavam cinquenta anos.

— São feias e estão melhor escondidas — disse Matilda pensativa, voltando a calçar as luvas. — Mas dizem muito sobre a minha vida. Provavelmente adivinharás que esfregaram chãos e cavaram campos, mas há muito mais escondido. Afagaram bebés, dispararam armas, conduziram carroças, enterraram mortos e fizeram muito mais.

Fanny queria perguntar como ela havia enriquecido a ponto de poder pagar um casaco tão bonito, mas sabia que seria uma impertinência.

— Quando comecei a ganhar dinheiro — continuou Matilda —, gastava uma fortuna em cremes e poções, mas era demasiado tarde, não havia nada que me devolvesse a beleza às mãos. Tinha tanta vergonha delas que passei a andar de luvas. Mas agora sou velha e a vaidade desvanece, tal como os desgostos. Assim olho para elas e lembro-me de que não foi o meu cérebro nem a minha figura que me ajudaram a ultrapassar os maus momentos, mas estas mãos e a minha vontade. Tive sorte que fossem as duas tão fortes.

Fanny sentiu uma onda de admiração pela senhora inglesa que falava de um modo simples. Crescera rodeada de imigrantes e, na generalidade, eram do tipo a quem a ambição e a energia se esgotavam poucas semanas depois de desembarcarem. Deixavam-se ficar nos seus miseráveis e apinhados apartamentos e, à medida que os anos passavam, culpavam os outros pela sua pobreza e insucesso. Contudo, esta mulher, com as suas peles caras, era a prova não só de que com vontade, coragem e determinação qualquer pessoa podia sair do Lower East Side e ir para a Fifth Avenue, mas também de que se podia continuar a ser bondoso e humilde.

— A princípio pensei que era maluca — disse Fanny, hesitante, sentindo-se imediatamente envergonhada por a ter julgado sem a conhecer. — Peço desculpa.

Matilda tomou a mão da rapariga na sua mão enluvada e apertou-a. — Fanny, é possível que seja maluca ao querer sentir o cheiro do East River num dia frio de Março e ver vistas que sei que despertarão recordações dolorosas. Mais maluca ainda por querer voltar para um país que praticamente esqueci e do qual me distanciei irremediavelmente. Mas, quando se tem a minha idade, fica-se assim. Tenho desejos de ver se o rio Tamisa é tão largo como me recordo, se a Torre de Londres ainda me assusta. Acho também que quero morrer no meu país, onde ninguém conhece as partes mais escandalosas da minha história.

As sobrancelhas de Fanny arquearam-se.

Matilda riu-se da sua expressão chocada. — É verdade, Fanny, fui uma rapariga diabólica, mas isso é uma longa história e, por muito que gostasse de ta contar, esta pode ser a minha última oportunidade de admirar velhas vistas e recordar como tudo aconteceu.

Fanny percebeu que era um sinal para se ir embora. Não ficou magoada, pois sentiu que Matilda dissera exactamente o que sentia. Levantou-se e aconchegou-a melhor na manta. — Gostei muito de a conhecer, minha senhora — disse ela. — Desfrute da viagem e, se precisar de alguma coisa, chame.

— Sabia que tinha razão em escolher este barco — disse Matilda com um sorriso caloroso e apreciativo. — Fazes-me lembrar eu própria com a tua idade.

Fanny voltou para a casa do leme e Matilda concentrou-se na vista do outro lado da baía. O céu estava cinzento-escuro, o vento forte e cortante, mas convinha-lhe, porque não desejava calor nem um sol luminoso que inclinasse o seu espírito unicamente para as recordações felizes.

Enquanto Giuseppe pilotava em direcção a Ellis Island, os seus olhos permaneceram fixos na majestosa Estátua da Liberdade, apesar de não ocupar lugar algum no seu passado. Fora erigida apenas há alguns anos, do mesmo modo que Ellis Island, com o seu novo departamento de imigração, era um empreendimento recente. No entanto, toda a sua pele se arrepiou ao contemplá-la, não apenas de pasmo perante as suas vastas proporções, mas também devido à pura beleza do monumento. Esperou que transmitisse a essas pobres, exaustas e confusas massas que chegavam à América o conforto e a inspiração pretendidos.

Guiseppe abrandou ao aproximarem-se de Ellis Island. O novo e enorme edifício da imigração era impressionante com as suas cúpulas e espirais, embora já fosse denominado a «Ilha das Lágrimas». Um vapor alemão acabara de atracar e um denso fluxo de passageiros estava a descer cada uma das pranchas de desembarque. Embora soubesse que a viagem deles através do Atlântico tinha demorado menos de metade do tempo da sua, à medida que o rebocador se ia aproximando, via pelos seus rostos pálidos e fatigados e pelos seus ombros curvados que, para a maioria, a viagem fora um pesadelo indizível de superlotação, má comida e doença.

Começou a chorar, pensando no que os esperava. Enquanto os ricos eram transportados directamente para Nova Iorque, sem lhes passar pela cabeça que pudessem de algum modo ser indesejáveis, os pobres tinham de passar primeiro por uma «avaliação». Quantos desses homens de casaco preto e longas patilhas, que mal pareciam capazes de carregar a sua própria bagagem, passariam no rigoroso exame médico? Depois havia os testes de literacia e competência com que outros esbarrariam. No seu tempo, eram todos bem-vindos. Talvez esse acolhimento não incluísse habitação decente e trabalho bem pago, mas pelo menos não enfrentavam a humilhação de serem rejeitados e repatriados porque não possuíam o perfil daquilo que o governo americano entendia como um imigrante ideal.

Mesmo sobre o ruído do mar, do vento, das gaivotas e do motor do rebocador, ouviu os gritos arrepiantes de crianças famintas e doentes. Mulheres de olhos assustados apertavam bebés contra o peito, inspeccionando o horizonte do outro lado da baía, na esperança de que os familiares que tinham insistido com eles para que viessem os tivessem ido esperar.

Tristemente, Matilda sabia que lhes estavam reservados mais infelicidade e mais choques. Nova Iorque podia ser uma cidade próspera, mas grande parte dessa riqueza fora ganha à custa de pessoas como estas. Conhecia os horrores desses prédios de apartamentos no East Side, construídos por especuladores sem escrúpulos, cuja única intenção era espremer-lhes tantos dólares por metro quadrado quantos pudessem. Se mandasse, obrigaria esses homens a viver lá também. Perguntou-se quanto tempo os recém-chegados levariam a quebrar, vivendo em quartos ínfimos e sem luz, uma torneira para quatro famílias e uma latrina para o prédio inteiro.

No entanto, hoje em dia, estes imigrantes já teriam sorte se conseguissem um desses vespeiros. Esta noite, acabariam na sua maioria a dormir em algum asilo miserável, em condições de maior superlotação e insalubridade do que no navio. A não ser que fossem muito astutos, também o dinheiro e os haveres lhes seriam roubados. Tinham de enfrentar doenças infecciosas, muitos dos filhos não sobreviveriam um ano, quanto mais até à idade adulta. Se pensavam que iam começar uma nova vida, onde não existiam preconceitos raciais, sociais e religiosos, estavam tristemente enganados. A América era para os bravos. Era necessário um corpo resistente, um coração robusto e determinação para vencer.

Matilda afastou estes pensamentos pessimistas. Para os que tivessem vontade, era realmente um país onde era possível concretizar sonhos. A poucos quilómetros das cidades buliçosas, estendia-se uma terra de incrível beleza. Esperava que todos os imigrantes pobres que se arrastavam para aquele edifício hoje chegassem a ver os seus rios cintilantes, as suas montanhas, florestas e intermináveis pradarias. Chegavam demasiado tarde para verem, como ela, a verdadeira terra inóspita — as extensas manadas de búfalos já haviam desaparecido, os índios sobreviventes haviam sido privados das suas terras de caça e relegados para as reservas. Os comboios transportavam as pessoas, a todo o vapor, de costa a costa, e os trilhos seguidos pelos primeiros pioneiros, nas suas carroças cobertas, tinham-se praticamente extinguido. Mas ainda havia muito para empolgar, para dar oportunidades aos que tivessem coragem para as agarrar.

Cerca de uma hora mais tarde, quando o rebocador avançava de volta ao cais de East River, Matilda enxugou as suas derradeiras lágrimas de emoção e concentrou-se no futuro.

Tivera tantas experiências nesta terra — alegria e mágoa, pobreza e riqueza, grande amor e paixão também. Muitas das pessoas que amara estavam mortas, os seus túmulos assinalando lugares que jamais poderia esquecer. Todavia, feitas as contas, as boas recordações sobrepunham-se às más. Tivera inúmeros amigos, amantes que haviam enchido o seu coração de felicidade, e vira e fizera coisas que poucas mulheres da sua geração podiam sequer imaginar. Mesmo a terrível perfídia com que se deparara, a angústia e a dor tremendas, surgiam agora indistintas, e somente a felicidade, a alegria e a doçura retinham a sua importância.

Estava agora preparada para o que se estendia diante de si. Amanhã compraria uma passagem para Inglaterra, num camarote de primeira classe, onde um camareiro a cumularia de atenções, imaginando que nascera entre tamanhos luxos, e passaria a viagem a aperfeiçoar o seu papel de grande senhora.

Agradava-lhe pensar que as histórias da Lil de Londres fariam parte do folclore americano para sempre, mas agora tinha de deixá-la aqui, despedir-se de Lil e esquecê-la.

Na casa do leme, Guiseppe estava ao timão e Fanny observava Matilda em silêncio. Por várias vezes, na última hora, vira a mulher a chorar e apiedara-se dela. Desejava conhecer a sua história. Seria viúva? Teria filhos e netos? Ou teria sido esse irlandês de quem falara o único verdadeiro amor da sua vida?

Mas, enquanto observava, Matilda levantou-se e dirigiu-se à proa. Baixou-se, apoiando-se com uma mão na amurada, parecendo remexer com a outra debaixo do casaco.

Fanny não chamou a atenção do pai para isto, pensando que Matilda estaria talvez a ajeitar as meias. Mas, de súbito, viu um objecto pequeno e vermelho-vivo na mão da mulher. Ela levou-o aos lábios, pareceu beijá-lo e murmurar qualquer coisa. Depois, levantando o braço, lançou-o ao mar.

Quando Matilda voltou a sentar-se, Fanny saiu da casa do leme e olhou sobre a borda do rebocador. O pequeno objecto vermelho estava a flutuar à superfície da água. Não era um lenço nem um cachecol, como ela esperava, mas uma liga de cetim vermelho!

Fanny compreendeu que devia ter um significado especial para a velha senhora, talvez uma recordação do seu primeiro amor. Daria tudo para conhecer a verdadeira história.

CAPÍTULO 1

Londres, 1842

Quando Matilda Jennings virou fatigadamente para Finders Court, às sete da tarde, captou um vislumbre fugaz de um tufo de cabelo ruivo quando o seu dono ia a agachar-se atrás de um carro de mão. Ninguém, além dos seus dois irmãos, tinha cabelo tão flamejante e, se estavam a esconder-se dela, queria dizer que tinham andado a fazer malandrices.

— Luke! George! Venham imediatamente aqui, se não querem meter-se em sarilhos — gritou.

Matilda tinha dezasseis anos e era vendedora de flores. Estava suja e exausta de um longo dia que começara às quatro da manhã, no mercado de Covent Garden, mas, apesar de ter calcorreado as ruas de Londres durante todo o dia a vender os seus produtos, conseguia emanar um ar provocador de vitalidade robusta.

O seu vestido azul estava esfarrapado, salpicado de lama das ruas imundas, o avental de algodão coberto de nódoas. Mas o seu cabelo espesso, cor de manteiga, estava impecavelmente penteado em tranças por baixo de uma touca de folhos, as faces estavam rosadas e, quando esboçava um dos seus sorrisos espontâneos, os seus olhos azuis cintilavam.

A maioria das pessoas que comprava flores a Matilda presumia provavelmente que ela era uma rapariga do campo, talvez a vender produtos do seu próprio jardim. Não sabiam que as faces rosadas estavam queimadas do vento nem que o alegre sorriso fazia parte da sua técnica de venda. Por baixo do volumoso vestido e do avental estava um corpo ossudo e malnutrido, o xaile escondia-lhe os ombros, invariavelmente vergados do frio, e assim que se lhe esvaziava o cesto, coxeava dolorosamente para casa, nas botas gastas, para o género de aposento que faria estremecer os seus clientes.

Finders Court compunha-se de dez casas decrépitas de dois e três andares, tortas e encostadas umas às outras em torno de um pátio pequeno e imundo. As janelas superiores, muitas delas entaipadas com pedaços de madeira e trapos, quase tocavam nas do lado contrário. Cada casa possuía dez ou doze divisões pequenas que eram ocupadas, na sua maioria, por mais de uma família. Ficava perto de Rosemary Lane, o maior mercado de roupa usada de Londres, e a poucos minutos a pé da Torre de Londres e do Tamisa.

Ao crepúsculo, numa noite gelada de Março, o pátio estava, como sempre, a fervilhar de ruidosa actividade, os vendedores de frutas e legumes tentando aliciar as mulheres desmazeladas de toucas sujas, debruçadas nas janelas superiores, a descerem para comprar o que restava dos seus produtos nos carros de mão, e grupos de estivadores cobertos de sujidade discutindo o trabalho do dia ou a falta dele. Velhos e velhas estavam descontraidamente sentados nas soleiras das portas, descansando um pouco antes de se abalançarem pelas escadas acima com os seus sacos carregados dos produtos de um dia a remexer no lixo. Crianças andrajosas manejavam a bomba da água, enchendo baldes e canecas, enquanto irmãos mais novos lutavam e brincavam à volta delas.

Com uma única latrina para mais de quinhentas ou seiscentas pessoas e os baldes de dejectos esvaziados juntamente com lixo podre das janelas, a pestilência era insuportável. Burros e cavalos ficavam amarrados durante a noite e não era incomum ver-se um porco a escarafunchar no pátio.

Como o dono do cabelo ruivo continuava escondido atrás do carrinho, Matilda voltou a gritar, desta vez mais alto, num tom estridente que lhe recordou, de uma forma inquietante, a mãe dos rapazes, Peggie. Talvez eles também tivessem notado a semelhança e soubessem que Matilda era igualmente capaz de lhes dar uma boa sova, porque desta feita os dois rapazes apareceram, um pouco nervosos.

— Quantas vezes preciso de vos dizer para irem para casa e acenderem o fogo antes de eu chegar? — gritou ela, passando ao lado de outras crianças no caminho e agarrando em Luke, o mais velho, pela orelha. Também teria deitado a mão a George, mas por causa do cesto não conseguiu. — O vosso pai há-de estar a chegar a casa para jantar e quer uma chávena de chá antes de voltar a sair.

Luke tinha dez anos e George oito. Eram rapazinhos escanzelados, de cara malandra, sem nada em comum com a irmã mais velha além dos brilhantes olhos azuis. Matilda tomava conta deles desde que tinham nascido, mas, desde que Peggie morrera quatro anos antes, assumira o papel de mãe. Odiava Peggie, e muitas vezes detestava também os fedelhos dela, mas fazia o que podia por eles por amor ao pai.

Ao puxar Luke para si, o cheiro dele asfixiou-a. — O que é que andaste a fazer? — murmurou.

Ele não precisava de admitir. O mau cheiro era inconfundível. — Seu porco, andaste outra vez a apanhar puro! — exclamou, horrorizada.

«Puro» era excremento de cão. Os mais humildes dos humildes apanhavam-no e vendiam-no aos curtidores para tratar o couro. Havia muitas formas repulsivas de os pobres ganharem a vida em Londres, mas na opinião dela esta era a pior.

Pousando o cesto, arrastou os dois rapazes pelas orelhas até à bomba, onde um rapaz lerdo do outro lado do pátio estava a encher um balde. Ela mandou-o continuar a dar à bomba e empurrou Luke para debaixo do jacto. Agarrando-o firmemente pelo cabelo com uma mão e usando um trapo que trazia no bolso do avental, esfregou-o, cabelo, cara e corpo, até aos imundos pés descalços.

— Está gelada — gemeu ele, batendo os dentes, quando ela finalmente o largou para agarrar em George e lhe aplicar o mesmo tratamento. A camisa fina e gasta de Luke e os calções esfarrapados estavam-lhe colados ao corpo magro e ele sacudiu-se como um cão, salpicando-a de água. — Só fizemos isso por ti, Mattie. Ganhámos seis *pence*.

Se a explicação tivesse vindo de qualquer outra criança, Matilda teria ficado sensibilizada. Mas Luke era um mentiroso inveterado e já um rufia incorrigível. Sabia que, se não o tivesse visto, ele e o irmão ter-se-iam escapulido para gastar o dinheiro, provavelmente esperando que ela adormecesse antes de se enfiarem na cama ao lado dela naquele estado malcheiroso.

Como estavam muitas pessoas a observar e a ouvir, Matilda não respondeu até os dois rapazes, ainda a pingar e a tiritar, estarem a subir as escadas precárias para o seu quarto no último andar da casa.

— Tirem a roupa e ponham as camisas de dormir — disse ela num tom seco, fechando a porta. — Eu já trato de vocês quando acender o fogo. E não pensem em fugir, senão arrependem-se.

O quarto estava muito escuro porque uma das duas pequenas janelas estava partida e tinha sido reparada com uma tábua de madeira. A mobília era escassa: uma cama de ferro onde ela e os rapazes dormiam — Lucas, o pai, tinha uma improvisada, um saco de farinha cheio de palha — um banco, um armário de madeira tosco e uma pequena mesa era tudo o que havia, tirando a cadeira do pai. Esta era de carvalho maciço, com os braços e o assento gastos por anos de uso permanente, e Lucas chamava-lhe jocosamente a «cadeira do mestre». Era a única coisa de algum valor que possuíam.

Matilda acendeu primeiro a vela. Depois, levando-a para junto da lareira, afastou as cinzas antigas para um lado, mergulhou apressadamente a ponta de um trapo na barrica do óleo e acendeu-o na vela, colocando alguns galhos por cima. Não olhou para os rapazes atrás dela, mas, pelo seu silêncio, calculou que estivessem a fazer sinais um ao outro, tentando em vão traçar algum plano para voltarem a sair nessa noite. Mas nem eles se atreveriam a fugir com as camisas de dormir esfarrapadas que mal lhes tapavam as nádegas ossudas, e não tinham outra muda de roupa.

Em poucos minutos tinha um fogo espevitado, acrescentando aos poucos mais lenha seca e pequenos pedaços de carvão. Aproximou as mãos geladas das chamas enquanto ensaiava o que ia dizer aos irmãos.

Por mais repugnante que Finders Court pudesse ser para alguém das classes altas, Matilda retirava algum conforto de saber que era um dos melhores edifícios do bairro. Pelo menos aqui ninguém tinha em funcionamento um abrigo de um *pence* por noite para os totalmente destituídos. Conhecia sítios onde chegava a haver trinta pessoas apertadas num quarto nojento, sem sequer um cobertor com que se cobrirem. Nesses, crianças fugitivas e órfãos de apenas cinco ou seis anos dormiam ao lado de criminosos, prostitutas, mendigos e atrasados mentais, e a sua corrupção tinha início na primeira noite que aí passavam.

Matilda era uma rapariga inteligente e sensível. Passando o dia nas melhores áreas de Londres, observara todos os aspectos da profunda clivagem entre os ricos e os pobres. Não era só o facto de os ricos terem casas grandiosas, criados e comerem bem; os seus filhos estavam protegidos.

A maioria dos pobres de Londres renunciava a todas as responsabilidades relativamente aos filhos muito antes de eles chegarem à idade de Luke, pondo-os na rua e esperando que arranjassem trabalho para se sustentarem. Embora Matilda não objectasse a que Luke e George trabalhassem — afinal, ela própria começara a vender flores aos dez anos —, tanto ela como o pai acreditavam que era seu dever manter os rapazes no ambiente familiar de casa até terem maturidade suficiente para enfrentarem sozinhos as tentações e os perigos de Londres.

Tendo esta ideia presente, virou-se para eles. De cara lavada, para variar, e tiritando violentamente, estavam com um ar lastimoso. Matilda aproximou o banco do fogo e mandou-os sentarem-se.

— Os Jennings nunca apanharam puro — disse ela num tom firme, posicionando-se junto à lareira, de mãos nas ancas. — Os Jennings sempre foram barqueiros. Ser barqueiro é um ofício respeitável, como ser carpinteiro ou construtor, e passa de pai para filho há cinco ou seis gerações. Como é que acham que o pai vai reagir quando eu lhe disser o que os filhos andaram a fazer?

— Bate-nos com o cinto — choramingou George, os olhos arregalados de medo.

— É o que merecem — disse ela, acenando com a cabeça. — Mas fica desgostoso. Apanhar puro é um trabalho para mendigos. É pior que remexer nos esgotos, tão feio como roubar carteiras. Não temos muito, mas nós, os Jennings, sempre tivemos orgulho. Pagamos os nossos três xelins e seis *pence* todas as semanas e andamos de cabeça erguida. Há gente aqui que nos julga peneirentos, mas é porque tem inveja de nós. Andam por aí a apanhar essa porcaria malcheirosa e envergonham o nome da família.

— Mas só estávamos a pensar em ti — gemeu Luke, o cabelo ruivo e a cara branca conferindo-lhe subitamente um ar muito vulnerável e angélico à luz do fogo. — Sabemos que precisas do dinheiro.

— Eu e o vosso pai ganhamos o suficiente para o nosso sustento — disse ela, abrandando um pouco e recordando a si mesma que não passavam de rapazinhos. — O que nós queremos é que vocês vão a

Miss Agnew todos os dias para aprenderem a ler e a escrever como eu. Assim, podem arranjar um trabalho decente quando forem mais velhos.

— Ler e escrever não te serviu para arranjares melhor do que vender flores — retorquiu Luke num tom beligerante. — Podias vender flores mesmo que fosses cega e aleijada.

— Talvez seja tudo o que posso fazer agora, mas pelo menos não ando a vender o corpo como algumas das raparigas daqui — respondeu Matilda, furiosa. Luke era um patifezinho cruel, conseguia sempre responder torto com qualquer coisa que a magoava. — Vou a sítios finos, é um trabalho limpo e as flores cheiram bem. Os meus clientes são cavalheiros e senhoras de bem.

Luke limitou-se a fazer uma expressão de escárnio, as suas feições marcadas lembrando as ratazanas que corriam para cima e para baixo nas escadas. E também tinha a mentalidade de uma ratazana. Rápido, manhoso e ruim. Não parecia ter herdado nada do pai honesto e bondoso. Nem sequer mostrava interesse em seguir o ofício da família.

— Não gosto da escola — disse George, os olhos enchendo-se-lhe de lágrimas. — Não sou capaz e Miss Agnew bate-nos na cabeça.

Matilda suspirou profundamente. George era de raciocínio lento, comparado com o irmão, e ela sentia pena dele. Não havia verdadeiras escolas para os filhos dos muito pobres, embora ela tivesse ouvido um rumor de que havia homens no governo que defendiam que devia haver. Só havia escolas caseiras, onde senhoras como Miss Agnew transmitiam os seus conhecimentos dos rudimentos da leitura, da escrita e da aritmética numa sala exígua a qualquer criança que aparecesse com o meio *pence* exigido diariamente. Matilda também fora ensinada por Miss Agnew e sabia que ela podia ser cruel, mas no seu caso valera a pena. Lia tudo a que conseguisse deitar as mãos, geralmente panfletos religiosos ou jornais que encontrava na rua, porque os livros eram demasiado caros, mas na semana anterior comprara o primeiro fascículo de *Oliver Twist*, de Mr. Charles Dickens, e estava em pulgas para ler a segunda parte.

Escrevia com boa letra, sabia somar e multiplicar — se conseguisse um emprego numa loja, estaria lançada. O problema era que, com o aspecto que tinha agora, com o vestido roto e as botas esburacadas, ninguém a aceitaria, nem para criada de copa. Estava num beco sem saída e enquanto não arranjasse maneira de ganhar o suficiente para comprar roupa decente, sabia que não ia conseguir nada.

— Se se esforçarem mais, Miss Agnew não lhes bate — disse ela num tom fatigado. — Vá, prometam-me que vão às aulas amanhã. Senão digo ao pai o que andaram a fazer.

Eles prometeram, mas ela sabia que era uma promessa vã. Não viam nenhuma vantagem em aprender, ganhar alguns *pence* era mais gratificante. Podiam não ir apanhar puro tão cedo, mas daí a um ou dois dias iam de certeza com os outros rapazinhos de rua para o Tamisa, à caça de tudo o que pudessem vender às lojas de artigos marítimos — pregos, rebites, ossos e pedaços de madeira. Era como se estivesse a falar com as paredes.

Encheu a chaleira com água que o pai tinha tirado do poço antes de partir para o rio, e pô-la ao lume. Do cesto tirou as quatro empadas de carneiro que tinha comprado a caminho de casa. Geralmente custavam um *penny* cada, mas ela conseguira as quatro por dois *pence*, porque o homem das empadas tinha ficado com muitas por vender. Com uma boa fatia de pão e uma laranja sumarenta para cada, era um belo jantar para um morador de Finders Court.

— Dêem-me então os seis *pence* — disse ela, estendendo a mão. — E enquanto os procuram, tragam para aqui a roupa molhada que eu ponho-a a secar. Esta noite não vão a mais lado nenhum.

Luke lançou-lhe um olhar maldoso ao entregar-lhe o dinheiro, e ela calculou que ele tentaria roubar-lho antes do fim da noite. Por conseguinte, teria de encontrar um bom esconderijo assim que ele adormecesse. Não era a primeira vez que acordava de manhã e descobria que lhe tinham ido ao bolso do avental e levado alguns dos seus preciosos *pence*.

Torcendo primeiro a roupa à janela, pendurou-a numa corda sobre o fogo. As roupas dos rapazes estavam ainda mais rotas que as suas, os fundilhos dos calções tão remendados que já não havia onde coser remendos. Também detestava vê-los andar descalços, mas os pés deles eram duros como pregos e agora já não usariam um par de botas mesmo que houvesse dinheiro para as comprar.

Os rapazes estavam a atirar-se às empadas e a chaleira começara a ferver quando ouviram os passos pesados do pai nas escadas. Matilda deitou uma colher de chá numa jarra de latão, acrescentou a água e pousou-a na mesa para abrir. Dois minutos depois, Lucas Jennings entrou.

Era um homem baixo e entroncado com ombros e braços poderosos, de uma vida a remar para transportar os seus passageiros no rio. O seu rosto era tão escuro e encarquilhado como uma noz, fazendo-o parecer mais velho do que os seus quarenta anos. Como a maioria dos homens da sua classe, os dentes não passavam de tocos enegrecidos e o cabelo louro era comprido e ralo. Mas os seus vívidos olhos azuis e a roupa eram o que as pessoas mais notavam nele. O seu grosseiro casaco de marinheiro preto e as calças de lona finas eram um uniforme comum na sua profissão, mas o lenço lavado ao pescoço às pintas vermelhas e brancas e o boné preto debruado a galão dourado indicavam que conservava o seu orgulho num ofício que lhe levara sete anos a dominar como aprendiz antes de obter a sua licença profissional em Waterman's Hall.

A fadiga do homem era evidente nos seus movimentos lentos e ombros vergados, mas sorriu com afecto aos filhos sentados à mesa, à luz das velas. — Ora aí está uma visão que aquece a alma — disse ele na sua voz rouca. — Três caras lavadas e o jantar na mesa.

Matilda aproximou-se dele, beijou-o na face e pegou-lhe no casaco para o pendurar no prego atrás da porta. — Passaste bem o dia, pai? Esteve bonito e ensolarado, não esteve?

A Primavera estava atrasada este ano, só faltavam dois dias para o fim de Março e até hoje chovera durante o que pareciam semanas.

— Muito bonito, Matty — suspirou ele, sentando-se na sua cadeira e estendendo as mãos para o fogo. — O sol trouxe mais gente à rua e o rio animou-se outra vez, mas hoje em dia muita gente atravessa as pontes em lugar de contratar os nossos serviços. Já não é como antigamente.

Há anos que a profissão de Lucas e dos outros barqueiros licenciados estava em declínio. No tempo do avô dele, só se podia confiar nos homens mais experientes para transportar passageiros em segurança através dos arcos estreitos da Ponte de Londres. Os navios fundeavam a meio do rio e os homens andavam o dia todo atarefados a levar passageiros para a margem. Mas, agora que a Ponte de Londres fora reconstruída, qualquer pessoa podia passar com um barco por baixo dela, e os vapores atracavam agora em cais, permitindo aos passageiros desembarcar a pé. Mesmo os visitantes de Londres, que antes preferiam ver as atracções da cidade de barco, eram escassos, não lhes agradava a ondulação causada pelos vapores.

Lucas pegou na grande caneca de barro que Matilda lhe passou e bebeu com satisfação a infusão preta e quente. Dentro de uma hora, voltaria a sair, porque a actividade nocturna no rio era a mais lucrativa, com os passageiros a pagar o dobro para chegar rapidamente à diversão na margem sul. Mas as noites de trabalho encerravam os seus perigos: jovens bêbados e irresponsáveis exibiam-se, pondo-se em pé e abanando o barco e, por vezes, caindo à água, para não falar dos larápios que muitas vezes tentavam roubá-lo quando os transportava para o outro lado. Mas Lucas não estava tão preocupado com a sua segurança pessoal como com a dos filhos, que tinha de deixar sozinhos à noite. Nos últimos anos, Finders Court tornara-se um lugar cada vez mais perigoso. Matilda era uma rapariga bonita e ele vira a maneira como alguns dos vizinhos a observavam.

— Vocês andaram outra vez na lama, rapazes? — perguntou, vendo as roupas a fumegar sobre o fogo. — Quantas vezes já vos disse para não fazerem isso?

Matilda passou o jantar ao pai num prato de latão. — Não, não andaram — disse ela. — As roupas estavam só um bocado sujas e eu lavei-as. — Fez uma breve pausa, lançando aos irmãos um olhar de advertência. Lucas era bom homem e bom pai, mas não hesitaria em bater-lhes se soubesse a verdade. — O meu dia foi bom — continuou ela, mudando habilmente de assunto. — Ganhei três xelins menos um *penny*. Consegui prímulas e violetas porque fui das primeiras a chegar ao mercado esta manhã.

A expressão de Lucas turvou-se ao relembrar que ela começava o dia quando ele ainda estava profundamente adormecido. Embora sentisse um grande orgulho na filha trabalhadora, continuava a experimentar um forte sentimento de culpa pela sua estupidez em amantizar-se com Peggie, pois havia inadvertidamente estragado a vida de Matilda.

A mãe dela, Nell, morrera ao dar à luz, deixando-o com uma bebé enfermiça ao seu cuidado, além de Matilda, então com cinco anos, e os dois filhos mais velhos, John e James, que tinham nove e dez anos na altura. Tomado pelo desgosto com a morte da mulher que amara tanto e incapaz de cuidar dos filhos sozinho, quando Peggie, uma rapariga de dezassete anos que fora viver recentemente para Findes Court, se ofereceu para ajudá-lo com a recém-nascida, nunca lhe ocorreu ser cauteloso.

Antes de se dar conta, ela tinha-se mudado para casa dele. Devia ter desconfiado quando as crianças pareceram ter medo dela, relutantes em ficar em casa. Mas estava tão grato por Peggie olhar pela bebé que preferiu ignorar o comportamento deles, pensando que se tratava simplesmente de saudades da mãe.

Olhando para trás, concluiu que devia ter mandado Peggie embora quando a bebé Ruth morreu, dois meses mais tarde. Mas a sua necessidade do conforto de uma mulher na cama fora mais forte do que as persistentes dúvidas a respeito da sua capacidade como madrasta. Quando Luke nasceu, já sabia que os pertences de Nell e as peças de mobília que tinham desaparecido não haviam sido roubadas, como Peggie alegava, mas vendidas por ela para comprar *gin*. Sabia também que ela não possuía um décimo das competências domésticas de Nell e que era frequentemente demasiado ríspida com os seus outros filhos, mas estava manietado pela sua convicção de que um homem tinha de olhar por uma mulher que lhe dera filhos.

Pouco depois de George nascer, dois anos depois, Peggie passava quase todo o tempo embriagada e Matilda passou a tomar conta dos dois filhos mais novos de Lucas. Os rapazes mais velhos, John e James, ausentavam-se o mais possível e Lucas ficou aliviado quando finalmente se tornaram embarcadiços. A vida na Marinha era cruel, mas as perspectivas eram melhores do que o trabalho que podia oferecer-lhes no rio e não desejava vê-los ficar em Londres a assistir à humilhação do pai por uma mulher desmazelada.

Quatro anos antes, Peggie morrera. Bêbada como sempre, caíra à frente de uma carruagem de cavalos. Lucas não derramou uma lágrima por ela, pois já sabia então que ela se vendia a qualquer homem pelo preço de um copo de *gin*. Mas era triste ver Matilda sobrecarregada com ainda mais responsabilidades por Luke e George. Ela merecia melhor.

— És boa rapariga — disse Lucas, estendendo a mão à filha e puxando-a para si. — És tão parecida com a tua mãe, quem me dera poder ajudar-te mais.

Quando o pai lhe passou a mão pela cintura para a abraçar, formou-se um nó na garganta de Matilda. Agora era raro ele falar de Nell, mas as poucas palavras que dizia tornavam claro que ainda pensava muito nela e se censurava por a vida de ambos não ter resultado da maneira que haviam planeado.

Lucas tinha apenas dezanove anos em 1818, quando conhecera Nell em Greenwich. Estava sentado no seu barco, à espera do regresso do passageiro que tinha transportado da Ponte de Westminster para ir buscar uns documentos a uma companhia de navegação. Ela estava no cais a observar os barcos e cativou-o imediatamente com as suas faces rosadas de rapariga do campo e o seu cabelo dourado. Lucas nunca fora mulherengo, atava-se-lhe a língua e sentia-se atrapalhado na presença das raparigas, mas quando esta lhe sorriu, sentiu coragem suficiente para sair do barco e lhe perguntar se queria que ele lhe chamasse um *ferry*.

Ela disse que gostava simplesmente de observar os barcos no rio, pois era uma pausa agradável no seu trabalho de criada de sala. A sua voz era diferente da das raparigas de Londres, tão bonita como o seu rosto, suave e melodiosa, e quando Lucas a comentou, ela riu-se e disse que era oriunda do Oxfordshire. Tinha vindo trabalhar para casa de um capitão-de-mar-e-guerra em Greenwich aos treze anos e, nos sete anos ao serviço dele, ascendera de criada de copa à presente posição.

Depois disso, Lucas começou a procurar serviços para Greenwich, na esperança de voltar a vê-la, e rapidamente se lhe tornou claro, pela frequência com que ela aparecia no cais, que ela sentia o mesmo. Era uma rapariga refrescante e alegre que falava do seu emprego e do patrão com afecto e orgulho e se considerava extremamente feliz. Como Lucas ainda tinha de cumprir dois anos de aprendizagem com o pai antes de obter a sua própria licença de barqueiro, sabia que era uma loucura pensar sequer em namorar com uma rapariga, mas estava perdidamente apaixonado por ela e ela por ele.

Ambos corriam demasiados riscos — Nell podia ter sido despedida sem uma carta de recomendação se fosse apanhada a escapulir-se para se encontrar com ele à noite, só para passearem por Greenwich Park, e Lucas teria sido esfolado vivo pelo pai se este soubesse que ele deixava o barco sem vigilância quando devia estar a trabalhar. Mas estarem um com o outro, beijando-se e dando as mãos, fazia com que os riscos valessem a pena.

Fizeram amor pela primeira vez num domingo à tarde. O capitão-de-mar-e-guerra tinha partido para o campo com a mulher por alguns dias e Nell teve o dia inteiro de folga. Lucas levou-a rio acima para lhe mostrar Lavender Hill e aí, num campo com o doce perfume dos campos de alfazema a encher-lhes as narinas, não foram capazes de resistir mais.

Silas, o pai de Lucas, disse que o filho só podia estar louco quando ele o informou de que se queria casar. Tirando o facto de poucos homens trabalhadores perderem tempo com casamentos legais, disse que o filho era demasiado novo para se responsabilizar por uma mulher. Mas, quando conheceu Nell, o seu coração amoleceu, encantado com a sua decência, rosto bonito e voz doce. Talvez também tivesse entrevisto vantagens pessoais, pois vivia sozinho com o filho há cerca de cinco anos, desde a morte da mulher, e a sua própria saúde estava a deteriorar-se.

Começar a vida de casada em duas divisões em Aldgate, partilhadas com o novo sogro, não era o que Nell esperara, mas já trazia o filho de Lucas no ventre e era optimista e afectuosa por natureza. Fizeram planos para arranjar casa própria quando Lucas terminasse a sua aprendizagem.

Ela limpava as duas divisões, fez cortinas para as janelas, cozinhava, lavava e remendava as roupas dos três, e Silas observava com frequência, quando via cera virgem no soalho, que ela era a melhor dona de casa que já conhecera. Um ano depois de John nascer, chegou James e, apesar de a vida se ter tornado mais difícil porque Silas muitas vezes estava demasiado doente para trabalhar, eram muito felizes. Então, alguns meses depois de Lucas obter a sua licença de barqueiro, Silas morreu e Nell engravidou novamente.

Lucas vendeu o velho barco de Silas e escondeu o dinheiro numa caixa debaixo das tábuas do soalho. Trabalhava as horas todas que podia e todos os dias acrescentava um ou dois xelins ao pé-de-meia, tornando cada vez mais próxima a realização do sonho de ambos. Em breve, poderiam também vender o barco dele e comprar um novo, com pintura nova e elegante, que atrairia uma classe muito melhor de clientes e, finalmente, comprariam uma pequena casa, mais para o lado sul do rio, junto de Lavender Hill.

Foi um incêndio que destruiu os seus sonhos. No Inverno de 1823, um mês antes de o novo bebé estar para nascer, a casa de madeira em Aldgate, em que Lucas vivera toda a sua vida, ardeu até aos alicerces, juntamente com outras três adjacentes. Felizmente, Nell estava fora com os rapazes, então com quatro e três anos, e só morreu um velho que ficou preso no último andar, mas perderam tudo, a mobília, as camas e, o mais importante de tudo, as economias.

Talvez tenha sido o choque terrível que levou Nell a entrar prematuramente em trabalho de parto, mas tinham acabado de arranjar o quarto em Finders Court quando começou. A bebé não viveu mais do que algumas horas e Nell, deitada sobre um monte de palha, a sua única protecção contra o frio, chorou de desgosto.

Lucas fazia o que podia pela família, mas parecia-lhe que era esse o ponto em que o destino se virara contra eles. O Tamisa gelou e ele não tinha trabalho e os dois rapazes e Nell adoeceram. Mesmo para o final desse ano, quando Lucas já estava de novo a ganhar dinheiro, Nell não passava de uma sombra do que já fora, fatigada e desalentada, porque Finders Court era sujo e barulhento e estava superlotado. Só quando Matilda nasceu, no Outono de 1826, é que ela se recompôs e tentou transformar num lar o humilde quarto em que viviam. Lucas recordava-se de lhe prometer que haveria de arranjar maneira de comprar uma casa, mas nunca mais voltou a ganhar o suficiente para poupar.

Pouco antes de morrer, Nell implorou a Lucas que fizesse tudo para que Matilda aprendesse a ler e a escrever, para poder ter uma oportunidade de uma vida melhor. Olhando para o passado, Lucas concluiu que era a única promessa feita a Nell que fora capaz de cumprir.

Os lábios de Matilda na sua face arrancaram-no ao seu devaneio.

— Fizeste tudo o que podias por mim — disse ela suavemente. — E és um bom homem. As coisas hão-de melhorar, vais ver. Temos saúde e força.

Lucas saiu novamente para o rio quando terminou o jantar. Luke e George meteram-se na cama para se aquecerem e pediram a Matilda que lhes contasse uma história.

— Não sei se merecem — disse ela, embora sorrisse. Repousada depois do jantar, à luz fraca da vela, com a touca e o avental lavados e a secar para vestir de manhã, o seu coração estava cheio de amor. Eles eram dois pequenos patifes, mas, por outro lado, talvez tivessem de ser rijos e astutos para sobreviver. Não tinha ela própria aprendido em tenra idade a roubar algumas moedas a Peggie para garantir que havia comida na mesa?

— Conta-nos como seria se fosses rainha — disse George, os olhos já a fecharem-se de sono, o cabelo ruivo a reluzir à luz da vela como cenouras acabadas de lavar.

Matilda riu-se enquanto penteava o cabelo. George adorava histórias, e quanto mais fantasiosas, melhor. — Bem, eu seria uma rainha feliz — disse ela. As pessoas estavam sempre a comentar que a jovem rainha Vitória possuía um rosto desengraçado e triste. Ela achava muito estranho, pois afinal Vitória só tinha vinte e três anos e fora criada com tudo o que qualquer pessoa podia desejar. — Haveria de querer que toda a gente fosse feliz também, especialmente os pobres, e por isso gastaria montes de dinheiro a construir casas para eles, a arranjar-lhes bons empregos e a distribuir todos os dias carros cheios de comida. Todos os rapazinhos teriam um novo conjunto de roupa e todas as raparigas um vestido novo. Claro que se eu fosse rainha, vocês seriam príncipes e viveriam comigo no palácio e andariam numa carruagem puxada por cavalos negros.

— Nesse caso, não serias rainha — interrompeu Luke, com uma expressão de absoluto escárnio. — Seria eu o rei.

— É só faz-de-conta — repreendeu-o ela. — Nós, os Jennings, temos tantas hipóteses de ser realeza como o pai de encontrar uma barra de ouro no Tamisa.

O relógio da igreja acordou Matilda ao bater as quatro horas. Era muito tentador aninhar-se contra os irmãos e voltar a adormecer, mas, se o fizesse, as melhores flores estariam vendidas quando chegasse a Covent Garden. Saiu da cama e procurou a roupa às apalpadelas na escuridão. Não viu o pai, mas, pelo seu forte ressonar, sabia que ele estava em casa. Vestiu-se rapidamente, dois saiotes de flanela por cima da combinação, meias de lã e o vestido, e dirigiu-se em seguida à lareira para pegar no avental e na touca. Ainda estavam húmidos, mas secariam depressa assim que saísse para a rua. Foi às apalpadelas até ao armário para arrancar um pedaço do pão da noite anterior. Depois pegou no dinheiro que tinha amarrado num trapo e escondido de Luke e, apanhando finalmente as botas, a touca, o avental e o xaile, meteu-os no cesto e saiu silenciosamente do quarto.

Calçou as botas à porta, mas só penteou e entrançou o cabelo e acabou de se vestir depois de ter lavado a cara e as mãos na bomba do pátio. Pôs o xaile pelos ombros, cruzando-o sobre o peito e atando as pontas atrás das costas, e então, com o cesto pelo braço e o dinheiro no bolso, partiu para Covent Garden, mastigando o pão.

*

Às sete e meia, estava sentada com um grupo de outras vendedoras de flores nos degraus de St. Martin-in-the-Fields. Tinha comprado uma dúzia de ramos de violetas e outra dúzia de prímulas por dois xelins, papel por meio *penny* e, quanto ao fio, arranjara-o de graça ao pé das bancas; agora estava a separar as flores em pequenos ramos e a arranjar algumas folhas em volta. Conseguiu fazer trinta e seis raminhos, cada um a um *penny*, o que lhe daria um lucro de um xelim, na pior das hipóteses, e muitas vezes muito mais quando brilhava o sol e os cavalheiros lhe pagavam mais. Estava um dia de sol, derretendo a geada fina, e ela teve a certeza de que ia ser um dia proveitoso.

As outras raparigas eram, na maioria, muito mais novas do que Matilda, algumas só tinham nove ou dez anos. Muitas estavam descalças, todas mais rotas e sujas do que Matilda, e uma era aleijada, com uma perna muito mais curta do que a outra.

Como habitualmente, não havia grande conversa entre as raparigas, apenas um aceno com a cabeça e um sorriso quando chegava mais uma. Seis anos antes, quando Matilda começara a vender flores, achara este silêncio desconcertante, mas agora compreendia-o. Cada uma delas tinha uma história de desgraça a contar, mas eram todas tão semelhantes que ninguém as queria ouvir. Juntavam-se aqui todas as manhãs para retirar algum conforto da companhia das suas iguais; era o bastante. Por vezes, Matilda ajudava uma rapariga mais nova com os ramos de flores, recordando as suas próprias dificuldades iniciais para os apresentar bem, mas evitava qualquer envolvimento mais profundo. Ocasionalmente, reconhecia uma cara como sendo da irmã mais nova de alguma rapariga que conhecera anos antes, mas aprendera a nunca perguntar por ela. As vendedoras de flores tinham o hábito de se tornar prostitutas por volta dos catorze anos.

Às oito horas, Matilda dirigiu-se lentamente por Haymarket em direcção a Piccadilly. Achava esta zona de Londres interessante porque sofria grandes mudanças ao longo do dia. Agora, ao princípio da manhã, fervilhava com empregadas de balcão e homens de negócios que se apressavam para o trabalho, esquivando-se aos muitos varredores de rua e gente a vasculhar nos detritos. De tempos a tempos, tinha a sorte de vender alguns ramos a homens a esta hora do dia, mas no geral as pessoas circulavam com demasiada pressa para parar. Ao meio-dia, surgia uma classe diferente de pessoas, senhoras e cavalheiros que chegavam de carruagem e fiacre para almoçar e fazer compras. Havia também torrentes de raparigas jovens e bonitas, com esperança de chamar a atenção de um cavalheiro.

Até há alguns anos, Matilda admirara e invejara estas raparigas, recém-chegadas da província, com as suas roupas modernas, botas delicadas e chapéus de fitas decorados com flores, mas ficou chocada quando por fim descobriu na realidade que eram prostitutas. Agora sabia que dentro de poucos anos, a não ser que tivessem muita sorte, estas mesmas raparigas estariam numa situação muito pior do que a sua, cheias de doenças, prematuramente envelhecidas e obrigadas a procurar clientes nas docas ou nas vielas escuras e pestilentas de Seven Dials.

Ao fim da tarde, quando os teatros e as casas de diversão abriam, Haymarket era uma zona ainda mais animada e colorida. Senhoras com vestidos armados sumptuosos e jóias cintilantes, acompanhadas por senhores com chapéus de ópera e sobrecasacas, faziam a sua aparição para uma noite de lazer. Engolidores de espadas, acrobatas e malabaristas afluíam ao local e no ar pairavam os aromas das castanhas assadas, mariscos e doces. Havia música em todas as esquinas, o homem do realejo, cantores e músicos de rua, todos competindo entre si pelas moedas atiradas pelos ricos.

Todavia, Oxford Street, com as suas lojas elegantes, era um local melhor para vender flores e era o destino de Matilda hoje. Sabia que o sol atrairia as pessoas à rua para fazer compras e a visão de flores frescas primaveris levava até as donas de casa frugais a abrir os cordões à bolsa. Com sorte, o seu cesto estaria vazio às duas da tarde.

À uma hora, o radioso sorriso de Matilda já não era forçado e o seu pregão de «Violetas bem cheirosas, compre um raminho para a senhora, cavalheiro» era quase uma canção. Só lhe faltava vender quatro ramos e, em três ocasiões durante a manhã, houve homens que lhe deram seis *pence* sem esperar pelo troco. Pensou que daí a pouco poderia largar o serviço e ir à procura de um par de botas em Rosemary Lane, pois o buraco na sola das que usava agora estava tão grande que era quase como se andasse descalça.

As suas expectativas de que o sol chamaria as pessoas à rua foram plenamente cumpridas. Os passeios estavam a transbordar de pessoas que se acotovelavam, e as carruagens, cabriolés, seges e ómnibus puxados por cavalos largavam mais a todos os minutos. Estava, excepcionalmente, com calor, sentira-se mesmo tentada a desembaraçar-se do xaile e a guardá-lo no cesto. Podia estar cheia de fome e sede, mas tal era quase um prazer sabendo que tinha dinheiro suficiente no bolso do avental para comprar uma apetitosa empada de carne e um copo de cerveja de gengibre a caminho de casa.

Matilda estava precisamente a atravessar o passeio em direcção à rua para interceptar um senhor de idade, com uma mulher muito mais nova pelo braço, quando à sua esquerda, pelo canto do olho, viu uma rapariguinha a sair de uma loja, a caminhar deliberadamente em direcção à berma do passeio. Era uma menina bonita, de dois ou três anos, com cabelo escuro aos caracóis a saltitar por baixo do chapéu de fitas branco, com um vestido de folhos cor-de-rosa e pantalonas debruadas a renda. Matilda foi distraída do seu propósito inicial de vender flores ao cavalheiro puramente pela evidente alegria da criança perante a rua movimentada à sua frente. Tinha claramente escapado da mãe ou da ama sem que dessem conta.

Apesar da roupa comprida, a criança avançava rapidamente e, embora a multidão à volta dela fosse compacta, ninguém parecia ter-se apercebido da sua presença. Os instintos protectores de Matilda despertaram e ela começou a furar por entre as pessoas em direcção à criança. Mas, enquanto avançava, o som de cascos de cavalos e o tinido dos arreios fê-la virar a cabeça. Para sua consternação, uma carruagem puxada por quatro cavalos aproximava-se velozmente pela rua. Olhou de novo para a criança e viu que ela tinha alcançado a berma do passeio, mas estava a bater palmas de excitação pois também vira os cavalos aproximar-se. Era demasiado pequena para se aperceber do perigo e era mais do que certo que desceria para a rua.

Largando o cesto no chão, Matilda lançou um grito de aviso e precipitou-se em frente, afastando febrilmente as pessoas do caminho. A carruagem e os cavalos estavam agora tão perto que lhes sentia o cheiro e quase sentia o seu calor nas costas. Então, horrorizada, viu a menina descer para a rua, directamente no caminho deles.

A sua própria segurança não ocorreu sequer a Matilda. Saltou para a rua e agarrou na criança pela cintura. Ouviu um relinchar frenético atrás de si, mas o seu pensamento estava concentrado na menina. Sentiu uma pancada contra as costas, que a catapultou em frente, e atirou a criança para o passeio.

Um forte cheiro a amoníaco foi o que Matilda sentiu a seguir, e retraiu-se instintivamente.

— Consegues ouvir-me? — disse uma voz de homem junto dela. Ao recuperar os sentidos, deu por si caída no chão com um homem a amparar-lhe a cabeça e a segurar-lhe um frasco de sais contra as narinas. Momentaneamente confusa, pensou que ia desmaiar de fome e que a lembrança de correr em auxílio de uma criança havia sido como que um sonho.

— Claro que sim — respondeu. — E deixe de me meter isso pelo nariz acima.

Ouviu alguém a rir nas imediações e, de súbito, apercebeu-se de um grande ajuntamento de pessoas a olhar para ela. O homem que a amparava tinha cabelo preto encaracolado e uma volta de clérigo. Era demasiado novo para ser padre, com olhos lânguidos e escuros. — Como é que te chamas? — perguntou ele.

— Matilda Jennings — respondeu, esforçando-se para se sentar. — Estava aí uma menina?

— Sim, estava — disse ele. — Mas graças a ti agora está sã e salva com a mãe.

Foi um alívio saber que não fora imaginação sua. — A mãe devia ser açoitada por lhe ter largado assim a mão — disse ela, indignada. — Onde é que ela está? Vou-lhe dizer das boas.

As gargalhadas sonoras dos circunstantes enfureceram-na. — De que é que se estão a rir? — perguntou. — Não tem graça nenhuma! Aquela pequerrucha podia ter sido atropelada.

— Acho que estão a rir-se de alívio não só por não te teres magoado, mas por teres a frontalidade de dizeres o que pensas — disse o homem com um leve sorriso. — O que fizeste foi extraordinariamente corajoso. Vá, deixa-me ajudar-te a levantar.

Quando ele lhe pegou nas duas mãos para puxá-la para cima, Matilda encolheu-se com uma dor nas costas. Alguém na multidão gritou que ela precisava de um médico.

Matilda estava habituada a viver segundo os seus instintos. Não tinha qualquer escrúpulo em tiritar para conquistar compaixão num dia frio nem em postar-se diante de uma padaria a olhar cobiçosamente para o pão até lhe darem algum. Sabia instintivamente que esta era uma situação que podia usar em proveito próprio. — Ai, as minhas costas, as minhas costas — exclamou, fazendo um esgar exagerado de agonia e levando as mãos à cintura. — Dói que se farta! O que é que aconteceu?

Uma mulher aproximou-se de Matilda. Era anafada e tinha um ar bondoso, usando o tipo de vestido simples e chapéu de palha que sugeriam que era uma cozinheira ou uma governanta.

— O casco do cavalo apanhou-te no ombro — disse ela. — Rasgou-te o vestido e estás a sangrar muito. Precisas de o lavar. — Para espanto de Matilda, a mulher virou-se então para o padre com o frasco de sais e agitou-lhe o dedo, a cara redonda crispada de indignação. — O senhor e a sua mulher deviam tratar dela. Foi a sua filha que ela salvou, não foi?

Matilda olhou para o homem, chocada e surpreendida. Tinha presumido que ele não passava de um transeunte, levado pelo seu ofício a parar para ajudar. Mas os padres não se casavam nem tinham filhos!

Ele deve ter adivinhado o que lhe ia na cabeça, porque não só concordou que era o pai da criança como acrescentou que era um pastor da Igreja Anglicana. Matilda reparou também que ele estava a tremer e extremamente pálido. Mas qualquer piedade que sentisse por ele foi temperada pela possibilidade de uma recompensa. Fingiu vacilar, como quem está a ponto de desmaiar.

— Olhe para ela! — disse a mulher, agarrando no braço de Matilda. — A coitada apanhou um susto dos diabos. Podia ter morrido.

— Eu levo-a para a loja para ela se sentar — apressou-se o pastor a dizer e, antes que Matilda pudesse sequer pestanejar, pegou no cesto abandonado e começou a conduzi-la para uma loja de fazendas.

Na rua, Matilda não tinha medo de ninguém, nem sequer da polícia que frequentemente a mandava desandar durante o dia, mas ao ser levada para o interior da loja e ao ver o comprido balcão de mogno polido, os fardos de lãs e algodões e as pilhas de roupa de cama, perdeu a coragem. Os clientes, elegantemente vestidos, recuaram um passo, alarmados, os rostos dos empregados crisparam-se de reprovação. Ela sabia que para eles não passava de uma mendiga, ainda por cima infestada de vermes, provavelmente, e nunca uma pessoa que devesse ser levada para um estabelecimento fino.

O primeiro pensamento de Matilda foi fugir. Achava que o seu ferimento não passava de um arranhão, e mesmo a agradável perspectiva de uma chávena de chá e talvez um xelim de gratificação não compensavam a humilhação.

— Não posso entrar aqui, as pessoas não vão gostar — murmurou, mas, se ele a ouviu, ignorou o seu protesto e levou-a directamente para o fundo da loja, onde a mulher, flanqueada por duas empregadas de balcão, estava a soluçar ruidosamente, apertando a menina contra o peito, como que receosa de que alguém lha fosse arrancar.

O pastor largou o braço de Matilda e aproximou-se da mulher.

— Enxuga os olhos, querida Lily — disse ele, numa voz tranquilizadora. — A Tabitha está sã e salva e temos de pensar na pessoa corajosa que a salvou. — Virou a cabeça para Matilda e fez-lhe sinal para que avançasse. — Olha, ela está aqui. Magoou-se nas costas e acho que se encontra em estado de choque.

Matilda não sabia o que queria dizer «em estado de choque», até que a mulher passou a filha para os braços do marido e se levantou para abraçar Matilda. Não foi simplesmente um leve toque nos braços nem uma inclinação da face, mas um abraço impulsivo e apertado.

— Minha querida, não há palavras que possam exprimir a minha gratidão — murmurou, limpando a cara molhada com um lenço. — Só me apercebi de que a Tabitha tinha fugido quando ouvi um grito da rua. Corri como um relâmpago para a porta, a tempo de assistir ao que fizeste. Deves pensar que sou terrivelmente mal-educada e ingrata, mas limitei-me a tirar a minha filha dos braços da pessoa que a tinha apanhado e corri cá para dentro com ela. Não sei que hás-de pensar de mim.

Matilda estava de tal modo pasmada por uma verdadeira senhora ser capaz de explicar as suas acções e abraçar uma simples vendedora de flores que ficou sem fala. Lembrou-se de lhe terem dito que, quando Peggie foi atropelada pelos cavalos, o cocheiro só parou depois de dobrar a esquina. Mais tarde, tinha dito que não queria apoquentar as senhoras que transportava com a visão do sangue. Até o pai dissera que não esperava mais de gente fidalga.

Mas esta mulher não era exactamente uma fidalga; tinha uma voz doce e bons modos, mas o vestido e o chapéu eram simples e não usava jóias. Aliás, não tinha nada de extraordinário, era magra e franzina, com feições pequenas e angulosas e cabelo castanho baço por baixo do chapéu.

— Eu compreendo, minha senhora — disse Matilda sem jeito.

— Estava só preocupada com a pequenina. Espero não a ter magoado quando a agarrei com força.

A mulher olhou para a filha, que se contorcia nos braços do marido, e sorriu com afeição. — Não tem nada, e não faz ideia da confusão que arranjou. Mas deixa-me tratar de ti, querida. Temos de te dar um chá e ver esse ferimento.

Nos cinco ou dez minutos seguintes, Matilda sentiu-se como se tivesse acordado num mundo diferente. Meteram-lhe nas mãos uma chávena de chá muito doce; as mulheres na loja estavam a lançar-lhe olhares invejosos e o pastor estava a apresentar-se a si próprio e à mulher como se ela fosse alguém importante.

Era o reverendo Giles Milson, a mulher era Lily, e informou-a de que a filha Tabitha acabara de fazer dois anos. A igreja deles era St. Mark's em Primrose Hill e viviam no presbitério. Lily Milson, tentando examinar as costas de Matilda através do vestido rasgado, disse que ela tinha de acompanhá-los a casa de fiacre para poderem examinar devidamente a ferida e lavá-la.

Matilda ficou perturbada com o convite. Era do conhecimento comum que os padres só ofereciam caridade como um estratagema para passar à pessoa um sermão sobre as Escrituras. Rosemary Lane era um poiso favorito de missionários e evangelistas de rua, que se punham nas esquinas a discorrer sobre o fogo do Inferno e a danação. Tinha também ouvido dizer que as raparigas que iam ter com eles a pedir ajuda eram muitas vezes violadas. O que queria era que lhe dessem dois xelins e a mandassem à vida dela.

Contudo, uma vozinha interior sussurrava-lhe que talvez fosse boa ideia ir com esta gente. Pelo menos, podia ser que lhes arrancasse um bom jantar. Talvez até algumas peças de roupa velhas.

No fiacre, o habitual autodomínio de Matilda abandonou-a. Não sabia se era por ser a sua primeira viagem de fiacre, a pequena Tabitha sorrindo-lhe, encantadora, e estendendo a mão para ela, ou por causa das perguntas solícitas dos Milson sobre como se sentia. Mas, de repente, começou a chorar.

— Peço desculpa — estava sempre a repetir, tapando a cara com as mãos. — Não sei o que me deu.

Lily Milson ainda se sentia chorosa e em dívida para com esta rapariga por lhe ter salvado a filha, e o seu coração encheu-se de piedade dela. Enquanto as lágrimas corriam pelas faces da rapariga, iam-lhe lavando a sujidade e parecia a Lily que era uma maneira de Deus lhe mostrar que, se não fosse a lotaria do nascimento, também ela podia ter sido uma das desfavorecidas da sorte, em lugar de ir ali sentada numa carruagem, com roupa limpa e decente, um marido que a amava e uma filha adorada ao seu lado.

Lily nem sempre se sentira afortunada. Em Bristol, a filha do meio entre oito irmãos, nunca ninguém se interessara muito por ela. Era tímida e desengraçada, sem verdadeiros talentos. O pai, Elias Woodberry, era um mercador de lãs próspero e, embora desse grande importância aos cinco filhos, as filhas eram ignoradas e deixadas aos cuidados dos criados. Embora a mãe tivesse uma atitude distante em relação a todos os filhos, rapazes ou raparigas, parecia sentir uma verdadeira aversão por Lily, queixando-se de que ela não tinha ânimo, nem sequer boa figura.

Com vinte e cinco anos, ainda solteira e, na opinião dos pais, destinada ao celibato, Lily tornara-se um embaraço e era, assim, despachada por longos períodos para casa de vários parentes, como preceptora dos filhos, sem receber salário. Um destes parentes era o irmão mais novo do pai, um pastor pobre na vizinha Bath. Contudo, em lugar de ser um castigo ser mandada para lá, era um prazer — o tio Thomas era um homem bom, e a mulher, Martha, afectuosa e reconhecida por toda a ajuda que recebesse a tratar dos cinco filhos enérgicos. Foi numa das suas estadias lá que conheceu Giles, um novo cura na igreja do tio Thomas. Era três anos mais velho do que ela, igualmente sem fortuna pois era o mais novo de seis irmãos, mas assim que Lily olhou para os seus olhos escuros e melancólicos, apaixonou-se por ele. Ele era um autêntico humanista, que escolhera uma carreira na Igreja e não no Exército porque acreditava fervorosamente que a sua missão na vida devia ser ajudar os pobres e os necessitados.

Se Lily tivesse conhecido Giles em casa dos pais, duvidava que ele tivesse encontrado nela alguma coisa de atractivo, e muito menos que a amasse. Aí, ela era uma pessoa apagada, sem conversa nem opiniões, de quem desdenhavam. Mas em casa do tio Thomas ninguém a rebaixava, elogiavam o seu temperamento meigo, aplaudiam os seus conhecimentos sobre livros e amavam-na pelo prazer que ela sentia com os filhos deles. Ao cabo de vários meses de visitas, quando Giles lhe disse timidamente que estava a apaixonar-se por ela, ela respondeu que ele só vira o melhor dela naquela casa, e que talvez devesse vê-la em casa dos pais antes de fazer tais declarações. Ele riu-se e disse que a via como ela realmente era e que, de qualquer modo, achava que não ia simpatizar muito com os pais dela.

Foi o dia mais feliz da sua vida quando Giles a pediu em casamento. Ele frisou que tinha muito pouco para lhe oferecer, que mesmo quando lhe fosse atribuída a sua própria igreja nunca viveriam no luxo em que ela fora criada, que tudo o que podia dar-lhe era o seu amor. Era tudo quanto Lily desejava.

Pouco depois do casamento, que o pai dela organizou quase com indecorosa pressa, Giles foi enviado para Londres, para St. Mark's, em Primrose Hill, como cura do frágil reverendo Hooper, um viúvo de setenta anos. Com o falecimento do reverendo Hooper um ano mais tarde, Giles assumiu o cargo de pastor e ficaram com o presbitério só para si.

Lily descobriu que ser mulher de um pastor lhe dava poder. Visitar os doentes na paróquia, organizar a catequese para as crianças e persuadir os paroquianos mais abastados a doar dinheiro para causas beneméritas para ela não eram tarefas, mas uma felicidade que a preenchia. Ser finalmente senhora de si mesma, admirada pelas mesmas qualidades de que a família escarnecera e ter um marido apaixonado que a adorava era quase como um renascimento. Adorava Primrose Hill — sob muitos aspectos era como Bristol e Bath, com as suas belas casas estilo Regência — embora aqui gozasse de uma posição e até de uma certa autoridade. Subir ao alto da colina e admirar as vistas panorâmicas de Londres sobre Regent's Park era sempre uma alegria. Giles recordava-lhe com frequência, num tom incisivo, que logo à saída da paróquia havia zonas terríveis, onde duas e até três famílias viviam num só quarto, onde a esperança de vida raramente ultrapassava os trinta e cinco anos e mais de metade dos bebés morria na infância, mas como Lily não vira nada disto com os seus próprios olhos, não a perturbava.

O nascimento de Tabitha foi o momento de triunfo de Lily. Com trinta e um anos, após quatro anos de espera e de esperança, resignara-se a nunca ser mãe. Mas o medo tornou-se o companheiro indesejado da sua felicidade. De súbito, os relatos de Giles sobre mortalidade infantil, cólera, varicela e todas essas doenças monstruosas assumiram proporções aterradoras. Embora precisasse de ajuda, recusava-se a ter outras criadas além de Aggie, a governanta que haviam herdado do reverendo Hooper, com medo que trouxessem a pestilência para dentro de casa.

Mas agora, olhando para Matilda, à sua frente no fiacre, esforçando-se por se recompor, Lily compreendeu que a quase tragédia de hoje era um aviso para ela. Tinha havido muitas ocasiões no passado em que os esforços de cuidar sozinha de uma criança pequena cheia de vida a haviam deixado esgotada. Hoje apenas se distraíra por um momento, mas não foi preciso mais para Tabitha sair da loja e ir de encontro ao perigo. E como era irónico que, embora Oxford Street fervilhasse de mulheres como ela, a filha tivesse sido salva por alguém da classe que temia.

Profundamente envergonhada de si própria, Lily estendeu a mão e deu uma palmadinha no braço de Matilda. — O choque faz-nos chorar a todos — disse ela com ternura. — Mas hás-de sentir-te melhor quando comeres qualquer coisa e eu te lavar essa ferida.

Matilda já estivera em Primrose Hill a vender flores muitas vezes no passado, mas, ao apear-se de um fiacre, o aspecto e a sensação eram muito diferentes. As grandes casas com os seus degraus de mármore e latão brilhante nas portas de entrada sempre lhe haviam parecido ameaçadoras, mas agora tinham um ar acolhedor.

Por vezes, nos seus momentos mais corajosos, descera os degraus até às caves para tentar vender a sua mercadoria à cozinheira ou à governanta, e era quase sempre corrida com maus modos. Mas agora estava a ser convidada a entrar, e não pela porta de serviço, mas pela porta principal.

Não importava que fosse a casa mais pequena na praça, uma simples casa de dois pisos anexa ao adro da igreja. Era uma casa autêntica, a primeira onde alguma vez entrara.

A porta da rua foi aberta por uma mulher gorda e idosa com pêlos no queixo, usando um avental imaculadamente branco e uma touca com folhos, mas o seu sorriso radioso extinguiu-se assim que viu Matilda com os patrões.

— Esta é a Matilda Jennings, Aggie — disse Giles, mandando-a entrar à frente. — Salvou a vida da Tabitha esta manhã e, como se magoou, trouxemo-la para casa. Sei que és uma excelente enfermeira, talvez possas examinar o ferimento e dar-lhe uma refeição.

— Sim — respondeu a mulher, embora a sua expressão rígida permanecesse imperturbável. — Mas o almoço está pronto há meia hora, à espera para ser servido.

Lily passou à frente da velha com Tabitha ao colo. — Eu posso servir o almoço — disse ela num tom indiferente. — Trata da rapariga.

Talvez tivesse sido providencial o facto de Matilda ter ficado sem fala ao entrar na cozinha, porque a expressão reprovadora de Aggie podia bem tê-la levado a dizer alguma insolência.

Era ampla e luminosa, cheia de luz do sol, a cozinha mais limpa que alguma vez vira. Uma grande mesa bem lavada encontrava-se ao centro e, em lugar de uma lareira aberta para cozinhar, havia um aparelho equipado com portas. Matilda vira anúncios a estas coisas e sabia que se chamava «fogão», mas nunca tinha visto nenhum. Um aparador estava repleto de loiça delicada, prateleiras decoradas com um folho de quadrados vermelhos e brancos e até os tachos tinham um aspecto bonito, pendurados em ganchos.

— Que aconteceu então a Miss Tabitha? — Aggie quase lhe cuspia, assim que fechou a porta atrás delas. — E não quero mentiras. O reverendo pode ser fácil de enganar. Mas eu não sou.

Matilda não ficou surpreendida com esta reacção. As cozinheiras e as governantas eram conhecidas por protegerem os patrões. O mais sucintamente possível, explicou o que se tinha passado.

Aggie deixou-se cair numa cadeira com um ar de espanto. — Saltaste à frente de um cavalo a galope?

Não era tanto a galope como a trote rápido, mas como eram quatro cavalos, Matilda acenou com a cabeça.

O rosto de Aggie suavizou-se e ela levou a ponta do avental aos olhos, desvanecida a hostilidade. — Esta agora — exclamou. — Foste muito corajosa. Não admira que a senhora te tenha trazido para casa. É melhor tratarmos dessas feridas.

O cheiro a carne e a molho pairando na cozinha era tão tentador que Matilda se sentiu tentada a pedir para comer primeiro, mas não teve coragem. Virou-se ao contrário para a velha poder examinar-lhe as costas.

Aggie emitiu ruídos de apreensão, mas tocou ao de leve na ferida. — Tens o vestido colado e também não está muito limpo. Acho que precisas de um banho, rapariga.

Algum tempo depois, quando Matilda foi finalmente autorizada a sentar-se à mesa com um prato de guisado de borrego e legumes diante de si, pensou por um momento se estaria a sonhar. Estaria mesmo a comer esta refeição substancial? Tinha mesmo tomado um banho a sério? O vestido cinzento lavado com que agora estava seria mesmo para ela?

Era uma casa de milagres, disso tinha a certeza. Aggie tirara do fogão uma tarte de fruta, perfeita e dourada como se via nas padarias. Na copa, ao lado de um lava-loiça, havia um grande tanque com um fogo por baixo, a que Aggie chamou a caldeira; tinha aberto uma torneira e recolhido água quente num balde para encher uma banheira de metal. Matilda ficou chocada ao descobrir que devia despir-se completamente e entrar lá para dentro. Para ela, um banho era simplesmente uma lavagem geral, quando os irmãos e o pai não estavam, e lavava o cabelo debaixo da bomba no pátio.

Aggie tinha supervisionado todo o banho e lavara-lhe o cabelo. Emitira alguns ruídos de desagrado perante a ferida no ombro dela, dizendo que esperava que não deixasse uma cicatriz. Matilda achou estranho que alguém se preocupasse com uma cicatriz nas suas costas, não ia andar por aí com vestidos decotados como as senhoras finas.

Mas como se não bastasse lavar-se com sabonete a sério, depois de se secar e de lhe ser aplicado unguento nas costas, Aggie voltou à copa com uma braçada de roupas velhas de Lily para ela, não apenas um vestido, mas uma combinação de algodão, dois saiotes de flanela, um par de meias e botas. Havia até um par de culotes, uma coisa que Matilda nunca vestira antes. As botas estavam um pouco grandes, mas não fazia mal porque eram confortáveis e não estavam esburacadas.

Sentiu-se como uma senhora. Lavada, cheirosa e bonita.

Aggie olhou por cima do ombro para a rapariga que comia o almoço e retraiu-se ao ver que ela apenas usava a faca e empurrava a comida para cima dela com os dedos. Mas estava limpinha, o cabelo a brilhar depois de lavado, caindo-lhe solto pelos ombros. Era uma moça bonita, com um sorriso doce e bons modos. Aggie não lhe tinha visto piolhos, procurara bem.

Aggie era governanta no presbitério há dezoito anos. O reverendo Hooper tinha-a contratado quando ela ficara viúva com quatro filhos pequenos. Nesse tempo, as crianças iam trabalhar com ela, sentando-se ali na cozinha ou brincando no jardim enquanto ela limpava, lavava e cozinhava para o velho. Quando os Milson chegaram, quase sete anos antes, não simpatizara nada com eles. Estava habituada a fazer tudo à sua maneira; de facto, habituara-se a considerar o presbitério como a sua própria casa. Mas Lily Milson alterou tudo isso. De repente, era «Quero uma limpeza a fundo nessa sala», «Isto aqui precisa de um bom polimento» e «Não gosto disto ou daquilo cozinhado assim». Estava sempre enfiada na cozinha, a meter o nariz em tudo. Mas Aggie acabara por se afeiçoar a ela ao ver a ternura com que a mulher tratava do reverendo Hooper quando ele adoeceu.

Agora Aggie admitia que Lily se tinha revelado uma mulher quase perfeita para um pastor. Apoiava incondicionalmente o trabalho do marido na paróquia, mostrando bondade e compreensão para com os necessitados. Ninguém melhor do que ela aplacava as tempestades. Tinha uma paciência infinita para com os paroquianos ricos e complicados, que julgavam que o pastor era propriedade exclusiva deles, e esforçava-se incansavelmente para tornar o presbitério num lugar mais confortável e convidativo. Desde que chegara, confeccionara cortinas novas, capas para cadeiras velhas e ensinara Aggie a preparar novos pratos. Não se podia desperdiçar nada, nem uma côdea de pão ou sobras de comida. Se houvesse a mais pequena nódoa na sobrepeliz do marido, era preciso fervê-la, engomá-la e bruni-la novamente. Tudo tinha de brilhar, fosse o chão, a mobília, os vidros ou as pratas. Para ela, o lixo era o Diabo.

No entanto, algo mudara desde o nascimento de Tabitha. Apesar de verdadeiramente feliz com a criança há muito aguardada, parecia também perturbada e receosa. Era capaz de mudar como o tempo, um dia bondosa e atenciosa para com todos, no dia seguinte, uma megera. Ora elogiava Aggie pelos cozinhados, ora achava tudo mal. Mas o pior eram os seus medos absurdos de doenças — parecia achar a menina tão frágil que até uma mosca comum podia matá-la!

Quando Aggie pensava no que os filhos haviam sido obrigados a enfrentar em pequenos, fome, frio, ratazanas a trepar para cima deles enquanto dormiam, deixados por sua conta quando ela tentava arranjar trabalho para impedir que tivessem de ir parar ao hospício! E, contudo, haviam crescido saudáveis, agora independentes, um na Marinha, outro na Austrália e as duas raparigas casadas com casa própria. A seu ver, Tabitha era excessivamente protegida, cumulada de atenções de manhã à noite, o que era muito mais malsão do que umas partículas de sujidade.

— O reverendo e Mrs. Milson querem falar contigo quando acabares — disse Aggie, passando à rapariga uma fatia de tarte de groselha. Tinha vontade de pedir desculpa por ter sido tão fria a princípio;

se havia alguém que não tinha o direito de ser assim com uma pessoa pobre era ela. Mas Aggie não era mulher para se retractar. Além disso, não ia voltar a ver a rapariga e tinha de pensar na sua posição.
— Por isso, tem cuidado com as maneiras e não te ponhas a tratá-la por «patroa», é senhora e senhor!

Matilda não sabia muito bem o que queria dizer «maneiras». Era simplesmente dizer «por favor» e «obrigada»? Ou era mais do que isso? Enquanto percorria o corredor estreito para o salão na frente da casa, à porta do qual Aggie disse que ela devia bater e esperar que a mandassem entrar, perguntou-se se devia fazer uma vénia ou se as vénias eram só para os verdadeiros fidalgos?

Achava esta casa esplêndida. Pairava no ar um agradável aroma a alfazema e tudo brilhava, desde os corrimões ao soalho sob os seus pés. Mas não achava muita graça aos quadros, eram todos escuros e sombrios, sobretudo um comprido e estreito de um grupo de homens sentados a uma mesa, todos a olhar para um homem ao centro com uns raios à volta da cabeça. Se alguma vez viesse a ter dinheiro para morar numa casa assim, haveria de ter quadros colo ridos de cenas felizes.

— Entra! — disse Giles Milson em resposta à sua pancada hesitante.

A primeira coisa que chamou a atenção de Matilda na sala de estar foi o calor que se fazia sentir, o fogo ardendo como se estivessem no pico do Inverno. As paredes também eram de um tom forte de vermelho-escuro, o que aumentava a sensação de calor, e a mobília era tanta que não via mais do que um ou dois passos de soalho.

O pastor estava sentado numa cadeira de espaldar alto, de um lado da lareira, e a mulher do outro numa cadeira mais baixa. Matilda supôs que Tabitha fora levada para cima para descansar.

Os dois olharam para ela por um momento antes de falar e depois Lily desculpou-se. — Peço desculpa, Matilda, mas estás muito diferente com o cabelo solto. E que cor bonita que tem!

Matilda só foi capaz de corar e baixar os olhos para o chão. Agora só queria reaver o seu cesto e ir para casa. Esperava que não se preparassem para lhe passar um sermão a dizer que devia ir à missa antes de a deixarem partir.

Giles estava tão surpreendido com a nova aparência da rapariga que ficou sem fala. No fundo, para além do seu reconhecimento para com ela, não tinha registado bem o rosto da jovem que havia reanimado com sais. Mesmo durante a viagem de fiacre para casa, a única coisa que observara nela foram os olhos de um azul de verónica e as mãos entranhadas de sujidade. No entanto, a rapariga à sua frente tinha mais em comum com as filhas das suas paroquianas do que com uma vagabunda de um bairro degradado. A sua pele era rosada e branca, o bonito cabelo dourado brilhava como milho maduro e usava o velho vestido da mulher com mais elegância do que Lily alguma vez lhe conferira.

— Como estão as tuas costas, Matilda? — conseguiu articular.

— Um mimo, senhor — respondeu ela; não tinha coragem para continuar a fingir que estava gravemente ferida. — A roupa que me deram é muito bonita e o almoço também estava muito bom.

Giles ficou impressionado com a sua franqueza reconhecida e a maneira como ela o olhava frontalmente ao responder. Uma ideia que germinara no seu espírito durante o almoço de repente pareceu muito menos absurda.

— Senta-te — disse ele, indicando uma cadeira entre ele e a mulher. — Eu e Mrs. Milson queremos saber um pouco mais sobre ti. Talvez possas começar por nos dizer onde vives e quem é a tua família.

Matilda protestou interiormente, convencida de que não passava de um pretexto para chegar ao esperado sermão sobre Deus. Mas, como estava com roupa que lhe tinham dado e de barriga cheia, parecia um pequeno preço a pagar por lhes contar tudo o que queriam saber.

Lançou-se num breve relato sobre a família, incluindo a morte de Peggie, que admitiu ter-se devido à embriaguez dela, frisando imediatamente que o pai não bebia e que desejava arranjar uma casa melhor para ela e para os irmãos.

Lily perguntou há quanto tempo ela vendia flores e pareceu chocada ao saber que tinha começado aos dez anos.

— Não é uma idade assim tão jovem — disse Matilda com seriedade. — Todos os dias vejo raparigas com cinco e seis anos. Mas eu andei na escola. O meu pai queria que eu soubesse ler e escrever para ter melhores oportunidades.

Estas palavras suscitaram um leve arquejo e Lily abriu muito os olhos, surpreendida. — Sabes ler e escrever? — perguntou.

— E somar — disse Matilda com orgulho. — Mas o que gosto mais é de ler quando consigo deitar as mãos a um livro.

Pensou no que teria dito de errado quando o casal se entreolhou.

— Também gosto de flores — acrescentou defensivamente. — No Inverno, custa que se farta levantar às quatro horas para ir para o mercado, mas digo comigo mesma que pelo menos é trabalho limpo, não é como andar a vasculhar nos contentores do lixo durante o dia todo.

A senhora ergueu as sobrancelhas. — A vasculhar no lixo? — repetiu. — Há pessoas que fazem isso?

Matilda teve vontade de sorrir. Tinha-se esquecido que este tipo de pessoas não sabia nada sobre o lado tenebroso de Londres. — Vasculham o lixo à procura de coisas para vender — explicou. — Ossos, metal. Às vezes têm sorte e encontram objectos de valor que as pessoas deitaram fora por engano. Depois o pó que fica serve para fazer tijolos.

— Intrigante — respondeu Lily, mas levou um lenço ao nariz quase como para se proteger contra o cheiro imaginado num lugar daqueles. — Não fazia ideia.

Giles aclarou a garganta. — Que tipo de trabalho gostarias realmente de fazer, Matilda? Se pudesses escolher, digo eu? — perguntou ele, lançando-lhe um olhar penetrante.

Matilda já ouvira muitas histórias de raparigas que haviam sido aliciadas a sair de casa, para longe das famílias, com promessas de empregos melhores, e nunca mais tinham sido vistas. Constava que estas raparigas eram vendidas no estrangeiro como escravas brancas. Ocorreu-lhe que devia ter muito cuidado, não fosse ser isso que estes dois tinham em mente. Era um pouco estranho que a tivessem levado a casa deles e quisessem tanta informação.

— Fino, fino era ser rainha — disse ela, na brincadeira, para esconder o seu súbito nervosismo.

Giles sorriu. Achava esta rapariga intrigante; deveria estar retraída ou então ser suficientemente astuta para lhes exigir alguma coisa. Mas, tirando uma certa desconfiança no olhar ao responder às perguntas deles, parecia inocentemente à vontade.

— Gostava de trabalhar numa loja ou ser criada — apressou-se Matilda a acrescentar. — Mas imagino que ninguém me contratava. Não tenho bom aspecto nem falo bem, pois não?

Esta pergunta ficou sem resposta. Giles limitou-se a olhar para a mulher e levantou as sobrancelhas. Ela pensou que era um gesto de aquiescência.

A verdade era que, antes de chamarem Matilda, os Milson tinham estado a discutir de que modo deviam recompensar a rapariga. Na opinião de Lily, um xelim, alguns artigos de mercearia e as roupas que já lhe haviam dado eram suficientes. Giles tinha frisado que isso não ia durar e sugeriu que pedissem a um dos seus paroquianos mais abastados que a contratasse como criada de copa ou talvez que lhe arranjassem um lugar na grande lavandaria de Camden Town. Mas agora, confrontados com a sua aparência limpa e asseada, a inteligência do seu rosto, a frontalidade das suas respostas e a descoberta de que sabia ler e escrever, parecia a Giles que ela fora enviada por Deus para ser ama de Tabitha.

Giles sabia perfeitamente que estava a ser impulsivo e que devia consultar a mulher antes de falar. Mas sabia também que, se o fizesse, ela colocaria uma centena de objecções diferentes. Mesmo que conseguisse convencê-la a considerar seriamente a hipótese, durante o período interveniente, Matilda voltaria a vender flores e provavelmente perdê-la-iam para sempre.

Abandonando quaisquer reticências, Giles decidiu agir por sua própria iniciativa. Lily provavelmente castigá-lo-ia por isso mais tarde, com um dos seus prolongados e frios amuos, mas disse a si mesmo que o fim justificava os meios, pois Lily precisava de ajuda com Tabitha e depressa.

— Gostavas de trabalhar aqui, Matilda, como ama da Tabitha? — disse, num impulso. — Mrs. Milson tem andado sob uma grande pressão com as suas obrigações de mãe e de mulher de um pastor. Creio que serias ideal para nós.

— Se gostava de trabalhar aqui? — Matilda, num momento de descontrolo, levantou-se de um salto. — Era o que mais gostaria no mundo!

— Alguma vez foste à igreja ou leste as Escrituras? — perguntou Lily num tom rígido. Pessoalmente, agradava-lhe o aspecto da rapariga e estava-lhe tão grata por ela ter salvado Tabitha que achava que ela devia ser recompensada, mas ficou profundamente chocada com a impetuosidade do marido. Uma mulher não podia, porém, falar em público contra o marido. Teria de esperar até estarem a sós para o repreender.

— Nunca tive tempo nem roupa apropriada para ir à igreja — disse Matilda com um sorriso radioso. — Pelo menos, desde que a minha mãe morreu. Mas aprendi a ler pela Bíblia de Miss Agnew. Gostei da história de David e Golias.

Lily franziu os lábios em sinal de reprovação. Não lhe agradava que se visse a Bíblia à mesma luz de um folhetim de cordel. — Claro que se vieres trabalhar para aqui como ama, temos de te ensinar as Escrituras — disse ela num tom amargo.

A brusquidão do tom da mulher esfriou a excitação de Matilda. Percebeu imediatamente que a proposta era apenas do pastor e não da mulher e, embora desejasse trabalhar ali tão desesperadamente que seria capaz de vender a alma, sabia que sem a aprovação de Lily seria posta na rua ao primeiro erro que cometesse.

— Tenho de falar primeiro com o meu pai — disse ela, após um momento de reflexão. — É que, se eu não estiver lá, quem olha pelos rapazes?

Giles adivinhou a verdadeira causa da sua reticência e essa sensibilidade levou-o a gostar ainda mais da rapariga.

— Claro que deves falar com o teu pai — disse ele, lançando um olhar de aviso à mulher. — Tal como eu e a minha mulher temos de estar em perfeita concordância. E se viesses novamente falar connosco no domingo à tarde, às três horas? Talvez o teu pai possa acompanhar-te também. Então, se todas as partes chegarem a acordo, podes começar.

Matilda sabia que só tinha um ou dois segundos para convencer Lily com os seus encantos. Virou-se para a mulher e lançou-lhe o seu sorriso mais cativante. — Eu sei que não tenho bom aspecto nem falo como uma ama. Mas pode estar sempre descansada comigo a olhar pela sua menina. Tenho olhos nas costas quando se trata dos pequeninos. E sou capaz de aprender a maneira como faz as coisas, minha senhora, muito depressa.

— Sim, não tenho dúvida disso, Matilda. — Lily, por sua vez, esboçou um sorrisinho forçado. — Até domingo, então.

CAPÍTULO 2

Lucas ouviu o relato de Matilda dos acontecimentos dramáticos do dia com um sorriso hesitante. O lado divertido da história devia-se unicamente às apuradas observações dela na loja de fazendas e no presbitério. Tinha perfeita consciência de que a filha podia ter ficado estropiada para toda a vida pelos cavalos, mas o sorriso era uma forma de esconder os seus verdadeiros sentimentos.

— Mas como é que posso ir trabalhar para casa deles, pai? — suspirou ela, chegando ao fim da história. Pousou os cotovelos na mesa, apoiando, fatigada, a cabeça nas mãos, e olhou para ele com uma expressão suplicante. — E os rapazes?

Lucas respirou fundo antes de responder. Era amargamente irónico que a sorte tivesse subitamente bafejado Matilda num dia em que ele estivera a reflectir sobre como deixara ficar mal os filhos todos. Não era tanto o facto de já não ser capaz de prover a mais do que às suas necessidades básicas, havia famílias com muito mais dificuldades do que eles. Era mais a vergonha pelo que se tornara nos últimos anos.

Noutro tempo era tão bondoso e generoso como ela, preocupara-se com as pessoas, os amigos, os passageiros e os vizinhos. Mas, a dada altura, tornara-se azedo e insensível — seria de admirar que os dois filhos mais novos estivessem rapidamente a transformar-se num par de patifezinhos? Não se recordava da última vez que os levara a passear no rio ou verificara como estavam a sair-se nas aulas. Era um desastre como pai.

Por causa disto, viera mais cedo para casa hoje. A sua intenção era levar os três a passear, comprar um chapéu novo para Matilda e camisas e calções para os rapazes e, mais tarde, levá-los no barco a Vauxhall Gardens para uma surpresa.

Mas Matilda estava toda aperaltada como a criada de uma senhora, com uma proposta de emprego. Os rapazes andavam na rua e não tinham sido vistos todo o dia.

— Não te aflijas com os rapazes — disse ele cautelosamente. Imaginou que andariam por aí a fazer malandrices e que se preparavam para só chegar quando ele voltasse a sair novamente à noite. — Eles são um problema meu e não teu. Se esse pastor e a mulher forem pessoas decentes, deves aceitar.

— Mas vou ter saudades tuas, pai — disse ela, os olhos enchendo-se-lhe de lágrimas.

Lucas sentiu-se comovido. Matilda era a única coisa boa na sua vida, a memória viva da mãe e da felicidade que partilhara com ela. Sem Matilda à sua espera todos os dias, sentia-se sem um propósito na vida, sem uma razão para continuar a perseverar. Mas sabia que seria egoísmo da sua parte amarrá-la ali, só devia pensar no seu futuro e felicidade.

— E eu também vou ter saudades tuas — disse ele, conseguindo sorrir. — Mas prefiro ter saudades tuas a ver-te a palmilhar as ruas diariamente a vender flores.

Matilda lançou-se nos braços dele e desatou a soluçar.

Lucas desejou ser capaz de exprimir por palavras as suas emoções. Amava os filhos todos. Quando eram bebés, dera-lhes de comer, dera-lhes banho, ficara acordado à noite quando estavam doentes. Embora John e James já se tivessem ido embora e o mais provável fosse nunca mais voltar a vê-los, continuavam a ocupar um lugar no seu coração. No entanto, o que sentia por Matilda era diferente. Não compreendia por que razão sentia tanto medo por ela mas não pelos rapazes. Só a ideia de ela ser maltratada por algum bruto revolvia-lhe o estômago. Londres estava cheia de perigos — as tabernas, os espectáculos rascas, proxenetas à procura de raparigas bonitas para corromper, os jovens cavalheiros a rondar as ruas à procura de inocentes para seduzir. Mas como podia avisá-la destes perigos sem conspurcar o seu espírito?

— A tua mãe havia de querer que aceitasses este emprego —

murmurou junto do cabelo dela. O cheiro dela a lavado trouxe à sua mente a recordação dolorosa de Nell. – Teria muito orgulho em ti.

Matilda deixou-se estar no conforto do seu abraço, sentindo o conflito que o consumia e amando-o ainda mais pela sua força. – Vens comigo no domingo? – sussurrou.

– Claro que vou – respondeu ele também num sussurro. – Vou engraxar as botas e pôr uma camisa lavada. E se não gostar do aspecto deles, trago-te logo para casa.

No domingo de manhã, Matilda acordou com o som dos sinos da igreja. Na noite anterior fora-se deitar a transbordar de felicidade por ser provavelmente a última que passava em Finders Court. Mas agora, ao ver um raio de sol, cheio de partículas de pó, bater nos pés da cama, sabendo que o via pela última vez, sentiu-se de súbito muito assustada, já sem saber se quereria ser contratada pelos Milson.

Para eles, podia não passar de uma humilde vendedora de flores, mas aqui era tratada com respeito. O facto de não ser analfabeta conferia-lhe uma posição à parte, as pessoas recorriam muitas vezes a ela para lhes ler ou escrever alguma coisa e isso enchia-a de orgulho. Também aqui havia sempre alguém a quem recorrer em momentos difíceis, havia vizinhos que recordavam a mãe com afecto e respeitavam o pai. A quem recorreria em Primrose Hill?

Deitada na cama, ficou à escuta do som dos irmãos e do pai a respirar e lembrou a si mesma que esta noite dormiria sozinha, num quarto onde ratazanas, ratos, bichos e piolhos jamais ousariam entrar. Doravante nunca mais teria de usar a latrina malcheirosa no pátio, tinha visto a dos Milson e era limpa e cheirosa, como a cozinha deles. Nunca mais passaria fome, nem usaria botas esburacadas nem passaria horas em pé, em ruas geladas, até as mãos e os pés ficarem entorpecidos. Talvez Mrs. Milson fosse severa com ela enquanto não aprendesse a fazer as coisas como ela gostava e não lhe agradava muito a ideia de ser obrigada a rezar e a estudar as Escrituras, mas não podia ser pior do que levantar-se às quatro da manhã para ir para Covent Garden.

Ao meio-dia e meia, Matilda estava pronta para partir. Tinha muito pouco para levar consigo, uma combinação e um saiote a mais, embrulhados no avental, e dois xelins no bolso. Preparara um tacho de papas de aveia para todos e fritara *bacon*, mas mal conseguiu comer com o nó que tinha na garganta. Lavou os pratos e o tacho de papas de aveia, fez as camas e varreu o chão. O seu cesto de flores vazio encontrava-se silenciosamente no canto a censurá-la.

Luke e George estavam sentados no banco, observando atentamente o pai a barbear-se. Usavam os dois as camisas e os calções novos que ele lhes tinha comprado em Rosemary Lane na tarde do dia anterior. As roupas podiam ser usadas, mas estavam lavadas e não tinham remendos e, desta vez, os rapazes estavam com um ar decente, se bem que não fossem continuar assim por muito tempo.

— Só queria que pudessem vir ver onde vou trabalhar — disse-lhes ela, despenteando-lhes afectuosamente o cabelo. — O presbitério é muito bonito, asseado e cheio de luz. Se o vissem, talvez percebessem porque é que estou sempre a insistir convosco para não faltarem às aulas; os Milson não me quereriam lá se eu não soubesse ler e escrever.

Os dois rapazes estavam invulgarmente calados e tinham-se mostrado prestáveis esta manhã. Luke fora buscar água e até despejara o balde dos dejectos, a primeira vez que ela se recordava de ele o fazer sem ser mandado. George tinha engraxado as botas do pai.

— Vens-nos visitar? — perguntou Luke, numa voz surpreendentemente trémula.

— Claro que venho — prometeu ela. — Sempre que puder.

— Vou ter saudades das tuas histórias — disse George, os olhos marejados de lágrimas.

Matilda ficou demasiado comovida para responder, não estava à espera que os rapazes manifestassem tristeza com a sua partida. Virou-se para se ver no pedaço de espelho partido na prateleira do fogão e atou as fitas do novo chapéu que o pai lhe comprara no dia anterior, debatendo-se para se controlar.

Lucas vestiu o casaco e sacudiu-o. A atmosfera na sala era tão pesada como se alguém tivesse morrido. — É melhor irmos indo. É uma longa caminhada — disse ele. Depois, virando-se para os rapazes, agitou-lhes um dedo admoestador. — Não façam asneiras. Quero-vos aqui às cinco horas com o fogo aceso, senão não há jantar.

— Prometam-me que vão à escola e que não se metem em sarilhos — pediu Matilda aos rapazes, baixando-se para os abraçar e beijar.

— Prometemos — respondeu Luke, agarrando-se a ela como uma lapa.

Enquanto descia as escadas, ouvindo George a chorar atrás dela, Matilda sentiu o coração partir-se. Sabia que dali a meia hora andariam na rua com os outros rapazinhos e que nunca cumpririam a sua promessa a respeito das aulas ou de não se meterem em sarilhos. Com tristeza, suspeitava que dentro de uma ou duas semanas o pai chegaria a casa e, encontrando uma sala vazia e suja, perderia a força de vontade para obrigar os filhos a voltar para casa. Quanto tempo passaria até ele começar a parar numa taberna a caminho de casa, achando preferível as más companhias e a bebida a ter de enfrentar um quarto vazio e solitário?

Pai e filha praticamente não falaram enquanto percorriam cautelosamente o labirinto de vielas estreitas e malcheirosas em direcção a King's Cross. Nesta zona, o domingo não era muito diferente de qualquer outro dia. As lojas e o comércio podiam estar fechados, mas não reinava o silêncio respeitoso que se abatia sobre o resto de Londres nem se viam as pessoas com a sua melhor roupa para assinalar o dia. Vendedores de frutas e legumes apregoavam os seus produtos com vozes estridentes, o homem do realejo e os músicos de rua competiam, crianças andrajosas brincavam no lixo e as mulheres gritavam umas com as outras das janelas superiores das casas. Sabendo que estava a deixar tudo isto para trás, os pensamentos de Matilda oscilavam entre a exultação e a mágoa. Era feio. Tão horrível, cruel e barulhento que não compreendia por que razão sentia a mais leve pena em afastar-se. Mas estas ruas e vielas, por mais sórdidas e lúgubres que fossem, eram a sua casa, aqui possuía uma identidade clara e sabia o que se esperava dela. Em Primrose Hill, seria uma estrangeira ignorante. Quase desejou que os Milson tivessem mudado de ideias.

Lucas estava a esforçar-se para não comparar esta caminhada aos últimos passos para a forca. Mas era a sensação que experimentava. Era certo que teria a liberdade de voltar pelo mesmo caminho nessa tarde, ainda tinha os filhos e um ganha-pão, mas a filha seria arrancada à sua vida no momento em que se despedisse dela. Tinha de ser assim, tudo ou nada, para que Matilda tivesse uma vida melhor. Esperava ser suficientemente corajoso para deixá-la ir, não vacilar no último beijo. Havia arrasado a vida de Nell, não ia fazer o mesmo à sua Matty.

Mas, enquanto atravessavam Camden Town em direcção a Regent's Park e o ar se ia tornando mais puro, os ânimos de ambos levantaram-se à vista das casas bonitas, das belas vivendas e das árvores floridas. Estavam lá famílias inteiras a apanhar sol, mães com chapéus decorados com fitas pelo braço dos maridos, os filhos trajando as melhores roupas de domingo e caminhando, sossegados, à frente dos pais para uma tarde no parque. Na rua passavam carruagens e seges num andamento vagaroso, senhoras vestidas de seda e cetim sentavam-se debaixo de sombrinhas, os companheiros de cartola e colarinhos revirados.

— Há muitos anos que não vinha para estes lados — disse Lucas pensativamente, pegando na mão de Matilda e enfiando-a no seu braço como um cavalheiro. — Eu e a tua mãe vínhamos para aqui às vezes quando nos casámos. Ela gostava de admirar as casas elegantes e a moda das senhoras. Fazíamos de conta que tínhamos uma casinha ao pé do parque.

Matilda olhou de esguelha para o pai. Momentos antes, estivera com um ar terrivelmente sombrio, o seu rosto curtido marcado por rugas profundas. Continuava sem sorrir, e o seu tom de voz era áspero, mas havia uma expressão mais suave na sua cara e olhava em volta tão avidamente como ela.

— Soubeste imediatamente que a amavas? — perguntou ela. Intrigavam-na os mecanismos do namoro, do amor e do romance. Desde tenra idade, em Finders Court, tinha assistido a mais brutalidade entre homens e mulheres do que amor e ternura. Ouvira outras vendedoras de flores dizer que os homens só eram agradáveis até «conseguirem aquilo». No entanto, os poucos livros que lera afirmavam que o amor era belo e sempre acreditara que era o que os pais sentiam um pelo outro.

— Devo ter sabido — disse ele, soltando uma gargalhadinha envergonhada. — Pelo menos, sabia que estava desejoso de a ver outra vez. Dava cabo dos braços a remar até Greenwich, onde ela trabalhava. Para mim, não havia outra rapariga.

— Também amavas a Peggie? — perguntou ela cautelosamente, esperando que ele se esquivasse à pergunta ou a mandasse meter-se na sua vida. Ele nunca falava de Peggie.

— Não, nunca — disse ele, para grande surpresa dela. — E, já que abordas o assunto, aviso-te, nunca te metas com um homem de luto. Durante uns tempos, não andam bem da cabeça. Querem substituir a mulher que perderam e nunca dá certo.

Matilda digeriu este sábio conselho em silêncio. Nunca lhe haviam faltado admiradores, era raro passar uma semana em que um rapaz não a convidasse para ir a uma daquelas casas de espectáculos rascas. Ela espreitara através da porta destas casas e a embriaguez ruidosa, o barulho e o mau cheiro causaram-lhe repugnância. Contudo, mesmo que um rapaz lhe propusesse um entretenimento mais decente, duvidava que aceitasse. Talvez fosse esquisita, a maioria das raparigas da sua idade já vivia com um homem, mas ela nunca conhecera ninguém que lhe agradasse sequer beijar.

«Coisar», como as outras vendedoras de flores se referiam ao sexo, tinha uma conotação repulsiva, se bem que ela sempre tivesse acarinhado a ideia de que devia ser diferente quando se amava o homem e se era correspondida. Mas como saberia de certeza?

— Como é que uma rapariga sabe se um homem a ama de verdade? — perguntou ela hesitantemente.

Lucas olhou de relance para a filha, pensando no que teria suscitado a pergunta. Nell teria sabido responder, mas, na ausência dela, deduziu que teria de tentar imaginar o que ela teria dito.

— Quando só quer o bem dela, suponho — respondeu. — Quando atravessa o rio a remo só para olhar para a cara dela sem pensar na distância. Quando está disposto a dar a vida por ela.

Os olhos de Matilda marejaram-se de lágrimas. Sabia, de algum modo, que as palavras do pai eram a verdade acerca do amor e, enquanto um homem não lhe oferecesse isso, não se contentaria com menos.

Enquanto Matilda e Lucas se encaminhavam para Primrose Hill, Giles e Lily estavam sentados no salão a digerir o almoço de domingo e a conversar hesitantemente sobre a iminente chegada de Matilda.

— Concordo que ela tem um certo encanto — disse Lily cautelosamente. — Mas foste muito precipitado, Giles. No fundo, não sabemos nada sobre ela.

— Acho que sabemos o que importa saber — disse ele calmamente. — É corajosa, altruísta, honesta e está ansiosa por melhorar a sua condição. Tem sentido de humor e é franca. Diz-me, Lily, o que é que não te agradou nela?

— A maneira como falou — disse Lily imediatamente, com um

ligeiro calafrio. — Eu sei que é mais forte do que ela, mas faz-me lembrar as suas origens.

Giles sorriu levemente. Sabia que Lily estava a imaginar um casebre imundo infestado de ratazanas. — A Aggie não fala muito melhor que a Matilda — disse ele. — À noite, vai para uma casa onde duvido que quisesses viver. Não é por isso que perdes a confiança nela. Diz-me então o que te *agradou* na rapariga.

Lily passara os dois últimos dias a pensar exclusivamente nesta rapariga. Estava-lhe profundamente grata por ter salvado Tabitha e, como Giles, ficara encantada com os modos francos e o entusiasmo dela. Sabia que grande parte da sua inquietação residia no receio de que Tabitha fosse, de algum modo, contaminada pelos cuidados de uma estranha. Nenhum homem, nem alguém tão sensível como Giles, era capaz de compreender este tipo de medo maternal profundamente entranhado.

— Gostei da figura dela, tem um cabelo e olhos muito bonitos. Também me agradou a maneira como foi honesta a respeito da família. Agradou-me que tivesse dito que não tardaria a aprender os meus costumes.

Giles sorriu, satisfeito por ouvir uma resposta positiva. — Quer-me parecer, Lily, que as coisas boas que ela tem eclipsam as más. Vamos manter o espírito aberto quando ela chegar com o pai. Estou certo de que conheceremos melhor a rapariga quando o conhecermos a ele.

— E se eu te abanar a cabeça, prometes dizer que mudaste de ideias? — implorou ela.

Giles suspirou. — Prometo — concordou. — Mas tens de prometer que serás razoável.

A primeira reacção de Giles, ao abrir a porta a Matilda e ao pai, foi de surpresa por Lucas Jennings não ser o bruto imundo, de ar grosseiro, de que estava à espera. O homem não só estava limpo e asseado, como os seus olhos azul-claros possuíam uma expressão honesta. — Apraz-me muito ver que veio com a Matilda — disse ele, estendendo a mão ao homem. — Sou o reverendo Milson, entre.

Lucas tirou o boné e apertou, constrangido, a mão ao homem antes de transpor a soleira. — Muito gosto em conhecê-lo, reverendo — disse ele, numa voz tensa e mais áspera do que o habitual, por estar na presença de um clérigo. — Foi muito decente da sua parte oferecer um emprego à minha filha.

— Eu e Mrs. Milson estamos em dívida para com a Matilda por ter salvado a vida da nossa pequenina — respondeu o pastor. Perguntou-se se o homem tencionava recusar a proposta porque não era capaz de se desenvencilhar sem ela. — Esperamos sinceramente que lhe agrade tudo aqui e que concorde em deixar a Matilda connosco.

Lucas não respondeu de imediato. Apertando com força o boné nas mãos, estava a torcê-lo nervosamente. — Ela é boa rapariga e merece uma oportunidade na vida — acabou por dizer.

Giles ficou desconcertado com a resposta. Os barqueiros eram conhecidos por serem uma classe orgulhosa e dura, pouco inclinados a aceitar caridade. O facto de Jennings estar ali a admitir que outro homem podia dar à sua única filha mais do que ele provava que era um pai inteligente e carinhoso. Contudo, pressentindo que o homem não estava acostumado a assumir um papel servil e podia até tornar-se hostil se tivesse de continuar nessa posição, Giles conduziu-os imediatamente ao salão, onde a mulher estava sentada com Tabitha ao colo.

Depois de apresentar Lily a Jennings e o convidar, com a filha, a sentar-se, Giles tocou à campainha. — Achei por bem tomarmos chá juntos enquanto explico as funções que esperamos que a Matilda assuma — disse ele.

Aggie apareceu com um tabuleiro e, ao colocá-lo numa mesa baixa diante do patrão, piscou o olho a Matilda de forma tranquilizadora.

O gesto sugeria que não havia nada a recear, mas Matilda sentiu o suor escorrer-lhe por todo o corpo ao ver as delicadas chávenas de chá. E se ela ou o pai deixassem cair uma ao chão, desgraçando tudo? Três dias antes, esta sala parecera-lhe fascinante e acolhedora, agora parecia claustrofóbica com toda a sua mobília, quadros e peças de loiça. Não era o seu lugar, nunca se habituaria e sentia um forte desejo de fugir porta fora e voltar para Finders Court, onde, pelo menos, podia andar livremente sem esbarrar contra nada.

O seu pânico intensificou-se com o silêncio carregado de tensão. A senhora estava branca e ansiosa, apertando a criança contra ela. O marido estava empoleirado na ponta da cadeira, passando um dedo pela volta como se não soubesse por onde começar. Lucas estava a fixar atentamente um quadro na parede e o tiquetaque do relógio na prateleira do fogão de sala parecia muito ruidoso.

Foi a pequena Tabitha quem quebrou o gelo. Quando a mãe a pousou no sofá para servir o chá, ela desceu e correu directamente para Lucas, dirigindo-lhe o seu sorriso encantador e estendendo os braços para ele pegar nela.

— Então vieste ter comigo, eh? — Lucas esqueceu-se das maneiras e o seu rosto abriu-se num sorriso rasgado de apreciação. — És mesmo uma menina bonita, como a minha Matty disse.

Levantou-a para o regaço e instalou-a na curva do braço, como havia feito com todos os filhos naquela idade. Ela levantou os olhos para ele e deu-lhe palmadinhas na cara com uma mão rechonchuda, como se tivesse decidido que eram amigos.

O bule do chá tremeu nas mãos de Lily. Abriu a boca para mandar a criança sair do colo dele, mas não tardou a fechá-la quando Lucas falou com a filha.

— Vais ter de ser boa menina com a minha Matty — disse ele, fazendo-lhe cócegas no queixo. — Nada de maroticcs nem de escapadelas!

Matilda sentiu um baque no coração ao ver a reacção inicial de medo da mulher, mas às palavras ternas do pai à menina sentiu de imediato uma onda de calor instalar-se na sala. Os dois pais sorriram, visivelmente relaxados.

Foi um belo momento e Matilda nunca se sentira tão orgulhosa do pai. Com um só gesto instintivo, ele apagara a linha que dividia as duas classes e mostrara-lhe de que modo conquistaria a aprovação dos Milson. Bastava-lhe amar a filha deles.

— Tinha-me esquecido de que está habituado a crianças pequenas, Mr. Jennings — disse Lily, o seu rosto pequeno e tenso quase parecendo bonito. — Claro que uma pessoa procura impedir que se dêem com estranhos, mas ao que vejo a Tabitha é uma boa avaliadora de carácter.

— Faz-me lembrar quando a Matty era pequena — disse Lucas, olhando afectuosamente para a menina. — Assim que eu me sentava, trepava-me logo para o colo. Os rapazes eram mais desapegados.

Matilda manteve-se no seu estado de silêncio aturdido enquanto o pai e Lily continuavam a falar sobre crianças. Nunca imaginara que o pai fosse capaz de conversar com pessoas que não pertenciam à sua classe e muito menos sobre assuntos domésticos. Só depois de terminarem o chá é que Giles abordou o tema das funções de Matilda.

— A tua principal função será tomar conta da Tabitha no quarto dela — disse ele. — Mas por vezes, quando ela estiver a dormir ou com Mrs. Milson, queremos que também ajudes a Aggie nas lides da casa.

Quando o relógio na prateleira do fogão de sala bateu as três horas, Matilda tinha bebido duas chávenas de chá e comido três pequenas sanduíches e um pãozinho doce. Tinha consciência de que Lily não estava tão entusiasmada por contratá-la como o marido parecia estar, mas, mesmo assim, ela explicara a rotina diária de Tabitha, desde que se levantava, por volta das sete e meia, até se ir deitar às seis, e a maneira como ela disse coisas como «E espero que arrumes o quarto da menina ou laves as fraldas dela» sugeria que já tinha decidido que Matilda ficaria.

Os deveres pareciam bastante ligeiros; afinal, ela estava habituada a olhar sozinha por duas crianças pequenas desde que era, ela própria, criança, sem nenhum dos luxos que teria aqui. Era certo que nunca tinha usado um ferro de engomar nem limpado pratas, e as suas aptidões culinárias eram extremamente limitadas, mas tinha a certeza de que não tardaria a aprender estas coisas.

Giles disse que lhe pagaria cinco xelins por mês e que ela podia tirar a tarde de terça de folga, desde que regressasse até às nove da noite.

Quando Lucas ouviu o relógio dar horas, sentiu que devia ser ele a finalizar a reunião. Estava mais do que convencido de que a filha seria bem tratada aqui, mas, como Matilda, notara uma certa frieza da parte de Lily. — Espero não estar a apressá-los, mas tenho de voltar para junto dos meus rapazes — disse ele, levantando-se. — A Matilda serve para os senhores ou volta comigo?

Giles lançou um breve olhar de relance à mulher, que lhe acenou com a cabeça em sinal de concordância.

— Serve, sim senhor, Mr. Jennings — disse Giles, levantando-se da cadeira e avançando um passo para apertar a mão ao homem. — Por isso, se estiver de acordo, gostávamos que ela começasse já. Só espero que consiga olhar pelos seus filhos sem ela.

Lucas sentiu-se aliviado com o entusiasmo do homem. Pensou que Matilda não tardaria a converter a mulher, eram poucas as pessoas que não se encantavam com ela. — Não se preocupe com eles

— respondeu com um grande sorriso que revelou os seus dentes enegrecidos. — Cá me hei-de arranjar. Agora porta-te bem, Matty. E não deixes de ler.

— Eu trato disso — disse Lily, sorrindo-lhe do sofá. Não podia considerar-se totalmente satisfeita com Matilda, o discurso dela arranhava-lhe os ouvidos e a maneira como comia e bebia era revoltante. Mas Giles era, afinal, um excelente avaliador de carácter, e se estava firmemente convicto de que Matilda era ideal para Tabitha, devia ter razão.

Matilda não tinha dito nada a que se pudesse apontar defeitos, mas também não falara muito, limitando-se a fixar tudo em volta com os olhos arregalados. Mas Lily tinha simpatizado com Mr. Jennings. Era um homem decente, com grande dignidade. Receara esta entrevista, estava mais ou menos à espera que o homem roubasse as colheres do chá ou cuspisse para o chão, pelo que ficara agradavelmente surpreendida por ele saber comportar-se na companhia de pessoas educadas. Isso, pelo menos, sugeria que Matilda seria capaz de se adaptar à vida da casa. — Então, Matilda, porque não acompanhas o teu pai à porta? — disse ela, num tom muito mais caloroso. — Certamente que querem falar por alguns momentos sozinhos.

À porta da rua, Matilda abraçou o pai, esforçando-se por não chorar.

— Não sejas insolente com eles — disse Lucas num sussurro rouco, abraçando-a com força. — Aprende o que puderes com eles para vires a ser uma senhora.

— Eu vou visitar-vos na minha tarde de folga — murmurou ela.

Para sua surpresa, ele agarrou-a pelos ombros, abanou-a ligeiramente e pôs de súbito uma expressão feroz.

— Não, Matty. Não quero que voltes lá.

Ela pensou que ele estava a dizer-lhe que nao queria voltar a vê-la e as lágrimas que tanto se esforçara por reprimir brotaram dos seus olhos. — Não me queres ver mais? — soluçou.

— Claro que quero — disse ele num tom áspero. — Só disse que não devias lá ir. Encontro-me contigo às cinco horas de terça ao pé do Holy Joe's.

— Porquê, pai? — perguntou ela, confusa. — Pensei que querias que te fosse preparar o jantar.

Por um momento, ele limitou-se a fitá-la e os seus olhos, tão parecidos com os dela, estavam tristes e desolados.

— Agora saíste daquele sítio e não quero que lá voltes — disse ele, por fim. — Nunca olhes para trás. Nunca.

Mais tarde nessa noite, Matilda estava deitada no pequeno quarto ao lado do quarto da criança, saboreando, deleitada, o calor, o espaço para se mexer, o silêncio absoluto e os lençóis engomados e cheirosos contra a pele. Em Finders Court, só havia um cobertor usado e sujo na cama, os lençóis eram um luxo desconhecido, o calor emanava dos corpos dos irmãos, e muitas vezes acordava com comichão em todo o corpo, dos percevejos.

O seu uniforme de ama, um vestido azul-escuro simples, estava pendurado atrás da porta e um avental branco imaculadamente engomado e a touca estavam nas costas de uma cadeira, prontos para vestir no dia seguinte. Estava no presbitério há menos de oito horas, mas nesse curto espaço de tempo fora bombardeada com tantas coisas e experiências até aí desconhecidas que, embora se sentisse exausta e extremamente confortável, não conseguia dormir só de pensar nelas.

Podia ser a casa mais pequena e insignificante na praça, mas para ela era enorme. Além do salão, da cozinha e da copa que vira anteriormente, havia uma sala de jantar e uma sala com uma escrivaninha e montes de livros a que Giles chamava o seu «escritório». No andar de cima havia quatro quartos. O quarto de criança ficava na parte da frente da casa, contíguo ao pequeno quarto de Matilda, do outro lado do patamar ficava o quarto dos Milson e havia ainda um quarto de hóspedes atrás deste. Todas as divisões estavam repletas de mobília — cómodas, cadeiras, pequenas mesas que não serviam nenhum propósito além de suporte para ornamentos — tudo estava polido a ponto de reluzir como vidro. Quando pensava na maneira como as pessoas viviam em Finders Court, quase duas famílias em cada quarto, parecia injusto que uma pequena família dispusesse de todo este espaço.

Até hoje, os candeeiros a petróleo eram objectos que ela só vira à distância, mas Lily ensinara-a a enchê-los, a aparar os pavios e a acendê-los. Cada um iluminava uma sala como uma dezena de velas. No quarto de Tabitha, havia uma engenhoca diante da lareira chamada guarda-fogo, para impedir que a menina se queimasse. A carne era guardada numa caixa de rede para as moscas não pousarem nela e até o açúcar estava coberto com um paninho de musselina, debruado com contas. Achava que nunca viria a habituar-se à enorme quantidade de pratos e travessas usados nesta casa — em Finders Court só tinham um prato de metal para cada um, que rapavam de tal modo que quase nem precisavam de ser lavados. Pinças para o açúcar, facas de manteiga, tigelas e pratos para coisas de que nunca ouvira falar. Até os penicos aqui estavam decorados com bonitas flores!

Matilda considerava que se tratava de muito mais do que um emprego, era um lugar de grandes oportunidades. Giles disse que ela podia ler qualquer livro que a interessasse e Lily ia ensiná-la a costurar, enquanto Aggie a ensinaria a cozinhar e a lavar roupa. Era tudo extremamente excitante. Quanto à pequena Tabitha, era a criança mais adorável e meiga que alguma vez conhecera.

Só havia uma pequena nuvem cinzenta. Matilda notara que Lily se retraíra várias vezes na presença dela e achava que era por não falar como ela nem comer com delicadeza. Mas não tencionava deixar que isso a incomodasse muito; se observasse e ouvisse Lily com muita atenção, estava convencida de que aprenderia rapidamente as suas maneiras elegantes e a forma bonita de falar.

Agora, ao reflectir sobre os acontecimentos do dia, as razões para o pai dizer que não queria que ela visitasse a antiga casa tornavam-se mais claras. A mãe também chegara do campo para trabalhar numa casa agradável como esta e, se não se tivesse apaixonado por um barqueiro, a sua vida podia ter continuado segura e confortável. Matilda era demasiado nova quando a mãe morreu para saber se ela se arrependera de se ter casado com Lucas, mas era evidente que ele pensava que tinha desiludido a mulher e a família. Agora que surgira esta oportunidade à filha para melhorar de vida, não queria que nada a impedisse de subir a escada da oportunidade.

Supunha que o conselho dele para «nunca olhar para trás» era sensato e bem-intencionado. Mas ele pensaria mesmo que ela era capaz de esquecer assim tão facilmente o seu passado e origens? Os tempos difíceis haviam-lhe certamente dado algo que valia a pena levar consigo para uma nova vida.

Enquanto Matilda adormecia, Lily Milson estava acordada na cama, ao lado do marido, consumida de ansiedade a respeito da nova ama.

— Ela come como uma selvagem, Giles — sussurrou ela no escuro. — Atira-se à comida, mastiga com a boca completamente aberta, e o barulho que faz a beber...

— É mais forte que ela, nunca ninguém lhe ensinou — disse Giles, num tom reconfortante. — Pensa só como ela é boa com a Tabitha. Deu-lhe banho esta tarde com tanta ternura e cuidado como tu.

— E se a Tabby aprende a falar e a comer como ela?

Ele passou o braço à volta da mulher e aninhou-a contra o seu ombro. — Nós os dois corrigimos as maneiras dela — disse ele calmamente. — Agora dorme, querida. Os dois juntos havemos de a ensinar. Ela é forte, capaz e inteligente. Acho que descobrimos um diamante em bruto.

Giles sentia a tensão e rigidez da mulher. Era claro que ia passar metade da noite acordada a imaginar os piores horrores, mas, sabendo que não havia mais nada que pudesse dizer para a tranquilizar, fez de conta que estava a dormir.

Amava Lily pela sua meiguice, ausência de vaidade e competência como dona de casa, mas havia alturas em que sentia que teria sido mais prudente se se tivesse casado com uma mulher mais mundana e robusta. Ela afligia-se com as coisas mais triviais e, desde que Tabitha nascera, andava sempre receosa e agitada. Estava bem talhada para viver como mulher de um pastor aqui em St. Mark's, onde a maioria dos paroquianos pertencia à classe social em que nascera, mas como se desenvencilharia quando ele fosse transferido para outro lado?

Os últimos anos em Primrose Hill havia sido muito agradáveis, mas Giles não tomara as ordens para garantir uma vida de riqueza ou conforto. Na sua opinião, St. Mark's podia passar igualmente bem com um pastor idoso que gostasse de pregar aos já convertidos, e ele devia ser mandado para um sítio que representasse um desafio maior.

Já tinha discutido esta questão demoradamente com o bispo de Londres, que concordava com a sua perspectiva, mas o grande obstáculo era Lily. A sua apreensão a respeito de Matilda era um reflexo exacto da sua atitude em relação aos pobres. Nutria uma profunda compaixão por eles, a injustiça preocupava-a tanto como a ele, mas a sujidade e a possibilidade de doença repugnavam-na a tal ponto que era provável que ela própria adoecesse se fosse forçada a viver perto deles.

Três dias antes, Giles ficara espantado quando ela não só abraçara Matilda por ter salvado Tabitha, mas insistira para que ela os acompanhasse a casa. Contudo, embora Lily tivesse sentido prazer ao ver a rapariga transformada por um banho e roupa nova, se ele não tivesse insistido veementemente para que lhe dessem uma oportunidade como ama, Lily teria considerado que já cumprira o seu dever e mandado alegremente a rapariga de volta ao bairro dela sem pensar mais no assunto.

Talvez tivesse sido exactamente isso que provocara a oferta impulsiva de Giles, embora nesse momento não tivesse raciocinado assim. Se Matilda desse boas provas aqui e ajudasse a mulher a vencer os seus receios, talvez Lily mostrasse mais abertura à ideia de se mudarem. Talvez também a Lily com quem se casara voltasse a emergir quando tivesse menos que fazer — há muito tempo que não reagia com paixão às suas solicitações.

O bispo dissera que a América estava desesperada por jovens clérigos ingleses entusiásticos e, no fundo do seu coração, ele sentia que era esse o caminho que Deus queria que seguisse. Mas também queria que Lily tomasse esse caminho com ele, de boa vontade e com alegria.

Uma semana mais tarde, no domingo de manhã, Matilda estava na igreja de St. Mark's com Tabitha e Lily, de olhos postos no reverendo Milson no púlpito. Achava que ele estava muito atraente com os seus caracóis negros brilhantes quase a tocar-lhe os ombros da sobrepeliz branca engomada, e sentiu-se orgulhosa por tê-la brunido tão bem.

Quando a mãe era viva, recordava-se vagamente de ter sido levada à igreja ao domingo e de ser obrigada a rezar antes de adormecer. Desde a sua morte, as únicas ocasiões em que Matilda entrara numa igreja haviam sido para se abrigar da chuva ou quando fora aliciada por um missionário com a promessa de uma bebida quente e de um pãozinho doce.

Achava esta igreja muito bonita, especialmente as janelas com os seus vidros com imagens coloridas. Cheirava a cera e a flores e era muito agradável estar sentada na frente, com as pessoas finas, e não enfiada atrás com os outros pobres. Queria ter coragem para se virar e olhar para toda a gente, pois o ruge-ruge dos vestidos de seda e o cheiro a perfume eram cativantes, mas sabia que Lily a chamaria à pedra se não parecesse absorvida no que o reverendo estava a dizer.

O seu sermão era sobre o pecado da avareza, uma palavra que ela queria compreender, mas tinha perdido o fio à meada há muito porque Tabitha estava sempre a distraí-la. Estava sentada entre Matilda e a mãe, mexendo-se e empurrando o banco da frente com os pés. Estava linda, com um vestido amarelo e pantalonas e chapéu de fitas a condizer, mas Matilda tinha agora perfeita consciência de que esta menina não era tão meiga como parecia e de que precisava de uma mão firme.

Lily, por seu lado, também não era o que aparentava. Tinha modos brandos, era justa e bondosa em quase tudo, mas era extremamente exigente. Nada escapava aos seus olhos perspicazes, fosse uma farripa de cabelo solta sob a touca de Matilda, fosse uma partícula de pó na mobília. Conferia as contas de todos os fornecedores várias vezes, todas as peças de roupa lavada eram escrutinadas para verificar se ficara alguma nódoa. Tanto quanto Matilda sabia, talvez todas as senhoras tivessem estes hábitos, mas parecia-lhe que Lily, lá no fundo, era, por qualquer razão, infeliz, como se houvesse algo de mal na sua vida e ela tivesse de redobrar esforços para fazer de conta que estava tudo bem.

A maior queixa de Aggie em relação a Lily era o facto de ela não deixar que se desperdiçasse nada. Dizia que uma senhora não se devia rebaixar sendo tão frugal. Matilda não tinha bem a certeza de que lado estava. Tendo passado a maior parte da vida com fome, agradava-lhe ver que as sobras de carne e legumes eram usadas para fazer sopa, que o pão seco servia para fazer pudim, mas não conseguia deixar de pensar que, se fosse Lily, daria esses restos aos mendigos esfomeados na rua.

Matilda regressou ao sermão quando ouviu a palavra «gula». Fora repreendida várias vezes durante a semana pelo que Lily chamava «um apetite pouco refinado». Mas como podia evitá-lo quando passara tão grande parte da sua vida com fome? As refeições que Aggie preparava faziam-lhe crescer água na boca muito antes de se sentar a comê-las, e eram muitos os sabores que ela nunca provara. Sopa de rabo de boi, tão apimentada e forte que lhe apetecia comer litros. Batatas assadas regadas com molho de carne, arroz-doce e bolo de chocolate. Mesmo à noite, quando era chamada à sala para as orações, dava por si a pensar no que Aggie teria planeado para o almoço do dia seguinte.

Além de ter descoberto que Tabitha e Lily não eram exactamente o que aparentavam ser, os seus deveres acabaram também por se revelar muito mais pesados. Com efeito, ao fim do dia estava muitas vezes mais exausta do que quando vendia flores. A paixão de Lily pelo asseio exigia imenso trabalho. Era preciso carregar baldes de água quente para o andar de cima para lavagens e depois novamente para baixo para serem esvaziados. Todos os penicos tinham de ser escaldados depois de despejados e a roupa de linho fervida.

Levava uma boa hora a preparar Tabitha de manhã, lavando-a dos pés à cabeça depois de ela fazer as suas necessidades no pote, escovando-lhe o cabelo e vestindo-lhe em seguida várias peças de roupa interior e saiotes antes do vestido. Se ela molhasse as cuequinhas durante o dia, o que acontecia com frequência, era necessário despir tudo.

As refeições eram uma longa e enfadonha tortura quando estava sob o escrutínio rigoroso da senhora. Embora tentasse reprimir o desejo de devorar a comida, tinha de se lembrar das inúmeras regras. Custava-lhe a crer que fossem tantas: as facas só eram usadas para cortar e empurrar a comida para o garfo, a mão direita para pegar no copo, os lábios fechados para mastigar, as pevides da fruta eram para pôr na colher e não cuspir. Para além disto, tinha também de ajudar Tabitha, que só comia com grandes esforços de persuasão.

Muitas vezes, na última semana, ocorrera a Matilda que as classes altas podiam aprender muito com os pobres, especialmente no que tocava às crianças. As crianças muito pequenas rapidamente aprendiam a não fazer chichi nas calças assim que se sentissem desconfortáveis. Comiam tudo o que se lhes pusesse à frente porque não sabiam quando lhes seria oferecida novamente comida e brincavam muito mais descontraidamente sem tantas roupas a estorvá-las. A pobre Tabitha, com todos os seus saiotes, mal conseguia sentar-se no quarto para brincar com a boneca e, quando andava a passear por Regent's Park ou Primrose Hill à tarde, não conseguia correr para queimar as energias. Não admirava que fosse tão turbulenta.

Claro que Matilda não se atrevia a exprimir estes pensamentos, como não se atrevia a mostrar irritação quando via Lily entrar constantemente no quarto da criança para verificar o que ela estava a fazer. Em vez disso, estava grata por tudo, quer estivesse a aprender a brunir enquanto Tabitha dormia uma sesta antes do jantar, quer passasse uma hora a lavar com Aggie enquanto Tabitha passava algum tempo com os pais. A todos os minutos que passava na casa, estava a adquirir competências.

Os melhores momentos do dia eram o passeio da tarde e a hora antes de Tabitha se ir deitar. Então podia ser ela própria, contando histórias à menina, como fazia com os irmãos. As noites eram a pior altura. Mesmo quando não a mandavam limpar pratas ou remendar alguma coisa e podia ficar a ler, continuava a sentir-se terrivelmente só. Nesses momentos, pensava na família e preocupava-se, interrogando-se sobre como estariam a desenvencilhar-se sem ela. Por vezes, sentia até saudades do barulho no pátio e desejava lá estar.

Mas agora, aqui sentada na igreja, limpa, bem alimentada e com a pequena mão de Tabitha na sua, sentia-se feliz. Tinha a certeza de que Lily começava a confiar nela. Quando aprendesse a comer e a falar como ela e deixasse de ser gulosa, talvez a senhora viesse até a gostar dela.

Captando as palavras «partilhar o que se tem com os menos afortunados», levantou novamente os olhos para o reverendo e descobriu que ele estava a olhar directamente para ela, com um leve sorriso nos lábios. Retribuiu-lhe o sorriso. Lily podia ter-se revelado difícil de agradar, mas ele era um verdadeiro cavalheiro. Não discorria sobre Deus como ela tinha esperado e agradecia-lhe sempre tudo o que ela fazia por ele, mesmo que fosse simplesmente pegar-lhe no casaco e no chapéu quando ele chegava. Muitas vezes, esta semana, ele fora ter com ela sozinho para saber como estava a adaptar-se e pareceu satisfeito por ela estar a aprender tão depressa. Tinha-lhe até emprestado a sua edição encadernada a couro de *Oliver Twist* para ler, porque ela lhe confiara que só lera o primeiro fascículo e estava em pulgas para ler o resto. Gostava dos olhos doces e escuros dele, dos seus lábios cheios e dos seus dedos longos e esbeltos. Achava que Lily deveria ser a mulher mais feliz do mundo por tê-lo como marido.

— Segura bem na mão da Tabitha e espera por mim — ordenou Lily a Matilda ao saírem da igreja depois do ofício. — Tenho de falar com alguns paroquianos.

Matilda não se importou nada de esperar no adro enquanto Lily ia ter com o marido à porta. Era uma oportunidade ideal para estudar as pessoas a que Giles chamava «o seu rebanho».

De facto, apresentavam algumas semelhanças com as ovelhas que ela vira na margem sul do rio. Moviam-se em grupo e baliam saudações ao pastor e à mulher ao passarem por eles. Por um breve momento, perguntou-se se algum dos cavalheiros bem-postos, com as suas cartolas reluzentes, fraques e camisas de linho brancas e engomadas, seriam os mesmos que por vezes observava em Haymarket com uma «rapariga da vida» pelo braço. Se eram, não podia propriamente censurá-los porque as mulheres que via eram pessoas extremamente deprimentes. Os vestidos eram decepcionantemente sombrios, normalmente em tons de cinza e azul, uma ou duas usavam chapéus decorados com flores, mas já os vira muito mais bonitos em Haymarket.

Um puxão na mão fê-la baixar os olhos para Tabitha. — Vamos agora para casa, Matty — disse ela, a sua carinha crispada de indignação por ser obrigada a estar de pé à espera.

— Temos de esperar pela tua mamã e pelo teu papá — respondeu Matilda, mas baixou-se para pegar na menina ao colo. — Tem um pouco de paciência. Faz um sorriso bonito às pessoas.

Matilda estava bem consciente de que a observavam de todas as direcções, o que a fazia sentir-se muito desconfortável. Aggie confidenciara-lhe que toda a gente na paróquia sabia que Lily não quisera até então contratar uma ama por ter um medo terrível de que fossem levadas doenças para casa. Os olhares curiosos e os meios sorrisos sugeriam que ela seria tema de falatório ao almoço. Esperava que ninguém lhe dirigisse a palavra, pois, ao ouvir a sua voz, adivinhariam imediatamente as suas origens. Contudo, ao mesmo tempo, interrogou-se por que razão isso haveria de a incomodar. Uma semana antes, nunca lhe passara pela cabeça fazer-se passar por outra coisa que não a filha de um barqueiro. Estaria a achar-se acima da sua condição social?

Estava um dia muito quente, na terça-feira, quando Matilda saiu do presbitério, na sua primeira tarde de folga. Trazia mais um vestido novo que Lily lhe dera nessa manhã, e era a coisa mais linda que já vira — azul-claro com raminhos de flores brancas estampados, nervuras no corpete e pequenos botões de madrepérola. Talvez estivesse desbotado em certos pontos e gasto na bainha e debaixo dos braços, mas com o chapéu de palha de fitas que o pai lhe oferecera, sentia-se elegante e senhoril. Quase desejou poder ir a Finders Court para os vizinhos a mirarem com admiração. Mas não se atrevia a desobedecer ao pai.

Demorou o seu tempo, olhando para as montras das lojas pelo caminho, mais para admirar a sua aparência no reflexo dos vidros do que por interesse pelos artigos em exposição. Eram quase cinco horas quando se aproximou da igreja de St. Joseph, ou Holy Joe's, como toda a gente lhe chamava. O pai já lá estava, sentado num banco à porta. A igreja confinava com Seven Dials, uma zona mal-afamada de edifícios degradados e casas insalubres, muito mais perigosa e esquálida do que Rosemary Lane, mas ela supunha que ele tinha escolhido este local para se encontrarem porque as ruas que lá levavam eram largas e relativamente seguras. Desatou a correr para o saudar e ele levantou-se, estendendo-lhe os braços como fazia quando ela era pequena.

— Olha só para ti, que bonita! — disse ele, mal se libertou do abraço efusivo dela. — Vejo que te estão a alimentar bem, estás uma formosura.

Emanava dele um forte cheiro ao rio, esse odor estranho e oleoso em que ela mal reparava quando vivia em casa.

— Tive um pequeno acidente esta manhã — disse ele ao vê-la olhar surpreendida para as suas calças húmidas e botas enlameadas. — Maldito marinheiro indiano, não me admirava nada que tivesse estado a fumar ópio. Pediu-me para alcançar o navio dele, que tinha partido meia hora antes em Wapping. Quase me matei para o pôr lá a tempo. Depois, quando estou a pôr-me a par e os colegas atiram escadas de corda pela borda, ele salta como um doido e vira o barco.

Matilda riu-se. Um dia no rio nunca decorria sem incidentes e estas histórias costumavam ser a melhor parte do seu dia. — Mas aqui estás seco — disse ela, tocando-lhe na camisa e no colete; ele não estava com o habitual casaco de marinheiro.

— Fui a casa trocar a roupa de cima — disse ele a rir. — A figura de parvo que fiz, encharcado até aos ossos. Quem havia de querer entrar no barco com o barqueiro neste estado?

— Que aconteceu ao indiano, deixaste-o a afogar-se? — perguntou ela com uma risada.

— Trepou pela ilharga do navio como um macaco — disse Lucas. — Ainda bem que me pagou antes de partirmos.

— Como é que tem corrido o negócio? — perguntou ela, recordando as lições de Lily e corrigindo a pronúncia.

Lucas desatou a rir e ofereceu-lhe o braço num gesto de galanteria exagerado. — Muito bem, minha bela senhora. Então, vamos arranjar um banco apropriado para gente fina?

Encontraram outro banco numa zona isolada do cemitério. Dava ideia de que a polícia tinha acabado de fazer o giro, porque não havia sinais dos habituais mendigos e vagabundos enroscados a dormir no meio dos arbustos.

Matilda relatou-lhe as suas novidades num longo e excitado monólogo, o seu discurso alternando entre os seus velhos modos e os que a nova patroa estava a treiná-la a usar. Transportou Lucas ao tempo em que Nell contava o que o capitão-de-mar-e-guerra comia ao jantar, quem ele recebia em casa e quanto vinho bebiam. Porque também ela costumava variar entre a sua pronúncia de rapariga do campo e a maneira como ouvia falar inglês em casa do capitão. Sentiu um baque ao ouvir Matilda falar de coisas como lençóis na cama. Até agora, Lucas esquecera-se desse luxo que Nell lhe dera a conhecer — depois do incêndio tinha chorado mais a perda da roupa da cama do que qualquer outra coisa.

— A senhora diz que tenho de tomar banho todas as semanas ao sábado — rematou, com os olhos muito arregalados. — Todas as semanas, pai! Ao fim de alguns meses, já não tenho pele.

Lucas riu-se. Nell adorava tomar banho quando viviam em Aldgate. Uma das suas mais ternas recordações era de uma noite em que chegou do rio e a encontrou meio adormecida no banho, muito rosada e cheirosa. Teve vontade de fazer amor com ela logo ali, mas ela insistiu para que ele entrasse primeiro para a água. Tinha-o lavado da cabeça aos pés como uma criança pequena. Essa noite foi uma das mais memoráveis da sua vida em comum.

Despertou do devaneio. Não era bom pensar demasiado em Nell, só o entristecia recordar o que aconteceu em anos subsequentes. E como agora se sentia só.

— Então és feliz lá? — perguntou.

— Sim, sou feliz. — Sorriu porque se tinha lembrado de pronunciar as palavras sem sotaque, e os seus olhos brilharam. — Mas tenho saudades tuas e dos rapazes.

— Não percas tempo a pensar em nós — disse ele bruscamente. — Estamos a desenvencilhar-nos muito bem sem ti.

Ao ouvir isto, a expressão dela ensombrou-se e Lucas sentiu-se envergonhado. Mas se lhe contasse a verdade — que os rapazes andavam o dia todo a remexer no lixo, que o quarto não tinha sido varrido nem a lareira acendida desde o dia em que ela partira — só ia transtorná-la. Dar-lhes uma tareia não adiantaria de nada, eles só queriam uma desculpa para escapar para um dos bairros degradados onde fariam a sua aprendizagem de ladrões e bandidos.

— O Luke está melhor desde que partiste — mentiu. — Acho que agora se julga um adulto. Mas fala-me desse livro que tens andado a ler.

Matilda pressentiu que ele estava a esconder a verdade e queria dizer-lhe que Charles Dickens escrevia sobre os pobres como eles e que compreendia verdadeiramente os perigos que os rapazes pequenos podiam enfrentar em Londres. Mas se o fizesse, só o entristeceria, pois ele perceberia que ela adivinhara a verdade, e de qualquer modo o pai conhecia esses perigos melhor do que ela, por isso fê-lo antes rir com uma descrição de Mr. Bumble, o funcionário paroquial.

— Talvez possa trazer o livro comigo um dia e ler-te algumas passagens — disse ela. O pai era capaz de ler algumas palavras simples e assinar o nome, mas a sua escolaridade não ia mais longe.

— Gostava muito — disse ele, com os olhos a brilhar. — Mas agora são horas de ires embora, ainda tens muito que andar e eu tenho de voltar para o rio.

Acompanhou-a parte do caminho; ela estava tão bonita que tinha receio que ela andasse sozinha pela rua.

— Dá um beijo meu ao Luke e ao George — disse ela quando se separaram antes de Camden Town. — Podes trazê-los contigo na próxima semana?

— Vou tentar — respondeu ele, sem grande convicção. — Agora vai directamente para casa. Não te ponhas a dar voltas.

Ela beijou-o e ficou abraçada a ele por momentos, inalando o cheiro familiar e reconfortante com que crescera. Podia achar a vida no presbitério mais agradável do que em Finders Court, era bom sentir que havia subido um degrau na escada, mas se o pai lhe pedisse para voltar para casa porque precisava dela, sabia que não teria hesitações.

— Amo-te, pai — murmurou. Nunca lhe dissera que o amava, mas talvez tivesse sido necessário deixá-lo para o compreender.

— Eu também te amo, Matty — respondeu ele, também num murmúrio. — E tenho muito orgulho em ti. Vá, agora vai para casa e sê uma menina bonita, como essa prata que te mandam polir. Quem sabe se um dia não terás pratas tuas?

Foi numa noite mormacenta de Agosto, cinco meses depois de Matilda ter começado a trabalhar no presbitério, que Matilda ouviu Lily soltar um grito frenético. Como Giles tinha estado fora toda a noite, Matilda e Lily tinham rezado, como de costume, as suas orações sozinhas às nove e meia e Matilda fora então deitar-se, deixando a mulher mais velha a ler na sala.

Imaginando que alguém assaltara a casa e estava agora a fazer mal à patroa, Matilda saltou da cama e correu para o patamar. Porém, ao ouvir a voz gutural de Giles, hesitou no cimo das escadas, chocada ao pensar que podiam discutir como os seus antigos vizinhos.

Não corria uma ponta de ar fresco em lado nenhum. Todas as janelas do andar de cima estava abertas de par em par, mas não entrava qualquer brisa refrescante, apenas a fetidez dos esgotos. Era quase como estar de volta a Finders Court, com a diferença de que não havia barulho lá fora.

Há mais de quatro semanas que não chovia e o calor aumentava de dia para dia. Era preciso ferver o leite para não azedar, a manteiga transformava-se em óleo e Lily desconfiava agora de tal maneira do peixe e da carne que, na última semana, só tinham comido ovos e legumes. Não que alguém estivesse com desejos de comer muito. Tabitha estava enfermiça e letárgica, Lily parecia constantemente a ponto de desmaiar e até Aggie, que raramente se queixava, dizia que achava que não era capaz de aguentar muito mais o calor na cozinha.

Quando a notícia de uma epidemia de cólera em Seven Dials chegou aos ouvidos dos vizinhos, a maior parte deles fez as malas e partiu para casa de amigos e familiares na província. Lily implorou ao marido que a deixasse ir com Tabitha para casa do tio em Bath, mas ele disse que o dever dela era ficar ali.

A princípio, Matilda pensou que a altercação fosse por causa disto, porque ouviu Lily gritar: — Estás a ser terrivelmente egoísta, Giles. Já pensaste no que pode acontecer à Tabby?

Teve dificuldade em captar a resposta de Giles, mas soou como:
— Porque é que há-de acontecer-lhe lá alguma coisa que não aconteceria aqui?

A resposta de Lily foi muito estranha. — Porque há selvagens lá. Escalpam as pessoas e há também muitos estrangeiros e condenados.

Matilda achou que não podiam estar a falar de Bath; pelo que tinha ouvido sobre a terra, era muito calma e elegante. Afastou-se do alto das escadas, mas encostou-se à balaustrada do patamar para ouvir.

— Não há selvagens em Nova Iorque — disse Giles numa voz tensa e cansada. — E há anos que deixaram de transportar condenados para lá. Quanto aos estrangeiros, Londres está agora cheia deles.

Só dois dias antes é que Matilda soubera que Nova Iorque era uma cidade na América. Tinha estado a limpar o pó no escritório e reparou num livro aberto sobre a secretária. Uma fotografia de um vapor chamou-lhe a atenção e, como todos os barcos lhe interessavam, olhou mais de perto. Por baixo da imagem, a legenda dizia: «O vapor *Great Western*, projectado por Isambard Kingdom Brunel, à partida de Liverpool para Nova Iorque.»

— Mas eu não ia aguentar — gritou Lily. — És assim cruel, Giles, ao ponto de desenraizares a tua mulher e a tua filha do conforto da nossa casa e nos obrigares a seguir o teu capricho?

— Deixa-me recordar-te, Lily, que sou servo de Deus — disse ele num tom gélido. — Se for a vontade Dele que espalhe a Sua palavra na América, não se trata de capricho nenhum, é meu dever ir. Se achas isso cruel porque não queres abandonar o conforto desta casa, então só posso dizer que não estás talhada para ser mulher de um clérigo, Lily.

Matilda mal podia acreditar no que estava a ouvir. Até hoje nunca ouvira Giles falar com a mulher senão com ternura. No entanto, mesmo espantada com o tom de voz ríspido dele e o assunto que estavam a discutir, não pôde deixar de pensar no seu papel no meio de tudo isto.

A porta da sala bateu de súbito com um estrondo e, imaginando que Lily se preparava para correr para o quarto, Matilda fugiu rapidamente para a cama.

Lily não subiu ao andar de cima e, como a casa mergulhou novamente no silêncio, Matilda concluiu que ainda deviam estar ambos na sala e tinham fechado as janelas com medo de serem ouvidos.

O pânico submergiu-a, ali deitada no escuro. Se os Milson iam partir para a América, o que lhe ia acontecer?

Havia feito grandes progressos em cinco meses. Lily já não criticava as suas maneiras à mesa e só ocasionalmente lhe corrigia a pronúncia. Sabia fazer tartes — Aggie dizia que a massa dela era tão leve como a sua — e bolos, sabia costurar quase com tanta perfeição como a patroa e lera dezenas de livros. Com estes feitos, podia quase de certeza arranjar outra posição, mas ganhara amor a Tabitha como se fosse sua filha.

Conquistara a confiança de Lily quando Tabby teve difteria e ela ficou a pé noite após noite a tratar dela. Conseguira que a criança se alimentasse bem, ensinou-lhe lengalengas infantis e algumas das letras do alfabeto. Tabby também se afeiçoara a ela, eram felizes uma com a outra e davam-se bem como se fossem aparentadas. Poderia Giles ser realmente cruel ao ponto de a pôr na rua sem ter em conta o laço cada vez mais forte entre elas?

Aggie lembrara-lhe muitas vezes, no seu tom seco, a sorte que ela tinha. Dizia que, na maioria das casas, a ama estava ao mesmo nível da criada de copa, ao passo que ela era tratada quase como uma pessoa da família. Matilda sabia que era verdade — comia com os patrões, governava a casa, podia ler os livros deles e sentar-se no jardim. Lily por vezes até lhe fazia confidências, em particular sobre Tabitha.

Nesse momento, chorou. Finders Court tornara-se uma recordação turva, como a fome, o frio e a sujidade. Teria sido arrancada a tudo isso para ser lançada para lá mais uma vez?

Na manhã seguinte, Lily ficou no quarto. Como ainda não aparecera depois de Aggie ter preparado o pequeno-almoço, Matilda levou Tabitha para a sala de jantar. Giles estava lá sozinho.

— Bom-dia — disse ela. Ainda estava mais quente do que no dia anterior. Aggie abrira as janelas de par em par assim que entrara, mas não soprava nenhuma brisa matinal que dissipasse o cheiro dos esgotos.

— Mrs. Milson está um pouco indisposta — disse ele, com uma expressão austera e sisuda. — Quando acabares o pequeno-almoço, podes levar-lhe um tabuleiro. Hoje vou estar fora o dia todo. Tenta que a Tabby não faça barulho para Mrs. Milson poder descansar.

Matilda percebeu pela sua expressão que ele não tencionava

conversar. Sentou Tabitha na cadeira dela, prendeu-lhe um guardanapo ao pescoço e pôs-lhe a tigela de sopas de leite à frente.

— Não quero isso — protestou Tabitha com maus modos, afastando a tigela.

— Tens de comer — respondeu Matilda, voltando a pô-la diante dela. — Se não comeres, não te dou mais nada.

Matilda sentiu que Giles estava a olhar para ela. Desejou que Tabitha não fizesse uma cena hoje, estava cansada e sem forças depois de quase uma noite inteira sem dormir. Recusar uma alternativa à criança era a maneira como tinha conseguido até agora que ela comesse; quase sempre, se Matilda se mantivesse firme, ela acabava por ceder e comia o que tinha no prato.

— Não quero — disse ela, afastando de novo a tigela, mas desta vez empurrou-a com tanta força que ela se virou, entornando o conteúdo sobre a toalha da mesa.

— Menina marota — exclamou Matilda, voltando a recolher a comida na tigela. — Olha a sujeira que fizeste na toalha. Mereces um tautau.

— Nunca ameaces a minha filha de violência — explodiu Giles. — Levanta-lhe um dedo e sais imediatamente desta casa.

— Ao que parece, já vou ser corrida daqui — ripostou ela, chocada com a ferocidade inesperada dele.

Assim que as palavras saíram, quis voltar a engoli-las. Insolência era coisa que nenhum dos Milson tolerava e, pior ainda, deixara escapar que tinha escutado a conversa.

— Peço desculpa, reverendo — apressou-se a dizer, corando furiosamente. — Falei sem pensar. Claro que não ia bater na Tabby, só disse isso sem pensar porque estava zangada. E também não foi por querer que ouvi a sua conversa com a senhora ontem à noite, mas não pude evitar, estavam a falar muito alto.

Seguiu-se um silêncio hostil por alguns momentos e Tabitha aproveitou a oportunidade para afastar ainda mais as sopas de leite.

— Está demasiado calor para ela comer isso — disse Giles finalmente e, pegando numa fatia de pão, barrou-a com manteiga e mel e cortou-lha em pedacinhos. — Toma, Tabby, come isto — disse ele, levantando-se para pôr o prato à frente dela.

— Porque é que julgas que vais ser «corrida» quando formos para a América? — perguntou ele com um certo sarcasmo quando

Tabitha começou a comer o pão. — Não tens confiança em mim, Matilda?

Ela baixou a cabeça, envergonhada. — Bem, o novo pastor aqui pode não precisar de uma ama — disse ela num tom dócil.

— Isso é verdade, mas eu arranjar-te-ia outro emprego.

Matilda sabia que os seus receios eram pouco importantes, mas sentiu a necessidade de explicá-los. — É a Tabby, reverendo, gosto muito dela e acho que ela também gosta de mim. E mais ninguém vai ser tão bom como o reverendo e a senhora. Pois não?

Giles ficou sem saber o que responder. Matilda era um enigma. Tinha vindo da sarjeta, mas possuía o orgulho de uma duquesa. Durante os cinco meses que ali estivera, conseguira melhorar a pronúncia, desenvolver maneiras refinadas e aprender uma série de novas competências, mas no fundo não tinha percebido que os criados deviam ser subservientes.

Transmitia as suas opiniões, tinha ideias próprias. «Autoconfiante», era como Lily a descrevia, e habituara-se a contar com o discernimento de Matilda. Quando Tabitha teve difteria, foi Matilda quem soube que fazia bem pô-la a respirar o vapor de uma chaleira a ferver. Sabia lavar uma conjuntivite com água salgada e recusou-se a deixar Lily dar um xarope para a tosse à filha, alegando que tinha componentes perigosos. Tinha razão, como se veio a saber mais tarde quando um amigo médico admitiu que continha láudano.

A verdade era que Matilda era inestimável. Quando Lily era obrigada a ausentar-se, não tinha qualquer receio de que a filha fosse negligenciada durante a sua ausência. E era verdade que Tabitha a adorava; muitas vezes, aliás, corria mais depressa para ela do que para a mãe. Matilda exercia uma influência positiva sobre a criança, era paciente e carinhosa, mas firme. Os pais da voluntariosa Tabitha eram bastante menos firmes com ela do que Matilda.

No entanto, foi a observação de Matilda de que ninguém seria tão bom para ela como eles que o comoveu. Por mais que se esforçasse por lhe arranjar um emprego, sabia bem que não podia prometer-lhe que viesse a receber o mesmo tratamento que recebia aqui. A realidade era que seria sobrecarregada de trabalho, tratada como um capacho debaixo dos pés dos patrões e nunca seria valorizada. Esta ideia entristecia-o porque sabia que a jovem Matilda não ficaria calada se as coisas corressem mal.

— Ainda não está nada decidido — disse ele, sabendo que era um cobarde porque não era capaz de admitir, nem a ela nem à mulher, que estava determinado em partir. — Por isso, não canses a cabeça a pensar em possibilidades.

Matilda limitou-se a olhar para ele, os olhos azuis firmes e penetrantes. — Eu sei que vai partir, reverendo. Percebi ontem à noite quando o ouvi falar — disse ela, num tom calmo e comedido. — Portanto, talvez seja melhor levar-me também, porque a senhora não vai conseguir olhar pela Tabby sozinha num país estranho, e isso implica que o senhor não terá tempo para dedicar aos outros.

Giles sabia que qualquer outro patrão pregaria uma bofetada a uma criada que demonstrasse tamanha insolência, mas não foi capaz. Os olhos dela não exibiam qualquer manha, a sua voz não continha maldade ou ameaça. Estava a falar verdade.

— É a mim que compete decidir isso — disse ele bruscamente, levantando-se da mesa. — Estás a ficar com ideias de grandeza, Matilda.

— Peço desculpa, reverendo. — Baixou os olhos, numa tentativa de parecer submissa.

Giles apressou-se a sair da sala. Quando Matilda salvara a vida de Tabitha, tinha pensado que era a mão de Deus, agora tinha a certeza. A mulher julgava-o cruel, os amigos julgavam-no louco, mas esta rapariga estava a oferecer-lhe lealdade cega porque lhe ganhara afeição, a ele e à sua família. A verdade era que a rapariga era excepcional em tudo. Levara paz e alegria ao presbitério, acalmara a disposição nervosa de Lily, na verdade, a sua presença era benéfica para a felicidade e segurança de toda a família.

Seria louco se não a levasse com eles.

CAPÍTULO 3

— É aquela casa, acolá — disse Lucas, apoiando-se aos remos por um momento para apontar para uma casa na margem oposta do Tamisa, cerca de quatrocentos metros à frente. — E se não me engano muito, a Dolly está a sair ao nosso encontro.

Matilda virou-se no banco à proa para olhar e, para seu deleite, a nova casa do pai era ainda mais bonita do que ele descrevera. Era em madeira branca fasquiada com telhado de colmo, o grande jardim descendo em declive até ao rio. Ainda estavam demasiado longe para ela ver Dolly com nitidez, mas a maneira acolhedora como ela estava a correr para o desembarcadouro, acenando alegremente com os dois braços, pôs o coração de Matilda a saltar de felicidade pelo pai.

Eram os primeiros dias de Janeiro, terrivelmente frios, com um vento forte a picar a água, e fora uma longa viagem desde Chelsea, onde o pai a apanhara. Matilda retirou uma mão do novo xaile que os Milson lhe haviam oferecido pelo Natal, retribuiu o aceno e voltou logo a enfiá-la no xaile. Os Milson tinham-lhe dado dois dias de folga para ela poder visitar o pai e conhecer a nova mulher dele. Contudo, o brilho nos seus olhos e a cor rosada nas suas faces não se deviam inteiramente ao frio ou à excitação de ver o pai. Estava a fervilhar de notícias importantes, mas achava que devia esperar pelo momento oportuno para lhas dar.

Em Agosto passado, com as suas temperaturas tórridas, tinha havido uma espécie de ponto de viragem nas vidas de ambos. Nesse mês, ela soubera da intenção do reverendo Milson de ir viver para a América, o pai conhecera Dolly e os irmãos haviam fugido de casa.

Matilda ficara profundamente perturbada com as três ocorrências, mas agora, seis meses depois, parecia que tudo tinha corrido pelo melhor e a sorte estava finalmente a sorrir à família Jennings.

Luke e George tinham fugido depois de apanharem uma tareia do pai por roubarem carteiras. Ele imaginava que estariam escondidos num dos muitos bairros degradados de Seven Dials, mas todas as suas tentativas para encontrá-los haviam-se revelado infrutíferas. Inúmeras velhas e os brutos a seu mando ocupavam-se a aliciar crianças para os seus covis a troco de comida e abrigo. Assim que as tinham firmemente em seu poder, treinavam-nas na gatunagem, ficando com a fatia de leão das receitas.

Por volta da mesma altura, Lucas conheceu Dolly Jacobs. Tinha transportado um grupo de pessoas no rio para a aldeia de Barnes, numa tarde de calor, e uma delas sugerira que parassem na esplanada do jardim de Willow Cottage para tomar uns refrescos.

Lucas ficou no barco enquanto o grupo se sentava às mesas do agradável jardim ribeirinho, a tomar chá e a comer bolo, mas um pouco mais tarde, a proprietária trouxe-lhe uma caneca de cerveja de gengibre. Lucas relatou mais tarde a Matilda que ela era uma mulher simpática e jovial e que ele se oferecera para voltar em breve para reparar um velho barco a remos que ela tinha atracado no seu desembarcadouro.

A amizade entre o pai e Dolly desenvolveu-se enquanto ele reparava o barco e ele não tardou a visitá-la com regularidade para fazer mais biscates. Dolly e o falecido marido haviam sido donos de uma próspera confeitaria em Cheapside. Uns cinco anos antes, tinham vendido a loja, retirando-se para Willow Cottage, pois Mr. Jacobs tinha problemas de saúde. Infelizmente, morrera um ano depois de irem viver para lá. Dolly tinha ficado numa situação financeira folgada, mas sentindo-se só, tornara a sua casa num salão de chá com esplanada.

A princípio, Matilda teve receio de que esta viúva estivesse a aproveitar-se do pai, pois não imaginava por que razão uma mulher na sua posição se quisesse dar com um humilde barqueiro. Mas sabia que o pai se sentia extremamente só e, como parecia estar a distraí-lo das consumições com os filhos, guardou os receios para si mesma.

Foi no final de Outubro que tiveram notícias de George através de um carroceiro chamado Mr. Albert Gore, de Deptford. Gore tinha apanhado os dois rapazes a roubar-lhe a carroça e, embora Luke tivesse conseguido escapar, ele apiedara-se de George o suficiente para o levar para casa e lhe dar uma refeição e um banho. Pelo que George disse ao carroceiro sobre o irmão mais velho e a situação da sua família, ele concluiu que Luke obrigara o rapaz influenciável a roubar.

Como Mrs. Gore ficou encantada com George, deram-lhe guarida e fizeram finalmente chegar uma mensagem a Lucas, dizendo que estavam preparados para lhe dar um tecto permanente a troco de ajuda com a carroça. Lucas foi imediatamente a Deptford, determinado em levar George para casa, mas quando descobriu que eram pessoas respeitáveis e que o filho mais novo se sentia feliz com eles, concordou que ele estaria mais seguro com o casal, longe da má influência de Luke.

Veio a descobrir que Luke já não tinha salvação. Embora só tivesse onze anos de idade, desde que fugira de casa envolvera-se nas actividades mais vis do submundo londrino, entregando-se ao álcool e a lutas de cães e mostrando grande admiração por todo o tipo de crimes. Alardeava que ia tornar-se um «salteador» e, como já terminara o seu período de aprendizagem como carteirista e trabalhava à noite como moço de recados de outros dois gatunos — sendo o seu papel o de se enfiar por janelas estreitas e ir abrir a porta da rua aos outros para roubarem a casa —, Lucas sabia que Luke provavelmente não tardaria muito a avançar para crimes muito mais graves e até, quem sabe, a arrombar cofres. Infelizmente, sabia que era inútil perder mais tempo e energias à procura dele.

Mais tarde, em Novembro, Lucas declarou que ia viver com Dolly e que passaria a trabalhar nesse troço do rio. Embora fosse perfeitamente normal as pessoas das classes trabalhadoras viverem juntas sem se casarem, Matilda ficou surpreendida e um pouco chocada por uma viúva aparentemente respeitável fazer uma coisa dessas, esperando apenas que Dolly não fosse outra Peggie e não causasse mais sofrimento ao pai. Mas ele parecia muito feliz e entusiasmado e, mesmo que significasse que não ia poder estar com ele com tanta frequência, estava contente por ele ter encontrado alguém que amava e poder finalmente sair de Finders Court.

— Então, não é uma mulher bonita? — disse Lucas ao aproximarem-se do desembarcadouro, a sua voz áspera suavizando-se com o afecto. — Chamo-lhe a minha bolachinha.

Matilda olhou para a mulher que os esperava e achou o nome apropriado. Ela era baixa e redonda, com um rosto meigo e sem rugas, iluminado por um sorriso radioso. Embora tivesse o cabelo grisalho e Matilda soubesse que tinha a idade do pai, possuía uma jovialidade que nem as botas demasiado grandes e o casaco de homem com que estava podiam disfarçar.

— Dá ideia de que te saiu a sorte grande, pai — murmurou ela.

— Eh, olha que eu também tenho o meu valor — retorquiu ele com uma certa indignação.

Assim que amarraram o barco, Dolly conduziu-os para casa, comentando que pareciam os dois enregelados e que tinha preparado uma empada de carne e ostras para o jantar. Ao atravessarem o jardim, Matilda viu galinhas, gansos e patos e uma coelheira. Perguntou-se se seriam apenas animais de estimação, não imaginava Dolly a matá-los.

Dolly conduziu Matilda directamente para uma cozinha grande e quente que cheirava deliciosamente a empada de carne. Ela tinha um fogão igual ao do presbitério, e na mesa estava um bolo fresco. Nas vigas do tecto estavam pendurados ramos de ervas e flores secas, havia dezenas de frascos de conservas numa prateleira e ainda mais loiça no aparador do que Matilda vira em casa dos Milson. Era luminosa, asseada e muito aconchegante. Claramente, não se tratava de outra Peggie.

— Senta-te — ordenou Dolly, tirando o xaile dos ombros de Matilda e indicando uma cadeira ao pé do fogão. — E devias andar com uma coisa mais quente do que isto com este tempo gelado. Tenho um casaco lá em cima que te serve. Vou buscá-lo depois de tomarmos um chá e conversarmos um pouco. Mas, valha-me Deus, ainda não te disse que estou encantada por te conhecer nem te desejei bom ano.

Matilda sorriu quando a mulher lhe espetou um beijo repenicado na face. Interrogou-se se ela seria sempre assim tão tagarela. — Também tenho muito gosto em conhecê-la — disse ela. — E estou certa de que vai ser um bom ano para todos nós.

Dolly desembaraçou-se do casaco e botas de homem, queixando-se de que o jardim estava enlameado e que estava morta que chegasse a Primavera. O seu vestido era de um azul-escuro discreto com uma pequena gola de renda, mas o tecido e o corte não teriam parecido deslocados numa das mulheres mais ricas na igreja. Não era propriamente gorda, mas sim cheia de curvas e, quando levantou o vestido para enfiar um par de delicados sapatos de andar por casa, Matilda reparou nos tornozelos bem feitos.

Lucas puxou pela cadeira do «mestre» que estava no antigo quarto deles e sentou-se ao lado da filha. — Disse à Dolly que esta cadeira era o meu dote — gracejou. — Mas fica bem aqui, não fica?

— Como se tivesse sido feita para este lugar — concordou Matilda. Sentiu que o pai estava embaraçado por ser a única coisa que tinha para oferecer a Dolly.

— O Lucas também foi feito para aqui — disse Dolly enquanto fazia um bule de chá. Os seus olhos eram escuros e cintilavam alegremente quando sorria. — Só Deus sabe como me desenvencilhava sem ele. É um espanto de homem, consegue arranjar tudo. E quero desde já dizer que, a partir de agora, deves considerar que esta é a tua casa, Matty. Eu e o Lucas podemos não ser casados, mas o meu coração é dele e os filhos dele são meus filhos também.

— Mas havemos de nos casar — disse Lucas, estendendo o braço para apertar a mão da filha. — Pensámos na Primavera, quando estiver tudo em flor. O que é que dizes?

Dolly pousou o bule no fogão e olhou ansiosamente para Matilda, como se esperasse a sua reprovação.

— Acho que é a melhor notícia que já tive — disse Matilda. Sentiu os olhos a arder e esperou não fazer a triste figura de chorar. Podia não conhecer a mulher há mais de dez minutos, mas o afecto que existia entre o casal, as generosas palavras de Dolly sobre os filhos dele e a segurança que o pai ganharia casando com ela eram suficientes para dissipar quaisquer dúvidas no seu espírito. — Só espero que seja antes de eu partir de Londres. É que os Milson convidaram-me para ir com eles para a América.

Arrependeu-se de ter dado a notícia assim de repente quando viu o rosto do pai perder a cor. — Para a América! — exclamou ele. — Oh, não, Matty!

Por causa do desaparecimento dos rapazes em Agosto passado, não lhe falara da intenção do patrão de ir para Nova Iorque e, além do mais, o assunto não voltara a ser mencionado depois dessa noite, pelo menos que ela ouvisse, e como tal tinha começado a pensar que Giles abandonara a ideia.

— Toma este chá antes de continuares — disse Dolly, metendo-lhe uma caneca nas mãos. — E não ponhas essa cara de enterro,

Lucas. É uma oportunidade fantástica para a Matty. Deixa-me só cortar uma fatia de bolo para os dois e depois queremos ouvir a história toda, por favor.

O bolo ainda estava quente e carregado de passas e especiarias. Matilda achou que nunca tinha comido um bolo tão saboroso, fazia sombra aos seus esforços e aos de Aggie.

— Foi só no dia de Natal que me convidaram para ir com eles — começou Matilda. — Chamaram-me à sala para me darem um presente, esse bonito xaile castanho. Quase desatei a chorar quando o vi, mas depois, imaginem, mandaram-me sentar porque disseram que tinham outra surpresa para mim.

Fez uma breve pausa para recobrar o fôlego. — Então o reverendo falou. Disse que tinham decidido ir para a América em Abril e perguntou-me se eu gostava de ir com eles. Oh, pai — exclamou ela, estendendo a mão para lhe tocar no joelho. — O reverendo foi tão bom. Disse: «Agora consideramos-te uma pessoa da família, Matty. Nenhum de nós quer partir sem ti.» Aí, rompi a chorar e a senhora deitou-me um daqueles olhares meigos que deita à Tabby. Disse que esperava que não ficasses triste, mas que, se não gostasse, podia sempre voltar para casa. O reverendo está tão entusiasmado, pai, sempre a dizer que vai ser uma grande aventura e a mostrar-me mapas e coisas sobre a América.

Fez nova pausa, subitamente consciente de que o pai estava pasmado e muito triste. — Não me agrada deixar-te, pai — continuou ela, pegando-lhe na mão e acariciando-a. — Mas, se não for, que alternativas tenho? Outro lugar de ama, talvez, com uma família que não será tão boa para mim ou um emprego como criada ou empregada de balcão.

— Ela tem razão — disse Dolly firmemente, sem dar tempo a Lucas para manifestar a sua opinião. — Escrava de alguém que nunca há-de lhe dar valor! Se me tivessem oferecido uma oportunidade destas quando tinha a idade da Matty, teria ido logo sem pensar duas vezes. Estamos sempre a ouvir que as coisas vão melhorar em breve, mas toda a minha vida ouvi a mesma coisa e tu também, Lucas. A verdade é que os ricos são cada vez mais ricos e os pobres cada vez mais pobres. A América tem de ser mil vezes melhor.

Lucas olhou para a filha. Tirando as suas mãos, que se moviam entre as dele, estava sentada, rígida como uma tábua, os olhos implorando-lhe que concordasse com a sua partida. Ele olhou para Dolly, que lhe lançou um sorriso encorajador. — Vai com a minha bênção, se é realmente o que queres — disse ele pausada e pensativamente. — Já uma vez te disse, Matty, nunca olhes para trás, e falei a sério. Se não estou agora aqui aos saltos de felicidade por ti é só porque vai ser penoso não te ver tornares-te numa mulher, ver-te casada com um homem bom e com uma ninhada de catraios à tua volta.

— Não vou para sempre — disse ela, chocada por ele pensar que nunca mais a veria. — Volto com os Milson quando eles regressarem.

— Não voltas, não, meu amor — disse ele em voz baixa. — Vais ficar lá, eu sei. Pelo que tenho ouvido, é um grande país, um lugar perfeito para uma rapariga corajosa como tu. Escreve-nos a contar como é. A Dolly sabe ler tão bem como tu e responde-te pelos dois.

— Agora, antes que te instales de vez nessa cadeira, deixa-me mostrar-te a casa — disse Dolly, ansiosa por aligeirar o ambiente. Estendeu uma mão a Matilda. — Pus a cama a arejar para ti.

Depois do presbitério, a casa parecia muito pequena. Não tinha mais do que uma cozinha com uma pequena copa contígua e a sala que Dolly usava como salão de chá quando chovia ou estava demasiado frio para as pessoas se sentarem no jardim. Parecia bastante despida e gelada depois do calor da cozinha, com apenas meia dúzia de pequenas mesas e cadeiras e um suporte com uma campânula de vidro, onde, explicou, expunha os bolos.

— Agora só volto a abri-la na Páscoa — disse ela. — O Lucas acabou de pintá-la de fresco e tirei as cortinas para as lavar. Mas fica muito bonita com as mesas arranjadas e algumas flores.

O quarto de Dolly corria a toda a largura da fachada da casa e Matilda teve de se baixar para ver o rio pelas janelas no tecto inclinado. Também este tinha pouca mobília, unicamente uma cama de latão, coberta com uma manta de retalhos em cores garridas, e uma cómoda, mas estava imaculadamente limpo e cheirava a alfazema.

— Gostas do cheiro? — perguntou Dolly quando Matilda se debruçou para inalar o aroma de uma taça na cómoda. — Foi o teu pai. No Verão, trouxe uns grandes ramalhetes de alfazema, disse que para ele era o melhor perfume do mundo.

Era evidente que o quarto em que Matilda ia dormir fora preparado especialmente para ela. Era mais pequeno do que o quarto da frente e muito menos austero. Havia cortinas estampadas, com folhos, na pequena janela, a manta de retalhos na cama de ferro era toda em tons de rosa e azul e um tapete de trapos cobria as tábuas enceradas do soalho.

— Apressei-me a terminar essa manta quando soube que vinhas — disse Dolly. — Podes ir para a América, meu anjo, mas este quarto será sempre teu. O Lucas falou-me imenso de ti, logo desde o primeiro dia em que nos conhecemos. Mas tu és ainda mais simpática e bonita do que ele disse. Não admira que ele tenha tanto orgulho em ti.

Matilda desejou ser capaz de abraçar Dolly. De algum modo, a casa dela encerrava todos os sonhos e esperanças que ela sabia que o pai partilhara outrora com Nell, ainda antes de ela ter nascido. Por mais trágico que fosse o facto de a mãe não ter sobrevivido para os concretizar, era bom saber que Lucas viveria os seus dias em paz e conforto com uma mulher carinhosa e digna dele.

— Sinto-me muito feliz por o meu pai a ter conhecido — gaguejou. — Não me sinto tão mal por partir, sabendo que ele a tem a si.

Mais tarde, depois da deliciosa empada de carne e ostras, Lucas saiu para trabalhar de novo no rio e Dolly falou dos seus sentimentos por ele, sentada com Matilda junto do fogão.

— Ele é tudo o que sempre desejei — disse ela, o seu pequeno rosto adoptando um ar sonhador e jovem. Tinha dentes invulgarmente saudáveis para uma mulher da sua idade, pequenos e brancos, e não faltava nenhum, e agora que estava com uma touca de folhos com o cabelo grisalho escondido, parecia dez anos mais nova. — Tem graça no que dão as coisas às vezes. Quando era rapariga, sonhava em apaixonar-me por um homem rico e atraente que me salvasse da pobreza. Também era muito pobre — disse ela, com uma gargalhada, vendo o ar de surpresa de Matilda. — Muito mais pobre do que vocês, meu anjo. Digo-te, éramos dez a viver num espaço não muito maior que uma cavalariça e, à noite, os animais dormiam connosco. Às dez mandavam-me trabalhar na lavandaria de uma casa grande ali perto e, se não tivesse visto como os ricos viviam, calculo que teria acabado como a minha mãe.

«Pois é, como disse, estava sempre a sonhar com um homem rico que me salvasse e suponho que foi exactamente o que Mr. Jacobs fez, embora não fosse atraente nem rico e eu nunca me tivesse apaixonado por ele. Apareceu lá em casa uma vez, quando estavam a dar uma grande festa, fazia bolos e pastéis deliciosos, sabes? Acho que foi a pastelaria dele que me cativou, sempre fui uma gulosa. Bem, conversámos um pouco, descobri que ele vivia bem a vender bolos e doçaria para as festas da gente fina, e ele deve ter engraçado logo comigo porque disse que precisava de uma assistente.»

— Era inglês? — interrompeu Matilda. Dolly, uma vez lançada, não parava para respirar.

— Nasceu aqui, mas pertencia a uma família de judeus austríacos — disse ela. — Também eram pasteleiros. Seja como for, foi assim que começou. Fui trabalhar para ele e, quando ele tentou atirar-se a mim, disse-lhe que tinha de se casar comigo primeiro.

Os olhos de Matilda arregalaram-se de surpresa. Não esperava tanto sangue-frio e calculismo da parte de Dolly. — Bem, ele não era nenhuma estampa — disse Dolly a rir, a sua barbela a tremer. — Baixote, escanzelado, com um nariz afiado e muito pouco cabelo. Nessa altura, já tinha trinta anos.

— E a Dolly que idade tinha?

— Dezasseis — disse ela, sorrindo. — Não me interpretes mal, Matty. Eu tinha-lhe afeição. Admirava a sua competência de pasteleiro e era um homem bom e decente. Por isso, casei com ele. E ainda bem, senão não estaria aqui sentada, nesta linda casa, com uma certa segurança financeira. Mas mereci-a. Trabalhava dezoito horas por dia, quando ele se estabeleceu em Cheapside.

— Mas não o amava?

— De uma maneira romântica, não — respondeu a mulher mais velha, sorrindo. — Éramos bons amigos e muito chegados. Ele ensinou-me tudo o que sei, incluindo ler e escrever. E quando morreu, senti muito a falta dele. Mas havia momentos em que lamentava não me ter casado com um homem por quem sentisse paixão e nunca ter tido a felicidade de ter filhos. Valha-me Deus, estou para aqui a tagarelar! Não te queria impingir a história da minha vida. O que queria dizer-te era que, quando Mr. Jacobs morreu, pensei que estava acabada. Já não era bonita e achava-me demasiado velha para aspirar à felicidade com outro homem. E depois apareceu o Lucas, com os seus encantadores olhos azuis, e o meu coração sobressaltou-se.

Matilda não tinha a certeza se gostava de ouvir Dolly falar da sua paixão pelo pai. Não parecia muito decoroso.

— Fico muito feliz pelos dois — disse a custo.

Dolly riu-se. — Fiz-te corar, não devia, mas queria que soubesses como é a nossa relação. Acho que tu e eu somos muito parecidas, Matty, pessoas frontais, só que tu não te abres muito! Falas bem, tens boas maneiras e sei pelo teu pai que não foi obra dele. Eu fui aprendendo aos poucos os meus ares e modos, não nasci com eles. Mas não te cases com um homem só pelo dinheiro dele. Tenta apaixonar-te por alguém que o tenha, é claro, até o verdadeiro amor vai pelo cano abaixo quando se passa fome. Mas não olhes só para o dinheiro, assegura-te que ele é bom e te faz rir.

Na tarde do dia seguinte, quando Matilda estava pronta para partir com o pai, descobriu que era capaz de abraçar Dolly espontaneamente. Ela era um autêntico tesouro, boa, generosa e adorável. A sua personalidade enchia a pequena casa, o seu riso e tagarelice eram aconchegantes como um cobertor quente. Ao ver a mulher a abotoar ternamente o casaco de Lucas e a amarrar-lhe um cachecol quente ao pescoço, Matilda sentiu um nó formar-se-lhe na garganta. Era comovente também ver como ela dava valor às pequenas coisas que ele fazia por ela, como preparar-lhe uma chávena de chá logo pela manhã ou espalhar as cinzas do fogão no caminho lá fora para ficar menos escorregadio para ela.

Matilda sentia que podia agora partir para a América feliz e descansada. Dolly e Lucas envelheceriam juntos, valorizando aquilo que tinham um com o outro porque ambos sabiam como era viver sem isso.

— Casem-se no princípio de Abril — insistiu Matilda com Dolly, ao despedir-se à porta. Embora ainda só fossem três e meia, já escurecera e estava terrivelmente frio. Dolly dera-lhe o casaco que prometera, de sarja azul-escura com uma gola de pele de coelho, mas embora fosse muito mais quente do que o seu xaile, quando chegassem a Chelsea provavelmente estaria completamente gelada. — E pode tentar arranjar maneira de o George também estar presente?

— Sim — respondeu Dolly, lançando os braços à volta dela e envolvendo Matilda no seu cheiro a alfazema. — Vai ser uma cerimónia modesta, só nós e alguns amigos que fiz aqui. Mas nunca te esqueças que esta casa também é tua. Se mudares de ideias a respeito da América, podes vir viver para aqui. Agora vai antes que eu comece a chorar.

*

— Então que achas da Dolly? — perguntou Lucas quando chegaram a meio do rio. Teve de gritar porque as suas palavras eram levadas pelo vento forte.

— É perfeita para ti — respondeu Matilda, aconchegando-se numa das mantas dele. — Como o reverendo Milson diria, acho que devias pôr-te de joelhos e agradecer ao Senhor.

— Já agradeci, Matty. Já agradeci — disse ele, fazendo um sorriso rasgado. — Só queria tê-la conhecido quando a tua mãe morreu, em lugar da Peggie.

— Uma vez disseste-me «Nunca te metas com um homem de luto» — disse Matilda, sem hesitar. — Ainda bem que não a conheceste nessa altura, por mais que eu tivesse gostado de a ter como mãe.

— Tens razão — disse ele, rindo. — Agrada-me que recordes as pérolas de sabedoria do teu velhote.

Três meses mais tarde, em meados de Abril, Matilda estava no quarto de hóspedes do presbitério com Lily, tentando fechar o enorme malão de couro. Colocou todo o seu peso sobre ele, mas o fecho teimava em ficar a cinco centímetros do encaixe. — Não vai fechar, minha senhora — disse ela, exausta. — Está demasiado cheio.

Lily pousou o vestido de noite que estava a dobrar na cama, juntamente com outras peças de vestuário e roupa de cama que queria levar, e acrescentou o seu peso à tampa, mas não fez diferença nenhuma. Continuava a não fechar.

— Temos de tirar a colcha azul — disse ela, com um suspiro. — Suponho que não vamos precisar imediatamente dela, pode ir mais tarde com as outras coisas. — Deixou-se cair na cama e tapou a cara com as mãos. — Oh, Matty, estou tão cansada de tudo isto! — queixou-se.

Matilda sentiu-se terrivelmente tentada a dizer à mulher que se animasse e deixasse de sentir pena de si própria. No Natal, parecera perfeitamente feliz com a partida, mas desde então revelava-se, a pouco e pouco, cada vez mais ansiosa. Todos os dias parecia arranjar mais uma razão de queixa ou preocupação, recusando-se a tentar sequer ver qualquer aspecto positivo. Parecia imaginar que toda a América era uma terra inóspita onde as pessoas viviam em casebres sem quaisquer confortos e tão-pouco lojas para comprar coisas. Queria levar absolutamente tudo o que ela e o marido possuíam, não apenas roupas, livros, lençóis e loiça, mas dezenas de peças de tecido para confeccionar vestuário no futuro. Até agora, o malão tinha sido feito e desfeito seis vezes.

Contudo, Matilda sentia alguma compaixão — a patroa estava instalada aqui, em Primrose Hill, e adorava o presbitério. O marido tomara todas as decisões sem atender muito à sua vontade, aos seus receios pela filha ou à longa viagem por mar, e Lily estava agora a ponto de perder o controlo por simples pânico.

Matilda abriu a tampa do malão e retirou algumas coisas, pousando-as na cama. — Eu trato disto — disse ela. — Porque é que não se vai deitar um bocadinho, está com um ar muito cansado.

Lily hesitou. Não estava só cansada, sentia-se completamente exausta. Há meses que não dormia em condições, preocupada com o que os esperava, e Giles parecia não querer saber da sua angústia. Matilda era a única pessoa que parecia compreender como ela se sentia e ela queria exprimir a sua gratidão.

Era irónico que esta rapariga, de quem ela inicialmente tivera medo, se tivesse tornado tão preciosa para ela. Trabalhava incansável e alegremente, executando não apenas as tarefas para que fora contratada, mas dando instintivamente uma ajuda em tudo o que fosse necessário. Na verdade, Lily sabia que ela era muito mais do que uma ama — era agora conselheira, companheira, amiga e membro da família. Não sabia como teria aguentado as últimas semanas sem a ajuda dela.

— Não posso deixar tudo a teu cargo — disse ela num fio de voz. — Já fizeste muito.

Matilda ficou sensibilizada com a gratidão na voz da mulher. Pensara que todo o trabalho adicional que fizera recentemente a lavar, a passar a ferro e a costurar tinha passado despercebido. — Já não falta muito que fazer — disse ela, com um sorriso encorajador. — Vá deitar-se. São quase horas de acordar a Tabby. Eu levo-a a dar uma voltinha para a senhora ter uns momentos de paz e sossego.

— És uma rapariga boa e generosa, Matty. — Impulsivamente, Lily estendeu a mão e tocou no braço da rapariga. Depois virou-se e apressou-se a sair, deixando Matilda de olhos arregalados com o espanto.

*

Dentro de três dias, apanhariam a diligência para Bristol, para que os Milson se despedissem das respectivas famílias, e uma semana depois embarcariam num navio no porto da cidade. Matilda esperava que, assim que estivessem a caminho, Lily se animasse e talvez até começasse a apreciar a aventura da viagem.

No entanto, apesar do aparente entusiasmo que Matilda demonstrava a todos, ela própria alimentava receios e dúvidas secretos. Na semana anterior, tendo ido a Barnes para o casamento, quase se sentira tentada a ficar lá de vez. Dolly precisava de uma empregada de mesa para o Verão e a visão daquele jardim ribeirinho, radioso com narcisos, flores de cerejeira e os salgueiros com as novas folhas verde--claras, tornava a América muito menos cativante.

Mas, reforçou a sua determinação recordando-se de que Tabitha precisava dela e que era a oportunidade de uma vida. Pelo menos, tinha a recordação da maravilhosa cerimónia guardada no coração. De Dolly, com um vestido amarelo-limão claro e chapéu a condizer, e do pai com um fraque emprestado. E do pequeno George! Fora tão bom voltar a estar com ele e um choque vê-lo de calções compridos e camisa de peitilho engomado, o cabelo ruivo impecavelmente cortado. Parecia um homenzinho, falando sobre o seu trabalho com a carroça a entregar mercadorias e a tratar dos cavalos e de como gostava de Mr. Gore, o carroceiro, e da mulher. Afastar-se de Luke fora o melhor que lhe podia ter acontecido. Agora tinha a oportunidade de crescer honesto e decente como o pai.

— Podemos subir ao topo do mundo? — perguntou Tabitha quando saíram de casa para o passeio da tarde. Chovera nesse dia de manhã, mas agora o sol surgira e o ar cheirava a lavado e a fresco.

Matilda riu-se. Era assim que Tabitha se referia ao cimo de Primrose Hill; na sua inocência, pensava que a vista dali era do mundo inteiro.

— Vamos, desde que não peças para vir ao colo no regresso a casa — respondeu ela.

No espaço de um ano, Tabitha passara de uma bebé alegre e bamboleante a uma menina um tanto séria. As suas gordurinhas de bebé haviam desaparecido, deixando-a um pouco magra de mais, e tirando os olhos castanhos e doces que herdara do pai, todos os outros traços estavam a transformar-se numa cópia dos da mãe. O seu nariz, anteriormente redondo, afilara-se um pouco e até o seu cabelo escuro, antes naturalmente encaracolado, tinha agora de ser ondulado com a ajuda de trapos senão caía-lhe frouxo. Recentemente, num tom pouco caridoso, Aggie afirmara que ela não ia ser a beldade que os pais previam, mas feia ou bonita, Matilda adorava-a. Era esperta, questionava tudo e, com três anos e meio apenas, já pensava pela sua cabeça.

— Porque é que a mamã se foi deitar outra vez? — perguntou Tabitha, franzindo a testa ao olhar para Matilda.

Um ano antes não conseguia articular mais do que algumas palavras, agora falava como uma adulta.

— Porque está cansada — disse Matilda com um sorriso. — Preparar-se para atravessar o oceano é muito cansativo, minha menina.

— Mas tu e a Aggie fazem o trabalho todo — disse Tabitha contundentemente. — A mamã não trabalha muito e está sempre a chorar.

Era um comentário muito astuto para uma criança tão nova, mas Matilda sabia que devia ser cautelosa na resposta, pois Tabitha tinha tendência para repetir o que ouvia.

— Bem, eu e a Aggie somos criadas — disse ela, num tom neutro. — Quer dizer que somos pagas para trabalhar para a tua mamã, mas mesmo que ela não esteja a limpar ou a cozinhar, tem muitas outras coisas para fazer. E se às vezes chora, é só porque está triste por abandonar a Inglaterra.

— Mas porquê? Vamos lá estar todos com ela — disse Tabitha. — Excepto a Aggie. Porque é que ela não pode vir também?

— Porque a Aggie tem família e, além disso, tem de olhar pelo novo pastor e pela mulher quando partirmos — disse Matilda. Na sua opinião, quanto mais depressa Lily se separasse de Aggie e das suas ideias alarmistas de que a América era um sítio perigoso cheio de selvagens e condenados, mais feliz a patroa seria. — Imagino que vamos ter uma nova governanta quando chegarmos a Nova Iorque. De qualquer modo, é melhor ter uma mulher americana porque nos pode ensinar como funcionam lá as coisas para nos podermos orientar.

Tabitha não disse mais nada até chegarem ao topo de Primrose Hill. Como sempre, pararam para admirar a vista. Há semanas que a cidade estivera envolvida em nevoeiro e, nos seus passeios até aqui, não conseguiam ver mais do que uma centena de metros. Mas o bom tempo de hoje deixava-as ver quase até ao infinito.

Matilda absorveu tudo em silêncio, os espaços verdes de Regent's Park, na base da colina, as elegantes flechas das igrejas espalhadas por toda a cidade, o reflexo prateado do Tamisa e as massas compactas de casas, lojas e casas comerciais pelo meio. Havia percorrido a pé quase toda a área diante dos seus olhos a vender flores, invejado as pessoas que viviam em casas sumptuosas e sentido compaixão dos pobres que viviam nas ruas, sem abrigo. Só agora que estava prestes a deixar Londres, talvez para nunca mais voltar, é que compreendia quão profundamente a cidade estava gravada no seu coração e o significado que as pessoas que ia deixar para trás tinham para ela.

Algures no rio, o pai com o seu boné debruado a dourado e casaco de marinheiro encontrava-se debruçado sobre os remos, esforçando os músculos para levar rapidamente os seus passageiros ao destino. Olhando para sudoeste, imaginou Willow Cottage, com as mesas no jardim, e Dolly, com o seu avental e touca imaculadamente brancos, a servir os clientes. Directamente em frente, era onde estava George, e ela esperava que ele continuasse com os Gore até se tornar homem e que, um dia, talvez até ficasse com o negócio do carroceiro. Luke estava algures a leste, mas ela recusou-se a pensar sequer no que ele estaria a fazer.

Fora de vista, mais a leste, situava-se o estuário do Tamisa e mais adiante o mar. Perguntou-se onde estariam os navios de John e James e tentou recordar as figuras dos dois irmãos mais velhos. Lembrava-se de que eram louros e tinham olhos azuis como ela, mas agora eram homens e não os rapazes magricelas a que se agarrara quando partiram para uma vida no mar, cerca de dez anos antes. Esperava que voltassem um dia a Londres e procurassem o pai. Talvez o destino os levasse até à América e pudesse encontrar-se uma vez mais com eles.

«Amo-vos a todos», sussurrou consigo mesma, os olhos enchendo-se de lágrimas. «Posso estar a milhares de quilómetros de distância, talvez nunca mais venha a vê-los, mas guardá-los-ei para sempre no meu coração.»

— Porque é que estás a chorar?

A voz aguda de Tabitha trouxe-a de volta ao presente. Baixou os olhos para a menina, que estava a fitá-la com uma expressão preocupada no rosto pequenino.

— Não estou a chorar, os meus olhos é que estão aguados — respondeu Matilda, limpando o rosto à manga, e sorriu, pegando na criança ao colo. — Estava só a pensar como Londres é bonita vista daqui e a olhar na direcção dos lugares onde estão os meus familiares.

Falou em todos eles, um a um, a pedido de Tabitha. — Onde fica Nova Iorque? — perguntou a criança, contorcendo-se nos braços de Matilda.

— Não se vê daqui, fica a muitos quilómetros de distância, do outro lado de um grande oceano.

— Um dia vamos voltar aqui quando eu for grande?

— Espero que sim, Tabby — disse Matilda, afagando a cara da menina com a sua. — Mas até seres grande vai uma distância como daqui à América.

Tabitha soltou um gemido quando o *Druid* começou a afastar-se lentamente dos postes de amarração no cais de Bristol. Estava a ser puxado por barqueiros em barcos a remos. Orientariam a embarcação de 360 toneladas e três mastros para fora do porto flutuante, antes de ser rebocado por cavalos, durante o resto do percurso, ao longo do rio Avon, através da garganta para o Canal de Bristol, onde podia desfraldar as velas. Giles tinha-lhe explicado que os grandes navios tinham dificuldade em entrar e sair do porto, devido à forte ondulação da maré e era essa a principal razão por que o vapor *S.S. Great Western*, que fora ali construído alguns anos antes, fazia agora a travessia do Atlântico a partir de Portishead ou Liverpool.

— Que é que se passa? — perguntou Matilda, alarmada, pegando em Tabitha ao colo. Olhou nervosamente para os pais da criança, que estavam a alguns passos dela, absorvidos a acenar e a gritar mensagens de última hora aos seus familiares no cais. Lily alegrara-se bastante nos últimos dias e Matilda não queria que ela se afligisse ainda antes de deixarem o porto.

— Não gosto disto — soluçou Tabitha no seu ombro, quase a estrangulando com os braços. — Quero ir para casa.

— *Estamos* a ir para casa — disse Matilda, levantando um pouco a criança para lhe ver a cara. — Para uma nova casa, noutro país. Mas este barco também vai ser a nossa casa durante algum tempo. Eu estou contigo e a tua mamã e o teu papá também. Vai ser como umas férias.

O grupo dos Milson e um casal chamado Smethwick eram os únicos passageiros de primeira classe, pois o *Druid* era um navio mercante que transportava tijolos, chapas de cobre e ferragens para Nova Iorque. Havia um grupo de dez ou doze pessoas, mais os respectivos filhos, que viajavam no que Giles chamou a «entrecoberta», e Matilda interpretou como querendo dizer que tinham camarotes no porão do navio. Também eles estavam no convés a acenar aos familiares — tinham aspecto de gente muito pobre e ela supôs que fosse por isso que Lily a avisara de que Tabitha não devia conviver com os filhos deles.

— Não gosto da maneira como anda — queixou-se Tabitha, olhando por cima da cabeça dela para os mastros altos, as velas desfraldadas e o cordame. — Também não gosto daquelas coisas.

Como a infância de Matilda fora dominada pelo Tamisa e ela andara em muitas embarcações diferentes, em todo o tipo de condições climatéricas, não via nada que pudesse causar medo. Para ela, os marinheiros eram todos homens como o pai, rijos, fortes e dignos de confiança.

— O movimento é muito agradável — disse ela. — É como ser suavemente embalado. Essas coisas aí em cima são as velas, mais tarde os marinheiros vão pô-las nos mastros e o vento bate nelas para nos empurrar. Não há nenhum motivo para teres medo. O comandante Oates e a tripulação vão olhar por nós. Vá, vamos até à amurada dizer adeus. O teu avô, a tua avó e muitas tias, tios e primos teus estão a olhar. Não queres que pensem que és uma bebé, pois não?

A coisa que Tabitha mais detestava era que a julgassem bebé e as suas lágrimas cessaram quase instantaneamente.

— Porque é que a avó e o avô Woodberry não estão ali também? — perguntou ela.

Matilda não sabia bem que responder a esta pergunta. Os pais de Lily haviam sido extremamente frios com a filha e o genro durante a sua visita. Tinha a nítida impressão de que os Woodberry não os aprovavam por qualquer razão. Não se tinham mostrado minimamente interessados em Tabitha e, quando Lily sugerira que Matilda dormisse no quarto dela, pois ficava um andar acima do deles, os avós insensíveis tinham manifestado desprezo por uma menina de três anos ter medo, e horror absoluto perante tal familiaridade com uma criada, relegando Matilda para a cave para partilhar um quarto exíguo, húmido e sem janelas, com a criada de copa.

Só um dos irmãos de Lily, Abel, tinha aparecido com a mulher e dois filhos para se despedir dela, embora quase toda a família vivesse a uma curta distância a pé do cais. Se não fosse o tio Thomas de Lily, a mulher e os cinco filhos dele, juntamente com a família de Giles, que viajou expressamente de Bath, teria sido uma partida muito triste.

— Os Woodberry são idosos — disse Matilda cautelosamente, embora ainda se sentisse ofendida pela maneira como a tinham tratado. — Imagino que terem de se despedir em público os deixa tristes.

Tabitha pareceu convencida e inclinou-se para a frente ao colo de Matilda para acenar freneticamente às tias, tios e primos de Bath, que a haviam cumulado de atenções.

Matilda ficou muito aliviada por ter conseguido evitar uma birra, pois queria permanecer no convés e saborear a última visão de Bristol. A cidade encantara-a e, apesar de os Woodberry a terem tratado como um cão vadio e tinhoso e tivessem repreendido a filha por permitir que uma simples ama pensasse que era importante, tivera tempo suficiente durante a semana para explorar este porto concorrido e vibrante.

Nunca se tendo afastado de Londres mais do que as aldeias de Hampstead numa direcção e Barnes, na outra, a caminho daqui, na diligência, ficara atónita perante a distância entre Londres e Bristol e os muitos e muitos quilómetros de campos, colinas ondulantes e floresta em que praticamente não se via uma casa.

A ignorância dela divertia Giles, e ele frisara que ela ainda não tinha visto nada, uma vez que a travessia do Atlântico levava, em média, trinta e quatro dias. Quando chegaram a Bristol, Matilda ficou ainda mais surpreendida ao descobrir que as pessoas falavam de modo bastante diferente dos londrinos e que o porto que ela sabia ser um dos maiores de Inglaterra fosse um lugar tão atractivo.

Era muito mais buliçoso, compacto e colorido do que o porto de Londres. Agora que estavam a trinta ou quarenta metros do cais, ao olhar para trás, assemelhava-se a uma rua estreita cheia de navios. Uma verdadeira floresta de mastros, muitos deles com as velas desfraldadas a secar ao calor do sol. Por entre os grandes navios, navegavam dezenas e dezenas de barcos mais pequenos.

As casas ao longo do cais eram muito diferentes dos casebres decrépitos a que estava habituada no porto de Londres. Eram belas casas de mercadores, muitas das quais, tinham-lhe dito, construídas há dois séculos. Circulavam diante delas carruagens, seges e todo o tipo de carroças. Havia também homens a puxar umas coisas que pareciam ser trenós, pois era mais fácil movimentar mercadorias pesadas, como barris de vinho e xerez, sobre calhas de metal em cima do empedrado do que usar rodas. A juntar-se a todo este bulício e ao barulho resultante, havia multidões de pessoas — marinheiros, estivadores, comerciantes, senhores com cartolas altas a supervisionar carregamentos e dúzias de rapazinhos esfarrapados a correr pelo meio de toda a gente.

À medida que o navio deslizava sobre a água, ganhando gradualmente velocidade, os rostos das pessoas a acenar foram-se tornando indistintos, mas em compensação Matilda foi brindada com uma vista mais panorâmica da cidade. Muito acima dos cheiros, do barulho e da confusão das docas estavam as grandiosas casas de Clifton. Era aqui que viviam as pessoas que haviam trazido prosperidade a Bristol com o vinho, o tabaco, a escravatura e o transporte marítimo. Agora, sob a luz do sol intenso, viam-se as curvas magníficas das casas geminadas, altivas e elegantes, como fora intenção dos seus arquitectos. Só em Greenwich é que ela vira algo de comparável, pois também era muito bonito. O resto de Londres era tão plano que, do rio, só era possível ver a fealdade e pobreza das pessoas que viviam à míngua ao longo das suas margens.

Se Matilda não tivesse aproveitado a oportunidade para explorar Bristol, poderia ter sido levada enganosamente a pensar que toda a cidade era tão agradável como Charlotte Street, onde os Woodberry residiam. Também esta estava alcandorada numa colina, com uma bela vista sobre as docas e os campos verdejantes para lá do rio Avon, mas suficientemente distante para estarem ao abrigo do mau cheiro e do barulho do porto.

Contudo, uma caminhada de apenas cinco minutos da esplêndida casa de quatro andares, por uma rua estreita, tinha-a levado a um labirinto de vielas íngremes e fétidas, tão sórdidas como as que conhecia de Rosemary Lane. Crianças quase nuas, com chagas abertas, estavam enfiadas em vãos de portas, os seus olhos desolados reflectindo a miséria das suas vidas. Vira velhos soldados, estropiados e mutilados por ferimentos na guerra de França, mulheres andrajosas e embriagadas com *gin*, deitadas pelas portas, com bebés nos braços, indiferentes a tudo à sua volta. Horrorizara-a e causara-lhe repugnância e teve de recordar a si mesma que, ainda um ano antes, estas visões faziam parte do seu quotidiano.

Dava que pensar que tivesse sido por acaso, por estar presente quando Tabitha correra para a frente daquela carruagem, que a sua vida se transformara milagrosamente. Esquecera-se do que era ter fome, do que era viver entre a imundície e ver as pessoas desviar os olhos dela quando tentava vender-lhes ramos de flores.

No entanto, se em Primrose Hill se sentira tentada a pensar que era agora quase uma senhora, porque aprendera boas maneiras e a falar melhor, e os Milson a tratavam quase como uma igual, os abastados Woodberry haviam-na chamado abruptamente à realidade. *Era* uma criada, aliás, uma criada das mais humildes, o seu bem-estar e segurança dependiam inteiramente dos patrões e, se um dia deixasse de lhes agradar, ou eles já não precisassem dela, podia muito bem dar por si na rua, novamente nos bairros degradados.

Apertando mais a criança irrequieta e entusiasmada nos braços, levantou, desafiadora, os olhos para aquelas casas esplêndidas na colina e fez um juramento silencioso a si mesma. Nunca mais voltaria para os bairros degradados. E também não ia ser criada toda a vida, só enquanto lhe conviesse. Diziam que a América era uma terra de oportunidade e, como tal, estaria sempre vigilante até descobrir a dela. «Nunca olhes para trás», dissera-lhe o pai naquele dia, quando lhe dera um beijo de despedida no presbitério, e era o que tencionava fazer. Daí em diante, iria olhar para a frente e para cima.

CAPÍTULO 4

Giles Milson amparava Lily nos seus braços quando o *Druid* entrou na Baía de Nova Iorque. — Não é uma vista que consola o coração? — perguntou ele.

Estavam no mar há quarenta e um dias e era agora uma tarde quente de sol de meados de Junho, mas Lily sentia-se tão indisposta com os enjoos que só perguntava quanto tempo faltava para atracarem.

— Não sei ao certo, teremos de ser guiados à entrada, mas de certeza que dentro de uma ou duas horas estarás em segurança na tua nova casa e esta longa viagem não passará de uma recordação maravilhosa.

Matilda, que estava a alguns passos deles, com Tabitha ao colo, ouviu o que ele disse e sorriu para si mesma. Pensou que a única «maravilha» que Lily encontraria nos quarenta dias passados no mar seria a surpresa por ter sobrevivido até ao fim.

Lily começara a queixar-se de enjoos praticamente no minuto em que o navio entrou no Canal de Bristol, e os seus queixumes haviam continuado durante toda a viagem. O marido, o comandante e Matilda tinham insistido várias vezes com ela para subir ao convés para apanhar ar fresco, porque a teria ajudado a recuperar, mas ela recusara-se a tentar sequer, permanecendo obstinadamente na abafada cabina de luxo, mesmo nos muitos dias amenos e calmos em que o navio quase não se movia. Ainda agora, quando devia estar satisfeita por ver a cidade de Nova Iorque, chorava contra o peito do marido.

Matilda queria dar vivas e gritar de excitação, porque a cena diante dos seus olhos era assombrosa. A baía era vasta, mas estava apinhada de barcos — vapores enormes, veleiros de todos os tipos e tamanhos, rebocadores, barcos de pesca e de passageiros. Olhando para lá dos que estavam a navegar, havia centenas mais atracados aos cais de ambos os lados da ilha de Manhattan. As aves marinhas gritavam no céu e o sol brilhante e quente de Junho realçava as cores garridas das bandeiras dos navios, conferindo à cena uma aparência festiva.

— Onde fica a nossa casa? — perguntou Tabitha. Como Matilda, não sofrera de enjoos e tinha o rosto bronzeado num tom castanho-escuro das horas passadas no convés durante a viagem.

— Não sei — respondeu Matilda. — Queres perguntar ao teu papá?

Aproximou-se dos patrões, mas antes de deixar a criança repetir a pergunta ao pai, Matilda perguntou como a senhora se estava a sentir.

— Um pouco melhor agora — fungou Lily, os olhos baços e inflamados. — Mas não vou recuperar enquanto não tiver os pés firmemente em terra. Acho que nunca mais quero olhar para um barco. Nem sequer consigo pegar na minha filha ao colo.

— Não precisas de pegar, mamã — disse Tabitha, contorcendo-se nos braços de Matilda para esta a pôr no chão. — Já sou uma menina grande. O comandante Oates disse que eu podia ser o imediato dele.

O pai da criança e Matilda riram-se. Tabitha tinha conquistado a tripulação inteira, desde o comandante ao simples marinheiro. Para ela, a viagem fora puro encantamento — dormir num beliche, comer as refeições com o navio a balançar, subir as íngremes escadas do convés e ver baleias e golfinhos da amurada. Nem as tempestades violentas, quando o navio se inclinava acentuadamente, a perturbavam, mas a verdade era que estava protegida pela sua inocência infantil relativamente à crueldade do mar e pela sua fé cega nos marinheiros.

Matilda poderia ter considerado a viagem tão emocionante como Tabitha, se não tivesse sido obrigada a passar tantas horas fechada na cabina de luxo com a patroa, a segurar em bacias para ela vomitar, a passar-lhe esponjas e a limpar a sujeira que ela fazia. A sua compaixão foi levada ao ponto de ruptura porque achava que a mulher não estava a fazer o menor esforço para se compor, comprazendo-se na autocomiseração. Por vezes, a única maneira de se conter para não dizer o que pensava era a lembrança da sua gratidão por dividir um camarote com Tabitha e por não estar no porão com os passageiros de terceira classe.

Tinha ficado horrorizada ao descobrir que estes passageiros viajavam à cunha, numa secção do navio que não tinha sequer o nome de «camarote». Não passava, aliás, de um porão escuro e húmido, toscamente equipado com beliches de madeira estreitos, que homens, mulheres e crianças partilhavam, apesar de serem três ou quatro famílias diferentes. Praticamente sem ventilação, com direito a uma refeição por dia — um tacho de guisado malcheiroso e gordurento — e só tendo autorização para subir ao convés em determinados momentos do dia, não era surpreendente que estivessem todos bastante doentes.

Matilda achava que jamais esqueceria o horror com que deparara, numa ocasião em que lá foi com Giles, quando uma das mulheres, temendo pela vida do filho, pedira a presença de um padre. A pestilência foi a primeira coisa a atingi-la, pior do que tudo o que vira em Finders Court, e vira-se obrigada a tapar a boca e o nariz para reprimir os vómitos. À luz fraca de uma candeia, viu que o chão estava coberto de vomitado e fezes. Olhos encovados viraram-se para ela, os passageiros incapazes de levantar a cabeça dos seus colchões de palha, e os seus gemidos lamentosos eram arrepiantes.

Levara dali o rapaz de dois anos, lavara-o e tentara obrigá-lo a beber um pouco de água fervida. Mas os seus ternos cuidados foram vãos. Duas horas mais tarde, ele morreu e os pais estavam demasiado fracos para subir ao convés e assistir ao enterro apressado do filho.

Matilda desconfiava que, se não fosse a intervenção oportuna de Giles, poderia ter havido mais mortes. No dia seguinte, ele insistiu com o comandante para que fizesse subir ao convés todas as pessoas no porão e mandasse a tripulação remover os colchões imundos e desinfectar o local com vinagre.

Mas o comandante recusou-se a dar melhor comida aos passageiros — a única concessão que fez foi autorizá-los a passar períodos mais longos no convés. Felizmente, o tempo acalmou e não se verificaram mais mortes.

Mas Matilda achava que nunca esqueceria o menino de quem tinha cuidado, nem a insensibilidade revelada por Lily perante a sua morte. Ela repreendera o marido e Matilda por se terem exposto a infecções e dissera até que, se Tabitha adoecesse, os responsabilizaria.

Felizmente, as provações da viagem haviam chegado ao fim e, com terra à vista, Matilda estava preparada para esquecer tais ocorrências. — A Tabitha quer saber onde fica a nossa casa — disse ela.

— Não sei exactamente — disse Giles, sorrindo à filha, abraçado à mulher. — Mas chega aqui que eu digo-te os pontos de referência que conheço.

Tabitha trepou para um rolo de corda ao lado dele.

— Estás a ver aquela igreja? — disse ele, apontando para uma flecha alta que dominava todos os outros edifícios na linha do horizonte. — Deve ser a igreja de Trinity, porque me disseram que constitui uma ajuda à navegação. É para essa igreja que vamos. Imagino que a nossa casa há-de ser perto.

— É muito próxima das docas — disse Lily numa voz trémula.

Matilda teve de desviar a cara para a patroa não a ver sorrir. Achava Lily uma pessimista do mais alto grau.

— Claro que é — respondeu Giles alegremente. — A igreja data de 1698, nesse tempo devia ser o centro da colónia aqui. É porque Nova Iorque é um porto muito seguro que a cidade prosperou e se expandiu tanto.

— Bem, só espero que não tenhamos de aturar marinheiros bêbados e incómodos desse género — disse Lily, amuada. — Quando eu era rapariga em Bristol, achava isso assustador e sei que a Tabitha também vai achar.

— Não vou nada, mamã — interveio Tabitha. — Eu gosto de marinheiros.

— Sabes quem está à nossa espera? — perguntou Lily ao marido quando desceram a prancha de desembarque para o cais.

Matilda voltava a cabeça para um lado e para o outro, assoberbada pelas vistas, sons e cheiros que não só lhe recordavam o porto de Londres, como o de Bristol. Mas estava tão quente que tudo parecia ampliado e muito desconcertante.

O cheiro a peixe era opressivo, as rodas das carroças, dos fiacres e das carruagens ressoavam sobre o empedrado como um trovão ribombante e os homens que carregavam e descarregavam os navios pareciam gritar a plenos pulmões. Os gurupés dos navios projectavam-se até ao meio da rua, as velas deixadas a secar batiam na brisa e o cais estava a abarrotar com tudo, desde fardos de algodão a cestos com galinhas, e até porcos vivos.

— O reverendo Kirkbright disse que talvez não pudesse vir pessoalmente. Mas garantiu-me na carta dele que estaria alguém à nossa espera para nos levar a casa — respondeu Giles, protegendo os olhos do sol ao olhar à sua volta. — Seja quem for deve reconhecer-nos logo. Devemos ficar aqui para nos poder identificar.

Passaram cinco ou dez minutos, o suficiente para um membro da tripulação aparecer com o malão deles e outras bagagens e pousá-las ao seu lado. Lily sentou-se no malão e abriu a sombrinha, chamando Tabitha para se abrigar também do sol.

Matilda estava a ficar nervosa, não por se sentir de algum modo ameaçada, mas porque via, pela expressão de Lily, que ela estava a ficar num estado de nervos aflitivo. Um jovem casal tinha corrido para os Smethwick assim que eles desembarcaram. Já estavam a afastar-se numa carruagem, com a bagagem amarrada atrás. À sua direita, uma das famílias de terceira classe estava a ser calorosamente recebida por um grupo de amigos ou parentes, à sua esquerda, a mãe do rapazinho morto estava a soluçar nos braços de um homem muito mais novo, e Matilda calculou que fosse o irmão que a persuadira a vir com o marido para a América. Os Milson haviam desembarcado bastante tempo antes destas famílias. Havia dezenas de pessoas por ali, mas, na maioria, eram trabalhadores mal vestidos ou mulheres de xailes e toucas, não o tipo de pessoas que seriam enviadas pela igreja.

— Não podes perguntar a alguém? — perguntou Lily, tapando o nariz com um lenço de renda e com ar de quem está prestes a desmaiar. Mas, no momento em que Giles fez menção de se afastar, voltou a chamar por ele. — Não, não podes deixar-nos, é perigoso.

Matilda achou que ela se sentia ainda mais intimidada por um grupo de negros sentados na parte de trás de um carro de mão a fumar cachimbo. Duvidava que a patroa alguma vez tivesse visto uma pessoa de cor. Ela própria não vira muitas, mas Giles tinha-lhe falado em pormenor sobre a escravatura nos estados sulistas durante a viagem e explicara que, apesar de os estados nortistas terem libertado os seus escravos alguns anos antes, pouco fora feito para ajudá-los a arranjar empregos nas áreas rurais e, por isso, tendiam a afluir às grandes cidades à procura de trabalho.

*

Continuaram à espera sob um sol abrasador. Um bêbado aproximou-se deles aos tombos e deu a sensação de que estava a pedir-lhes dinheiro, mas uma vez que falava numa língua estrangeira, até podia estar a falar do tempo. Um homem a rebolar um barril quase atropelou Matilda com ele e um indivíduo com ar de bruto, de chapéu de coco, a mascar uma coisa castanha e repulsiva que cuspiu ruidosamente para o chão, aproximou-se de Giles e ofereceu-lhe alojamento nas imediações. Ouviram falar pelo menos uma dezena de línguas e viram dois homens a sair de um bar, engalfinhados como dois pugilistas.

Giles não parava de andar de um lado para o outro, consultando o relógio e olhando para o rosto tenso da mulher e, embora de tempos a tempos lhe garantisse que devia estar a chegar alguém, era evidente que não sabia qual o melhor procedimento a seguir.

Por fim, cerca de uma hora depois de saírem do barco, um homem apareceu numa carroça.

— Reverendo e Mrs. Milson? — perguntou ele, puxando as rédeas ao cavalo.

Giles confirmou que eram e o homem de cara vermelha e nariz protuberante desceu de um salto e apresentou-se como sendo Mr. MacGready. Não se desculpou pelo atraso, mas disse que haviam estado a contar com eles vários dias antes. Depois disse que ia levá-los directamente para casa em State Street e que o reverendo Kirkbright os visitaria assim que pudesse.

Era um homenzinho pretensioso, com sotaque escocês, e não fez qualquer esforço para lhes dar as boas-vindas, limitando-se a ajudar Lily a subir para a carroça, a meter Tabitha lá dentro a seguir e a deixar Matilda por sua conta.

— Pegue na outra ponta do malão — ordenou secamente a Giles, e juntos içaram-no para a traseira.

Sentada atrás com Lily e Tabitha, Matilda não conseguiu ouvir o que Giles e MacGready diziam quando se afastaram das docas. No entanto, via o perfil do patrão e pareceu-lhe que não estava satisfeito com o que ouvia.

O seu destino era afinal bastante próximo do cais, mas como as ruas estavam congestionadas com carroças, cabriolés e fiacres, demoraram mais de meia hora a lá chegar e, a cada solavanco, a cada grito estridente dos vendedores de rua ou à vista de mais um bar de aspecto sórdido, Lily soltava um suspiro de reprovação.

Pessoalmente, Matilda achava tudo fascinante. Havia muito em comum com a zona de Londres em que crescera, na medida em que também havia milhares de pessoas pelas ruas, barulho e o odor forte dos excrementos dos cavalos, dos esgotos e de lixo podre. Contudo, a grande maioria das pessoas aqui andava bem vestida, as lojas estavam convidativamente bem abastecidas e tudo possuía uma qualidade arrojada e vistosa que lhe agradava. Casas de madeira precárias e armazéns coexistiam com edifícios muito mais grandiosos e um relance para as pequenas vielas transversais à rua principal revelou muitas casas elegantes. Pensou que podia ser feliz aqui, era empolgante, colorido e os trabalhadores não exibiam um ar subserviente, como em Inglaterra. Esperava que isso significasse que a divisão entre classes não era tão pronunciada e que era um lugar de grandes oportunidades para todos.

— Vai ser esta a nossa casa? — perguntou Lily quando MacGready parou a carroça à porta de uma casa estreita de madeira fasquiada, a precisar desesperadamente de uma pintura e com as portadas remendadas. Encontrava-se na ponta de uma fila de belas casas de cinco andares, muito semelhantes às de estilo jorgiano em Inglaterra. Tinham imponentes degraus até às portas de entrada e gradeamentos pintados de fresco. A casa deles parecia um parente pobre.

— É, sim, minha senhora — disse MacGready, saltando para o chão. — Aqui só vive gente de bem, não vai ter problemas.

Esta observação soou aos ouvidos de Matilda a sarcasmo, e ela interrogou-se se o homem seria sempre grosseiro com os estrangeiros. Em breve, viria a descobrir que MacGready não possuía quaisquer competências sociais ou sensibilidade. Carregou o malão pela porta principal, que dava directamente para uma sala sombria, e deixou-o no meio do chão. — Há lenha e carvão para o fogão numa arrecadação no pátio — disse ele com secura. — O petróleo para os candeeiros também lá está. Deixaram alguns artigos de mercearia na mesa. Têm sorte porque há uma bomba de água no pátio que foi instalada há poucos meses. Mas, se não se importam, agora tenho de ir à minha vida.

— Onde está a governanta? — perguntou Lily, numa voz trémula.

MacGready olhou para Matilda com Tabitha ao colo. — Uma criada não lhe chega?

E desapareceu, batendo com a porta atrás dele antes de qualquer um deles poder dizer o que quer que fosse.

Lily deixou-se cair num sofá em estado de choque. O marido estava aparvalhado. Só Tabitha parecia indiferente, mas também estava quase adormecida nos braços de Matilda.

— Faz-me lembrar as casas rurais de Inglaterra — disse Matilda, determinada em distrair a patroa de mais crises de choro. — Quando lhe der um polimento e desfizer as malas, vai ser muito acolhedora. Não vai, reverendo?

Giles ficou um pouco sobressaltado por ser interpelado. Estava claramente absorto em reflexões, talvez abespinhado com o gélido acolhimento.

— Vai, claro que sim, Matty — respondeu. — Então, querida, vamos dar uma vista de olhos à casa? — disse ele à mulher.

Quando ela não respondeu nem se mexeu do sofá, Matilda pousou Tabitha ao lado dela. — Eu vou com o reverendo — disse. — A senhora fique aí a recuperar o fôlego.

A visita à casa foi rápida e silenciosa. Consistia numa ampla cozinha atrás da sala e numa pequena copa a seguir. O pátio sombrio tinha um caminho em tijolo até à sanita. Por uma escada estreita atrás de uma porta na cozinha, subiram aos dois quartos principais, e no cimo de outro lanço de escadas havia mais dois de águas-furtadas.

Era asseada, a mobília simples e funcional, mas as camas não estavam feitas e pairava um cheiro a mofo como se não fosse habitada há meses. Se Matilda alguma vez tivesse recebido a oferta de uma casa destas para a família, teria ficado exultante com a sua boa sorte, mas não lhe parecia que os Milson apreciassem os seus encantos simples quando estavam habituados a um alojamento muito maior e mais luxuoso.

— É mais pequena do que esperava — transmitiu Giles à mulher quando voltaram para o andar de baixo. — Mas chega perfeitamente para as nossas necessidades.

Matilda levantou bruscamente os olhos para o patrão. Ele não tinha tecido comentários sobre nada durante a volta à casa e a sua observação parecia calma e resignada, mas ela teve a sensação de que ele estava furioso.

De facto, Giles estava irado. Era um homem humilde por natureza, não defendia que o estatuto da sua família ou a sua vocação lhe valessem tratamento preferencial. Mas, em Inglaterra, um novo pastor, especialmente casado e com uma filha pequena, seria acolhido calorosamente, com petiscos e refrescos, e numa casa reluzente e acolhedora. MacGready, que pelo pouco que dissera não parecia ser mais do que um vigilante da igreja, fora intoleravelmente grosseiro, sugerindo que as novas funções de Milson não seriam as de um pastor, mas de um humilde assistente do reverendo Darius Kirkbright. Se não fosse o medo de deixar Lily e a filha, ia já falar com o homem e dizer-lhe duas ou três.

Mas Lily parecia quase mergulhada num transe. Tirando a mão que afagava o cabelo da filha, adormecida com a cabeça no regaço da mãe, estava imóvel e muda, os olhos carregados de medo.

Giles não sabia como lidar com ela, o que o deprimia ainda mais, porque, apesar dos protestos dela, fora ele quem insistira em vir para a América. Seria um bruto que só pensava nos seus próprios desejos? Ou a culpa era dela por não lhe dar apoio? Em casa, tinha-se sentido seguro de si próprio, acreditando que fora chamado aqui por um poder superior. Agora tinha dúvidas, talvez fosse pura vaidade achar-se tão importante.

— Que hei-de começar por fazer, reverendo? — perguntou Matilda. — Faço as camas ou acendo o fogão para tomarmos um chá?

Ele encolheu os ombros, impotente. Durante a viagem, Matilda fora o seu esteio, tomando a iniciativa sempre que surgia um problema e raramente o incomodando com o que quer que fosse. Sabia que agora ele e a mulher deviam assumir novamente o controlo, mas não possuía competências domésticas e Lily não parecia capaz sequer de despir o xaile.

— Então acendo o fogão — disse Matilda, como se compreendesse o seu dilema. — Fique aqui a descansar que eu trato de tudo.

Giles deixou-se cair ao lado da mulher e da filha enquanto Matilda desaparecia na cozinha. Sentia vergonha por se entregar à melancolia e às dúvidas sobre si mesmo. Mas estava exausto, o seu manancial de entusiasmo esgotara-se e, neste momento, compreendia muito bem por que razão muitos homens recorriam à bebida para levantarem o ânimo.

Quando Matilda subiu o estore da cozinha e o sol do fim da tarde jorrou para dentro da divisão, sentiu-se animada ao ver que a cozinha estava tão bem equipada como a de Primrose Hill e era até mais espaçosa. Era terrível ter de tirar água com uma bomba lá fora, em Primrose Hill habituara-se a abrir uma torneira na copa, e imaginara que aqui na América toda a gente teria água dentro de casa. Mas pelo menos era uma bomba privada e não para toda a rua.

Por outro lado, o fogão tinha o dobro do tamanho do que estava habituada a usar, com três fornos separados e uma torneira do lado, o que provavelmente indicava que também aquecia água, mas supôs que devia funcionar do mesmo modo. Felizmente, revelou-se muito mais fácil de encher e acender do que o antigo, e em poucos minutos tinha um belo fogo a arder. Saiu para o pátio, encheu a chaleira com a bomba e pô-la no fogão e, apercebendo-se então do silencio na sala, espreitou por detrás da porta.

Tabitha ainda estava a dormir no regaço da mãe e o pai estava abraçado à mulher. Os dois adultos pareciam profundamente desanimados.

Alarmada, regressou à cozinha, pondo-se à procura de chávenas e pires e, ao preparar um tabuleiro, ocorreu-lhe de repente o que Giles quisera realmente dizer com as palavras «É mais pequena do que esperava». Não teria escritório, a cozinha teria de servir de sala de jantar e de sala de estar também.

De facto, o rude comentário de MacGready, «Uma criada não lhe chega?», era verdade. Uma terceira mulher numa casa tão pequena seria mais um estorvo do que uma ajuda. Matilda não se importava que isso significasse que seria ama e governanta, mas sabia que, para Lily, seria uma descida na hierarquia social.

Voltando à sala, pediu a Giles a chave do malão para retirar a roupa de cama. — Vou fazer as camas enquanto estou à espera da chaleira — disse ela. — Ponho a Tabitha no quarto de águas-furtadas ao lado do meu ou no quarto ao lado dos senhores?

— Não sei — respondeu Giles, fatigado, os olhos sombrios e desolados. — Faz o que achares melhor.

— Como está Mrs. Milson? — perguntou Giles quando Matilda desceu as escadas, muito mais tarde nessa noite, depois de ajudar a deitar a patroa e Tabitha. Estava pálido de cansaço e ela imaginou que, enquanto estava no andar de cima, ele estivera a reflectir sobre os acontecimentos do dia e a culpar-se por tudo.

— Está a dormir — respondeu Matilda, esforçando-se por lhe lançar o seu habitual sorriso rasgado. — Embora dissesse que o colchão tem covas, e eu provavelmente não o sacudi o suficiente antes de fazer a cama. Mas é melhor que os do navio e acho que, depois de uma noite bem dormida, se há-de sentir muito melhor.

Lily recompusera-se um pouco depois de uma chávena de chá, o suficiente para ir ver o andar de cima e entrar na cozinha com a ideia de preparar o jantar. Já enfraquecida pelos enjoos no barco, a desilusão com a casa e o mau acolhimento recebido, quando viu que o pão que lhes tinham deixado estava duro e a manteiga completamente derretida, ficou angustiada.

Matilda nunca imaginara que alguma vez teria de usar velhos recursos de Finders Court, mas, confrontada unicamente com pão duro e ovos, rapidamente os bateu, cortou fatias grossas de pão, passou-as pelos ovos e fritou-as até ficarem douradas.

Tabitha, cansada como estava, comeu duas fatias, deliciada. Giles comeu três e declarou que estavam saborosas. Lily comeu uma, a medo, e animou-se o suficiente para dizer que tinha sido uma boa ideia e que talvez fosse um óptimo prato de pequeno-almoço. Mas então, quando Matilda se convencera de que Lily estava a recobrar o alento, ela entrou na copa e viu dois enormes escaravelhos.

Gritando a plenos pulmões, atravessou a cozinha a correr para a sala, onde saltou para cima do sofá. Só os esforços conjuntos de Matilda e Giles a persuadiram a descer e, meia hora mais tarde, ainda estava histérica.

— Espero bem que ela esteja melhor amanhã, Matty — disse Giles, com os olhos escuros muito abertos e pesarosos. — Sinto-me responsável. Também achas que isto aqui vai ser terrível?

Era a primeira vez que Matilda via alguma vulnerabilidade no patrão. Ele sempre assumira o controlo das situações importantes e parecia executar as suas funções eclesiásticas e desempenhar o seu papel de marido e pai com a segurança de um homem que sabia tudo. No navio, fora ele quem os fizera rir nos momentos de tensão. A sua exuberância, muitas vezes arrapazada, era contagiante, o seu interesse pelas pessoas enternecedor, e a tripulação do navio acabara por abreviar o seu título para um afectuoso «Rev».

— Não, claro que não vai ser terrível — apressou-se ela a dizer. Pessoalmente, estava no limite das forças: fazer as camas, desfazer as malas, cozinhar e pôr cara alegre para todos esgotara-lhe as energias. — Quando eu organizar a casa e a senhora desembalar os pequenos tesouros dela, vai ficar tudo bem.

— Não sabia que ia ser assim — disse ele, impulsivamente, enterrando a cabeça nas mãos. — Vim para aqui para trabalhar com os pobres, Matty. Mas não imaginei que teríamos de viver como eles.

Matilda sentiu o coração encher-se de piedade por ele. Durante a viagem, tinham muitas vezes conversado no convés e ela compreendera, aos poucos, que aquilo que o motivara a vir para a América não fora a aventura nem a autopromoção. Ele falara veementemente contra a escravatura e a profunda clivagem entre ricos e pobres. Defendia a educação para todos, o fim do trabalho infantil e habitação decente para as classes trabalhadoras. A mulher passara a viagem a atormentar-lhe a cabeça, e agora também ele começava a duvidar de si próprio.

— Se acha que os pobres vivem assim — disse ela, num tom provocador —, então não percebe nada do assunto. Olhe à sua volta, reverendo! Esta casa pode parecer um pouco tristonha porque não tem nada de pessoal. A mobília é perfeitamente aceitável, bem como os tapetes e as cortinas. Quando eu encerar o chão, vai ver como fica bonita.

Enquanto dizia estas palavras tranquilizadoras, ia olhando à sua volta e compreendendo que era de facto a verdade. Com as capas de renda de Lily nas costas das poltronas, os quadros e ornamentos dela a dissipar a impressão de vazio, ficaria muito parecida com a sala em Primrose Hill. — Porque é que não se vai deitar agora, reverendo? Está com um ar exausto.

Ele levantou os olhos para ela, olhos escuros e penetrantes. — Graças a Deus que te trouxe connosco, Matty! A tua força transmite confiança e acho que vou precisar do teu apoio durante algum tempo, porque tenho a sensação de que Mrs. Milson não me vai ser de grande ajuda para já. Sabes que ela me está a castigar por tê-la trazido para aqui?

Era a primeira vez que ele admitia, mesmo indirectamente, que a mulher não quisera vir. Mesmo quando se tornou evidente, no navio, que ela estava a entregar-se à autocomiseração, ele afirmara que o seu único problema eram os enjoos.

Embora Matilda se sentisse sensibilizada por ele ser capaz de se abrir com ela, achava que não devia tomar o partido dele contra a mulher. — Não acredito que seja verdade — disse ela, num tom duro. — Ela só está fragilizada, com medo de tudo. Mas daqui a um ou dois dias, já está fina. Vá, agora vá deitar-se, eu trato de fechar tudo.

Depois de ele subir, Matilda abriu a porta do pátio das traseiras e sentou-se no degrau a contemplar o céu nocturno. Parecia muito estranho pensar que aquelas estrelas eram as mesmas de Inglaterra quando estava a milhares de quilómetros de distância. Não parecia ser uma terra estranha, aqui na escuridão. Os sons longínquos das rodas das carruagens podiam ser em Camden Town ou noutro lado qualquer. Nesse momento, perguntou-se que tipo de escaravelhos seriam aqueles — um sexto sentido dizia-lhe que eram insectos nocivos, embora nunca tivesse visto nada de semelhante em Inglaterra. Talvez pudesse perguntar a alguém no dia seguinte.

De súbito, lembrou-se de que não tinham rezado esta noite. Quando se apercebesse, Giles ficaria incomodado. Juntando as mãos, disse uma breve oração por todos, pediu que Lily acordasse mais bem-disposta, que Giles tivesse as boas-vindas que merecia e que Tabitha se portasse bem nos próximos dias, em que havia tanto que fazer.

— E dá-me forças por todos nós — acrescentou.

Matilda acordou com o sol matinal a bater-lhe na cara. Saindo em silêncio da cama e deixando Tabitha a dormir em paz, dirigiu-se à pequena janela e olhou lá para fora. Duvidava que Lily aprovasse o facto de ela ter dormido com a criança, mas na noite anterior parecera-lhe o mais sensato para o caso de Tabitha acordar e ficar com medo ao deparar-se com um quarto estranho.

Ficou mais animada ao ter um vislumbre do mar entre as duas casas em frente. No dia anterior, não tinha sequer olhado pela janela e, durante a viagem de carruagem, imaginara que estavam a afastar-se do mar e não a aproximar-se dele. MacGready dissera que Nova Iorque se tornava insuportavelmente quente em Julho e Agosto e também mencionara morbidamente que grassavam epidemias de cólera e tuberculose nos bairros degradados, o que reforçara, sem dúvida, a infelicidade de Lily. Mas, se estavam perto do mar, com ar fresco, não lhes aconteceria nada de mal.

Matilda já acendera o fogão, esfregara o chão da copa e da cozinha, encerara e limpara o pó na sala e ainda estava de joelhos a encerar o chão quando Tabitha a sobressaltou, perguntando o que ela estava a fazer.

Levantou os olhos e viu a menina à porta da cozinha. O seu cabelo escuro caía-lhe em cascata sobre a camisa de dormir branca, as faces estavam coradas de dormir e, desta vez, fazia lembrar muito mais o pai.

— Estou a pôr a casa mais acolhedora — respondeu Matilda, pondo-se de pé. — Mas já acabei, mais ou menos. Espero que não tenhas ficado com medo quando acordaste e deste por ti sozinha? Deixei-te na cama porque estavas a dormir profundamente.

Tabitha dirigiu-lhe um sorriso radioso e correu a abraçá-la. — Porque é que havia de ter medo? Já sou uma menina grande.

— Bem, por vezes leva algum tempo a habituarmo-nos a uma casa nova — disse Matilda, pegando na criança ao colo para beijá-la. — Já viste que tirei algumas coisas da mamã e do papá das malas? — Indicou com a mão a prateleira do fogão de sala onde já estavam o relógio e um par de pastoras de porcelana. — Mas temos de esperar que o teu papá desça para acertar o relógio. Não sei que horas são.

Calculava, pelo aumento do ruído do tráfego lá fora, que deviam ser aproximadamente oito horas e, a ser verdade, tinha de começar a preparar o pequeno-almoço. Estava desejosa que Giles e Lily vissem o que tinha feito. Agora que a luz do sol entrava pelas janelas da sala e tudo brilhava, a casa parecia diferente. — Vamos tomar um banho antes de a mamã descer?

Matilda não encontrara nenhuma banheira, nem sequer no pátio lá fora, mas havia uma tina enorme para o peixe na copa em que Tabitha podia sentar-se.

Tabitha achou que era uma grande brincadeira estar sentada numa tina para o peixe e, depois de a lavar, Matilda deixou-a a brincar com uma caneca de latão e um par de colheres enquanto punha a chaleira ao lume e preparava a mesa da cozinha.

Giles desceu quando ela estava a enxugar Tabitha ao colo na cozinha. Nunca o vira tão desgrenhado, com a camisa amarrotada e uma espessa barba por fazer no queixo; nem sequer penteara o cabelo. Parecia mais o seu próprio pai de manhã do que um pastor.

— Se me der um momento, arranjo-lhe água quente — disse ela. — Acho que é grande de mais para tomar banho numa tina para o peixe!

Tabitha achou imensa graça e rompeu em gargalhadas. Giles também se riu.

Matilda sentiu-se imediatamente mais tranquila. Giles sempre gostara de piadas e, se recuperasse o sentido de humor, correria tudo bem.

— Neste momento, as minhas prioridades não são lavar-me e fazer a barba — disse ele. — Pensei em sair à rua para ver se arranjo pão fresco para o pequeno-almoço. Às tantas também devia tentar arranjar uma banheira.

— Deixe que eu vou — disse Matilda ansiosamente. Estava morta por explorar. — Visto a Tabitha num instante e ela pode vir comigo.

Giles franziu a testa. — Acho melhor verificar primeiro se as redondezas são seguras — declarou.

— Acha que pode haver selvagens com arcos e flechas ao dobrar da esquina? — disse ela num tom provocador.

Ele sorriu. — Não te falei dos canibais e dos animais ferozes? Mas que falha da minha parte, Matty — gracejou ele, recuperando um pouco o seu ar e modos habituais. — Às tantas podemos ir todos juntos. Quantos mais, mais seguro é.

— Então é melhor arranjar-se um pouco — disse ela com uma expressão malandra, esquecendo-se momentaneamente da pessoa com quem estava a falar. — Quero dizer, o pastor não pode aparecer em público assim.

Ele sorriu e deu-lhe uma palmadinha no ombro. — Que seria de mim sem ti, Matty? Sempre a voz da razão!

— É um sítio muito bonito, mamã — disse Tabitha, animada, quando uma hora mais tarde estavam a tomar o pequeno-almoço. — Vimos o mar e entrámos numa loja e muitas pessoas tiraram o chapéu ao papá.

Matilda olhou cautelosamente para a patroa, tentando adivinhar a sua disposição. Ela descera completamente vestida alguns segundos depois de terem chegado a casa, mas limitara-se a sentar-se na sala e, além de responder ao marido quando lhe perguntou se tinha dormido bem, não disse mais nada.

Aggie preparava sempre papas de aveia para o pequeno-almoço, mas Matilda não estava convencida de que o produto a que o homem da loja chamou farinha de aveia fosse a mesma coisa e, além disso, demorava demasiado tempo a cozer; assim, comprara mais ovos e algumas salsichas, juntamente com uma boa selecção de fruta.

— Fizeste-nos um bom pequeno-almoço, Matty — disse Lily, momentos depois. — A comida na loja era como a nossa?

— Não, não era — admitiu Matty. — Acho que a variedade é muito maior e havia legumes e frutas que eu nunca vi. Acho que precisamos que alguém nos explique tudo.

— Há certamente mulheres na igreja que nos podem esclarecer — disse Giles, dando uma palmadinha afectuosa na mão da mulher. — Perguntei ao homem na loja o que os Americanos comiam ao pequeno-almoço e ele falou em panquecas de trigo-sarraceno e xarope de ácer. Deve ser bom.

Lily suspirou, fazendo um esgar de desaprovação, mas Matilda reparou que ela tinha comido todos os seus ovos mexidos com salsichas e estava agora a pegar avidamente num pêssego. Matilda nunca soubera sequer que tal fruto existia até ao Verão anterior, quando um dos irmãos de Giles chegara de Bath, trazendo alguns que cultivava numa zona abrigada do seu quintal. Dividira um com Tabitha e achara a coisa mais divinal que já provara. Mas estes americanos tinham ainda melhor aspecto, eram grandes como laranjas e muito macios.

Lily cortou o seu delicadamente com uma faca e removeu o caroço e, em seguida, provou cautelosamente um bocadinho. — Hum — murmurou, sorrindo então genuinamente pela primeira vez em semanas. — É muito saboroso.

Aquele pêssego foi a primeira coisa que agradou a Lily na América e, uma hora depois do pequeno-almoço, apareceu o homem do gelo. Giles e Lily tinham olhado um para o outro, espantados, e o homem teve de explicar que havia uma caixa forrada a metal na copa que, caso lhe comprassem diariamente gelo, conservaria os alimentos frescos durante o tempo quente.

Foi Giles quem concordou em comprar um pedaço e, enquanto ele guardava a manteiga, o queijo e o leite no meio do gelo, a mulher e Matilda assistiam, incrédulas. Mas, nesse primeiro dia, com a subida da temperatura até aos trinta graus, descobriram que a manteiga ainda estava firme e o leite fresco e frio, e acharam um verdadeiro milagre.

Ao meio-dia, Lily começou a dar sinais de regressar à normalidade, passando o dedo pelas prateleiras da cozinha para verificar se havia pó, pondo as capas de renda nas costas das cadeiras e falando em arranjar frascos para conservar pêssegos para o Inverno. Matilda levou Tabitha para o quarto, para dormir a sesta, e ainda estava no andar de cima com ela, a forrar as prateleiras do armário do corredor com papel novo, quando soou a campainha da porta.

Como Lily e Giles estavam na sala a pendurar quadros nas paredes e já tinham dito que contavam com visitas, não correu ao andar de baixo, esperando que a chamassem se precisassem de chá. Ouviu uma voz masculina ribombante e outra, muito mais doce, de senhora, e presumindo tratar-se do reverendo Darius Kirkbright e da mulher que vinham dar as boas-vindas aos Milson, continuou com o seu trabalho.

Como a porta entre a cozinha e as escadas estava fechada, quando Lily se dirigiu para lá com a outra mulher, Matilda não conseguiu ouvir o que diziam, apenas o murmúrio suave das suas vozes. Agradou-lhe pensar que a patroa arranjara finalmente companhia feminina. Além dela própria, só tinha havido Mrs. Smethwick no navio, que era tão snobe que, mesmo que Lily tivesse sentido vontade de conversar com alguém, duvidava que tivessem alguma coisa em comum.

Concluídas as prateleiras do armário e empilhada a roupa lavada, Matilda dirigiu-se ao pequeno quarto de águas-furtadas contíguo ao seu. Os Milson haviam entretanto decidido que devia ser o quarto de Tabitha, e assim Giles podia ficar com o segundo quarto, no primeiro andar, para escritório. Era um quarto pequeno e despido, com um soalho de madeira encerado. A única mobília consistia numa cama de ferro estreita, uma cómoda e um lavatório, mas com umas cortinas atractivas, um tapete de trapos e uma colcha trazidos de casa, e as bonecas e outros brinquedos de Tabitha, rapidamente se tornaria aconchegante.

Matilda abrira as janelas de par em par nessa manhã e dera uma boa sacudidela ao colchão de penas. O quarto cheirava agora agradavelmente a lavado e uma brisa do mar mantivera-o fresco. Fez a cama, guardou a roupa de Tabitha nas gavetas e começou a desempacotar uma caixa de brinquedos.

Devia estar ali há cerca de meia hora quando a criança acordou no quarto de Matilda e foi à procura dela, vestida apenas com o saiote, o cabelo colado à cabeça do suor.

— O que achas do teu quarto, Tabby? — perguntou-lhe Matilda.

Tabitha subiu para a cama a experimentou-a. — Gosto — disse ela. — À noite posso fazer de conta que ainda estou no navio e que o vento entra pela vigia.

Matilda riu-se. Era uma grande defensora de janelas abertas de par em par quando estava calor, mas Lily insistia sempre em fechá-las à noite, pois estava convencida de que as brisas nocturnas estavam carregadas de pestilência. — A mamã não as deixa ficar abertas à noite e, se te vejo debruçada nelas, mando pôr-lhes grades. Vá, vamos vestir a roupa e ir ter com a mamã e o papá; eles estão a receber visitas, mas de certeza que eles também te querem conhecer.

Tabitha fez uma careta. — Não podemos ir dar um passeio?

— Talvez mais tarde, quando estiver mais fresco — respondeu Matilda. O calor era esgotante; agora compreendia por que razão todas as outras casas da rua tinham as portadas fechadas quando o sol estava no auge. Desejou também ter roupa mais fresca; no navio, sentira-se bem com o vestido de sarja grossa azul-escuro, mas agora o calor era demasiado e ela não se atrevera a dizer nada a Lily para não a apoquentar outra vez.

— Vai ser sempre assim quente? — perguntou Tabitha, enquanto Matilda lavava a cara e o pescoço com água fria.

— Não, o teu papá disse que fica muito frio no Inverno — respondeu, enfiando o vestido à criança e abotoando-o.

— A mamã vai voltar a ser feliz?

Matilda sentiu um baque no coração. No princípio da viagem, Tabitha fizera-lhe a mesma pergunta e ela julgou que tinha conseguido convencê-la de que a mãe estava apenas indisposta e não infeliz. Tabitha sabia claramente ver a diferença.

— Claro que vai — disse ela num tom decidido. — Só se sentiu mal ontem porque estava muito cansada e porque o ambiente era estranho. Agora já está bem, a conversar com as visitas, mas tu mesma podes ir ver. Deixa-me pentear-te o cabelo que já te levo lá abaixo.

Matilda hesitou à porta da cozinha. Em Primrose Hill, a sua posição na casa estava bem definida — tirando algumas tarefas de limpeza e as horas das refeições, ficava no quarto da criança ou na cozinha a não ser que um dos Milson tocasse à campainha para chamá-la. Mas aqui não havia campainha, o quarto de Tabitha era demasiado pequeno para passar lá o tempo e, com a patroa obrigada a usar a cozinha, não sabia onde esperavam que se metesse quando recebiam visitas.

Batendo à porta a medo, espreitou lá para dentro e perguntou se devia levar Tabitha. As duas mulheres estavam sentadas à mesa a tomar chá. Estava um calor insuportável por causa do fogão, embora a janela e a porta das traseiras estivessem completamente abertas.

— Claro que sim, Matty — disse Lily com inesperada cordialidade. — Entrem as duas, venham conhecer Mrs. Kirkbright. Esta é a minha filha Tabitha e a ama dela, Matilda — acrescentou, dirigindo-se à visitante.

Tabitha entrou a correr; era sempre com entusiasmo que conhecia pessoas novas.

— Boa-tarde, Mrs. Kirkbright. — Matilda fez uma pequena vénia, esperando que fosse apropriada. Calculou que a mulher do reverendo Kirkbright, corpulenta e com aspecto de matrona, de vestido lilás com chapéu de fitas a condizer, fosse bastante mais velha do que a patroa. Mas possuía um ar muito agradável, com olhos castanhos grandes e doces e um sorriso acolhedor. Também não tinha chegado de mãos a abanar — na mesa estava um monte de alimentos, incluindo um bolo de groselha, frascos de compota e um frango cozinhado. — Achei que gostaria de ver a Tabby, mas se não houver nada que queira que eu faça aqui em baixo, volto para cima para acabar de arrumar a sua roupa.

— Fica, fica, Matty — disse Lily. — Mrs. Kirkbright tem estado a falar-me da comida americana e dos melhores locais para a comprar. Não consigo memorizar tudo, mas talvez tu consigas.

Talvez surpreendida por não ter sido despachada, Matilda falou impulsivamente. — Não estão com muito calor? — perguntou. — Não preferem sentar-se no pátio? Está fresco e ensombrado e limpei o banco hoje de manhã.

Mrs. Kirkbright riu-se. — Não admira que a tenha trazido consigo — disse ela, olhando para Lily. — Nunca consegui encontrar uma criada com espírito de iniciativa. Estou aqui a assar, mas não me teria passado pela cabeça queixar-me.

— Não achei muito próprio convidá-la para se sentar lá fora — disse Lily a Mrs. Kirkbright, lançando a Matilda um olhar penetrante, como que a lembrar-lhe que a sanita ficava demasiado próxima.

— Claro que, em Inglaterra, o meu marido teria levado o reverendo Kirkbright para o escritório, para conversarem a sós, deixando-nos na sala ou até na sala de jantar. Mas, se acha que está mais confortável lá fora, talvez seja melhor irmos para lá.

Para sua consternação, Matilda apercebeu-se de que havia embaraçado a patroa, e muito. Esperou que isso não lhe viesse a arranjar problemas mais tarde. Contudo, o pátio estava muito fresco e era estranhamente agradável, apesr de ter sido ignorado pelos ocupantes anteriores da casa. Dominado pelas casas mais altas da vizinhança e com uma árvore de aspecto triste no meio, estava completamente mergulhado na sombra. Matilda não só esfregara o banco de madeira nessa manhã, como também varrera o caminho. A área restante de terra batida estava coberta por uma erva daninha densa e rasteira que, embora não constituísse um relvado, pelo menos dava essa impressão. Como a sanita e a arrecadação estavam submersas pelas trepadeiras, a verdura exuberante era bem-vinda depois do calor da cozinha.

— Ah, aqui está-se melhor — disse Mrs. Kirkbright, sorrindo ao deixar-se cair no banco, abanicando a cara. — Nós, as mulheres, passamos tormentos no Verão com os nossos vestidos compridos e saiotes e espartilhos!

Lily sorriu, mas Matilda sabia que ela considerava impróprio que Mrs. Kirkbright se referisse à roupa interior.

Matilda foi buscar uma cadeira da cozinha para si própria e colocou-a a alguns passos de distância das duas mulheres mais velhas, mas ficou agradavelmente surpreendida ao ver Mrs. Kirkbright pôr Tabitha ao colo sem se preocupar minimamente com o facto de ela poder amarrotar-lhe o bonito vestido.

Aliás, à medida que ia conversando, a mulher parecia desprovida de qualquer presunção, dirigindo-se à criança e a Matilda como se fossem pessoas de família. Disse que, embora ela e o marido fossem ingleses e sentissem a falta de certas coisas do seu país, estavam ali há doze anos e não faziam tenções de regressar. — É um país vibrante e emocionante — disse ela com entusiasmo. — Aqui o esforço e o trabalho árduo das pessoas é recompensado, até um imigrante paupérrimo da Irlanda ou da Alemanha pode, se quiser, vingar na vida. Muitos dos nossos paroquianos mais ricos queixam-se da dificuldade em arranjar pessoal doméstico competente, mas a meu ver essa situação demonstra um claro desejo das pessoas de serem senhoras de si, e isso é muito louvável.

Seguidamente, explicou as diferenças entre a comida americana e inglesa.— Muito poucas pessoas aqui comem um almoço pesado ao meio-dia como acontece em Inglaterra — disse ela. — Aliás, vai descobrir que faz demasiado calor no Verão para querer comer muito. É preferível comer um pequeno-almoço nutritivo de ovos, *bacon* e panquecas e depois um bom jantar à noite quando está mais fresco. Aqui come-se mais carne, tudo desde carne enlatada a coração de novilho e cabeça de vitela, e o marisco é excelente e abundante. Uma das sobremesas de que tenho de lhe dar a receita é *pan dowdy*... feito com maçãs, açúcar e especiarias, cozido até ficar tostado e absolutamente delicioso.

Quando ela falou de abóboras e feijão cozido, Matilda perguntou como se preparavam. — Quando chegar a casa, escrevo-te tudo num papel e passo por cá a deixá-lo — disse Mrs. Kirkbright. — Há muitos produtos no mercado que são semelhantes aos que se usam em Inglaterra, mas dão-lhes nomes diferentes. Hás-de aprendê-los num instante.

Virando-se para Lily, disse: — Vai achar as mulheres aqui muito mais sociáveis, minha querida. Também usamos cartões de visita como em Inglaterra, mas em geral a vida social é muito menos formal. As mulheres, quando se tornam amigas, aparecem em casa umas das outras com frequência. Espero que se sinta à vontade para fazer o mesmo comigo, Lily, porque temos muito em comum.

Foi neste ponto que Matilda começou a pensar por que razão Mrs. Kirkbright não tinha falado na mudança para a sua nova paróquia. Falava como se estivesse aqui para ficar. Mas, se fosse esse o caso, qual seria a posição de Giles? Sabendo que não lhe cabia fazer perguntas destas, manteve-se calada, limitando-se a ouvir as vívidas descrições que a mulher fazia das lojas. — Em Pearl Street, pode-se comprar praticamente todos os artigos domésticos — disse ela. — Vai-se a pé daqui, mas não se sinta tentada a ir mais para norte, porque há algumas zonas muito desagradáveis por aí. Imagino que o meu marido esteja agora a falar ao seu sobre essa parte de Nova Iorque; só espero que ele não fique assustado.

*

Florence Kirkbright tinha razão, o marido lançara-se num discurso apaixonado sobre o lado mais sinistro de Nova Iorque. Mas, em lugar de ficar assustado, Giles descobriu que teve o efeito de mitigar o seu anterior desapontamento e reavivar a sua convicção de que Deus o guiara para aqui com um propósito muito especial.

O reverendo Darius Kirkbright falava sem rodeios, mas de modo muito cortês. A sua altura — tinha mais de um metro e oitenta —, compleição fresca, rosto redondo e cabelo completamente branco, penteado para trás e revelando uma fronte muito alta, pareciam apontar para um homem de personalidade forte.

— Sinto muito que o bispo de Londres lhe tenha dado a entender que ia ocupar o meu lugar como pastor, ou ministro, como designamos aqui o cargo — disse ele depois de Giles admitir que tinha ficado irritado no dia anterior.— Talvez o mal-entendido tenha surgido porque eu pedi um tipo de ministro especial e expliquei com grande detalhe que não queria um novato inexperiente. O tipo de homem que eu queria não estaria preocupado com o seu estatuto.

A princípio, Giles pensou que era uma reprimenda por ter comentado que a casa era muito pequena e uma chamada de atenção para o facto de um clérigo não dever ansiar por confortos materiais, como um bom presbitério. Mas, quando Darius lhe pediu desculpa por não o ter ido esperar pessoalmente ao barco, admitindo pesarosamente saber que deviam ter-se sentido abandonados e magoados, e explicou que tinha tido de se ausentar porque um dos seus paroquianos mais velhos estava a morrer, tornou-se claro para Giles que o homem conhecia bem as suas prioridades. Também ele teria posto as necessidades de um moribundo à frente das de uma família jovem e saudável.

Mas talvez o aspecto mais reconfortante deste grande homem fosse a sua frontalidade. Não se demorou em desculpas nem conversa de circunstância, passando directamente a explicar a Giles o que pensava sobre Nova Iorque.

— Há uma situação vergonhosa aqui nesta cidade — disse ele, fixando Giles com olhos que exigiam atenção. — Embora haja muitos homens ricos e poderosos, com ideais nobres e um forte sentido moral, há muitos mais que são indiferentes ao bem comum e obtêm lucros à custa dos trabalhadores que exploram. Estes conseguem ascender a posições de autoridade por processos dúbios, untam mãos e manipulam.

«Poderá dizer que acontece o mesmo em todo o mundo, e possivelmente será o caso, mas há-de reparar, ao fim de algum tempo nesta cidade, que estão a perder-se as virtudes republicanas simplistas e que uma cultura imperialista de excesso, ganância e poder está a insinuar-se. Amanhã verá isto com os seus próprios olhos na Fifth Avenue, nas grandiosas mansões em mármore branco, colunas coríntias e ornamentação de prata nas portas de entrada.»

As sobrancelhas de Giles arquearam-se. Ficou um pouco surpreendido ao ouvir opiniões tão puritanas de um clérigo inglês.

Darius sorriu, lendo-lhe talvez o pensamento. — Não desprezo a riqueza, de maneira nenhuma. E algumas destas mansões foram construídas por homens bons que são filantropos responsáveis pela doação de dinheiro a causas meritórias. Mas, na maioria, são velhacos que enriqueceram praticando o mal.

«Embora não possa travar esses homens e muito menos privá-los dos seus bens, redistribuindo-os àqueles a quem os roubaram, estou convicto de que devemos manifestar a nossa condenação e ostracizá-los da sociedade, na esperança de, com as nossas acções, demovermos outros. Acredito também que devemos assumir a responsabilidade pelo sofrimento dos pobres e fazer tudo ao nosso alcance para aliviar a sua miséria.»

Giles escutou atentamente. Ficou a saber que a igreja de Trinity era uma igreja abastada, em que os paroquianos eram, na sua grande maioria, americanos de primeira e segunda geração de ascendência inglesa e holandesa. Tinham sido estes homens a fazer de Nova Iorque o que ela era hoje e alimentavam grandes planos para o seu futuro.

— Mas receio — continuou Darius — que estes protestantes anglo-saxões de raça branca pretendam criar uma espécie de supremacia, da qual qualquer outra raça seja banida. Pessoalmente, posso ser branco e um anglo-saxão protestante, como o Giles, mas o nosso Deus é o mesmo dos católicos. Também acredito que todos os homens, sejam eles irlandeses, polacos, judeus, negros ou italianos, são Seus filhos e, como tal, devem ter direitos iguais. Não posso cruzar os braços e assistir à sua discriminação puramente por causa da cor da sua pele, da sua língua ou da sua religião.

Giles estava a sentir-se empolgado por encontrar um homem que perfilhava as suas opiniões.

— Concordo plenamente — disse ele. — Mas como podemos ajudar as pessoas que não frequentam a nossa igreja?

— Através de um ministério mais alargado — disse Darius com um leve sorriso. — Não precisamos de ser evangelistas de rua, tentando converter as pessoas, basta mostrarmos o amor de Deus ao nível mais simples, escolas para os filhos dos muito pobres, comida para os famintos, lares para crianças abandonadas, aulas de inglês para os que não falam a nossa língua. E angariamos dinheiro para estes projectos e ajuda humanitária, despertando a consciência dos cristãos ricos, mas devotos, que ainda não descobriram a felicidade de dar.

Giles dirigiu-lhe um sorriso radioso. Só nesse momento é que Darius começou a chocá-lo. — Veja essas mansões da Fifth Avenue, Giles, percorra a rua e sinta a opulência e, logo de seguida, dirija-se a uma zona chamada Five Points — disse ele. — Não é longe daqui, mas é como se fosse outro país, a diferença é colossal. É o inferno na Terra, Giles, muito pior do que o bairro mais degradado do mundo. No centro dela, há uma velha fábrica de cerveja onde se estima que existem mil pessoas.

— Existem? — repetiu Giles.

— Sim, existem. Não se pode dizer que «vivam» porque estão apertadas umas contra as outras, como animais raivosos, vestidas com os seus andrajos, nas suas salas pútridas, sem fogo, sem meios para cozinhar, sem saneamento nem peças de mobília. Muitos têm medo de sair dali, nem que seja por breves momentos, pois alguém pode roubar-lhes o lugar. Passa-se aí todo o género de horrores, bem como coisas que nem nos atreveríamos a imaginar. É o Hades, Giles. E a maioria das pessoas em Nova Iorque nem sequer sabe que existe.

— Mas que podemos nós fazer contra isso? — perguntou Giles debilmente.

— Podemos dar a conhecer estes horrores, levar à sua demolição e à construção de habitações decentes em seu lugar, mas essa fábrica de cerveja é apenas o centro do inferno; em volta há bairros miseráveis, de tal modo apinhados que até a polícia tem medo de lá entrar. Há dezenas de milhares de pessoas a viver na zona… todas as semanas os números aumentam quando chega um novo navio com imigrantes. De tempos a tempos, surgem lá epidemias de cólera e febre amarela, deflagram incêndios que matam mais alguns infelizes, mas continua de pé e os seus limites alargam-se de dia para dia. Quando pedi ao bispo de Londres um bom homem para trabalhar comigo, não queria um jovem peralvilho de falinhas mansas que adora dar aulas de religião, mas um homem como S. Jorge, preparado para combater e matar o dragão.

Giles engoliu em seco. Estava em Nova Iorque há umas escassas vinte e quatro horas, a maior parte das quais passada a desejar não ter vindo. Agora, ainda antes de ter tido tempo para se orientar, visitar a igreja, percorrer as ruas e conhecer os paroquianos, estava a ser-lhe pedido que mostrasse quem realmente era. Só lhe ocorria que era uma sorte que Lily tivesse saído da sala com Mrs. Kirkbright.

— Então, Giles, é um S. Jorge?

— A minha espada está um pouco enferrujada — disse Giles com um leve sorriso. — Perfilho as suas convicções e espero ser o homem que precisa de ter ao seu lado. Mas devo dizer que neste momento estou um pouco surpreendido.

Para sua surpresa, Darius rompeu em gargalhadas estrondosas.

— É assim mesmo — disse ele. — Se se tivesse levantado de um salto para ir buscar a espada ao armário, eu teria ficado preocupado. Aprecio um homem que tem a coragem de admitir que precisa de tempo para avaliar uma situação. Não fazia tenções de o arrastar hoje para esse vespeiro.

Giles deu por si também a rir, pelo menos de alívio. — Devo avisá-lo, reverendo — disse ele —, que a minha mulher é um tanto hipersensível. Agradecia por isso, quando as senhoras voltarem, que não lhe falasse deste sítio, pelo menos hoje.

Surgiu um brilhozinho nos olhos de Darius. Estes eram castanhos, mas pintalgados de âmbar, o que lembrava a Giles os de um gato. — Naturalmente. As nossas senhoras têm de ser protegidas contra espectáculos que as afrontariam e assustariam. Sugiro que enveredemos pelo caminho mais confortável; o Giles vai conhecer os nossos paroquianos, confraterniza com eles e faz amigos, juntamente com a sua mulher, e aprende a apreciar Nova Iorque como eu e a minha mulher. Depois, mais tarde, quando pisar terreno mais seguro, faremos os nossos planos para desenraizarmos juntos este mal.

O sol era como uma enorme bola de fogo laranja, afundando-se lentamente no mar, quando Lily e Giles saíram para dar um passeio por Battery, mais ao fim desse dia. As velas vermelhas dos barcos de pesca ao largo da baía constituíam uma vista atraente e Lily sentiu-se um pouco animada ao ver os numerosos casais elegantemente vestidos a deambular de braço dado em direcção a Castle Clinton, um antigo forte na praia que os Kirkbright lhes tinham dito que era agora usado para concertos.

— Pode ser que não seja assim tão mau como eu temia — disse ela num tom ligeiramente incrédulo, olhando melancolicamente para as muitas casas bonitas e carruagens finas. — O reverendo Kirkbright e a mulher são muito simpáticos, tenho a certeza de que compreenderiam se lhes disséssemos que a casa que nos deram não é apropriada para nós.

A sua ansiedade intensificara-se depois de Florence Kirkbright lhe dizer que esta área de Lower Manhattan estava gradualmente a decair, porque os anteriores residentes ricos haviam começado a mudar-se para zonas recém-construídas na zona alta, como Gramercy Park. Lily não via, na realidade, quaisquer sinais de declínio. Até os pequenos rapazes de rua, a brincar na praia, tinham um ar pitoresco e não esquálido. Mas a mulher de um ministro não diria uma coisa dessas sem razão.

— Acho que não posso fazer isso — disse Giles. — Um clérigo deve aceitar o que lhe dão, Lily, sabes bem disso.

— Mas não me parece que os Kirkbright vivam numa casa modesta. A Florence falou numa cozinheira e numa criada, sabemos que também têm uma carruagem porque amanhã vamos sair nela com eles. Se não és de facto um simples cura, mas vais partilhar o trabalho na igreja em condições de igualdade com ele, tens de ter, com certeza, uma casa semelhante.

Giles soltou um profundo suspiro. — Desconfio que o Kirkbright tem rendimentos próprios e que a casa dele não pertence à igreja, mas é dele — retorquiu.

Isto silenciou Lily, pelo menos temporariamente. Em Inglaterra, os pastores recebiam um estipêndio de acordo com a riqueza e dimensão da sua paróquia. Muitos clérigos possuíam meios privados para complementar este parco valor, mas Giles não os possuía. Haviam tido sorte em Primrose Hill, na medida em que era uma paróquia rica, e a sua governação cuidadosa da casa permitia-lhes viver bem. Nem por um momento imaginara que, vindo para a América, teriam de viver em condições inferiores.

— Por favor, não arranjes problemas — suplicou-lhe Giles. — Amanhã, depois da visita à cidade, vamos jantar com eles e conhecer alguns dos paroquianos. Quando te casaste com um clérigo, sabias que nunca seríamos ricos, mas acho que devemos estar ambos gratos por todos os privilégios do meu cargo.

Lily sabia que era a maneira mais clara de ele lhe dizer que se calasse e aceitasse alegremente a sorte que lhe calhara. Interrogou-se sobre o que ele e o reverendo Kirkbright teriam conversado hoje para Giles se sentir subitamente tão feliz. O simples facto de ele não se ter aberto com ela significava que era algo de ligeiramente secreto e, portanto, mais motivo de ansiedade.

— Nunca me arrependi de me casar contigo, Giles — disse ela num fio de voz. Era verdade, amava-o agora tanto como no dia em que se casaram. — Só queria ser tudo aquilo que realmente desejas numa mulher.

Giles baixou os olhos para o seu rosto pequeno e tenso e tentou recordar-se da última vez em que ela se rira, se rira com gosto como antigamente. Já não reagia às suas carícias, os olhares que lhe lançava eram muitas vezes acusadores, mas não era capaz ou não queria falar sobre aquilo que a atormentava. A culpa seria dele? Talvez não fosse próprio de um clérigo sentir desejo pela mulher, recordar com saudade essas noites cheias de paixão dos primeiros tempos do seu casamento... Lily era a única mulher com quem fizera amor, a única que desejava, e assim não tinha um termo de comparação. Haveria alguma verdade no que outros homens diziam, que tinham amantes para não *incomodarem* as mulheres? A causa de fundo da sua infelicidade seria precisamente isso, desejar que ele não a incomodasse?

Mas como podia abordar assuntos tão delicados? Fazê-lo podia criar um fosso ainda mais profundo entre eles. A única coisa que podia fazer era amá-la e protegê-la e tentar controlar os seus próprios impulsos.

— És tudo o que desejo numa mulher, Lily — disse ele, apertando-lhe o braço. — Mas esforça-te um pouco mais por não fechares o espírito a tudo o que é novo. É muito possível que a nossa vida aqui venha a ser muito melhor e mais gratificante do que a que tínhamos em Londres. Vamos lutar juntos por isso.

CAPÍTULO 5

— Acho que é tempo de fazeres amigos teus, Matty — disse Lily inesperadamente quando estavam a pendurar um novo conjunto de cortinas na sala. — Estamos aqui há quase três meses e não é bom que nunca te divirtas.

Matilda estava em cima de uma cadeira, equilibrada sobre um caixote de madeira, e quase caiu de surpresa. Em Inglaterra, a patroa nunca teria considerado que a «diversão» fosse importante para o bem-estar de uma criada, mas a verdade era que muitas das suas ideias até então rígidas se haviam suavizado desde a chegada à América. Continuava uma alma aflita, com medo de doenças e fazendo questão de aproveitar todas as sobras de comida. Ainda se entregava a prolongados amuos, mas adaptara-se à vida numa casa pequena e parecia, por vezes, preferir preparar a maior parte das refeições.

Em Inglaterra, a patroa nunca teria tomado banho na cozinha, mas quando se apercebeu do tempo e esforço necessários a Matilda para carregar com baldes de água quente para os quartos, anunciou que, de futuro, tomariam todos banho no andar de baixo. Já não se assustava quando ouvia um sotaque estrangeiro ou via um rosto negro e admitira até que apreciava um cálice de xerez de vez em quando, ao passo que antes qualquer tipo de álcool constituía um passaporte para o Inferno. A princípio, a informalidade das mulheres americanas havia-a alarmado — tratavam-na pelo primeiro nome e apareciam sem serem convidadas. Mas fora-se habituando a aceitar que elas eram assim e, por vezes, admitia que até gostava.

No entanto, a maior alteração na sua atitude era a maneira como tratava Matilda. Pedia-lhe alguma coisa, ao contrário de mandar, e mostrava-se mesmo preocupada se ela estivesse com ar fatigado ou pálido. Talvez em parte se devesse ao facto de lhe terem dito que pessoal doméstico de língua inglesa, competente e de confiança, era quase impossível de arranjar em Nova Iorque, mas talvez sobretudo porque Matilda era a única pessoa que percebia o que a patroa perdera ao abandonar Inglaterra.

Em Inglaterra, um pastor era socialmente equiparado aos médicos, advogados e outros profissionais liberais, e a diferença entre os rendimentos que auferiam não tinha importância. Lily, enquanto mulher de um pastor, era uma «senhora» e, portanto, tratada com o máximo respeito.

Aqui na América, um ministro possuía um estatuto social baixo, a não ser, claro, que fosse rico como o reverendo Kirkbright. Para a tímida e pequena Lily Milson, era doloroso ter de aceitar convites para festas elegantes dos bem-intencionados Kirkbright e ver-se ignorada pela maioria dos outros convidados. Giles desenvencilhava-se bem; afinal, era um homem novo, atraente e muito interessante, mas Lily limitava-se a ficar encolhida a um canto, consciente de que não estava vestida de acordo com a moda, que não possuía quaisquer atractivos.

Giles afirmara, antes de partirem de Inglaterra, que os Americanos tratavam as mulheres com muito mais respeito do que os Ingleses e, à primeira vista, parecia ser verdade, pelo menos em público. Mas, pelo que Matilda depreendera de conversas entre mulheres, ouvidas por acaso aqui nesta casa, na realidade, os Americanos em casa eram ainda mais egoístas do que os Ingleses. Não diziam nada às mulheres sobre as suas actividades profissionais, presumindo que o sexo feminino era demasiado delicado, demasiado ansioso para essas coisas, e esperando, em vez disso, que elas se concentrassem nas tradicionais competências próprias de uma mulher: o governo da casa, a criação dos filhos e tornar a vida dos homens mais confortável.

Parecia que Giles estava também a adoptar esta mentalidade, pois, embora continuasse a ser bondoso e meigo com Lily como antigamente, raramente falava do seu trabalho pastoral em casa e nunca incluía Lily nele, a não ser quando ela o acompanhava em ocasiões sociais.

Assim, talvez não fosse surpreendente que duas mulheres num país novo e estranho, vivendo em condições acanhadas, se tivessem tornado mais do que patroa e criada. Conversavam muito, sobre Tabitha, livros, culinária e os vizinhos, evocavam o seu país e davam muitas vezes passeios juntas com Tabitha para explorar a sua nova cidade.

À noite, Giles tinha de sair com frequência e Lily ia ter com Matilda à cozinha, ou, em noites quentes, ao pátio das traseiras. Matilda podia continuar a tratar Lily por «minha senhora», a obedecer-lhe implicitamente e a executar grande parte das lides de casa, mas a verdade era que Matilda estava mais do que à altura de Lily. Era ela que regateava os preços nas lojas, que não tinha medo de nada, nem sequer desses escaravelhos que agora sabia serem baratas. Era ela que decidia a ementa do dia, pois o dinheiro para o governo da casa aqui era inferior ao que fora em Inglaterra e ela sabia fazê-lo render. Sempre que Lily confidenciava a Matilda as suas preocupações, o laço entre ambas fortalecia-se.

— Mas onde é que eu ia arranjar amigos? — perguntou Matilda. Não tinha amigos desde criança em Finders Court; quando começou a vender flores, não havia tempo para tais veleidades.

— Há um baile para gente nova na igreja todos os sábados à noite.

— Não sei dançar — objectou Matilda.

— Pelo que percebi, não se dança nada mais complicado que uma polca e eu posso ensinar-te isso.

— E se ninguém me convidar para dançar? — perguntou Matilda com apreensão.

— Não me parece provável — disse Lily, sorrindo. — Mas, se a ideia não te agrada, que tal as aulas de religião que o diácono dá às quartas à noite?

Matilda fez uma careta.

— Há outras empregadas domésticas que as frequentam — disse Lily em tom de censura. — E só te fazia bem aprenderes um pouco mais sobre as Escrituras.

Na quarta-feira seguinte, Matilda foi à aula de religião na sacristia da igreja de Trinity. Não tinha o mais leve interesse pela Bíblia, mas agradava-lhe a ideia de travar amizades.

Como já estava mais ou menos à espera, era muito, muito aborrecida; Mr. Knapp, o diácono, era um homenzinho magro com uma voz aguda e um olho vesgo, e das onze pessoas presentes, sete eram mulheres e só duas delas eram da sua idade, sendo as outras cinco alemãs com bem mais de trinta anos. Os quatro homens também eram alemães; pelo que Matilda percebeu, consideravam estas aulas uma oportunidade de melhorarem o seu inglês.

A aula terminou às oito e meia e, quando Matilda se levantou para partir, uma das duas raparigas mais novas, bonita e de cabelo escuro, que usava um vestido azul-marinho simples muito semelhante ao seu, sorriu-lhe. — Ouve, trabalhas em casa do novo ministro? — perguntou.

Matilda sorriu e confirmou que sim.

— Ah, tenho muito gosto em conhecer-te — disse a rapariga, os olhos escuros animados de genuíno interesse. — Chamo-me Rosa Castilla, sou criada de Mrs. Arkwright. Ela conheceu a tua patroa quando ela chegou de Inglaterra, e quando eu soube que tinha trazido a criada, tive esperança de vir a conhecer-te um dia. Podemos fazer o caminho para casa juntas?

Depois de uma noite tão enfadonha, Matilda ficou exultante por conhecer alguém numa posição semelhante à sua. Ao saírem da igreja, caminhando por Wall Street, disse a Rosa o seu nome e explicou que antigamente era apenas ama, mas que agora também fazia o serviço de casa.

— Eu não toleraria tal coisa — exclamou Rosa, mostrando-se indignada. — Ameaçava despedir-me.

— Mas eu até prefiro assim — respondeu Matilda. — Faço as compras e gosto de cozinhar. Além disso, afeiçoei-me à minha patroa e ela confia em mim.

Era a primeira vez que exprimia em voz alta os seus sentimentos pela patroa. Nem por carta ao pai e a Dolly falara neles. Mas dar-lhes voz parecia clarificar o que sentia, enchendo-a de satisfação.

— Afeiçoaste-te a ela? — Os olhos escuros de Rosa abriram-se muito de espanto. — Nunca ouvi ninguém dizer sequer que *gostava* das pessoas para quem trabalha. Eu não suporto Mrs. Arkwright, se soubesse como, podes crer que a envenenava.

Matilda riu-se desta honestidade despudorada. Lily, que raramente fazia comentários depreciativos sobre as pessoas, descrevera

Mrs. Arkwright como «temível» e, por isso, imaginou que a mulher fazia a vida negra a Rosa.

— Se tivesse para onde ir, ia-me embora amanhã — continuou a rapariga. — Mas os meus pais dependem do meu salário, por isso tenho de aguentar.

Em seguida, contou a Matilda que nascera em Itália e que os pais haviam emigrado para aqui doze anos antes, quando tinha cinco anos. — Estão bastante mal na vida — disse ela com um suspiro. — Tinham uma padaria e nós vivíamos no andar de cima, mas, quando a minha mãe apanhou tuberculose, os proprietários despejaram-nos. Agora o meu pai trabalha na lota e vivem num quarto próximo. Não me importo de lhes dar o meu salário porque precisam, mas, às vezes, tenho muito medo que a minha mãe morra. Não sei se aguentava voltar para casa e olhar pelos cinco catraios.

Matilda explorara a zona sórdida da lota de Fulton e não tinha dificuldade em imaginar que as condições em que a família de Rosa vivia deviam ser semelhantes às que ela própria conhecera. — Então deves tornar claro que não podem depender de ti — disse ela, imaginando como se teria sentido se tivesse sido obrigada a voltar para Finders Court depois de se ter habituado a Primrose Hill. — Posso parecer um pouco insensível, mas, assim que voltares para lá, o mais certo é nunca mais te libertares.

Rosa ficou surpreendida. — Falas como quem sabe como é — disse ela.

— E sei — respondeu Matilda, contando-lhe sucintamente as suas origens e como a sua sorte mudara.

— Sabes, és mesmo simpática. Pensei que as raparigas inglesas eram todas umas peneirentas — disse Rosa, enfiando a mão no braço de Matilda. — Podemos ser amigas?

— Espero que sim. — Matilda sentiu um formigueiro de excitação a percorrer-lhe a espinha. Embora não tivesse pensado muito nisso, sentia-se um pouco só e esta rapariga amistosa e extrovertida parecia a companheira perfeita. — Tens muito tempo de folga?

Rosa franziu o nariz. — Só aos sábados à tarde para ir visitar a família e às quartas à noite. Mas não tenho muita liberdade porque ela me obriga a ir à aula de religião, e também me obriga a ir à igreja *dela* aos domingos.

O tom com que ela disse a «igreja *dela*» levou Matilda a olhar bruscamente para a outra rapariga. — Onde é a tua então?

Rosa soltou uma risadinha e os seus olhos escuros brilharam de malícia. — És capaz de guardar um segredo?

Matilda sorriu. — Acho que sim.

— Tens de jurar que não o contas a ninguém porque, se Mrs. Arkwright descobrisse, punha-me na rua.

— Juro pelo que há de mais sagrado — concordou Matilda.

— No fundo, sou católica. Disse uma mentira para conseguir o lugar porque os Arkwright odeiam os católicos. Achas que fiz mal?

Matilda, que fora criada à margem de qualquer fé, achava estranho que tantas pessoas dessem importância à religião. — Não, não acho — disse ela. — Acho que quem faz mal são os Arkwright por serem tão anticristãos.

— Os manda-chuvas são todos assim, olham para os católicos do alto da burra. Mas atenção, eu não iria de todo à igreja se não fosse obrigada. Não acredito que Deus exista; se existisse, porque é que deixava as pessoas sofrer tanto?

— Eu também pensava assim — disse Matilda, pensativamente. — Mas o reverendo Milson é o homem mais bondoso e caridoso que conheço e leva-me mais ou menos a acreditar, só pela sua fé.

Rosa riu-se, dando-lhe uma cotovelada nas costelas. — Falas como se estivesses um bocadinho apaixonada por ele.

— Amo-o por aquilo que ele é — disse Matilda sem qualquer embaraço. — Gostava de me casar com um homem como ele.

— Pois eu gostava de me casar com alguém que olhasse por mim — disse Rosa, os seus olhos escuros subitamente tristonhos. — Mas os únicos rapazes que conheço são os que moram ao pé dos meus pais e não tenciono casar-me com nenhum deles porque não têm nada para me dar.

Esta observação tocou-lhe num ponto sensível. Matilda recordava vividamente o que sentira pelos rapazes em Finders Court.

— Deve haver algum sítio em que duas beldades como nós possam conhecer rapazes decentes — respondeu ela em tom de brincadeira. — Mrs. Milson disse que dão um baile na igreja aos sábados. Achas que é possível encontrar lá alguns?

Rosa fez uma careta. — Imagino que seriam, na maioria, imigrantes alemães. Uma pessoa que não fala inglês, mesmo que seja respeitável, não me serve.

Matilda achou que era uma atitude um pouco preconceituosa. Tinha ouvido o patrão afirmar, em muitas ocasiões, que os Alemães eram das nacionalidades de imigrantes mais trabalhadoras da cidade e, como ela vira esta noite, esforçavam-se também por aprender a língua.

— Achas que, de qualquer maneira, Mrs. Arkwright te dava um sábado à noite de folga? — perguntou ela.

— Para ir a uma coisa na igreja, talvez. — Os olhos de Rosa brilharam mais uma vez de malícia. — Suponho que dançar com um rapaz alemão é melhor que ficar sentada na cave a polir pratas!

Separaram-se ao fundo de State Street, prometendo encontrar-se na semana seguinte, na aula de religião. Matilda foi a saltitar pela rua, sentindo-se absurdamente feliz.

Foi apenas dois dias mais tarde que Matilda descobriu acidentalmente o lado mais sinistro de Nova Iorque. Era a sua tarde de folga e, como estava um dia quente e soalheiro, mas não um calor excessivo, decidiu ir a pé até Greenwich Village. Ouvira dizer que era aqui que os ricos haviam construído casas de Verão para escapar quando havia epidemias na cidade. Lily dissera melancolicamente, depois de uma visita à zona, que era muito bonita, com pequenas quintas e extensos arvoredos.

Se os Milson tivessem estado em casa, Matilda ter-lhes-ia perguntado qual o melhor caminho para o lado oeste da ilha. Mas Lily e Tabitha haviam sido convidadas para almoçar por um amigo recente e Giles tinha saído de casa às dez nessa manhã.

Partiu por Pearl Street, mirando as montras das lojas pelo caminho, e estava tão absorta a pensar na sua saída com Rosa que não reparou na distância que havia percorrido. Só quando se apercebeu de que tinha entrado numa área bastante decrépita é que se recordou da advertência de Mrs. Kirkbright, no primeiro dia, de que este bairro era desagradável. Virou à esquerda para se dirigir para oeste, mas, como não lhe pareceu melhor, virou à direita.

De súbito, deu por si numa rua estreita e não pavimentada, coberta de lixo até aos tornozelos. As casas de madeira, antigas e abauladas, apoiavam-se umas contra as outras, em ângulos tortos, e embora houvesse um passeio em madeira, estava podre, com enormes e perigosos buracos. Contudo, mais notório do que o lixo e a decrepitude era a atmosfera completamente diferente. Mesmo com um sol luminoso, parecia escura e ameaçadora.

Foi uma curiosidade perversa que a levou a continuar em lugar de regressar a Pearl Street. Queria conhecer tudo sobre esta cidade e isso só seria possível se visse todos os seus aspectos, bons e maus.

Mas, à medida que continuava a embrenhar-se no labirinto de vielas sinuosas e cada vez mais sórdidas, o instinto disse-lhe que cometera um grave erro ao vir aqui sozinha. O cheiro a excrementos era tão forte que teve de tapar o nariz e avançar cautelosamente com as saias arregaçadas. Parecia haver igual número de pessoas brancas e negras, mas como toda a gente estava extremamente suja e esfarrapada, a sua cor passava despercebida. Mulheres de olhos encovados e cabelo que parecia estopa, a dar de mamar a bebés, encostadas às portas, olharam-na com profunda desconfiança. Crianças seminuas, com olhos duros de adulto e chagas purulentas nas pernas, começaram a segui-la e ela viu vários homens bêbados a urinar à vista de todos, virando-se para olhar para ela e gritando comentários obscenos.

Havia homens e mulheres estendidos inconscientes pelo chão, um homem sem pernas a tentar avançar só com os braços e uma criança da idade de Tabitha, completamente nua, a devorar um naco de pão que tinha obviamente descoberto no lixo.

Havia porcos a escarafunchar no esterco, mas não se assemelhavam em nada aos porcos gordos e rosados que conhecia de Inglaterra; estes eram criaturas escanzeladas, feias e assustadoras, cobertas de sujidade. Ao lado deles, andavam cães tão magros e tinhosos que se viam as costelas e, ao vê-los arreganhar os dentes e abocanhar-se uns aos outros, teve medo de que pudessem atacá-la.

Sempre acreditara que não havia lugar pior no mundo inteiro do que Seven Dials, em Londres, mas, por mais terrível que fosse e por mais vis atrocidades que fossem cometidas nas suas vielas e casas degradadas, escuras e húmidas, possuía uma qualidade vibrante e buliçosa que aqui estava totalmente ausente. Pairava no ar um manto de apatia, a doença, a espreitar em todas as esquinas sinistras, era quase palpável, e reinava um silêncio estranho, como se os habitantes estivessem numa espécie de transe.

Estremeceu ao pensar como devia ser à noite, em tempo de chuva ou no pico do Inverno, porque não havia um único vidro nas janelas e faltavam partes de telhado. Imaginou que essas portas abauladas conduziam a labirintos de salas tenebrosas, cada uma delas ocupada por dezenas de pessoas. A «loja de rum» em cada esquina testemunhava de que modo os residentes enfrentavam as suas privações; até o choro dos bebés era tão débil que calculou que seriam poucos os que sobreviveriam à infância.

A cada passo, a situação piorava, os edifícios ainda mais juntos, a imundície debaixo dos pés ainda mais profunda, a fetidez tão intensa que mal conseguia respirar, e agora estava assustada porque sabia que estava completamente perdida. Perguntar como sair dali era impensável. Sabia que em Seven Dials, quando alguém mostrava ser um estranho nervoso, era conduzido a uma viela escura e roubado. Não andava com mais do que alguns cêntimos, mas bastava um relance para os andrajos com que as pessoas se cobriam para saber que só as suas botas e roupas eram razão suficiente para a atacarem.

«Não deves mostrar medo», sussurrou consigo mesma. «Levanta a cabeça, caminha depressa e com determinação. Hás-de conseguir sair daqui.»

Contudo, quando um homem com uma cartola muito alta e amassada avançou para ela com uma matraca na mão, perdeu completamente a coragem. O seu sorriso desdentado era animalesco, recordando-lhe um homem que viveu durante algum tempo em Finders Court e ganhava a vida com as lutas de cães. Passou por ele, evitando-o, o coração a pulsar tão descompassado que ela pensou que ia rebentar.

— Anda cá, bonequinha — ouviu-o dizer e, arregaçando a saia, largou a correr às cegas. No seu terror, imaginou, não apenas ele, mas hordas de homens a persegui-la. Enfiou por uma viela, dando por si num minúsculo pátio, apanhada no que parecia uma teia de aranha gigante.

Soltou um grito involuntário, esbracejando enquanto qualquer coisa lhe batia na cara. Foi o som do seu próprio grito aterrorizado que a arrancou ao seu pânico cego. Olhando em volta, reparou que tinha simplesmente esbarrado contra uma massa de cordas de roupa, engrinaldadas com milhões de trapos sujos. Já vira espectáculos idênticos inúmeras vezes em Londres, os recolectores de trapos apanhavam-nos nos contentores do lixo, penduravam-nos a secar e depois vendiam-nos por atacado. Também não fora perseguida, as únicas pessoas que a observavam eram um grupo de crianças imundas, e provavelmente tinham ficado tão assustadas com o grito dela como ela por estar ali.

Recompondo-se, decidiu que tinha de sair dali o mais rapidamente possível. Vendo um rapaz de seis ou sete anos, de cabelo ruivo, destacado das outras crianças, e não usando mais do que uma camisa de homem esfarrapada, fez-lhe sinal para que se aproximasse.

— Eh? Que é que queres? — disse ele com desconfiança, abeirando-se lentamente dela.

Ao longe, ele recordara-lhe os dois irmãos mais novos, puramente por causa da cor do cabelo, mas a semelhança terminava aí. Este possuía uma expressão derrotada que os irmãos nunca haviam tido, olhos baços, e estava tão imundo que certamente não se lavava há meses.

Tirando um cêntimo do bolso, estendeu-lho. — Indica-me o caminho para Pearl Street que eu dou-te esta moeda — disse ela.

Ele mirou-a de alto a baixo, como quem tenta avaliar se ela teria mais e qual a melhor maneira de roubá-la. — O meu pai é polícia — disse ela, encarando-o olhos nos olhos. — Por isso, não te ponhas com graças. Então, queres ou não queres o dinheiro?

Ele fixou-a em silêncio durante um tempo que lhe pareceu uma eternidade e depois assentiu com a cabeça e estendeu a mão.

Matilda abanou a cabeça. — Só quando lá chegarmos.

— Para que é que vieste aqui? — perguntou ele com uma expressão soturna. — Nem sequer estamos perto de Pearl Street.

— Andava à procura do meu pai e perdi-me — disse ela. — Então, levas-me ou não?

— Levo-te até à Broadway, não é longe — disse ele. Depois, sem esperar para saber se servia, arrancou a trote dois metros à frente dela. Conduziu-a por uma viela fétida tão estreita que os braços dela tocavam nas paredes de cada lado, através de uma rua mais larga e para uma grande artéria principal movimentada onde circulavam fiacres e carruagens. Do outro lado da rua, erguia-se um edifício estranho que parecia uma fortaleza.

Matilda soltou um suspiro de alívio ao voltar a deparar-se com a civilização. — Isto é a Broadway? — perguntou, pois o nome era-lhe familiar; Giles tinha dito que era uma das primeiras ruas dignas desse nome, construídas pelos Holandeses, e percorria, a partir de Lower Manhattan, toda a ilha.

O rapaz indicou que sim, estendendo a mão para receber o dinheiro.

— Como é que te chamas? — perguntou ela.

— Sidney — disse ele, com os olhos na mão dela e não na cara.

— Bem, obrigada por me trazeres até aqui, Sidney. Que edifício é aquele além? — perguntou ela, indicando a fortaleza.

— São as Tumbas — disse ele, olhando para lá com medo. — Vá, passa para cá o dinheiro.

— Que é que há lá dentro? — perguntou ela. Apesar da sua esplêndida arquitectura egípcia, quase antiga, pressentiu que tinha uma finalidade macabra.

— É a prisão — disse ele. — Anda, dá-me o dinheiro.

Matilda entregou-lhe a moeda. — Tens pais, Sidney?

Ele abanou a cabeça.

— Então quem olha por ti?

— Eu — respondeu o rapaz, franzindo a testa como se não entendesse por que razão alguém lhe havia de fazer tal pergunta. Matilda levou novamente a mão ao bolso e tirou o resto do dinheiro que tinha, seis cêntimos ao todo. — Compra qualquer coisa para comeres — disse ela, metendo-lho na mão imunda. Mas, antes de poder perguntar-lhe mais alguma coisa, ele largou a correr de volta à viela, onde claramente se sentia mais seguro.

Enquanto Matilda se dirigia para casa pela Broadway, sentiu-se indisposta e trémula. Estava convencida de que a sua infância em Finders Court constituía uma espécie de protecção contra o choque. Mas o que acabara de presenciar fazia dos bairros de Londres e Bristol um paraíso.

Olhou, perplexa, à sua volta, para as pessoas bem alimentadas e vestidas com as roupas da moda, entregues aos seus afazeres na Broadway. A rua estava congestionada com carruagens elegantes, as lojas estavam completamente repletas de todo o tipo de luxos imagináveis e comida suficiente para alimentar numerosos exércitos. E, contudo, a cinco minutos dali, as pessoas viviam em condições piores do que animais, sem as necessidades mais básicas, como vestuário e alimentos.

Estas pessoas de ar tão próspero ignorariam o que se passava tão perto delas?

Nessa noite, Matilda descobriu que não era capaz de comer nada. A grossa costeleta de porco no seu prato lembrava-lhe os porcos que vira nessa tarde, o prato cheio de legumes com batatas assadas e cenouras era como uma crítica silenciosa ao facto de possuir tanto quando aquele rapazinho, Sidney, passava fome. Quando Tabitha deixou a côdea do pão por comer, assaltou-a uma imagem mental da criança que vira a apanhar pão seco do lixo na rua.

— Comeste pastéis quando saíste esta tarde? — perguntou-lhe Lily, lançando-lhe um olhar cáustico.

— Não, não me sinto muito bem, é só — disse ela, esperando que a patroa não insistisse.

— Talvez seja melhor tomares uma dose de óleo de rícino antes de te deitares — respondeu Lily. — Estás com mau ar.

Mais tarde, depois das orações, Lily recolheu ao quarto, deixando o marido a ler na sala e Matilda na cozinha a preparar as papas de aveia para a manhã seguinte.

Estava precisamente a meter tudo ao lume quando Giles entrou.

— Que é que te apoquenta esta noite, Matty? — perguntou ele. — Nunca te vi recusar comida nem passar tanto tempo calada. E, contudo, sei que não estás doente, pense Mrs. Milson o que pensar.

Ela hesitou, receosa de que ele pudesse zangar-se com ela se contasse a verdade.

— Estás com saudades de casa?

— Não — disse ela, espantada por ele pensar tal coisa. Pensava muito no pai e em Dolly e sentia saudades deles, mas Londres era para ela um lugar de privações e as únicas boas recordações que evocava estavam associadas aos Milson. — A minha casa agora é aqui.

— Folgo muito em ouvir isso — disse ele, com um sorriso. — Mas se a tua casa é aqui, fazes parte da minha família e portanto deves poder dizer-me o que te está a consumir.

Sentou-se à mesa e cruzou os braços, esperando pela resposta dela. Durante o ano e meio em que Matilda estivera ao seu serviço, acabara por compreender que ele não era homem que se deixasse demover com facilidade. Era intuitivo, curioso e persistente. Os seus olhos escuros penetravam a alma das pessoas, por vezes ela era capaz de jurar que ele ouvia mesmo os seus pensamentos. Mas também sabia que ele usava estas capacidades unicamente para ajudar as pessoas e não para intimidá-las.

— Não estou indisposta nem sinto saudades de casa — disse ela. — Estou só perturbada com o que vi hoje. Acho que, se tivesse visto o que eu vi, também não teria conseguido comer.

Sentou-se em frente a ele, respirou fundo e desabafou, com os olhos pousados sobre a mesa. Só quando chegou à parte em que tinha pensado que o homem da matraca ia atacá-la é que ousou levantar os olhos. Ele estava com a cabeça apoiada numa mão, os dedos a afagar a fronte como se aquilo que estava a ouvir estivesse a causar-lhe angústia.

— Ele não me atacou — apressou-se ela a dizer. — Eu larguei a correr e consegui que um rapaz me indicasse a saída dali. Mas era um sítio tão terrível, reverendo, que sei que, se o visse, havia de querer fazer alguma coisa para ajudar.

Quando ele não respondeu imediatamente, ela sentiu-se muito desconfortável. — Peço desculpa — murmurou ela, presumindo que ele achava que ela estava a ser presunçosa. — Estou a ser o que a senhora chama «pedante».

— Não estás nada a ser pedante — disse ele, num tom fatigado. — Só queria que toda a gente em Nova Iorque visse o que tu viste e reagisse como tu. E a maioria das pessoas que viram acredita que as condições estão certas para os animais que ali vivem.

— Então já lá foi? — perguntou ela, surpreendida.

— Sim, Matty. Tens razão, é o lugar mais desolado e terrível que já vi. Neste momento, só me posso sentir aliviado por teres conseguido sair de lá sã e salva porque, acredita, além de as condições ali serem uma afronta a uma cidade teoricamente civilizada, é um sítio extremamente perigoso para se andar sozinho e sem protecção.

— Mas, se também lá esteve, como é que pode ficar calado? — Estava pasmada por ele parecer tão calmo.

— Porque é que não vieste logo para casa e contaste a Mrs. Milson o que viste?

Matilda olhou para ele; uma das suas sobrancelhas estava erguida numa expressão interrogativa, um meio sorriso dançando-lhe nos lábios.

— Ela teria ficado histérica — respondeu. — E também não me admirava se me fechasse lá fora na arrecadação enquanto não tivesse a certeza de que eu não tinha trazido uma doença para dentro de casa.

Ele soltou uma risadinha tensa. — Foi exactamente por isso que não falei do assunto em casa, e ela ter-me-ia obrigado a prometer que nunca mais lá ia. Como vês, ambos compreendemos por que razão o outro não podia falar do que viu. Mas, diz-me, Matty, agora que presenciaste os horrores de Five Points, que é o nome dessa zona, que achas que se pode fazer?

— Instalar as pessoas em casas decentes, dar-lhes de comer e deitar fogo ao sítio até não ficar nada.

Ele sorriu. — Foi exactamente o que eu pensei a princípio. Mas não tardei a descobrir que tinha de pensar com a cabeça e não com o coração — disse ele. — Para encontrar uma verdadeira solução para os problemas ali, temos de agir lógica e desapaixonadamente.

— Como é que se pode ser desapaixonado perante aquilo? — Elevou a voz, indignada.

— Bem, antes de mais, temos de analisar como e porque apareceu um sítio assim — disse ele, abrindo as mãos sobre a mesa. — A América tem espaço suficiente para dezenas de milhares de pessoas e o governo tem uma política de portas abertas para quem quiser fixar-se aqui. No entanto, não existem agências que garantam trabalho e habitação para todos. E não há qualquer controlo para ver se os imigrantes têm dinheiro suficiente para se sustentar, bem como às famílias, enquanto procuram trabalho.

«Essas casas decrépitas que viste hoje já foram casas decentes, unifamiliares, mas à medida que a riqueza dos proprietários ia aumentando, deixavam-nas, iam viver para a zona alta e arrendavam as casas antigas. Os imigrantes recém-chegados não podiam pagar a renda de uma casa inteira e, como tal, arrendavam só um quarto. Os que não encontravam imediatamente trabalho não tardavam a ver-se forçados a partilhar esse quarto com outra família para pagar a renda.

«Quando cada uma dessas casas passa a albergar cinquenta pessoas e o senhorio não faz obras, num instante se instala uma situação de degradação. Os que têm trabalho mudam-se para lugares menos apinhados, mas os pobres diabos no fundo da escala não têm alternativa senão ficar e aguentar as condições.»

Matilda acenou com a cabeça, indicando que compreendia. Finders Court era igual. A única pessoa feliz era o senhorio, que vivia a quilómetros de distância e mandava alguém receber as rendas.

— Mas porque é que ninguém impede os senhorios de explorarem os pobres? — perguntou ela.

— Talvez porque esses senhorios enriqueceram e adquiriram poder — disse ele, com um certo desânimo. — Não me admirava muito, se fôssemos ver a quem pertencem esses imóveis, que descobríssemos que muitos dos proprietários são vereadores e ocupam cargos de autoridade.

— Mas isso é pérfido — disse ela, horrorizada.

Giles encolheu os ombros. — É, mas quem é que vai levantar a voz contra eles, Matty? Ninguém, nem sequer quem ainda tem um vestígio de humanidade e caridade, quer as pessoas que vivem agora em Five Points como seus vizinhos. Essa área está fora de vista e longe da ideia e é, portanto, um local ideal, na opinião da maioria das pessoas, para a escumalha da sociedade que não pode ou não quer trabalhar.

Matilda pensou em Seven Dials, em Londres. Sabia bem que a maioria dos seus residentes preferia viver ali porque estava entre iguais. Mas eram ladrões, prostitutas e mendigos.

— Mas não podem ser todos pessoas ruins em Five Points — disse ela. — Quase toda a gente que vi tinha um ar doente e esfomeado.

— E é o que são, Matty. As pessoas que viste hoje são as que estão na base da hierarquia social, sem energia nem vontade de subir para o degrau seguinte. Deves ter notado que cerca de metade eram negros e a outra metade sobretudo irlandeses. Porque é que achas que só lá vivem essas duas raças e não ingleses, italianos ou alemães?

Matilda encolheu os ombros. — Não faço ideia.

— As pessoas nesta cidade não hesitariam em sugerir que é porque os negros e os irlandeses são indolentes por natureza — disse ele, num tom escarninho. — Sentem-se melhor quando fazem essas generalizações excessivas porque não querem assumir a responsabilidade pelas atrocidades que têm sido infligidas a essas duas raças. Há séculos que os Ingleses maltratam os Irlandeses e os Americanos têm escravizado os negros. Assim, o que os Irlandeses e os negros têm em comum é que têm origens de privação extrema. A fome e condições de vida abjectas não são nada de novo para eles. Chegam aqui à cidade sem nada a não ser a roupa que trazem no corpo e o único lugar onde encontram abrigo é entre os seus iguais.

— Porque é que não conseguem arranjar emprego?

— Os fortes, inteligentes e ambiciosos conseguem. Para cada irlandês, homem ou mulher, que acaba em Five Points, há cem que se elevaram acima da sua condição, encontra-los a conduzir fiacres, a dirigir negócios, praticamente em todos os ramos possíveis. Passa-se o mesmo com os negros, embora tenham mais preconceitos ainda para vencer e acabem, na maioria, a executar trabalho braçal ou no serviço doméstico. Mas, para os infelizes que vão parar a Five Points, é uma armadilha. Uma vez disseste-me que não conseguias arranjar um trabalho melhor do que vender flores por causa da tua roupa e da tua pronúncia. Com eles, não é muito diferente.

— Mas eu consegui escapar porque me ajudou — disse ela. — De certeza que é o que temos de fazer por eles.

— Matty — disse ele, num tom fatigado —, estamos a falar de pessoas que, no geral, têm uma deficiência qualquer. Na maioria, são analfabetas, não tem aptidões, algumas estão doentes, e esse sítio embrutece-as a todas.

— Aposto que se podia ensiná-las a fazer alguma coisa — disse ela, num tom revoltado. — Não se pode simplesmente ignorá-las.

— Concordo — disse ele, com brandura. — Mas como é que comunicamos com gente que desceu tao baixo que só procura o esquecimento proporcionado pelo álcool? Não estamos a falar de raparigas e rapazes jovens e frescos, ansiosos por agarrar uma oportunidade, mas de pessoas doentes e desgastadas que praticamente perderam todo o sentido de moralidade. Five Points é uma cloaca, Matty. Todas as noites, são assassinadas ali pessoas, a gatunagem e a prostituição são muitas vezes o seu único meio de sobrevivência.

— Mas as crianças podem certamente ser salvas — disse ela debilmente, pensando no irmão George.

Giles olhou para Matilda e, vendo a mesma angústia nos seus olhos que experimentava no seu próprio coração, sentiu vontade de lhe confidenciar os planos que havia elaborado com Darius Kirkbright nas últimas semanas. Contudo, a ideia de Lily a dormir no andar de cima, completamente ignorante do facto de a sua obra pastoral o levar a lugares tão abjectos, perturbava-o terrivelmente. Como reagiria ela se descobrisse que fizera confidências a uma criada e a ela não?

— Os órfãos podem ser salvos — disse ele, hesitante, tentando dar a entender que a ideia acabara de lhe ocorrer. — Creio que são centenas, por vezes pequeninos com menos de três anos de idade, que passam o dia a esgaravatar no lixo. Suponho que poderiam ser recolhidos e levados para um sítio qualquer onde cuidassem deles.

Matilda preparava-se para dizer que era uma ideia excelente, quando, de súbito, se apercebeu de que a maneira autoritária como ele falara dos problemas de Five Points queria dizer que tinha visitado a zona com frequência. Conhecendo-o como conhecia, nunca viraria as costas àquilo que vira.

— Já fez planos nesse sentido, não já? — perguntou impulsivamente.

Ele corou e desviou os olhos.

— Oh, reverendo! — exclamou. — Há semanas que anda a trabalhar nisto, não anda? O que é que Mrs. Milson vai dizer quando descobrir? Pensa que tem andado a visitar doentes e a conviver com os finos na igreja.

Apesar de chocada, a expressão dele de cão batido deu-lhe vontade de rir. Tinha visto a mesma expressão no rosto dos irmãos quando os apanhava em flagrante delito.

— Não sou sequer capaz de pensar na reacção dela — disse ele, em voz baixa. — Imagino que me vai ameaçar, dizendo que volta para Inglaterra com a Tabitha. Mas tenho de fazer isto, Matty. Um homem não pode virar as costas a um sofrimento tão descomunal e continuar a considerar-se um homem. Se Mrs. Milson se tivesse casado com um soldado, esperaria que ele fosse combater. Eu sou um soldado de Deus e este é o meu combate. Quereria ela que eu abandonasse o meu dever só para ter paz e harmonia em casa?

O coração de Matilda encheu-se de admiração por ele. Não era impertinente como Darius Kirkbright, que acreditava sinceramente que uma mulher devia obedecer aos desejos do marido. Giles era um homem sensível que acreditava que o casamento devia ser uma verdadeira parceria. Agora via por que razão ele não tinha falado do seu trabalho em casa e compreendia perfeitamente a inquietação que ele devia sentir por ser obrigado a esconder o que andava a fazer, só para não destruir o contentamento da mulher.

— Faz bem em lutar por essa pobre gente — disse ela, de mansinho. — Mas faz mal em esconder da senhora, por mais que possa desagradar-lhe. Ela tem bom coração e também o ama pelo que é e, embora provavelmente tenha um ataque, acho que com o tempo há-de aceitar e também o irá ajudar.

Ele apoiou os cotovelos na mesa e tapou a cara com as mãos por um momento. Matilda observou-o, sabendo que ele estava a debater-se com a sua consciência.

Ele demorou algum tempo a falar de novo. — Minha querida Matty — disse finalmente —, por vezes és sensata de mais para a tua idade e, à partida, concordo com tudo o que disseste. Mas ninguém melhor do que eu conhece a minha mulher e sei o que aconteceria se ela tivesse o mais leve vislumbre do que tu viste hoje. O medo dela da imundície e da doença está profundamente entranhado, a verdadeira razão pela qual se recusava a sair do camarote no navio era por causa dos passageiros de terceira classe. Era a mera presença deles que lhe causava enjoos.

Matilda sentiu-se tentada a rir e a dizer que ele estava a ser tonto, mas depois lembrou-se de Lily a olhar para eles, receosa, enquanto ainda estavam no convés ao navegarem pelo rio Avon. Sempre recusara deixar Tabitha subir ao convés quando eles eram autorizados a estar lá. E foi por isso que reagiu com dureza quando o rapazinho morreu.

— Talvez sim, mas ela tem melhorado muito — disse ela num tom firme.

— Não, Matty, não tem. — Giles abanou a cabeça. — Sente-se segura nesta casa e a conviver com as pessoas de boas famílias na igreja. Tirando o que viu de fugida na zona das docas, imagina que a cidade de Nova Iorque não é muito diferente do nosso bairro. Não tenho dúvidas de que me ajudaria a angariar fundos para os pobres ou a abrir um lar para crianças abandonadas, desde que eu escondesse os pormenores sobre os benefícios dessa caridade. Sei que, se lhe fossem revelados os verdadeiros horrores da situação... — Calou-se subitamente, como se tivesse medo de dizer o que temia.

Matilda estava a ponto de retorquir que Lily nunca o abandonaria por causa disso quando de repente compreendeu que não era isso que ele imaginava. A expressão profundamente perturbada nos seus olhos dizia tudo, aquilo que ele temia era levar a mulher ao limite e à insanidade!

Se qualquer outro homem tivesse sugerido tal possibilidade, ela ter-se-ia rido dele. Mas Giles Milson era um homem que conhecia verdadeiramente a natureza humana e a sua própria mulher melhor do que ninguém. Matilda assistira muitas vezes aos ataques de histeria de Lily e aos seus estados de espírito sombrios, e o instinto dizia-lhe que ele era capaz de ter razão.

— Posso fazer alguma coisa para ajudar? — perguntou.

Ele lançou-lhe um olhar demorado e pensativo antes de responder. — Matty, colocaste-me numa posição precária. Por um lado, alegra-me ter em ti uma aliada, mas, por outro, quer também dizer que, para poder prosseguir a minha obra, tenho de te pedir que me ajudes a manter Mrs. Milson na ignorância. Só que isso também te coloca numa situação impossível.

— Nem por isso — disse ela, encolhendo os ombros. — Eu sei que o que está a fazer é uma coisa boa. Não dizer nada é o menos que posso fazer. Só queria poder fazer alguma coisa de mais prático.

Quando ele não respondeu, Matilda interrogou-se se teria sido a resposta errada. Deveria jurar que nunca contaria nada à senhora?

— Podias fazer mais — acabou ele por dizer. — Podias trabalhar ao meu lado.

Matilda ficou boquiaberta. — Como? Não passo de uma ama.

— É dos talentos próprios de uma ama que eu preciso — disse ele, com um sorriso irónico. — Lembra-te que vi como reagiste com aquela criança doente no navio. Vi-te pegar nela ao colo, lavá-la e tentar dar-lhe de comer, vi as tuas lágrimas quando ela morreu.

— Não está a dizer que quer que eu o ajude em Five Points, pois não? — A voz dela elevou-se de surpresa.

— Quem melhor que tu, Matty? Sei que não te retrais perante uma criança imunda porque tu própria já foste uma. Sabes também o que é ser salva da fome e da pobreza. Não és assustadiça, tens coragem e bom senso. Achas que podes ajudar a reunir alguns desses órfãos?

Matilda interrogou-se por breves momentos se não seria ele quem estaria à beira da loucura. Não dissera nada à mulher e agora propunha levar a criada para o ajudar. Não hesitou em chamar-lhe a atenção para o facto.

Para sua surpresa, ele riu-se. — Mas não vês que isso dissiparia um pouco os medos dela? Já sabe que a igreja deu fundos para abrir um lar para crianças abandonadas em New Jersey. Está quase pronto para acolher crianças. Se lhe disser que eu e o reverendo Kirkbright identificámos algumas crianças necessitadas de cuidados e atenções e que queremos a tua ajuda a levá-las para o lar para aliviar a angústia delas, nunca lhe passará pela cabeça que não sejam simplesmente órfãos normais, que sentem a falta das mães, e veria a tua ajuda com bons olhos.

Matilda não sabia agora o que pensar. De certo modo, parecia uma traição terrível. Mas, por outro lado, como podia ser errado salvar crianças doentes e famintas? Sobretudo quando o reverendo Kirkbright estava envolvido no plano?

— Fale-me desse lar — pediu ela.

Ele inclinou-se mais para ela, os olhos brilhantes de excitação.

— Vai chamar-se «Lar de Trinity para Crianças Abandonadas e Sem-Abrigo» e será financiado pela paróquia. É uma casa sólida, rodeada por uma paisagem rural; antigamente era usada como um hospital de quarentena. Como disse, está quase pronto, equipado e com pessoal. — Fez uma breve pausa, olhando-a nos olhos. — O nosso maior problema é conseguir as crianças certas para ocupá-lo e tirá-las de Five Points. Como provavelmente sabes muito melhor do que eu, as crianças que vivem na rua desconfiam de toda a gente e ainda mais dos clérigos. Com uma jovem como tu do nosso lado, alguém capaz de falar a língua delas, de ouvir os seus medos e explicar o que estamos a tentar fazer por elas, esse problema pode resolver-se.

Matilda ficou momentaneamente num silêncio aturdido. Aplaudia o que ele pretendia fazer, queria contribuir. Mas sabia que implicaria voltar àquele lugar terrível uma série de vezes, bem como regressar a casa e enfrentar a patroa sem admitir o que vira. Seria realmente capaz disso?

— E o risco de infecção, reverendo? — perguntou em voz baixa. — Não é possível chegar junto dessas crianças e tirá-las dali sem evitar a proximidade. *Hão-de* estar todas cheias de piolhos, podem muito bem ser portadoras de doenças que eu ou o reverendo podemos trazer para casa e pegar à Tabitha. Por mim não tenho medo, só por ela e por Mrs. Milson.

Giles compreendeu subitamente que era uma boa decisão envolver Matilda. Por mais que acreditasse que estava a proceder bem ao salvar estas crianças, guardar segredo de Lily colocara-o sob uma tensão tal que por vezes julgava que não era capaz de continuar. Partilhando agora esse fardo, a sua convicção regressara e, de repente, via o caminho à sua frente a desobstruir-se. Levar Matilda com ele mitigaria quaisquer suspeitas de Lily. Sentia-se como aos vinte anos, cheio de vigor e entusiasmo.

— Instalámos o que pode chamar-se um centro de readaptação — disse ele. — Teremos um médico a ajudar-nos. E tomaremos todas as precauções. — Estendeu o braço e tomou a mão dela na sua. — Então, podemos trabalhar em equipa?

Ela sentiu um súbito calor a percorrer-lhe as veias, como xarope quente. Talvez fosse mais seguro recusar, dizer que não contaria nada à patroa, mas que não ia prestar-lhe qualquer assistência. Contudo, não era capaz de esquecer o que vira nesse dia nem recusar ajudar um homem apostado em salvar crianças pequenas.

— Só diz à senhora que o vou ajudar a levar as crianças para o lar? — Precisava dessa confirmação, se Lily a interrogasse em privado.

— Só isso. Damos à coisa o ar de uma ida à catequese — disse ele, com um sorriso.

Ela retirou a mão das dele, cuspiu nela e voltou a estendê-la. — Em Seven Dials é assim que se fecha um negócio — disse, rindo.

Ele sorriu, cuspiu na sua e apertou a dela.

— Sócios! — disseram ambos ao mesmo tempo.

CAPÍTULO 6

— É aqui — disse Giles, tirando o capuz da sua capa de oleado ao aproximar-se com Matilda de uma loja de bairro dilapidada, a desfazer-se e com um ar infestado, em Five Points. — Vais perceber em breve porque é que toda a gente chama a estes sítios «lojas de rum». Pode dizer «Mercearia» na montra, mas lá dentro há muito poucos alimentos em exposição.

Passara uma semana desde que ela visitara esta área pela primeira vez, mas o tempo quente e soalheiro acabara dois dias antes com uma forte tempestade e a chuva não parara de cair desde então. Agora, as ruas e vielas estreitas eram um pantanal malcheiroso de lama viscosa. Até os porcos e os cães procuravam abrigar-se junto às paredes e nos vãos das portas e, tirando o ruído da chuva a cair em bátegas dos telhados e canos partidos, o silêncio era total, como se todos os residentes humanos tivessem entrado em hibernação.

Ao entrarem na loja, um homenzinho escanzelado, com uma cara bexigosa e um avental imundo, apareceu a arrastar os pés de trás de pipas e grades de garrafas. Tresandava a álcool barato, mas pelo menos era preferível ao cheiro nauseabundo da rua.

— Bom-dia, reverendo. — O homem dirigiu-lhes um sorriso bajulador. — Trouxe uma ajudante hoje, foi?

— Esta é a minha assistente, Miss Jennings — respondeu Giles, num tom enérgico e profissional. Embora este irlandês tivesse prometido indicar-lhes onde se juntavam as crianças órfãs, Giles não confiava nele. Em conversas anteriores, tivera fortes suspeitas de que o conhecimento do homem dos hábitos das crianças não era suscitado por um interesse altruísta, mas mais provavelmente pelo facto de ser um proxeneta para os muitos bordéis ao longo da Bowery. — Trouxemos pão e maçãs para as crianças. Se nos indicar como encontrá-las, não lhe tomamos mais tempo.

— O mais certo é estarem na cave do Castelo das Ratazanas — disse o homem, olhando atentamente para Matilda. — Vi um dos moços mais velhos a rastejar lá para dentro quando passei esta manhã. Imagino que, com esta chuva, não mudaram de poiso.

Giles empalideceu; o Castelo das Ratazanas era em tudo tão mau como a velha fábrica de cerveja de que Kirkbright lhe falara quando chegara a Nova Iorque. Como nesse sítio, só os mais desesperados por um tecto ali entravam. Um polícia tinha-o informado que o nome se devia às inúmeras vias de fuga que tinham sido construídas a partir dele pelos criminosos que o ocupavam. Disse também que, numa rusga policial, tinham encontrado três corpos de pessoas assassinadas, juntamente com mais quatro que haviam morrido de causas naturais. Todos estes corpos haviam sido deixados a decompor-se nas caves, juntamente com os efluentes nauseabundos de umas trezentas ou quatrocentas pessoas.

Agradecendo ao homem, Giles saiu com Matilda, mas, uma vez na rua, virou-se para ela com uma expressão carregada de ansiedade. — Talvez seja melhor esperarmos que o tempo melhore para encontrarmos as crianças cá fora na rua. O Castelo das Ratazanas é um sítio macabro, Matty. Não te posso levar lá.

Matilda pensou por um momento. Lily aceitara completamente a história do marido de que hoje ia visitar quatro crianças que estavam aos cuidados de uma vizinha desde a morte da mãe, para ver se reuniam as condições para serem acolhidas no novo Lar para Crianças Abandonadas e Sem-Abrigo. Não havia razão para ela não acreditar que fosse verdade; já em Londres, Giles desempenhava este tipo de funções de tempos a tempos. Havia concordado de bom grado que Matilda o acompanhasse e até fora buscar algumas roupas que já não serviam a Tabitha para dar o seu contributo. Contudo, desconfiaria se voltassem a dizer que não tinham localizado as crianças. Giles não tinha grande jeito para mentir abertamente e Lily passaria a noite a interrogar os dois.

Não querendo exprimir os seus pensamentos, Matilda levantou os olhos para o céu plúmbeo. — Somos capazes de ter muito que esperar — disse ela. — Estamos no princípio do Outono, reverendo, e não há-de tardar muito a vir o frio. Além disso, não me deixo chocar assim tão facilmente.

Giles sentiu-se encorajado pela vontade dela de ir por diante a qualquer custo. Ela própria tinha hoje o aspecto de uma criança de rua, com uma capa de oleado como a dele, um vestido e xaile muito velhos e o cabelo penteado em tranças apertadas debaixo de uma touca. Tinham-se vestido para esta excursão em casa do Dr. Kupicha, imediatamente depois de Five Points, e voltariam lá para se lavar e vestir de novo a sua roupa antes de regressar a casa. O médico tinha-os avisado de que não estavam totalmente protegidos contra infecções, mas era a melhor precaução que conhecia.

— Bem, vamos só fazer o reconhecimento do sítio — disse Giles. — Podemos não conseguir sequer lá entrar, se estiver meia dúzia de brutos de sentinela.

O Castelo das Ratazanas situava-se no extremo de uma passagem estreita e, ao chegarem mais perto, detiveram-se, ambos intimidados pela sua aparência desolada. Fazia lembrar a Matilda os bairros degradados de Seven Dials e, a julgar pelas muitas janelas, beirais pontiagudos e chaminés elegantes e retorcidas, o edifício em tabique já fora a casa de gente abastada. Mas agora havia enormes buracos nas paredes, as madeiras estavam podres e todas as janelas entaipadas. As construções em redor tinham sido erigidas posteriormente, mas estavam igualmente dilapidadas e aquilo que devia ter sido uma cavalariça estava agora inclinado num ângulo torto, a água da chuva caindo a jorros pelo que restava do telhado de ardósias.

Não havia porta de entrada, unicamente um grande buraco como se alguém a tivesse arrancado dos gonzos para usar como lenha. Dando um passo em frente, Matilda reparou que a escadaria ao fundo de um vestíbulo escuro e repleto de entulho tivera sorte idêntica. Os corrimões tinham desaparecido por completo e o que restava das escadas quase oscilava com a brisa.

O cheiro fê-la engasgar-se e teve de recuar um pouco para poder respirar.

— Pelo menos não está ninguém de sentinela — disse Giles. — Mas, sinceramente, Matty, não sei como entrar. Aqui há umas semanas, tentei subir essas escadas e um dos degraus cedeu debaixo dos meus pés.

— O homem da loja disse que viu o rapaz a rastejar cá para dentro — disse ela. — Deve querer dizer que foi do lado de fora.

— Vamos inspeccionar a parte lateral então — respondeu Giles, tomando a dianteira através de um matagal de ervas daninhas altas e arbustos.

— É estranho que esteja tudo silencioso — disse Matilda pensativa, avançando com cautela pois havia fezes humanas por todo o lado.

— Acho o silêncio mais enervante do que gritaria e brigas — disse Giles, em voz baixa. — De algum modo, mostra o grau de desespero em que se afundaram.

Ao contornarem um arbusto particularmente grande, desembocaram de repente numa espécie de pequena clareira onde as ervas estavam calcadas. Em frente, havia um trilho estreito mas bem pisado, começando provavelmente algures atrás da casa.

— Olhe! — disse Matilda, reparando no que parecia uma toca escavada junto à base da casa. — Aposto que é por ali.

Cautelosamente, afastou alguns ramos que cobriam o acesso. Estes soltaram-se facilmente, revelando um buraco com cerca de sessenta centímetros de altura por noventa de largura, na parede de ripas e gesso da casa.

Matilda olhou, consternada, para o patrão, mas ele dirigiu-lhe um sorriso tranquilizador e retirou do saco a candeia que levara.

— Vou baixá-la e espreitar — disse ele em voz baixa. Matilda observou-o a acender a candeia e ajoelhou-se diante do buraco. — Cá vai — sussurrou ele e, baixando a candeia junto do buraco, debruçou-se lá para dentro.

Quase de imediato, afastou-se. — Estão lá dentro — exclamou com uma expressão de horror na cara. — Lá em baixo na cave. Dezenas deles.

— Deixe-me ver — disse ela e, quando ele se levantou, tomou o seu lugar, estendendo o braço para que a luz da candeia iluminasse a cave escura. Mas o que viu quase a fez largar a candeia e sentiu um aperto no coração. Dezenas de pares de olhos fixaram-se na luz em cima, rostos pequenos e brancos apanhados no feixe de luz.

O cheiro que emanava do interior era horrível, mas ela não conseguia afastar-se. — Venho trazer-vos comida — gritou. — Posso entrar?

Não esperou pela resposta nem consultou o patrão, entrando de rastos a segurar firmemente na candeia. Havia uma espécie de caixote por baixo do buraco, e depois uma escada tosca e periclitante, feita com grades, levava ao nível das crianças, uns quatro ou cinco metros mais abaixo, mas o seu desejo inabalável de ajudar estes pobrezinhos sobrepôs-se ao medo e à repugnância perante o cheiro fétido. Quando os seus pés tocaram no chão, descobriu que ele estava mergulhado em sete ou oito centímetros de água.

Levantando mais a candeia, aproximou-se das crianças. Estas estavam muito apertadas umas contra as outras numa pequena secção que ela presumiu ser a única parte do chão livre de água. — Trouxe comigo um homem da igreja — disse ela, falando pausada e distintamente para não os assustar. — É um homem bom e generoso que vos quer ajudar e trouxe um saco com comida; deixam-no entrar também?

— Eu conheço-te — disse uma voz atrás do grupo principal de crianças. — És a senhora que estava com medo nos Apanha-Trapos.

— Sidney? — disse ela, espantada. A voz era familiar, mas estava demasiado escuro para ver se era o mesmo rapaz ruivo.

— É, sou eu — disse ele e ela apercebeu se de um movimento, como se ele estivesse deitado e a tentar levantar-se. — Foi ela que me deu seis cêntimos — disse ele aos companheiros.

Subitamente, instalou-se um burburinho agitado e, por um momento, Matilda pensou que ia ser atacada. — Não trouxe dinheiro comigo — apressou-se a dizer. — Mas o homem que veio comigo tem pão e maçãs. Vou chamá-lo.

Virou a cabeça e viu que Giles já estava a entrar cautelosamente.

— Este é o reverendo Milson — disse ela, muito aliviada ao ver que as crianças não se preparavam para cair em cima dela mas estavam simplesmente sentadas. — É ministro na igreja de Trinity. Eu chamo-me Matty e viemos os dois ajudar-vos.

Ouviu um chape quando Giles meteu os pés na água. — Vou acender outra candeia para vos ver melhor — disse ele, e Matilda reparou que a sua voz tremia. — Depois quero que me digam os vossos nomes e a idade. Depois disso, dou-vos de comer.

— Eu já conheço ali o Sidney — disse Matilda, pensando instilar assim um pouco mais de confiança em Giles. — Talvez ele nos possa dizer quem são os outros. Fazes isso, Sidney?

— Não sei os nomes dos catraios — disse ele.

Quando Giles acendeu a segunda candeia, Matilda sentiu uma reviravolta no estômago ao aperceber-se das condições das crianças, bem como as suas idades. Não passavam de pequerruchos, mas os seus rostos chupados e olhos desolados davam-lhes um ar de velhos encarquilhados. Nenhum deles, que ela visse, trazia sequer algo que se assemelhasse a roupa, estavam apenas cobertos de andrajos. Tinham o cabelo empastado e as pernas pareciam caniços. Um rapazinho pequeno, que se levantara para olhar para ela, só tinha um pedaço de serapilheira no corpo e as suas costelas eram salientes como as dos cães na rua. Contando rapidamente, deduziu que seriam dezoito crianças e Sidney, com seis ou sete anos, era de longe o mais velho.

Ele debitou os nomes dos mais velhos. — Annie, John, Oz, Harry, Meg. — Continuou, usando alcunhas que sugeriam que estas crianças tinham ficado órfãs ou sido abandonadas em tão tenra idade que não sabiam os seus verdadeiros nomes. — Pretinho, Porco, Ratazana, Peixe e Pele-Vermelha.

Matilda tirou o saco de comida das mãos de Giles e começou a distribuir o pão. Um mar de mãos agitou-se na sua direcção e rebentou um coro de «Eu, eu», mas assim que se viram com um naco de pão na mão, instalou-se o silêncio enquanto comiam sofregamente.

Matilda sentiu nova reviravolta no estômago, mas desta vez provocada puramente pelo horror de que alguém pudesse comer em tais condições. Calculou que a água em que tinham os pés mergulhados fosse dos esgotos — Giles dissera-lhe duas noites atrás que todas as caves nesta zona ficavam inundadas de águas residuais quando chovia. Ouvindo uma chiadeira, levantou os olhos, vendo uma viga no tecto da cave a fervilhar de ratazanas. Quando passou nervosamente os olhos em volta, viu dezenas delas, nos peitoris, nos cantos, os seus olhos pequeninos e brilhantes observando-a atentamente. Foi percorrida por um calafrio e só lhe restava esperar que a inesperada luz da candeia as mantivesse à distância.

Ao fundo da cave havia uma porta. Interrogou-se sobre o que estaria atrás dela. Só depois de o pão acabar e de as maçãs serem distribuídas é que se atreveu a perguntar a Sidney.

— Os mais velhos não nos deixam entrar aí — disse ele. — Não usam esta porque está sempre molhada.

— Dormem sempre aqui? — perguntou-lhe Giles.

— Não me parece — disse ele, conseguindo esboçar um sorriso surpreendentemente jovial. — Quase sempre vou para Battery Park. Só venho para aqui porque está a chover. Está a ver, construímos uma plataforma. — Baixou-se para apanhar alguns trapos debaixo dos pés, revelando pranchas assentes em tijolos. — Teríamos feito tudo, mas os mais velhos corriam connosco e ocupavam o espaço.

Os pés de Matilda estavam a enregelar, agora que a água lhe entrara para as botas. Estava bem agasalhada, mas cheia de frio; imaginava que as crianças só conseguiam dormir apertando-se umas contra as outras. A ideia de como seria para eles no Inverno era insuportável.

— Algum de vocês tem mãe ou pai? — perguntou Matilda. A maioria abanou a cabeça, mas os mais novos limitaram-se a fixá-la com olhos grandes e tristes.

Na tentativa de saber ao certo, ela começou a interrogá-los um a um, fazendo-os dizer o nome, a idade e o que tinha acontecido aos pais. Sidney disse que tinha oito anos. Annie disse que tinha seis e que a mãe morrera há algum tempo e que achava que não tinha pai. Oz, cujo nome completo era Oswald Pinchbeck, disse que vivera com a tia mas ela partira. Não tinha a certeza de que idade tinha.

Cada criança era de tal maneira igual à seguinte — a imundície, os trapos e o corpo escanzelado — que Matilda pensou que nunca mais seria capaz de identificá-las pelo nome. Pouco sabiam dizer-lhe sobre si mesmas, «não sei» era a resposta mais frequente. Achou que o nome do edifício, Castelo das Ratazanas, era apropriado porque elas eram como ratazanas, vasculhando à procura de comida e dormindo em rebanho, tão ignorantes do modo de viver do resto das pessoas que não tinham qualquer noção sobre o conceito de família, cuidados e muito menos amor.

Deixou Giles falar-lhes do seu plano de os levar para um «lar». Ele falou bem, pintando um retrato de conforto e aconchego e de um futuro risonho para todos eles. No entanto, embora devesse ter trazido felicidade às suas pequenas caras, Matilda ficou abalada ao ver os seus olhos franzir-se de desconfiança.

— Não é uma prisão como as Tumbas — disse Matilda, inclinando-se mais para o grupo. — É uma casa autêntica, com lareiras a arder, camas e boa comida. Vão ter lá uma escola, vestir roupas a sério e andar com botas nos pés. Podem aprender a ler livros, ter brinquedos com que se entreterem. Nunca mais ninguém vos há-de fazer mal.

Ninguém fez perguntas, limitaram-se a dirigir-lhe olhares inexpressivos, mas alguns dos mais velhos voltaram-se para Sidney, como que à espera que ele fosse o porta-voz de todos.

— Sidney — disse ela, numa voz autoritária —, já estiveste uma vez comigo e eu confiei em ti o suficiente para me indicares a saída de Five Points. Achas que és capaz de confiar em mim?

Ele assentiu com a cabeça.

— Óptimo. Já sabia que eras um rapaz esperto, por isso, quero que te encarregues dos outros todos. Dentro de dois dias, vamos voltar aqui à mesma hora e esperar lá fora. Quero que leves estas crianças todas contigo e levamo-vos a casa de um médico aqui perto, onde podem todos comer uma boa refeição, tomar um banho e receber roupas novas. Mais tarde, vamos levar-vos ao novo lar de que te falei. Então, achas que os convences a irem contigo?

— Não sei — respondeu ele, duvidoso.

— Vão todos considerar-te um herói quando virem para onde os levas — disse ela, num tom persuasivo.

— Não sei se quero viver num lar — disse ele. — Não gosto muito que as pessoas me dêem ordens.

Matilda recordou como ele lhe tinha feito lembrar o irmão, Luke, da primeira vez que o viu. Era claro que tinha uma mentalidade semelhante.

— Bem, és um rapaz muito crescido e talvez te arranjes sem roupa quente e boa comida. Deixa-me propor-te um acordo. Trazes os pequeninos e comes com eles, mas, se não quiseres ficar, podes voltar para aqui.

Ele não respondeu, limitando-se a fitá-la com olhos duros.

— Os pequeninos vão ficar doentes este Inverno se continuarem aqui — disse ela, apontando para os mais pequenos à frente do grupo. — Mesmo que penses que não tens nada a ganhar, deixa-os ter a oportunidade de serem alimentados e bem tratados.

Sabendo que já dissera o suficiente para levá-lo a pensar e que mais tentativas para convencê-lo poderiam levantar suspeitas, fez menção de partir.

— Pensa só, camas e refeições quentes e roupa decente — disse ela, subindo as escadas periclitantes atrás do patrão. — Sem andarem ao mando dos rapazes mais velhos. Sem ratazanas a rastejar por cima de vocês!

Uma hora mais tarde, Giles e Matilda tinham-se lavado e vestido a sua roupa e estavam sentados com o médico no consultório dele, a tomar um chá e a discutir o que tinham visto.

O Dr. Tad Kupicha era polaco, um homem esguio e de aparência frágil, com mais de sessenta anos, olhos azuis tristes e cabelo branco ralo. Chegara à América uns trinta anos antes com a jovem mulher, Anna. Tinham três filhas; uma morrera com sarampo em bebé e, dez anos mais tarde, perdera as outras duas e a mulher numa epidemia de cólera. A perda de toda a família transformara-o numa espécie de paladino dos pobres.

Giles fora-lhe apresentado por Darius Kirkbright e, numa questão de semanas, haviam-se tornado grandes amigos, unidos por interesses comuns. Kupicha era um dos poucos médicos em Nova Iorque que dava consultas gratuitas e estava em permanente campanha contra os senhorios negligentes e a falta de saneamento na cidade.

— Acha que este rapaz, o Sidney, vai convencer as crianças a vir? — perguntou-lhe Giles.

O médico encolheu os ombros. — Não sei, Giles. Eles aprendem desde tenra idade a não confiar nos adultos. Mas pelo que me disse, tenho esperança que sim. Foi uma sorte a Matty já conhecer o rapaz; imagino que ele terá ficado impressionado com a coragem dela em lá ir e achou que podia confiar nela. Mas vamos ter de esperar para ver.

— Conseguimos tratar de todos, se vierem? — perguntou Matilda com uma certa ansiedade. A sala na cave onde mudara de roupa já fora preparada com duas grandes banheiras, inúmeros baldes prontos a usar e roupas de criança doadas por pessoas da igreja, o suficiente para os vestir a todos. Mas era um bico-de-obra lidar de uma vez com dezoito crianças, todas infestadas de piolhos e algumas possivelmente também doentes.

— Claro que conseguimos. — Kupicha sorriu-lhe. — E, quando os virmos limpos e de barriga cheia, com expressões esperançadas, a luta terá valido a pena.

Só mais tarde nessa noite é que Matilda compreendeu que ter-se lançado neste acto de misericórdia clandestino com o patrão alterara irrevogavelmente a sua relação com ele. Embora ela não visse nada de heróico em entrar naquela cave, ele via. Na viagem para casa, ele tentou dizer-lhe hesitantemente que, se ela não tivesse entrado lá primeiro, teria arranjado uma desculpa e voltado para trás. Disse também que nunca teria sido capaz de apresentar o plano às crianças tão sucintamente como ela.

Embora não acreditasse nisso, estava consciente de que as crianças talvez tivessem fugido se ele lá tivesse entrado sozinho e enchia-a de orgulho pensar que lhe fora útil. Depois, quando chegaram a casa, deparou-se com outra surpresa. Lily tinha o jantar pronto, a mesa posta e quase foi ela a *servir* Matilda. Mais tarde, quando estavam a lavar a loiça juntas, Lily confidenciou-lhe que se sentia terrivelmente envergonhada por não se ter oferecido para acompanhar o marido, mas falar com crianças que tinham acabado de perder as mães era desesperadamente triste e sabia que seria mais um estorvo do que uma ajuda. Perguntou timidamente como eram as crianças e que idade tinham. Matilda disse que eram rapazinhos de rua, com idades entre os três e os sete anos. Disse-lhe até que o mais velho se chamava Sidney, tinha cabelo ruivo, e que daí a dois dias iam buscá-los para os levar para New Jersey. Esperou que as omissões não fossem tão graves como as mentiras.

Mais tarde nessa noite, deitada na sua cama aconchegada a ouvir as bátegas de chuva, Matilda apercebeu-se de que não conseguia dormir. Parecia-lhe uma vergonha estar numa cama quente e confortável, enquanto aquelas pobres crianças abandonadas estavam apertadas como leitões numa pocilga, e pesava-lhe a consciência por se envolver num plano com o patrão que implicava enganar a patroa.

Tentou resignar-se ao conforto da sua vida presente, dizendo a si mesma que era porque experimentara na pele o desespero da pobreza, do frio e da fome que queria ajudar estas crianças. Mas, por qualquer razão, o seu espírito continuava a evocar memórias que lhe recordavam que não era assim tão nobre.

Não tinha sempre insistido em dormir no meio da cama, durante o Inverno, para se aquecer com os corpos dos irmãos? E havia todas essas ocasiões em que não tinha dinheiro para comprar uma empada quente para todos e, assim, comprava uma só para ela, que comia antes de ir para casa, dando-lhes a eles o pão seco da manhã.

No entanto, se não tivesse comido essas empadas nem sido capaz de dormir por causa do frio, não teria tido forças nem vontade para se levantar e ir vender flores no dia seguinte. Do mesmo modo, não se ganharia nada em contar a Lily a verdade nua e crua, por mais que isso apaziguasse a sua consciência. O plano de Giles era verdadeiramente honroso e, se tivesse sucesso, no fim da semana essas crianças estariam a receber cuidados e a caminho de uma vida nova e feliz. Não era isso mais importante do que a sensibilidade de uma mulher neurótica?

— Claro que é — murmurou consigo mesma. — Vá, deixa de te atormentar com isso.

Dois dias mais tarde, às três da tarde, Matilda e Giles encontravam-se novamente à entrada do Castelo das Ratazanas. Parara de chover no dia anterior, um vento forte dispersara a chuva, mas pairava um distinto frio outonal no ar e não havia sinais das crianças.

— Decidiram não vir — disse Giles num tom sombrio, caminhando ansiosamente de um lado para o outro.

— Não necessariamente — respondeu Matilda. — Duvido que qualquer um deles saiba sequer as horas. Temos de ser pacientes.

A sua expressão preocupada deu lugar a um sorriso. — Suponho que aprendeste a ser paciente a vender flores?

— Para isso não é preciso paciência, mas persistência — disse ela, rindo. — Mas, seja como for, não sou uma pessoa paciente. Quero tudo imediatamente.

Nesse momento, Sidney surgiu da esquina sozinho. — Está a ver? — disse ela, triunfante, ao patrão. — Imagino que vem sozinho para negociar algum acordo para ele, provavelmente dinheiro. — Acenou a Sidney e encaminhou-se para ele.

Ao aproximar-se, viu pela postura do rapaz que ele estava extremamente inseguro. Apoiava-se ora num pé, ora no outro, agarrado a uma velha serapilheira que usava como capa.

— Olá, Sidney — disse ela, pensando no que haveria de fazer se ele quisesse dinheiro. — Onde é que estão os outros?

— Ali atrás. — Acenou vagamente com o braço na direcção de uma viela. — Os mais velhos correram connosco do castelo ontem à noite.

— Bem, já não precisam desse sítio — disse ela, com um sorriso. — Hoje vão todos dormir numa cama autêntica.

Ele franziu os olhos. — O que é que tu ganhas com isto? — atirou-lhe.

O seu cinismo recordou-lhe Luke, que nunca compreendera que havia pessoas que faziam coisas sem pensar no proveito pessoal.

— Ver-vos a todos felizes e bem tratados — disse ela, tentando não se zangar.

— Porquê?

Matilda encolheu os ombros. — Porque tive uma vida dura quando era menina — respondeu. — Só melhorou quando o conheci — disse ela, apontando para Giles, que os observava a alguns metros de distância. — Ele tirou-me da rua e levou-me para casa dele para olhar pela filha pequena. Agora queremos ajudar crianças como vocês.

A expressão dura de Sidney suavizou-se um pouco, mas era evidente que exigia mais persuasão.

— Quando te conheci, disse-te uma mentira, disse que o meu pai era polícia. Mas foi só porque estava com medo e perdida — admitiu. — Mas, Sidney, juro-te por tudo quanto há que essa pequena patranha foi a única que alguma vez te hei-de contar — continuou. — O reverendo Milson é o homem mais bondoso e honesto que já conheci. Acredita, podes confiar nele. Há muito tempo que está a preparar este lar para vos acolher a todos. Ninguém te vai oferecer uma oportunidade melhor na vida.

Mais uma vez, Sidney ficou momentaneamente calado, apoiando-se ora num pé, ora no outro, e apertando a serapilheira em volta dos ombros. — Pois, mas ele não vai estar nesse sítio para onde nos vai levar — acabou por retorquir. — Nem tu.

Matilda compreendeu imediatamente que ele tinha consultado alguém, talvez um adulto, que lhe enchera a cabeça de ideias negativas. Recordou, quando Mr. e Mrs. Milson estavam a falar com ela, nesse primeiro dia na sala em Primrose Hill, o súbito medo que sentira do tráfico de escravas brancas. Sidney sabia ainda menos sobre ela e o reverendo do que ela soubera sobre os Milson. Toda esta cautela mostrava que ele era mais inteligente do que ela imaginara.

— O reverendo Milson vai acompanhar de perto o lar — disse ela. — E não vai lá trabalhar ninguém ruim, se é isso que te preocupa, porque ele ajudou a escolher as pessoas todas. Mas, Sidney, se tens suspeitas, usa a cabeça. Há alguma coisa pior do que a maneira como vivem agora?

A expressão dura no rosto dele dissipou-se e ela não viu senão um rapazinho confuso. Assumira o papel de líder das crianças, mas era demasiado jovem para essa responsabilidade. Instintivamente, ela aproximou-se dele e puxou-o para si, como costumava fazer com os irmãos.

— Sidney, isto aqui é pestilento — disse ela suavemente, apertando-o com força. — Mas o mundo não é todo assim. Deixa-me mostrar-te um lugar melhor para ti e para os teus amigos.

O cabelo dele estava infestado de piolhos, mas ela desviou os olhos. Levantando-lhe o queixo com uma mão, encarou-o de frente. A cara dele estava tão imunda que era difícil ver por trás da sujidade, mas tinha olhos cor de âmbar muito bonitos. — Confia em mim, Sidney! — implorou-lhe.

Ele encostou a cara ao peito dela e ela percebeu que ele estava a chorar. — Preciso que acompanhes os pequeninos para ajudá-los a adaptarem-se — disse ela, ciente de que não podia deixá-lo perder a sua posição de autoridade. — Agora tens de ir buscá-los, dizer-lhes que não há motivo para ter medo. Daqui a pouco, estão todos sentados a comer a melhor sopa que já provaram.

Ele deu meia-volta e largou a correr sem uma palavra.

Matilda olhou para trás, para Giles e encolheu os ombros. — Devo ter dito alguma asneira — disse ela, as lágrimas surgindo-lhe nos olhos.

— Vamos esperar de qualquer maneira — disse ele, aproximando-se e dando-lhe uma palmadinha no ombro. — De onde eu estava, não me parece que o tenhas assustado.

Esperaram e esperaram. O vento era frio e as pessoas que passavam olhavam para eles com expressões ameaçadoras. Um homem abeirou-se de Matilda e cuspiu um enorme escarro castanho de tabaco mascado aos pés dela. Não disse nada, mas o gesto ofensivo sugeria que os queria fora dali.

Então, quando estavam a olhar desesperadamente um para o outro, Sidney reapareceu, seguido pelo pequeno bando de crianças. Nenhum deles estava preparado para uma visão tão angustiante. Só tinham visto estas pobres crianças na obscuridade, em que apenas podiam imaginar o seu verdadeiro estado. Estavam praticamente nuas, imundas, com os cabelos empastados, os braços e as pernas tão finos que era difícil imaginar como conseguiam andar, as caras tensas de medo e macilentas de fome.

— Deixai vir a mim as criancinhas — disse Giles em voz baixa e, quando Matilda se voltou para ele, viu que as lágrimas lhe corriam pelas faces.

*

A cozinha da cave estava tão quente, com o fogão aceso para aquecer a água, que de vez em quando Matilda achava que ia desmaiar, embora, sempre que isso acontecia, olhasse à sua volta e conseguisse invocar mais energias. Duas crianças em cada banheira, as que já tinham sido lavadas embrulhadas num cobertor de um dos lados da sala, as duas últimas ainda sujas pacientemente à espera da sua vez. Todos tinham comido uma tigela de sopa com pão antes de começarem os banhos. Limpos ou sujos, estavam agora contentes por estarem quentes e secos, de barriga cheia.

Tinha sido necessário rapar-lhes o cabelo, que estava demasiado empastado para atacar os piolhos, e não podiam vestir-se enquanto o médico não os examinasse a todos. Mas, apesar de rapados, finalmente tinham feições distintas e individuais. Quatro crianças eram negras, três talvez pareciam ter um pai ou mãe negros e as restantes espectralmente brancas. Todas apresentavam horríveis equimoses, cicatrizes e sinais de mordidelas de ratazanas, e tornou-se claro, quando uma criança de cinco anos se agachou no canto para urinar, que nenhuma delas tinha a mínima noção de higiene pessoal.

Como a governanta do Dr. Kupicha, uma alemã robusta, chamada Eva, não foi capaz de lavar as crianças, Matilda teve de o fazer sozinha, enquanto Giles rapava as cabeças com o médico. Mas Eva não faltava com a água quente e o sabão e, à medida que crianças reais emergiam de baixo daquela crosta de imundície, acedeu a enxugá-las, indo mesmo ao ponto de sentar os mais novos no regaço.

Sidney foi o primeiro a tomar banho, escolhendo o seu braço direito, Oz, para lhe fazer companhia. Matilda rira-se com gosto ao ver a surpresa no rosto dos outros quando a cara lavada de Sidney revelou um mar de sardas e, quando o viram saltar agilmente da banheira depois de acabar, o seu alívio por ele ainda estar inteiro foi palpável.

— Agora é a vossa vez. — Matilda fez sinal aos últimos dois rapazes para que entrassem na banheira e sorriu consigo mesma ao ver Eva agarrar no cobertor em que eles estavam sentados para levar lá para fora.

Eva só falava algumas palavras de inglês e Matilda só podia deduzir o significado de algumas das suas exclamações durante o trabalho dessa tarde. Desconfiava que consistiriam em lamentos do género: «Como é que vou voltar a ter a cozinha limpa?» e «O senhor doutor terá perdido a cabeça para trazer esta ralé para aqui?»

Mas ralé ou não, eram dóceis e alguns tinham chorado no banho, mas as lágrimas não tardaram a transformar-se em tímidos sorrisos. Matilda estava certa de que não seriam sempre tão bem-comportados. Esperava que os ajudantes no lar tivessem uma paciência infinita, porque tinha a impressão de que, nas próximas semanas, seria posta à prova.

— Estão muito atrasados — exclamou Lily quando chegaram a casa depois das dez da noite. — Tenho estado aqui consumida. Onde é que estiveram este tempo todo?

Estava de roupão, com um xaile pelos ombros e o cabelo solto. Dava para perceber que tinha tentado deitar-se, mas a aflição não a deixara dormir.

— Demorou mais tempo a chegar a New Jersey do que previ — disse Giles. Matilda ficou espantada por ele ser capaz de mentir com tanta desenvoltura. — E não achámos bem dar meia-volta e partir sem ver as crianças instaladas primeiro. Infelizmente, temos de lá voltar amanhã porque soubemos que é preciso receber outro grupo de crianças. Desculpa se ficaste preocupada, minha querida, mas são coisas que acontecem.

A ansiedade abandonou o rosto de Lily. — Ainda bem que não vos aconteceu nada. Mas estão com um ar exausto — disse ela, pousando afectuosamente uma mão na cara fria de cada um deles. — Que suplício que devem ter passado! Deixei pão e queijo na cozinha e há café quente na cafeteira, mas agora, se não se importam, vou-me deitar.

Matilda não se atreveu a olhar directamente para Giles enquanto não ouviu a porta do quarto em cima fechar e a cama ranger. Destapou o pão e o queijo e serviu café aos dois.

— Dá-me ideia de que, a cada dia que passa, aprendo uma coisa nova a seu respeito — disse ela, por fim. — Em Primrose Hill, nunca imaginei que fosse capaz de rapar o cabelo a crianças. Nem mentir à sua mulher.

— Eu também não — disse ele, sorrindo debilmente. — Mas sabes de que é que estava realmente com medo?

— De quê? — perguntou Matilda, pousando o café diante dele.

— Que ela dissesse que estávamos com um cheiro esquisito. Ainda sinto o cheiro desse produto que lhes aplicámos nas cabeças.

— Também eu. — Matilda sorriu. — Calculo que nos fique nas narinas para sempre. Um castigo por dizer mentiras.

Comeram o pão e o queijo num silêncio amigável.

— O médico achou que, no geral, são uns diabinhos robustos — disse Giles, passado algum tempo. — Mas não gostou do aspecto do catraio a quem chamam «Pele-Vermelha» nem de uma das raparigas mais novas, tinham os dois graves problemas respiratórios. Espero que se portem bem esta noite. Teria sido muito melhor se tivessem ido directamente para New Jersey.

Quando perceberam que era demasiado tarde para levar para lá as crianças, tinham improvisado camas de palha para eles, com cobertores, numa das outras salas da cave ao lado da cozinha. Eva não achara graça nenhuma a esta decisão e Matilda oferecera-se para passar a noite com eles, mas o médico disse que não era necessário.

— Só espero que usem os baldes que lá pusemos — disse Matilda com um suspiro. Tinha-lhes dado um sermão sobre o assunto antes de partir, mas, embora os mais velhos compreendessem e parecessem querer agradar-lhe, achava que os pequeninos não tinham assimilado nada.

— O Sidney é um rapaz fino, há-de mantê-los nos eixos — disse Giles com um sorriso. — Foi uma sorte já o conheceres e acho que ele vai ser muito útil a ajudar-nos a localizar mais crianças.

Matilda riu-se.

— Onde é que está a graça? — perguntou Giles, surpreendido.

— É o Sidney. Faz-me lembrar o meu irmão Luke em muitas coisas. Acho que temos de andar de olho nele.

Nunca tinha falado muito dos irmãos a Giles ou a Lily, mas agora, depois de um dia assim, sentiu vontade de falar, quanto mais não fosse para que Giles compreendesse que, por cada três ou quatro crianças que podiam ser salvas, havia uma que nenhuma dose de carinho salvaria. — Acho que podemos herdar o mau carácter como podemos herdar a beleza e a inteligência — disse ela com um sorriso irónico. — Não acredito que seja tudo uma questão de educação.

— Nesse caso, talvez o Sidney já lá não esteja de manhã. — Giles encolheu os ombros. — Só espero que não leve com ele as pratas do médico.

— Só disse que ele me fazia lembrar o Luke — disse Matilda, tentando levá-lo a compreender. — É o aspecto dele e a vivacidade. Mas não me parece que seja mau rapaz. Se fosse, teria exigido dinheiro antes de trazer as crianças. E não se teria importado com o sítio para onde as íamos levar. Parece-me que vamos descobrir que tem uma personalidade interessante.

As palavras dela revelaram-se acertadas no dia seguinte. Todas as crianças ainda estavam a dormir a sono solto quando Giles e Matilda voltaram a casa do médico, na manhã seguinte, à excepção de Sidney, que se pôs em pé de um salto assim que eles entraram na sala da cave.

— Estava com medo que não voltasses — disse ele, os olhos âmbar iluminando-se de alívio ao ver Matilda novamente.

— Eu disse que vinha — disse ela, num tom reprovador, dando-lhe uma palmadinha na cabeça rapada. — E vou convosco até New Jersey até se instalarem. Então, portaram-se todos bem ontem à noite?

— A Ruth fez chichi na cama — disse ele, apontando para uma das raparigas muito pequenas ainda a dormir. — Fazia sempre isso no Castelo. Era por isso que ninguém queria dormir ao lado dela.

— Bem, ainda é pequenina — disse Matilda. Ninguém tinha sido capaz de lhe dizer nada sobre esta criança, nem sequer o nome dela. Calcularam que teria dois anos e meio, mais ou menos, embora fosse tão magra e pequena que parecia muito mais nova. O Dr. Kupicha tinha-lhe posto o nome de Ruth na noite anterior e era agradável ouvir Sidney usar o nome, um sinal, na sua opinião, de que ele tinha um verdadeiro sentido de responsabilidade para com estas crianças.

— Mas consegui que os outros usassem o balde — disse ele com orgulho. — Sou eu que mando aqui, estás a ver?

— Então é melhor acordá-los agora — disse ela, a sua voz suavizando-se, cheia de ternura. — Mas agora têm todos de aprender a usar a sanita lá fora porque é muito melhor que um balde. A seguir, devem lavar a cara e as mãos antes do pequeno-almoço.

— Outra vez? — disse ele, espantado, os olhos quase lhe saltando das órbitas.

— Sim — disse ela, rindo. — Senão não há pequeno-almoço.

— Pensei que o pior tinha sido ontem — admitiu Giles, exausto, a Matilda, no regresso de carroça para o *ferry* que atravessava o rio

Hudson. — Nunca esperei tantos problemas. Achas que se vão adaptar todos bem?

Matilda virou a cabeça para olhar de novo para a casa. Era uma construção de pedra simples, rodeada de árvores altas, construída originalmente como um hospício para pessoas com doenças infecciosas. Vista agora ao crepúsculo, com um vento forte e frio a soprar do oceano Atlântico, tinha uma aparência ameaçadora e lúgubre. Quase sentiam a presença espectral dessas pobres criaturas que haviam sido internadas ali e abandonadas, na maioria, à morte.

Contudo, por mais implacável que parecesse do seu banco na carroça, por mais distante que estivesse do aconchego da sua pequena casa em State Street, Matilda sabia que as crianças lá dentro estavam finalmente em segurança.

— Claro que se vão adaptar — disse ela. — Não se pode esperar que crianças que nunca tiveram nenhum tipo de disciplina entrem imediatamente na ordem. Se me tivesse levado para um lugar assim, em vez do presbitério em Primrose Hill, eu teria dado logo à sola.

— Achaste assim tão mau? — perguntou ele, horrorizado.

Ela riu-se. — Bem, aqueles soalhos imaculados, as filas de camas e aquela mulher de expressão dura e avental branco eram suficientes para instilar o medo no coração de qualquer criança.

— Miss Rowbottom foi altamente recomendada — disse ele, indignado. — Sofre tanto com a sorte das crianças abandonadas como tu ou eu.

— Imagino que sim — respondeu Matilda. — Mas, se sorrisse de vez em quando, não lhe fazia mal nenhum. Ainda bem que não os viu ontem e mais não digo.

Na verdade, a opinião de Matilda sobre Miss Rowbottom havia melhorado ao longo do dia, porque tinha descoberto que, por detrás da aparência gélida, se escondia uma mulher interessante e inteligente. Tinha chegado à América como preceptora, tornara-se depois professora em Pittsburgh, mas, ao apoiar os pais de alguns alunos numa tentativa para reduzir o horário de trabalho, deu por si sem emprego. Tendo sabido que o reverendo Kirkbright era um filantropo envolvido no movimento abolicionista, viajou para Nova Iorque na esperança de que ele pudesse ajudá-la a arranjar trabalho. Ficara um tanto surpreendida quando lhe foi oferecido o lugar de encarregada num novo lar para crianças abandonadas e sem-abrigo, mas, como disse a Matilda, achou a ideia estimulante.

— Não conheço muitas pessoas que tivessem aguentado o que vimos ontem — retorquiu Giles. — Foi exactamente por isso que tivemos de lavá-los primeiro. Mas não lhe queiras mal por isso, Matty. Nem toda a gente tem a tua coragem.

— Acho que ela é boa mulher — admitiu Matilda. — Há-de ser boa professora e tenho a certeza de que vai tratar os miúdos com justiça. É só que teria preferido alguém um pouco mais maternal no cargo.

Calaram-se, segurando-se aos lados da carroça enquanto o cavalo avançava cautelosamente pelo caminho esburacado e lamacento, sacudindo-os sempre que as rodas caíam num sulco ou buraco maior. O condutor era um homem chamado Job, que escapara à escravatura na Virgínia e viera para Nova Iorque, onde Kirkbright o tomara sob a sua protecção. Ia ser o vigilante e homem dos sete ofícios no lar. Segundo Miss Rowbottom, era uma «pérola» que sabia fazer tudo desde abater árvores a lavar soalhos. Matilda já tinha concluído que ele era uma belíssima escolha para a posição quando vira a sua grande cara abrir-se num sorriso radioso e terno à chegada das crianças.

Fora um dia de ansiedade e tensão. Dois adultos com dezoito crianças amedrontadas a seu cargo não eram suficientes. Algumas das crianças tinham enjoado no barco, devido ao movimento e às barrigas invulgarmente cheias. Um dos rapazes mais velhos tentara fugir ao ver a casa, convencido de que era uma prisão, e uma vez lá dentro, quase todas as crianças tinham ficado intimidadas e sido pouco cooperativas. Até Matilda empalidecera com a linguagem obscena que ouvira e a maioria delas esqueceu-se de que já não podia fazer as necessidades onde lhe apetecia.

Mas também houvera bons momentos. Rostos pequenos de olhos arregalados de espanto ao verem campos, árvores e vacas, a maneira como tinham experimentado a medo as camas e perguntado com quem as iam dividir. A sua alegria ao descobrirem que estava outra refeição à sua espera à chegada e um fogo espevitado a arder na sala de jogos. Matilda interrogou-se com tristeza quanto tempo levariam a deixar de se comportar como velhinhos, a afastar-se da lareira e a descobrir o que era brincar. Matilda pegara numa caixa de blocos de construção, tentando ensinar aos mais novos o que podiam fazer com eles, mas eles limitaram-se a coçar as cabecinhas rapadas e a olhar para ela. Quando lhes mostrou um livro ilustrado, olharam para ele inexpressivamente.

No entanto, Sidney fora um pilar de força. Era o único que parecia deliciado com tudo e, quando algum dos outros parecia estar a criar dificuldades, ele intervinha e animava as hostes.

Mas, para Matilda, um dos aspectos mais tristes do dia era o facto de que o seu envolvimento com as crianças acabaria ali. Talvez voltasse a vê-las quando trouxessem outra leva, mas seria apenas de passagem. Uma parte de si queria pedir a Giles para ir trabalhar para o lar, pois assim podia cuidar deles e acompanhar o seu progresso, mas também não suportava a ideia de deixar Tabitha nem de desiludir Lily com a sua partida.

Quando o *ferry* se afastou do molhe, Matilda olhou para trás. Estava agora demasiado escuro para distinguir a casa, mas viu a candeia de Job a oscilar enquanto percorria o caminho esburacado. Rezou uma prece silenciosa para que Miss Rowbottom não viesse a revelar-se uma pessoa cruel, para que as duas raparigas que iam ajudá-la não fossem tão estúpidas como pareciam e para que Job tivesse coragem suficiente para informar o reverendo Kirkbright se visse alguma coisa de mal.

Giles estava a observar o rosto de Matilda enquanto o *ferry* avançava e, de súbito, reparou na beleza dela. Não era o tipo de beleza clássica e delicada, as suas feições eram demasiado fortes e a cor da sua pele demasiado carregada para salões e salas de estar serenos, mas ali, no rio, com o vento a agitar as farripas do cabelo louro que lhe escapavam do chapéu, era perfeita. Uma boca larga e suave, o nariz levemente arrebitado na ponta e as faces cheias e rosadas. Entristecia-o pensar que acabaria, quase de certeza, por se casar com um operário e que essa beleza se desvaneceria com o trabalho árduo e o nascimento dos filhos, a sua inteligência viva entorpecida por falta de estímulo. É que, por mais encantadora que fosse, apesar de ter aprendido a falar e a comportar-se como uma senhora, algo nos seus modos frontais e humor cáustico traía as suas origens e nenhum cavalheiro de posses consideraria casar-se com uma rapariga assim, por mais que a desejasse.

Giles sentiu uma vaga de ternura por ela. Possuía tantos dotes: inteligência, compaixão, humor e coragem. Sabia que ela não quisera deixar as crianças esta noite, e elas também não tinham querido que ela partisse. Durante todo o dia maravilhara-se com a sua paciência, a sua capacidade para acalmar uma criança sem tirar os olhos das outras, a alegria com que limpava sujidade que o fazia encolher-se de repugnância, ao mesmo tempo que explicava à criança transgressora por que razão devia aprender a corrigir-se. A verdade é que sabia que devia ir ter directamente com Kirkbright esta noite e dizer-lhe que a encarregada do lar devia ser ela e Miss Rowbottom simplesmente a professora. Matilda possuía todos os talentos necessários ao lugar, mas sabia que não podia fazer tal coisa, pois ele próprio se habituara a depender de mais dela, e Lily e Tabitha também. Além disso, precisava da sua ajuda para conseguir tirar pelo menos mais dezoito crianças de Five Points.

Lily Milson estava a costurar na cozinha na tarde do dia seguinte, mas observava Matilda pelo canto do olho. À primeira vista, a rapariga parecia comportar-se com toda a normalidade, sovando a massa para o pão na mesa, baixando-se de tempos a tempos para Tabitha ao seu lado e ensinando-a a amassar o pedaço mais pequeno dela. Mas Lily pressentiu que ela não estava em si, não dizia gracejos nem se ria e a sua voz era apagada. Imaginou que seria porque Matilda estava a cismar com as crianças que tinha levado para o Lar para Crianças Abandonadas e Sem-Abrigo.

Lily recordava-se de como era sensível a respeito de crianças quando tinha a idade de Matilda e como ansiava pelo dia em que apertaria um filho seu nos braços. Recordava-se também do seu desespero à medida que o tempo passava e nenhum homem se interessava por ela e muito menos queria ser seu namorado.

Pensou que talvez fosse isso que hoje angustiava Matilda. Talvez os acontecimentos recentes lhe tivessem recordado que não tinha ninguém. Possivelmente, apercebera-se de repente de que poderia passar toda a sua vida a olhar pelos filhos dos outros, sem nunca encontrar o amor, se casar e ter a sua própria casa.

Ao pensar nisto, Lily sentiu uma ponta de culpa por ela e Giles estarem tão dependentes dela. Matilda renunciara à família para vir com eles para a América, não tinha oportunidades para fazer amigos da sua idade e provavelmente sentia-se muito só.

— Porque é que não vais ao baile da igreja esta noite? — disse, num impulso.

Matilda levantou os olhos, surpreendida, e passou uma mão enfarinhada pela cara. — Não posso ir sozinha — respondeu.

— Podes ir com a criada de Mrs. Arkwright — disse Lily. — A rapariga italiana que conheceste na aula de religião.

— Não me parece que a patroa a deixe ir — disse Matilda, encolhendo os ombros.

— Acho que deixa, se eu lhe pedir — respondeu Lily. — Não me importo nada de dar agora um salto a casa dela. Ela está sempre a convidar-me para aparecer lá uma tarde, porque não há-de ser hoje?

Matilda sorriu. Não lhe agradava muito a ideia do baile, mas seria bom voltar a estar com Rosa, porque tinha faltado à última aula. — Bem, se tem a certeza de que me pode dispensar — disse ela, uma leve excitação banindo o seu anterior desânimo. — E não se importa de pedir a Mrs. Arkwright?

— Será um prazer — disse Lily, com sinceridade. Não simpatizava minimamente com a mulher e, embora fosse um pensamento pouco cristão, esperava que ela ficasse perfeitamente contrariada por não ter ninguém que lhe arranjasse o cabelo e a ajudasse a pôr os vestidos banais.

Matilda acabou de amassar o pão depois de Lily sair e pô-lo a levedar no fogão, arrumando seguidamente a cozinha e sentando-se com Tabitha para lhe ensinar algumas palavras. Tinha inventado um jogo em que Tabitha escolhia um objecto de casa e Matilda mandava-a então procurar outros objectos que começassem pelo mesmo som e escrevia-os num papel. Tabitha escolheu «fogão» e Matilda escreveu a palavra com uma imagem ao lado. Não tardaram a ter «farinha», «frasco», «frigideira» e «frango».

A menina era muito rápida, já era capaz de reconhecer a maioria das letras do alfabeto e, se Matilda lhe mostrasse as palavras de dias anteriores, tapando as imagens, ela recordava muitas delas.

Estavam precisamente a voltar ao «A» quando Lily voltou. — A Rosa tem a noite de folga — disse ela com um sorriso radioso. — Vem buscar-te às sete horas. Mas tem de regressar até às dez.

Matilda ficou tão entusiasmada que teve vontade de abraçar a patroa. — Vou pôr aquele vestido bonito que me deu, o das flores azuis — declarou.

— Esse vestido é para usar durante o dia — disse Lily, com um ar escandalizado. — Não, tens de pôr aquele meu de tafetá cor-de-rosa que eu ia modificar para a Tabitha. De certeza que te serve.

*

Matilda desceu pouco antes das sete. Sentia dificuldade em respirar porque Lily tinha insistido para que ela usasse espartilho e o apertasse bem, mas ela não se importou de aguentar essa tortura pelo prazer de usar um vestido tão belo. Segundo os critérios da patroa, estava completamente fora de moda porque a saia não tinha armação e as anquinhas eram muito pequenas, mas para Matilda, que estava habituada a andar de sarja azul-marinho todos os dias, era esplêndido e fazia-a sentir-se uma princesa. Tinha feito tranças no cabelo, enrolando-as à volta da cabeça e atando em seguida uma pequena fita cor-de-rosa sobre cada orelha. Só esperava que o chapéu não lhe desarranjasse o penteado.

— Estás muito bonita — disse Lily, as suas feições pequenas e angulosas suavizando-se. — Agora trata de dançar com quem te convidar e agradece no fim com bons modos, mesmo que te tenham pisado os pés. Mas não sejas atrevida, querida Matty, e volta logo para casa.

— Não será melhor eu ir buscá-las? — sugeriu Giles. Era impensável uma senhora andar de noite na rua, mas ele não tinha certeza se isso se aplicava a criadas.

— Ouvi dizer que uma das vigilantes arranja sempre alguém de confiança para acompanhar as raparigas a casa — disse Lily. Olhou para Matilda e sorriu. — Basta dizeres a uma delas que és a ama do reverendo Milson que ela arranja alguém.

Nesse momento, Rosa bateu à porta e Matilda pôs o xaile pelos ombros, enfiou o chapéu e apressou-se a sair numa grande excitação.

O baile foi um terrível desapontamento. Havia muitos mais homens do que mulheres, mas na maioria com idade suficiente para serem pais das raparigas. O pianista idoso tocava todas as melodias como se fossem cânticos fúnebres e Matilda sentiu que estava a atrair demasiado as atenções com o seu vestido de tafetá cor-de-rosa. Todas as outras mulheres, excepto algumas mais velhas e as que tinham funções de vigilantes, usavam vestidos perfeitamente normais. Até Rosa, que tinha suspirado de inveja ao vê-lo, observando que o vestido verde de algodão dela parecia um trapo em comparação, ficou satisfeita, mais tarde, por descobrir que a sua roupa não estava, afinal, desajustada.

As duas raparigas tiraram o máximo partido da ocasião e dançaram com quem as convidava, mas às nove horas, com os pés doridos de tantas pisadelas e cansadas de ouvir perguntas num inglês macarrónico, Rosa declarou que queria ir-se embora.

— Não podemos — disse Matilda. — Temos de esperar que uma das vigilantes arranje alguém para nos acompanhar.

Rosa fez uma careta. — Sinceramente, não aguento mais uma hora disto — disse ela. — Vamos escapulir-nos quando ninguém estiver a olhar e dar um salto a Castle Green.

Matilda sabia que os Milson ficariam horrorizados se ela fizesse tal coisa. A sala de concertos em Castle Clinton era considerada um sítio elegante, mas constava que os jardins que o rodeavam eram frequentados à noite por gente duvidosa. Sentia também demasiado frio para andar pela rua. Mas também não queria ficar no baile nem queria que a nova amiga a considerasse enfadonha e pouco aventureira.

Rosa deve ter detectado a sua hesitação. — Anda daí, tens de conhecer o sítio senão não conheces nada. Eu digo a uma das vigilantes que o cocheiro de Mrs. Arkwright nos veio buscar.

Assim que as raparigas saíram do salão paroquial e Matilda ouviu o som familiar de um realejo à distância, as suas apreensões dissiparam-se, dando lugar à excitação. O som era extremamente evocativo de Londres e da liberdade que gozara antes de entrar ao serviço dos Milson. Não lhes podia acontecer mal nenhum numa hora e ela precisava de uma certa alegria para não pensar naquelas crianças em New Jersey.

Ao virarem para a rua ao lado do Green, o espectáculo com que se deparou empolgou-a. Era como qualquer feira de rua em Londres. Centenas de pessoas cirandavam pelo local, as lanternas suspensas nas árvores e nas barracas iluminavam o espaço como se fosse de dia e chegava música de todas as direcções.

No centro havia um carrossel e, enquanto os cavalos trotavam tranquilamente para cima e para baixo e em volta, as lanternas captavam o pedestal central espelhado e criavam um deslumbrante espectáculo de luzes na noite. Quando se juntaram à multidão buliçosa, a primeira coisa que Matilda viu foi um grande urso pardo a dançar preso a uma trela e bateu palmas, deliciada.

— Gostas? — disse Rosa, pegando-lhe nos braços e obrigando-a a dançar uma polca ao som de um rabequista cigano.

— É melhor que Londres — murmurou Matilda, afastando-se da dança porque as pessoas estavam a olhar para elas. Não sabia por onde começar a olhar, havia inúmeras barracas que vendiam gelado, ostras e fruta e bonitas fitas para o cabelo que esvoaçavam na brisa. — Só espero que ninguém me reconheça — acrescentou.

— As pessoas da igreja não vêm para aqui — disse Rosa, rindo e acotovelando a amiga para ela olhar para um par de mulheres de roupas espampanantes e todas maquilhadas. — E, se vierem, o mais certo é andarem à procura de malandrices como nós e não vão dizer a ninguém.

— Não sabia que Nova Iorque era assim à noite — disse Matilda, detendo-se por momentos a ouvir um homem tocar pífaro. — Tinha ideia de que as pessoas eram todas muito sérias.

— Sérias? Os nova-iorquinos? — Os olhos escuros de Rosa brilhavam. — Só conheceste os snobes. Havias de ver a Bowery, à noite é uma loucura.

Ocorreu então a Matilda que Rosa parecia ser muito experiente para uma criada e sentiu-se levemente inquieta, mas depois do tédio do baile, era excitante estar no meio de uma multidão ruidosa e despreocupada.

Um pouco mais tarde, Matilda preparava-se para sugerir que comessem um gelado, apesar de estar um frio cortante, quando dois cavalheiros de chapéus de seda e fraque se aproximaram delas.

— Boa-noite, minhas senhoras — disse o mais alto dos dois, tirando o chapéu. — Podemos acompanhá-las?

Rosa riu-se. — Com certeza — respondeu ela e, para surpresa de Matilda, piscou o olho à amiga e deu o braço ao homem.

Matilda podia nunca ter tido namorado, mas tinha aprendido muito sobre os homens só de os observar nas ruas de Londres. O instinto disse-lhe que estes dois homens as tinham tomado por prostitutas.

— Não, Rosa — disse ela, pensando que a amiga não se apercebera. Mas, ao falar, o segundo homem colocou-se à frente dela e olhou-a nos olhos. Ela achou que ele teria uns trinta anos, o seu rosto estava muito corado da bebida e havia uma expressão fria nos seus olhos que a pôs ainda mais nervosa.

— Vamos lá — disse ele, estendendo o braço. — Ambos sabemos para que é que estamos aqui.

— Nesse aspecto, está enganado — disse ela com toda a altivez de que foi capaz. — Nós só viemos dar uma vista de olhos. Agora, se é um cavalheiro, faça o favor de nos deixar em paz. — Passou-lhe rapidamente à frente e correu para Rosa, que já se havia distanciado com o homem mais alto.

Agarrando no braço livre da amiga, sussurrou-lhe ao ouvido: — Anda embora. Eles julgam que somos galdérias.

Mas, para sua consternação, Rosa limitou-se a rir e a ignorá-la, virando-se para o companheiro e retomando a conversa.

Matilda pensou que a palavra «galdéria» talvez não se usasse na América e preparava-se para usar um termo mais forte quando o outro homem a agarrou pelo pulso e puxou por ela.

— Anda daí, lourinha — disse ele. — A tua amiga sabe o que está a fazer e aposto que tu também se o preço te agradar.

Já fora abordada por dezenas de homens no tempo em que vendia flores, era um dos perigos do ofício, mas Matilda aprendera rapidamente que, assim que um homem lhe deitasse a mão, as acções iam muito mais longe do que palavras. Sacudiu o braço, cerrou a mão direita num punho e assentou-lhe um murro no queixo.

Ele recuou, mais de surpresa do que dor. — Esta agora, sua malvada — disse ele, atónito. — Em que bar aprendeste isso?

Se não fosse por Rosa, teria fugido imediatamente. Ao agredir o homem, tinha chamado as atenções e as pessoas nas imediações pararam a assistir. Porém, continuando convencida de que a amiga era demasiado inocente para perceber o que se estava a passar, correu novamente para ela e tentou afastá-la à força do companheiro. Contudo, ao deitar a mão ao braço de Rosa, o homem em quem batera surgiu por trás e desta vez agarrou-a pela cintura, prendendo-lhe os braços.

— Rosa, eles pensam que somos prostitutas — gritou.

Para consternação de Matilda, as pessoas que se tinham juntado soltaram vivas e começaram a bater palmas, pensando talvez que estivessem a presenciar algum espectáculo de rua. Mas essa humilhação não era nada comparada com o choque de ver Rosa virar-se e fazer-lhe má cara, irritada, e compreender subitamente que ela sabia perfeitamente o que estava a fazer.

— Larga-me, parvalhão — gritou Matilda, mas o chapéu caiu-lhe sobre os olhos ao debater-se para se libertar e deixou de ver.

Ouviu um baque e, ao mesmo tempo, foi empurrada para a frente. — Larga a senhora se sabes o que é bom para ti — gritou uma voz irlandesa grave. — Olha que te racho a cabeça.

Quando o homem a libertou de repente, caiu para a frente, mas recuperou o equilíbrio, ajeitou o chapéu e virou-se, deparando-se com um homem alto, de cabelo escuro, engalfinhado com o que a tinha prendido.

— Ela não é senhora nenhuma — estava ele a dizer com uma certa indignação. — E além disso não é da tua conta.

— Fica a saber que é a minha namorada — disse o irlandês, assentando um murro ao homem que o fez estatelar-se na relva.

Matilda recuou, horrorizada. Estavam a aparecer mais pessoas para assistir, e de certeza que alguém entre elas saberia quem ela era. Rosa e o outro homem tinham desaparecido.

Nesse momento, reagiu e, arregaçando a saia com ambas as mãos, largou a correr em direcção a State Street.

— Não fujas de mim, linda — ouviu o irlandês dizer atrás dela. — Não é seguro andares na rua sozinha. Deixa-me levar-te a casa.

No limite do Green, vacilou. Agora as luzes brilhantes estavam para trás e, diante de si, a escuridão era total. Sabia que o homem tinha razão, não era seguro andar sozinha, e além disso devia, no mínimo, agradecer-lhe por tê-la socorrido.

Quando ele se pôs a par com ela, ofegante, e ela viu a preocupação na cara dele, começou subitamente a chorar, tapando a cara com as mãos.

— Oh, não chores, linda — disse ele. — Há gente a ver e hão-de pensar que te fiz mal.

Ele disse que se chamava Flynn O'Reilly e, tirando um lenço do bolso, limpou-lhe a cara. — Então, onde é que moras? — perguntou. — E o que é que te passou pela cabeça para vires a um sítio destes à noite?

Ela conseguiu explicar que era ama do ministro e morava em State Street e que Rosa a tinha enganado, mas demorou uns momentos a reparar que o homem era jovem e bem-parecido. Tinha cabelo encaracolado preto, as luzes atrás dele fazendo-o brilhar como sargaço molhado. A luz não era suficiente para ver a cor dos seus olhos, apenas a preocupação que denotavam, e os seus dentes eram muito brancos.

— Agora tenho de ir para casa — disse ela, aflita. — Obrigada por me teres salvado daquele homem. Nunca mais aqui venho.

Ele levantou-lhe o queixo com a mão e sorriu-lhe. — Tens de parar de tremer antes de chegares a casa — disse ele numa voz doce e reconfortante. — Caso contrário, a tua patroa vai querer saber o que te aconteceu. — Dito isto, passou-lhe os braços em volta e, antes que ela pudesse sequer pensar em protestar, estava a apertá-la com força contra si e a afagar-lhe as costas.

Ela sabia que não podia consentir tantas familiaridades a um perfeito estranho, mas sabia bem ser abraçada, era uma sensação quente e segura e, apesar de não saber nada sobre ele além do nome, não queria libertar-se.

— Foi sem pensar que disse há pouco que eras a minha namorada — disse ele, com a boca encostada ao chapéu dela. — Mas, agora que te estou a abraçar, quer-me parecer que esta noite uma fada boa agitou a sua varinha de condão.

Afastou-a de si, segurando-a pelos cotovelos, e olhou-a nos olhos. — Caramba, és tão bonita — sussurrou. — Tenho de te beijar senão morro.

A razão disse-lhe que fugisse, mas não foi capaz, uma força invisível parecia imobilizá-la quando a boca dele se colou à sua. Involuntariamente, fechou os olhos e os lábios dele eram tão quentes e macios que simplesmente se rendeu ao beijo. Estavam a passar pessoas, talvez até algumas que a conheciam, mas nesse breve momento de doçura não quis saber.

— Vou saber o nome do anjo de vestido cor-de-rosa cujos lábios sabem a mel? — murmurou ele quando finalmente se separou dela.

Matilda sabia que devia rir, pensar numa resposta rápida, mas não foi capaz. — Matilda Jennings — murmurou também.

— Bem, minha pequena Matilda — disse ele com um suspiro. — Gostava muito de te convencer a ficares comigo. Mas suponho que só te arranjava sarilhos, por isso o melhor é acompanhar-te a casa.

À porta da casa em State Street, apertou-lhe a mão. — Qual é o teu dia de folga? — perguntou.

— Normalmente é à sexta — disse ela, sussurrando, não fossem os Milson ouvi-los e espreitarem para a rua.

— Encontras-te comigo então? — perguntou ele.

Ela disse que sim, quase não acreditando no que estava a fazer.

— Estou no café Tontine entre as duas e as três da tarde — disse ele, estendendo o braço para lhe acariciar ao de leve a face. — Vá, agora vai para casa e fica calma. Não digas nada à tua patroa sobre a tua amiga. Não tarda que esteja metida em grandes sarilhos sem que tu contribuas.

Ele afastou-se quando ela levou a mão ao puxador da porta. Os seus passos eram tão leves que mal os ouvia, mas, ao abrir a porta, ele virou-se e soprou-lhe um beijo.

Matilda não fazia ideia de como tinha sido capaz de entrar na sala, de dizer ao patrão e à patroa que tinha gostado do baile e de lhes fazer depois companhia para as orações da noite, sem nunca se desmanchar.

Enquanto rezava o pai-nosso, de olhos fechados, as palavras «perdoai os nossos pecados assim como nós perdoamos a quem nos tem ofendido» estavam pela primeira vez carregadas de significado. Devia odiar Rosa e aquele brutamontes horrível; contudo, se não tivessem sido eles, não teria conhecido Flynn.

Deitada na cama, mais tarde, sussurrou o nome dele no escuro e, quando evocou o beijo dele, todo o seu corpo parecia estar a arder.

«Não há-de dar bom resultado», advertiu-se a si mesma. Mas esperar seis dias para voltar a vê-lo parecia ser o pior de tudo.

CAPÍTULO 7

O coração de Matilda parecia estar a bater absurdamente alto ao dirigir-se para o café Tontine na sexta à tarde. Sentia também o corpo a ferver, apesar de o tempo ter arrefecido bastante com a súbita chegada do Outono. Contudo, no Outono aqui, em lugar de folhas douradas a rodopiar no vento forte, como se recordava de Primrose Hill, só via fragmentos de lixo, pois não havia muitas árvores nesta zona de Nova Iorque.

Pusera um chapéu de palha que Lily lhe dera, mas agora estava na dúvida se teria feito bem em substituir a fita azul-escura original por uma vermelha. E se o vermelho fosse uma cor demasiado atrevida?

«Agora é tarde de mais para te preocupares com isso», disse para consigo. «Ele tem de te aceitar como és.»

Quase só pensara em Flynn durante toda a semana, recordando-se constantemente de que só o vira às escuras, e mesmo assim por breves minutos apenas, e que ele podia afinal ser feio, estúpido ou até casado. No entanto, por qualquer razão estranha, era a ideia de ele ser casado que mais a assustava.

Ao passar por casa dos Arkwright, levantou os olhos para as janelas. Era uma das casas grandiosas, em estilo Federal, com quatro pisos e uma janela em forma de leque sobre a porta de entrada, e ela imaginou que seria muito elegante por dentro. Perguntou-se se Rosa estaria a vê-la passar atrás das cortinas de renda e a sentir-se envergonhada.

Matilda faltara à aula de religião na quarta porque não era capaz de enfrentar novamente a rapariga. Mas talvez devesse ter ido, quanto mais não fosse para descobrir por que razão Rosa se comportara assim. Seria estúpida ao ponto de imaginar que era dessa maneira que encontraria um «cavalheiro» que se apaixonasse por ela e quisesse casar-se com ela? Ou seria porque precisava do dinheiro para ajudar a família? Mas, fosse qual fosse a razão, não devia ter levado Matilda com ela nem tê-la abandonado quando as coisas deram para o torto.

Contudo, quando Matilda dobrou a esquina e viu Flynn à espera dela à porta do café Tontine, perdoou Rosa. A primeira coisa em que reparou nele foi que era ainda mais atraente do que imaginara. A segunda foi que tinha aspecto de ser muito pobre.

Isto foi o que mais a surpreendeu, pois a sua voz e modos confiantes haviam evocado no seu espírito a imagem de alguém das classes altas. Mesmo a uma distância de nove ou dez metros, viu que o fato dele fora comprado em segunda mão a um vendedor de rua, estava puído de velho e ficava demasiado largo no seu corpo magro. No entanto, o chapéu de feltro cinzento, puxado para trás sobre os seus caracóis escuros, conferia-lhe uma aparência sedutora e desenvolta, e o sorriso jovial que lhe iluminou a cara ao vê-la chegar sugeria que sentia o mesmo entusiasmo que ela.

— Matilda! — exclamou ele, abrindo muito os braços como se tencionasse abraçá-la ali na rua. Mas então, como se se lembrasse que não era assim que se procedia, parou e sorriu timidamente. — Boa-tarde, Miss Jennings — disse ele, tirando o chapéu. — Como vai?

Matilda riu-se. — Muito bem, obrigada, Mr. O'Reilly.

Os olhos dele eram quase de um tom azul-marinho, rodeados por pestanas longas, espessas e escuras, e os seus dentes eram tão brancos e perfeitos como tinham parecido no escuro. Ela pensou que nenhum homem tinha o direito de ser tão atraente; só de olhar para ele sentia-se tonta.

— Tenho mesmo de tratar-te por Miss Jennings? — disse ele. — Na minha terra, quando se beija uma rapariga, pode-se tratá-la pelo primeiro nome.

— Podes tratar-me por Matty, mas tens de esquecer que me beijaste — disse ela, corando violentamente. — Não fiquei em mim depois do que aconteceu.

— Então quem foi que eu beijei? — Inclinando a cabeça de lado, fez um esgar cómico. — Sinceramente, aquela rapariga era parecida contigo.

O seu sotaque irlandês suave e melodioso, e a sua provocação meiga eram tão cativantes como o seu rosto, e ela não pôde deixar de sorrir.

— Está um bocado frio para andar a pé — disse ele, levantando os olhos para o céu cinzento. — Vamos ver se encontramos um sítio quente onde tomar chá?

Ela ficou satisfeita por ele não sugerir que entrassem no café Tontine, pois era um lugar onde os comerciantes se reuniam para leiloar mercadorias e comprar e vender acções, e alguns deles podiam conhecer os Milson. Sabia que eles não aprovariam que ela se encontrasse com um homem na sua tarde de folga, a não ser que o tivesse conhecido através da igreja e estivessem bem informados sobre ele. Mas não ia estragar o dia com reflexões deste tipo.

Flynn apressou-se a conduzi-la pelas ruas estreitas até ao lado ocidental da ilha, explicando pelo caminho que conhecia um sítio com uma vista bonita sobre o rio Hudson. Perguntou-lhe há quanto tempo estava na América e se o resto da família também aqui estava. Quando ela lhe disse que o reverendo Milson era ministro na igreja de Trinity, ele mostrou-se um pouco preocupado. Imaginando que era porque as suas opiniões dos clérigos eram semelhantes às que ela própria tivera, não perdeu tempo a dizer-lhe que Giles Milson não era o que chamaria um evangelista de esquina.

O sítio onde ele a levou era pouco mais que uma barraca de madeira por cima de um armazém, mobilada com mesas e bancos de madeira toscos. Havia alguns homens a comer refeições, mas, no geral, a clientela consistia em pessoas como ela e Flynn, jovens raparigas que podiam ser criadas ou empregadas de balcão, acompanhadas por homens, todos a beber chá. Como Flynn foi saudado afectuosamente por uma mulher negra muito gorda, de turbante vermelho, que imediatamente lhes libertou a mesa junto da janela, Matilda imaginou que ele devia ser cliente habitual.

A vista do rio com as escunas de velas desfraldadas, enormes vapores, rebocadores, barcos de passageiros e de pesca, era tão evocativa do pai e da infância que, por momentos, se esqueceu completamente de Flynn e se deixou, nostalgicamente, absorver por ela. Os Milson tinham-na obrigado a prometer que não visitaria as docas, pois consideravam-nas perigosas, assim como os homens que aí trabalhavam. Resignara-se ao pedido deles, mas, por vezes, quando sentia saudades de casa, era muito tentador desobedecer-lhes. Lily podia fazer de conta que estava de volta a Inglaterra, indo à igreja ou a chás com outras mulheres inglesas; para Matilda, as docas eram um pedaço de casa, as vistas, os cheiros e os sons exactamente como em Londres.

Mesmo em frente, na outra margem do rio, ficava New Jersey, mas embora distinguisse vagamente o desembarcadouro do *ferry*, o Lar para Crianças Abandonadas e Sem-Abrigo ficava demasiado para o interior para se ver.

— És tímida? — A pergunta de Flynn fê-la virar-se para ele. — Ou estás a pensar que te trouxe a um sítio horrível?

Ela corou violentamente, de súbito consciente de que não havia aberto a boca desde que se tinham sentado. — Não, claro que não. Desculpa a falta de educação. Estava só a apreciar a vista dos barcos e a pensar nos órfãos que eu e o reverendo Milson levámos para um lar em New Jersey na semana passada.

Uma rapariguita negra com um vestido roto serviu-lhes chá e *doughnuts*. Sorriu-lhes timidamente, revelando a ausência dos dentes da frente, e desapareceu.

— É uma dos onze filhos da Sadie — disse Flynn. — Mas fala-me desses órfãos.

Matilda explicou.

— Foste a Five Points e trouxeste de lá crianças? — Ele assobiou entre dentes. — Credo, Matty, isso não é lugar para uma rapariga como tu.

Olhou para ela com horror absoluto. — Esse reverendo Milson tem alguma coisa entre as orelhas? — disse ele, levantando a voz de indignação. — Podiam tê-lo matado lá, e a ti também. Uma vez passei mais de duas semanas nessa área tenebrosa e dou-me por muito feliz por ter saído com vida.

— O reverendo Milson tem mais cabeça que qualquer homem que eu conheço — retorquiu ela. — E porque é que haviam de nos matar quando estamos a tentar ajudar?

Flynn abanou a cabeça, os seus olhos azul-marinhos subitamente tristonhos. — Oh, Matty — disse ele, suspirando. — Não fazes ideia do que aquilo é. Quando constar que andam a levar de lá crianças, vão fazer fila para vos entregar os filhos e exigir dinheiro por eles. Não é só gente pobre que ali vive, mas animais. Sei que, na maioria, são meus compatriotas, mas que Deus se compadeça deles, são as borras da sociedade. Não há palavras que descrevam a maneira como vivem.

— Não é preciso — disse ela. — Eu sou oriunda de um dos piores bairros de Londres e sei exactamente de que maneira as pessoas vivem. É apenas graças à sorte e à bondade do reverendo Milson que já lá não estou.

Ele abriu a boca, chocado. — Mas pensei que eras uma rapariga do campo — disse ele, pouco mais alto que um sussurro.

Matilda desejou ter reflectido antes de falar tão impulsivamente. Mesmo aos seus ouvidos, dava ideia de que era uma prostituta regenerada. Preparava-se para reformular a frase quando se conteve. A que propósito havia de se justificar a um homem que chamava aos pobres as borras da sociedade?

— Suponho que és descendente dos reis da Irlanda — disse ela, com sarcasmo. — A maioria dos irlandeses em Londres afirma ser.

— Tens uma língua afiada, Matty — respondeu ele, mas os seus olhos brilhavam de divertimento. — Às tantas *tenho* sangue real. Nós, os Irlandeses, temos mais filhos do que qualquer outra raça que conheço, mas também pouco mais há que fazer na Irlanda do que cultivar batatas, cortar turfa para os fogões e fazer amor.

Matilda ouvira muitos homens usar os termos mais grosseiros para o sexo, mas, por qualquer razão, «fazer amor» soava tão íntimo que corou e baixou os olhos.

Ele riu-se de mansinho. — Toma o chá e come o *doughnut* — disse ele. — Prometo não te embaraçar mais hoje. Eu também sou de uma família muito pobre, somos doze e eu sou o terceiro mais velho, sem esperança de vir a receber um tostão, quanto mais uma fortuna. Vivíamos numa casa rural perto de Galway e, quando a cultura da batata não deu nada dois anos seguidos, foi a fome que me fez ir a pé para Cork para tentar lá a sorte.

— Que idade tinhas? — perguntou ela.

— Doze anos, mais ou menos, sem nada na cabeça a não ser sonhos e nada no corpo a não ser andrajos. Por sorte, um pescador lá precisava de um ajudante e fiquei dois anos com ele e a mulher. Não me podia pagar, mas pelo menos não passei fome. Dizem que o peixe faz bem ao cérebro! — Sorriu. — Deve ter feito porque cheguei à conclusão de que a Irlanda não me servia e pouco depois parti.

Durante todo o caminho até aqui, tinha vindo a interrogar-se sobre a idade de Flynn. Os seus movimentos rápidos e impulsivos, o seu corpo esguio, eram de um jovem, mas a maturidade com que falava sugeria que era muito mais velho do que aparentava.

— Vieste para a América aos catorze anos? — aventou. Lily dissera-lhe que era falta de educação perguntar a idade às pessoas.

— Não, primeiro andei embarcado como grumete e depois fui para Inglaterra abrir canais. Por fim, arranjei trabalho num navio como marujo e cheguei aqui há três anos. Tinha vinte e dois anos. Passaram dez anos desde que parti de Galway.

Matilda digeriu esta informação. Já apurara que ele tinha vinte e cinco anos e não parecia ter profissão. — E foste viver para Five Points?

— Não intencionalmente, poucos o fazem — disse ele, encolhendo os ombros. — Simplesmente acabou-se-me a sorte e o dinheiro. Mas, de certa forma, foi o melhor que me podia acontecer. Vi como era estar nas ruas da amargura e tratei de sair de lá.

— O que é que fazes então? — perguntou ela, cautelosamente. O que ouvira até agora não era muito encorajador. Ele era demasiado velho para ela, um vagabundo, e era estranho um homem trabalhador ter uma tarde livre. — E onde é que vives?

Ele hesitou um momento, como se ponderasse mentir.

— Trabalho num *saloon* na Bowery — disse ele. — E vivo no andar de cima. Imagino que não hás-de querer contar isso ao teu reverendo Milson!

Matilda sentiu uma onda de desânimo. Embora nunca tivesse ido à Bowery, ouvira dizer que era uma rua cheia de casas de diversão de má reputação, que as pessoas respeitáveis evitavam. A acrescentar ao resto que ele lhe contara sobre si mesmo, era perfeitamente óbvio que era o género de homem que não servia a uma rapariga sensata.

Contudo, ele era atraente e afável e, por mais pobre que pudesse ser, ela via que era meticuloso. A camisa estava bastante gasta, mas imaculadamente branca, barbeara-se, engraxara as botas e tinha as unhas muito limpas e bem cortadas. Claro que podia ter-se esmerado apenas por causa dela, mas, de algum modo, parecia-lhe que não.

— Acho que não posso falar de ti ao reverendo — disse ela afavelmente.

Para sua surpresa, ele não perguntou porquê. Tão-pouco se

mostrou magoado, continuando a comer calmamente o *doughnut*. — Que idade tens, Matty? — perguntou ele alguns minutos depois.

— Dezassete, quase dezoito.

Ele acenou com a cabeça. — E que queres da vida? — perguntou ele.

A pergunta estranha confundiu-a. — Não sei — respondeu, encolhendo os ombros. — Até agora nunca tive hipótese de escolha, as coisas foram acontecendo.

O sorriso dele foi de compreensão. — Também se passou o mesmo comigo — disse ele. — Mas aqui há dois anos, pus-me a pensar que era tempo de deixar simplesmente que as coisas acontecessem. Nessa altura era ajudante de construção civil, a trabalhar como um mouro por um dólar por dia e a dormir muitas vezes ao relento no estaleiro porque era melhor que pagar dez cêntimos por noite num pardieiro por um lugar no chão. Usei dos meus poderes de persuasão para conseguir este emprego com a ideia de partir para Sul quando juntasse dinheiro suficiente.

Matilda ouvira muitas vezes Giles falar acaloradamente sobre os estados sulistas, pois conhecera muitos abolicionistas desde que chegara a Nova Iorque. Pelo que percebera, os donos das plantações eram inconcebivelmente cruéis e decadentes. Matavam os escravos à chicotada, leiloavam os seus filhos, e davam festas e bailes sumptuosos que se prolongavam durante dias.

— Para fazer o quê? — Soltou uma gargalhada nervosa. — Para comprar escravos?

— Odeio todos os tipos de escravatura — disse ele com um esgar. — Mas, lá está, nós, os Irlandeses, somos escravizados pelos Ingleses há séculos.

Ela não sabia muito bem o que ele queria dizer com isto e achou por bem não perguntar. — Então que é que ias lá fazer? Passar por um cavalheiro?

— Porque não? — Ele sorriu maliciosamente. — O maior dom dos Irlandeses é a lábia. Sou capaz de andar a cavalo como um cavalheiro. Aprendi algumas maneiras durante as minhas viagens. Bem vestido, alguém ia duvidar de mim?

Ela sorriu. Tirando a roupa, tudo nele sugeria que tinha recebido uma boa educação, a sua pele era clara e lavada, os dedos compridos e finos e ouvir a sua voz era como ouvir música. — Não, acho que não. Bastava um olhar à tua cara linda e não precisavam de olhar mais.

— Achas então que sou atraente? — Ele debruçou-se sobre a mesa, os olhos a cintilar sugestivamente.

— Sabes muito bem que és — disse ela, sorrindo. — Mas sabes ler e escrever? Sabes que coisas os cavalheiros fazem?

— Sei mais do que esse «cavalheiro» com quem te pegaste no outro dia — disse ele, indignado. — Para começar, sei distinguir uma ama de uma prostituta. Sim, sei ler e escrever. O padre de Cork ensinou-me e tenho uma letra muito bonita.

— Então não há nada que te impeça — disse ela. Ele parecia tão senhor de si que ela não duvidava da sua seriedade.

Flynn recostou-se na cadeira e olhou para ela sob as suas longas pestanas. — És a primeira pessoa a quem falo do meu plano, Matty; sei que a maioria das pessoas se havia de rir de mim. Mas deve ter sido o destino que nos juntou, porque temos os dois muita coisa em comum. Tu falas como uma senhora, apesar de o teu casaco estar gasto.

Matty baixou os olhos para o casaco, surpreendida. Era o que Dolly lhe oferecera quando se haviam conhecido. Sempre o considerara muito elegante.

— Foi a minha madrasta que mo deu — disse ela. — Tem um salão de chá no Tamisa.

— Foi Mr. Lewinsky que me vendeu este fato na barraca dele em Hester Street — disse ele, destacando as lapelas. — Paguei um dólar e cinquenta cêntimos por ele, o dinheiro todo que tinha na altura. Mas não me iludo a pensar que pareço um janota.

Matilda ficou sensibilizada com a franqueza dele. — Foi o primeiro casaco que alguma vez tive — disse ela. — Antes de a Dolly mo ter dado, só tinha um xaile, mesmo no Inverno.

— Os xailes fazem-me lembrar as mulheres na minha terra — disse ele, com uma súbita expressão de tristeza nos olhos. — Usam-nos na cabeça por qualquer motivo e mostra que se submeteram à pobreza. Os chapéus já contam outra história. Gosto do teu e do que me diz.

Matilda riu-se. — Conta lá o que te diz — pediu.

— Imagino que pertencia à tua patroa e tu puseste-lhe uma fita vermelha porque és um espírito livre. O estilo alegre diz que tens coragem e determinação para te elevares acima da condição em que nasceste.

— Já o fiz — disse ela. — De vendedora de flores a ama é um passo de gigante.

— Talvez, mas queres mais do que isso? — perguntou ele, arqueando uma sobrancelha preta e farta. — Não podes ser ama toda a vida, a não ser que a tua patroa tenha outro filho.

— Mas não sou só ama, também sou governanta e ajudo o reverendo Milson com as crianças órfãs.

Ele reflectiu sobre isto por alguns momentos. — Quer-me parecer que a tua vida se resume a essa família, Matty — disse ele por fim, olhando-a nos olhos. — Será porque se tornou substituta de uma família tua? Alguma vez pensas noutra coisa que não eles, ou em algo que não esteja ligada a eles e à felicidade deles?

— Claro que penso — disse ela num tom azedo. Contudo, ao reflectir, na tentativa de encontrar alguma coisa para o pôr no seu lugar, apercebeu-se de que os seus pensamentos eram sempre sobre os Milson e só depois de conhecer Flynn é que deixara de pensar exclusivamente neles. — Para já, nas crianças de Five Points!

— Isso está ligado ao reverendo — contrariou-a ele. — Já foste a algum sítio em Nova Iorque além da igreja e dos lugares onde fazes recados para eles? Conheceste americanos ou imigrantes de outros países e foste a casa deles? Fizeste amigos para além dessa rapariga com quem estavas no outro dia?

As suas perguntas trocistas sugeriam que a considerava encurralada num gueto típico da classe média inglesa. Embora ela quisesse negá-lo, compreendeu de súbito que ele era muito perspicaz. Em muitos sentidos, era como se ainda estivesse em Primrose Hill. A sua vida praticamente não tinha mudado. Pouco mais sabia sobre a América e o seu povo do que quando chegara. Os Milson ditavam o que ela via, o que fazia e com quem se dava.

— Não, suponho que não — disse ela, subitamente um pouco envergonhada por não ter chegado por si a esta conclusão. — Mas, dito assim, parece uma coisa má, como se eu fosse escrava dos Milson. Não é de todo assim, sou-lhes muito afeiçoada e eles tratam-me como se eu fosse da família.

— Que bom! — disse ele com um sorriso, embora houvesse um registo cínico na sua voz. — Mas não te fazia mal nenhum alargares os teus horizontes limitados, não concordas?

— Não achas que os meus horizontes limitados se alargaram quando vi Five Points? — inquiriu ela num tom brusco.

— Não. Disseste que eras oriunda de um sítio igualmente degradado, por isso já sabias a que ponto as pessoas podem descer. E se visses antes até onde podem subir? Dá uma volta pela Fifth Avenue e espreita para algumas dessas mansões. Informa-te sobre as pessoas ricas e descobre como fizeram fortuna.

Agora ela estava confusa. Ele tinha dito que odiava a escravidão, parecia desprezar pessoas com criados e, contudo, admirava os ricos. De que lado estava afinal?

— Já sei isso. À custa dos pobres. Espanta-me que aches bem.

— Oh, Matty, não me estás a compreender. — Agitou um dedo na direcção dela. — É um erro tão grande pensar que todos os ricos são pérfidos como pensar que todos os irlandeses são uns diabos irresponsáveis e preguiçosos que preferem beber até ficarem entorpecidos do que trabalhar. Claro que há irlandeses assim, mas conheço muitos mais que trabalham no duro e poupam dinheiro para mandar para a Irlanda e prover às famílias deles lá.

— És desses?

— Trabalho no duro — disse ele. — Mas não mando dinheiro para casa porque o meu pai só iria gastá-lo em bebida e depois ia para casa dar porrada na minha mãe. Por isso, poupo o dinheiro para começar um dia uma vida melhor. O meu pai não há-de tardar a morrer à custa do álcool e, talvez nessa altura, já eu esteja bem na vida e possa mandar vir a minha mãe.

Matilda ficou um pouco espantada com a frontalidade dele. Seria um homem insensível, que percorria a vida a satisfazer os seus próprios desejos, sem qualquer consideração pelo sofrimento à sua volta, ou seria um realista perspicaz que sabia que tinha de se resignar ao que não podia ser alterado?

Tomaram mais chá e Matilda deu por si a falar-lhe da sua infância e da sua família. Ele mostrou-se tão interessado, era tão habilidoso a arrancar-lhe informação, que dali a pouco ela estava a contar-lhe exactamente como tinha acabado com os Milson e os aspectos mais cómicos de se ver de repente entre a classe média.

— Agora não sou carne nem peixe — disse ela pensativa. — Tenho estas benesses e já não me considero pobre. Mas sei que, no fundo, sou. E se perdesse este emprego, que podia fazer?

— Isso, minha linda, é o que tens de decidir muito antes de seres posta na rua — disse ele sorrindo. — Estudei várias pessoas ricas, escolhendo as que começaram do nada. Descobri que a sorte desempenhava um papel mínimo nas histórias delas, o elo comum é que eram todas ferozmente ambiciosas desde muito jovens.

«Em Inglaterra e na Irlanda, primeiro é preciso transpor a barreira da classe para ganhar dinheiro a sério. Mas aqui é diferente, é um país jovem, completamente aberto àqueles com olho para as oportunidades, independentemente das origens. O que pessoas como tu e eu têm de procurar é uma oportunidade. E depois agarrá-la com unhas e dentes.»

Quando ele disse que a acompanhava a casa porque tinha de voltar para o *saloon* até às sete e meia, Matilda ficou espantada ao descobrir que já eram cinco e meia e que tinham estado a conversar durante mais de três horas. Não parecia possível que, durante este período de tempo, tivesse passado da imensa satisfação de se encontrar com ele a um sentimento de cautela e, por fim, a uma situação em que não se queria separar dele.

— Quando é que podemos voltar a encontrar-nos? — perguntou ele à porta do café, quando se preparavam para se dirigirem a State Street. — Só podes sair às sextas à tarde?

Com uma expressão triste, ela indicou que sim. Era tentador dizer que podia sair às quartas à noite e faltar à aula de religião, mas o diácono não tardaria certamente a comentar a sua ausência com Giles.

— Então encontramo-nos no mesmo sítio na próxima semana — disse ele. — Isto é, se quiseres estar comigo.

Uma vozinha interior sussurrava-lhe que ele não era o homem ideal para ela, que a única coisa que fizera hoje fora encher-lhe a cabeça de ideias ocas e insustentáveis. Mas, olhando para ele, viu aqueles olhos azul-escuros, o seu cabelo preto encaracolado e a boca que beijara e compreendeu que uma semana ia parecer uma eternidade. Não conseguiu fazer mais do que acenar em concordância.

Ele deu-lhe a mão pelo caminho e o desejo que se apoderou dela ao sentir a pele dele contra a sua enfraqueceu-a. Estava com medo de que ele parasse para beijá-la, mas ainda com mais medo de que não o fizesse.

Mas ele parou. Não tinham percorrido mais do que uns passos quando ele a puxou para uma viela, lhe pôs as mãos de cada lado da cara e a inclinou para a sua. Manteve-a assim por alguns segundos, olhando-a directamente nos olhos. — Namoras comigo, Matty? — perguntou num sussurro rouco. — Porque és a rapariga dos meus sonhos.

Quando os lábios dele pousaram nos seus, compreendeu que estava perdida, pois a vontade de se separar dele abandonou-a. A língua dele explorou com doçura os lábios dela e, de súbito, a viela húmida e o medo de ser apanhada em abraço tão despudorado desapareceram simplesmente. Era como a emoção de estar na proa do *Druid* ao pôr-do-sol, observando as ondas a abrir-se e a enrolar-se quando o navio as rasgava. Sentiu uma ânsia no mais fundo de si, o prazer do corpo dele apertado contra o seu. Reconheceu que era desejo, essa emoção que sabia ser perigosa mas que, ao mesmo tempo, estava tão certa, tão carregada de beleza, que o perigo lhe era indiferente.

— Oh, Matty — disse ele suavemente, afastando-se dela, mas continuando a beijá-la nas faces, no nariz e nos olhos. — Não sei se aguento esperar uma semana.

Nessa mesma noite, Lily foi atrás de Matilda para a cozinha, depois das orações, para pegar nas velas e acendê-las para levar para cima. Giles já se retirara para o quarto. — Estavas preocupada esta noite — disse ela. — Aconteceu-te alguma coisa de estranho esta tarde?

Ela notou a rapidez com que Matilda rodou nos calcanhares, os seus olhos arregalados.

— Não, nada, minha senhora — disse ela, estendendo a mão para as velas na prateleira.

— Estiveste com a Rosa? — perguntou Lily, determinada em tirar a limpo a questão.

Havia-lhe chegado aos ouvidos um rumor perturbante sobre a criada dos Arkwright. Aparentemente tinham-na apanhado na rua, à noite, já tarde, em duas ou três ocasiões, e sempre com um homem diferente. Parecia a Lily, sabendo que Mrs. Arkwright não permitiria tal liberdade a uma criada, que a rapariga devia sair às escondidas depois de estar supostamente na cama. Perante a atitude distante de Matilda esta noite, pensou que talvez Rosa tivesse tentado convencê-la a fazer-lhe companhia.

— Não, minha senhora — respondeu Matilda. — Não vejo a Rosa desde a noite do baile.

Lily sentiu-se aliviada, sabia que Matilda não lhe mentiria. — Bem, não quero que voltes a sair com ela, Matty — disse ela. — Pelo que ouvi, a rapariga não tem juízo.

Noutra altura qualquer, Matilda não teria feito nenhum comentário a esta observação. Mas depois de ter ouvido as opiniões de Flynn, ficou irritada.

— Peço desculpa, minha senhora, se lhe pareço impertinente, mas acho que não tem o direito de me dizer com quem posso fazer amizade — retorquiu.

Lily ficou completamente pasmada por Matilda ter ousado responder-lhe e, por um momento, limitou-se a olhar para ela, incrédula. — O que é que disseste? — disse por fim.

— Provavelmente tem razão a respeito da Rosa e, seja como for, não tenho qualquer desejo de passar mais tempo com ela — respondeu Matilda, encarando-a de frente. — Mas a decisão de ser ou não amiga dela deve ser minha.

— Matilda! — exclamou Lily. — Nem pareces tu a falar.

— A senhora e o reverendo fizeram muito por mim e eu estou extremamente grata — disse Matilda, calma mas firmemente. — Além disso, ganhei a ambos e à Tabitha uma grande afeição e darei sempre o meu melhor por todos. Mas acho sinceramente que também preciso de ter uma vida própria.

— Vai para a cama — atirou-lhe Lily, incapaz de pensar numa reacção mais apropriada. — Amanhã de manhã, falamos. Espero que até lá caias em ti.

Quando Matilda chegou ao quarto, a enormidade do que dissera a Lily atingiu-a. Podia nunca ter servido antes dos Milson e pouco sabia do que se passava noutras casas, mas sabia o suficiente para ter a certeza de que aquilo que dissera era suficiente para a despedirem.

— Oh, Flynn, o que é que me fizeste? — sussurrou consigo mesma, olhando para o pequeno espelho sobre a sua cómoda. À luz da vela, as suas feições não pareciam diferentes do habitual. Olhos grandes, um nariz pequeno e ligeiramente arrebitado e uma boca que sempre considerara demasiado larga. No entanto, olhando com mais atenção, detectava a expressão de desafio nos seus olhos, a sua boca perdera o recato e o seu queixo projectava-se com nova determinação. Nunca se achara uma rapariga bonita, apesar de as pessoas dizerem com frequência que era, mas esta noite tomou consciência de um lado cativante em si. Seria obra de Flynn, que não só a fizera parecer diferente mas lançara a rebeldia no seu espírito que a levara a desafiar a patroa?

Suspeitava que ele a aplaudiria, pois claramente considerava que nenhum homem ou mulher tinha o direito de controlar a vida de outra pessoa. Porém, depois de tudo o que os Milson haviam feito por ela, não era pérfido tentar alterar de repente a ordem das coisas?

— Não, não é — murmurou resolutamente. — Já lhes pagaste mil vezes pela sua bondade, trabalhando tão arduamente para eles. E não estás a pedir nada de absurdo. Não voltas com a palavra atrás amanhã. Se voltares, nunca mais te livras da tua condição de criada grata e humilde.

Desfez as tranças e passou os dedos pelo cabelo até o soltar sobre os ombros e, pegando na escova de cabelo que os Milson lhe haviam dado no ano anterior pelos anos, começou a escová-lo, contando as escovadelas. À centésima, pareciam fios de ouro à luz da vela e o aspecto agradou-lhe. Desapertando o corpete do vestido, fê-lo deslizar pelos ombros e mirou-se apreciativamente. Tinha ombros macios, a pele pálida reluzindo na luz suave. Com um vestido de noite, podia ter o mesmo aspecto encantador que qualquer senhora fina que já vira. Flynn tinha razão, eram parecidos, podiam ambos passar por pessoas de alta condição com o vestuário certo. Mas, antes de se abalançar nessa experiência, precisava de adquirir o género de confiança em si mesma e nas suas capacidades que Flynn possuía.

Falar em defesa da liberdade pessoal era um começo.

— Não sei que bicho lhe mordeu — vociferou Lily ao marido ao deitar-se ao lado dele. Lançara-se no relato da história assim que entrara no quarto, mas, embora esperasse que o marido se levantasse da cama e chamasse imediatamente Matilda ao andar de baixo, até agora ele não se mexera nem fizera nenhum comentário. — Nunca me falou naquele tom e não percebo como é que estás aí quieto como se nada fosse.

— Mas ela tinha razão, minha querida — disse ele com um suspiro, fechando o livro que estava a ler quando ela se precipitou pelo quarto dentro. Não tinha feito nenhum comentário durante a diatribe dela porque achava a cara da mulher muitíssimo mais interessante quando ela estava zangada. Os seus olhos escureciam, abria as narinas e a sua pele cobria-se de um tom rosado que lhe assentava lindamente. A verdade é que desejava que ela se zangasse com mais frequência, pois a maior parte das vezes limitava-se a amuar, o que a tornava insípida e deprimente. — Damos-lhe apenas trabalho, não somos donos dela. Acho que ela tem direito a uma vida privada.

— Mas ela já tem uma vida muito superior à da maioria das raparigas na posição dela — disse Lily, atirando-se para cima das almofadas.

— É verdade — disse ele num tom meigo. — Mas também é uma ama de qualidade superior, não é? Cozinha, arruma, faz compras, cuida da Tabitha e ensina-a. Seria quase impossível arranjar outra pessoa que fizesse tudo isso por dois dólares mensais. Para não falar na dificuldade de arranjar alguém com quem suportássemos partilhar uma casa tão pequena.

Giles podia ter usado um argumento mais forte do que este, mas sabia que, se dissesse a que ponto dependia pessoalmente de Matty, Lily se sentiria ainda mais ofendida.

— Mas porque é que ela de repente começou a ter estas ideias? — insistiu Lily. — Deve ter acontecido alguma coisa hoje. Se não esteve com a criada dos Arkwright, com quem é que esteve?

— Não temos nada com isso — disse Giles, exausto. — Talvez tenha feito um novo amigo ou amiga e, por qualquer razão, não nos queira falar sobre ele ou ela.

— Ele! — exclamou Lily, sentando-se muito direita. — Achas que ela tem um amigo?

— Lily, acalma-te — disse ele, pousando-lhe uma mão no braço para a dominar. — Ainda há duas semanas, estavas a dizer que te sentias culpada porque a vida dela girava toda à nossa volta. Deixaste-a ir ao baile porque tinhas esperança de que ela conhecesse um rapaz. Bem, às tantas conheceu. É uma rapariga sensata e há-de contar-nos tudo quando se sentir preparada.

— Mas que vamos fazer a respeito da grosseria dela? — perguntou ela, baixando a voz para um gemido plangente, pois sabia que o marido não fazia tenções de admoestar a rapariga. — Não podemos ter uma criada que me fale como ela falou.

— Dorme — sugeriu ele. — Pensa só nas coisas boas que ela tem e compara-as com as más. A resposta há-de estar aí.

Lily soltou um suspiro exasperado e inclinou-se para soprar a vela. Sabia que, se fizesse o sugerido, ficaria simplesmente em dívida para com a rapariga. Era a última coisa que pretendia sentir.

Às seis da manhã seguinte, Matilda estava na cozinha a atiçar o fogo quando ouviu os passos de Giles nas escadas. Rebentou num suor frio, presumindo que Lily insistira para que ele descesse para lhe dar ordem de marcha ou, pelo menos, lhe infligir algum castigo pela sua impudência.

Ele estava vestido, trazendo o casaco pelo braço. — Bom-dia, Matty — disse, no seu habitual tom afável. — A água já está quente?

— N... n... não sei — gaguejou ela. Depois, para disfarçar a confusão, virou-lhe as costas e tacteou o reservatório lateral do fogão.

— Só preciso que esteja morna para me barbear, não quero que te escaldes nela — disse ele.

Matty sorriu nervosamente da piada. — Então está boa — disse ela. — Levo o jarro lá acima?

— Não, não quero incomodar Mrs. Milson — disse ele. — Barbeio-me na copa. Hoje tenho de ir a New Jersey. Queres vir comigo para visitar as crianças?

O coração de Matilda disparou de excitação, mas não tardou a desanimar quando ela pensou na patroa lá em cima. — Como é que posso ir, reverendo? Deve saber que a senhora está zangada comigo, e depois há a Tabitha.

Ele sorriu levemente, com um brilho nos olhos escuros. — Por vezes, bater em retirada é melhor que combater — disse ele.

Nesse momento, percebeu que Lily lhe tinha repetido tudo e, a julgar pela sua disposição jovial, ele optara pela neutralidade.

— Não posso pedir desculpa porque falei sinceramente — disse ela num impulso, antes que perdesse a coragem. — Mas lamento muito se pareci ingrata pelo que os dois têm feito por mim.

— Matty! — exclamou ele, abanando a cabeça. — No que me diz respeito, não há lugar a desculpas. Ontem à noite, exprimiste a tua opinião e deves mantê-la. Mrs. Milson vai provavelmente andar um pouco fria durante um ou dois dias, mas há-de acabar por se conformar. Vá, dá-me essa água morna e depois arranja o pequeno-almoço para os dois. Quero começar cedo.

*

Durante a longa espera para voltar a encontrar-se com Flynn, os sentimentos de Matilda oscilaram como um pêndulo entre a exultação e a ansiedade extrema, e não se deviam totalmente a ele.

Ficou rejubilante quando encontrou as crianças de Five Points felizes e de boa saúde; Sidney tinha-a cumprimentado entusiasticamente, mostrando-lhe como estava, juntamente com dois dos rapazes mais velhos, a ajudar Job a lavrar o terreno de pastagem nas traseiras do lar para plantarem hortaliças e até falou com benevolência de Miss Rowbottom, dizendo que ela «até era decente» com eles. Todas as crianças tinham engordado nas duas semanas que ali haviam passado, as suas caras tinham perdido o ar macilento e tinham aprendido a rir e a brincar.

Miss Rowbottom estava a sair-se bem com eles. Embora austera, não era cruel, e habituara as crianças a uma rotina regular, em que todas tinham de ajudar nas lides domésticas e as tardes eram reservadas à aprendizagem. Admitiu que dependia bastante de Sidney, pois os mais pequenos admiravam-no e seguiam o seu exemplo. Por meio dele, tinham todas aceitado os seus princípios de higiene e nenhuma parecia querer fugir. Mas a sua maior preocupação eram os mantimentos, as crianças agora comiam substancialmente, e as provisões estavam a esgotar-se. A sugestão de Job de que deviam ter uma vaca, alguns porcos e galinhas e cultivar as suas próprias hortaliças era óptima, porque as crianças podiam ajudar ao mesmo tempo que aprendiam agricultura e, se tivessem sucesso, o lar podia vir a tornar-se auto-suficiente. Mas, entretanto, era necessário dinheiro, não apenas para alimentos, mas para arrancar com a quinta, comprando animais, materiais para construir cercados e produtos alimentares para o Inverno.

Giles prometera a Miss Rowbottom que este dinheiro seria angariado pela igreja e que seriam trazidos voluntários para construir cercados e instalar vedações, mas a sua principal preocupação era juntar mais crianças antes do início do Inverno. Embora Matilda concordasse plenamente que era uma prioridade, as palavras de Flynn sobre os residentes de Five Points perturbavam-na e pressentia que a próxima incursão nessa área degradada não ia ser tão fácil como a primeira. Mas, sem dizer nada a Giles sobre Flynn, não podia confiar-lhe os seus receios, e a sua ansiedade aumentava à medida que ele fazia planos com o Dr. Kupicha para uma segunda leva.

Entretanto, em casa, Lily mostrava-se extremamente fria com Matilda. Na noite em que regressaram de New Jersey, mal tinha falado e, no domingo à tarde, quando Matilda sugeriu levar Tabitha a passear, Lily perguntou-lhe pela primeira vez com desconfiança onde tencionava ir e lembrou-lhe num tom seco que não se demorasse mais de uma hora.

Entre segunda e quinta, Matilda andou aflita. Será que Giles escolheria a sexta para ir a Five Points, cancelando assim a sua habitual tarde de folga, e, se assim fosse, como informaria Flynn de que não podia encontrar-se com ele?

Na quinta de manhã chegou uma carta de Dolly a dizer que o pai estava a recuperar de um ataque por dois rufiões que ocorrera uma noite já tarde, e que tinham acabado de saber que Luke estava preso por roubo e que quase de certeza seria deportado para a Austrália. A única boa nova na carta era que James, o irmão mais velho de Matilda, tinha regressado a Inglaterra e fora visitá-los. Dolly insistia para que ela não se afligisse com o pai, dizendo que, embora ele pudesse não vir a recuperar energia suficiente nos braços para ganhar a vida a remar o barco, estava a pensar em comprar alguns barcos a remos para alugar durante o Verão.

A carta tinha data de quatro meses antes, em Junho, e portanto, por esta altura, o pai já se teria restabelecido, Luke já teria sido julgado, condenado e despachado para a Austrália, enquanto James andaria provavelmente embarcado noutro navio sabia-se lá onde. Contudo, as notícias eram muito perturbantes e, pela primeira vez desde que se despedira do pai e de Dolly, depois do seu casamento, cedeu às lágrimas.

Seguira o conselho do pai de «nunca olhar para trás», mas não era por isso que não sentia saudades dele e não pensava com frequência nele e em Dolly. O correio demorava sempre imenso tempo a chegar de Inglaterra e isto só reforçava a distância que os separava. Desejava que não fosse assim, gostaria muito de pedir conselho a Dolly sobre Flynn, saber que podia recorrer a eles se as coisas corressem mal aqui. Sentia-se terrivelmente só.

Tabitha era a sua consolação e, na quinta à tarde, quando Lily foi tomar chá com uma amiga e Giles saiu para tratar dos seus afazeres, ficaram as duas sozinhas. Estava muito frio e ficaram na cozinha a fazer tartes de compota.

— Conta-me como era quando vendias flores — pediu Tabitha, muito tempo depois, quando as tartes estavam prontas, os pavios das candeias aparados e as candeias acesas, e elas estavam sentadas juntas ao pé do fogão numa cadeira de braços.

Só faltava uma semana para Tabitha fazer quatro anos, mas parecia muito mais velha, pois era uma menina serena e pensativa. Matilda começara recentemente a fazer-lhe tranças no cabelo, que crescera muito, e enrolava-as na cabeça da criança como uma pequena coroa. Se bem que não se pudesse descrevê-la como bonita, os seus olhos grandes e escuros e a sua natureza meiga conquistavam a simpatia de todas as pessoas que a conheciam. Nunca parava de fazer perguntas e nunca se esquecia de nada do que lhe diziam. Fora mais ou menos um mês antes que ouvira por acaso Matilda dizer que vendia flores, e estivera claramente à espera de uma oportunidade para a interrogar sobre isso.

— Levantava-me muito cedo de manhã e ia comprar flores ao mercado — explicou Matilda. — Depois arranjava-as em raminhos e ia vendê-los às pessoas.

— É um trabalho bonito — disse Tabitha. — Posso fazer isso quando for grande? Gosto de flores.

— Não era muito bonito quando chovia e fazia frio — disse Matilda, rindo. — Além disso, vais poder fazer coisas muito melhores porque és inteligente.

— Tu também és. — Tabitha levantou os olhos para o rosto de Matilda e franziu a testa. — Sabes somar, cozinhar e entendes de tudo, como o papá. Porque é que tinhas de vender flores nesse tempo?

A fé da criança nela era comovente e os olhos de Matilda marejaram-se de lágrimas. — Era muito pobre e é difícil arranjar um bom emprego quando não se tem roupa decente. Quando tiveres cinco anos, vais para uma escola a sério e vais aprender muitas coisas que eu não sei. Mas não precisas de te preocupar com um emprego porque te vais casar com um senhor rico e atraente que olhará por ti.

— Não quero que ninguém olhe por mim. Vou ser médica e curar pessoas doentes.

Matilda sorriu. O Dr. Kupicha fora jantar lá a casa, no princípio da semana, e ela imaginou que esta declaração era suscitada pela sua visita e por ter mostrado a Tabitha como funcionava o seu estetoscópio.

— É muito bom que queiras ser isso, mas as senhoras não podem ser médicas.

— Porquê? As senhoras são mais meigas, davam melhores médicas.

Matilda achou que ela tinha uma certa razão. — Bem, são os homens que mandam — disse ela, pensando em homens como o reverendo Kirkbright, que considerava todas as mulheres estúpidas. — Mas tu és uma rapariga de sorte porque o teu papá acredita que as mulheres valem tanto como os homens. Tenho a certeza de que, quando fores grande, ele te deixa fazer o que quiseres.

— Então vou ser médica — disse Tabitha com absoluta convicção.

Alguns minutos mais tarde, o pai chegou. A sua cara estava vermelha do vento frio e os seus olhos brilhavam de excitação. Matilda pegou-lhe no chapéu e no casaco e pendurou-os, acrescentando depois mais carvão ao fogo da sala para ele se poder aquecer.

— Vou fazer-lhe um chá — disse ela. — Quer provar as tartes de compota da Tabitha?

Tabitha ainda estava na cozinha e, quando ele se encaminhou para lá, Matilda presumiu que ele ia falar com ela. Mas ele fechou a porta da cozinha e virou-se para Matilda.

— Vamos amanhã — anunciou ele. — Identificámos dez crianças, todas entre os três e os seis anos, e uma bebé que foi deixada com outra mãe muito jovem. Foi esta mulher que nos ajudou, porque está a viver na mesma cave com elas.

— Amanhã! — O coração de Matilda caiu-lhe aos pés. — Mas é a minha tarde de folga.

— Tiras o domingo — disse ele, sem olhar sequer para ela, e aproximou-se do fogo para aquecer as mãos. — Levamo-las para casa do Dr. Kupicha até às dez ou onze da manhã e no sábado transportamo-las para New Jersey. Acho que desta vez deves passar a noite com as crianças por causa da bebé. Vai ser preciso dar-lhe o biberão. Eu digo a Mrs. Milson que te deixei no lar e, no dia seguinte, vou lá ver se está tudo bem.

Subitamente, Matilda sentiu-se furiosa com ele. Ele estava entusiasmado como um rapazinho de escola e nem por um momento considerara que a mulher continuava zangada com ela e que isto podia pô-la mais zangada ainda, ou que ela podia ter alguma coisa combinada para a sua tarde de folga. O domingo era um dia péssimo para tirar folga porque, a não ser que se tivesse família para visitar, estava tudo fechado!

Fechando os olhos por um momento, imaginou Flynn. Viu os seus olhos azul-escuros, imaginou os seus ombros magros, encolhidos com o frio à espera. Quando não aparecesse, ele pensaria que ela tinha tido dúvidas em relação a ele.

No entanto, por mais vívida que essa imagem fosse e por mais doloroso que fosse pensar que podia não voltar a vê-lo, a imagem de uma bebezinha numa cave fria e húmida era mais forte.

— Estás bem? — perguntou Giles. Aproximou-se dela e pegou-lhe nas mãos. — Não queres vir?

Matilda sentiu-se logo envergonhada. Giles estava entusiasmado simplesmente pelo desejo de ajudar estas crianças. Porque é que haveria de pensar nas necessidades dela? Não pensava sequer nas suas, apenas na saúde e no bem-estar dessas crianças.

— Estou bem, só um pouco chocada por ter organizado tudo tão depressa — disse ela, esforçando-se por sorrir. — Claro que quero ir.

CAPÍTULO 8

Giles e Matilda pararam para olhar para a casa na Viela dos Gatos antes de entrar. Ficara parcialmente destruída na sequência de um incêndio no Verão, e os andares superiores e o telhado haviam desabado, deixando apenas a alvenaria das esquinas e a chaminé a atestar que já fora uma casa de três pisos. Mas em Five Points isso não a tornava inabitável; uma estrutura tosca, tipo tenda, fora erigida sobre as vigas do andar sobrevivente, com um sortido de velhas portas e pranchas. Os inquilinos do último andar que não haviam perecido no incêndio tinham simplesmente ido viver com os do rés-do-chão.

Estava um dia terrivelmente frio e, enquanto avançavam cautelosamente sobre tábuas podres pelo estreito corredor, o vento entrava de todas as direcções através de enormes buracos nas paredes. Os residentes pareciam ainda estar a dormir porque, tirando um ruidoso ressonar, o único som era o choro débil de um bebé que chegava da cave.

— Aqui em baixo — disse Giles, detendo-se no cimo dos degraus da cave para acender a candeia. — Desde já te aviso, Matty, é ainda pior do que a outra cave. É a única razão pela qual não foi ocupada por adultos.

Matilda compreendeu imediatamente que Giles não lhe contou tudo o que fazia. Para se orientar assim tão bem em Five Points, devia vir aqui sozinho todos os dias para obter informações. Sentiu-se espantada com a sua coragem — uma volta de padre podia protegê-lo em certos lugares, mas não aqui, onde podia até destacá-lo como alvo. Sempre o considerara um homem muito especial, admirara a sua compaixão, dedicação e temperamento sereno, mas até agora não se apercebera de que também era intrépido.

Giles foi à frente, muito cautelosamente, pois faltavam alguns degraus. Matilda, arregaçando a saia, seguiu-o, mas teve de respirar pela boca porque o cheiro era nauseabundo.

— Cissie! — chamou Giles assim que chegou ao fundo. — Sou eu, o reverendo Milson, com a minha amiga Matty.

Quando Matilda chegou ao fundo, susteve a respiração, apesar de dizer a si mesma que nada a podia chocar depois de ter visto o Castelo das Ratazanas, porque o chão à sua frente fervilhava de ratazanas a devorar qualquer coisa que só podia ser um animal morto ou até um bebé. As ratazanas nem sequer se viraram para olhar para a candeia e muito menos fugiram — a comida era claramente excepcionalmente boa.

Escorria água pelas paredes, corria em riachos em torno dos montes de detritos no chão, e o frio era glacial. Desviando os olhos das ratazanas, Matilda vislumbrou o brilho de rostos pequenos e pálidos, reunidos à volta de uma rapariga mais velha ao fundo da cave. Tinham os braços e as pernas entrelaçados como raízes de plantas e, como as ratazanas, a maioria não se mexeu sequer com a luz. A rapariga apertava o bebé choroso contra o ombro e estava a dar de mamar a outro.

Quando Matilda viu que esta rapariga era ainda mais nova do que ela, os seus olhos encheram-se de lágrimas.

— Sempre veio — disse a rapariga, num tom monocórdico. — Não lhe teria dado o meu leite se tivesse a certeza.

— Qual é o teu bebé então? — perguntou Matilda.

— É este. — Inclinou a cabeça para a criança a chorar sobre o seu ombro. — Só espero que sobre algum para ele.

Matilda ficou ainda mais comovida ao pensar que a rapariga estava a dar de mamar a um órfão à custa do seu próprio filho. — Como é que se chamam? — perguntou ela.

— Pearl e Peter — disse ela. — A mãe da Pearl era minha amiga. Eu costumava dizer que ela era uma autêntica pérola, porque dividia tudo o que tinha comigo.[1] Foi por isso que pus esse nome à menina dela quando ela morreu ao dar à luz. Vão tratar bem dela, não vão?

---

[1] Pearl = pérola. *(N. da T.)*

Ficava com ela, se pudesse, mas já é muito difícil aguentar de corpo e alma com um.

Matilda nunca ouvira nada de tão tocante. Embora estivesse demasiado escuro ali dentro para ver a rapariga com clareza, enxergou que os dois bebés estavam envolvidos em cobertores e, a julgar pelas vigorosas mamadas do bebé no seio da rapariga e pelos gritos desesperados do outro, eram ambos suficientemente fortes para sobreviver se recebessem ajuda agora, antes de o Inverno chegar. Virou-se para o patrão e agarrou-lhe no braço. — Não podemos levar também a Cissie e o bebé dela? — implorou num sussurro. — Ela podia ajudar no lar e dar de mamar aos dois.

— Não podemos levá-la — sussurrou ele em resposta. — Os administradores do lar estipularam que ninguém com mais de dez anos poderá ser admitido, mas, se ela concordar, podemos levar o bebé.

Matilda aproximou-se alguns passos. — Também podemos levar o teu bebé, se quiseres — disse ela suavemente.

— Levar o meu bebé? — respondeu Cissie, elevando a voz de indignação. — Acham que eu sou tão baixa a ponto de entregar assim o meu filho sem mais nem menos? Ele é meu e, mesmo que não tenha nada, tenho-lhe amor. Vá, desandem daqui. Devia ter percebido logo que não podia confiar num maldito padre, ele disse que só ia levar órfãos.

A luz da candeia tremeluziu, mostrando um Giles tremendamente abalado com este ataque verbal.

— *Podes* confiar no reverendo Milson. Ele nunca separaria um bebé da mãe se ela não estivesse preparada para o dar — disse Matilda, num tom reconfortante, desejando ter coragem para abrir caminho pelo meio das ratazanas para se acercar mais da rapariga. — Só sugerimos levar o Peter porque pensámos que te estávamos a ajudar.

— Foi isso mesmo, Cissie — interveio Giles. — Só viemos buscar órfãos; passa-nos a Pearl e acorda as outras crianças para nos irmos embora.

Matilda olhou para as ratazanas que se contorciam e estremeceu. — Quanto tempo vão demorar a comer-lhe o bebé se a deixarmos aqui? — murmurou ela ao patrão.

Quando ele não respondeu, ela agarrou-lhe no braço. — Ouça, reverendo, eu sei que não sabemos nada sobre ela — sussurrou. — Mas tem bom coração, senão não dava de mamar ao outro bebé. Por favor, reverendo! Não a deixe aqui. Dê-lhe também uma oportunidade na vida, a ela e ao bebé.

Ele olhou para Matilda e o seu rosto estava retorcido pela angústia, mostrando que estava tão afectado como ela com o sofrimento da rapariga. — Por favor — repetiu ela. — Se os administradores protestarem, deite-me as culpas a mim.

— Como é que te posso culpar por uma acção tão claramente caridosa? — respondeu ele e, contornando as ratazanas, avançou para se dirigir a Cissie. — Gostavas de vir connosco? Infelizmente, não te posso garantir, nem ao Peter, um tecto permanente, mas talvez possamos dar-te abrigo durante algumas semanas. Se aceitares dar de mamar à Pearl também e ajudares no lar, talvez te arranje um emprego mais tarde.

Matilda observou a expressão da rapariga. Ela estava a franzir a testa, visivelmente receosa de que esta nova proposta pudesse ser um estratagema para lhe tirar o bebé.

— Anda connosco, Cissie. Dou-te a minha palavra de honra de que ninguém tenta separar-te do Peter — disse ela. Olhou de relance para as outras crianças, que estavam agora a acordar com o som das vozes, e viu a maneira como estenderam instintivamente os braços para tocar em Cissie. — Tenho a certeza de que todas estas crianças serão muito mais felizes contigo lá.

Cissie olhou para as mãos das crianças pousadas nela e voltou a olhar para Matilda. — Estão a falar a sério? — perguntou, incrédula. — Levam-me com o meu bebé para o mesmo sítio para onde eles vão?

— Claro que sim — garantiu-lhe Giles, embora a sua voz tremesse de insegurança. — Mas primeiro vamos a casa de um médico para ele vos examinar a todos, tomarem banho, comerem e vestirem roupa lavada.

O sorriso dela foi como um raio de sol que iluminou a cave. Afastou o bebé do peito, apertou o vestido esfarrapado e, com um bebé em cada braço, levantou-se.

— Vamos embora, pessoal — disse ela, incitando o grupo de crianças à sua volta. — Temos uma casa para onde ir.

Só depois das nove horas dessa mesma noite é que Matilda ouviu a história de Cissie. Tinham seguido com este grupo de crianças a mesma rotina do grupo anterior, dando-lhes de comer, lavando-os, rapando-lhes as cabeças e vestindo-lhes roupas quentes. Os dois bebés eram muito pequenos, Peter com cinco semanas, Pearl com três, mas o médico declarara-os saudáveis e Cissie capaz de continuar a alimentá-los, desde que ela própria tivesse o cuidado de comer e beber.

Foi ela a última a tomar banho e a rapar a cabeça, sob a supervisão relutante de Matilda. Enquanto a esfregava, dava-lhe uma lição passageira sobre a importância da higiene. Não custava nada lavar uma criança. Porém, o corpo magro de Cissie, mais magro do que os das crianças e ainda coberto de sangue seco do parto recente, bem como os seus seios inchados, lembravam que, por mais jovem que fosse, era mãe e tinha, portanto, o direito de ser tratada como uma adulta. Trouxe-lhe também uma recordação dolorosa do dia em que Aggie deu banho a Matilda, e ela sentiu pena da rapariga, cuja humilhação final seria ter de rapar o cabelo escuro.

— Não me importo, desde que me dê alguma coisa para tapar a cabeça — respondeu Cissie, encolhendo desinteressadamente os ombros quando Matilda tentou exprimir a sua piedade. — Uma coisa é certa, não vou andar atrás de nenhum homem nos próximos tempos.

Contudo, zombou de si própria com o vestido simples de sarja castanho-escuro e comentou que, com ele, ninguém ia olhar para ela. Mas, assim que pôs uma touca, pareceu mais animada e admitiu que sabia bem estar limpa e quente. Matilda pensou que ela até era capaz de ser uma rapariga bonita, quando engordasse um pouco e o cabelo voltasse a crescer-lhe, porque tinha uns grandes olhos verdes e os seus raros sorrisos eram deslumbrantes.

Depois de Giles ter ido para casa e terem metido as crianças na cama, Matilda e Cissie foram para a cozinha, onde os dois bebés estavam a dormir tranquilamente, cada um deles aconchegado numa gaveta. Matilda decidira dormir na cadeira de braços, pois estava com receio de que as crianças acordassem durante a noite e tivessem medo. Cissie puxou alegremente o colchão de palha para junto do fogão e instalou-se nele.

— Fala-me de ti, Cissie — pediu-lhe Matilda. Até agora só sabia o que Cissie contara ao médico, que achava que tinha quinze anos mas não sabia a sua data de nascimento, e vivia na rua desde os oito anos, mais ou menos, quando a mãe desaparecera. Não sabia se nascera na América nem de que nacionalidade era a mãe, mas a sua voz denotava um leve sotaque irlandês.

— Já contei tudo — respondeu a rapariga.

— Não, não contaste nada — contrapôs Matilda. — Não disseste quem era o pai do teu bebé nem como te sentes. Conta-me a mim.

— Não sei quem é o pai, dormi com muitos homens — disse ela, num tom taciturno. — De que outro modo acha que conseguia meter comida à boca?

Matilda ficou sem cor. Interrogou-se se quereria realmente saber mais. — Onde é que estavas quando o Peter nasceu? — perguntou. — Estava alguém contigo?

— Estava no mesmo sítio onde foram — disse ela. — A Meg, a mãe da Pearl, estava comigo.

— Tiveste medo?

— Foi horrível. Pensei que ia morrer — admitiu ela. — Para o fim já não queria saber. Mas uma das velhas de cima veio ajudar-me. Perguntou se eu queria que pedisse a um dos homens para atirar o meu bebé ao rio.

Matilda engoliu em seco.

— Estão sempre a fazer isso por lá — disse Cissie, com a maior das calmas. — Mas eu recusei porque eu e a Meg íamos ajudar-nos uma à outra. Eu gostava muito dela porque andávamos juntas desde pequeninas.

— Mas não podiam ter criado os vossos bebés naquele sítio, teriam morrido no primeiro Inverno lá passado.

— Nós não íamos ficar lá — disse ela, lançando a Matilda um olhar de piedade. — Costumávamos andar na vida na Bowery, tínhamos um quarto bonito e tudo. Mas o senhorio pôs-nos na rua, disse que não queria lá bebés a chorar. Foi assim que acabámos em Five Points, não tínhamos para onde ir e já estávamos as duas demasiado gordas para agradar aos homens, entende?

Matilda indicou que sim.

— Pronto, pensámos que, se tivéssemos os bebés, podíamos olhar por eles à vez enquanto a outra trabalhava. E assim que juntássemos algum dinheiro, arranjávamos um sítio. Mas não sabíamos nada de partos, pensámos que os bebés saíam simplesmente e pronto. Mas não é assim.

Matilda recordava-se dos gritos da sua própria mãe quando teve o último filho e, apesar de muito nova, tinha-lhe deixado uma impressão indelével no espírito de que era um processo longo e doloroso que muitas vezes implicava a morte.

— A minha mãe morreu a dar à luz — disse ela, esperando que, ao partilhar as suas experiências, a rapariga se abrisse mais. — Também fui criada num bairro degradado, vendia flores nas ruas de Londres quando tinha dez anos. Se não fosse o reverendo, ainda lá estava.

— Pensei que era uma senhora fina — disse Cissie, com uma certa surpresa.

Matilda riu baixinho. — Quem me dera! Mas continua, tiveste o Peter e depois a Meg teve a Pearl; alguém a ajudou?

— A mesma velha. Mas estava bêbada, e a Meg foi ficando cada vez mais fraca e não parava de deitar sangue. As ratazanas apareceram em barda com o cheiro do sangue e eu estava cheia de medo. Corri a pedir ajuda, mas era de noite, já tarde, e não havia ninguém sóbrio. Tinha medo de deixar a Meg muito tempo sozinha por causa das ratazanas e o Peter também estava com ela. Quando voltei, a pequena Pearl estava lá, a velha tinha cortado o cordão umbilical e assim, mas a Meg estava a morrer.

Nesse momento, Cissie perdeu o ânimo e desfez-se em lágrimas e Matilda aproximou-se dela para a consolar, pressentindo que era a primeira vez que Cissie sucumbia à dor.

— Embrulhei os bebés e levei-os comigo para pedir ajuda outra vez — disse ela, as lágrimas rolando-lhe pelas faces. — Acabei por encontrar um polícia e ele voltou comigo. Mas era demasiado tarde. A Meg estava morta e as ratazanas andavam em cima dela.

De súbito, Matilda visualizou novamente aquelas ratazanas e estremeceu. Queria saber quem tinha levado o cadáver de Meg e muito mais, mas, ao sentir o corpo de Cissie sacudir-se com os soluços, limitou-se a apertá-la contra o peito até ela se acalmar.

— Disse a mim mesma que nunca mais entrava naquela cave — disse Cissie finalmente, limpando os olhos ao cobertor. — A polícia deixou-me passar duas noites no quartel, mas, quando me mandaram embora, não arranjei nenhum sítio para onde ir e estava cheia de medo de que me metessem nas Tumbas e me tirassem os bebés. Quando veio o frio e a chuva, aquela cave era a única alternativa.

«Foram esses miúdos que me ajudaram a sobreviver — continuou, apontando para a sala ao lado. — Levavam-me comida e aninhavam-se contra mim como se eu também fosse mãe deles. Foi por isso que, quando soube que o reverendo tinha levado o outro grupo de crianças para um sítio bom, decidi ir à procura dele e convencê-lo a levar estes e a pequena Pearl também. Nunca pensei que ele me trouxesse a mim.»

Afastou-se de Matilda, fitando-a nos olhos. — Mas foi a menina que o convenceu a trazer-me. Devo-lhe isso.

— Não me deves nada, a minha recompensa é ver-te a ti e aos bebés sãos e salvos — repreendeu-a Matilda. — Mas se achas que me deves alguma coisa, paga-me portando-te bem em New Jersey, nada de homens, nem álcool, nem essas coisas, e torna-te útil. Acho que, se fizeres isso, é muito provável que te deixem ficar lá.

Explicou como era a vida no lar, falando de Miss Rowbottom, das duas raparigas e de Job, que a ajudavam. — É um sítio excelente — terminou. — Pode ser que a tua vida esteja prestes a mudar para melhor, tal como a minha.

Cissie pegou-lhe na mão e levou-a aos lábios. — Pode dizer que não é uma senhora, mas para mim é. — Os seus olhos verdes estavam marejados de lágrimas. — Não se preocupe comigo. Não a deixo ficar mal e nunca me hei-de esquecer que me ajudou.

Só depois de Cissie adormecer no colchão e ela apagar a candeia é que Matilda se permitiu pensar em Flynn. Conseguira afastá-lo do pensamento durante todo o dia, dizendo a si mesma que salvar crianças abandonadas era uma ocupação muito superior a encontrar-se com um homem, mas agora, completamente sozinha, não retirava conforto algum disso. Se o destino não queria que fosse sua namorada, porque é que a tinha então deixado apaixonar-se por ele? Pois ela já sabia que assim era, o seu espírito, corpo e alma ardiam por ele.

No domingo de manhã, Matilda acordou muito cedo. Ainda estava escuro e chegava-lhe o som das buzinas de nevoeiro na baía. Depois da igreja, teria o resto do dia livre, mas não era uma perspectiva agradável porque não sabia como havia de passar o tempo sozinha e tinha a certeza de que não ia conseguir deixar de pensar em Flynn. Mas, pelo menos, Lily parecia finalmente ter-lhe perdoado. Quando, na noite anterior, ela e Giles chegaram, Lily mostrara-se muito preocupada por estarem enregelados e exaustos. Manifestou também muito mais interesse pelo lar. Lembrou-se de que seria boa ideia organizar um grupo de costura para fazer roupa para as crianças.

Sensibilizado com o entusiasmo de Lily e consciente de que Mrs. Kirkbright era bem capaz de lhe dizer que também tinham admitido uma adolescente, Giles falou-lhe de Cissie e dos dois bebés. Uma vez que ele omitiu a cave e a anterior profissão de Cissie, realçando mais a sua bondade ao tentar cuidar do bebé da amiga morta juntamente com o seu, Lily claramente imaginou que ela era uma criadita enganada que fora posta na rua pela patroa, e elogiou o bom coração de Giles.

Matilda achou quase ridículo que a patroa pudesse condoer-se de uma mãe solteira só porque a imaginava limpa, decentemente vestida e a amamentar dois bebés rechonchudos e, no entanto, se tivesse passado por Cissie a mendigar na rua, com os seus andrajos, teria estugado o passo, desviando os olhos. Mas era agradável poder agora falar sobre o lar sem ter de medir cada palavra.

Veio a provar-se que o facto de se ter salvado Cissie fora uma excelente decisão para todos. As crianças não tiveram medo de entrar no barco para New Jersey porque ela estava com elas e só uma delas enjoou. Inicialmente, Miss Rowbottom não achou graça nenhuma à ideia de ter uma mãe e dois bebés a seu cargo, mas, duas horas depois, já mudara de ideias, quando percebeu que as crianças obedeciam cegamente a Cissie. Quando Matilda e Giles partiram, as novas crianças já se haviam integrado tão bem com as antigas que, tirando a diferença entre as cabeças rapadas e as que já exibiam dois centímetros de cabelo, era difícil distingui-las.

Deitada na cama, Matilda perguntou-se como uma criança abandonada como Cissie se podia tornar numa mãe tão carinhosa. Giles atribuía o facto à magnanimidade de Deus, mas Matilda achava essa visão uma tolice. Do seu ponto de vista, Deus era insensível. Distribuía a desgraça pelos fiéis e pelos infiéis de forma igual. Permitia que os homens enriquecessem à custa do sofrimento dos outros e que o Mal tirasse proveito do Bem. Privara-a até da oportunidade de voltar a ver Flynn.

Pouco antes das oito, estava a pôr a mesa para o pequeno-almoço quando ouviu o homem do gelo a aproximar-se na rua. Ele chegava à mesma hora todas as manhãs, as rodas da sua carroça e o passo pesado do seu cavalo no empedrado distintos dos de qualquer outro mercador.

Quando ela foi buscar a tina grande à copa, já ele estava a bater à porta. Matilda foi abrir e, para seu enorme espanto, deparou-se com Flynn, segurando na mão um bloco de gelo embrulhado numa serapilheira.

— Flynn! — disse ela, ofegante. Ocorreram-lhe as reflexões amarguradas dessa manhã. — O que é que estás a fazer aqui?

— Estou à tua procura, que é que havia de ser? — disse ele com um sorriso. — Não saio daqui enquanto não me explicares porque é que não foste ter comigo na sexta.

Ela olhou nervosamente para trás, na direcção da cozinha do outro lado da sala. Giles ou Tabitha deviam estar a descer. — O reverendo quis que eu o acompanhasse outra vez a Five Points — sussurrou. — Não te podia avisar porque não sei onde moras.

O sorriso dele era tão luminoso como a baía de Nova Iorque. — Para ouvir isso, já valeu a pena ter dado dez cêntimos ao homem do gelo para trazer isto aqui — disse ele. — Diz-me só, estavas com medo de nunca mais voltares a ver-me?

— Com medo? Estava fora de mim — admitiu e depois, apercebendo-se de que uma rapariga não podia ser tão franca, tapou a boca com a mão.

Ele riu-se de mansinho. — Vais então ter comigo esta sexta?

— Posso ir ter contigo hoje — disse ela, incapaz de controlar o seu júbilo. — Depois da igreja, tenho o resto do dia livre.

O sorriso dele alargou-se ainda mais. — Espero por ti ao pé de Castle Clinton. Mas, se voltar a acontecer um contratempo, é no Black Bull que trabalho — disse ele, pondo o gelo na tina dela. — Não é um antro de má fama, comparado com alguns na zona, mas se não tiveres coragem de lá ir, manda um recado por um rapazinho de rua e diz-lhe que eu lhe dou dez cêntimos se o entregar.

Ela ouviu os passos do patrão nas escadas. — Tenho de ir — disse, olhando, receosa, para trás.

Ele prendeu-a pelos dois braços e puxou-a para si para a beijar. A tina com o gelo estava entre os dois, mas, mesmo assim, o breve contacto dos seus lábios quentes pôs a cabeça dela a andar à roda.

— Estou lá a partir do meio-dia — disse ele, virando-se para descer os degraus.

Matilda teve de se apressar a fechar a porta com medo de que Giles o visse. Mas, ao entrar na cozinha com o gelo, pediu silenciosamente perdão a Deus por ter tido tão pouca fé nos Seus poderes.

*

— Em que é que estás a pensar? — perguntou Giles a Matilda, num dia de Fevereiro, de manhã cedo, quando desceu as escadas e deu com ela a olhar pela janela para a rua coberta de neve.

— Estava precisamente a lembrar-me de ter levado a Tabitha a andar de tobogã em Primrose Hill no ano passado — disse ela. — A neve em Inglaterra era linda, não era? Aqui é tão feia.

— Só deste lado de Nova Iorque — disse ele, pousando-lhe uma mão no ombro e contemplando a paisagem com ela. Apesar de ser muito cedo, dezenas de carroças tinham revolvido a neve, deixando-a suja, e embora os telhados continuassem submersos num manto espesso de brancura, não se viam da sala, onde Matilda estava. — Mais adiante, em Harlem, há-de ser tão bonita como em Inglaterra e imagino que em New Jersey seja como um postal ilustrado. Aposto que neste momento as crianças estão a dar cabo da cabeça de Miss Rowbottom para as deixar ir brincar lá para fora.

— Quando é que posso ir visitá-las? — perguntou ela melancolicamente. Só lá fora duas vezes desde o dia em que levaram Cissie, uma vez com sete crianças novas e, mais tarde, no Natal, para os visitar. Não havia agora espaço para mais crianças, mas o reverendo Kirkbright andava a tentar identificar pessoas de confiança na Pensilvânia e no Connecticut para adoptarem algumas crianças e arranjar assim espaço para mais casos desesperados.

— Quando o tempo melhorar — disse ele. — O Sidney e a Cissie perguntam por ti sempre que lá vou.

— São felizes? — perguntou ela. Giles tinha lá ido no dia anterior, para verificar se os mantimentos enviados tinham chegado bem. Mais tarde, ao jantar, tinha falado sobre todas as crianças em geral. Mas diante de Lily não podiam discutir casos individuais, com medo de deixar escapar informação que a alarmasse.

— Sim, são felizes — disse Giles, sorrindo. — O Sidney está a tornar-se um rapaz belo e forte e, se tivesse de escolher uma criança para exemplo do sucesso do nosso plano de salvamento, seria ele. Miss Rowbottom disse-me que ele cresceu sete centímetros e meio desde que chegou e que engordou nove quilos. Trabalha até cair para o lado com o Job na quinta e é um exemplo para os mais pequenos. Esse rapaz há-de ir longe. Tem bom coração, é astuto e tem boas mãos. Se não tiver grande queda para os livros, não faz mal.

— E a Cissie? — perguntou ela.

— É uma rapariga muito descarada. — Sorriu tristemente. — Mas Miss Rowbottom elogia-a mais do que desespera com ela. É uma mãe excelente e a Pearl e o Peter estão a desenvolver-se bem. Na verdade, todas as crianças a tratam como se ela fosse mãe delas, o que liberta Miss Rowbottom para as tarefas que sabe fazer melhor, como as aulas e o governo da casa.

Fez uma pausa.

— Mas há um senão, não há? — perguntou Matilda ansiosamente.

— Há — disse ele com um suspiro pesaroso. — Ontem senti indícios de rebeldia; a Cissie não gosta de receber ordens e acho que se sente ali um pouco isolada da vida e dos homens. Quando os bebés crescerem e o tempo melhorar, acho que se vai querer ir embora.

— Mas como é que ela se vai desenvencilhar com o Peter? — perguntou Matilda.

— O problema é esse — disse ele, com um profundo suspiro, como se já tivesse passado muito tempo a pensar no assunto. — Se ela voltar para a cidade, é mais que certo que torna a prostituir-se. Só assim pode ganhar dinheiro suficiente para sustentar o filho.

Embora Matilda tivesse ficado um pouco surpreendida com a frontalidade do patrão, agradou-lhe descobrir que ele compreendera finalmente a verdadeira razão por que muitas mulheres caíam numa vida de prostituição. Quase todas as pessoas da sua classe acreditavam que essas mulheres eram criaturas abjectas, sem moral, mas, como Sidney uma vez realçara, não faziam ideia nenhuma da economia da verdadeira pobreza.

Um emprego «respeitável» para uma mulher sem qualificações significava uma semana de sessenta horas, muitas vezes por menos de um dólar por dia. Significava ainda que tinha de deixar os filhos sozinhos, muitas vezes com fome, frio e em perigo. Matilda tinha a certeza de que até ela se sentiria tentada pela prostituição, por mais repugnante que fosse a ideia, se significasse que os filhos tinham agasalhos, comiam bem e havia dinheiro suficiente para chamar um médico, se um deles adoecesse, e tudo sem nunca passar muito tempo longe deles.

— Há agricultores no campo desesperados por mulheres — disse ela, repetindo uma informação que Flynn lhe tinha dado. — Estão sempre a pôr anúncios nos jornais. Podia fazer essa sugestão à Cissie, não?

— Tens andado a lê-los à procura de alguém? — Ele riu-se e beliscou-lhe a face com afecto. — Não precisas de ir tão longe, Matty, basta-te piscar o olho a alguém aqui que arranjas namorado num instante.

Matilda corou. Desde que começara a ajudá-lo com os órfãos, fora-se tornando, aos poucos, confidente de Giles. Era com ela que ele desabafava a sua consternação com a sociedade insensível em que viviam, a sua crueldade, intolerância e snobismo. Testava nela as suas ideias quando planeava uma palestra para angariar fundos para o lar, confiava-lhe os seus sonhos com habitação decente e comportável para as classes trabalhadoras, com direitos iguais para as mulheres e com a abolição da escravatura. Por sua vez, Matilda partilhava com ele a sua experiência pessoal de ser pobre e desfavorecida. Alargara a sua visão de pessoa da classe média, levando-o a compreender por que razão os bairros miseráveis eram viveiros de criminosos e por que razão, aliás, tantos dos seus residentes nunca podiam ser atraídos à igreja nem os seus filhos à escola.

Contudo, durante todo este tempo, não fora capaz de lhe falar de Flynn. Não compreendia porquê. Talvez Giles não aprovasse o facto de ele trabalhar num *saloon*, mas ele normalmente não julgava as pessoas antes de as conhecer e ela estava certa de que a sua única preocupação seria se Flynn era um homem honrado e capaz de cuidar dela.

Matilda estava convencida de que Flynn o era, mas talvez fosse por estar subjugada pelos sentimentos profundos que nutria por ele. Dizer simplesmente que o amava não descrevia exactamente as suas emoções. Era uma paixão que fervia dentro dela, exigindo mais de cada vez que se encontravam. Mais beijos, mais contacto físico, mais tempo juntos e, por vezes, esse desejo tornava-se tão forte que ela mal conseguia dominar-se. Por vezes, culpava até Lily e Giles por aquilo que sentia, pensando que, se não tivesse de guardar segredo, não sentiria tamanho desespero.

— Não me serviria de nada arranjar um namorado — ripostou. Preparava-se para acrescentar que, fosse ele como fosse, Lily pôr-lhe-ia algum defeito, mas conteve-se a tempo. — Não tinha tempo para passar com ele — disse antes, dirigindo-se depois para a cozinha para preparar o pequeno-almoço.

Giles permaneceu mais alguns momentos à janela, cogitando

sobre a brusquidão do último comentário. Seria um protesto por ter tão pouco tempo livre? Ou mais do que isso?

Duvidava que Matilda se sentisse realmente maltratada, não fazia parte da sua natureza, mas em conjunto com outras coisas que ele tinha observado nos últimos meses, perguntou-se se haveria alguém de quem ela fazia segredo. Chegava sempre afogueada da sua tarde de folga, e por qualquer motivo não lhe parecia que ver montras ou mesmo encontrar-se com outras criadas para tomar chá e trocar dois dedos de conversa provocasse tanta excitação. Por vezes, ela lançava também comentários sociais perspicazes sobre a América que não podiam ser simplesmente ditados pela observação ou pela leitura dos jornais. Mas nunca a interrogara. Giles defendia que ela tinha direito a uma vida privada e esperava que se abrisse com ele quando o momento chegasse.

Enquanto batia ovos para o pequeno-almoço, Matilda estava à beira das lágrimas. Há quase cinco meses que se encontrava com Flynn e, embora vivesse para essas breves e preciosas horas com ele todas as sextas, por vezes sentia-se tão frustrada que quase desejava nunca o ter conhecido nem tê-lo deixado despertar estas emoções dentro dela. Estava demasiado frio para andarem a passear, por isso, os únicos lugares onde podiam ir eram salões de chá. Mas já não chegava conversar e estar de mãos dadas, sentiam-se ambos desesperados por estar a sós em algum lado onde pudessem beijar-se e estar nos braços um do outro.

Todas as suas conversas só serviam para tornar as diferenças entre os respectivos empregos mais óbvias, e os problemas intransponíveis. Muitas vezes, acordada na cama, revivendo os beijos apaixonados de Flynn, imaginava-o no *saloon*, a servir canecas de cerveja, a rir e a gracejar com os clientes. Quando adormecesse, ele ainda estaria a servir bebidas. Depois, enquanto se levantava, limpava a lareira na sala, punha a mesa para o pequeno-almoço e lavava e vestia Tabitha, ele ainda estaria na cama. Até a religião dele era diferente da sua, pois ela agora sabia que ele era católico. Se ele pudesse ir à igreja de Trinity ao domingo, talvez Lily ignorasse o facto de ele trabalhar num *saloon* e deixasse que ele a levasse a sair aos domingos à tarde. Mas Flynn levava a sério a religião, sentia orgulho em ser católico e, se bem que para ela as igrejas fossem todas iguais, não era esse o modo de ver de Flynn.

Mas a verdade é que Flynn não via nada da mesma maneira que as outras pessoas. Ria-se das classes médias e dizia que eram hipócritas. Achava que faltava imaginação e arrojo aos pobres e desprezava aqueles que tinham herdado fortunas. Considerava-se absolutamente único, um espírito livre que nunca poderia ser amarrado a um emprego que detestasse, ou até mesmo a um lugar.

Embora Matilda considerasse que esta atitude fazia parte do seu charme, também a preocupava porque, quando se casasse, queria estabilidade e paz de espírito. Mas Flynn ria-se dela quando ela exprimia esta opinião. Dizia que a vida devia ser uma aventura e que ela devia confiar nas capacidades dele. Dizia que, na Primavera, já teria de lado dinheiro suficiente para apanhar um barco para Charleston. Assim que arranjasse um emprego, mandá-la-ia ter com ele e casar-se-iam.

Na companhia dele, Matilda sentia-se sempre arrebatada pela fé que ele tinha nele próprio. Imaginava-se a desembarcar, a casar-se e a ir viver para uma bonita casinha de madeira branca, com um alpendre onde se sentaria à noite, um jardim onde plantaria árvores de fruto e hortaliças e um cavalo para Flynn no estábulo.

No entanto, assim que chegava a casa, era assaltada por dúvidas. E se as coisas não corressem assim? E se Flynn não arranjasse o emprego que queria e a riqueza que esperava nunca se materializasse? A casa deles podia ser um casebre decrépito. Ela podia acabar a ter um bebé por ano, como acontecia a tantas outras mulheres, e sem dinheiro para lhes dar de comer. Flynn podia transformar-se num homem tão amargurado que recorreria à bebida.

Se não tivesse nada nesse momento, não pareceria um risco tão grande, mas habituara-se a uma casa aquecida e confortável, a boa comida e segurança. Todos os dias dizia a si mesma que não poderia ficar com os Milson para sempre e que aspirava a uma vida própria. E Tabitha? Não seria fácil separar-se de uma criança a quem se afeiçoara tanto, e achava que Flynn também não alcançara ainda a importância que Giles e Lily tinham para ela.

Matilda tinha a sensação de que não sentiria tanta apreensão se passasse mais tempo com Flynn. Só conhecia um lado dele, um homem atraente e apaixonado que a divertia, lhe contava histórias e a encantava tanto que não lhe procurava defeitos. Mas, sozinha no quarto à noite, compreendia que o conhecia muito mal. As suas histórias sobre o passado eram vagas, sem a participação de amigos ou familiares. Tanto quanto sabia, ele podia ter fugido da Irlanda ou de Inglaterra porque se tinha metido em encrencas. Se pudesse vê-lo trabalhar, no convívio com outras pessoas, ou simplesmente sair a divertir-se com ele, talvez as suas dúvidas se dissipassem de vez. Mas só um milagre lhe daria essa oportunidade.

O milagre aconteceu em Abril, logo a seguir à Páscoa. Matilda acordou, numa segunda de manhã, deparando-se com um dia de sol e um toque de Primavera no ar. Quando saiu para o pátio para ir à sanita, reparou nos botões verdes na madressilva que crescia nas paredes e ouviu o chilrear dos pássaros e não apenas os habituais gritos das gaivotas.

Preparou panquecas para o pequeno-almoço, e tanto Giles como Lily pareciam estar excepcionalmente bem-dispostos, brincando com Tabitha a propósito do seu apetite voraz, dizendo-lhe que, se continuasse a crescer assim, não teria roupas que lhe servissem. Pensou que deviam ser os efeitos da chegada da Primavera.

Matilda preparava-se para se levantar da mesa para arrumar a cozinha quando Giles disse que ele e a mulher tinham uma notícia para lhe dar.

— Vamos passar férias a Boston — disse ele. — Queremos que olhes pela casa durante a nossa ausência, e aproveites também para descansar.

Iam ficar com um velho amigo de Giles, um advogado de Bath, e era claro que estavam ambos muito entusiasmados com a perspectiva de conhecer uma nova cidade americana e passar tempo com conterrâneos seus.

Há muito tempo que Matilda não via Lily tão satisfeita com nada. O Inverno longo e gelado esgotara-a, perdera o apetite, estava com um ar pálido e fatigado e queixava-se de dores de cabeça constantes.

— Os Upton têm três filhos e a Tabitha também terá companhia — disse ela, a sua voz de súbito tão animada como os olhos. — Vou ter de me apressar a terminar o vestido que estou a fazer, Matty, partimos na sexta de manhã.

Só então Matilda alcançou o verdadeiro significado de tudo isto. Podia estar com Flynn todas as tardes, talvez ele até conseguisse algumas noites de folga. Era a oportunidade de que estava à espera.

Durante essa semana, Matilda foi invadida pelas recordações dos preparativos para a viagem para a América enquanto ajudava Lily a fazer as malas. Como nessa altura, ela queria levar roupa a mais e ficou num estado de nervosismo, sempre preocupada com ninharias. Tabitha iria precisar de galochas, e que presente devia levar aos anfitriões? Estaria suficientemente quente para roupas mais leves, iria precisar da sombrinha?

Iam viajar num paquete a vapor ao longo da costa, mas era interessante ver que Lily, desta vez, não parecia apreensiva com possíveis enjoos, mas unicamente com a roupa, que podia não ser suficientemente sofisticada para Boston.

Por fim, a sexta de manhã chegou e, enquanto os ajudava a entrar para o fiacre, Matilda teve dificuldade em dominar o contentamento com a partida deles.

Voltando para dentro de casa, pegou na longa lista de recomendações que Lily deixara na mesa da cozinha e soltou uma sonora gargalhada. Como se fosse esquecer-se de trancar a porta ao sair ou não se lembrasse de apagar as candeias antes de se deitar!

— Foram para fora? — murmurou Flynn quando Matilda lhe deu a notícia algumas horas mais tarde, no ponto de encontro habitual. — Por quanto tempo?

— Dez dias ao todo — disse ela, fervilhando de excitação. — O vapor chega ao Molhe Sul por volta das seis da tarde, no dia vinte e nove de Abril. Oh, Flynn, podemos passar tanto tempo juntos.

— Queres dizer que não te deixaram nada para fazeres? — perguntou ele. Estava sempre a sugerir que os Milson a escravizavam.

— Não, nem por isso — disse ela. — Claro que é melhor fazer algumas limpezas de fundo, caso contrário vão perguntar que é que andei a fazer. Mas o reverendo disse que eu devia aproveitar para descansar.

O sol estava tão quente que se sentaram em Castle Green a falar sobre todas as coisas que podiam fazer. — Sou capaz de ter uma noite de folga amanhã — disse ele. — Vou levar-te a dançar. Depois no domingo vou mais cedo à missa e depois podemos ir a Greenwich Village.

— Podíamos fazer um piquenique — disse ela. — Logo à noite faço uma empada ou qualquer coisa assim.

— Há tanta coisa que te quero mostrar — disse ele, os seus olhos azul-escuros cintilando de excitação. — Podíamos visitar Staten Island, é um sítio muito bonito, e se o tempo continuar bom, podemos apanhar o barco para Coney Island, onde as pessoas finas passam férias.

Essa tarde foi o melhor dia que passaram juntos; as únicas pessoas na rua eram casais como eles e amas que andavam a passear com crianças ao sol. Num banco com um denso azevinheiro atrás, podiam estar de mãos dadas, trocar beijos quando ninguém estava a olhar e conversar sem medo de serem ouvidos.

— Achas que eles pediram a alguém para estar de olho em ti? — perguntou Flynn um pouco mais tarde.

Ela sabia exactamente o que ele queria dizer: um espião para ver se alguém entrava ou saía de casa. — Não me parece que o reverendo fizesse uma coisa dessas — disse ela, após uns momentos de reflexão. — Não é dissimulado por natureza.

— Isso quer dizer que eu posso lá ir a casa?

Matilda já estava à espera desta pergunta e, nos dias anteriores, reflectira demoradamente sobre a resposta. Ansiava por estar sozinha com ele, queria tê-lo na casa com ela, mas também receava que a situação saísse fora de controlo e que acabassem a fazer amor. — Não sei, Flynn — disse ela.

Ele riu-se, pôs os braços à volta dela e cobriu-lhe a cara de beijos. — Achas que te vou fazer coisas feias? — perguntou, com um brilhozinho nos olhos. — Francamente, Matty, já me devias conhecer. Não tenho sido sempre respeitador?

Matty, rindo, concordou. — Mas também nunca tivemos a oportunidade de estar sozinhos.

— Se fosse isso que eu queria de ti, teria arranjado um sítio — disse ele, subitamente sério. — Quero casar-me contigo, Matty. E, enquanto esse anel não estiver bem enfiado no teu dedo e o padre não me disser que somos marido e mulher, reprimo os meus desejos.

— Oh, Flynn — suspirou ela, abraçando-o com força. — Quando te ouço, acho tudo maravilhoso.

*

Flynn estava, de facto, um pouco receoso da oportunidade de ficar a sós com Matilda, embora em pouco mais tivesse pensado desde que a conhecera. Já seduzira e abandonara várias raparigas no passado, sem nunca se preocupar com o que lhes acontecia depois. Mas Matty era especial, era a rapariga com quem tencionava casar e não queria que nada arruinasse os planos que traçara para o futuro de ambos.

Noite após noite, deparava-se com homens e mulheres que haviam deitado a perder as suas oportunidades na vida. Quando se embebedavam, lá vinham as histórias de azar, bebés que tinham chegado demasiado cedo, falta de habitação decente e salários gastos ainda antes de serem ganhos.

Flynn não fazia tenções de deixar que isso lhe acontecesse. Quando conheceu Matty, não tinha mais do que alguns dólares no bolso. Tinha planos para arranjar trabalho com a tripulação de um vapor para o Sul e tentar a sorte quando lá chegasse. A história que lhe contara no primeiro dia sobre arranjar primeiro roupa bonita não passava de uma fantasia, de uma ideia romântica, mas depois de lha contar, ela acabara por tomar forma.

Matilda incutia-lhe uma autoconfiança que ele nunca sentira antes. Ela era viva e inteligente, trabalhadora e paciente, mas ao mesmo tempo tão carinhosa que ele via perfeitamente como ela podia tornar-se um trunfo para ele. Era refinada, havia assimilado os modos das classes altas e, contudo, não fugiria ao primeiro sinal de problemas nem recuaria se tivesse de ficar num sítio desagradável. Com a inteligência dela e o seu charme, podiam fazer o que quisessem, podiam ir longe. Ela era a rapariga perfeita para ele e amava-a mais, muito mais, do que qualquer outra que conhecera.

Podia tê-la levado ao seu quarto por cima do *saloon*, em qualquer das tardes em que haviam estado juntos, mas pela primeira vez na vida conseguia controlar os seus desejos. A mente e o espírito de Matty eram-lhe muito mais valiosos do que a satisfação sexual, que podia obter onde quisesse. E assim, contentava-se perfeitamente em estar num salão de chá abafado, de mãos dadas com ela, contemplando os seus belos olhos e conversando com ela. Sabia também que, se ela visse as condições em que vivia, viraria costas.

Dormiam lá mais cinco homens, o sítio tresandava a suor e a pés mal lavados e, por vezes, eles vomitavam no chão quando se embebedavam. Cada um lhe pagava um dólar por semana pela dormida. Precisava do dinheiro para garantir um futuro em Charleston.

Por isso, agora tinha de ser ainda mais cauteloso. Tinha economizado dinheiro suficiente para partir e, embora a coisa que mais desejava no mundo fosse fazer amor com ela, quando a mandasse ir ter com ele não queria que ela aparecesse com um bebé na barriga. Isso deitaria tudo a perder.

Queria que ela chegasse fresca e entusiástica, trazendo as suas economias e com a postura de uma senhora. Assim, o futuro de ambos estaria assegurado.

— Vai ser maravilhoso. Vais ver — disse ele, levantando-se do banco e puxando por ela. Fitou os olhos cintilantes dela e compreendeu que era uma oportunidade única de dissipar quaisquer dúvidas que ela ainda tivesse. — Mas, para ter folga amanhã à noite, tenho de trabalhar todo o dia. Vou-te buscar por volta das sete para irmos dançar.

— O que é que hei-de vestir? — perguntou ela, recordando como parecera deslocada no baile da igreja.

— Vistas o que vestires, hás-de fazer sombra às outras raparigas — disse ele, beijando-a de novo. — Mas estavas um mimo com aquele vestido cor-de-rosa na noite em que nos conhecemos.

O salão de baile de Harry Hall, na Broadway, estava à cunha, abafado e irrespirável, com a condensação a escorrer em fios pelas paredes. Matilda nunca vira nada de semelhante, nem quando espreitara pela porta das casas de espectáculo rascas em Londres. Havia duzentas ou trezentas pessoas, pelo menos, na maioria a dançar, com grandes sorrisos nos rostos. Aqui valia tudo, pois os músicos da banda de quatro instrumentos pareciam aperceber-se do estado de espírito geral e tocar de acordo com ele. Tinha havido valsas serenas ao princípio da noite, mas agora estavam nas polcas e em loucas jigas irlandesas.

Estavam representadas todas as nacionalidades, italianos, alemães, polacos e russos, mas os judeus e os irlandeses constituíam a maioria e tanto uns como os outros eram dançarinos igualmente ágeis e rivalizavam uns com os outros. Os homens, na sua maioria, haviam-se desembaraçado dos casacos por causa do calor, os colarinhos engomados com que tinham chegado estavam agora moles, viam-se manchas de suor nas costas dos coletes e o cabelo cuidadosamente penteado com brilhantina estava espetado em todas as direcções.

As mulheres eram, no geral, muito jovens, exceptuando algumas senhoras italianas mais velhas, que estavam ali no papel de vigilantes, sentadas de lado a cavaquear umas com as outras. A média de idades das raparigas situava-se entre os dezassete e os vinte anos, e estavam vestidas em estilos diferentes, desde trajes folclóricos nacionais, carregados de bordados rústicos, a vestidos de noite em algodão e cetim com saias de balão. Havia raparigas com flores no cabelo, outras com fitas, as raparigas alemãs usavam tranças apertadas e muitas das irlandesas tinham caracóis soltos e revoltos, mas, bonitas ou feias, eram todas solicitadas para dançar, já que havia dois homens para cada rapariga.

Matilda sabia que estava perante uma variedade de imigrantes, unidos pelo seu estatuto de forasteiros e a vontade de vingar no seu país de adopção. Aqui não existia apatia, o trabalho e as más condições de vida eram esquecidos assim que transpunham a porta. Sapatos brilhantes, camisas imaculadas, cabelo acabado de lavar e unhas limpas, todos mostravam que estavam ali para se divertir e talvez encontrar o amor.

Pairava no ar um odor a perfume barato, charutos e suor, mas também havia esperança e felicidade. Matilda absorveu tudo, entusiasmada por se encontrar finalmente entre pessoas com quem podia identificar-se. Mas Flynn dava-lhe pouco tempo para observar os outros, queria dançar todas as músicas. O cabelo, que tanto tempo lhe levara a prender em cima num estilo sofisticado que vira numa revista, começou a largar os ganchos e a cair-lhe pelos ombros e, mais tarde, quando a música se tornou mais lenta, Flynn passou os dedos por ele, fitando-a nos olhos com adoração.

— Não há dúvida de que és a maior beldade que aqui está — sussurrou ele, os lábios aflorando a face ardente dela. — Sinto-me como um dos reis da Irlanda, e tu és a minha rainha.

Na luz difusa, sem casacos grossos que funcionassem como um escudo entre eles, Matilda sentia o corpo a arder, desejosa de se aproximar ainda mais dele. Ele baloiçava-se ao ritmo da música, com a mão na sua cintura, e ela fechou os olhos e deixou o corpo fluir com o dele.

Era quase uma da manhã quando chegaram a casa em State Street.

— Posso cá ficar só esta noite? — murmurou Flynn à porta. — Durmo em qualquer lado, no chão da cozinha, se quiseres. Mas temos todo o dia de amanhã para passarmos juntos e era pena se eu fosse agora para casa e não acordasse a tempo.

Na noite anterior, Matilda sentira medo por estar sozinha em casa, pois nunca até então passara uma noite sozinha. A presença dele seria reconfortante. Confrontada com tão forte argumento para não o mandar embora, a pouca força de vontade que ainda tinha evaporou-se.

— Só hoje — disse ela. — Mas tens de dormir na sala e não podes ir lá acima, senão zango-me.

Acendeu uma candeia, reavivou o fogo enquanto Flynn dava voltas na sala a olhar para tudo. Passou os dedos pelos caixilhos dos quadros, tacteou uma almofada de veludo e as porcelanas delicadas.

Matilda observou-o, subitamente consciente de que os objectos que se haviam tornado banais para ela eram novos e impressionantes para ele. Sentiu-se profundamente tocada, recordando os primeiros dias no presbitério em Primrose Hill, quando fizera exactamente o que ele estava a fazer agora.

— Quantas destas coisas foram trazidas de Inglaterra? — perguntou ele, pegando numa pastora de porcelana da prateleira do fogão de sala.

— Tudo excepto a mobília — disse ela. — Porquê?

— Estava só a pensar que os ricos têm muita tralha — disse ele, pensativo. — As minhas coisas cabiam num saco pequeno.

— As minhas também — disse ela. — Mas os Milson não são ricos, Flynn, quase tudo o que vês aqui foram prendas de casamento de familiares.

— Então não vamos ter muitas coisas quando nos casarmos — disse ele. — A minha família não tinha dinheiro para mandar sequer uma vela.

O seu tom melancólico surpreendeu-a; ele nunca exprimia mágoa em relação a nada do seu passado, apenas optimismo relativamente ao futuro.

— Compramos nós tudo o que quisermos — disse ela, aproximando-se dele e passando-lhe as mãos em redor da cintura. — Pode ser que um dia sejamos tão ricos que nem olhemos para os preços.

— Quando estou contigo acredito que isso é possível — disse ele, puxando-a para si e inclinando-se para a beijar. — Mas agora tenho tudo o que quero aqui mesmo nos meus braços.

Ele já lhe dera centenas ou mais de beijos que lhe punham a cabeça a andar à roda, mas agora, sozinhos numa sala quente e aconchegada, sem o perigo de serem vistos ou interrompidos, não havia nada que perturbasse a paixão. Um beijo levou a outro, passaram para o sofá e deslizaram lentamente para o tapete diante da lareira.

Matilda nunca imaginara que fazer amor pudesse trazer tanta felicidade, nem que ela própria pudesse ser tão despudorada. À medida que a mão dele se insinuava debaixo da saia do seu vestido e os seus dedos a exploravam, deu por si a arquear-se para se apertar contra ele, querendo mais, e a tirar-lhe a camisa das calças para poder afagar-lhe as costas.

A pele dele era macia e quente e os seus suspiros de prazer excitavam-na. Ele ajoelhou-se para tirar completamente a camisa e, de tronco nu, os caracóis negros brilhando à luz da lareira, estava mais belo do que nunca.

— Temos de te tirar este vestido antes que se estrague — sussurrou ele e, sentando-se atrás dela e beijando-lhe o pescoço, desapertou-o lentamente e tirou-lho depois pela cabeça, deixando-a de roupa interior e espartilho.

Matilda soltou um arquejo quando ele desapertou a fita da sua combinação, expondo-lhe os seios, que acariciou. Já lhe tocara no peito centenas de vezes, mas através de sarja espessa a sensação era esbatida e, enquanto as mãos dele envolviam e apertavam os seus seios, ela compreendeu que corria o perigo de ir longe de mais.

— Não podemos — disse ela, ofegante, tentando tapar-se.

— Oh, Matty, eu não vou até ao fim — murmurou ele contra o peito dela. — Deixa-me só amar-te um bocadinho.

A combinação desapareceu e Flynn desapertou-lhe o espartilho, retraindo-se perante as marcas cruéis que lhe fizera na pele. — As mulheres não deviam usar estas coisas — sussurrou, beijando e lambendo as marcas vermelhas. — Quando nos casarmos, nunca mais pões isto, porque o teu corpo já de si tem uma forma muito bonita.

Finalmente ela ficou nua, ele despira-a até à última peça de roupa, incluindo as meias, e Matilda mal conseguia acreditar que era capaz de permitir que um homem, mesmo um homem com quem tencionava casar-se, lhe fizesse estas coisas. Ele beijou e chupou os seios dela, explorando com os dedos as suas partes secretas, e o corpo dela ardia e gritava por mais.

Quando ele despiu as calças, ela retesou-se, mas ele cobriu-a de beijos intensos e, pegando-lhe na mão, pousou-a em si. — Não te penetro, prometo — disse ele. — Segura só aqui e dá-me prazer também.

Foi uma espécie de choque descobrir que o pénis de um homem podia tornar-se tão duro e grande, mas os seus gemidos de prazer, quando o envolveu com a mão, encheram-na de felicidade; nunca imaginara que duas pessoas pudessem dar uma à outra prazer tão delicioso.

— Matty, meu anjo — murmurou ele, enfiando bem os dedos dentro dela e apertando-se contra ela. — Abraça-me com mais força, faz-lhe festas. É tão bom.

Mais tarde, ele levou-a em braços para cima e enfiou-a na cama. — Amo-te, minha querida — sussurrou, beijando-a na testa e depois nos lábios.

Ela arranjou espaço na cama estreita, esperando que ele se deitasse ao lado dela. Mas ele encaminhou-se para a porta. — Não te deitas comigo? — perguntou ela. Não estava nenhuma vela acesa, só o luar entrava pela janela, e embora o corpo nu e branco dele fosse perfeitamente distinto, não lhe conseguia ver a cara.

— Não confio em mim se passar aí a noite contigo — disse ele num tom áspero. — Temos de esperar até estarmos casados para dormir na mesma cama. Durmo lá em baixo.

Antes que ela pudesse protestar, ele saiu e ela permaneceu ali, deitada, ouvindo os seus pés descalços a descer as escadas. Fora divinal, mas também um pouco decepcionante, porque, assim que o sémen dele jorrou, tudo chegou ao fim. Ainda o sentia na coxa, agora seco, como uma pasta de farinha e água.

Desejava que Flynn a tivesse agora nos braços, queria mais contacto físico, mais garantias de que ele a amava de verdade e que não a considerava devassa por permitir que ele lhe fizesse tudo aquilo. Mas, se não a amasse de verdade, teria ido até ao fim, não teria? Ser-lhe-ia indiferente se a engravidasse.

Nesse momento, ocorreram-lhe as palavras do pai sobre o modo como uma mulher sabia quando um homem a amava verdadeiramente.

«Quando só quer o bem dela. Quando atravessa o rio a remo sem pensar na distância. Quando está disposto a dar a vida por ela.»

Bem, Flynn quis o bem dela e não lhe parecia que houvesse muitos homens que se tivessem controlado assim. Agora podia acreditar que ele a amava de verdade.

Os dez dias seguintes passaram num instante e, embora Flynn tivesse de trabalhar na maioria das noites no bar, passavam o dia juntos. Ele não voltou a ficar em State Street, disse que o risco era demasiado grande, mas Matilda amava-o ainda mais por isso, por ele se ter mostrado resoluto e preocupado com a sua reputação junto dos vizinhos.

Até o tempo parecia estar do lado deles, porque o sol brilhou todos os dias. Um piquenique em Washington Square, perto de Greenwich Village, uma travessia no *ferry* até Staten Island e outra ainda mais longa para visitar Coney Island e admirar os hotéis onde os ricos passavam férias. Chapinharam na água gelada e correram atrás um do outro no areal deserto. Flynn alugou um velho cavalo por algumas horas e, com Matilda sentada atrás dele, agarrada à sua cintura, exploraram a paisagem rural.

— Temos de gravar isto na memória para contarmos aos nossos filhos e netos — disse ele pensativamente, ao regressarem no *ferry* mais tarde. — Porque, por essa altura, já há-de estar tudo mudado. Agora todas as semanas chegam milhares de imigrantes e, dentro de trinta anos ou assim, já não há espaço em Nova Iorque.

— Já não há espaço agora — disse ela.

— Ainda há, Matty — disse ele, sorrindo ante a sua ignorância. — Mas imagino que nunca passaste da 20th Street, e por isso não sabes com que rapidez as coisas mudam aqui. Em 1928, há treze anos apenas, a Broadway só chegava à 10th Street! Agora já vai na 42nd Street. Quilómetros de ruas novas e casas construídas num abrir e fechar de olhos. Agora que terminaram o Aqueduto de Croton, não há-de tardar que seja levada água a milhões de habitações e não apenas a poucos milhares como agora. Vão morrer cada vez menos pessoas de doenças e a população vai crescer sem parar.

— E dizes que ainda há espaço?

— Sim, aos montes. Para lá do reservatório, há uma zona vastíssima de baldios horríveis, onde vivem recolectores de trapos e operários irlandeses em bairros miseráveis. Ouvi dizer que alguns dos homens de princípios mais nobres da cidade querem transformá-la num grande parque e construir casas em volta até ao Harlem, na ponta norte da ilha. Mas, ao ritmo a que a população está a crescer, não há-de demorar muito a enchê-las e podes crer que essas novas casas vão ser só para os ricos e as pessoas mais pobres vão continuar a ser ignoradas e a ter de se desenvencilhar sozinhas nos bairros do costume. É sobretudo por isso que quero sair daqui. Há demasiada injustiça, sinto-me asfixiado, e espero não ferir as tuas susceptibilidades, Matty, mas aqui odeio a forte influência inglesa mais do que qualquer outra coisa.

Ela *ficou* um pouco ferida, ele estava sempre a tecer comentários depreciativos sobre os Ingleses e, mesmo que só se referisse às classes altas, continuavam a ser seus compatriotas. Mas, nos dias que se seguiram, ele levou-a a visitar tantos lugares que ela acabou por sentir que tinha saído do pequeno casulo inglês em que vivia desde que chegara à América e verificou por si mesma que era de facto uma terra de grandes oportunidades.

Contemplou, assombrada, as opulentas mansões na Fifth Avenue e ouviu as histórias fantásticas de Flynn sobre a maneira como os seus proprietários haviam feito fortuna. Admirou as filas perfeitas de casas novas de arenito pardo e desejou que pudessem começar a sua vida de casados num lugar tão bonito. Olhou com horror para o bairro dos recolectores de trapos, com cabras e porcos a chafurdar na lama, e sentiu a injustiça com a mesma acutilância de Flynn quando ele frisou que tinham sido irlandeses a construir o aqueduto, a abrir valas para os canos de água e a construir as ruas e as casas, mas que, apesar de labutarem para os ricos, os seus salários quase não os salvavam da fome.

— Um dia vão acordar e revoltar-se — disse Flynn num tom sombrio. — Somos de mais para nos calarem durante muito tempo. Mas nós não vamos estar aqui para assistir. Havemos de estar no Sul a construir uma vida nova e melhor.

Pintou por palavras retratos das vastas áreas de terras de cultivo, montanhas e florestas dessas regiões, dos barcos a vapor do Mississípi, dos comerciantes de peles que se aventuravam nas terras inóspitas do Oeste e dos índios que habitavam as grandes planícies. A paixão dele deixava-a também entusiasmada e jurou a si mesma que, quando os

Milson voltassem, lhes falaria de Flynn e os prepararia para o dia em que partiria para começar uma nova vida com ele.

Foi na sua última tarde juntos que Matilda descobriu inesperadamente que Flynn tencionava partir para o Sul muito em breve. Estavam em Hester Street, uma área do East Side predominantemente judaica. Ele parou para admirar um fraque verde-escuro com botões prateados pendurado numa das barracas de roupa usada. Embora fosse de um tecido de muito boa qualidade e o corte fosse impecável, o preço marcado era apenas de dois dólares.

— Foi feito para ti, meu rapaz — disse o velho e, antes que Flynn pudesse seguir caminho, tinha-o tirado e estava a estender-lho para ele o experimentar.

Servia-lhe como se tivesse sido feito para ele. Matilda riu-se e disse que, se ele conseguisse arranjar um par de calças que lhe assentassem igualmente bem e botas de montar, passaria facilmente por um lorde irlandês.

Para sua grande surpresa, ele disse que ficava com ele e pagou prontamente. — Foi um tanto precipitado — disse ela, quando se afastaram, Flynn levando o fraque embrulhado em papel castanho. — Não vais arranjar calças a condizer assim tão baratas.

— Já as tenho — disse ele com um sorriso rasgado. — E as botas ideais. Conheci um *dandy* que tinha enormes dívidas de jogo e comprei-lhas. Sou capaz de apostar que o fraque também era dele, é o mesmo estilo. Agora estou preparado.

— Dizes isso como se fosses comprar já uma passagem de barco — disse ela, na brincadeira.

— Esta semana não — disse ele, sorrindo. — Na próxima.

Ela ficou pasmada. Custava-lhe a crer que ele pudesse partir tão subitamente, sobretudo depois do que haviam vivido juntos nos últimos dias.

— Não ponhas essa cara, querida — disse ele, passando o braço à volta dela. — É a altura ideal para eu partir.

— Não compreendo — disse ela, os olhos enchendo-se-lhe de lágrimas.

— Achas sinceramente que podemos voltar à rotina de esperar por sexta-feira para nos encontrarmos e darmos as mãos? — disse ele, limpando-lhe as lágrimas com o polegar. — Seria um suplício, Matty.

Matilda sabia exactamente o que ele queria dizer. Desde a noite em State Street, sempre que ele a beijava, desejava que ele a acariciasse outra vez. Quase não era capaz de pensar em mais nada e, no fundo do seu coração, sabia que se a oportunidade tivesse voltado a surgir, não se teriam ficado apenas por carícias íntimas. Mas se não fosse a força de vontade dele, não a sua, podia já ter um bebé a crescer-lhe no ventre.

Ele puxou-a para si, tocando com a testa na dela. — Deixa-me ir com a tua bênção — murmurou. — Quanto mais depressa for, mais depressa te mando vir ter comigo para nos casarmos.

Os olhos dela encheram-se de lágrimas. Já era doloroso só o ver uma vez por semana, mas pelo menos sabia que ele estava na mesma cidade. Charleston ficava a mais de mil quilómetros de distância.

— Não estás com medo de que eu me esqueça de ti, pois não? — perguntou ele, beijando-lhe as lágrimas. — Assim que lá chegar, escrevo-te. Confia em mim, Matty, e deixa-me ir.

Deixou-a na esquina de State Street uma hora ou duas mais tarde, declarando que não podia entrar uma última vez na casa porque quebraria a sua determinação. Matilda viu-o afastar-se com a cara lavada em lágrimas. O seu passo vivo, o fato largo, o chapéu de feltro cinzento e os cachos pretos tomaram subitamente uma importância de tal modo opressiva que quis correr atrás dele e implorar-lhe que a levasse já com ele.

Mas não podia fazer isso. Os Milson chegariam no dia seguinte, tinha camas para arejar, pão para fazer. Eles não mereciam que desaparecesse como um ladrão na noite.

Maio deu lugar a Junho e, à medida que a temperatura ia aquecendo e se tornava cada vez mais difícil dormir, Matilda preparava-se todas as noites para falar aos Milson em Flynn. Contudo, todas as manhãs parecia haver uma boa razão para adiar esse momento por mais um dia. Quando os Milson regressaram das suas férias, não foi capaz de se abrir, pois achava que iam desconfiar que Flynn estivera na casa na sua ausência, e assim esperou. Depois Giles ficou num estado de grande ansiedade por causa de duas crianças do lar que tinham fugido depois de terem sido mandadas para casa de potenciais pais adoptivos no Connecticut, e passava o tempo quase todo a ir a New Jersey, na esperança de que voltassem a aparecer lá.

Em seguida, o reverendo Kirkbright caiu de um cavalo e partiu a perna e Giles viu-se obrigado a celebrar os ofícios na igreja. Entretanto, para cúmulo, Matilda ainda não recebera nenhuma carta de Flynn e, não podendo dizer exactamente onde ele estava nem daí a quanto tempo pretendia partir, decidiu esperar um pouco mais.

Um dia de manhã cedo, em meados de Julho, Matilda estava a servir ovos e *bacon* para o pequeno-almoço de Giles e Tabitha quando a patroa desceu, completamente vestida. Matilda ficou surpreendida ao vê-la a pé tão cedo, porque, desde que viera o tempo quente, ela preferia tomar o pequeno-almoço no quarto, onde estava mais fresco.

— Bom-dia — disse Matilda, com um sorriso. — Foi o cheiro do *bacon* que a tentou a descer?

Para sua consternação, Lily empalideceu, vacilou e precipitou-se através da copa para o pátio traseiro.

Matilda não perdeu sequer tempo a perguntar a Giles o que achava que se passava. Largou os dois pratos de comida na mesa e correu atrás da patroa. A porta da casa da sanita estava aberta, com as saias de Lily de fora, e Matilda ouviu-a vomitar.

Por momentos, Matilda deixou-se ficar ali, sem saber se havia de a consolar ou de se retirar para dar privacidade à mulher. Lily tinha um estômago muito delicado e era frequente vomitar depois de comer pratos fortes, mas não ocorria a Matilda nada que ela tivesse comido no dia anterior para a transtornar assim.

— Quer que vá buscar alguma coisa? — perguntou Matilda quando a patroa pareceu acalmar. — Ou quer que a ajude a ir para o quarto?

Lily apareceu. O seu rosto estava sem pinga de sangue e apoiou-se à ombreira da porta.

— Sente-se aqui um momento — disse Matilda, pegando-lhe no braço e conduzindo-a ao banco. — Está demasiado calor para voltar para a cozinha.

— Desculpa — disse Lily num fio de voz, deixando-se cair, aliviada, no banco e olhando para Matilda. — Estava perfeitamente bem quando me levantei. Fazia tenções de sair cedo para comprar algodão para fazer um vestido novo para a Tabby. Mas, assim que abri a porta da cozinha e senti o cheiro do *bacon*, deu-me isto.

Num golpe de intuição, Matilda percebeu que a patroa estava grávida. Tinha visto Peggie exactamente assim quando ela estava grávida de George; no caso dela era a mais leve baforada de peixe que lhe causava vómitos. Ouvira as vendedoras de flores a discutir os primeiros sintomas e, em Finders Court, tais assuntos eram discutidos com a naturalidade com que se falava do tempo.

— Estará à espera de bebé? — perguntou Matilda cautelosamente. Sabia que as senhoras consideravam uma vulgaridade conversar destas coisas. — Eu sei que esses enjoos são normais nos primeiros meses.

Lily levantou bruscamente os olhos para ela. A princípio, a sua expressão foi de indignação e as suas faces ruborizaram-se. Mas, quando Matilda pensou que ela se preparava para a repreender, os olhos de Lily abriram-se muito e um sorriso iluminou-lhe os olhos.

— Oh, Matty — disse ela, ofegante. — Achas que é possível?

Matilda teve vontade de rir. Parecia ridículo uma mulher casada, que já era mãe, querer confirmação de uma criada solteira. Mas conseguiu sorrir simplesmente e pegou na mão da patroa. — Depende da menstruação — sussurrou. — Se não a teve, provavelmente está, mas devia consultar o médico.

Antes que Lily pudesse confirmar ou negar isto, Giles apareceu, logo seguido de Tabitha, e Matilda voltou para a cozinha para tomar o pequeno-almoço que deixara no fogão.

Contudo, o apetite passou-lhe mal pensou nas implicações desta viragem. Por mais ditoso que fosse para os Milson terem outro filho, podia muito bem vir a transformar-se em mais uma amarra a prendê-la aqui.

Tabitha entrou a correr. — A mamã disse que quer chá, torradas e um ovo escalfado — disse ela. — O papá mandou-me vir ajudar-te. Quer dizer que querem falar e não querem que eu ouça, não é?

Matilda não conseguiu evitar rir-se da perspicaz intuição da pequenita. — Talvez — respondeu. — Mas também pode querer dizer que acham que é tempo de aprenderes alguma coisa de útil, como preparar um tabuleiro para a mamã.

Lily não se ressentira do enjoo; tomou o pequeno-almoço na sala e depois saiu para comprar o tecido, levando Tabitha com ela. Giles foi visitar o reverendo Kirkbright e Matilda ficou sozinha, entregue às lides domésticas. Enquanto sacudia o colchão de penas da cama dos patrões à janela, ocorreu-lhe que a recuperação extraordinária de Lily excluía uma perturbação gástrica. Isto levou-a a pensar na altura em que ela teria engravidado. Se tinha sido durante as férias deles, já estaria então grávida de aproximadamente três meses, o que significava que o bebé nasceria por volta do Natal.

— Não posso ficar tanto tempo — disse em voz alta, continuando a bater vigorosamente o colchão. — Que arranjem uma nova ama. Não posso passar outro Inverno em Nova Iorque sem o Flynn.

CAPÍTULO 9

No final de Julho, o reverendo Kirkbright enviou uma mensagem a State Street a pedir a Matilda que fosse buscar dois irmãos pequenos a um prédio de apartamentos degradado em Mulberry Bend e os levasse directamente para o lar em New Jersey. A mãe viúva dos rapazes morrera de tuberculose e não havia mais ninguém que tomasse conta deles.

Por mais triste que fosse a tarefa de tirar duas crianças recentemente órfãs da única casa que alguma vez tinham conhecido, foi uma distracção bem-vinda para Matilda. A confirmação da gravidez enchera os Milson de felicidade, mas, como Lily continuava a sofrer de enjoos e andava muito incomodada com o tempo quente e mormacento, incumbia a Matilda governar a casa e cuidar de Tabitha sem ajuda.

Dois dias antes, chegara finalmente uma carta de Flynn. Esta devia ter acalmado parte da sua ansiedade e reforçado a sua determinação em falar dele aos Milson, mas deixara-a ainda mais confusa. Flynn expedira-a de Charleston em Maio e, quando a escreveu, acabara de lá chegar. As suas mensagens de amor eram muito reconfortantes, a sua exaltada descrição de Charleston era animadora, mas sem notícias de um emprego e sem endereço para onde responder, ficou no mesmo vazio que antes.

A oportunidade de passar um dia em New Jersey, de voltar a ver todas as crianças e Cissie, longe do mau cheiro e do barulho da cidade, foi quase tão boa como umas férias. Matilda pôs de lado as suas preocupações e, às oito da manhã, partiu para ir buscar os dois rapazinhos ansiosa e bem-disposta.

Mulberry Bend era uma zona degradada quase tão mal afamada como Five Points, mas os rapazes, Arthur e Ronald, com cinco e quatro anos respectivamente, estavam à guarda de um lojista bondoso que fora amigo da mãe deles. Eram meninos meigos, de cabelo louro e olhos azuis, e apesar de mal vestidos e um pouco sujos, era evidente que a mãe os tratara com amor. Não demonstraram qualquer apreensão em ir com Matilda e, quando ela chegou com eles ao *ferry*, a excitação de uma viagem de barco ao campo dissipou o resto da sua timidez.

Job foi ter com ela ao *ferry* na carroça e, para deleite de Matilda, Sidney estava com ele. Estava agora forte e muito mais alto, o seu cabelo tão fogoso como o dos meios-irmãos dela e a pele semeada de sardas do sol. No caminho para o lar, regalou Arthur e Ronald com histórias sobre os porcos e as galinhas que agora criavam e prometeu-lhes que mais tarde podiam ajudá-lo a dar-lhes de comer.

Cissie correu a saudar Matilda com grande entusiasmo, lançando os braços à volta dela e insistindo para que ela fosse ver Peter e Pearl imediatamente. Foi surpreendente ver que Cissie se tornara bastante roliça, com faces rosadas como as da mulher de um lavrador e o cabelo curto e escuro enrolando-se encantadoramente à volta da touca, mas foi ainda melhor constatar que os bebés estavam gorduchos, placidamente sentados numa manta debaixo de uma árvore, no prado atrás do lar.

Quando entregou Arthur e Ronald a Miss Rowbottom para lhes dar banho e de comer, Matilda voltou para junto de Cissie, dos bebés e das outras crianças mais pequenas. Sentando-se na relva com eles, Matilda perguntou a Cissie se ela ainda queria ir-se embora.

Cissie esboçou um dos seus deslumbrantes sorrisos. — Acho que não; não me importava de passar uma noite fora, de vez em quando, nem de ter um amiguinho, mas… — fez uma pausa e estendeu um braço na direcção do prado e das crianças à sua volta — seria doida se abandonasse tudo isto, não era?

Matilda sentiu uma onda de ternura e admiração pela jovem mãe. Tudo se conjugara contra ela desde que nascera, mas conseguira encontrar no fundo de si mesma a força de carácter, não só para enfrentar a má sorte na vida, mas também para agarrar a oportunidade que lhe fora dada e fazê-la funcionar a seu favor. Olhando agora para ela, com os seus brilhantes caracóis negros, faces rosadas e corpo anafado, embalando alegremente nos braços o filho e a bebé da amiga, ninguém podia imaginar o inferno por que passara. Se os administradores do lar alguma vez quisessem uma prova real de que o trabalho de salvamento em Five Points valia a pena, bastava olhar para Cissie e os bebés.

Matilda pôs Peter no regaço, mal acreditando que este bebé rechonchudo e sorridente era a mesma criaturinha descarnada a quem dera banho em casa do Dr. Kupicha apenas nove meses antes. Nessa altura, era careca, mas agora exibia uma trunfa de cabelo castanho, dois dentes e as faces, os braços e as pernas gordas eram da cor do mel.

— Realmente serias doida se quisesses partir — disse ela. — Não imaginas como está calor e abafado em Nova Iorque, Cissie; cheira tão bem aqui, e há sempre uma brisa.

— Não me esqueci de como é, nem de Verão nem de Inverno — respondeu Cissie, e o seu rosto ensombrou-se, como se desejasse ser capaz de esquecer. — Mas acho-a com mau ar. Que se passa? A sua patroa trata-a mal?

— Não. Claro que não. — Matilda sorriu levemente. Lily era muitas vezes difícil, tinha tendência para esquecer que os criados também se cansavam, mas não, Matilda não iria ao ponto de dizer que ela a tratava mal. Por um breve momento, sentiu-se tentada a falar de Flynn a Cissie, mas por mais agradável que fosse desabafar com alguém compreensivo, sabia que não a ajudaria muito. Cissie provavelmente instigá-la-ia a apanhar o próximo barco para Charleston e procurar Flynn, e não compreenderia por que razão Matilda não era capaz de falar dele aos patrões.

Cissie não insistiu mais com ela sobre os Milson, mudando de assunto para falar sobre Miss Rowbottom. Parecia admirar e respeitar a mulher em muitos aspectos, mas considerava-a demasiado dura com algumas das crianças.

— Não me interprete mal, ela não é cruel nem nada disso, e é uma boa professora, mas não percebe quando os miúdos têm algum problema, não é como nós as duas — disse ela, fazendo uma careta. — A Molly anda há alguns dias a chocar qualquer coisa. Eu disse que devíamos mandar o Job ir buscar o médico, mas ela respondeu que lhe competia a ela tomar essas decisões e que o tempo do médico era demasiado precioso para estar sempre a arrastá-lo aqui por nada.

Matilda disse que ia ver Molly antes de partir e falar com Miss Rowbottom se achasse que havia algum problema.

Eram mais ou menos quatro horas quando Matilda foi encontrar Molly deitada na cama, no dormitório das raparigas, e ficou imediatamente alarmada. Não lhe parecia que nenhuma rapariga de sete anos preferisse ficar sozinha dentro de portas enquanto as amigas estavam a brincar lá fora, a não ser que estivesse realmente doente, e além disso Molly não levantou sequer a cabeça quando ela entrou.

— Olá, Molly — disse ela, sentando-se ao lado da criança. — Soube que não te estavas a sentir muito bem.

A única resposta de Molly foi tossir, um som seco, duro e pouco natural. Parecia ter dificuldade em abrir os olhos e, quando tentou, Matilda viu que estavam cobertos de uma substância amarela. A sua pele estava seca e a escaldar. Matilda foi buscar um copo de água à criança, cobriu-a com um cobertor e voltou a descer à procura de Miss Rowbottom.

Ela estava na pequena sala de aula com cinco das crianças mais velhas e franziu os lábios em sinal de desaprovação pela interrupção.

— Pensei que já te tinhas ido embora. — disse ela.

Ao primeiro encontro, Miss Rowbottom parecia temível à maioria das pessoas. Era uma mulher alta, bem constituída, com cabelo grisalho e o tipo de feições austeras e angulosas que sugeriam falta de compaixão e sentido de humor. O facto de a sua voz ser forte e áspera também não ajudava. Mas Matilda não tencionava aceitar críticas e declarou que vira Molly e que achava que ela precisava de ser examinada pelo médico. Ofereceu-se para o chamar assim que chegasse à outra margem do rio.

— Não creio que seja necessário — disse a mulher com secura. — A Molly está sempre a fingir-se de doente, acha que é uma boa maneira de chamar a atenção. Ainda há uma hora a fui ver e não vi motivo nenhum de alarme.

— Talvez o estado dela tenha piorado desde então — disse Matilda num tom igualmente seco. — Seja como for, vou pedir ao Dr. Kupicha que dê cá um salto.

Quase uma semana mais tarde, o Dr. Kupicha apareceu em State Street. Matilda abrira-lhe a porta e ficara na sala com os Milson, em lugar de voltar para a cozinha, porque o médico disse que também queria que ela ouvisse o que tinha a dizer.

Andava fora a visitar doentes quando Matilda passara em casa dele para informá-lo sobre Molly, mas ela deixara uma mensagem e ele fora ver a criança na manhã seguinte. Diagnosticou sarampo e levou-a de imediato para o quarto de quarentena, destacando uma das criadas para tratar dela ali. Desde aí mais doze crianças haviam adoecido com sarampo.

Matilda empalideceu ao ouvir esta notícia. O sarampo não era considerado uma doença grave como a cólera ou a varicela, mas em Londres vira-o assolar os bairros degradados como um incêndio, ceifando as vidas de muitas crianças pequenas, e as que sobreviviam ficavam muitas vezes cegas ou surdas.

— O sarampo não se isola com facilidade — disse o médico, hesitante, lançando um olhar penetrante a Giles. — O período de incubação pode prolongar-se por dezasseis dias e, claro, durante esse tempo, todas as outras crianças terão tido contacto com a Molly. Ela está tão gravemente doente que receio bem que não sobreviva.

Lily Milson cumprimentara o médico quando ele chegara e perguntara-lhe se desejava tomar algum refresco, mas não abrira a boca enquanto ele explicava o motivo da sua visita, continuando a costurar. Mas, de súbito, largou a costura, olhando com horror para o médico e para Matilda, e tornou-se claro que compreendeu de repente que fora Matilda que o alertara para a doença da criança depois da visita ao lar.

— A Matilda esteve lá. E se trouxe a doença para casa e contagia a Tabitha? — perguntou, num guincho assustado.

— É extremamente improvável — respondeu o Dr. Kupicha num tom tranquilizador, aproximando-se de Lily e pousando uma mão reconfortante no seu braço. — Antes de contagiar alguém, a Matilda teria de apanhá-la primeiro. Além disso, é preciso estar em contacto próximo com uma pessoa infectada para a apanhar.

Matilda não ficou minimamente alarmada com as palavras de Lily. Estava mais preocupada com Molly. — Como é que a Molly a apanhou então? — perguntou.

O Dr. Kupicha franziu a testa. — Também me fez confusão, pois o isolamento do lar é uma das suas melhores qualidades. Mas, ao que parece, há mais de duas semanas, uma família numerosa, de partida de Nova Iorque, passou por lá a perguntar se podia comprar leite e ovos, antes de continuar viagem. Passaram lá algum tempo e a Molly foi vista a brincar com os filhos.

Lily soltou imediatamente um gritinho de indignação, o tipo de grito que soltava quando via um rato ou uma barata. — Está a ver como é fácil de apanhar. A Matty pode tê-la trazido para aqui.

Antes que o médico pudesse confirmar ou negar isto, Lily levantou-se de um salto do sofá e confrontou Matilda, fulminando-a com os olhos. — Aproximaste-te dessa criança doente, não aproximaste? — disse-lhe com rispidez. — Sua estúpida! Como pudeste pôr em perigo a minha filha?

Matilda recordou-se da indiferença de Lily quando a criança no navio morrera. Nessa ocasião, não pensara muito no caso, pois Lily também estava doente, mas desta vez sentiu-se furiosa. — Claro que me aproximei da Molly. De que outro modo podia avaliar se ela estava suficientemente doente para chamar o médico? — argumentou.

— Só te foi pedido para lá levares duas crianças e não para andares a meter o nariz em quartos com doentes — gritou-lhe Lily. — E não me disseste que ninguém estava doente quando voltaste.

O Dr. Kupicha interpôs-se entre as duas. — Se a Matilda teve sarampo em criança, e a maioria das crianças tem-no, não pode ter contraído a doença — disse ele num tom firme.

Matilda não se recordava de ter tido sarampo, mas não disse nada. Já era suficientemente embaraçoso que o Dr. Kupicha tivesse descoberto que a patroa não comungava da compaixão do marido pelas crianças necessitadas. E muito menos queria que ele assistisse a um dos ataques de histeria de Lily.

Foi pouco mais de uma semana mais tarde que Matilda começou a sentir-se doente. Os primeiros sintomas eram como um princípio de gripe, doíam-lhe os braços e as pernas e começou a tossir. Continuou a trabalhar e só dois dias mais tarde, quando a luz começou a fazer-lhe doer os olhos, é que se apercebeu, horrorizada, de que estava com sarampo. Com medo de dizer à patroa, pois andava refilona com ela desde a visita do médico a falar da epidemia, esperou até estar sozinha na cozinha com Giles e contou-lhe.

— Sinto muito, reverendo — disse ela em pouco mais que um sussurro. — Já sei que a senhora me vai odiar por tê-lo trazido para casa. Que hei-de fazer?

A cor abandonou-lhe as faces e ele olhou nervosamente na direcção da sala onde a mulher e Tabitha se encontravam. Mas depois virou-se de novo para ela e pousou-lhe uma mão reconfortante no ombro. — Não podes fazer nada, Matty, é uma dessas coisas que ninguém podia prever. Mas agora deves ir deitar-te, deves estar a sentir-te pessimamente. Eu digo a Mrs. Milson e chamo o médico.

Ela ouviu o grito indignado de Lily quando estava a meter-se na cama, mas sentia-se demasiado doente para dar importância ao que a mulher estava a dizer sobre ela. Na manhã seguinte, já a erupção surgira, parecia-lhe que tinha a pele a arder e a tosse estava muito pior.

O Dr. Kupicha apareceu e aconselhou-a a passar uma esponja de água fria pelo corpo, mas, tirando muitos líquidos e um remédio para aliviar a tosse, não podia fazer mais nada. Se sabia que a patroa não tinha sequer subido para ver como ela estava, não se manifestou e, depois de ele sair, Matilda ficou deitada a chorar, sentindo-se completamente abandonada.

Foi Giles quem apareceu mais tarde. Ficou do lado de fora da porta fechada, mas disse que lhe deixara uma bebida fresca e sopa num tabuleiro se ela fosse capaz de comer. Ela compreendeu que ele não podia propriamente gritar palavras de compaixão atrás de uma porta fechada e não teria sido próprio ele entrar no quarto dela, mas mesmo assim sentia-se afrontada por estar a ser tratada como uma leprosa. Contudo, por mais doente que se sentisse, pensava sobretudo em Tabitha, rezando para que ela não apanhasse a doença.

Ao terceiro dia, percebeu que estava a melhorar quando, ao acordar, sentiu a pele mais fresca. A erupção começava a desaparecer e a tosse era acompanhada de expectoração. Quando Giles subiu, como habitualmente, a perguntar como ela estava, desta vez abriu uma nesga de porta e Matilda pôde perguntar se Tabitha estava a revelar alguns sintomas.

— Não, graças a Deus — disse ele. — O único problema dela é o facto de ter saudades tuas. Tem andado a consumir a mãe na tua ausência.

Matilda soltou um suspiro de alívio. No dia anterior, Giles tinha-lhe dito que ele e a mulher se recordavam de terem tido sarampo em pequenos e portanto não corriam o risco de o apanhar.

— Quer isso dizer que a senhora vai deixar de estar zangada comigo? — perguntou ela.

Por um momento, Giles não respondeu, e Matilda deduziu que ele se sentisse embaraçado. — Agora virou a fúria para mim — murmurou ele num tom conspirativo. — Ontem, por qualquer razão inexplicável, Mrs. Kirkbright resolveu contar-lhe os aspectos mais macabros do nosso esquema para salvar os órfãos. Incluindo pormenores sobre Five Points. Podes imaginar a reacção dela.

Matilda imaginava. Como não ouvira choradeira nem gritaria, calculou que Lily tivesse sucumbido a um dos seus famosos amuos, acusando-o de dar mais valor a crianças dos bairros miseráveis do que à própria família.

— Bem, talvez seja melhor ela saber toda a verdade, reverendo — disse ela num tom reconfortante, virando-se na cama para poder ver a cara dele à porta. — Não andava satisfeito por ela não estar a par de tudo. E não é nada de que deva envergonhar-se.

Giles abriu a porta um pouco mais. — É verdade, mas preferia que ela continuasse na ignorância enquanto se encontra num estado tão delicado — disse ele. — Quer que eu prometa que desisto do trabalho.

— Não pode fazer isso, reverendo, é demasiado importante — exclamou ela, ouvindo a mágoa na voz dele. — Deve ser forte e manter os seus princípios.

Por um momento, ele não respondeu e afastou-se da porta. Ela calculou que ele estivesse a certificar-se de que Lily não podia ouvir.

— Acho que não posso fazer isso, Matty — disse ele quando voltou. — Sabes, quando Mrs. Milson mete uma ideia na cabeça, é capaz de fazer a vida negra a toda a gente. De certo modo, foi uma sorte estares aqui em cima desde que ela soube. Tem andado fora dela.

Matty perguntou-se se ele quereria dizer que ela estava simplesmente amuada e chorosa, ou se ele acharia que havia algo de mais insidioso. Mas, na sua opinião, a senhora precisava de mão firme e de uma boa ensaboadela.

— Desta vez, pode ter um filho — disse ela. — Não me parece que daqui a alguns anos ele venha a gostar de saber que o pai virou as costas a um acto caridoso e justo só por causa da «condição delicada» da mãe. Diga-lhe isso!

— Oh, Matty — disse ele, suspirando de novo. — Quem me dera ter coragem e a força de carácter para ir avante, independentemente do que ela possa dizer. Mas neste momento estou dividido, como é que posso continuar a fazer uma coisa que a angustia a este ponto?

Matilda não se achou capaz de comentar isto, já estava ofendida porque a patroa nem uma vez fora vê-la desde que adoecera. As bebidas e água para se lavar tinham sido deixadas à porta do quarto, o seu balde de dejectos estava cheio e parecia-lhe que alguém que tratava assim uma pessoa doente não merecia a mais pequena compaixão. Mas não tinha coragem de exprimir estes sentimentos ao patrão.

— Então tem de pedir orientação a Deus — disse ela, maliciosamente.

— Achas que não pedi? — disse ele, o fantasma de um sorriso surgindo-lhe no rosto perturbado. — Põe-te boa depressa, Matty, pode ser que então os nossos problemas se resolvam.

No primeiro dia em que Matilda pôde descer por mais tempo do que apenas o necessário para usar a sanita, reparou imediatamente que Tabitha estava muito apática. A mãe disse secamente que era do tempo mormacento e declarou que também se sentia apática por ter tido de tratar de tudo sozinha.

Matilda ficou ainda mais magoada com esta crítica directa, mas decidiu que, mesmo que ainda se sentisse fraca, no dia seguinte retomaria os seus deveres normais.

Lily saiu pouco depois do pequeno-almoço, fazendo um comentário cáustico ao sair sobre uma montanha de roupa à espera de ser lavada, ou *ter-se-ia ela esquecido que tinha sido contratada como criada e não como assistente de um clérigo*?

Tabitha passou a manhã sentada apaticamente no pátio das traseiras com a boneca enquanto Matilda suava a lavar a roupa. Não mostrou qualquer interesse em ajudar a pôr a roupa secar, como era seu hábito, e não tocou na sanduíche do meio-dia. Sentindo-se ainda fraca, Matilda deitou Tabitha no sofá da sala da parte da tarde e sentou-se ao seu lado para lhe ler uma história.

Perto das quatro horas, Giles foi o primeiro a chegar, precisamente quando Matilda começava a entrar em pânico porque Tabitha tossira um pouco e a erupção reveladora começara a aparecer atrás das orelhas. Perdeu a cor quando Matilda lhe disse que achava que a filha estava com sarampo, perguntando então onde estava a mulher.

— Não sei — respondeu Matilda debilmente, esforçando-se por não chorar. — Só disse que ia sair. Pensei que seria só por duas horas.

Enquanto Giles saía a correr para ir chamar o médico, Matilda levou a criança para o quarto dela, despiu-a e meteu-a na cama, ficando ao lado dela. Assustada e completamente sozinha na casa, parecia-lhe que Tabitha ficava pior a cada minuto, sem poder fazer mais do que passar uma esponja pela testa da menina e tentar não pensar que a culpa era sua.

Giles, o médico e Lily chegaram juntos. Muito mais tarde nessa noite, Matilda soube que os dois homens tinham encontrado Lily a andar pela Broadway. Os três subiram imediatamente ao quarto, mas, quando o Dr. Kupicha interrogou imediatamente Matilda sobre o aparecimento dos sintomas da criança, Lily ordenou-lhe que fosse para baixo.

Matilda pôs-se às voltas na cozinha enquanto esperava, sem saber se devia começar a preparar o jantar ou não. Tinha a impressão de que a patroa se ia atirar a ela mais tarde, talvez até despedi-la, mas isso era menos importante do que a recuperação de Tabitha.

Só quando o Dr. Kupicha partiu, deixando instruções para manter as cortinas fechadas no quarto de Tabitha, passar-lhe uma esponja pelo corpo de hora em hora e observar-lhe atentamente os olhos e os ouvidos para ver se surgiam mais infecções, é que Lily se precipitou para a cozinha e se atirou com ferocidade a Matilda.

— Não quero que te aproximes da minha filha — disse ela, as suas feições miúdas e angulosas deformadas com o rancor. — Trouxeste esta doença abominável cá para casa e eu nunca te perdoarei por isso.

— Não pude evitar, minha senhora — disse Matilda. — Não sabia que a Molly tinha sarampo. Só fiz o que qualquer outra pessoa teria feito, dei-lhe um copo de água e acalmei-a.

— És traiçoeira — gritou-lhe Lily. — Sei muito bem que foste tu que convenceste o reverendo a ir a esses sítios buscar crianças. Nunca lhe teria passado pela cabeça tal ideia. Pensei que andavam a levar criancinhas encantadoras para New Jersey, e não mendigozinhos imundos. Mas devia ter adivinhado. Tu própria foste uma. É a lei da Natureza.

— Não diga essas coisas, por favor, minha senhora. — Matilda começou a chorar. — Não é verdade e só diz isso porque está consumida com a Tabby. Vamos curá-la primeiro e depois falamos.

— Nunca mais te chegas ao pé da Tabby — rugiu Lily. — Eu trato dela sozinha, não confio em ti com ela. Deus te ajude se ela não sobreviver, porque juro que te mato.

Nesse momento desapareceu, voltando para cima e deixando Matilda completamente abalada.

Giles demorou alguns momentos a descer, mas não tinha muito conforto a dar-lhe.

— Não leves a peito — disse ele. — Ela está angustiada e com os nervos à flor da pele. Tenho a certeza de que amanhã já estará mais calma e se esqueceu. — Explicou então que ele e o médico a tinham encontrado na Broadway, aparentemente sem qualquer noção das horas. Disse que andava exausta por ter tido de fazer tudo enquanto Matilda estava doente e que não estava em si.

Mas Matilda não conseguia afastar o incidente da ideia; na sua opinião, só uma pessoa perturbada diria aquelas coisas. Pondo de lado a acusação de traição, de conspirar com Giles e as farpas relativamente às suas origens, Tabitha podia ter apanhado a doença na igreja com a mesma facilidade, ou com um dos filhos dos amigos dos pais, e era injusto atribuir-lhe toda a responsabilidade.

Preparou uma refeição que ninguém quis comer e passou a ferro toda a roupa que lavara nessa manhã, mas estavam constantemente a assaltar-lhe o espírito pensamentos aterradores. Se Lily estava mentalmente perturbada, e tinha de estar para ter ido passear todo o dia pelas lojas quando sabia que a filha não estava bem nessa manhã, como podia olhar em condições por Tabitha? Se não fosse isso, talvez tivesse reunido os seus poucos haveres e partido de vez, mas não podia fazê-lo enquanto não soubesse se Tabitha ia recuperar.

A infelicidade de Matilda redobrou nos três dias seguintes. À noite ouvia a tosse seca e áspera de Tabitha, no quarto ao lado, e Lily não cedia, impedindo-a de entrar para ajudar. A mulher passava lá o tempo todo, dia e noite, recusando a comida, mesmo do marido, e ignorando as súplicas de Matilda à porta. Matilda não podia fazer mais do que despejar o balde dos dejectos e lavar a roupa suja que deixavam à porta, e esperar que, da próxima vez que o médico ou Giles lá entrassem, conseguissem persuadir Lily a cair em si.

— Tentei tudo — disse Giles, exausto, na terceira noite, entrando na cozinha para encher um jarro com água fervida. — O Dr. Kupicha também tentou, mas ela não nos dá ouvidos; a Tabitha está gravemente doente e não me parece que os modos histéricos de Mrs. Milson estejam a ajudar minimamente. Mas que mais posso fazer, Matty? Não posso exigir que ela saia de lá e insistir que tomes o lugar dela.

— Mas devia — disse Matilda veementemente. — Se eu estivesse no seu lugar, ia lá e arrastava-a à força cá para fora. — A Tabby também é sua filha, reverendo. Deve fazer o que é melhor para ela e não andar com paninhos quentes quando é evidente que a sua mulher perdeu o juízo.

— Basta, Matilda — gritou ele, furioso. — Não te admito essas liberdades. Às tantas, Mrs. Milson tem razão a teu respeito. Hoje disse que estás apostada em tomar conta desta casa toda.

Foi a última gota. Dera apoio a este homem com uma lealdade cega e agora, quando lhe convinha, punha-se de acordo com a doida da mulher.

— Se é isso que ela pensa, então vou-me embora — atirou-lhe, fulminando-o com os olhos. — Para o caso de se ter esquecido, reverendo Milson, há mais de dois anos que tenho dado o meu amor à Tabitha como se ela fosse minha filha. Dava a minha vida por ela. A única razão por que ainda não fiz as malas, depois do que Mrs. Milson, diabos a levem, me disse no outro dia à noite foi porque me preocupo de mais. Mas não se aflija, de manhã já cá não estou, deixo-o a braços com essa louca.

Correu para cima e deixou-o especado na cozinha. Arrumou tudo em poucos minutos; só tinha três vestidos, um par de sapatos de domingo, o casaco e alguma roupa interior. Se não fosse tão tarde, teria partido imediatamente, mas mesmo na sua fúria, sabia que uma rapariga nova a vaguear pelas ruas em plena noite seria provavelmente abordada por alguém ou apanhada pela polícia.

Pôs-se a ler e a reler a carta de Flynn até a vela se apagar. Na manhã seguinte, apanharia o barco para Charleston e iria à procura dele. Só esperava que os onze dólares que poupara fossem suficientes para lá chegar. Afinal de contas, ele tinha razão a respeito dos Milson. Era uma tola ao pensar que eles se preocupavam com ela; a única coisa com que se preocupavam era consigo próprios.

Assim que amanheceu no dia seguinte, Matilda levantou-se e vestiu-se e, pegando no saco, abriu cautelosamente a porta. Não tinha qualquer desejo de esbarrar com nenhum dos patrões, passara grande parte da noite a chorar e agora só sentia azedume em relação a eles.

No entanto, ao esgueirar-se para o pequeno patamar entre o seu quarto e o de Tabitha, ouviu Lily rezar orações em soluços e, sobre este ruído, o som da respiração arranhada da criança. Qualquer piedade que ainda pudesse sentir pela mulher foi instantaneamente varrida por uma onda de intensa raiva. Não considerava que as suas próprias capacidades para tratar da doente fossem superiores às da patroa, mas sabia que um adulto não podia assustar ainda mais uma criancinha doente com a sua angústia.

Ali de pé no patamar, decidiu que tinha de entrar no quarto. Tinha medo de contrariar os desejos de Lily, mas sabia que não tinha alternativa. A vida de Tabitha corria grave perigo e assim, endireitando os ombros, entrou.

A cena com que se deparou provou-lhe que tinha procedido bem ao intervir. O quarto obscuro estava asfixiantemente quente, o cheiro a vómito era opressivo. Tabitha estava embrulhada em cobertores e num espesso edredão e o seu rosto estava encarquilhado como o de um macaco. Lily estava de joelhos ao pé da cama, a soluçar em cima dos cobertores, demasiado atormentada para virar sequer a cabeça perante o súbito raio de luz, que entrou pela porta aberta, bem como a lufada de ar fresco.

Contornando a mulher, Matilda pousou a mão na testa de Tabitha. Estava a arder e ela compreendeu por instinto que, se a criança não fosse imediatamente refrescada, não tinha hipótese de sobreviver.

Dando uma palmadinha no ombro de Lily, mandou-a levantar-se. — Vá buscar essa máscara que usa quando tem dores de cabeça e traga toalhas lavadas — acrescentou. — Vou-lhe preparar um banho.

Correndo ao andar de baixo, levou a banheira de metal para o pátio, colocando-a debaixo da bomba para enchê-la de água. O pátio parecia um local totalmente impróprio para dar banho a uma criança doente, mas a rapidez era mais importante do que as preocupações com o decoro.

Na verdade, não ficou surpreendida ao ver Lily ainda especada no quarto da doente quando voltou, sem as toalhas nem a máscara; a mulher perdera claramente o uso das suas faculdades. Pegando num saiote de Tabitha de uma cadeira, fez rapidamente um rolo com ele e, passando à frente da patroa, atou-o bem à volta dos olhos da criança.

— Vá buscar as toalhas, se não é capaz de mais nada — atirou-lhe, pegando na criança ao colo. — E despache-se.

Ao sair com a menina do quarto, a mulher soltou um longo gemido e começou a puxar-lhe pela parte de trás do avental. — Pousa-a — guinchou. — Estás despedida.

— Vou-me embora quando a Tabby estiver melhor — respondeu Matilda por entre dentes cerrados. — Vá buscar as toalhas.

Quando Matilda estava a descer velozmente as escadas com a criança nos braços, Giles precipitou-se para fora do quarto, ainda de camisa de dormir.

— Que aconteceu? — perguntou ele, alarmado.

— A Tabby precisa de arrefecer e não de soluços e orações — atirou-lhe Matilda, não parando sequer um segundo. — E, por amor de Deus, cale-me essa mulher. Assim não ajuda.

Nada na vida de Matilda fora mais doloroso do que ver a menina vendada, que amava profundamente, sacudir-se involuntariamente ao ser submergida na água fria. Pareceu-lhe cruel quando todo o seu ser só queria abraçá-la e confortá-la. Mas sabia que era a única maneira de a salvar e tinha de manter o sangue-frio.

Giles surgiu a correr, a tempo de ver o que ela estava a fazer. — Não podes fazer isso, Matty — exclamou, a cara até então vermelha perdendo a cor. — Água fria!

— Confie em mim — implorou ela. — Ela está a arder e é imperativo. Vá buscar toalhas e água para ela beber. Daqui a nada estás melhor, Tabby — murmurou à criança num tom tranquilizador, segurando firmemente nela debaixo de água e molhando-lhe o cabelo. — Só mais um bocadinho e já te visto uma camisa de dormir seca e lavada e depois podes voltar para a cama.

Ao fim de um ou dois minutos de imersão, os espasmos de Tabitha pararam e a sua respiração tornou-se menos penosa. Giles voltou a sair de casa a correr com as toalhas e ela mandou-o abrir uma para embrulhar a menina.

— Está tudo melhor agora — murmurou ela, envolvendo-a nos braços. — A Matty está aqui contigo.

Uma hora mais tarde, o Dr. Kupicha chegou, chamado por Giles, que tinha corrido para casa dele e descrito a ofegar o que se tinha passado, mas quando os dois homens voltaram para State Street, Matilda já tinha metido Tabitha numa cama lavada e seca, aberto a janela para deixar entrar ar, e a criança estava a dormir.

— Fizeste muito bem, Matty — disse o Dr. Kupicha, examinando a doente. — A crise agora passou e, desde que não se verifique nenhuma infecção secundária, acho que ela vai recuperar.

— Como está Mrs. Milson? — perguntou Matilda. Não a tinha visto desde que se precipitara com Tabitha pelas escadas abaixo e até agora nem sequer pensara nela. Mas ficara tão aliviada por Tabitha estar fora de perigo que até conseguiu descobrir dentro de si alguma preocupação pela mulher. — Ela despediu-me, mas eu disse que só ia quando a Tabitha estivesse melhor.

O Dr. Kupicha sorriu levemente. Na sua opinião particular, Lily Milson era um caso triste, uma mulher cuja profunda ansiedade podia facilmente degenerar em loucura. — Acho que não deves dar importância a uma coisa dita no calor do momento — disse ele. — O reverendo Milson foi deitá-la e sugiro que a encorajem os dois a que fique de cama um ou dois dias, porque está completamente exausta. Estou certo de que posso confiar em ti para olhares pela Tabitha.

— É claro, eu adoro a menina — disse ela.

Para o médico, esta afirmação sintetizava a essência do carácter desta jovem ama. Era guiada pelo coração, que era bem mais generoso do que a maioria. Merecia uma vida própria, filhos seus, mas, por qualquer razão, pressentia que ela passaria a sua vida a ajudar os outros a realizar os seus sonhos, relegando sempre os seus para segundo plano.

— Logo à noite, passo outra vez por cá para ver como está a minha doentinha — disse ele, levantando-se para partir. — Não há dúvida de que salvaste hoje a vida da menina e vou dizer isso mesmo a Mrs. Milson, mas lembra-te, Matty, também tens a tua vida e não é necessariamente aqui nesta casa, com esta criança.

Matilda acompanhou-o até ao patamar. — Como estão a Molly e as outras crianças?

O rosto dele ensombrou-se. — A Molly morreu ontem — disse ele. — Receio que seja possível que aconteça o mesmo à Ruth. Mas não há novos casos, a Pearl e o Peter estão de excelente saúde. Acho que já passámos o pior.

Os olhos de Matilda encheram-se de lágrimas. Parecia uma tragédia as duas rapariguinhas terem sido salvas do inferno para morrerem menos de um ano depois de uma doença infantil comum.

*

— Matty!

Matilda adormecera numa cadeira à cabeceira da criança, mas, ao som da vozinha débil, acordou com um sobressalto.

— Já é de manhã? — perguntou Tabitha quando Matilda se debruçou sobre ela.

A pergunta sugeria que Tabitha estava a melhorar, porque o pai dissera que, desde que adoecera, perdera a noção do dia e da noite. Matilda abriu uma fresta das pesadas cortinas e viu que o sol estava precisamente a nascer.

— Sim, é de manhã, mas ainda é muito cedo — disse ela, pousando a mão na testa de Tabitha. A sensação era de calor e humidade naturais, a febre do dia anterior passara. Ela tinha os olhos escuros muito abertos e limpos. — Como é que te sentes, meu amor?

— Com sede — disse ela. — E quero fazer chichi.

Foi a coisa mais doce que Matilda podia ter ouvido. Se não fosse tão cedo, talvez se tivesse sentido tentada a correr lá abaixo e acordar os Milson para lhes dar as boas novas. Tirou a menina da cama e sentou-a no pote, enchendo depois um copo de água com o jarro.

— Eu posso segurar nele, não sou nenhum bebé — repreendeu-a Tabitha quando Matilda lhe levou o copo aos lábios, e as suas pequenas mãos agarraram firmemente no copo, bebendo grandes goles.

Matilda ajeitou a cama, sacudiu as almofadas e voltou a deitar Tabitha.

— Achas que és capaz de comer alguma coisa? — perguntou, espantada, pois a tosse parecia também ter passado.

— Talvez — disse ela, franzindo a testa como que confusa. — Porque é que estavas nessa cadeira?

Matilda sorriu. Era óbvio que Tabitha não se recordava de nenhum dos acontecimentos dos últimos dias. — Porque tens estado doente e eu fiquei aqui a olhar por ti.

— Onde estão a mamã e o papá?

— Ainda estão na cama. Mas daqui a nada vou acordá-los para lhes dizer que estás melhor. Posso deixar-te um momento para ir lá abaixo buscar-te de comer?

Tabitha indicou que sim e estendeu a mão para a boneca de trapos mais ao fundo da cama. Apertou-a contra o peito e sorriu-lhe. — Também estiveste doente, Jenny?

O relógio na sala estava precisamente a bater as sete horas quando Matilda ouviu Giles subir as escadas para ir ver a filha. Sorriu consigo mesma, imaginando a sua surpresa e deleite quando visse Tabitha sentada na cama a comer pão e a tomar leite. Abriu-se uma nesga de porta e Giles espreitou. Tal como ela previra, ele soltou um arquejo.

— Bom-dia, papá — disse Tabitha. — Estou melhor, estás a ver?

— Oh, Tabby — exclamou ele, o seu rosto abrindo-se num sorriso rasgado. — É o que eu chamo uma bela maneira de começar o dia.

Ainda estava com a camisa de dormir de flanela, os seus caracóis escuros desalinhados e o queixo coberto por espessos pêlos da barba, e quando olhou na direcção de Matilda, tomou de súbito consciência do facto e escondeu-se atrás da porta.

— Nenhuma de nós se importa com o seu aspecto — disse Matilda, a rir. — Tenho a certeza de que também não estou grande coisa.

Mais tarde, quando Matilda pôs em dia todas as tarefas que tinham ficado por fazer nos últimos dias, achou que era muito triste que Lily não fosse capaz de exprimir a sua felicidade com a mesma exuberância que ela e Giles. Tinha rebentado em lágrimas ao ouvir a boa notícia e, embora se tivesse levantado para ir ver a filha por momentos, voltara logo para a cama, onde permanecera a soluçar sobre as almofadas.

Quando o Dr. Kupicha apareceu, disse que ela estava a sofrer de choque e que o melhor era continuar de cama. Matilda não pôde deixar de se interrogar como ela reagiria a uma tragédia, se uma boa notícia a afectava tão violentamente.

Mas a sua própria felicidade dava-lhe alento, apesar de estar exausta, e ainda havia demasiado trabalho doméstico para fazer. A gratidão do patrão por tudo o que ela fizera mais que compensava o frio pedido de desculpas de Lily e a anulação do seu despedimento.

— Matty, acorda.

Matilda despertou estremunhada, deparando-se com Giles a sacudir-lhe o braço. Passara pouco mais de uma semana desde o restabelecimento de Tabitha. — Desculpe — disse ela, imaginando ter dormido de mais. — É muito tarde?

Mas reparou que estava escuro como breu, tirando a vela acesa que Giles tinha na mão, e que ele estava de camisa de dormir. Apercebendo-se de repente que ele não entraria no seu quarto a não ser numa situação de emergência, sentou-se. — A Tabby está outra vez doente?

— Não, é Mrs. Milson — disse ele, numa voz trémula. — Receio que esteja a perder o bebé, Matty. Tenho de ir buscar o médico imediatamente.

Matilda soltou um suspiro de horror, atirou os cobertores para trás e, parando apenas para agarrar no xaile, seguiu-o pelas escadas abaixo.

Giles tinha acendido duas velas no quarto do casal, mas, mesmo à luz fraca, Matilda conseguiu ver a angústia nos olhos da patroa.

O marido inclinou-se sobre ela. — A Matty fica aqui contigo agora. Se não arranjar um fiacre, vou a correr até lá. Aguenta um pouco.

Agarrando na roupa, desapareceu pelas escadas abaixo. Matilda aproximou-se da patroa e pegou-lhe na mão. — Está a perder sangue? — perguntou num tom meigo.

Ela assentiu com a cabeça. — Acordei com uma dor e, quando me levantei, tinha a camisa de dormir toda ensanguentada. Vou perder o bebé, não vou?

— Não necessariamente — respondeu Matilda. — Há mulheres que sangram durante toda a gravidez. — Não era verdade, mas esperava que Lily acreditasse o suficiente para se manter calma até o médico chegar. — Vou buscar-lhe uma camisa de dormir lavada.

Quando Matilda puxou os cobertores para trás, teve de reprimir uma exclamação. A camisa de dormir de Lily e o lençol de baixo estavam ensopados em sangue. Apressando-se a tapá-la para ela não ver e afastando mais a vela da cama, Matilda foi buscar os panos que Lily usava quando estava menstruada, uma camisa de dormir lavada e um lençol e voltou para lavá-la e mudá-la, sempre a falar com ela para a distrair.

Felizmente, Lily estava tão embaraçada por Matilda estar a lavá-la numa parte tão íntima que manteve o rosto desviado e não viu a camisa de dormir e o lençol ensanguentados, mas, no momento em que Matilda terminou, soltou um grito de dor. Matilda nunca se sentira tão impotente como quando viu a patroa contorcer-se de agonia, as veias salientes na cara e no pescoço, arqueando as costas, os gritos transformando-se gradualmente num uivo surdo. Matilda não podia fazer mais do que segurar-lhe nas mãos e incitá-la a permanecer calma e tentar não gritar tão alto porque Tabitha podia acordar e descer.

O espasmo passou e Lily afundou-se na cama, as lágrimas rolando-lhe pelas faces. — O Giles queria tanto outro filho — murmurou ela numa voz rouca. — Vou desapontá-lo outra vez.

Toda a irritação que Matilda sentira com esta mulher, a dor por ela a ter culpado do sarampo, a fúria que experimentara quando fazia tenções de partir, mesmo a sua indiferença para com as crianças do lar, abandonaram-na ao ouvir esta declaração lamuriosa. Parecia incrível que Lily considerasse que perder um bebé era desapontar outra vez o marido. Mas para ela dizer uma coisa destas agora, num momento em que a maioria das mulheres estaria unicamente a pensar na sua própria perda, tinha de haver uma causa primária, talvez algum incidente no passado que a perturbava profundamente. Talvez também tivesse sido isso que desencadeara o seu comportamento desequilibrado quando Tabitha adoecera.

Matilda sabia que Giles amava profundamente a mulher, via isso diariamente. Mas talvez Lily não reparasse. Matilda recordou a frieza com que os pais a haviam tratado antes de ela partir de Inglaterra, o facto de nem sequer terem ido despedir-se dela ao navio. A negligência para com os filhos apresentava-se sob muitas formas, e a falta de interesse talvez fosse a mais cruel, pois retirava confiança à criança.

Num súbito lampejo, Matilda compreendeu que todos os medos de Lily podiam advir precisamente disso. Não tinha confiança suficiente em si própria para lidar com o desconhecido, quer fosse doença, pobreza ou um novo país. Imaginava inclusivamente que não era digna do marido.

— Não o desapontou — disse Matilda com firmeza. — O reverendo sabe tão bem como eu que estas coisas são casos fortuitos. Ele ama-a, minha senhora. Nunca vi um homem que amasse tanto a mulher.

Lily perdeu o bebé minutos antes de Giles e o médico entrarem. Pediu o pote, acometida por uma última dor violenta e, enquanto Matilda a segurava firmemente pelos braços, o feto de quatro meses deslizou para fora.

Matilda tapou rapidamente o pote e enfiou-o debaixo da cama. Sentia mais raiva do que angústia. Aqui estava um casal que acreditava profundamente em Deus e na Sua bondade, mas Ele decidira privá-los de um filho que seria amado e bem tratado. Contudo, todas as noites permitia que nascessem bebés a pessoas que nem um tecto tinham, para quem um aborto espontâneo seria uma benesse.

Duas horas depois, sentados de cada lado da cama de Mrs. Milson, Giles e Matilda ouviram os passos de Tabitha no patamar em cima. — Vai tratar da Tabby — disse Giles. — Sei que posso confiar em ti para não a alarmares. Eu fico aqui a olhar pela minha mulher.

Só nesse momento é que Matilda rompeu a chorar. Contivera as lágrimas enquanto Giles chorava com a mulher, enquanto acompanhava o Dr. Kupicha à porta depois de receber instruções sobre os cuidados a ter com ela nos próximos dias e enquanto lavava e mudava a roupa à patroa. Lily adormecera, o seu pequeno rosto parecido com o de Tabitha, agora tranquila, pois a dor passara. Mas ela sabia que a dor física de perder um bebé não seria nada comparada com a tristeza e o desgosto que viriam quando passasse o efeito do soporífero que o médico lhe dera.

— Não chores — disse Giles, levantando-se da cadeira para confortá-la. — Sempre foste a mais forte aqui, não me desapontes agora.

— Não, não o vou desapontar — disse ela, limpando os olhos ao avental. — Quem o desapontou desta vez foi o seu maldito Deus. Não sei como é capaz de servi-Lo quando Ele lhe paga assim.

— É assim que Ele nos põe à prova — disse ele, levantando-lhe o queixo para poder olhá-la nos olhos. — Mas vou contar-te um segredo, por vezes desejo ser um descrente como tu, Matty. Deve ser muito mais fácil lidar com a revolta quando acreditamos que só nós controlamos o nosso destino do que para alguém como eu, que se sujeitou à vontade de Deus.

Ela viu o sofrimento nos seus olhos e desejou que houvesse alguma coisa que pudesse fazer para o mitigar. Mas não havia nada, somente o tempo o podia fazer.

Quase três semanas mais tarde, Matilda estava a limpar o pó na sala quando chegou uma carta de Flynn, há muito aguardada. Giles e Tabitha estavam no andar de cima com Lily, mas Matilda não pensou sequer neles e correu logo para o pátio de trás para a ler.

A morada em cima era High Oaks, perto de Charleston.

«Minha querida», escrevia ele, «arranjei emprego como capataz numa plantação de algodão e uma casinha para nós, por isso vem no próximo barco e não demores. O dono da plantação é Mr. James Donnelly, outro irlandês de Connemara; fica a cerca de cinquenta quilómetros de Charleston e é o lugar mais lindo que já viste. Mrs. Donnelly tem uma tia na cidade e ficarás com ela até podermos casar-nos, o que espero que seja o mais rapidamente possível depois da tua chegada. A casa é a casa da guarda da plantação, é pequena e não tem nada, mas eu sei que a tornas numa casa acolhedora num instante.

«Podes achar estranho, conhecendo a minha opinião sobre a escravatura, que tenha aceitado um lugar numa plantação, mas, desde a minha chegada ao Sul, alguns dos meus pontos de vista, baseados na ignorância, alteraram-se. Mr. Donnelly tem cerca de trinta escravos, mas garanto-te que os trata bem. Mas em breve verás tudo isso com os teus próprios olhos. Escreve-me assim que reservares passagem. Vou esperar-te à doca e fico a contar as horas até te apertar nos braços. Tenho muito que te contar e mostrar. A nossa vida a dois vai ser maravilhosa, vais ver. Com todo o meu amor, Flynn.»

Teve de lê-la duas vezes antes de conseguir digerir a informação. A sua primeira reacção foi de entusiasmo descontrolado, mas este foi rapidamente apagado pela certeza de que não podia fazer preparativos para partir imediatamente. Guardando a carta no bolso do avental, voltou para dentro, mas, enquanto continuava a limpar o pó, o seu espírito estava inquieto.

Lily estava muito doente. Fisicamente recuperara do aborto, mas o seu estado mental andava a causar sérias preocupações ao marido, a Matilda e ao médico. Já não chorava, limitando-se a ficar na cama a fixar o tecto, não mostrando interesse em nada, incluindo o marido e a filha, nem por comer. Se Matilda não a tirasse da cama a intervalos regulares para usar o pote e para a lavar, desconfiava que a mulher permaneceria deitada nas suas próprias fezes. O Dr. Kupicha não tinha solução, dizia que não havia medicação que pudesse ajudar, apenas tempo e paciência.

Paciência era algo que começava a faltar a Matilda. Por mais triste que fosse sofrer um aborto, quatro em cada dez bebés morria um ano depois de nascer e, entre os pobres, a taxa era ainda mais elevada. Pessoalmente conhecia mulheres que já tinham perdido três ou quatro bebés, mas choraram e depois aceitaram a tragédia com estoicismo, sabendo que a vida era mesmo assim. Lily não chegara ao fim do tempo de gravidez, já antes da desgraça se mostrara irracional, e parecia a Matilda que havia mais do que simples dor na sua reacção, talvez mesmo insanidade.

Giles andava fora de si de ansiedade. Tabitha estava sempre a perguntar porque é que a mãe já não gostava dela e ambos se viravam para Matilda à procura de conforto.

Como podia então ir ter com Giles a dizer que se ia embora? Ele podia arranjar alguém que fosse lavar a roupa, limpar e cozinhar, mas iria essa pessoa olhar por Tabitha, apoiar Giles e compreender por que razão Lily não era capaz de sair do fosso escuro em que havia mergulhado?

Desejava ardentemente juntar-se a Flynn, libertar-se deste pesa do fardo de responsabilidade. Ansiava por paixão e amor, aventura e diversão, ser Mrs. O'Reilly e ter uma casa sua. Sentia azedume por ver o destino conspirar contra ela para a impedir.

Mais ao fim dessa tarde, Giles estava no escritório a preparar um sermão para domingo de manhã e Matilda e Tabitha estavam na cozinha a jogar o jogo das palavras quando rebentou uma trovoada. Surgiu inesperadamente, tirando o facto de o dia se ter tornado cada vez mais quente e abafado — num momento, estava sol, no seguinte, o céu escureceu de repente e chovia a cântaros.

Matilda correu ao pátio para trazer a roupa para dentro e, quando tirou o último lençol, já estava encharcada. Ainda antes de fecharem a porta, um relâmpago rasgou o céu, iluminando mais a cozinha do que uma dezena de candeias. Tabitha gritou, aterrorizada.

— Não nos pode fazer mal — disse Matilda, apertando-a nos braços. — Estamos em segurança aqui. — Nesse momento, ribombou um trovão, tão forte que parecia estar por cima do telhado, e a chuva começou a cair em torrentes, abanando as janelas.

Matilda lembrou-se de repente que a janela de Lily estava aberta e, pegando em Tabitha ao colo, correu ao andar de cima. — Vai um bocadinho para junto do papá — disse ela ao chegar ao patamar, dando uma palmadinha no rabinho da criança na direcção do escritório dele. — Eu vou só fechar a janela da mamã.

A luz no quarto era de um estranho tom cinzento-esverdeado, com o vento a sacudir a janela aberta e as cortinas a esvoaçar furiosamente. Lily estava simplesmente deitada na cama, a fixar o vazio — nem sequer pestanejou quando surgiu outro relâmpago. Matilda fechou a janela e limpou a água do chão com um pano, virando-se em seguida para Lily.

— Não está a ouvir? — perguntou.

— A ouvir o quê? — disse Lily no mesmo tom estranhamente inexpressivo com que falava desde o aborto.

— A chuva, a trovoada e os relâmpagos — disse Matilda. — Porque é que não se levanta da cama e vem ver? A rua já parece um rio.

Lily não se mexeu nem respondeu e qualquer coisa explodiu dentro dela. Esta mulher tinha tudo o que ela própria desejava, um marido que a amava, uma filha encantadora e uma casa segura. Menos de um mês antes, culpara Matilda de levar uma doença para a casa, nem uma refeição lhe levara ao quarto, não lhe dera uma palavra de conforto e chegara mesmo a ameaçar matá-la se Tabitha morresse. Agora entregava-se à autocomiseração, assustando o marido e a filha e esperando que Matilda se desfizesse em atenções com ela. E por causa disso Matilda não podia ir ter imediatamente com o homem que amava.

— Fique na cama se é o que quer fazer — disse. — Fique aí a sentir pena de si mesma o tempo todo que quiser. Mas digo-lhe já, Lily Milson, que se for isso que decidir fazer, não tarda nada a ser levada de requitó para o manicómio.

A mulher olhou para ela, os olhos arregalando-se de choque ao ouvir Matilda falar-lhe tão duramente. Era a primeira vez que reagia a alguma coisa que lhe diziam.

— Sabe como é o manicómio? — continuou Matilda, sem conseguir conter a fúria e a frustração. — Amarram-na com correntes, ninguém a lava nem lhe penteia o cabelo, apanha piolhos e as ratazanas passeiam-se por cima de si à noite. E a única coisa que ouve são os outros malucos a gemer. Gosta da descrição?

Lily não respondeu. Os seus olhos cinzentos fitavam-na, perplexos. Matilda encostou a testa à janela e começou a chorar, pois, embora tivesse falado sem pensar, levada pela fúria, percebeu de repente que, na sua raiva reprimida, tinha adivinhado o futuro. Por mais que Giles Milson amasse a mulher e por mais que tentasse disfarçar o facto de ela estar a enlouquecer, não tardaria que alguém da igreja soubesse e ele fosse forçado a interná-la. Os ricos podiam arranjar hospitais confortáveis com médicos compassivos, mas ele não passava de um ministro pobre.

Durante os dois anos em que trabalhara para a patroa, sentira todo o tipo de emoções por ela. Admiração, desprezo, divertimento, inveja, irritação, afecto, piedade, mas agora via que também aprendera a amá-la, caso contrário que diferença lhe fazia o que lhe acontecesse? Gostaria de ter uma atitude desapegada, afinal não passava da criada dela. Mas, a dado passo, a mulher metera-se-lhe na cabeça e insinuara-se-lhe no coração.

— Não chores, Matty!

Matilda rodou nos calcanhares ao ouvir a súplica plangente e viu que Lily também estava a chorar e a estender-lhe os braços, como Tabitha fazia. Correu para ela, apertando a mulher nos braços como se ela fosse uma criança.

— Sinto muito, Matty. — Lily soluçou contra o seu ombro. — Eu sei que estou a portar-me muito mal. Mas é mais forte que eu.

A fúria de Matilda evaporou-se com a mesma rapidez com que irrompera. — Eu sei — disse ela, embalando a patroa nos braços. — Quem me dera poder apagar a dor dentro de si e fazê-la ver como tem tanta coisa por que vale a pena viver.

— Fala-me disso — sussurrou Lily numa voz rouca.

— Bem, tem o melhor marido do mundo, é um homem bom e generoso que quer melhorar o mundo, e seria capaz de o fazer se a tivesse do lado dele. Tem uma filha adorável, inteligente, que a ama e que só lhe dá mérito. Amam-na os dois profundamente. Tem amigos que admiram a sua meiguice e tem-me a mim. Também a amo e faria tudo para pô-la boa.

— Amas-me? — murmurou ela. — Depois de todas as coisas cruéis que eu disse e fiz?

— Sim, amo-a — respondeu Matilda, também num murmúrio. — Foi por isso que lhe disse essas coisas horríveis sobre o manicómio.

— Eu também te amo — gemeu Lily. — Tens sido um apoio para mim, uma irmã e uma amiga. Terás sempre um lugar especial no meu coração.

Matilda nunca esperara ouvir estas palavras da patroa, e não pôde conter as lágrimas, pois apercebeu-se da sua sinceridade. Enquanto abraçava e confortava a mulher, sabia que transpusera verdadeiramente a linha entre criada e amiga e que nunca mais voltaria atrás. Mas ao atravessar essa linha, sabia também que não podia ir ter com Flynn para já.

CAPÍTULO 10

Foi no Ano Novo de 1845, quatro meses depois de Lily ter perdido o bebé, que Matilda finalmente recebeu uma resposta de Flynn à sua carta a explicar a razão pela qual não podia ir imediatamente ter com ele.

Tinha havido várias cartas nos meses intervenientes, missivas alegres e apaixonadas escritas sempre que ele sentia necessidade de confidenciar os seus sentimentos por ela, de falar do seu novo trabalho e da sua vida em Charleston. Matilda expedira outras tantas, nunca imaginando que ele veria na sua demora mais do que um pequeno contratempo. Contou-lhe como Lily estava a melhorar, falou-lhe das suas esperanças de que ela recuperasse plenamente até à próxima Primavera e assegurou-lhe que continuava a amá-lo com a mesma intensidade. Contudo, ao ler esta carta revoltada e azeda, percebeu que as outras seriam provavelmente rasgadas sem serem lidas, pois ele parecia ver na sua decisão um acto de traição.

> «*Tu não passas de uma criada, não és filha deles. Eu devia ser mais importante, se me amasses como disseste que amavas*», escreveu ele. «*Estava a contar contigo, tudo o que fiz foi por ti. Mr. Donnelly queria um capataz casado e agora dá ideia de que consegui o lugar sob falsos pretextos. O meu trabalho é árduo e preciso do conforto de uma mulher quando chego a casa ao fim de longos dias de labuta.*»

Matilda mal conseguiu ler o resto da carta, pois ele estava a revelar uma faceta de que ela não suspeitava. Não demonstrava a mínima compreensão por ela se ter sentido obrigada a ficar por amor e compaixão para com os Milson, ou mesmo por piedade da patroa. Ele afirmava que, na Irlanda, perder uma criança era um acontecimento comum que se esquecia num ou dois dias e que Mrs. Milson devia agradecer a Deus por ter comida na mesa, uma filha saudável e um tecto sobre a cabeça. À medida que ele continuava, dizendo que as escravas na plantação tinham de trabalhar nos campos com um bebé às costas e que os filhos, em muitos casos mais novos do que Tabitha, tinham de mondar e sachar, ela percebeu pelo seu tom que ele não só aceitara a escravatura como agora a desculpava. O facto encheu-a de tristeza, pois receava que ele se tivesse tornado no que o reverendo Kirkbright chamava «ultraconservador», um desses homens que se sentiam indignados por não terem conseguido vingar entre a sociedade dos brancos e descarregava assim o seu rancor sobre os negros.

Compreendia o seu desapontamento por ela não ter ido. Sentia pena que ele tivesse dias de trabalho tão brutais e chegasse depois a uma casa vazia e fria sem confortos. Mas o Flynn por quem se apaixonara era um idealista auto-suficiente. O que o teria alterado a ponto de ele falar de uma mulher como se fala de uma governanta?

Durante todo o dia cismou com esta carta e as anteriores, apaixonadas e entusiásticas, em que ele pintava um quadro risonho da vida que iam partilhar. Quanto mais as comparava, mais furiosa se sentia, pois de súbito compreendeu que era esta última, ditada pela fúria, que transmitia a verdadeira imagem dele e do seu trabalho. Nas outras, limitara-se a descrever imagens sedutoras e quase de certeza falsas para a iludir.

Compreendeu que também se deixara enganar desde o princípio. Porque é que ele nunca a tinha apresentado a ninguém seu conhecido? Nem insistido em conhecer os Milson? Não era perfeitamente provável que ele soubesse que ela veria então uma outra faceta do seu carácter?

Acreditara que, ao dominar o desejo de fazer amor, ele estava puramente a protegê-la. Mas agora, ao pensar na forma experiente como ele a despira e acariciara, concluiu que ele já tivera várias mulheres e que sabia como obter satisfação pessoal sem correr o risco de engravidá-la.

De súbito este facto assumiu um aspecto sinistro. Ele animara-a, dissipara do seu espírito todas as dúvidas sobre ele. Não seria provável que já estivesse a planear partir e, sabendo que ela era essencial aos seus planos futuros, certificara-se de que ela estava disposta a ir ter com ele assim que ele lhe pedisse?

«É um vigarista, é o que ele é», pensou, furiosa, recordando o belo casaco com os botões prateados. «E queria casar-se comigo para lhe dar mais plausibilidade.»

Já ultrapassara agora a fase das lágrimas. Nessa noite, quando pegou na caneta e no papel, sentia vontade de magoá-lo tão profundamente como ele a magoara a ela. Enfurecida, frisou que sabia perfeitamente que tipo de pessoa ele era. Que nunca se poderia casar com um homem que não tinha compaixão por uma mulher que perdera um filho e vivia numa casa pertencente a um homem que punha crianças a trabalhar nos campos. Disse que, se ele tivesse escrito a dizer que não tinha mais que um casebre para viverem, nem dinheiro, mas que aderira a um dos movimentos clandestinos para ajudar os escravos a escapar para o Norte, se teria metido no primeiro barco assim que Lily estivesse melhor, para ir trabalhar ao lado dele. Mas a ideia dele a saracotear-se em cima de um cavalo a chicotear negros para que trabalhassem mais causava-lhe profunda repugnância.

Realçou que, quando casasse, queria uma parceria em pé de igualdade e não estar simplesmente presente para preparar refeições e lavar as camisas do marido. Nunca poderia casar-se com um homem que não falasse a verdade.

Dobrar a carta e fechá-la reforçou a sua determinação. Não ia correr o risco de relê-la no dia seguinte e voltar atrás na sua decisão.

Nos dias que se seguiram ao envio da carta, Matilda descobriu que a coragem e a frontalidade não lhe transmitiam grande consolo. Nova Iorque em Janeiro era um lugar deprimente, com ventos glaciais que sopravam do Atlântico, céus plúmbeos e frequentes quedas de neve que num instante se transformavam em muros negros de um metro nos passeios. A bomba da água gelava com frequência, os legumes e a fruta desapareciam das lojas. O sofrimento dos pobres era ainda mais evidente quando saía para comprar petróleo para as candeias ou algo mais apetitoso do que carne de porco salgada para comer e via os seus filhos com andrajos amarrados em volta dos pés descalços a mendigar pão.

Tabitha tinha agora cinco anos e, depois do Natal, começara a frequentar uma pequena escola na Broadway. Mas com a criança fora de casa todos os dias entre as nove e as duas horas, os dias, sozinha com a patroa, pareciam intermináveis. Lily recuperara a boa disposição na medida em que ocupava os dias a costurar, a ler e a fazer bolos, mas era frequente refugiar-se na sua concha e raramente saía de casa. Giles, por outro lado, andava muito mais atarefado com projectos na paróquia que incluíam uma sopa dos pobres para os miseráveis, a abertura de uma escola pública, que envolvia esforços para que todas as crianças dos prédios degradados da vizinhança a frequentassem, e o Lar para Crianças Abandonadas e Sem-Abrigo em New Jersey. Lily parecia ter agora aceitado que tudo isto fazia parte das suas funções e não falara mais em proibi-lo de visitar lugares que considerava insalubres ou perigosos.

Agora que Matilda tinha bastante menos que fazer em casa, Giles pedia-lhe muitas vezes ajuda noutras coisas — na sopa dos pobres, a persuadir pais relutantes a mandar os filhos para a escola e a distribuir roupas e cobertores doados por pessoas caridosas da paróquia. Já não havia necessidade de ir a Five Points buscar órfãos; correra entre eles a informação sobre o refúgio do outro lado do rio Hudson e iam pelo seu pé bater à porta do Dr. Kupicha. Mal se encontravam pais adoptivos para algumas das primeiras crianças, logo outras ocupavam os seus lugares e a igreja estava agora a angariar fundos para ampliar o edifício.

Cissie foi nomeada ama principal dos menores de cinco anos, uma posição que ela adorava. Ficara profundamente triste quando Pearl fora adoptada por um casal sem filhos de Boston, em Novembro, mas no Natal já aceitara que fora pelo melhor e até pedira a Miss Rowbottom que a ensinasse a ler e a escrever para poder manter-se em contacto com a filha da amiga. Fora oferecida a Sidney, por duas vezes, a possibilidade de uma nova casa, mas ele tornara muito claro que fugiria se fosse obrigado a ir. Como ele era muito útil na quinta e uma boa influência para os rapazes mais rebeldes, os administradores tinham dito que podia ficar permanentemente.

No entanto, apesar de ver o sucesso do trabalho de socorro, de se sentir realizada a ajudar Giles em novos projectos e de saber que teria sempre experimentado um sentimento de culpa se tivesse partido quando Lily estava doente, o coração de Matilda ainda suspirava por Flynn. Ele não respondera à sua carta irada — nem desculpas, nem a súplica de uma segunda oportunidade — e ela teve de se resignar à ideia de que ele nunca fora o homem que pensara, de que na realidade tinha escapado por pouco. Mas isso não mitigava a dor.

Um dia, viu Rosa quando estava a atravessar a lota de Fulton. Estava grávida, com um vestido sujo e o cabelo empastado e, quando avistou Matilda, afastou-se a toda a velocidade. Matilda sabia que a rapariga devia ter esperado que ela se desviasse em sinal de desprezo, mas isso não teria acontecido, agora não. O tempo que passara com Flynn dera-lhe uma consciência redobrada das fragilidades humanas e, se não tivesse sido o autocontrolo dele, também ela podia ter acabado à espera de bebé. Pelo menos por isso, sentir-se-ia sempre grata.

— O que é que se passa, Matty? — perguntou Giles, numa manhã de Março, quando partiram para descobrir por que razão quatro rapazes que frequentavam a escola regularmente haviam deixado subitamente de aparecer. O tempo continuava tão frio que Matilda quase julgara ter imaginado como Nova Iorque podia ser quente em Agosto. Era realmente uma cidade de extremos — muita riqueza mas também muita miséria, colorida e animada mas também deprimente e triste. Esperança e desespero, sofrimento e felicidade. Mesmo o que sentia por ela ia do amor ao ódio.

— Não se passa nada, reverendo — respondeu, conseguindo forçar um sorriso radioso. — É o frio.

Giles olhou para ela de relance enquanto percorriam Pearl Street. Ela estava com uma capa de lã cinzenta com capuz, que pertencera à mulher, e o vestido por baixo também era cinzento. Sem dúvida que a maioria das pessoas do seu círculo social diriam que ela estava vestida decentemente para a sua posição, mas o cinzento não condizia com o seu carácter. Se pudesse escolher uma cor para ela, seria azul-vivo para condizer com os seus olhos. Soltaria aquele cabelo louro dos ganchos e levá-la-ia a ver qualquer coisa de divertido só para ouvi-la rir. Pareciam ter passado meses desde que ouvira esse som.

— Não me refiro só a hoje, há algum tempo que andas taciturna — disse ele. — No ano passado, pensei que tinhas um namorado. Costumavas chegar a casa das tuas tardes de folga com os olhos brilhantes e feliz. Agora é raro saíres e, quando o fazes, chegas a casa com um ar triste. O que é que aconteceu, Matty?

Matilda engoliu em seco. Agora era tarde de mais para lhe falar de Flynn; se lhe dissesse que ele era capataz numa plantação, ia ter ainda mais dificuldades em tolerar isso do que se soubesse que ele trabalhava num bar.

— Houve alguém durante uns tempos, mas partiu da cidade — disse ela simplesmente. — Afinal não era o tipo de homem que pensei que fosse.

Giles não respondeu por alguns momentos, pegando-lhe no braço para atravessar a rua movimentada. — São poucas as pessoas que se mostram como realmente são — disse ele por fim. — Por vezes, escondemos ou exageramos a nossa verdadeira personalidade, ou fingimos ser diferentes, e todos mudamos como as circunstâncias.

— O reverendo não — disse ela, indignada. — É a mesma pessoa agora que era quando o conheci, há quase três anos.

— Não, não sou — disse ele, com um suspiro. — Nesse tempo, era ingénuo e convencido. Acreditava que a minha vocação me tornava superior aos outros homens. Agora sei que não é assim. Mas há outros aspectos do meu carácter que também mudaram. Ver coisas terríveis endureceu-me. Muitas vezes duvido da minha fé. Não sou confiante como era. E olha para ti, Matty, não és a mesma rapariga que apanhámos em Oxford Street.

— Ainda bem — disse ela, sorrindo. — Essa era uma malandra. Alguma vez percebeu que me fingi mais magoada do que estava porque pensei que me podia dar um ou dois xelins?

Ele riu-se com vontade, os seus olhos escuros franzindo-se e dando-lhe um ar arrapazado. — Felizmente não tos ofereci, podias ter desaparecido no meio das pessoas e eu nunca mais te via! Mas o que quis dizer foi que as tuas necessidades nessa altura eram muito simples, Matty. Vender flores suficientes num dia para comprar comida era o teu único objectivo, não pensavas para além disso.

— Não se pensa quando se passa a vida com fome — disse ela com amargura.

— Bem, agora não passas fome há muito tempo, quais são então os teus objectivos?

Esta pergunta era muito semelhante à que Flynn lhe fizera no primeiro dia em que o conhecera no café Tontine, mas ele perguntara-lhe o que queria da vida. Reflectiu por um momento. — Quando envelhecer quero olhar para trás, para a minha vida, e poder dizer que valeu a pena.

— Quer isso dizer que aspiras a ser rica, a ter estatuto social, ou a ser mãe de meia dúzia de crianças? — perguntou ele, e ela sentiu que ele achava a sua resposta divertida.

— Acho que gostava de todas essas coisas — disse ela, com um sorriso. — Mas, acima de tudo, quero ter feito uma diferença na vida de outras pessoas. — Fez uma breve pausa, percebendo que não se explicara bem. — Como convencê-lo a levar a Cissie e o Peter para o lar, isso fez uma diferença na vida deles.

— Sem dúvida que fez, Matty — concordou ele. — Se o teu objectivo é esse, é dos mais nobres. Nunca te afastes dele e nunca o deixes morrer. E deixa-me também voltar a ouvir-te rir, esquece esse homem, se ele não te servia, e começa de novo. A vida é demasiado dura e breve para se passar muito tempo com tristezas.

Ela sabia que ele tinha razão, mas desejava que alguém fosse capaz de lhe dizer como afastar da ideia o rosto do homem que amava. Pressentia que essa imagem a acompanharia para sempre.

Mais para o fim do ano, um incêndio devastou a zona financeira de Wall Street. Felizmente para Matilda e para os Milson, começou várias ruas a norte de State Street e avançou para leste, na direcção das docas. Mas as labaredas a devorar os últimos edifícios comerciais, os armazéns de madeira e as habitações de marinheiros constituíam uma visão aterradora e, se o vento tivesse virado, o fogo podia ter arrasado uma área ainda mais vasta. O fumo negro e acre e a cinza espessa pairaram no ar durante vários dias e inculcaram um novo terror no coração de Lily. Para ela, era mais uma prova de que Nova Iorque era o lugar mais perigoso da Terra.

— Ajuda-me a convencer o meu marido a voltarmos para Inglaterra — implorou ela a Matilda, enquanto se debatiam para limpar a cinza que se infiltrara por toda a casa. — Não consigo viver assim, sem nunca saber quando vai rebentar o desastre seguinte.

Por essa altura, Matilda desejava muito que pudessem regressar a Inglaterra. Uma carta recente de Dolly informara-a de que a saúde de Lucas estava a agravar-se e ela sabia que Dolly nunca a alarmaria com uma notícia destas se não sentisse que ele tinha os dias contados.

— Vou tentar — respondeu.

Lily abraçou-a impulsivamente, o seu rosto pequeno iluminado pela fé absoluta nos poderes de persuasão dela. — Oh, Matty, pensa só como seria bom voltar a passear no campo, ver as macieiras em flor na Primavera e tomar chá no relvado no Verão. Não tens também saudades dessas coisas?

Era estranho, mas, para alguém que atirara à cara de Matilda as suas origens na noite em que Tabitha adoeceu com sarampo, Lily parecia agora ter-se esquecido completamente de que ela era originária dos bairros degradados e não fazia ideia do que era «tomar chá no relvado» nem de quaisquer outras tradições da classe média inglesa. Desde o aborto, começara a tratar Matilda mais como uma irmã mais nova do que como uma criada. Tinha-lhe feito um bonito vestido de algodão às riscas azuis, com nervuras no corpete, e cada vez mais procurava a companhia dela. Em várias ocasiões, tinha-lhe mesmo pedido que deixasse de tratá-la por «minha senhora» e a tratasse antes por Lily. Matilda sentia-se pouco à vontade com a mudança da relação entre ambas, mas não era unilateral, também dava por si a pensar nela mais como uma boa amiga do que como sua patroa. Talvez fosse porque descobrira por si própria o que era a mágoa, pois, mesmo que as razões da melancolia de ambas fossem muito diferentes, os sintomas eram semelhantes.

— Sim, tenho saudades de Inglaterra — concordou Matilda. — Dava tudo para voltar a ver o meu pai e a Dolly, para ir a Primrose Hill, ver a Torre de Londres e todos os outros lugares de que gostava. Mas, mesmo que o reverendo concordasse em voltar, acho que não se contentaria em ser um pastor de província, nem mesmo em assumir uma paróquia numa zona bonita de Londres. Agora está demasiado empenhado no seu trabalho com os pobres para o largar.

— Mas porquê? — Lily bateu os pés, indignada. — Podíamos ter uma vida tão feliz em Bath ou numa terra assim.

Matilda sorriu afectuosamente. Por vezes, Lily era como uma criança mimada, risonha quando tudo lhe corria bem, amuada quando não corria. — Já sabe que ele não é homem que vire as costas aos seus ideais — redarguiu. — É o lado mais admirável dele, minha senhora, poucos homens têm convicções assim tão fortes.

Lily fez beicinho. — O que é que tu sabes dos homens? — disse ela.

— Não muito, mas o suficiente para saber isso — disse Matilda. — Na minha opinião, a maioria é motivada pela ganância, pela luxúria e pela aventura e as mulheres recebem muito menos amor e atenção do que a senhora.

Alguns dias mais tarde, depois de a patroa ter passado quase todo o dia a queixar-se do estado lastimoso em que o incêndio deixara a casa e a exprimir a sua repugnância por uma grande chusma de irlandeses grosseiros já se ter instalado no local em barracas improvisadas, Matilda resolveu falar com o patrão nessa noite.

A ansiedade de Lily era compreensível. As coisas mudavam à velocidade da luz em Nova Iorque, eram demolidos edifícios e instantaneamente outros mais espectaculares ocupavam o seu lugar. Quarteirões inteiros de residências nasciam como que por magia e, do mesmo modo, zonas que, uma década antes, eram o píncaro da moda, podiam transformar-se em bairros miseráveis quase da noite para o dia. Cherry Hill já fora a morada de homens notáveis como George Washington, mas agora era uma área de que as pessoas decentes fugiam. O incêndio e a reconstrução subsequente necessária dariam inquestionavelmente origem a um êxodo em massa dos seus vizinhos mais abastados para a zona alta da cidade. As suas casas seriam então arrendadas e não tardaria que o bairro degenerasse noutra Cherry Hill. Matilda esperava que, mesmo que Giles não se deixasse persuadir a regressar a Inglaterra, pelo menos perguntasse ao reverendo Kirkbright se podiam mudar de casa.

Esperou que Lily se fosse deitar, preparou uma chávena de chocolate quente para Giles e abordou-o.

— Voltar para Inglaterra? — disse ele, com surpresa. — Isso é impensável, Matty. Agora estou comprometido com este país, ainda há muito que fazer aqui.

Matilda não ficou minimamente surpreendida com a resposta, já a esperava, e assim passou a explicar os medos da mulher relativamente à vizinhança e como ela sonhava com campos verdejantes, jardins e ar puro.

Ele assentiu com a cabeça em sinal de compreensão. — Muitas vezes sinto o mesmo. Se fosse possível, tentava arranjar uma casa mais agradável para vivermos. Mas não sou rico, Matty, tenho de viver onde a igreja me coloca. A minha mulher sabe bem que é assim.

— Mas não vê como é difícil para ela pensar que vai ficar aqui para sempre? — implorou Matilda. — Em breve, os amigos que fez por aqui vão partir, a zona vai tornar-se mais barulhenta e mais suja de semana para semana.

— Eu não disse que tencionava ficar aqui para sempre — disse ele, arqueando as sobrancelhas escuras de surpresa. — Quando achar que lancei os alicerces de uma melhor situação para os pobres, parto.

— Para um lugar ainda mais horrível? — exclamou ela, arregalando os olhos de horror.

— Não — disse ele, rindo. — Estás a esquecer o meu lado aventureiro, Matty. A América é um país vasto e eu só vi uma parte ínfima. Neste momento, há muitas pessoas que estão a atravessar o país para terras inexploradas a oeste. Gostava muito de as conhecer.

Matilda sabia das pessoas que partiam em colunas de carroças em busca de terras no Oregon e, pelo que ouvira sobre as adversidades por que passavam, com tudo desde altas montanhas, rios largos para passar a vau e índios hostis, não lhe parecia que a patroa rejubilasse com uma sorte idêntica. Quando exprimiu esta ideia, Giles voltou a rir-se.

— Não, Mrs. Milson não tem genica para isso — disse ele. — Não disse que íamos juntar-nos aos pioneiros. Mas precisam desesperadamente de clérigos para missões no centro do país e acho que ela talvez fosse feliz aí, a conviver com a comunidade de agricultores, talvez a fundar uma escola que muita falta há-de fazer.

Matilda olhou para ele, assombrada. Parecia-lhe uma solução ideal. — Alguma vez falou sobre isso com Mrs. Milson?

Ele abanou a cabeça. — Ainda não. Só recentemente é que comecei a pensar nessa possibilidade — disse ele. — Muitos dos imigrantes que conheço através da igreja falam-me de parentes que lá têm e dos seus planos para irem ter com eles. Suponho que também me contagiaram com a ideia de vastos espaços abertos e o desafio de erguer uma verdadeira comunidade com outras pessoas de todos os cantos do mundo que pensam de maneira idêntica. Achas que Mrs. Milson era capaz de gostar da ideia?

— Tenho a certeza que sim — disse ela, imaginando a patroa a organizar grupos de costura e vendas de bolos. — Devia sondá-la; sabendo que tinha boas perspectivas no horizonte, talvez não se importasse de passar mais um ou dois anos aqui.

— E tu, Matty? Virias connosco?

— Não podia deixar-vos ir sozinhos — disse ela a rir, subitamente exultante com a ideia. — E gostava muito de ver todas essas maravilhas; há dois anos que estamos na América e o mais parecido que vi com um índio foi a escultura de madeira à porta da tabacaria. O único cavalo em que andei foi o de Coney Island.

Fez esta última afirmação sem pensar e, assim que as palavras lhe saíram da boca, corou.

Giles perscrutou-lhe o rosto. — O homem que te desiludiu levou-te a Coney Island? — perguntou ele num tom meigo.

Por um segundo, pensou em dizer que fora sozinha, mas, se ia continuar com os Milson, podia voltar a ter um deslize semelhante. — Sim, reverendo, quando estavam em Boston.

Ele não se mostrou chocado, simplesmente curioso. — Como é que ele se chamava, Matty? Fala-me dele.

Matilda sempre pensara que nunca teria coragem sequer para pronunciar o nome de Flynn, mas de repente o desabafo saiu em catadupa, como o conheceu, as tardes de sexta juntos e a sua promessa de ir ter com ele a Charleston. Ficou surpreendida ao descobrir o alívio que sentia em contar a alguém.

Giles escutou, fazendo uma ou outra pergunta.

— Afinal, foi uma sorte eu não ter ido — disse ela com uma gargalhadinha forçada. — Às tantas estaria a viver num casebre horrível, também rotulada de «ultraconservadora».

Giles digerira tudo o que ela lhe contara e compreendia ainda melhor o que ficara por dizer. Entristecia-o pensar que ela não fora capaz de se abrir com ele logo de início e ficou profundamente sensibilizado ao ver que a dedicação dela a si e à sua família era ainda mais forte do que ao homem que amava. E *tinha-o* amado, ainda o amava, via-se na expressão dela.

— Ocorrem-me dezenas de razões para o casamento com o Flynn poder não ser tudo o que desejavas — disse ele com profunda compaixão. — Os Irlandeses, no geral, são uma raça volátil. Se achas agora que ele apenas revelou uma pequena parte do seu verdadeiro carácter, desconfio que a parte que não te mostrou não te teria agradado nada. Mas lamento muito que os teus sonhos tenham sido destruídos, Matty. Um primeiro amor é algo de muito precioso.

— Começo agora a refazer-me — disse ela, voltando a corar com medo de ter falado de mais. — Como o meu pai disse quando me deixou consigo no presbitério, «Nunca olhes para trás.»

— O teu pai é um homem sensato — disse Giles, num tom de aprovação. — Mas quase todos nós temos muita dificuldade em não olhar com nostalgia para o passado, e censurarmo-nos por não termos agido de maneira diferente. Lidaste com este problema com grande dignidade, Matty. Com o tempo, hás-de encontrar consolo nisso.

Ela sorriu, os seus olhos azuis subitamente muito abertos e cintilantes. — O reverendo é um conforto para mim — disse ela. — Se alguma vez voltar a sentir-me tentada a apaixonar-me por outro homem, hei-de tentar arranjar alguém que seja o mais parecido possível consigo.

Mais tarde ocorreu-lhe, quando estava na cama, que esta observação podia facilmente ser mal interpretada. Mas fora dita com a mais pura das intenções e tinha a certeza de que Giles compreenderia isso.

Desejava um homem que fosse tão bom por dentro como por fora, que se preocupasse com as pessoas, ricas ou pobres, que desse importância às crianças e fosse trabalhador. Um homem inteligente e equilibrado que nunca lhe mentisse, que considerasse a mulher sua igual. Mas também queria alguém divertido, que gostasse de se rir e dançar. Um homem que fizesse amor com ela apaixonada e empenhadamente. Um homem corajoso.

Giles era todas estas coisas, embora, claro, não o conhecesse como amante nem como dançarino.

Riu-se, chocada ao pensar na sua ousadia em ter pensamentos tão físicos sobre o patrão. Mas tinha a sensação de que seria brilhante nos dois campos, pois possuía um andar gracioso e os seus olhos ardiam como se fosse capaz de fortes paixões. A verdade é que não conseguia apontar-lhe defeitos, a não ser, claro, a sua lealdade cega a Deus.

No domingo antes do Natal, o reverendo Kirkbright anunciou no púlpito, no ofício da manhã, que os Milson abandonariam a igreja de Trinity na Primavera para se mudarem para o Missouri. A decisão de partir fora tomada inesperadamente porque era necessário um ministro com urgência na pequena vila fronteiriça de Independence. O actual era idoso e estava doente e o bispo em St. Louis, que era amigo do reverendo Kirkbright, pedira-lhe para seleccionar alguém jovem e dinâmico para ocupar essa posição.

Giles estava com a sotaina e a sobrepeliz e ocupara o seu lugar no cadeiral do coro. Matilda estava sentada com Lily e Tabitha na primeira fila de bancos e atrás delas a igreja estava completamente cheia; o coração de Matilda inchou de orgulho quando o reverendo

Kirkbright falou do muito que Giles Milson dera à paróquia durante o tempo ali passado.

— Não pode haver muitos, entre vós aqui hoje, cuja vida não tenha sido afectada por este extraordinário clérigo. Ele visitou doentes, confortou enlutados, ouviu os vossos problemas e partilhou dos vossos triunfos. Mas foi nos cuidados que ministrou aos pobres que o reverendo Milson deixou a sua maior marca. Graças à sua compaixão e coragem, inúmeros órfãos foram salvos de condições que poucos de nós são capazes sequer de imaginar. Hoje, estas crianças são saudáveis e bem tratadas no Lar para Crianças Abandonadas e Sem-Abrigo, em New Jersey, e muitas delas foram adoptadas por boas famílias noutros estados.

Recordando o secretismo com que ela e Giles haviam salvado estas crianças, Matilda olhou de relance para Lily para ver a sua reacção ao ouvir falar do assunto tão abertamente. Mas Lily não estava a olhar para Darius Kirkbright, apenas para o marido. Os seus olhos cinzentos, nos quais normalmente era difícil vislumbrar qualquer emoção profunda, estavam brilhantes e o seu rosto pequeno animado de orgulho. Matilda não teve qualquer dúvida de que Lily se resignara há muito à obra pastoral de Giles, independentemente de onde esta o pudesse levar, e que de futuro estaria sempre ao seu lado.

— Paralelamente ao seu trabalho — continuou o reverendo Kirkbright —, o reverendo Milson criou sopas dos pobres e conseguiu que um sem-número de crianças frequentasse a escola. Pouco depois de chegar à América, disse-me que acreditava que a educação era a única arma verdadeira para combater a pobreza e, naturalmente, tem razão. A benevolência para com os pobres, a distribuição de alimentos e de agasalhos alivia o sofrimento, mas a verdadeira cura *reside* na educação. Um homem ou uma mulher que saiba ler e escrever pode conseguir um emprego melhor e, consequentemente, condições de habitação melhores. A educação põe fim à ignorância e abre ao espírito portas para novas e infinitas oportunidades. — O reverendo Kirkbright fez uma breve pausa, varrendo com os olhos os bancos apinhados sob o púlpito.

— Todos vamos sentir a falta do reverendo e de Mrs. Milson e estou certo de que fareis coro comigo a desejar-lhes as maiores felicidades e sucesso no seu novo lar e igreja. Mas seria uma tragédia se, depois de partirem, apenas os recordássemos por serem pessoas caridosas e de bom coração. O reverendo Milson deixou-nos um maravilhoso legado. Desbravou terreno para uma sociedade melhor e mais compassiva e todos nós aqui hoje devemos comprometer-nos a apoiar e a preservar o que ele tão corajosamente começou.

«A América está a caminho de ser o maior país do mundo, mas um país, como uma casa, só pode ser forte se os seus alicerces forem fortes. Devemos pôr de lado os interesses pessoais e trabalhar para erigir estes alicerces com atenção aos pobres e aos doentes, boas escolas e habitação. Devemos banir a ignorância e a intolerância, aprender a amar o nosso semelhante, independentemente da sua raça ou religião. Agora todos nós somos americanos, venham os nossos pais de onde vierem, e como tal devemos orgulhar-nos da nossa nova nacionalidade e unir-nos para a transformar na maior nação da Terra.»

Era a primeira vez que Matilda ouvia a congregação aplaudir na igreja. Começou com leves palmas e aumentou para uma ovação estrondosa. Sentiu um nó na garganta e os seus olhos humedeceram-se. Nesse momento, pensou que afinal talvez viesse a tornar-se americana.

CAPÍTULO 11

O sol rasante do fim da tarde entrava por uma janela lateral, lançando uma tonalidade acobreada sobre os caracóis escuros de Giles Milson, que estava junto da mesa, contemplando o festim de boas-vindas que lhe fora servido, a ele e à família. Um grande empadão coberto por uma massa dourada, pão fresco e um jarro de leite. Após uma longa e penosa viagem para Independence, no Missouri, pão e queijo teriam bastado para o deliciar, mas esta generosidade e simpatia da parte dos seus novos paroquianos pareciam confirmar que tomara a decisão certa ao mudar-se com a família para aqui.

Olhando para cada um deles, sentiu uma onda de amor e ternura. Lily, com um rosto incaracteristicamente bronzeado, estava a limpar lágrimas de felicidade. Tabitha, com um vestido de alças sujo e amarrotado, as tranças escuras a soltar-se, estava a lamber os lábios perante a comida à sua frente; e Matilda, os olhos tão azuis como o céu estival lá fora, estava a sorrir à jarra de boninas no centro da mesa.

— Hoje impõe-se dar graças de maneira muito especial — disse ele, juntando as mãos e fechando os olhos. — Obrigado, Senhor, por nos teres trazido sãos e salvos à nossa nova casa e igreja e pela generosidade da boa gente que nos ofereceu ajuda e hospitalidade pelo caminho. Os nossos corações estão repletos de amor por todos os que nos receberam aqui hoje, nos prepararam esta casa e nos puseram esta comida na mesa. Rezo para que a felicidade que todos sentimos hoje nos acompanhe para sempre.

Matilda pronunciou um fervoroso ámen. Podia não depositar uma fé em Deus tão absoluta como a dos Milson, mas até ela estava pronta a admitir que parecia que Ele operara alguns milagres por esta família nos últimos meses.

Haviam deixado Nova Iorque em Abril e estava-se agora em Julho. A viagem de quase dois mil quilómetros fora realizada de comboio, barcos e carroça. Todo o percurso fora empolgante pois nenhum deles fazia verdadeiramente ideia da vastidão e beleza da América.

Puderam deliciar-se com vistas memoráveis — os pomares em flor na Pensilvânia, a vastidão do Lago Erie, densas florestas, rios largos e velozes e ocasos espectaculares sobre cordilheiras. Ficaram maravilhados com as imensas pradarias e a dedicação das pessoas que haviam semeado os quilómetros aparentemente intermináveis de trigo e milho.

Fora delicioso respirar ar puro e fresco, ouvir a restolhada das folhas e o canto dos pássaros, ver flores silvestres e animais e a forma como aquelas pessoas viviam longe do ruído e da sujidade das cidades. Passaram por inúmeras vilazinhas sonolentas e pitorescas com pequenas e bonitas casas de madeira e jardins bem tratados. Aqui e ali, viram longas avenidas ladeadas por árvores, que conduziam a espectaculares mansões, mas, à medida que avançavam para oeste, as cabanas de madeira humildes tornavam-se mais frequentes e havia casas feitas simplesmente de torrões de terra compactada. Contudo, por mais pobres que os seus donos indubitavelmente fossem, eles e os filhos tinham um ar mais saudável que os habitantes das cidades.

Apesar de a viagem ter proporcionado tantos momentos empolgantes, o que mais contribuíra para a felicidade de Matilda fora ver Lily tão feliz. Antes de partirem de Nova Iorque, ela estava serena, mas assim que deixaram a cidade transformara-se numa pessoa completamente diferente.

Começou subitamente a conversar, a rir, a fazer inúmeras perguntas, e Matilda viu Giles a responder-lhe amorosamente. Mas a verdade era que a partida de Nova Iorque representava uma liberdade para eles — o fim das restrições sociais, das tarefas enfadonhas, do ruído e imundície da cidade e, por qualquer razão, os vastos espaços abertos pareciam encorajá-los a serem mais abertos e arrojados. Giles ficou satisfeitíssimo por aprender a dominar o temperamental cavalo da carroça e montar tendas para passar a noite e Lily por aprender a cozinhar numa fogueira. Pela primeira vez na sua vida, Tabitha viu-se livre dos seus muitos saiotes e podia correr ao lado da carroça, baloiçar-se nos ramos das árvores, chapinhar nos riachos e saborear os simples prazeres que são o dia-a-dia das crianças criadas no campo.

Dormir ao relento fora uma aventura! Por vezes era assustador quando ouviam lobos a uivar ou restolhadas causadas por predadores na vegetação, mas também excitante. Sentavam-se muito juntos em redor da fogueira e contemplavam, maravilhados, o céu estrelado, conversando sobre a vida em Inglaterra e em Nova Iorque, espantados com as mudanças por que todos eles haviam passado.

Matilda achava que jamais esqueceria as lágrimas emocionais de Lily quando as mulheres, algumas delas mal sabendo falar inglês, lhe suplicavam que partilhasse com a família uma simples refeição, porque a visita de um ministro significava uma bênção para as suas casas. Ou do choque que todos sentiram quando se depararam com os primeiros índios nas planícies do Indiana.

A pequena expedição tinha acabado de atingir o cume de uma colina quando eles apareceram a cavalgar a toda a velocidade na sua direcção. Não eram os selvagens sujos e quase nus que Matilda imaginara, mas usavam simples peles de búfalo, o cabelo preto comprido brilhante como alcatrão, montando os seus lustrosos cavalos em perfeita sintonia com o animal. Lily empalidecera e apertara Tabitha contra si e até Giles confessou mais tarde que rezou algumas orações em silêncio, mas os índios ignoraram-nos e passaram por eles sem lhes lançar sequer um olhar.

Dois dias mais tarde, souberam que eram Cherokees, uma tribo que habitara a Geórgia até o homem branco os privar das suas terras férteis e os forçar a fazer a pé a longa distância até aos territórios índios a oeste do Missouri. O grupo que viram era constituído por renegados que haviam escapado, refugiando-se nas montanhas do Sul do Indiana. Estavam quase de certeza numa expedição de caça para levar comida ao resto do grupo.

Mas a viagem nem sempre foi agradável ou interessante. Havia grandes extensões de terras áridas e desoladas, e chovera torrencialmente, deixando-os encharcados até aos ossos; noutras ocasiões, esgotara-se-lhes a comida, e a etapa final da jornada teve muitos contratempos, especialmente quando uma roda partiu a quilómetros de qualquer lugar habitado, e Giles teve de partir a cavalo para arranjar ajuda, deixando as mulheres atoladas num simples trilho, sem ideia de quanto tempo ele demoraria a regressar.

Mas eram esses maus momentos que os faziam rir mais tarde. Matilda nunca imaginara que Lily fosse capaz de descalçar as botas e as meias, arrepanhar o vestido e caminhar na lama para apanhar lenha, nem que Giles soubesse pescar ou colocar armadilhas para coelhos. Giles e Lily tinham ficado estupefactos com a habilidade de Matilda a acender fogueiras e a descobrir galhos moles para construir camas improvisadas e com os seus conhecimentos sobre carroças e cavalos. Mas, pelo seu lado, ela também ficou surpreendida ao aperceber-se de que não se esquecera de coisas que aprendera na infância em Finders Court.

No entanto, de todas as coisas positivas que aconteceram nos últimos meses, a que mais importância teve para Matilda ocorreu imediatamente antes de deixarem Nova Iorque. Os Milson tinham-na chamado à sala uma noite, convidaram-na a sentar-se e disseram que doravante não devia considerar-se uma criada mas uma amiga da família e que, de futuro, devia tratá-los por Giles e Lily.

— Insistimos — disse Lily, sorrindo do protesto embaraçado de Matilda. — vais acompanhar-nos como uma igual numa grande aventura e seria absurdo se continuasses a tratar-nos por reverendo e minha senhora. De futuro, vais receber uma mensalidade, não lhe vamos chamar mais salário, e se a qualquer momento quiseres deixar-nos, tens toda a liberdade de o fazer.

— Claro que esperamos que não aconteça tão cedo — atalhou Giles. — E, quando acontecer, esperamos ardentemente que seja porque te vais casar.

Na altura, Matilda teve a impressão de que esta generosidade se devia à triste notícia que recebera de Dolly de que o pai falecera em Novembro passado. Durante todo este tempo, agarrara-se à ideia de que um dia poderia voltar a vê-lo para lhe contar tudo sobre a América e lhe mostrar a sua gratidão por tê-la deixado partir. Muita coisa ficara por dizer, como lhe dava valor por tê-la obrigado a ir à escola, perguntas que queria fazer sobre a mãe, dizer-lhe que, apesar da distância, continuava no seu espírito e que o amava.

Porém, mais tarde, já em viagem, Matilda compreendeu que a intenção de Giles e Lily de elevar o seu estatuto de criada a amiga era para que pudesse mover-se no mesmo círculo social que eles, o que lhe permitiria fazer um casamento muito melhor.

Matilda achava que nunca mais voltaria a amar, Flynn continuava demasiado entranhado no seu coração e no seu espírito. Mas era reconfortante saber que Lily e Giles se preocupavam tão seriamente com o seu futuro.

O som de cadeiras a arrastar trouxe Matilda de volta ao presente.

— De que é o empadão, mamã? — perguntou Tabitha quando se sentaram.

— Acho que é de coelho — respondeu Lily, cortando a massa folhada dourada. — Mas, seja de que for, Mrs. Homberger é uma cozinheira excelente, ainda não tinha visto uma massa tão bem feita desde que partimos de Inglaterra. — Distribuiu fatias de empadão e instou-os a servirem-se de legumes. — Oh, é tão agradável estar aqui — exclamou subitamente. — Tenho a certeza de que vamos ser muito felizes.

Giles pegou na mão da mulher e apertou-a com afecto. Não foi capaz de exprimir o seu alívio por ver que Independence e a casa que a igreja lhes disponibilizara lhe agradavam.

Como Independence era a última vila em território organizado e o lugar de partida das colunas de carroças que atravessavam as grandes planícies até ao Oregon e ao Oeste, Giles imaginara uma fronteira selvagem com tudo o que isso implicava.

Por isso, ficara surpreendido e deleitado ao ver que Independence era uma pequena vila extraordinariamente tranquila, com uma sólida e permanente comunidade de comerciantes e mercadores que forneciam carroças aos viajantes, bois para as puxar, mantimentos, equipamento e ferramentas para a longa e perigosa viagem. Estas pessoas e os proprietários das quintas na periferia tinham visivelmente um grande orgulho na sua vila. A igreja, a escola, o pequeno hospital, o tribunal e a casa do ministro haviam sido construídos por muitos dos homens.

Uma das pessoas que os recebera hoje, um ferreiro corpulento chamado Solomon, que parecia ter um ar suficientemente duro para arrancar a cabeça a um homem, chamara Giles de lado e frisara que a vila podia ser um lugar agitado quando a Primavera chegasse e as colunas de carroças se preparassem para partir, com mais do que o seu quinhão de bebidas, jogo, fornicação e rixas. Referiu que, embora os viajantes propriamente ditos fossem pacíficos e diligentes, famílias tementes a Deus como a maioria dos colonizadores na região, os batedores, soldados, jogadores profissionais, prostitutas e outros itinerantes podiam armar sarilhos e turbulência.

Giles perguntara se havia problemas com os índios. A notícia de que estavam a ser expulsos em massa das suas terras ancestrais a leste, para criar espaço para os colonizadores brancos, era motivo de grande preocupação para ele. Mas em Nova Iorque era difícil destrinçar os factos da ficção, pois os homens em posições de autoridade, gananciosos por terras, eram capazes de dizer o que quer que fosse, usar qualquer tipo de propaganda para justificar as suas acções. Sempre desconfiara que as histórias sobre colonizadores que eram assassinados na cama eram incrivelmente exageradas, embora pessoas desesperadas fossem capazes de actos desesperados, e ele estava ansioso por saber a verdade.

— Os peles-vermelhas não aparecem nas cidades — disse Solomon. — Ouvi dizer que confrontam todas as colunas de carroças que passam pelas terras deles, à procura de comida e cavalos, mas a meu ver, é de toda a justiça, a terra é deles. Há-de ouvir muitas histórias assustadoras sobre eles, mas não ligue. Se os deixarmos em paz, eles deixam-nos em paz a nós, é a minha opinião.

Giles também gostaria de ter interrogado Solomon sobre o ponto de vista geral na vila sobre a escravatura. O Missouri *era* um estado esclavagista e, por não ver vastas plantações, Giles presumira que os muitos negros que encontrara eram sobretudo criados domésticos ou moços de lavoura. Soubera através do movimento abolicionista, em Nova Iorque, que os nativos do Missouri, conhecidos por serem gente inflamada, eram firmemente a favor da escravatura, mas os novos colonizadores, particularmente os alemães devotos, se lhe opunham vigorosamente.

Mas talvez fosse mais sensato esperar e sondar as pessoas primeiro. Agitar um ninho de vespas não era um procedimento prudente e, além disso, havia muitas outras coisas aqui que o encantavam.

Depois de visitarem a bonita igreja em madeira fasquiada branca, a cujo campanário não faltava um sino, no centro de Independence Square, os Milson foram escoltados à sua nova casa e, assim que Giles a viu, rezou uma oração de graças silenciosa. Não era nenhum casebre improvisado como as da periferia da vila nem uma cabana feita de troncos, mas uma casa de madeira de dois andares, em pleno centro da vila. Estava pintada de branco e o pequeno jardim da frente estava cercado de uma vedação de estacas. Tinha um amplo alpendre, com uma cadeira de baloiço para desfrutar das noites amenas, e no interior tinha o conforto e espaço que nunca se atrevera a esperar: uma sala de dimensão razoável, com portas que abriam para uma sala de jantar, uma grande cozinha com um fogão tão bom como o que tinham em Nova Iorque, e uma bomba logo à saída da porta das traseiras. No andar de cima, havia três quartos razoavelmente espaçosos e cerca de dois mil metros quadrados de terreno nas traseiras.

Mrs. Homberger, cujo marido dirigia os correios, tinha orientado pessoalmente a preparação da casa para a sua chegada. O chão tinha sido lavado e encerado, nas janelas estavam penduradas cortinas imaculadamente brancas, as camas estavam todas feitas e prontas e até os armários da cozinha tinham sido forrados com papel novo e recheados de provisões essenciais.

Era um pouco espartana, comparada com a casa excessivamente mobilada de State Street, a mobília estava gasta, mas depois do calor tórrido da rua, o seu interior era fresco, arejado e cheirava bem. Depois, quando Mrs. Homberger desapareceu, voltando meia hora mais tarde com esta refeição para lhes oferecer, haviam ficado mudos de surpresa. Lily ficou tão sensibilizada que se desfez em lágrimas, esqueceu a sua normal frieza face a desconhecidos e abraçou a mulher.

— Amanhã vou para a escola? — perguntou ansiosamente Tabitha, com a boca cheia de empadão.

A mãe repreendeu-a pela falta de maneiras e disse que por agora, na sua opinião, organizar a casa era mais importante do que a escola.

— Temos de ver se conseguimos trocar a carroça e o cavalo por um cabriolé — disse Giles, sorrindo beatificamente. — Também devíamos arranjar galinhas e um porco. Agora somos gente do campo e temos de aprender os costumes do campo.

Lily olhou horrorizada para o marido. — Os porcos cheiram mal, Giles — disse ela. — E as galinhas deixam tudo sujo.

— Mas são excelentes no tacho — disse Matilda, calculando que Lily imaginara que ia ter nas traseiras um jardim com flores e um relvado. — E também temos de aprender a cultivar hortaliças.

Giles sorriu perante a expressão espantada da mulher. Como Matilda, sabia que ela sonhava com um jardim inglês. — Podes plantar flores à frente — disse ele. — Até te mando vir roseiras, mas a terra atrás tem de ser posta ao nosso serviço.

*

Matilda esperava cinicamente que a velha relação de patroa e criada fosse restaurada assim que se instalassem na nova casa. Previa ainda que os velhos hábitos de Lily, juntamente com os seus medos e fobias, voltassem a impor-se caso alguma coisa a perturbasse.

Mas felizmente estava enganada. O milagre que transformara Lily numa mulher feliz e despreocupada continuou a fazer-se sentir. Desde o primeiro dia, quando se levantaram de madrugada, Lily insistiu para que todo o trabalho fosse igualmente dividido e aprendessem uma com a outra. Matilda teve de ensinar Lily a lavar o chão sem o transformar num lago, a limpar e a acender o fogão e a operar a bomba de água. Mas Lily, surpreendentemente, sabia bastante sobre o cultivo de hortaliças, porque, quando era jovem, ajudara parentes mais pobres quando os visitava em Bath. O que não sabia, rapidamente descobriu perguntando às pessoas da terra.

O tempo manteve-se terrivelmente quente até Setembro, e a escola só funcionava de manhã, pois a ajuda das crianças era necessária nos campos. Este regime agradou a Tabitha, que, embora com cinco anos apenas, adorava mondar e cavar. O seu rosto e braços ficaram castanhos como avelãs devido aos longos períodos que passava ao sol, e muitas vezes dizia que nunca mais queria viver numa cidade.

Contudo, por mais divertido que planear e criar uma horta tivesse parecido, Lily e Matilda não tardaram a descobrir que limpar a terra, cavar, plantar e sachar era um trabalho extenuante. Ao fim do dia, voltavam para dentro de casa a arrastar os pés, com dores nas costas e bolhas dolorosas nas mãos. Mas quando as primeiras fileiras de sementes começaram a rebentar, a sensação de satisfação e a certeza de que no Inverno teriam as suas próprias provisões mais do que compensaram esse esforço.

Matilda imaginara também que Lily voltaria a envergar os espartilhos e as saias de armação que deixara de usar durante a viagem, mas ela continuou alegremente com o mesmo vestido de algodão simples e o chapéu de sol, de segunda a sábado. Não só se habituou ao cheiro dos dois bácoros que compraram, como lhes ganhou afeição, baptizando-os de *Caim* e *Abel*. A sua aversão às galinhas evaporou-se assim que provou um ovo fresco. Mas ainda havia vestígios da Lily afectada. Quase desmaiou de choque quando uma vizinha lhe sugeriu que recolhesse excremento de cavalo do estábulo de carruagens de aluguer para misturar na terra. Disse ela que, por melhor que fosse para o jardim, se recusava a ser vista pela vila com um balde de estrume. Guinchava de alarme sempre que via uma aranha ou quando qualquer outra criatura rastejante entrava dentro de casa.

Era um estilo de vida radicalmente diferente do de Nova Iorque. Aqui, o homem do gelo não aparecia diariamente e a variedade de produtos alimentares na loja não era muito grande, obrigando-os a desenvencilhar-se com o que havia. Não havia teatro nem concertos nem convites para o chá ou para jantares elegantes. Mas os vizinhos faziam visitas ao fim da tarde, depois de o dia de trabalho terminar, trazendo muitas vezes uma fornada de bolos, legumes ou fruta, e sentavam-se no alpendre a beber limonada e a partilhar experiências e informações.

Estas pessoas eram muito diferentes da gente fria da sociedade e dos sólidos mercadores com quem os Milson haviam convivido em Nova Iorque. Eram pessoas simples, muitas delas de ascendência alemã, para quem a riqueza significava simplesmente uma segunda ou terceira divisão acrescentada às cabanas primitivas que elas próprias haviam construído ou um fogão de cozinha autêntico como o dos Milson.

A maior parte delas instalara-se ali após uma série de mudanças, sempre em busca de terras mais baratas e mais férteis ou da oportunidade de começar novos negócios. Algumas tinham deixado o Norte, avançando gradualmente para o Sul, outras vinham dos estados sulistas ou da Costa Leste.

Todas elas haviam tido vidas duras. A maioria perdera filhos ainda pequenos, muitas estavam casadas em segundas ou terceiras núpcias pois os ex-maridos ou ex-mulheres tinham morrido. Quer fossem americanos ou imigrantes, na maioria casavam-se com pessoas da mesma nacionalidade. Matilda ouviu muitas histórias sobre noivas arranjadas em Berlim ou Hamburgo pelos pais do noivo. O namoro fazia-se por carta e, com frequência, o casal só se conhecia pouco antes de casar.

O amor romântico, tal como Matilda o conhecia, não parecia entrar na equação; o casamento era um contrato e, se não fosse feliz, o casal procurava tirar o melhor partido possível dele. Talvez a simples dureza do trabalho que tinham de suportar e a sua fé os mantivesse unidos, pois eram poucos os que faltavam à igreja ao domingo.

Vestindo as suas melhores roupas, estas devotas pessoas afluíam a Independence com os seus muitos filhos, a pé, a cavalo ou de carroça, muitas vezes partindo de madrugada para chegar a tempo. Agradeciam a Deus a sua sorte e pediam-Lhe que lhes desse forças para suportar desastres futuros, mas era também um momento propício para conviver, cavaquear e trocar notícias. Os que viviam muito longe traziam muitas vezes piqueniques que dividiam com outros, pois fazer amigos era importante para as pessoas que viviam isoladas. Podia contar-se com os bons vizinhos por altura das colheitas, para que ajudassem em trabalhos de construção e para arranjar bons maridos e mulheres para as filhas e filhos mais velhos.

Matilda e Lily não tardaram a descobrir as vantagens de encorajar as vizinhas a visitarem-nas. Aprenderam a fazer massa com Angelina de Nápoles, chucrute e chouriços picantes com Heidi de Berlim, a salgar carne de porco para o Inverno com Mrs. Homberger e a fazer sabão com lixívia e gorduras animais, filtrando-o através de cinzas. Tabitha aprendeu a contar em alemão e italiano e dezenas de novos jogos com outras crianças.

Lily ensinava de bom grado inglês a todas as mulheres estrangeiras que lhe pediam ajuda, e os seus modos refinados e sofisticação eram muito admirados por mulheres que nunca tinham vivido na cidade.

Giles pareceu progredir em todos os sentidos durante esses longos dias estivais. Os seus sermões na igreja eram secundários quando comparados com os cuidados ministrados aos seus novos paroquianos. Visitava-os a todos no novo cabriolé, tendo frequentemente de percorrer oitenta quilómetros até quintas isoladas, estava sempre presente para abençoar uma nova cabana quando o telhado era montado, pregando com frequência pregos ao lado dos outros homens, enterrava os mortos e consolava os enlutados, celebrava casamentos e baptizados.

Havia pessoas com vastas e antigas quintas que podiam vagamente ser considerados como pequena fidalguia, pois possuíam grandes casas em estilo colonial, com exuberantes relvados verdes e picadeiros para os cavalos. Embora Giles os recebesse de braços abertos na igreja, socialmente mantinha a distância, pois sabia serem donos de escravos.

A escravatura era um tópico incendiário e, embora Giles continuasse a odiar a ideia de que se pudesse possuir e vender homens, mulheres e crianças como gado, também acabara por compreender que, para servir bem a sua nova comunidade, tinha de acalmar os ânimos mais exaltados de ambos os lados. Adoptou uma perspectiva fria e calma acerca da situação ao perceber que a grande maioria dos proprietários de escravos era gente decente que os tratava bem. Muitos dos escravos, instigados a fugir pelos abolicionistas, acabavam por encontrar apenas uma miséria maior do que alguma vez haviam experimentado ao serviço dos antigos donos.

Mas Giles preocupava-se infinitamente mais com o sofrimento das pessoas que viviam nas margens do rio Missouri do que com os escravos bem alimentados das quintas isoladas. Eram desesperadamente pobres e viviam em condições tão más como as que vira em Nova Iorque. Acampavam em barracas, impróprias até para animais, algumas em buracos no chão com um tecto tosco de madeira e terra, e mesmo em tendas, em risco de se afogarem nas cheias do rio.

Muitas delas eram negros, escravos fugidos e homens libertos, mas havia igual número de brancos e, como os pobres de Nova Iorque, eram considerados seres inferiores e ignorados. Não recebiam cuidados médicos e os seus numerosos filhos não frequentavam a escola. Os crimes cometidos na região eram, na sua maioria, incubados nesta área, que era igualmente um viveiro de doenças e de todos os vícios imagináveis. Mas Giles não fazia ideia de como resolver o problema. Aqui não tinha o reverendo Kirkbright nem o conselho de administradores para o apoiar. Tão pouco tinha fundos da igreja para aliviar o sofrimento dos inocentes.

Quase todos os seus sermões aos domingos tendiam a promover uma maior caridade cristã para com estas pessoas. Em geral, caíam em orelhas moucas — os seus paroquianos eram, na generalidade, pessoas bondosas mas de parcas posses. Giles, porém, não desistia de insistir, fazendo o que podia e esperando que, com o tempo, a sua mensagem não só fosse ouvida como posta em prática.

Durante todo esse primeiro Verão, era com assombro que Matilda observava Giles, pois este irradiava pura e simples felicidade. Deixou crescer o cabelo escuro, era indiferente ao facto de andar com a roupa coberta de pó, sorria constantemente e ria-se ainda mais. Um dia, foi encontrá-lo a ensinar Tabitha a trepar a uma árvore, noutra ocasião, chegou tarde a casa após a celebração de um casamento e fez questão em ensinar-lhe, a ela e a Lily, os passos de uma nova dança que aprendera. Não precisavam de jornal, pois ele trazia para casa todas as notícias e mexericos, e era raro passar um dia em que ele não elogiasse Lily e Matilda pelo trabalho árduo que faziam.

Matilda fora advertida por muitas mulheres de que o primeiro Inverno no Missouri era sempre um teste aos recém-chegados e, quando as folhas começaram a cair em Outubro e Tabitha passou a estar na escola durante o dia inteiro, começou a observar Lily ansiosamente. Ela habituara-se a desfrutar da vida ao ar livre no Verão e Matilda temia, agora que tinham menos para fazer e não havia visitas no alpendre ao fim da tarde, que ela pudesse recair no estado de espírito que a submergia em Nova Iorque.

Contudo, em lugar de se tornar reservada quando a chuva começou a cair dias a fio, transformando as ruas num pântano traiçoeiro de lama vermelha, Lily parecia andar ainda mais feliz, dedicando-se à confecção de compotas de frutas e conservas de legumes, fazendo roupas novas para Tabitha e traçando até planos para a sementeira de hortaliças do ano seguinte.

As noites eram sossegadas, sem visitantes, mas a bojuda salamandra na sala e o fogão na cozinha aqueciam a casa inteira e Giles lia em voz alta às duas mulheres enquanto elas costuravam. Com a aproximação do Dia de Acção de Graças e do Natal, Lily planeou refeições especiais e decorações para a casa e para a igreja. Porém, mesmo depois do Natal, quando fortes nevões caíram e os ventos glaciais pareciam infiltrar-se por todas as janelas e fendas nas tábuas do soalho, continuou a fazer planos. Duas vezes por semana, calcorreava a neve até ao edifício da escola para ensinar inglês às crianças estrangeiras e, um dia por semana, abria as portas de casa a outras mulheres que quisessem fazer mantas de retalhos com ela e Matilda.

Foi graças ao projecto das mantas de retalhos que Matilda finalmente descobriu a causa do novo contentamento de Lily. Foi num dia de Fevereiro, pardacento e glacial, estavam sentadas diante da salamandra, a desfazer velhos vestidos para fazer retalhos. Quando Matilda viu Lily a sorrir para um tecido estampado de algodão vermelho, perguntou.

— Não me lembro desse vestido. Era da Tabitha?

— Não, era meu — disse Lily, corando. — Trouxe-o de Inglaterra por razões sentimentais.

— Não consigo imaginá-la vestida de vermelho — disse Matilda, surpreendida. Lily usava sempre cores discretas.

— Foi a minha tia Martha que mo deu, a mulher do pastor de cujos filhos eu tomava conta. Ela adivinhou que eu estava a apaixonar-me pelo Giles, nesse tempo ele era o pastor da igreja deles em Bath e estava sempre a aparecer no presbitério. Na opinião dela, ele também estava embeiçado por mim e insistiu que eu usasse este vestido, a pretexto de a cor ser um sinal para ele se manifestar. Senti-me muito tonta com ele, o vermelho era uma cor demasiado arrojada para mim, mas funcionou, nesse dia ele disse-me que eu estava muito bonita e pediu-me namoro. Pouco tempo depois, pediu-me em casamento.

Lily raramente falava da sua vida antes de se casar com Giles e, tendo conhecido os prepotentes pais dela em Bristol, Matilda imaginava que não lhe seria agradável recordar a sua infância e juventude. No entanto, como Lily parecia estar na disposição de rememorar o passado, Matilda instigou-a a falar do namoro de Giles, do pedido de casamento e das bodas.

Os mordazes comentários de Lily sobre a pressa com que o pai combinara o casamento mostravam que ela tinha perfeita consciência de que fora com grande prazer que a família se livrara dela.

— O meu pai disse: «Não és grande partido, Lily, és feia como um sapo, mas um cura pobre não pode ser esquisito.» A minha mãe foi igualmente cruel, obrigou-me a usar o vestido de casamento de uma das minhas irmãs, apesar de me ficar demasiado grande. Disse que não estavam dispostos a gastar mais dinheiro em «frivolidades» porque nada do que eu vestisse me transformaria numa beldade.

— Que atitude abominável — exclamou Matilda, indignada. Lily não era sedutora, mas possuía uma figura delicada, tinha boa pele e uma graciosidade e elegância invejáveis.

— Não liguei ao que eles disseram — disse Lily, rindo. — Alterei o vestido e o cetim creme ficava-me muito bem. Além disso, o Giles era muito mais atraente e simpático do que os maridos das minhas irmãs. E ia casar-se comigo por amor e não por dinheiro.

Começou a rir quando passou ao relato do casamento e disse a Matilda como tinham passado a noite de núpcias numa estalagem de mala-posta na estrada para Londres. — Não sei se te devo contar isto, mas só queria que alguém me tivesse explicado as coisas porque me teria poupado a um grande embaraço — disse ela, o seu rosto pálido cobrindo-se de cor. — Eu não sabia nada sobre os homens, Matty, nem sobre o que acontecia na noite de núpcias, e cometi o erro de dar ouvidos aos conselhos da minha mãe. Ela disse-me que doía horrivelmente e que, se eu me mexesse muito, acabava depressa.

Matilda ficou admirada por Lily estar disposta a falar de um assunto tão pessoal. Até hoje, nunca se referira a sexo, nem sequer indirectamente.

— Mas eu não compreendi o que ela queria dizer. Mesmo antes de o Giles me apertar nos braços, já eu estava a mover-me. Ele perguntou-me se havia pulgas na cama.

Matilda riu-se com gosto. Agora tinha uma boa ideia do que significava o amor entre pessoas casadas e imaginava como seria desconcertante ir para a cama com alguém que estava sempre aos saltos.

— Bem, já sabes como eu sou com estas coisas, só a sugestão bastou para correr comigo da cama. O Giles desfê-la completamente e, como não havia pulgas nenhumas, convenceu-me a deitar-me outra vez. Mas eu recomecei a mexer-me. Enfim, o resultado foi que eu acabei por ter de me explicar e, quando eu lhe disse o que a minha mãe me tinha dito, desatou a rir tanto e tão alto que as pessoas no quarto ao lado começaram a bater na parede.

As duas mulheres tiveram um ataque incontrolável de riso e, encorajada pela franqueza de Lily, Matilda sentiu-se capaz de perguntar, em tom de brincadeira, se era tão terrível como a mãe dela lhe dissera.

— Não, não, a minha mãe estava redondamente enganada — disse Lily, os seus olhos cinzentos assumindo de súbito um ar sonhador. — Foi a coisa mais emocionante que já me aconteceu.

Matilda ouvira raparigas em Londres dizer a mesma coisa, mas eram raparigas comuns e não senhoras. Lily, com o seu temperamento miudinho, o seu corpo franzino e seios pequenos, parecia uma candidata extremamente improvável a arroubos de paixão.

— É o amor que faz toda a diferença, acho eu — continuou Lily. — A minha mãe só se casou com o meu pai porque ele era rico. Suponho que, nessas circunstâncias, é execrável. Por isso, Matty, casa-te por amor. Verás então como é bom.

Matilda não conseguiu falar, não exactamente por embaraço, mas de espanto perante a franqueza de Lily.

— Oh, meu Deus, às tantas não te devia ter contado nada disto — disse, aflita com o silêncio dela. — Mas pensei que, como não tens mãe, te devia transmitir os poucos conhecimentos que tenho.

— Sempre me interroguei como seria — disse Matilda timidamente. Depois da sua experiência com Flynn, na verdade, não tinha medo nenhum da ideia do sexo, mas não podia dizer isso a Lily. — Ainda bem que me disse.

— É uma parte muito importante da vida de casados — disse Lily, mantendo os olhos baixos. — É uma fonte de grande felicidade para os dois. Mas, infelizmente, depois de a Tabitha nascer, para mim acabou. Não sei porquê, mas durante muito tempo tornei-me indiferente a esse lado do casamento, e sentia-me profundamente perturbada porque fazia de mim uma pessoa diferente. — Fez uma pausa momentânea, com uma súbita expressão de vergonha no rosto miúdo. — Nunca me conheceste antes, Matty, só me viste no meu pior. Lembras-te de como eu era uma alma aflita a propósito das coisas mais insignificantes, sempre obcecada com a sujidade e a doença? Pois era um dos efeitos, suponho que era por pensar que, se não era capaz de cumprir o meu papel de esposa, tinha de compensar sendo uma dona de casa excepcional e a mulher perfeita de um pastor. Depois, quando o Giles disse que vínhamos para a América, senti-me encostada à parede e fiquei ainda mais transtornada. Odiava Nova Iorque, sabes, e comecei a querer mal ao Giles por me obrigar a estar lá. E a situação foi-se agravando cada vez mais, a única parte agradável foi a estadia em Boston. Por um breve período, fomos novamente felizes e depois descobri que estava à espera de outro bebé.

Voltou a hesitar, olhando para o regaço. — Mas não fui capaz de preservar essa felicidade, Matty, escapou-se-me mais uma vez. Tu apanhaste sarampo, descobri que o Giles tinha andado por todos esses lugares horríveis contigo. A Tabitha quase morreu e senti-me profundamente culpada porque te responsabilizei. O golpe final foi quando perdi o bebé, porque tinha depositado todas as minhas esperanças de recuperação nele.

Matilda compreendeu imediatamente que esta confidência íntima era muito mais do que apenas uma mulher mais velha a tentar dar conselhos a uma mulher mais nova. Lily precisava de explicar aquilo por que passara porque talvez soubesse que essa era a única forma de poder esquecê-lo de vez. Mas, mais do que isso, dava um sentido a essa época terrível em Nova Iorque. Matilda sentia agora verdadeira compaixão e compreensão total.

— Porque não me contou antes? — disse ela suavemente, estendendo o braço e pegando na mão de Lily. — Deve ter sido uma tortura guardar tudo para si.

— Nem sequer me podia abrir com o Giles — disse Lily num sussurro. — Amava-o, mas sentia-me completamente indigna dele porque já não o desejava dessa maneira. Também andava sempre com medo de que ele arranjasse outra pessoa. Descarreguei grande parte dos meus problemas em ti, Matty, é uma coisa que lamento muito, mas às vezes sentia ciúmes de ti. No dia em que me disseste que eu ia acabar num manicómio foi como se me tivesses obrigado a ver ao espelho. De repente vi que *estava* a enlouquecer e percebi que tinha de lutar contra isso.

— Fui extremamente cruel nesse dia — disse Matilda. — Sinto-me muito envergonhada pelo que disse.

— Não tens razão para sentir, disseste a verdade. — Lily encolheu os ombros. — E nunca terei palavras para te agradecer o facto de não me teres deixado, porque nunca teria ultrapassado a situação sem ti. Mais tarde, o Giles falou-me do teu namorado e acho que saber que nos querias tão bem a todos foi o que me ajudou a levantar a cabeça. O verdadeiro milagre aconteceu quando o Giles disse que íamos deixar Nova Iorque; não sei como, mas, com toda a excitação, os meus antigos sentimentos por ele reavivaram-se.

Nesse momento, Matilda compreendeu o que os momentos de ternura a que assistira entre Lily e Giles na viagem significavam, por que razão Lily começara a rir e esquecera a sua repugnância pela sujidade e o medo da pobreza, e andava agora tão feliz e realizada. Percebeu também o que levara Giles a caminhar com um passo vivo e um brilho nos olhos.

Pensara muitas vezes, quando se cruzava com mulheres pobres que tinham um bebé por ano, que os maridos eram brutos que deviam abster-se do acto de procriação. Mas agora, depois de ouvir Lily, compreendia que não era necessariamente assim. Talvez também eles tivessem descoberto que fazer amor era o que preservava as suas uniões e lhes proporcionava mais felicidade do que a riqueza ou os bens materiais.

Matilda sentiu que devia dizer alguma coisa, porque Lily acabara de desnudar a alma, mas não tinha palavras na mente, apenas compreensão no coração. Estendeu a mão e afagou a face de Lily. — Adoro-a, Lily — sussurrou.

Lily sorriu e os seus olhos cinzentos iluminaram-se, tornando--a de súbito bela. — Também te adoro, Matty. Gosto muito mais de ti do que alguma vez gostei das minhas irmãs. Espero que um dia conheças um homem bom que te ame como eu sou amada. Vamos fazer esta manta para o teu enxoval, de acordo?

Matilda fez um sorriso rasgado. — Bem, ainda não há nenhum homem bom no horizonte. Pelo menos, dá-nos muito tempo para a acabarmos.

Lily pegou no tecido vermelho e sorriu. — Vamos usar muito tecido vermelho. É a cor da paixão.

Durante o mês de Março, as pessoas começaram a afluir a Independence e a pequena vila transformou-se de súbito num lugar diferente. O hotel e os quartos por cima do bar foram todos alugados e o terreno às portas da vila estava atulhado de tendas e abrigos improvisados enquanto os viajantes se preparavam para a trilha. De manhã à noite, ouviam Solomon e os outros ferreiros a martelar nas suas bigornas. As pancadas, o ruído das serras, o som dos cascos dos cavalos, dos bois e das mulas e centenas de vozes quebravam a tranquilidade que reinara durante todo o Inverno.

Matilda, Lily e Tabitha interrompiam com frequência as suas tarefas em casa e no jardim para irem ver os batedores chegar à vila. Muitos eram índios que se separavam das suas tribos nas planícies para oferecer ajuda na condução dos viajantes até ao Oregon e à Califórnia. Era empolgante observá-los, cavalgando naturalmente sem selas, em plena harmonia com os seus magníficos e fogosos cavalos, os seus rostos bronzeados e esculpidos, as peles de búfalo ornadas de contas e o longo cabelo preto provocando arrepios de deleite e medo em igual medida nas mulheres. Outros batedores eram de raça mista, descendentes de caçadores de trápola que haviam tomado por mulher uma índia, e havia ainda os batedores brancos, homens barbudos e rijos que viviam uma vida de aventura, lobos solitários que, quando não estavam a trabalhar, gastavam todo o seu dinheiro em bebida.

À vila, chegavam diligências com jogadores profissionais e as respectivas mulheres, vendedores ambulantes e algumas senhoras, tão elegantes quanto as mulheres da sociedade nova-iorquina, que rapidamente se revelavam ser mulheres da vida. Havia homens que se anunciavam nas carroças como Dr. John, Professor Trueman e outros nomes idênticos e montavam barracas para vender as suas panaceias «milagrosas». Chegavam ainda missionários itinerantes, muitas vezes com um piano na traseira das carroças. Alguns tinham como objectivo viajar até ao Oregon ou à Califórnia, outros estavam apostados em salvar algumas almas da condenação ali em Independence.

Era como assistir a um circo — cavalheiros com chapéus de abas largas, camisas encorrilhadas, fraques e botas brilhantes, senhoras caminhando delicadamente pela rua ainda enlameada com sombrinhas na mão, vendedores ambulantes apregoando a plenos pulmões os seus produtos, de pacotes de sementes a fitas para o cabelo e atacadores de botas. Eram conduzidas manadas de gado que, mugindo desalentadamente, parecia pressentir a longa caminhada que tinha pela frente. Passavam carroças pesadas, carregadas de sacos de farinha, açúcar e outros bens essenciais, enquanto outras transportavam fogareiros de campismo, garrafas de água, cobertores, tendas e armas. Estas eram sobretudo conduzidas por homens com casacos de quadrados garridos, fumando gordos charutos, e havia quem dissesse que era uma loucura comprar-lhes o que quer que fosse.

Contudo, os viajantes propriamente ditos eram um grupo discreto, mulheres de ar cansado, vestidas de algodão, os maridos com camisas de flanela e calças de bombazina. Os filhos despenteados — e numerosos — espreitavam timidamente de trás das saias das mães.

À tarde, depois de Tabitha acabar as aulas, Matilda, Lily e Tabitha saíam muitas vezes à praça onde os viajantes se juntavam. Viam as carroças a serem carregadas para a viagem e conversavam com as mulheres.

Eram poucas as que queriam realmente partir, enchiam-se de lágrimas quando descreviam o momento da despedida das famílias e dos amigos nas suas terras de origem. Contudo, como muitos dos colonizadores em Independence, esta etapa era apenas uma de muitas pelas quais haviam passado ao longo dos anos. Regra geral, tinham vendido tudo para esta aventura, e a carroça, os bois e os mantimentos para a viagem levar-lhes-iam a maior parte do dinheiro. Falavam da tristeza que sentiam sempre que tinham de abandonar um fogão, um piano ou uma mesa favorita. Mas os maridos insistiam em tentar a sua sorte no Oeste e era seu dever obedecer-lhes.

Matilda olhava para as muitas mulheres que já estavam grávidas e pensava como era possível que considerassem sequer fazer uma viagem perigosa numa altura daquelas. Ouvira falar das perigosas travessias dos rios, das montanhas quase impenetráveis e dos desertos áridos sem água nem comida para os animais durante sessenta ou setenta quilómetros, sem esquecer o constante risco de cólera, varicela e sarampo, doenças que podiam exterminar meia coluna. Aplaudia a sua coragem e esperava que encontrassem o paraíso com que sonhavam no fim da trilha, mas interrogava-se sobre que preço seriam forçados a pagar em vidas humanas pelo que lhe parecia pouco mais que uma quimera.

O ritmo da vida tornou-se ainda mais frenético e ruidoso à medida que Abril se aproximava. A primeira caravana de carroças partiria assim que as ervas primaveris estivessem suficientemente crescidas para os animais pastarem. Havia mais de sessenta carroças só numa caravana e todos os dias chegavam mais para integrar outras que partiriam mais tarde. Nas ruas e nas lojas, os temas de conversa eram a grande altura das águas dos rios, pois as carroças podiam ficar atoladas nas cheias da Primavera, a altura da erva e a quantidade de sacos de farinha, açúcar e café de que os viajantes precisariam até ao seu destino.

Os missionários aumentavam os seus ofícios ao ar livre, insistindo vigorosamente para que aqueles que ainda não tinham sido baptizados o fossem agora para garantir um lugar no Céu. Os bares enchiam-se cada vez mais à noite e circulavam relatos de homens que perdiam as carroças, os bois e o gado ao jogo e não sabiam como confessar às mulheres. As mulheres de rostos pintados já não se mantinham a recato, saracoteando-se insolentemente pela rua principal para consternação dos residentes normais. Velhos que mascavam tabaco, alguns dos quais haviam participado pelo menos em parte da trilha, sentavam-se à porta do posto dos correios, preparados para contar as suas histórias frequentemente exageradas sobre escaramuças com índios ou escapadas à morte durante uma debandada de búfalos.

Embora a excitação de Lily, Matilda e Tabitha aumentasse de dia para dia, Giles reagia a tudo com grande calma. Visitava as famílias de viajantes, rezava com elas por uma viagem segura e abençoava-as. Em muitas noites, fazia a ronda dos bares e dos antros de jogo montados à pressa, lembrando aos homens que esbanjavam o seu dinheiro que tinham famílias dependentes deles.

No último domingo, a igreja estava superlotada, os viajantes excediam em número as gentes locais, e ele exprimiu no seu sermão a admiração que sentia pela sua coragem e a esperança de que todos eles encontrassem a felicidade e a prosperidade no final da trilha. Instigou-os a conservar a sua fé em Deus, a serem caridosos uns com os outros e a não descurarem a educação dos filhos.

— Que Deus vos acompanhe — terminou. — O povo de Independence rezará por todos vós.

Giles, Lily, Matilda e Tabitha saíram cedo na manhã seguinte para assistir à partida da caravana de carroças. Estava a chover e o avanço era lento, pois os mais inexperientes controlavam com dificuldade as suas parelhas de bois. O líder da coluna, um ex-soldado de barba farta chamado Will Lessing, que percorrera a trilha várias vezes antes, deu várias voltas no seu cavalo preto para supervisionar a partida.

Muitas das mulheres estavam chorosas, levantando os olhos para o céu cinzento e vendo aí talvez um mau presságio, mas as crianças estavam excitadas, correndo à chuva entre as carroças umas das outras e acenando aos espectadores.

Constituíam uma visão extraordinária aquelas setenta ou mais carroças, na maioria puxadas por quatro bois, por vezes oito, com uma vaca ou uma mula presa atrás. Juntavam-se à caravana uma a uma e partiam. Algumas das crianças mais velhas corriam ao lado, as mais pequenas espreitavam da parte de trás da carroça. As mulheres iam sentadas à frente com os maridos, muitas vezes com um bebé nos braços, protegidas da chuva apenas por um pedaço de lona sobre a cabeça. Um grupo de missionários cantava hinos, mas as suas vozes eram quase abafadas pelos gritos de despedida, o estalar dos chicotes, o chocalhar das rodas e a chuva a cair sobre a lona.

— Muitas carroças estão sobrecarregadas — observou Giles. Viam em muitas delas mesas, cadeiras e fogões de cozinha de que os donos não se queriam separar. — Gostava de saber quantos desses estimados bens vão acabar abandonados na trilha.

— Não sei como essas pobres mulheres vão conseguir olhar pelas famílias sem confortos domésticos — disse Lily, limpando lágrimas dos olhos.

Matilda não disse nada. Estava demasiado impressionada com a coragem que era necessária para se aventurarem em território desconhecido sem nunca saberem que perigos os esperavam.

Durante o mês de Abril, outras pequenas colunas formaram-se e partiram apressadamente, pois se não partissem na Primavera, podiam ser apanhados pelas primeiras neves do Outono nas Montanhas Rochosas. Quando a última carroça finalmente deixou a vila, os grupos de vendedores ambulantes, jogadores, prostitutas e missionários partiram também, deixando Independence subitamente silenciosa e deserta.

Em Maio, a vida retomou a normalidade e Matilda e Lily trabalhavam longas horas na horta e no jardim. Os dois porcos, *Caim* e *Abel*, tinham sido abatidos e comidos no Inverno, e eles compraram mais dois, assim como algumas galinhas. As roseiras de Lily floriram em Junho e, por fim, numa tarde de calor, Matilda experimentou tomar chá no jardim, onde fora colocada uma pequena mesa com uma bonita toalha e a melhor loiça.

— Em Bristol, a minha mãe fazia isto sempre que estava bom tempo — disse Lily com um grande sorriso, servindo o chá do delicado bule de porcelana de osso que trouxera de Inglaterra. — Claro que era a criada que lho servia, os bolos vinham num prato de vidro e o bule era de prata. Imagino que ficaria histérica se tivesse de estar tão perto de porcos e galinhas. E também nunca chamaria relvado a isto.

A erva era dura e pontiaguda, ao contrário da relva verdejante e macia de Inglaterra. Brotavam nela flores silvestres, mas, sendo mais um prado do que um relvado, possuía uma beleza própria.

— Ela não lhe escreve com muita frequência — disse Matilda. Não se recordava de Lily receber mais do que três cartas desde que haviam partido de Inglaterra. — Isso entristece-a?

— Nem por isso. — Lily soltou um suspiro resignado. — Ela e o meu pai sempre foram muito distantes. No fundo, nunca esperei que mudassem depois de eu partir. Mas gostava de receber mais notícias de casa. Tens sorte, Matty, por a Dolly te escrever com tanta frequência.

— É uma boa mulher — disse Matilda com um sorriso afectuoso. — Está sempre a falar-me das saudades que sente do meu pai e refere pequenas coisas que ele dizia ou fazia. E é um consolo para mim que ela também acompanhe o meu irmão George e saber que ele gosta de trabalhar para o carroceiro. Nunca aprendeu a ler e a escrever, compreende, e se não fosse a Dolly eu nunca teria notícias dele.

— Alguma vez sentes vontade de voltar a Inglaterra? — perguntou Lily.

— Gostava de ver a Dolly e o George — disse ela. — Mas, tirando eles, não há nada que me prenda lá, pois não? — Para ela, Londres estava associada a Lucas, voltar a casa só lhe traria a mágoa de não o ter visto uma última vez.

— É como eu me sinto agora — disse Lily, reclinando-se regaladamente na cadeira. — E pensar como eu ansiava por Inglaterra! Agora penso que não me importo nada de acabar aqui os meus dias.

Matilda não tinha bem a certeza de concordar com isto. Sentia-se muito feliz aqui, mas estava perfeitamente consciente de que a felicidade girava em torno dos Milson e que, em determinado momento, teria de construir a sua própria vida. Tinha agora vinte e um anos e, nessa idade, a maioria das mulheres estaria activamente à procura de marido, mas o seu espírito não parecia virar-se nessa direcção.

Havia muitos mais homens celibatários na região do que mulheres solteiras e ela estava ciente de que muitos a admiravam. Na igreja, aos domingos, reparava nos seus sorrisos tímidos e, muitas vezes, eles serviam-se de um ou outro pretexto para aparecer lá em casa. Dois ou três eram simpáticos e, se não soubesse o que era apaixonar-se perdidamente, era bem possível que os encorajasse a cortejá-la. Mas Flynn destruíra o seu interesse por outros homens — a não ser que lhe pusessem o coração a bater descompassadamente, sabia, de alguma forma, que não lhe serviam.

A verdade era que o casamento já não tinha para ela o mesmo fascínio de outro tempo. Casar-se com um colono significaria viver numa pequena cabana, trabalhando de sol a sol, sem os confortos ou uma companhia estimulante como os Milson.

Ocasionalmente, sonhava acordada que se apaixonava e casava com um comerciante ou mercador da vila. Este homem ideal era parecido com Flynn — inteligente, lúcido, divertido, apaixonado e bondoso. Imaginava-se a viver numa casa como esta e com os Milson do outro lado da rua, de maneira que podia estar com eles sempre que quisesse. Mas sabia que não passava de uma fantasia. Os mercadores e os comerciantes eram invariavelmente velhos e tratavam mal as mulheres. Os homens com as qualidades que desejava eram mais raros do que os dentes nas galinhas.

— É mais que tempo de arranjares um namorado — disse Lily subitamente, como se lhe tivesse adivinhado o pensamento. — A maioria das raparigas da tua idade está casada e tem dois ou três filhos, e tu és a rapariga mais bonita das redondezas. — Começou a enumerar todos os homens solteiros que conhecia e sugeriu que os examinassem melhor e convidassem os mais convenientes para jantar.

— Não, Lily, por favor. — Matilda ficou instantaneamente alarmada. — Se há alguém que me esteja destinado, há-de aparecer por si.

— Dito assim, parece que será o primeiro vendedor ambulante que nos bater à porta — disse Lily, com uma gargalhada. — Seria muito mais seguro se considerássemos primeiro aqueles sobre quem sabemos alguma coisa.

Apesar dos protestos de Matilda, Lily e Giles fizeram os possíveis e impossíveis por lhe arranjar um bom marido durante o Verão. Havia Hans, o filho louro de um metro e oitenta dos Hoffman, que eram donos da padaria local. O rapaz era tão atraente que as raparigas desfaleciam ao vê-lo, mas não conseguia articular mais de quatro palavras de cada vez. Depois havia Johann, também filho de pais alemães, que tinha vindo do Connecticut com a intenção de os mandar vir quando a sua quinta estivesse lançada. Era capaz de conversar, mas exclusivamente sobre agricultura, e ainda por cima mascava tabaco, o que causava arrepios a Matilda. E Ernest, cujo nome espelhava bem o que era, pois era o homem mais sério que Matilda já conhecera, explicando todos os pormenores sobre a criação de gado de um modo tão enfadonho que ela quase adormecia.[1] Depois destes, vieram Michael, Amos e Dieter, todos possuidores de alguns dotes de conversação, perfeitamente apresentáveis, nenhum deles mascava tabaco na sua presença, mas todos com essa expressão desesperada nos olhos que levava Matilda a pensar que pediriam qualquer mulher em casamento só para terem quem lhes cozinhasse as refeições e lhes lavasse a roupa.

— Temos de lançar a rede mais longe — declarou Lily, quando Dieter fora diplomaticamente descartado depois de dizer que, na sua

[1] *Earnest* = sério, diligente. *(N. da T.)*

opinião, as raparigas não deviam ter educação pois só lhes inculcava ideias de grandeza.

— Até onde estás a pensar lançá-la? — Giles sorriu, baloiçando-se na cadeira. — Queres que vá ao deserto em busca do verdadeiro amor da Matty? Ou preferes que eu vá às cidades e ponha anúncios em todos os jornais, com uma lista das exigências dela?

Matilda rompeu em gargalhadas incontroláveis. Enquanto Lily levava estas actividades casamenteiras extremamente a sério, para Giles era uma grande diversão. Muitas vezes, entrava precipitadamente em casa a anunciar que vira um estranho na rua e lhe pedira para o entrevistar para determinar se seria um potencial pretendente. Toda esta história se tornara motivo de muita risota naquela casa.

— Não sejas tolo, querido — disse Lily em tom de censura. — Mas podias contactar os teus conhecidos em St. Louis. Talvez se dissesses que tencionamos ir lá passar umas curtas férias, nos convidassem a ficar com eles.

— Lily, não é provável que algum deles tenha escondido um pretendente que eu considerasse indicado para a Matty — disse Giles. — Ou são terrivelmente pobres ou proprietários de escravos. Já conheces as minhas opiniões sobre os últimos.

Giles encontrara uma maneira de lidar com a sua consciência a respeito da escravatura. Denunciá-la abertamente do púlpito como uma perversidade seria convidar ao desastre, pois o tópico inflamava as pessoas da região. Durante o Inverno, ele viajara rio abaixo até St. Louis e encontrara-se com um grupo de abolicionistas profundamente empenhado que ofereceu ajuda e conselhos sobre a melhor forma de mandar escravos fugidos pelo Missouri acima até aos estados do Norte e ao Canadá. As penas eram duras para quem ajudasse os fugitivos, mas ele estava preparado para correr esse risco. Agora era raro passar uma semana sem que fosse a qualquer lado arranjar casas seguras e passagens, levando os alimentos, cobertores e vestuário que outras pessoas com ideias afins lhe entregavam.

Lily encolheu os ombros a Matilda. Apoiava as opiniões do marido, mas tinha medo que ele se metesse em sarilhos por causa delas. A componente violenta dos esclavagistas no Missouri consistia em homens brutos, para quem matar um homem que ajudou um escravo a fugir, mesmo que esse homem fosse um ministro, não era nada. Os perseguidores de escravos eram ainda mais brutais, pois chegavam a ganhar cem dólares se devolvessem um escravo ao seu legítimo proprietário. Eram reputados não só por torturarem e estropiarem as pessoas que lhes fizessem frente, mas também por lhes incendiarem as casas.

— Bem, lá terei de pensar noutra solução — disse ela. — Não vou desistir.

— Preferia que desistisse — disse Matilda, rindo. Durante estes meses de Verão, dera muitas vezes a sua ajuda a mulheres amigas da vila que davam mais uma vez à luz, e aprendera que o casamento quase nunca era uma parceria paritária. Os homens trabalhavam no duro, mas quando o trabalho acabava iam para casa jantar, saíam de novo para irem ao bar, jogavam cartas com os amigos ou dormiam. As mulheres não paravam de manhã à noite, sobrevivendo muitas vezes com poucas horas de sono, e tinham a responsabilidade exclusiva pelos filhos, pelo governo da casa e geralmente por uma horta e alguns animais. Se o marido fosse agricultor, a sua situação era muitas vezes pior pois, para além de todas estas tarefas, tinham de trabalhar ao lado dele nos campos, muitas vezes com um novo filho todos os anos. Pelo que Matilda observara, havia um enorme défice de ternura ou apreço, por isso, se o casamento era assim, preferia evitá-lo.

— Um dia hás-de agradecer-me — disse Lily, agitando um dedo na sua direcção. — Vais ver!

Durante a primeira metade de Novembro, Lily adoeceu. A doença manifestava-se em ondas; ora se sentia bem, ora estava a correr para a sanita. Como não acontecia ao início da manhã, nem ela nem Matilda suspeitaram de que pudesse estar grávida. Só depois de três ou quatro noites constantemente a vomitar é que Lily consultou o médico e descobriu que estava grávida de três meses.

Ficou extasiada, mas também perplexa por não se ter apercebido mais cedo. — Deve ter sido de trabalhar tanto que não dei conta que a menstruação não me veio — disse ela. — Às tantas com a idade ficamos esquecidos.

Matilda mostrou-se deliciada e excitada diante de Lily, mas em privado receava que ela voltasse a sofrer um aborto espontâneo e perdesse toda a felicidade que havia conquistado. Além disso, Lily tinha trinta e sete anos. Era perfeitamente normal mulheres desta idade e até muito mais velhas terem filhos, mas havia uma teoria comummente aceite de que as mulheres maduras e menos férteis, com grandes intervalos entre filhos, eram muito mais susceptíveis de terem partos difíceis.

Com o apoio de Giles, Matilda insistiu que ela não fizesse mais trabalhos pesados e que descansasse todas as tardes. Os enjoos passaram e Lily recuperou as cores, o seu cabelo estava brilhante e a pele reluzente, estava sempre com fome e limitava-se a rir de Matilda e Giles quando eles a impediam de levantar um balde de água ou lenha para o fogão. No Natal, já a sua barriga estava demasiado grande para passar despercebida e, embora fosse costume as senhoras ficarem dentro de portas ou disfarçarem os seus corpos cada vez mais volumosos com capas, ela tinha um grande orgulho no seu tamanho.

— Vai ser um rapaz, eu sei que vai — dizia ela, os olhos brilhantes de felicidade. — Um rapagão robusto. Ainda bem que não arranjaste namorado, Matty, vou precisar da tua ajuda com ele.

Matilda deixou de se sentir apreensiva perante tamanha felicidade. Não só era um pretexto para não pensar mais no seu próprio futuro e no seu estatuto de solteira, como também adorava bebés e não havia para ela nada de mais maravilhoso do que Giles e Lily terem finalmente o filho que tanto desejavam.

Levantava-se ainda mais cedo para se ocupar de todas as lides que eram responsabilidade de Lily, para ela não se sentir culpada nem insistir em ajudar. Rachava lenha com prazer, esfregava e encerava o chão com redobrado vigor e tentava constantemente lembrar-se de maneiras mais apetitosas de cozinhar o porco salgado para dar prazer à amiga. À noite, costuravam juntas, confeccionando chambrinhos de flanela, casaquinhos e toucas, e apressaram-se a terminar a grande manta de retalhos para poderem começar uma nova, mais pequena, para o bebé.

No princípio de Janeiro, o bebé começou a dar pontapés e Lily agarrava muitas vezes na mão de Matilda para que ela também pudesse sentir. Matilda encostava o ouvido à barriga de Lily e ouvia a pulsação do pequeno coração e, emocionadas, derramavam ambas algumas lágrimas.

— Não era assim quando eu estava grávida da Tabitha — admitiu Lily um dia. — Foi uma gravidez solitária, porque não se considerava decoroso mencionar o assunto. Passei o tempo quase todo com medo. Não tinha então uma amiga como tu para falar disso.

Giles andava tão excitado como as mulheres, chamava Harry ao bebé e quase todas as noites, quando chegava a casa do seu trabalho pastoral, dava uma palmadinha na barriga de Lily e perguntava como

Harry estava. Tabitha estava encantada. Fez um chambrinho para a boneca e praticava nela a muda das fraldas para poder mudá-las ao bebé verdadeiro. Mas havia alturas em que as suas incessantes perguntas embaraçavam a mãe.

— Como é que o bebé entrou aí para dentro? — perguntou ela um dia.

— Foi Deus que o pôs lá — respondeu Lily.

— Mas é um sítio estúpido para pôr um bebé, como é que ele vai sair?

Foi Matilda quem teve de intervir, tentando explicar à menina.

— Deus pô-lo ali quando ele era muito pequenino e agora vai lá ficar no quentinho até ser grande e forte para nascer.

— Vai sair pelo umbigo da mamã? — perguntou Tabitha, determinada em não se deixar desviar do assunto.

— Não, mais abaixo — disse Matilda. — Quando chegar a Primavera, levo-te a ver uns cordeirinhos nascer porque é igual.

Os cordeiros nasceram exactamente na altura em que os primeiros viajantes chegaram à vila para integrarem a próxima caravana de carroças. Giles levou Matilda e Tabitha de cabriolé para fora da vila, a uma das quintas vizinhas, e aí, num prado, quatro ou cinco ovelhas tinham já dado à luz os seus cordeirinhos e outras duas estavam prestes a parir. Tabitha observou com fascínio horrorizado a ovelha a deitar-se e expulsar lentamente a cria.

— Não parece um cordeiro — exclamou Tabitha, vendo emergir o que lhe parecia uma trouxa ensanguentada de carne. Mas, de súbito, a trouxa estava na erva e a mãe começou a lamber a membrana que a envolvia, as perninhas começaram a mexer e um débil e plangente balido provou que era de facto um cordeiro.

— Estás a ver? — disse Matilda, meio a rir, meio a chorar, ao ver o engraçado cordeirinho a tentar pôr-se de pé sobre as pernas trémulas. — Olha, já está a tentar mamar o leite da mãe, não é esperto?

Tabitha não ficou inteiramente convencida e a caminho de casa fez dezenas de perguntas a que Matilda e Giles acharam quase impossível responder com honestidade.

— O médico vai ajudar a mamã — disse Matilda finalmente. — O bebé dela vai nascer em casa, no aconchego da cama dela. As ovelhas são diferentes, não precisam de ajuda.

— Quando for grande, *vou* ser médica — declarou Tabitha com ares de importante. — Quero ajudar muitos bebés a nascer. Posso ser médica?

Desorientados, Giles e Matilda entreolharam-se por um momento. Tabitha era extremamente inteligente; a professora dela dissera muitas vezes que era extraordinário que uma criança de sete anos estivesse a ultrapassar as de doze anos nas aulas. Lia todos os livros a que conseguisse deitar a mão e adorava que o pai lhe desse problemas de matemática complexos para resolver.

— Podes ser tudo o que quiseres — acabou Giles por dizer. — Talvez médica até.

— Então é o que vou ser — disse ela, cruzando os braços sobre o peito. — E quando o médico vier ajudar a mamã, vou observar para ficar a saber como se faz.

Alguns dias mais tarde, quando Giles estava fora de casa e Tabitha na escola, Lily e Matilda estavam a fazer bolos na cozinha quando bateram à porta. Matilda limpou a farinha das mãos e foi abrir. Para seu espanto absoluto, deparou-se com Cissie e Sidney no alpendre.

— Cissie, Sidney! — exclamou, recuando com o choque. — Que diabo estão a fazer aqui?

— Vamos para oeste, para o Oregon — disse Cissie com um sorriso rasgado, avançando para abraçar Matilda. — Recebi as suas cartas e tentei pedir a alguém que respondesse por mim, mas as coisas que eu queria dizer não podia contar a Miss Rowbottom.

— Onde está o Peter? Oh, Sidney, estás tão grande! — Matilda virou-se para o abraçar também. Havia uma infinidade de coisas que queria perguntar, mas o choque de os ver à porta desnorteou-a por completo.

Lily apareceu, sorrindo timidamente. Fora só na viagem para Independence que Matilda e Giles haviam contado a Lily a história completa e sem floreados dos salvamentos em Five Points e a importância destes dois protagonistas. O facto de lhe terem narrado o pior levou-a a compreender a que ponto fora necessário. Desde então, ela abordara muitas vezes o assunto, dizendo mesmo que esperava que Cissie e Sidney aprendessem a escrever suficientemente bem para se manterem em contacto com Matilda. O seu sorriso dizia que estava tão entusiasmada como Matilda por vê-los à porta.

— A Matty está a esquecer as maneiras — disse Lily. — Entrem, e talvez nos queiram contar as notícias diante de uma chávena de chá.

Meia hora mais tarde, Matilda já sabia que, um ano antes, Cissie tinha conhecido John Duncan, um escocês que aparecera a pedir ajuda no Lar para Crianças Abandonadas e Sem-Abrigo, em New Jersey, quando o seu cavalo começara a coxear. Era carpinteiro e ia a caminho de uma nova casa, a cerca de trinta quilómetros dali, na qual ia construir todas as janelas, escadas e armários. Miss Rowbottom deu-lhe dormida e deixou-o guardar o cavalo no estábulo por algumas noites, a troco de alguns serviços. Ele e Cissie sentiram uma atracção imediata um pelo outro e, durante o tempo em que ele estava a trabalhar nas imediações, cortejou-a e por fim pediu-a em casamento.

— Ficou logo encantado com o Peter — disse Cissie, os seus olhos brilhantes de felicidade. — E também não quer saber do meu passado. Casámo-nos depressa porque ele arranjou outro trabalho num sítio onde havia uma pequena cabana para vivermos. Continuei a trabalhar no lar porque não era muito longe e o John costumava ir lá comigo, aos domingos, para dar uma ajuda. Também simpatizava com o Sidney e, quando começámos a pensar em partir para o Oregon, achámos boa ideia levá-lo connosco porque ele é muito astuto e tem muito jeito com os animais.

Sidney exultou ao ouvir isto. — De qualquer maneira, eu tinha de deixar o lar dentro de pouco tempo porque já tenho doze anos — disse ele. — E o John também me vai ensinar carpintaria.

Matilda ainda tinha dificuldade em acreditar que estas duas pessoas, às quais se apegara tanto, estavam mesmo ali na cozinha com ela e Lily. Cissie, agora com dezoito anos, transformara-se numa autêntica beldade, tal como Matilda imaginava; o seu cabelo comprido, escuro e encaracolado, estava despenteado, soltando-se dos ganchos, e o seu chapéu de sol estava caído atrás à volta do pescoço, como se a irritasse. Os seus olhos verdes cintilavam maliciosamente e o seu corpo definia-se em curvas voluptuosas. Sidney era mais alto do que ela e parecia ter sido ele a cortar o seu próprio cabelo ruivo. Porém, tirando o corte de cabelo, já não tinha o ar de uma criança abandonada, os seus ombros eram largos, os braços musculosos e estava praticamente um homem.

— O Peter está com três anos e é um rapazote muito bonito — disse Cissie. — Está na carroça com o John, achámos que não era educado aparecermos todos de uma vez. E a Matilda? Gosta disto aqui? Como está o reverendo, ainda salva órfãos?

Matilda falou um pouco sobre a sua nova vida e como se sentiam todos felizes. Cissie olhou para a barriga de Lily e sorriu. — Quando é que nasce o bebé?

— No próximo mês — respondeu Lily. — Por volta do dia dois ou três.

— Acho que também estou de esperanças — disse Cissie, sorrindo. — Mas ainda não fui ao médico. Espero que cheguemos ao Oregon antes de ele nascer; eu sei que tive o Peter numa cave e, se aguentei isso, posso aguentar tudo. Mas preferia tê-lo numa cama em condições.

Matilda ficou um tanto surpreendida quando Lily convidou Cissie e Sidney a aparecerem com Peter e John mais tarde para jantar. A sua atitude mudara radicalmente desde a partida de Nova Iorque, mas, mesmo assim, Cissie era um pouco boçal para uma pessoa tão refinada como Lily. Contudo, fê-lo com sinceridade, sorrindo à rapariga e a Sidney com genuína afabilidade. — O reverendo Milson vai ficar encantado por vos reencontrar — disse ela. — E temos de ver como é esse teu novo marido, Cissie. A Tabby há-de ficar deliciada por ter um amiguinho como o Peter com quem brincar.

— Deus a abençoe, minha senhora — disse Cissie. — Ficamos muito gratos. Há muito tempo que não comemos uma refeição à mesa, vou ter de refinar as maneiras. É melhor irmos agora, estão ocupadas na cozinha. Não queremos estorvar.

Para Matilda, essa noite passou a fazer parte das suas melhores recordações. As observações irreverentes e muitas vezes cáusticas de Cissie sobre algumas das pessoas com quem iam viajar na caravana de carroças pô-los a rir a noite toda. Era um prazer ver como Sidney se tornara capaz de se exprimir, descrevendo coisas que lhes tinham acontecido durante a viagem tão vividamente que era como se estivessem a presenciá-las. O pequeno Peter, que era muito parecido com a mãe, com cabelo castanho sedoso e a mesma expressão malandra, tomou-se de encantos por Lily e subiu para o regaço dela para uns mimos, acabando por adormecer aí.

Mas o melhor, para Matilda, foi descobrir que John era um homem verdadeiramente bom e perfeito para Cissie. Não era atraente, o seu cabelo era ralo e cor de areia e a sua pele era bexigosa, mas possuía uma aspereza atraente, feições fortes, olhos azul-claros e uma voz rouca e gutural. Tinha ar de duro, com ombros grandes e mãos como presuntos, mas a sua ternura com Cissie e Peter revelava um coração de ouro e uma natureza generosa. Disse-lhes que tinha trinta anos e que partira da Escócia aos dezoito anos rumo ao Canadá, onde começou por trabalhar numa exploração florestal e, mais tarde, para um carpinteiro com quem aprendeu o ofício.

— Conhecer a Cissie foi a melhor coisa que me aconteceu — disse ele sem qualquer embaraço. — Não me falta trabalho, toda a gente precisa de um carpinteiro especializado. Mas era uma vida vazia e solitária até ela aparecer. Agora tenho uma família completa.

Giles perguntou-lhe o que tencionava fazer no Oregon.

— Vou abrir uma serração — disse ele. — Vou começar por construir uma pequena cabana para nós e fazer talvez alguns trabalhos de carpintaria até nos estabelecermos, mas cá para mim há muito dinheiro para ganhar com o negócio da madeira e no Oregon há árvores que cheguem para a América inteira.

Já tinham comprado uma carroça, e Cissie disse que John a tinha equipado melhor do que a de qualquer outro. — Não temos tantas coisas como algumas dessas pessoas — disse ela, franzindo o nariz. — Hão-de largar metade delas quando chegarmos às montanhas. Mas também não precisamos de muito, só de uma cama quente e comida. O John pode construir tudo o mais de que precisarmos quando lá chegarmos. Poupámos o nosso dinheiro para o Oregon.

Giles concordou que era um plano muito sensato. — Ouvi dizer que a trilha já está cheia de fogões, livros e baús de roupa abandonados — disse ele com um sorriso. — E as pessoas não a têm usado assim há tantos anos como isso. Imaginem como será daqui a dez!

— Por essa altura, provavelmente já construíram estradas em condições — disse John, rindo. — Ou então vão começar a aparecer pessoas só para as recolher. Isto é, se os índios não levarem tudo.

— Estão com medo dos índios? — arriscou Lily. — Na semana passada, ouvi dizer que mataram alguns colonos nas planícies e lhes levaram as duas filhas pequenas.

— Também soube disso — John concordou. — Mas não vou deixar que isso me assuste. Temos três batedores índios nesta caravana e um líder que fala umas coisas da língua deles, e confio neles para nos levarem a bom porto. Pelo que ouço, morrem mais pessoas a caminho do Oregon vítimas de acidentes ou doenças do que de ataques dos índios. Acho que o Exército inventa algumas das histórias para justificar as coisas terríveis que lhes fazem.

— Estou de acordo — disse Giles, acenando com a cabeça. Opunha-se totalmente ao esquema do governo para reinstalar os índios noutras áreas em que os brancos não estavam interessados e achava que, com o tempo, os índios se revoltariam violentamente. Um desses planos, em 1835, recebera o nome de «A Trilha das Lágrimas». Quinze mil Cherokees pacíficos foram enclausurados em cercados na Geórgia durante todo o Verão. A cólera, o sarampo e a tosse convulsa dizimaram grande parte deles e depois, numa caminhada de 1600 quilómetros para as grandes planícies, onde o governo insistira que se fixassem, morreram mais cerca de 4000. Agora parecia que o homem branco também ia reclamar essas terras. Giles interrogava-se como era possível que houvesse gente com a audácia de pensar que podia remover continuamente populações inteiras a seu bel-prazer.

— Muitos dos missionários também causam problemas — continuou. — Vão para lá tentar transformar estas pessoas, obrigá-las a cultivar a terra, a aderir ao cristianismo e a tornarem-se iguais a nós. Porque é que haviam de se tornar como nós? Afinal é o país deles e a maneira como viviam era perfeita e bela até o homem branco começar a intrometer-se.

John riu-se. — Não vai então tentar converter alguns deles?

— Eu não. — Giles sorriu. — Não só acho que são óptimas pessoas tal como são e que têm direito às suas convicções e estilo de vida, como estou demasiado ocupado com as pessoas de Independence e dos arredores. Nunca ouvi falar de índios que abandonassem os filhos ou forçassem as pessoas a trabalhar em condições desumanas, como os brancos fazem. Quer-me parecer que podemos aprender muito com eles.

Ouvindo isto, Cissie virou-se para Lily. — Ele é um homem bom, não é? — disse ela. — Nunca ouvi falar de Deus e dessas coisas até ir para o lar, mas imagino que, se existe um Deus, é muito parecido com ele.

— Essas palavras são muito bonitas, Cissie — respondeu Lily, exultando com a sinceridade genuína das palavras da rapariga. — Mas tu também és uma boa rapariga, olha para ti, tão bonita, corajosa e forte, a lançares-te numa grande aventura com o teu novo marido, o teu filho e o jovem Sidney. Enches-nos de orgulho, a mim, ao meu marido e à Matilda.

*

Nos dias que se seguiram, sabendo que a caravana de carroças partiria em breve, Matilda passou todo o tempo que podia com Cissie e Sidney. Dava-lhe imenso prazer observar a confiança dos dois e acabou por compreender que as adversidades por que ambos haviam passado em crianças lhes davam vantagens sobre os outros. Eram engenhosos, intuitivos e imaginativos, e simultaneamente perspicazes e destemidos. Um dia, Matilda ouviu Cissie exigir que viajassem à frente da caravana, e a sua insistência, talvez auxiliada pela sua figura, cansou tanto o chefe da caravana que ele concordou.

— Porque é que queres assim tanto ir à frente? — perguntou Matilda. Imaginava que seria a posição mais perigosa.

Cissie olhou para ela como se ela fosse estúpida. — Ora, a trilha há-de estar mais lisa, os nossos bois apanham as boas pastagens e a água antes dos outros e não levamos com poeira nos olhos em tempo seco.

Matilda não pensara nisto e felicitou-a pelo seu bom senso. — Não admira que tenha algum — disse Cissie, indignada. — Tive de aprender em pequena, não tive? Não aprendi pelos livros, mas ouço as pessoas e registo o que elas dizem. Ouvi dois veteranos na vila falar das posições da caravana e topei logo tudo. O John não queria insistir, às vezes é demasiado delicado, para mal dos seus pecados. Mas eu não sou. Olho pelos meus antes dos outros.

Disse a Matilda que ela e Sidney tinham pedido a John para os ensinar a atirar também. — Não tenciono ser como algumas delas. — Indicou com o dedo um grupo de mulheres sentadas na erva a costurar. — Se perdessem os maridos, estavam arrumadas, eu vou tratar de saber fazer tudo, conduzir os bois, matar búfalos e esfolá-los também. Nunca tive jeito para as delicadezas das senhoras.

Na manhã da partida da coluna, Matilda saiu silenciosamente de casa com Tabitha para se despedir uma última vez. John já estava à frente da carroça, com as mãos nas rédeas, à espera do sinal de marcha, com Sidney e Peter ao seu lado. Cissie estava a arranjar a cama atrás, mas, ao ver Matilda a correr pelo meio das carroças, saltou para o chão e correu para ela.

— Não devia ter vindo — disse ela, abraçando-a vigorosamente. — Só me vai pôr a chorar.

— Não podia deixar-te partir sem um último abraço — disse

Matilda. — Além disso, alguém tem de se encarregar dos acenos e dos vivas.

— Vou pedir ao John que lhe escreva assim que nos instalarmos — disse Cissie, com os olhos húmidos das lágrimas que estava a tentar conter. — Se alguma vez se cansar disto aqui, venha ter connosco. Promete?

Matilda não achava que fosse provável. Mas mesmo assim prometeu.

— Olhe por Mrs. Milson — disse Cissie e, após certificar-se de que Tabitha não estava a ouvir, puxou a amiga para si e sussurrou: — Acho que ela vai passar o cabo dos trabalhos quando o bebé chegar. Está demasiado grande para uma mulher tão miúda. Por isso, chame logo o médico, e não uma dessas parteiras de idade que julgam que sabem tudo.

Matilda engoliu em seco. Sabia que Cissie não diria uma coisa tão alarmante se não estivesse convencida dela. — Claro que sim — respondeu.

Cissie abraçou-a com força, mas um apito estridente fê-la separar-se dela de um salto. — É o sinal de partida — disse ela rapidamente. — Só quero dizer mais uma coisa antes de irmos. Ainda estou em dívida consigo, Matilda Jennings. Não me esqueci. Se alguma vez se vir num aperto ou precisar de uma amiga, venha ter comigo. Faço tudo por si. Deu-me uma vida.

Baixou-se para beijar Tabitha e, virando-se, correu para a carroça, saltando para o lado do marido com a agilidade de um gato.

Matilda e Tabitha correram ao lado da carroça que se afastava do campo, seguida pelas outras, uma a uma.

— Vá para casa — gritou Cissie. — Faz-me chorar e vai ver o que lhe acontece.

John soprou um beijo e sorriu. O pequeno Peter acenou excitadamente e depois Sidney saltou para o chão e correu para Matilda.

— Isto é para ti — disse ele, estendendo um pequeno pacote embrulhado em papel castanho. — Não abras antes de partirmos. Desculpa a ortografia, mas nunca fui bom a escrever.

— O que quer que seja, hei-de dar-lhe muito valor — disse Matilda, abraçando-o com força por um momento. — Porta-te bem, Sidney, olha pela Cissie e pelo Peter e tenta escrever-me de vez em quando. Pode ser que voltemos a encontrar-nos um dia.

Ele beijou-a na face e correu de novo para a carroça sem dizer mais uma palavra.

Assistir a esta partida da caravana foi ainda mais comovente do que a do ano anterior, porque então os seus sentimentos de admiração e medo eram de ordem geral, visando pessoas que apenas conhecia de passagem. Mas esta levava amigos queridos e as suas entranhas revolviam-se de apreensão por eles.

— Vamos correr ao lado deles um bocadinho? — pediu Tabitha.

Matilda baixou os olhos para a menina e desejou ser inocente como ela sobre o que uma viagem destas implicava. — Não, vamos para casa para o pé da mamã, a Cissie não quer que vamos atrás deles.

— Que é que o Sidney te deu? — perguntou Tabitha, olhando com curiosidade para o pequeno embrulho na mão de Matilda.

— Não sei. Mas vou esperar até chegarmos a casa para o abrir — respondeu ela.

Matilda chorou quando abriu o embrulho. Eram seis cêntimos, cada uma das moedas polida e embrulhada num lenço debruado a renda. A nota junta era breve, mas mesmo assim dizia tudo.

«Aqui estão os seis cêntimos que me deu naquele dia. Não sabia que me ia tirar daquele sítio, senão não os tinha aceitado. Com o meu amor, Sidney.»

CAPÍTULO 12

As dores de parto de Lily começaram a 26 de Abril, cerca de uma hora depois de Giles ter partido para um dia de visitas às quintas isoladas. Ela estava nas trasciras a recolher os ovos quando sentiu a primeira contracção e, surpreendida, sentou-se num barril virado ao contrário.

Matilda estava a dar de comer às galinhas com Tabitha, mas, quando viu a expressão de Lily e a maneira como ela estava agarrada à barriga, percebeu imediatamente o que era e correu para ela.

— Não te aflijas — disse Lily. — Ainda faltam muitas horas. E também não digas nada diante da Tabitha senão ela não se cala com perguntas e não há-de querer ir para a escola.

Às dez horas, três horas mais tarde, com Tabitha já na escola, as contracções surgiam de dois em dois minutos e eram fortes, mas Lily parecia muito serena, andando pela casa, parando apenas para se apoiar numa cadeira ou na borda de uma mesa quando outra começava. Matilda queria chamar o médico, mas Lily discordava.

— Ele há-de andar a fazer a ronda dos doentes; eu não estou doente, e o que é que ele podia fazer se viesse? Olhava simplesmente para mim e mandava-me chamá-lo outra vez quando estivesse mais próximo!

Tabitha chegou a casa mais tarde e Lily fez os possíveis por disfarçar que estava agora cheia de dores. No entanto, pouco depois, foi forçada a ir deitar-se no quarto.

Matilda ajudou-a a despir-se e a pôr uma camisa de dormir velha.

Tomou ainda a precaução de colocar uma protecção de borracha debaixo do lençol de baixo.

— Só queria que o Giles voltasse para casa — disse Lily melancolicamente quando Matilda tentou pô-la mais confortável, massajando-lhe as costas. — Pelo menos, podia distrair a Tabitha para ela não vir para aqui fazer perguntas.

Matilda voltou à cozinha e falou com Tabitha. Explicou-lhe que era melhor não incomodar a mãe e que talvez fosse boa ideia ela ir brincar com a amiga na rua principal. Depois, ouvindo Lily gritar de dor, decidiu imediatamente que se impunha agir e levou Tabitha consigo para chamar o Dr. Treagar.

— Não sei a que horas ele chega — disse Mrs. Treagar, com um ar extremamente perturbado. Era uma mulher de uma certa finura, mais parecida com Lily em termos de carácter do que qualquer outra mulher da vila. — Ele tinha uma longa lista de doentes para visitar. Assim que ele chegar, digo-lhe para ir ver Mrs. Milson. Mas, entretanto, vai chamar Mrs. Van Buren, é uma parteira excelente.

Matilda sentiu um profundo desânimo perante a sugestão. Lily não gostava da holandesa, considerava-a grosseira, rude e demasiado opiniosa. — Não há mais ninguém? — perguntou ela timidamente.

— Mrs. Van Buren é muito mais competente do que qualquer das outras pretensas parteiras — disse Mrs. Treagar com uma certa indignação. — E sei que ela está em casa porque ainda há uma hora a vi passar.

Matilda levou Tabitha para casa de Ruth, a amiga dela, e explicou a situação à mãe da criança, que concordou de bom grado que ela lá passasse a noite. — Mrs. Van Buren encarregou-se de todos os meus partos — disse ela quando Matilda lhe pediu a opinião. — É capaz de ser um pouco assustadora, mas sabe o que está a fazer. Mrs. Milson está segura nas mãos dela.

Às oito horas desse dia, Matilda estava fora de si de ansiedade. Giles ainda não tinha voltado, o médico também não tinha aparecido e Mrs. Van Buren tinha corrido com ela do quarto, invocando que um parto não era espectáculo para uma mulher solteira.

Não podia fazer mais do que sentar-se na cozinha, o estômago contraindo-se de cada vez que Lily gritava de dor. Sabia que deviam ser dores terríveis, pois Lily nunca faria uma cena diante de uma pessoa estranha, a não ser que estivesse em tal agonia que se alheasse de si própria.

Mrs. Van Buren também não era muito compassiva; Matilda ouvia-a respingar com Lily com frequência, lembrando-lhe que devia controlar-se.

— Matty! — O súbito grito agoniado fez Matilda levantar-se de um salto e entrar a correr no quarto.

— Já te disse para não entrares aqui — disse a parteira, tentando impedi-la de entrar.

— A minha amiga chamou por mim — disse firmemente Matilda, passando à frente da mulher. — Se ela me quer aqui, é aqui que eu fico.

Tal como Lily, não simpatizava nada com a parteira. À parte a agressiva personalidade dela, possuía um rosto quadrado e ameaçador, praticamente desprovido de lábios. Os seus olhos eram escuros e muito frios, lembrando a Matilda peixes mortos.

— Bem, vai então para a cabeceira da cama — disse a mulher com extrema rispidez. — E não me estorves.

Durante a hora seguinte, Matilda rezou em silêncio para que Giles e o médico chegassem. Muitas vezes, Giles demorava-se bastante quando saía nas suas rondas, porque o fim da tarde era a melhor altura para visitar alguns dos paroquianos. Quando partira nessa manhã, as coisas estavam tão normais que nada o teria levado a pensar em abreviar as visitas.

Todas as veias na cara e no pescoço de Lily estavam salientes, o suor corria-lhe em bica pelo corpo e as contracções eram praticamente contínuas. Matilda não era capaz de imaginar como era possível aguentar tanta dor e ser ainda capaz de respirar.

— Agora está pronta para empurrar — disse Mrs. Van Buren, depois de examinar Lily. Aproximou-se da cabeceira da cama e amarrou uma ponta de corda a uma das barras de metal, prendendo a outra extremidade às mãos de Lily. — Puxe por isso — disse ela. — Ajuda. Já não falta muito agora, menos de uma hora, na minha opinião. Vá, vou só pôr papel castanho e toalhas por baixo de si para apanhar a sujidade.

O conhecimento de Matilda sobre os mecanismos do parto não era de modo algum abrangente mas sabia que, quando se começava a empurrar, o fim estava próximo. Por conversas ouvidas por acaso em Finders Court, sabia que havia mulheres que só empurravam três ou quatro vezes antes de o bebé surgir, por isso sentiu-se mais optimista.

Lily seguiu todas as instruções que lhe eram dadas, parou de gritar e empurrou com todas as suas forças, mas ao cabo de meia hora Mrs. Van Buren começou a mostrar-se preocupada.

— Corre a casa do médico a ver se ele já chegou — ordenou ela a Matilda. — Diz que fui eu que te mandei porque preciso dele.

Matilda pensou que isto indicava que a mulher não sabia o que fazer e, considerando a sua anterior confiança, achou o facto assustador. Apressou-se a sair, mas Mrs. Treagar informou-a de que o médico ainda não chegara.

Estava Matilda a voltar para casa quando se cruzou com Giles, que ia pela rua no cabriolé. Ela correu para ele e, numa torrente de palavras, explicou-lhe o que estava a passar-se, perguntando se ele vira o médico durante o dia ou se havia outro que pudessem chamar.

Giles perdeu a cor. — Não há outro médico num raio de cento e cinquenta quilómetros e também não o vi. Mas talvez Mrs. Treagar me possa dar uma lista dos doentes dele para eu ir à procura dele.

Mas Mrs. Treagar não tinha essa lista e disse que o marido não mencionara nenhum doente pelo nome. — Ele há-de estar aí a chegar porque está a anoitecer — disse ela, detectando a extrema ansiedade dos dois. — Assim que ele chegar, mando-o logo para lá.

Apressaram-se a voltar para casa e dirigiram-se ao quarto. Mrs. Van Buren estava ajoelhada em cima da cama, com os dois pés de Lily pousados nos seus ombros. Protestou com a entrada de Giles porque era inédito um marido assistir a um parto, mas Giles ignorou-a e tomou posição de um dos lados da cama com Matilda do outro.

A parteira insistiu com Lily para que empurrasse com mais força. — A cada contracção, empurre sempre — gritou-lhe.

Matilda e Giles também a instigaram, mas, ao fim de mais alguns esforços agoniantes, Lily largou a corda e agarrou-se ao braço do marido. — Eu estou a tentar, ao contrário do que ela pensa — sussurrou ela roucamente. — Mas não consigo expulsar o bebé. Pergunta-lhe se ele se mexeu.

Giles olhou para a parteira. — Mexeu?

Mrs. Van Buren sacudiu negativamente a cabeça.

Quase todos os homens consideravam o parto e a criação dos filhos um domínio inteiramente feminino, mas Giles não. Na qualidade de clérigo que se ocupava de ambos os sexos, fazia questão de se informar sobre tais assuntos. Sabia que a fase de empurrar, durante o trabalho de parto, tinha de terminar no espaço de duas horas, senão o bebé morreria. Lily podia ser fraca em determinadas áreas, mas desejava desesperadamente este bebé e ele sabia que, se ela dizia que não conseguia expulsá-lo, era porque não conseguia.

— Que podemos fazer? — perguntou ele, esforçando-se por não entrar em pânico.

— O médico abre-lhe a barriga, mas eu não posso fazer isso, não sei como se faz. — Mrs. Van Buren elevou a voz, revelando que também estava assustada. — Mas posso tentar usar os instrumentos.

Giles ficou branco. Sabia que ela se referia ao fórceps e sabia que este causava muitas vezes lesões cerebrais ao bebé. Mas acercou-se da mulher, inclinando-se para sussurrar. — O bebé ainda está vivo?

Ela colocou uma corneta de metal sobre a barriga de Lily e pôs-se à escuta. — Está. Ouço o coração dele — respondeu, mas a maneira como falou sugeria que o ritmo cardíaco estava a diminuir.

— Então tire-o para fora como puder — disse Giles numa voz baixa e urgente. — Diga do que precisa que eu vou buscar.

Se não fosse a necessidade de segurar e confortar Lily, Matilda era capaz de ter saído a correr do quarto. Vendo o horrível instrumento em forma de pinça que a parteira tirou do saco e a faca afiada necessária para cortar a carne de Lily, sentiu uma reviravolta no estômago. Foi Giles quem insistiu em lavá-los com água quente, e tentou ajudar quando a parteira começou a usá-los; Matilda continuou a segurar nas duas mãos de Lily, incitando-a a aguentar.

O Dr. Treagar chegou no momento em que Mrs. Van Buren tinha prendido a cabeça do bebé com o fórceps. Pela mensagem que a mulher lhe transmitira, já devia saber o que tinha a fazer, porque entrou sem bater à porta e gritou que tinha chegado e que ia só lavar as mãos.

O médico era um homem baixo de quase sessenta anos, conhecido pela sua natureza jovial e por ser um excelente contador de histórias, mas ao entrar no quarto de mangas arregaçadas acima dos cotovelos e com um avental sobre a roupa, não perdeu tempo com conversa fiada e ordenou a Giles e Matilda que saíssem, mandando-os ferver mais água e trazer mais lençóis lavados. A última coisa que Matilda viu ao abandonar o quarto foi a sua expressão sombria ao tirar as pinças das mãos da parteira.

Lily só gritou mais uma vez e depois instalou-se um silêncio estranho. Giles estava a rezar em voz alta enquanto enchia chaleiras e panelas, as suas mãos tremendo e o rosto tão branco como os lençóis lavados que Matilda tirou do armário.

A porta do quarto abriu-se mais tarde e Mrs. Van Buren saiu. Tinha o avental encharcado de sangue e quase tropeçou ao dirigir-se ao fogão para ir buscar água. Giles levantou-lhe a panela. — Que notícias há? — perguntou.

Ela evitou o olhar dele. — Tirámos o bebé — murmurou. — O médico está a tratar da sua mulher.

Giles precipitou-se para o quarto e Matilda tentou segui-lo, mas a parteira barrou-lhe a passagem. Mas no segundo antes de a porta se lhe fechar na cara viu o suficiente para compreender a gravidade da situação. O bebé fora colocado nu no lavatório, azul e sem vida. Toda a cama estava ensopada em sangue e Lily estava inconsciente.

Nunca uma noite parecera tão longa e desolada. Mrs. Van Buren foi-se embora uma hora mais tarde, passando silenciosamente a Matilda uma braçada de roupa ensanguentada para pôr de molho, claramente demasiado consternada para tentar sequer dar uma explicação. Giles permaneceu no quarto com o médico.

Lá fora, os mochos piavam, o vento agitava as cortinas, a lenha no fogão soluçava e crepitava, mas, apesar de serem sons reconfortantes e normais no meio da noite, o silêncio no quarto era pressago.

De quando em quando, ela ouvia o médico a falar em voz baixa e um ruge-ruge de lençóis como se ele estivesse a verificar o estado de Lily, a que se seguiam algumas palavras de Giles, igualmente em voz baixa, e depois novamente silêncio.

No seu terror, Matilda virou-se para a oração, pedindo desculpa a Deus pela sua anterior falta de fé n'Ele, e prometendo que, se Ele poupasse Lily, seria Sua serva para sempre. — Leva-me a mim se é só outra alma que queres — implorou. — Eu não sou nada, não sou importante para ninguém. Mas poupa a Lily, por favor.

Eram cinco da manhã, nascia a alvorada, quando Giles abriu a porta do quarto e lhe fez sinal para que entrasse. Matilda compreendeu imediatamente que as suas preces haviam sido inúteis, pois o rosto dele estava desprovido de luz e os seus olhos estavam ensombrados pela dor.

— A Lily tem uma coisa para te dizer — sussurrou ele.

O bebé estava agora tapado, o sangue limpo e a roupa da cama tão imaculada como Lily insistia sempre que estivesse e, embora o quarto fosse completamente diferente do de Finders Court, tinha o mesmo ambiente de morte iminente que ela recordava quando a mãe morrera.

Lily abriu os olhos e levantou debilmente uma mão quando Matilda se abeirou da cama para pegar nela. — Ainda és minha amiga? — perguntou, numa voz fraca e trémula.

— Que pergunta é essa? Claro que sim — redarguiu Matilda.

— Posso então pedir-te que prometas olhar pela Tabitha e pelo Giles por mim? — disse ela, os seus olhos cinzentos perscrutando as feições de Matilda para detectar alguma hesitação.

— Prometo — concordou Matilda, os olhos enchendo-se-lhe de lágrimas. — Mas a Lily não vai a lado nenhum. A gente vai pô-la boa.

— Não, Matty — sussurrou Lily. — É o fim. Dá um beijo meu de despedida à Tabitha e tenta explicar de maneira a que ela compreenda. Foste para mim a melhor das amigas. Amo-te.

— Também a amo, Lily — disse Matilda, mas os olhos de Lily voltaram a fechar-se antes de ela poder dizer mais alguma coisa.

Matilda virou-se a caminho da porta, olhando para Lily pela última vez. Não conseguia acreditar num desfecho destes. Porquê Lily, que teria sido uma mãe perfeita para aquele corpo minúsculo no lavatório?

Passou mais uma hora antes de Matilda ouvir Giles a soluçar e o médico entrar na cozinha. Ele estava macilento de exaustão, os seus ombros estreitos corcovados. — Lamento muito, Miss Jennings, mas ela faleceu — disse ele. Os seus olhos castanhos possuíam uma expressão desolada, o seu famoso ar jovial apagado por uma infinita tristeza. — Mrs. Milson era uma excelente mulher. Se eu tivesse chegado a casa mais cedo, talvez pudesse tê-la salvado e ao bebé com uma cesariana, mas estava a assistir a outro parto.

Matilda só pôde fitá-lo inexpressivamente, demasiado devastada para falar.

O Dr. Treagar olhou para trás na direcção do quarto, ao ouvir os soluços de Giles. — Ele vai precisar de todo o nosso apoio nos próximos tempos. Tente obrigá-lo a deitar-se agora. Eu arranjo alguém que venha pela manhã para ajudar a vestir o corpo.

Em seguida, saiu, a porta batendo atrás dele, e Matilda pousou a cabeça na mesa e rompeu em soluços. Queria carpir como as mulheres italianas quando morria alguém, acordar a vila toda e obrigar as pessoas a comungar da sua dor e de Giles. Mas não podia fazê-lo. Lily era uma pessoa recatada e desejaria passar tão despercebida na morte como passara em vida, uma senhora até ao fim.

Levantou-se, limpou os olhos e entrou no quarto. Giles estava ajoelhado no chão ainda agarrado a uma das mãos de Lily. O rosto miúdo desta estava agora tranquilo, sem um traço do longo e terrível suplício. — Sinto muito — sussurrou Matilda, pousando uma mão no ombro de Giles.

Ele virou-se sobre os joelhos e passando-lhe os braços pela cintura, enterrou a cabeça nela a soluçar. Matilda afagou-lhe o cabelo e só parou quando os soluços acalmaram.

— Tem de ir deitar-se — disse ela docemente. — Venha que eu ajudo-o a deitar-se na cama da Tabitha.

Ele levantou os olhos para ela, com olhos tão chorosos e inflamados que metiam dó. — O que é que vamos fazer sem ela, Matty? — perguntou.

— Não sei, Giles — disse ela com sinceridade.

Matilda lavou e vestiu Lily e o bebé. Foi agonizante descobrir que o menino era tão grande e robusto como Lily sempre dissera que seria e, enquanto lhe vestia ternamente o chambrinho bordado e a touca que a mãe lhe fizera com tanto amor, sentiu o coração despedaçar-se.

A Lily, vestiu uma camisa de dormir branca, escovou-lhe o cabelo e dispô-lo cuidadosamente em redor dos ombros, colocando-lhe o bebé nos braços. Quando acendeu velas em redor da cama, ambos pareciam, à luz suave e dourada, ter simplesmente adormecido.

Giles trouxe Tabitha para casa mais tarde, depois de lhe dar a notícia em casa da amiga. Ela lançou-se nos braços de Matilda e pediu para ela lhe dizer que não era verdade.

— Não pode ser — disse ela, os seus olhos castanho-escuros arregalados de incredulidade. — A mamã disse-me que quando voltasse podia pegar no bebé ao colo.

Nesse momento, Matilda interrogou-se como Giles podia manter a sua fé num Deus que o privara da mulher e deixara uma criança órfã de mãe e confusa. Ou como manter a união do que restava desta família e arranjar palavras de conforto.

Levou Tabitha para a sua cama nessa noite, e apertou a criança soluçante nos braços até ela adormecer de exaustão. Matilda, contudo, não encontrou o mesmo alívio, pois o silêncio da noite apenas evocava imagens vívidas de Lily tomada de dor, e a certeza de que a vida de felicidade que todos haviam partilhado estava agora desfeita.

Como não havia outro clérigo disponível, Giles teve de oficiar pessoalmente o serviço fúnebre. Disse que isso o ajudaria, que, na qualidade de ministro, era capaz de se desligar da sua dor privada, mas durante grande parte da cerimónia a sua voz trémula provou que tal não era verdade.

Quando pronunciou as últimas palavras junto da campa e lançou o primeiro punhado de terra sobre o caixão, a sua calma cuidadosamente controlada quebrou-se e gritou a sua dor como um animal raivoso. Foi Solomon, o ferreiro, ironicamente o primeiro homem com quem Giles falara quando aqui tinham chegado dois anos antes, que o afastou e o confortou.

Mrs. Homberger tinha servido comes e bebes em casa, pois muitas das pessoas que apareceram a apresentar condolências haviam vindo de longe. Matilda conseguiu dominar as suas emoções o suficiente para olhar pelas necessidades de todos, mas o seu pensamento estava com Giles, sentado no alpendre com Tabitha ao colo. Todos os presentes haviam oferecido conselhos, juntamente com os seus sentidos pêsames, e embora a maioria deles tivesse também conhecido a tragédia, Matilda sabia que Giles estava demasiado submergido na sua própria dor para prestar atenção ao que diziam.

Lentamente, um mês passou em que o sofrimento pairava, pesado e malévolo, na casa. Matilda atarefava-se com as habituais lides domésticas, Tabitha voltou para a escola e, aparentemente, parecia resignada à sua perda. Mas Giles não se resignara nem se sentia capaz de aguentar. Raramente saía de casa, recusava-se a comer e Matilda ouvia-o, tarde à noite, a chorar e a andar pela casa. Estava quase sempre calado, recusando mesmo falar sobre o que acontecera. Ficava afundado numa cadeira junto do fogão, os olhos vazios e frios.

Uma noite, depois de Tabitha se ter ido deitar, Matilda sugeriu suavemente que ele devia preparar um sermão para o ofício do próximo domingo. As suas funções na igreja haviam sido temporariamente assumidas por outro ministro de St. Joseph, uma pequena vila mais a norte do rio, mas ele estava ansioso por regressar à sua paróquia.

— Como é que posso sequer voltar a transpor a porta da igreja? — gritou-lhe Giles. — Já não acredito em Deus.

— Isso não é verdade — ripostou ela. — Foi à igreja várias vezes e eu ouvi-o rezar.

— Não tenho nada no coração senão revolta — disse. — Uma vez disseste que não podias acreditar n'Ele porque Ele leva o que é bom e deixa o que é mau florescer. Agora concordo contigo. Essa mulher que o Dr. Treagar estava a ajudar, na noite em que a Lily morreu, já tem doze filhos e descura-os a todos. Porque é que Ele não a levou em lugar da Lily? Essas crianças passariam muito melhor sem ela.

Matilda ficou horrorizada ao ouvi-lo dizer tais coisas. — Não está a falar a sério, Giles — disse ela. — Se soubesse que outra mulher tinha morrido porque o médico estava com a Lily, teria ficado devastado.

— Nada disso, teria rejubilado, e venderia de bom grado a minha alma ao Diabo se pudesse recuperar a Lily — declarou.

— Giles! — exclamou ela, escandalizada. — Quer-me parecer que o Diabo já se apoderou de si.

— Eu sei que tu adoravas a Lily — disse ele, olhando bruscamente para ela. — Porque é que não desejas então que tivesse sido outra pessoa a morrer e não ela?

Matilda pôs as mãos nas ancas e fez uma expressão severa. — E quem é que escolhia? Alguém conhecido? Ou seria um pobre escravo, um desgraçado beberrão de Nova Iorque, um mexicano, um índio, porque as vidas deles pouco valem? Houve tempo em que se preocupava tanto com todas as criaturas tristes e desafortunadas como com a sua família. Já não é assim?

— Não, não é, a partir de agora podem ir todas para o Inferno também — retorquiu ele.

Com estas palavras, Matilda rompeu em lágrimas.

— Para que é que choras? — disse ele com escárnio.

— Porque parece que perdi o Giles que admirava — disse ela, entre soluços, tapando a cara com as mãos. — Isso já de si é mau, mas que diria a Lily se soubesse que a morte dela tinha destruído o mundo de um homem que sempre lutou pelo bem, que encheu o mundo com o seu amor fraternal?

Seguiu-se um silêncio e, ao fim de alguns momentos, Matilda espreitou por entre os dedos e viu que ele também estava a chorar, lágrimas silenciosas rolando-lhe pelas faces. — Oh, Giles — disse ela, levantando-se da cadeira e correndo para ele. — O que é que vai ser de nós?

Giles passou-lhe os braços pela cintura, enterrou-lhe a cabeça no colo e choraram os dois juntos. Durante todo este tempo, Matilda dominara o seu próprio sofrimento, mas agora, debruçada sobre ele, com a face pousada nos seus caracóis escuros, os braços dele apertando-a com força, deu-lhe vazão, soluçando até o caudal de lágrimas secar.

— Molhaste-me o cabelo todo — disse Giles um pouco mais tarde, tocando-o, surpreendido.

Ela afastou-se e descobriu que o peitilho do vestido estava igualmente molhado. — Encharcou-me o vestido — ripostou ela.

A sua primeira sensação foi de embaraço por se ter descontrolado, mas este deu rapidamente lugar ao constrangimento porque abraçar um homem da maneira como abraçara Giles não era uma conduta digna, nem mesmo nestas trágicas circunstâncias.

— De qualquer modo, acho que expulsaste o Diabo, ou talvez o tenhas afogado — disse ele com um meio sorriso.

Nesse momento, Matilda não quis saber por que processo aquele sorriso lhe fora arrancado, porque era o primeiro desde a morte de Lily. Limpou os olhos ao avental e sorriu também.

— Isso é uma benesse — disse ela. — Já temos muito com que nos ocupar por aqui, sem o Satanás à perna.

Enquanto fazia café para ambos, disse-lhe em termos muitos claros que ele devia retomar as suas funções pastorais porque as pessoas dependiam dele.

— E eu também tenho de assumir o lugar da Lily na escola — acrescentou. — E temos os dois de transformar esta casa novamente num lar onde a Tabitha possa crescer saudável.

Ele concordou com um aceno, os seus olhos ainda desolados mas sem a raiva de outrora. — Tens razão — disse. — Mas a verdade é que tens quase sempre razão. No fundo, não desejo que tivesse morrido outra pessoa no lugar da Lily, acho que me sinto simplesmente injustiçado por não ter podido envelhecer com ela e com os nossos filhos.

Matilda suspirou de alívio. — Assim é melhor — disse ela. — Então, quanto a esse sermão que tem de redigir...

Nas semanas seguintes, tornou-se claro que Giles estava a recuperar lentamente. À noite, o seu pranto atormentado tornou-se cada vez menos frequente, acabando por passar, e ele retomou as suas funções de ministro. Voltou a ser um homem calmo, por vezes até apreciava uma boa refeição, ocasionalmente dava mostras de alegria, mas era como compartilhar a casa com um homem diferente. Tornara-se indeciso, muitas vezes ensimesmado, e andava constantemente atrás de Matilda, quase como uma criança. Queria a opinião dela sobre tudo, quem devia visitar, o que devia dizer, sobre os seus sermões, até se precisava de levar um casaco para o caso de chover, e ela sabia que era um erro encorajar esta dependência.

No entanto, por mais que se esforçasse por se distanciar dele, descobria que não podia. Ajudava-o a organizar o seu tempo, lia os seus sermões e aconselhava-o sobre a melhor maneira de lidar com os problemas dos seus paroquianos. Preparava-lhe as refeições favoritas para o levar a comer mais e por vezes tocava-lhe com excessiva familiaridade. Se ele chegasse da chuva, ia tirar-lhe o chapéu e o sobretudo, como sempre fizera, mas parecia que as suas mãos se demoravam sobre os seus ombros. Quando ele aparecia no jardim para ver o progresso das hortaliças, era impossível, por qualquer razão, não lhe tocar no braço ou na mão. Se estivessem sentados lado a lado no sofá, ela tinha consciência do corpo dele junto do seu.

Mas não era unilateral. Ele beliscava-lhe a face quando saía de casa; quando estava sentado com Tabitha ao colo, a ouvi-la ler, dava sempre uma palmada no assento ao lado deles querendo que Matilda lhes fizesse companhia. Muitas vezes, rodava-lhe a manivela da calandra e ajudava-a a levantar a roupa do estendal.

Ela dizia a si mesma que era apenas porque se sentiam ambos sedentos do afecto que Lily lhes havia dado e que, com o tempo, se adaptariam, mas por vezes dava a sensação de que entre eles havia algo mais no ar do que simplesmente a dor comum e uma bondade recíproca.

Em Setembro, cinco meses depois da morte de Lily, Tabitha foi convidada para passar a noite em casa dos Bradstock, uns amigos com vários filhos pequenos que tinham uma pequena quinta a alguns quilómetros da vila. Giles combinou deixá-la lá de manhã, enquanto fazia as suas rondas, e ir buscá-la no dia seguinte.

Estava um dia terrivelmente quente e ao meio-dia o calor já era demasiado insuportável para trabalhar no jardim. Matilda colheu algumas flores, juntou-as num pequeno ramo rodeado de folhas, como fazia em rapariga, e dirigiu-se ao cemitério para visitar a campa de Lily e ver a nova lápide que fora colocada apenas no dia anterior.

Sentiu-se reconfortada ao ver a solidez da pedra de mármore branco e o pequeno muro de pedra que fora erigido em redor da campa, pois pareciam dizer que era esta agora a morada permanente de Lily, para sempre à sombra de uma árvore e num lugar ideal para ser relembrada.

«*Aqui jazem Lily Amelia Milson e o seu filho bebé, prematuramente levados do amor do seu marido e filha*», dizia a inscrição.

«DEUS, NA SUA SABEDORIA, ESCOLHEU-A.
UMA ROSA INGLESA, TÃO DISTANTE DE CASA.
QUE A SUA DOCE NATUREZA TOQUE OS CORAÇÕES
DE TODOS QUANTOS VIREM ESTA PEDRA.
NASCIDA EM 1810 EM BRISTOL, INGLATERRA. FALECIDA EM 1847
INDEPENDENCE, MISSOURI.»

Matilda ficou surpreendida com estes dizeres, pois esperava que Giles tivesse seleccionado uma passagem da Bíblia. Mas esta mensagem era infinitamente mais pessoal e comovente e Matilda esperava que durante muitos anos as pessoas se detivessem a lê-la e o sentimento as tocasse como a tocava a ela.

Sentou-se na relva ao lado da campa, encostando-se à árvore, e deixou o seu espírito entregar-se a reflexões sobre a amiga. Tentara fazê-lo muitas vezes antes, mas nunca conseguia passar dessa última noite fatídica, o rosto dela deformado pela agonia, e a imagem era demasiado perturbante. Mas, desta vez, talvez por causa da inscrição, foi capaz de imaginar Lily no jardim, sorridente enquanto tratava das rosas.

Demorou-se na reconfortante imagem, fechando os olhos e recordando como Lily conservara tantos costumes ingleses. Chá no jardim, a mesa posta com uma toalha bordada e a delicada loiça de porcelana. Ovos cozidos para o pequeno-almoço, guardanapos engomados em argolas de prata e compota de fruta numa pequena compoteira com uma colherinha própria.

— Tenho tantas saudades suas, Lily — disse ela em surdina. — Sem si, a casa parece vazia e despida. Lembra-se como nos ríamos e conversávamos quando lavávamos a roupa? Como inspeccionávamos o jardim todos os dias juntas? Sinto-me muito só sem si, acho que nunca mais vou encontrar uma amiga como a Lily.

Continuou, falando de Tabitha e do seu trabalho na escola, dos animais e de como Solomon lhes dera uma pequena cabra, chamada *Gertie*, para criar, mas depois passou gradualmente ao assunto que andava a perturbá-la há algum tempo.

— Eu sei que prometi olhar pelo Giles e pela Tabitha — murmurou. — E nunca quebrarei essa promessa, mas as pessoas vão começar de certeza a falar de nós em breve, porque eu sou uma mulher solteira a viver em casa dele. Que havemos de fazer?

O silêncio do cemitério era absoluto, não havia um sopro de vento a agitar a folhagem, estava demasiado quente para as aves cantarem e a vila para lá da vedação dormia ao sol.

— Casa com ele!

Matilda apanhou um susto com esta resposta ciciada. Virou a cabeça para ver quem a proferira. Mas não viu ninguém.

Soltou então uma gargalhada, presumindo que a imaginara.

— Acho que estou a enlouquecer, a ouvir vozes — disse ela em voz alta. — Claro que me ocorreu essa solução, mas, mesmo que o Giles quisesse, nunca poderia tomar o seu lugar, Lily. Imagine a terrível mulher de um ministro que eu daria, sempre a querer interferir, convencida de que sabia tudo melhor que ninguém!

Continuou ali sentada por mais uns momentos e, de súbito, teve a estranha sensação de uma presença próxima. — Está aí, Lily? — perguntou num sussurro. — Envie-me um sinal se estiver a ouvir!

Nesse momento, ouviu as folhas restolharem e levantou-se de um salto, de choque e surpresa. A causa não podia ser o vento, não sentia sequer uma leve brisa na cara, e as ervas altas em redor do limite do cemitério estavam imóveis.

— Esta agora, diabos me levem — disse. Com o choque, recuperara uma das suas imprecações favoritas da sua antiga vida em Londres.

— Devia esfregar-te a boca com água e sabão. — Uma voz grave que ela não reconheceu fez-se ouvir de trás da árvore. O seu choque ainda foi maior quando viu Giles aparecer com um grande sorriso no rosto.

— Giles! — exclamou ela, corando até às raízes dos cabelos. — Como se atreve a assustar-me assim? Há quanto tempo é que aí está? — perguntou, indignada.

— Há um bocado — disse ele, retomando a sua voz normal. — Vim só ver a lápide antes de voltar para casa. Quando te vi aí sentada, não quis interromper a tua tranquilidade e pus-me atrás da árvore. Não fiques atrapalhada, eu também falo com ela.

Mortificada por ele não só ter ouvido o que estivera a dizer, mas tê-la ardilosamente levado a revelar os seus pensamentos mais íntimos, Matilda arrepanhou as saias e largou a correr, saltando sobre as lápides e precipitando-se para o portão do cemitério, como se fosse perseguida pelos sabujos do Inferno.

Sentindo-se envergonhada e tonta, foi directamente para o fundo do jardim, atrás da pocilga, deixou-se cair sobre um balde invertido e, tapando a cara com as mãos, desatou a chorar. Ouviu-o aparecer no jardim, mas desta vez não havia para onde fugir.

Ele abandonara o casaco e a volta clerical e, com o suor a correr-lhe pela cara, parecia mais um trabalhador do campo do que um ministro. — Sinto muito, Matty — disse ele, ao aproximar-se. — Não reflecti antes de murmurar aquelas palavras, suponho que imaginei que vias logo que era eu e te rias.

— Mas porque é que disse aquilo, Giles? — perguntou ela, incapaz de o encarar.

Ele baixou-se, pôs-lhe um dedo sob o queixo e levantou-lhe o rosto. — Porque é a solução para tudo. Casas-te comigo?

Matilda ofegou com o choque. Vira muitas facetas dele durante os anos em que estivera ao seu serviço — patrão, clérigo, marido e pai — e, em todos estes papéis, vira a sua integridade e a sua profunda compreensão das pessoas e das suas necessidades. As palavras que ela dirigira hoje a Lily tê-lo-iam perturbado tanto que sentia que tinha de pedi-la em casamento?

— Não seja ridículo. — Sacudiu-lhe a mão do queixo com uma palmada. — Não é a solução para nada! Só enviuvou há cinco meses, ainda não pode sequer pensar em casar-se com ninguém e, além disso, não me ama.

Para surpresa dela, ele limitou-se a rir e recuou, encostando-se à vedação da pocilga. — Matty, sempre te amei! Não um amor romântico, talvez, teria sido mau ministro e mau marido se tivesse passado os meus dias a alimentar ideias românticas a respeito da ama da minha filha. Mas é amor o que sinto por ti, nasceu da admiração, da confiança e da amizade. Não é verdade que nutrias os mesmos sentimentos por mim e pela Lily?

— Bem, é. — Ela corou. — Mas não é o género de amor que deve levar as pessoas a casarem-se.

Ele fitou-a com um olhar penetrante e demorado. — Amor é amor, não acredito que existam géneros diferentes. A Tabitha adora-te. Nós somos grandes amigos e no passado fomos também aliados em esquemas secretos. Sei inclusivamente que manténs a casa limpa e que és uma cozinheira de sonho. Na sua maioria, os casais que se querem casar conhecem-se muito pior um ao outro.

— E o desejo? — murmurou ela, corando furiosamente.

— Ah, pois, o desejo — disse ele, com uma sugestão de divertimento na voz. — O desejo, esse aspecto que tantas vezes é a única base da atracção de alguns casais. Sinto-o por ti?

Por um momento, ele virou-se para olhar para os porcos a escarafunchar na pocilga e depois virou-se novamente, franzindo o nariz. — Seria difícil arranjar um lugar menos romântico para considerar essa questão. Mas não sou cego ao facto de que és uma mulher muito bonita e daria tudo para te tomar nos braços e te beijar.

— Reverendo! — repreendeu-o ela, levantando-se de um salto. — Não fica bem dizer essas coisas.

— Então agora sou «reverendo» outra vez! — disse ele, rindo. — Devia ter percebido que não pensas do mesmo modo. Presumo então que não me queres beijar?

As palavras dele eram como uma foice a ceifar as ervas altas e envelhecidas, revelando os novos e verdes rebentos a crescer por baixo. Os seus olhos escuros fitavam-na com ternura, os seus lábios exibiam um sorriso doce e os seus caracóis pretos caindo-lhe em redor do rosto bronzeado eram tão adoráveis que os dedos dela ansiavam por despenteá-los. Mas, mais do que isso, sentia essa velha e familiar sensação que lhe revolvia o estômago.

Compreendeu nesse instante que aquilo que a levara a desejar Flynn estava igualmente presente em Giles.

— Talvez — disse ela, cautelosamente.

— Bem, já é um começo — disse ele. — Se bem me lembro, quando a Lily andava apostada em arranjar-te um namorado, nenhum desses homens foi sequer contemplado com um «talvez».

Avançando, tomou o rosto dela nas mãos, prendendo-o por um segundo e apenas olhando para ela. Depois, beijou-a nos lábios. Foi o mais leve dos beijos, mas não inteiramente casto. — Foi assim tão terrível? — perguntou ele, os seus olhos brilhando de malícia.

Matilda correu para dentro de casa, sentindo-se completamente confusa; Giles gritou-lhe que ia às cavalariças verificar o cavalo. Quando regressou duas horas mais tarde, estava anormalmente calado e não fez mais referências a nada do que dissera antes.

Comeram um jantar frio e, quando ele se dirigiu à secretária para tomar algumas notas para o seu próximo sermão, ela pensou que ele estava provavelmente arrependido de tudo o que se passara. Incapaz de falar sobre o assunto, levou a costura para o alpendre e esperou que alguém aparecesse de visita e criasse assim uma distracção.

Ninguém apareceu e, quando caiu o crepúsculo, Giles saiu com uma candeia acesa e sentou-se numa cadeira ao lado dela. — Parece que está mais quente do que nunca — disse Matilda, procurando um tópico de conversa que aliviasse o clima tenso. — Mal consigo coser com os dedos pegajosos.

— Está demasiado escuro para veres em condições, põe a costura de lado — disse ele, estendendo a mão e tirando-lhe a costura do regaço. — Trabalhas de mais, Matty. Reclina-te na cadeira e saboreia a noite quente e calma.

— É estranho sem a Tabby — disse ela nervosamente.

— Ainda bem que ela não está aqui — disse ele, com uma certa aspereza. — Porque acho que precisamos de desanuviar o ambiente.

— Não precisa de dizer nada — disse ela. — O melhor é esquecermos tudo.

— Não me estás a entender — disse ele, colocando a cadeira de lado para poder vê-la melhor. — Não tenciono retirar nada do que disse hoje, mas quero exprimir-me melhor. — Fez uma breve pausa, como que para escolher cuidadosamente as palavras.

— Podes pensar que o desgosto me deixou confuso, Matty, e que te pedi em casamento só para resolver todos os nossos problemas. Mas não se trata disso. Tenho pensado muito nisto. Sei que é o correcto.

— Não vejo problemas nenhuns, pelo menos que precisem de uma medida tão drástica — retorquiu ela.

— Mas existem, Matty — disse ele. — O principal é que a tua reputação pode ser arruinada por viveres sozinha nesta casa comigo.

— Não é preciso casar-se comigo para impedir que isso aconteça — interrompeu Matilda, com alguma indignação. — Posso alugar um quarto na vila e continuar a olhar pela Tabitha e pela casa.

Ele suspirou e pôs um ar abatido. — Mais uma vez, parece que estou a exprimir-me mal. Supõe que estavas na minha posição; que é que fazias?

— Uma coisa é certa, não me casava a correr com ninguém — disse ela. — Suponho que levava a Tabitha por uns tempos para algum lado, a visitar velhos amigos, pôr em ordem os meus sentimentos.

— É exactamente isso que eu gostava de fazer — disse ele. — Depois voltava e tentava cortejar-te. Mas não posso, estou amarrado à igreja e esta casa depende do cargo. Não tenho alternativa senão ficar aqui.

Matilda ficou sensibilizada com a palavra «cortejar» e quase sorriu. — Arranja de certeza melhor partido do que eu para cortejar — observou.

— Matty, fazes o favor de deixar de imaginar que estou a sugerir um casamento de conveniência? — disse ele, exasperado. — O que tentei fazer-te ver esta tarde foi que acho que fomos feitos um para o outro. Não apenas como amigos, nem por causa do nosso amor comum pela Tabitha, mas como marido e mulher com tudo o que isso implica. Estás com medo de me encarar como homem e potencial amante, puramente por causa das circunstâncias, mas distancia-te disso, Matty, esquece a Lily por um momento e o facto de já teres sido nossa criada.

— Não posso — disse ela.

— Acho que podes — insistiu ele, os seus olhos escuros cintilando. — Porque eu aprendi a fazê-lo. Tu és carinhosa, generosa, compassiva e tens uma excelente cabeça. Além disso, és muito bela e não me parece que haja melhor partido do que tu em todo o estado. — Estendeu o braço e pegou-lhe na mão. — Não te considero uma substituta da Lily, és tão diferente dela que uma comparação não faria sentido. Estou ciente de que podíamos ter um casamento extraordinariamente feliz, Matty, temos profundas afinidades um com o outro, sempre tivemos.

— Mas como é que eu posso assumir o papel de uma mulher morta? — argumentou ela. — Sobretudo uma pessoa que era tão importante para mim. Seria mais fácil fazer um casamento de conveniência do que aspirar ao género de felicidade que viveu com a Lily.

— O nosso casamento não era feliz e tu sabes disso — disse ele, olhando severamente para ela. — Se não fosse a tua presença, quando nos mudámos para Nova Iorque, podia perfeitamente ter-se desmoronado. Assististe aos amuos e à histeria e, sem dúvida, estavas consciente de como eu era impaciente com ela por vezes. O que nós tínhamos é o que tem a maioria dos casamentos, alguns períodos bons, outros maus e outros ainda terríveis. Regozijo-me que os dois últimos anos tenham sido tão perfeitos porque são eles que agora recordo. Mas a verdade, Matty, é que foste tu, mais do que qualquer outra pessoa, que me restituiu essa Lily. Se ela estivesse aqui agora no alpendre, dizia-te exactamente a mesma coisa.

— Mas ela era minha amiga. — Matty começou a chorar. — Prometi-lhe que olhava por si e pela Tabitha, mas ela não havia de querer... — Calou-se, incapaz de continuar.

— Não havia de te querer na minha cama? — perguntou ele, meio a sorrir. — Mas é exactamente isso que ela queria, Matty, as suas últimas palavras foram: «Casa-te com a Matty, Giles, ela há-de fazer-te feliz em tudo. E tu também hás-de fazê-la feliz.»

Matilda levantou bruscamente a cabeça. — Ela disse mesmo isso?

— Se duvidas de mim, pergunta ao médico — disse ele. — Ele também a ouviu.

Matilda sabia que Giles nunca inventaria uma coisa destas, mas, mesmo com a aprovação de Lily, continuava a não ter coragem de aceitar. O pai dera-lhe um conselho em tempos, quando estavam no rio depois da primeira visita a Dolly. «Nunca te metas com um homem de luto», dissera. «Durante uns tempos, ficam fora de si», e Lucas, embora fosse um homem simples em muitas coisas, fora muito sensato.

Um pouco mais tarde, foi deitar-se, tendo mudado de assunto para falar de Tabitha. Mas, uma vez na cama, não conseguia dormir. Estava insuportavelmente quente e o seu espírito estava em turbulência. No mais fundo de si, e por mais vergonha que sentisse, desejava Giles. Talvez tivesse sido apenas hoje que sentira esse súbito desejo por ele, mas olhando para os anos passados, compreendia que ele sempre fora para ela mais do que um patrão ou um amigo, ela fora simplesmente demasiado ingénua para se aperceber então. Mas o medo de viver na sombra de Lily assustava-a. Poderia habituar-se a viver com Giles a olhar com tristeza por cima do ombro? Ou isso transformá-la-ia numa megera azeda que tentaria constantemente mostrar-se superior?

Deve ter acabado por adormecer, porque acordou subitamente com o som de chuva torrencial a fustigar o telhado. Permaneceu deitada por alguns momentos, saboreando a agradável brisa fresca que entrava pela janela aberta, mas o forte ribombar de um trovão, seguido imediatamente de um relâmpago que iluminou o quarto, fê-la correr para a janela para a fechar. Um segundo relâmpago iluminou completamente o jardim, o suficiente para ela ver *Gertie*, a pequena cabra, amarrada e as galinhas que se esquecera de recolher na capoeira. Sem parar sequer para se agasalhar num xaile, desceu as escadas a correr e atravessou a cozinha em direcção à porta dos fundos.

— Matty!

A voz de Giles vinha do quarto dele que ficava no rés-do-chão.

— Deixei a cabra e as galinhas cá fora — respondeu-lhe. — Vou só metê-las dentro.

Ao abrir a porta, esta foi violentamente lançada para trás com a força do vento e da chuva, quase a derrubando. Giles atravessou a cozinha a correr e fechou-a com uma pancada.

— Não podes sair com este temporal — disse ele. — Não lhes acontece nada, os animais são mais sensatos que nós.

— Tenho de ir — insistiu ela, tentando passar-lhe à frente. — A *Gertie* vai ficar aterrada.

Giles prendeu-lhe os braços e por um momento debateram-se, Matilda decidida a sair, Giles igualmente determinado em impedi-la. Outro relâmpago ofuscante iluminou a cozinha inteira. Matilda gritou de medo e, de súbito, os braços de Giles estavam a cingi-la.

— Pronto, pronto — disse ele reconfortantemente. — Estamos seguros e a *Gertie* está presa por uma corrente comprida, há-de meter-se debaixo de um arbusto. Quanto às galinhas, podem ser estúpidas, mas têm o bom senso de se meterem sozinhas na capoeira.

Giles estava apenas com a camisa de dormir e, ao puxá-la mais para si, ela sentiu o calor e o vigor do seu corpo através da sua própria camisa de dormir fina, e de repente começaram a beijar-se.

A paixão deflagrou com a mesma rapidez da tempestade. As janelas abanavam, a trovoada ribombava, os relâmpagos rebentavam e a chuva fustigava, espelhando as emoções que haviam sido libertadas. Corpos envolvidos por braços, lábios e línguas num frenesim sôfrego, as suas mãos exploravam e os seus dedos acariciavam.

Giles levantou-a nos braços e, despudoradamente, ela rodeou-lhe a cintura com as pernas, cobrindo-lhe a cara e o pescoço de mais beijos.

— Desejo-te loucamente, Matty — sussurrou ele, transportando-a para o quarto. — Sentes o mesmo?

— Sim — suspirou ela, agarrando-se a ele com mais força ainda.

A tempestade que uivava lá fora era tão febril, descontrolada e desinibida como a sua paixão. As camisas de dormir foram lançadas para o chão, os dois corpos ardiam, consumidos pelo desejo.

Para Matilda era como se tudo na vida até agora tivesse conduzido a este momento. Não queria saber o que o amanhã reservava, os lábios dele colados aos dela, as mãos dele acariciando o seu corpo e precipitando-a cada vez mais numa espiral de pura felicidade, era tudo o que importava.

Quando ele se preparava para a penetrar, por um brevíssimo momento ela resistiu. Mas um relâmpago iluminou-lhe o rosto e ela não viu luxúria, mas uma ternura e um afecto tamanhos que se lhe entregou de bom grado.

— Minha querida — murmurou ele. — Minha querida e preciosa Matty.

Ainda enlaçados na cama, cobertos de suor, sentiam-se como se tivessem renascido. O passado era apagado pelo presente. Embora ela não possuísse a experiência necessária para avaliar a relação sexual, tinha a certeza de que um êxtase tão absoluto era uma dádiva especial. Não precisava que Giles lhe dissesse que também era uma novidade para ele, sentia-o nos seus beijos, ouvia-o nos seus suspiros de contentamento. Podiam ser condenados por prová-lo antes do casamento. O resto do mundo podia considerá-lo uma vergonha por acontecer tão cedo após a morte de Lily, mas o coração de Matilda estava demasiado repleto de felicidade para se preocupar com essas coisas.

Giles pousou a cabeça no peito dela e entreteceu os dedos no seu longo cabelo. — Muitos homens vieram ter comigo no passado a confessar o seu amor ilícito por uma mulher — disse ele em surdina. — Ouvi-os, compreendi-os e consolei-os e muitas vezes tentei levá-los a romper a ligação. Quando não o fizeram, fiquei perplexo porque até hoje, Matty, não entendia verdadeiramente a profundidade e intensidade da paixão. Mas agora entendo.

— Estás a tentar dizer-me que o nosso será sempre um romance ilícito? — perguntou para o arreliar. — Retiraste o pedido de casamento?

— Claro que não, meu amor. — Beijou-a no nariz e riu-se. — Acho que sabes o que quero dizer. Não era minha intenção dormir contigo enquanto não houvesse um anel no teu dedo. Não planeei nada disto. Mas agora que demos esse passo, tudo se vai complicar, porque sei que te vou querer ao meu lado todos os dias e todas as noites.

Já amanhecera e continuava a chover com a mesma intensidade, mas a trovoada estava mais distante e os primeiros raios de luz enchiam o quarto de uma claridade baça e cinzenta. Ele apoiou-se sobre um cotovelo e olhou para ela, afastando-lhe madeixas de cabelo da cara. — Depois da nossa conversa de ontem à noite, pensei que para evitar falatório sobre nós, podia dormir em casa do Dr. Treagar durante alguns meses. Mas isto altera tudo, Matty. Temos de nos casar imediatamente.

— Mas isso é impossível — disse ela, espantada com a sua súbita urgência. — Já sabes o que as pessoas vão dizer. Por mim, é-me indiferente, mas pode chegar aos ouvidos da Tabby e não era capaz de suportar que ela pensasse que estávamos a trair a memória da mãe.

Giles deixou-se cair na cama ao lado dela. Era evidente que não tinha pensado nisto. — Que havemos de fazer então? Já sei que não vou ser capaz de aguentar um dia sem te tocar.

— Nem eu — disse ela. — Mas vamos ter de o fazer.

Uma forte e violenta pancada na porta da rua acordou-os pouco antes das seis. Giles vestiu as calças e correu a abrir.

Solomon, com uma serapilheira a proteger-lhe os ombros da chuva, andava de um lado para o outro no alpendre. — Acabo de saber que o rio transbordou das margens — gritou ele, assim que Giles abriu a porta. — Receio que as pessoas de lá se tenham afogado. Mande alguém tocar o sino da igreja. Eu vou imediatamente para lá.

Giles e Matilda vestiram-se de imediato e, minutos depois, estavam a sair de casa a correr. Enquanto Matilda corria às cavalariças para ir buscar o cabriolé, Giles foi ter com Mr. Homberger e pediu-lhe que tocasse o sino e dissesse a todos quantos se apresentassem à chamada que se dirigissem para o rio para ajudar. Quando Matilda saiu das cavalariças com o cabriolé, ele subiu, pegou nas rédeas e pôs o cavalo a galope com uma chicotada.

Ao chegarem à falésia, onde as mercadorias dos barcos eram descarregadas para serem levadas para a vila, pararam, fixando por um momento, horrorizados e incrédulos, o espectáculo com que se depararam.

O desembarcadouro fora levado na enxurrada, água castanha de lama inundava o que ainda no dia anterior era terra ressequida, ao nível da água. Árvores arrancadas pela raiz, partes de casas, mesas, bancos e utensílios domésticos boiavam à superfície; bois, cavalos e porcos tentavam desesperadamente nadar para terra seca e, mesmo sobre a chuva torrencial, ouviam os gritos dos que esperavam ser salvos. Duas crianças pequenas estavam agarradas aos ramos de uma árvore, uma mulher procurava desesperadamente aguentar-se à tona com um bebé nos braços. Uma menina gritava, sentada numa mesa virada ao contrário que, sob os seus olhos, já estava a flutuar rio abaixo. Mas o pior eram os corpos a flutuar, a cara para baixo, os braços abertos — homens, mulheres e crianças saudáveis que estavam a dormir tão profundamente que não ouviram a tempestade e muito menos o rio a subir em silêncio até transbordar e lhes invadir as casas, levando-os consigo.

Solomon já estava na água, nadando com fortes braçadas até a um esquife que se soltara das amarras. Num ápice meteu-se dentro dele e remou freneticamente em direcção à mulher com o bebé, gritando aos outros homens para que arranjassem barcos. Surgiram dois homens a transportar uma canoa e, de um casebre, num terreno ligeiramente mais alto, uma mulher gritou que podiam levar o barco dela.

À medida que cada vez mais habitantes da vila apareciam a galope em cavalos e em carroças para ajudar na operação de salvamento, Giles assumiu o comando. As mulheres mais velhas foram encarregadas de abrir a escola, recolhendo pelo caminho tantos cobertores e roupas secas quantos pudessem. Os velhos ficaram de arranjar carroças e materiais com que fazer padiolas, enquanto ele dividia o contingente principal de pessoas em grupos para inspeccionarem a orla da água à procura de sobreviventes e corpos.

— Vai chamar o médico e ocupa-te depois da escola — ordenou a Matilda. — Vamos precisar de lençóis para fazer ligaduras e de água quente e pede a quem ainda estiver em casa que tenha bebidas quentes preparadas para os sobreviventes.

Amos Bradstock, o pai das crianças com quem Tabitha passara a noite, apareceu a cavalo na vila mais tarde, a montada coberta de lama. As suas culturas, como as dos outros agricultores da região, haviam sido destruídas, mas ainda assim ele saltara para o cavalo, imaginando que a situação junto ao rio fosse muito pior. A sua casa estava a salvo e garantiu a Giles que a mulher continuaria a olhar por Tabitha até a chuva parar, pois a estrada estava praticamente intransitável com lama e árvores tombadas.

Ao meio-dia, já os mortos ascendiam a nove homens, catorze mulheres e doze crianças, dos treze anos a um bebé de três semanas, e usaram a igreja como morgue. Foram encontradas mais cerca de trinta pessoas, quase todas elas com ferimentos, desde membros partidos a lacerações severas, mas continuavam desaparecidas mais de trinta pessoas.

Matilda trabalhou sem descanso, despindo roupas molhadas aos feridos, lavando e tratando de feridas e tentando confortá-los enquanto esperavam por notícias dos maridos, das mulheres e dos filhos. Os que já tinham encontrado as suas famílias, estavam agora na igreja, sentados em pequenos grupos compactos, os olhos desolados de dor, demasiado chocados para falarem.

Muitas das mulheres oravam incessantemente enquanto se ocupavam dos feridos, dando-lhes chá e sopa quente. Num momento de cinismo, Matilda interrogou-se sobre o que levava algumas daquelas pessoas a tornarem-se de repente tão carinhosas quando as vítimas desta cheia eram, normalmente, as mesmas pessoas que diariamente evitavam. Eram as pessoas para quem Giles sempre tentara conseguir ajuda, os bodes expiatórios da comunidade, acusadas de todos os crimes, os alegados perpetradores de todas as epidemias. Se tivessem demonstrado alguma preocupação no passado, talvez elas não tivessem sido forçadas a viver em barracas nauseabundas na margem do rio.

Interrogou-se também sobre a forma como os sobreviventes iam reconstruir as suas vidas. Os seus escassos animais tinham-se afogado quase todos, as suas toscas casas e parcos haveres tinham desaparecido. Uma mulher perdera o marido e cinco dos oito filhos. Quando disse sombriamente que mais valia ter morrido afogada também, Matilda não pôde censurá-la.

No entanto, no meio do horror, havia histórias milagrosas. Algumas pessoas haviam sido arrastadas ao longo do rio, mas tinham acabado por alcançar um terreno mais alto de onde tinham regressado atordoadas, mas ilesas. Um casal que dormia numa enxerga de madeira com os dois filhos pequenos tinha dado por si a flutuar rio abaixo, como se num barco, e o homem conseguira agarrar um ramo de árvore e içá-los para terreno seguro. Solomon apanhou um cão grande que estava a nadar e ainda segurava numa menina de três anos pela parte de trás da camisa de dormir. A criança estava assustada de morte, mas não apresentava ferimentos.

Mas os milagres não davam mais do que vagas esperanças àqueles que aguardavam. À medida que o dia ia avançando e a chuva se transformava em morrinha até, por fim, parar às seis horas, sempre que uma carroça aparecia a chapinhar na lama, não deixava a sua carga na escola, seguia directamente para a igreja.

Os homens continuaram a sua busca com candeias depois de escurecer. Matilda foi ao rio pouco depois da meia-noite à procura de Giles e viu os pontinhos de luz nas duas margens. Agora que parara de chover, estava uma noite límpida e amena, com o céu pejado de estrelas e a lua a derramar uma luz prateada sobre o rio.

Giles avistou o cabriolé e dirigiu-se a ela e, por momentos, ficaram a observar em silêncio a água a marulhar e a ouvir os assobios e gritos dos homens em ambas as margens.

— É tão bonito — disse ele num tom fatigado. — Mas, amanhã, quando o sol nascer, veremos o pleno alcance da carnificina. Os animais afogados terão de ser queimados ou enterrados e depois temos os funerais.

— O que é que vai acontecer a toda essa gente sem abrigo? — perguntou ela, as lágrimas saltando-lhe aos olhos. Todo o dia se debatera para não chorar, mas agora, exausta e consumida pela culpa de terem estado a fazer amor enquanto tudo isto estava a suceder, esforçava-se por não perder o controlo. — Ninguém gostava deles enquanto viviam aqui, quem é que lhes vai dar guarida agora?

Giles soltou um profundo suspiro. — Nós, Matty, e talvez outros nos sigam o exemplo. Talvez fosse preciso dar-se uma tragédia para as pessoas da vila compreenderem que têm de olhar pelos seus pobres.

— Faz os nossos problemas parecerem insignificantes — murmurou ela.

— Sem dúvida — concordou ele, fatigado. — Aliás, resolveu alguns deles. A Tabby vai ter de dormir no teu quarto durante algum tempo e eu vou ter de dormir na sala de estar. Assim podemos receber duas famílias. Não é a solução que eu teria desejado, mas é o procedimento correcto.

— O que é que a Lily teria dito a isso? — disse ela num impulso irreflectido.

Para sua surpresa, ela não a censurou, mas soltou uma gargalhada. — Teria tido cinquenta ataques, Matty, não teria?

Matty riu-se, imaginando o horror no rosto da amiga se Giles tivesse sugerido levar duas famílias para a sua casa limpa e organizada. Pessoalmente, também não lhe agradava muito, só a ideia de todo o trabalho que isso envolvia, para não falar de crianças indisciplinadas a correr pela casa, era assustadora. Mas teve de súbito consciência de que era a primeira vez que conseguiam rir-se de Lily, e talvez fosse bom sinal.

— Acho que me sinto tão alarmada como ela se sentiria — admitiu Matilda. — Mas tens razão, Giles, temos de o fazer. Alice, a viúva que ficou só com três filhos, é uma das que temos de acolher. Escolhe tua a outra família.

Discutiram por alguns momentos sobre qual havia de ser e finalmente decidiram-se pelas quatro crianças negras que tinham perdido os dois pais.

— Provavelmente não vou ter hipótese de repetir isto durante muito tempo — disse ele, virando-se para ela e tocando-lhe o rosto —, mas amo-te, Matty. Quando tudo isto acabar, casamo-nos imediatamente.

Ela levantou os olhos para ele e sorriu. Ele estava com a espessa barba preta por fazer, cheirava a água do rio porque tinha entrado e saído dele muitas vezes ao longo do dia. Estava demasiado escuro para ver a sujidade que ela sabia que o cobria, bem como o sangue e o lixo no seu rosto e avental. De algum modo, encontrarem-se os dois assim tornava-os iguais e, mesmo que os acontecimentos do dia anterior não se tivessem passado, ela sabia que os de hoje os fariam ver o que provavelmente sempre estivera presente. — Então, sou capaz de suportar tudo — disse ela.

— Mesmo sete crianças a mais e a desmazelada e chorosa Alice? — perguntou ele, provocando-a.

— É bom quc pcças ao teu Deus que me dê forças suplementares — disse ela com um sorriso. — Acho que vou precisar.

CAPÍTULO 13

Giles e Matilda ficaram no alpendre a acenar até a carroça com Alice e os três filhos desaparecer de vista. Era o dia a seguir ao Dia de Acção de Graças e Alice estava de partida para reconstruir a sua vida em St. Louis, como governanta de um viúvo com dois filhos.

— Obrigado, Senhor, por teres feito com que fosse antes do Natal — disse Giles, olhando para o céu, num tom ligeiramente trocista. — Mais um mês com tanta garotada e eu transformava-me num velho.

— Giles! — exclamou Matilda. — Que aconteceu ao teu espírito de caridade cristã?

Riram-se ambos, pois não havia como negar a verdade, os dois meses com sete crianças a mais em casa e com Alice haviam sido uma tortura terrível. Durante algum tempo, Alice quase enlouquecera de desgosto e os seus três filhos sobreviventes, habituados a uma vida indisciplinada na margem do rio, detestavam, contrariados, não só as restrições inerentes à vida em casa de um ministro, mas também o facto de terem de viver sob o mesmo tecto que quatro crianças negras.

Os quatro Hamilton, com idades entre os dois e os oito anos, eram mais manejáveis do que a prole taciturna de Alice, pois possuíam temperamentos alegres e eram surpreendentemente obedientes, mas continuavam a ter os seus problemas e, não havendo uma escola em Independence para crianças negras, Matilda tinha a companhia dos quatro o dia todo em casa. Até Tabitha se tinha revelado difícil, ressentida contra os visitantes que lhe retiravam as atenções a que estava habituada, e não queria partilhar com eles os seus brinquedos e os seus livros.

A casa estava demasiado cheia. Lavar e cozinhar para todos era uma tarefa assustadora, mas o pior de tudo era a completa falta de privacidade. Giles e Matilda não tinham sequer oportunidade para conversarem em privado e muito menos para passarem uns momentos a sós. Era um suplício estarem tão próximos um do outro mas não poderem beijar-se nem tocar-se. Bastava as suas mãos roçarem uma na outra ou trocarem olhares à mesa do jantar para os seus corações começarem a bater freneticamente. Giles saía lá para fora quando não aguentava mais, mas Matilda tinha de ficar e, muitas vezes, sentia ganas de gritar de frustração.

Mas um ministro baptista e a mulher de Chicago haviam acolhido os Hamilton, tendo ido buscá-los duas semanas antes, e Giles usara os seus contactos na igreja para arranjar o lugar para Alice. Suspirou de contentamento quando reentraram na casa vazia. — Nunca imaginei que o silêncio soubesse tão bem — observou.

Matilda deteve-se um momento a olhar à sua volta, subitamente consciente de que a casa se deteriorara bastante. O soalho de madeira estava riscado e manchado, as paredes cobertas de dedadas sujas, todas as peças de mobília tinham um ar gasto e arranhado. — Tenho uma tarefa monumental à minha frente para pôr a casa como era — disse ela num tom cansado. — E nunca mais vamos conseguir substituir as coisas que se partiram e foram destruídas.

— Vamos, sim — disse Giles tranquilizador. — Além disso, só nos vai fazer bem construir um novo lar em que tudo é nosso.

Estava a referir-se aos muitos tesouros de Lily que os hóspedes tinham partido e aos cobertores, edredões e tachos que tinham dado depois da cheia aos mais necessitados.

— Suponho que sim — disse Matilda. Sentia-se estranhamente em baixo, quando, na verdade, imaginara sentir-se exultante por ter a casa só para si e cheia de entusiasmo com a sua reorganização. Mas só lhe apetecia dormir.

Giles sentiu, pelo seu tom, que se passava qualquer coisa e, olhando penetrantemente para ela, viu de repente que ela estava exausta. Os seus olhos estavam baços, o rosto pálido e chupado e o cabelo perdera o brilho. Até o avental estava cinzento, ao contrário do branco imaculado de outros tempos. Imediatamente se sentiu arrependido, consciente de que ela aceitara com naturalidade todo o trabalho árduo dos últimos meses, sem nunca se queixar, sempre bondosa e compreensiva com as crianças, mesmo quando elas se mostravam impossíveis, e agora compreendia como ela estava esgotada.

— Hoje não trabalhas — disse ele, agitando-lhe um dedo reprovador. — Vamos sentar-nos e fazer planos para o nosso casamento. Mas primeiro um beijo, Matty. Não prometo que te reanime, mas há-de me reanimar a mim.

Aquele beijo foi o mais doce de sempre, apagou as torturas dos últimos meses. Permaneceram abraçados um ao outro, toda a paixão há tanto tempo reprimida avolumando-se e extravasando. Giles pegou nela ao colo e começou a dirigir-se para o quarto dela.

— Não podemos — disse Matty debilmente, sabendo porém que não tinha forças para se opor.

— Podemos, sim — murmurou Giles, com os lábios pousados na sua testa enquanto subia as escadas. — Dentro de poucas semanas estamos casados, mas precisamos um do outro agora.

Foi ainda melhor do que da primeira vez, durante a tempestade, pois então fora como a própria tempestade, furioso e frenético, e agora era calmo e terno. Então, haviam feito amor na escuridão, acariciando-se às cegas, guiados apenas pelos suspiros de prazer um do outro, mas agora, em plena luz do dia, Giles explorou cada centímetro do corpo dela, beijando-a em sítios que a faziam corar e fechar os olhos mas que a enchiam de uma ditosa felicidade.

Ansiava pela penetração tão sofregamente como ele e, desta vez, não doeu nada. Alice dissera uma vez, no princípio da sua estadia naquela casa, que o marido a «incomodava» quase todas as noites. Disse que desejava que houvesse uma maneira de o evitar, mas ele ficava impossível se não encontrasse satisfação. Matilda sabia que a visão de Alice sobre o amor entre pessoas casadas era comum a um grande número de mulheres e interrogou-se fugidiamente, agarrada às costas de Giles, se seria uma mulher pecaminosa por sentir tanto prazer.

Mas então, no momento em que pensava que não podia ser melhor, começou a acontecer qualquer coisa dentro de si. Era como se uma parte de si estivesse a elevar-se como massa levedada, aquecendo cada vez mais, com tal intensidade que ela pensou que ia morrer de prazer e, de súbito, sentiu-se como que a transbordar e a sensação percorreu-lhe todo o corpo, como estrelas cadentes.

Gritou e agarrou-se ainda com mais força a Giles, movendo-se com ele como se fossem um só, e procurando os lábios um do outro, sentiu-o largar a sua semente dentro de si.

Ficaram deitados nos braços um do outro, envolvidos por um doce torpor. — Estas últimas semanas fizeram-me compreender a que ponto te amo — sussurrou ele, de lágrimas nos olhos. — Não imaginas como era, desejar-te tão desesperadamente e não poder sequer tomar-te nos braços.

— Comigo foi igual — disse ela, enterrando a cara no seu pescoço e inalando o seu odor. — Às vezes pensava que ia enlouquecer, por isso agora não te atrevas a deixar-me.

— Como podia? — Riu-se suavemente. — Estou preso a ti, corpo, coração e alma. Mas agora dorme, meu amor, faremos os nossos planos para o casamento mais tarde.

Matilda acordou ouvindo a voz de Tabitha na cozinha. Sentou-se, sobressaltada, pensando por um momento que a criança chegara a casa da escola e ia encontrá-los juntos. Mas estava sozinha na cama, e as gargalhadas de Giles chegaram também do andar de baixo, havia um aroma a comida, e estava noite.

Procurou às apalpadelas a vela ao lado da cama e acendeu-a. Para sua surpresa, estava com a camisa de dormir, a roupa que Giles lhe despira apressadamente estava muito bem dobrada na cadeira e não havia sinais da dele. Percebeu que adormecera tão profundamente que não vira nem sentira Giles a fazer tudo aquilo.

A porta abriu-se e Tabitha espreitou. — Estás melhor, Matty? — perguntou ela, os seus grandes olhos azuis carregados de preocupação. — O papá disse que estavas muito cansada e que não te devia acordar quando chegasse da escola. Fizemos frango frito para o jantar; queres comer? Está quase pronto.

— Adorava — respondeu Matilda, subitamente tão faminta que era capaz de comer um cavalo se lhe fosse oferecido. — Estou admirada, tu e o papá a fazerem frango frito sozinhos.

Tabitha entrou no quarto e saltou para a cama. — O papá disse que temos de aprender a fazer mais coisas para te facilitar a vida. Disse que trabalhaste como um moço de lavoura nos últimos meses.

Matilda sorriu. Sentia-se muito melhor; toda a fadiga que sentia há tanto tempo evaporara-se, substituída pela alegre expectativa do futuro. — Não vai custar nada olhar só por vocês os dois — disse ela —, agora que a Alice e os filhos se foram embora.

— Estou tão contente por terem ido. — Tabitha aproximou-se e murmurou num tom conspirativo. — Gostava dos Hamilton, eram amorosos, mas nunca gostei da Alice, era má e os filhos eram ainda piores. Tive pena que tivessem perdido o pai e os irmãos na cheia, por isso, tinha de ser simpática com eles. Mas ter pena das pessoas não nos faz gostar delas, pois não?

A opinião de Tabitha era tão parecida com a sua que Matilda teve vontade de rir. Por um lado, Alice era uma mulher fria e mal-encarada que não mostrava qualquer gratidão pela bondade que lhe era dispensada. Mas por outro, sabia como era importante inculcar alguma da generosidade de Lily em Tabitha.

— Devemos sempre dar apoio aos que são menos felizes do que nós, Tabby — disse ela, num tom de censura. — Mesmo que não gostemos muito deles. E devemos rezar para que a nova vida deles seja mais feliz.

Tabitha fez um esgar, e Matilda duvidou que ela incluísse aquela família nas suas orações. Sorriu radiosamente a Matilda. — O papá disse que o jantar hoje era de festa porque tens uma surpresa especial para mim. É um cachorro?

— Não, não é. — Matilda sorriu. Calculou que Giles tencionasse dizer-lhe esta noite que se iam casar. — O Inverno não é uma boa altura para arranjar um cachorrinho, a Primavera ou o Verão é muito melhor.

Tabitha franziu a testa. — Então o que é?

— Se te dissesse, já não era surpresa, pois não? — Matilda riu-se. — É melhor então levantar-me e vestir-me, não é?

O frango frito, com feijão-frade e batatas, estava excepcionalmente delicioso, principalmente porque Matilda não tivera de o cozinhar, e devorou a comida alegremente.

— Não me façam esperar mais — disse Tabitha, a meio da refeição. — A curiosidade nem me deixa comer.

Giles deu uma palmadinha afectuosa no rosto afogueado da filha. — Uma nova mamã abria-te o apetite?

Os olhos escuros de Tabitha ficaram do tamanho dos pratos e a sua boca abriu-se de choque.

— Então? — perguntou Giles. — Essa expressão é de agrado?

Matilda olhou para ele e sorriu. Tinha quarenta e um anos, mas esta noite estava com um ar extremamente agarotado. Os seus olhos brilhavam maliciosamente, os seus lábios cheios pareciam ostentar um sorriso permanente e as suas faces estavam rosadas.

Tabitha abanou violentamente a cabeça. — Não quero uma nova mamã. Só quero estar aqui contigo e com a Matty para sempre sem mais ninguém.

— Isso é um bocadinho egoísta — disse Giles, fazendo uma expressão reprovadora. — Porque o papá quer muito uma nova mulher.

— É bonita? — perguntou Tabitha, fazendo-lhe má cara.

— Sim, muito, e inteligente também — respondeu Giles.

A cara de Tabitha começou a contrair-se e os seus olhos encheram-se de lágrimas. — Não, papá, não te podes casar, o que é que a Matty ia fazer? Não vais mandá-la embora, pois não?

Matilda lançou a Giles um olhar severo; estava a arreliar a criança há demasiado tempo.

— Não, não vou mandar a Matty embora — disse ele, dando um puxão a um dos totós de Tabitha. — É com a Matty que me vou casar. A tua nova mamã vai ser ela.

Por um momento, a menina limitou-se a olhar para ele, e depois olhou para Matty. — É verdade?

Matilda abanou afirmativamente a cabeça. — Achas que sirvo para tua mamã?

Um sorriso tão rasgado como uma talhada de melancia iluminou o rosto da criança, os seus olhos acendendo-se como duas tochas. — Para sempre? — sussurrou, quase como se não conseguisse acreditar.

— Para sempre se é o que tu queres — disse Matilda.

Tabitha saltou da cadeira, atirando-a pelos ares, e correu para Matilda, lançando-lhe os braços ao pescoço. — É uma surpresa ainda melhor que um cachorrinho — disse ela, numa voz aguda de excitação. — Uma vez perguntei a Mrs. Homberger porque é que o papá não se casava contigo e ela disse que também achava boa ideia. Foi ela que te disse para casares?

Matilda e Giles riram-se com gosto da pergunta. Mrs. Homberger era famosa por ser o género de mulher que organizava tudo e todos. Mas nem ela teria a desfaçatez de sugerir com quem o seu ministro se devia casar.

— Não, fomos nós que decidimos sozinhos — respondeu Giles.

— A mamã vai ficar contente, tenho de lhe dizer depressa — disse Tabitha. — Da última vez que falei com ela, estava preocupada que uma dessas «Madalenas» que chegam na Primavera te obrigasse a casar com ela. A mamã teve sempre muito medo delas.

Matilda riu-se a bom rir. «Madalena» era o nome que Giles dava às prostitutas. Lily ficava sempre horrorizada quando o ouvia defendê-las e era óbvio que Tabitha ouvira alguma conversa sobre elas e ficara com uma noção um tanto deturpada sobre as suas actividades.

Tabitha largou Matilda e olhou para ela com curiosidade. — Porque é que te estás a rir? — perguntou.

— É porque estou feliz — disse Matilda, agarrando na criança e abraçando-a. — Vamos dar a notícia juntas à mamã e pôr um ramo de flores muito especial na campa dela?

Nessa noite, Tabitha ficou acordada até tarde enquanto discutiam os planos para o casamento. — Amanhã vou arranjar alguém que venha pintar a casa — disse Giles, olhando para as paredes imundas. — Vocês as duas podem ir comprar tecido para fazer novas cortinas e mais vale verem também se arranjam vestidos para o casamento. Mas trata de arranjar alguém que os faça, agora não tens tempo para costuras.

— Posso ter um vestido vermelho? — perguntou Tabitha.

Matilda olhou para Giles, sem saber se Tabitha poderia abandonar o luto nestas circunstâncias.

— Bem, o preto não é muito indicado para um casamento, mas o vermelho também não — disse ele, com tacto. — Acho que azul seria perfeito, com renda branca.

Fizeram uma lista de coisas necessárias e Giles disse que podiam ir imediatamente comprá-las. — Tenho de ir ver se o ministro de St. Joseph pode vir celebrar a cerimónia — disse ele. — Parto na segunda e assim estou de volta no sábado, a tempo de informar as pessoas na igreja no domingo seguinte.

Estava a chover torrencialmente na segunda de manhã, quando Tabitha e Matilda se despediram de Giles no barco fluvial para St. Joseph. Apesar de terem estado inúmeras vezes no rio depois da cheia e de todos os vestígios dela terem há muito desaparecido, Matilda ainda achava impossível esquecer a devastação terrível desse dia.

A maioria dos sobreviventes tinha partido. Alguns regressaram ao Leste, outros foram reivindicar territórios no Oeste e outros decidiram ficar na vila que os privara dos entes queridos. Os que ficaram eram sobretudo os que tinham sido bem tratados na vila; alguns dos homens conseguiram finalmente empregos decentes, duas das viúvas casaram de novo e vários órfãos foram adoptados por famílias de agricultores.

No entanto, apesar de tudo o que Giles tentara fazer, novas famílias haviam ocupado as terras ribeirinhas e Matilda interrogava-se como se desenvencilhariam nessas barracas improvisadas, em muitos casos com simples lonas a servir de telhados, quando o Inverno chegasse.

No entanto, o estóico espírito dos Americanos, quer tivessem nascido aqui ou imigrado, era uma surpresa incessante. Incêndios, cheias, culturas fracassadas, mortes infantis, nada parecia demovê-los das suas ambições por muito tempo. Nos dois anos passados em Independence, conhecera pessoas que haviam perdido tudo várias vezes mas se levantavam sempre, encontravam forças e tentavam outra vez.

— Muito gostava de saber como está a Cissie? — pensou Matilda em voz alta, ao voltar para casa com Tabitha no cabriolé. — A estas horas já deve estar no Oregon e ter tido o bebé.

— Podíamos ir visitá-la um dia — disse Tabitha. — Não era divertido, eu, tu e o papá numa carroça?

— Talvez — disse Matilda. Agora até uma viagem de três mil quilómetros seria divertida com Giles ao seu lado. — Mas é muito longe e o teu papá não pode partir assim e deixar a igreja. Por isso, acho que vamos ter de nos contentar com cartas.

Ironicamente, no dia seguinte chegou uma carta. Estava escrita por John, com data de 1 de Outubro, e a morada indicada era o vale de Willamette, no Oregon. O correio tinha chegado com uma rapidez anormal e Matty calculou que John a teria entregado a um estafeta militar que regressava ao Missouri antes do pico do Inverno.

Querida Matty. Finalmente chegámos, mas foi uma viagem penosa, sobretudo nas montanhas. Mas desenvencilhámo-nos melhor que a maioria dos outros, não tivemos de nos desembaraçar de nada, não tivemos muitas doenças e chegámos todos inteiros. O Peter tem agora uma irmãzinha, pusemos-lhe o nome de Susanna e é uma menina saudável, com o cabelo escuro da mãe e uma voz ribombante! O Peter tem muito jeito para olhar por ela e não é nada ciumento. Conseguimos um belo lote de terreno, atravessado por um ribeiro, e eu tenho estado a abater árvores para construir a nossa cabana. Não é nada de elegante, mas é melhor que uma carroça. Os nossos vizinhos são muito simpáticos e afáveis e alguns vieram ajudar-me a colocar o telhado e as mulheres encheram a Cissie e a bebé de cuidados. Tal como imaginei, há por aqui árvores suficientes para eu fornecer madeira a toda a América, se estiver para aí virado. Antes de mais, quando a cabana estiver acabada, vou começar uma serração e, na próxima Primavera, ampliamos a cabana e plantamos também árvores de fruto. A Cissie pede para eu lhe dizer que a paisagem aqui é muito bonita e para não se esquecer que tem sempre aqui um quarto para si. O Sidney pede para dizer que é agora um atirador exímio e que não havemos de passar fome porque não há coelho nem veado que sejam rápidos de mais para ele. Durante a viagem também se tornou um ás a talhar madeira, fez pequenos animais para o Peter que parecem verdadeiros. Foi o melhor que podíamos ter feito, ter trazido o Sidney connosco, é bom rapaz, trabalha como um homem e é rijo que eu sei lá.

Dê os nossos cumprimentos e votos de felicidade a Mr. e Mrs. Milson; imaginamos que não tenha mãos a medir com o novo bebé. Escreva sem demora, não temos mais ninguém além da Matty para nos mandar cartas. Conte-nos todas as novidades daí e do resto do país. A única maneira de termos notícias aqui é se aparecer alguém que tenha viajado um pouco.

Com amizade, John Duncan.

Cissie escrevera uma frase no fundo. A sua letra redonda e infantil e a ortografia correcta sugeriam que John a redigira e ela a copiara fielmente.

A Susanna é uma menina muito meiga e gorducha e muito sossegada. Dei-a à luz na carroça nas montanhas, mas, no dia seguinte, já andava a pé. Estou sempre a pensar em si, só queria que aqui estivesse. Com amor, Cissie.

Nessa noite, Matilda sentou-se e escreveu uma longa carta em resposta, embora soubesse que provavelmente só sairia do posto do correio na Primavera. Era uma carta difícil de escrever, pois falar da morte de Lily e depois da sua recente felicidade com Giles parecia-lhe, de algum modo, errado. Mas acabou por decidir escrever tudo exactamente como acontecera, pois recordou-se de que Cissie era alguém que não se chocava facilmente e que, acima de tudo, ela haveria de desejar a felicidade das pessoas que amava.

Descreveu o vestido azul que mandara fazer para o casamento, um vestido chique com folhos no decote e na bainha e um lindo chapeuzinho com um véu. «Vai gastar nove metros de tecido», acrescentou, ainda algo chocada com tamanha extravagância. «E o Giles disse que vou precisar de mais dois vestidos e de um casaco também se não quero envergonhá-lo quando formos a St. Louis em lua-de-mel.»

Permaneceu uns momentos sentada a mordiscar a ponta da pena, querendo dizer a Cissie muito mais, mas não se atrevendo. «Amo-o com todo o meu coração», escreveu finalmente. «De certeza que sabes o que quero dizer.»

Terminou a carta com mensagens para Peter e Sidney e depois com todas as notícias de que conseguiu lembrar-se para John. Acrescentou ainda um *post scriptum*. «Volto a escrever assim que for Mrs. Giles Milson, mulher do ministro.»

No sábado, já Matilda não tinha mais nada para fazer. A sala e a cozinha tinham levado pintura fresca, as janelas ostentavam cortinas novas e tinha esfregado e encerado o chão até parecer novo. Tabitha regressara ao quarto dela, os armários estavam arrumados, todas as prateleiras forradas com papel novo e cortara lenha suficiente para durar metade do Inverno. Se não estivesse a chover tão torrencialmente, teria ido esperar o barco ao rio, mas a margem à chuva não era lugar onde lhe agradasse ir, e além disso, disse a si mesma, Giles não dera a certeza de estar de volta no sábado.

Não havia barcos ao domingo e o dia pareceu-lhe duas vezes mais longo. O Dr. Treagar, que actuara muitas vezes como pregador laico antes de Giles chegar à vila, encarregou-se do ofício da manhã e, da parte da tarde, foi até à casa com a mulher tomar chá.

— Esta manhã tive vontade de dizer a toda a gente o motivo que levou o Giles a St. Joseph — disse ele com um sorriso radioso. — É que, antes de partir, ele disse-me que se iam casar. Mas calculei que ele quisesse dar pessoalmente a notícia e calei o bico.

Mrs. Treagar e Matilda haviam-se tornado boas amigas desde a cheia. Matilda revia Lily na personalidade calma e refinada de Mrs. Treagar, o que era reconfortante. Enquanto o marido falava, o seu rosto bastante feio iluminou-se. — Estou muito feliz pelos dois e pela Tabby — disse ela com verdadeira afabilidade. — Chegámos a temer que o Giles deixasse Independence depois da morte da Lily, mas tu não o deixaste ir-se abaixo e voltaste a dar-lhe vida. Espero que sejam abençoados com muito filhos e fiquem aqui para sempre.

As duas mulheres discutiram planos para o casamento e Mrs. Treagar sugeriu que usassem a escola para o copo-d'água. — Já sei que toda a gente vai querer aparecer — disse ela, os seus olhos castanhos brilhando de excitação. — É tempo de voltarmos a ter dança e música nesta vila depois da tristeza e solenidade das cheias.

Na segunda à noite, Giles ainda não tinha regressado e Matilda começou a preocupar-se. Embora dissesse a si mesma que ele provavelmente estava a demorar-se porque queria comprar coisas novas para a casa ou porque tinha encontrado velhos amigos, não conseguia libertar-se da sensação de que acontecera algo de grave. Mas, por causa de Tabitha, pôs cara alegre e, na terça de manhã, foi para a escola ajudar as crianças mais jovens com a leitura e o inglês, embora sem grande vontade.

Na quarta à tarde, Matilda andava no jardim quando o xerife Neilson apareceu a cavalo na rua. Ao vê-lo parar à porta, desmontar e prender o cavalo a uma estaca da vedação, o seu coração começou a bater violentamente, receosa de que ele trouxesse más notícias. — Foi o ministro? — gritou ela, correndo para ele. — Está ferido?

O xerife Neilson era um homem corpulento de ascendência alemã. Longas horas sob a acção dos elementos haviam-lhe conferido uma tez tão morena como a de um índio e tinha pernas zambras de montar. Tirou o chapéu ao vê-la, mas a sua expressão era tão sombria que, nesse instante, ela compreendeu que Giles não estava apenas ferido, mas morto.

— Sinto muito, Miss Jennings — disse ele, torcendo o chapéu nas mãos e fixando o solo. — Não há outra maneira de lhe dizer senão sem rodeios. O ministro foi morto a tiro em St. Joseph. Ao que parece, tentou pôr fim a uma rixa. O corpo dele acaba de ser trazido para ser enterrado.

Ela sentiu as pernas enfraquecer e, quando deu por si, estava dentro de casa, deitada no sofá, e o xerife estava a passar-lhe um pano molhado na cara.

— Lamento muito, Miss Jennings — disse ele, o seu rosto moreno e curtido pairando sobre ela. — Eu sei que passou muitos tormentos com ele e com a família e não havia pessoa melhor do que ele. Não imagina como me dói ver Miss Tabitha ficar órfã, coitadinha.

Foi então chamar Mrs. Treagar do outro lado da rua. Matilda continuou deitada, incapaz de acreditar no que acabara de ouvir. Parecia um pesadelo, dos mais terríveis, e tentou beliscar-se para lhe pôr fim. Mas, ali deitada, olhando para as borlas da toalha de mesa, a pega para tachos bordada por ela com papoilas vermelhas e o jarro de leite tapado com um naperão de musselina com contas, percebeu que nenhum sonho podia ser tão vívido.

— Prometeste que nunca me abandonavas — disse em voz alta. — Como pudeste deixar que te dessem um tiro?

Mrs. Treagar apareceu a correr, seguida pelo xerife. Tomou Matilda nos braços e embalou-a contra o peito, as suas lágrimas caindo na cabeça de Matilda.

— Oh, Matty, que desgraça — disse numa voz rouca. — O Giles era tão bom homem, tinha tanta vida à sua frente. Como é que vamos dizer à pequena Tabitha?

A morte era uma coisa que Matilda sempre aceitara. Desde tenra idade que a visão do cangalheiro em Finders Court era tão normal como o amolador de facas ou a carroça dos dejectos. Perdera a mãe, uma irmã bebé e Peggie; a maioria das famílias perdera ainda mais membros. Em Primrose Hill e, mais tarde, em Nova Iorque, a morte continuou a atacar impiedosamente — era raro passar uma semana sem que Giles ou Lily mencionassem a morte de alguém conhecido.

Aqui, no Missouri, era ainda mais comum. Com tantas pessoas privadas de cuidados médicos, talvez demasiado pobres ou ignorantes para os procurar, mesmo um acidente ou doença relativamente menor podia revelar-se fatal. Muitas mulheres não escreviam sequer a ninguém a anunciar o nascimento de um novo bebé enquanto este não tivesse vários meses de idade, pois haviam perdido outros nas primeiras semanas e não queriam tentar a Providência.

Quando Lucas morreu, Matilda chorara em silêncio e depois esquecera, pois era a ordem natural das coisas. Não fora fácil aceitar a morte de Lily. Por um lado, por causa da amizade forte que as unia; por outro, pela maneira como afectara Giles e Tabitha, mas acabara por se resignar. Chorara também por todas as pessoas que pereceram na cheia, mas, assim que os mortos foram enterrados, os familiares sobreviventes reconstruíram as suas vidas e, de alguma forma, também isso foi esquecido.

Mas a morte de Giles era impossível de aceitar. Não porque o amava e desejara passar o resto da vida ao seu lado. Não porque ele tinha uma filha que precisava dele, por mais que ambas as razões a magoassem pessoalmente. Mas porque vivera a sua vida para bem dos outros. Por que razão um homem escolhido por Deus para praticar a Sua obra tinha de ser morto por uma bala quando a sua própria natureza era pacífica, condenando as pistolas e quaisquer outras armas destrutivas?

Enquanto soluçava contra o peito de Mrs. Treagar, a sua revolta era tão intensa quanto a sua mágoa. Amaldiçoou o homem que lhe roubara a vida e sabia que se ele estivesse aqui em Independence teria pegado no machado e tê-lo-ia abatido também.

Foi Mrs. Treagar quem deu a notícia a Tabitha quando ela chegou da escola, pois Matilda não foi capaz. Mas, no momento em que ouviu o grito de angústia da criança, reuniu forças para correr para ela, abraçando-a e chorando com ela, sem nada reprimir.

— Não é justo! — gritou Tabitha entre lágrimas. — A mamã morreu e o bebé Harry, e agora o papá também, e ele disse que ias ser a minha nova mamã!

— Vou ser a tua mamã na mesma — disse Matilda. — Prometo olhar sempre por ti. Adoro-te e os meus sentimentos nunca vão mudar. — Queria dizer que jamais a deixaria, mas não era capaz. Giles tinha-o dito e, menos de duas semanas depois, estava morto.

A dor não abrandava. De dia, palpitava impiedosamente; à noite, transformava-se em agonia. Matilda aguentou o funeral, viu Giles ser enterrado ao lado de Lily, confortou Tabitha e recebeu muitas pessoas que foram apresentar condolências, mas por dentro havia um lugar em carne viva que não dava sinais de sarar. Bastava ouvir o nome dele, tocar nas suas roupas, na sua Bíblia e na sua filha para a chaga reabrir.

Não era nenhuma consolação saber que o homem que o matara seria enforcado. No seu coração, era viúva, mas aos olhos da maioria das pessoas e da igreja a que Giles dava tanta importância não passava de uma amiga da família e, por conseguinte, ninguém imaginava que a sua dor fosse maior do que a dos outros. Os Treagar eram as únicas pessoas que estavam a par do casamento planeado e não tinham falado a ninguém, pois achavam que não era assunto em que devessem imiscuir-se.

O Natal passou sem que Matilda e Tabitha lhe prestassem grande atenção. Recusaram o convite para jantar com os Treagar, pois Matilda sabia que seriam ambas incapazes de tentar sequer esquecer a dor para a ocasião. Tão-pouco foram à igreja, pois ver um ministro convidado no lugar de Giles no púlpito teria sido demasiado doloroso. Foram antes dar um longo passeio, afastaram-se da vila e só regressaram a casa quando estavam demasiado cansadas para dar mais um passo.

Matilda nunca se sentira tão isolada. Podia percorrer a apinhada rua principal, mas tinha a sensação de estar completamente sozinha e de ser invisível. À noite não conseguia dormir, não tinha vontade de comer nem de olhar pela casa e pelos animais. Fazia-o, naturalmente, mas era mecânico, estas tarefas estavam de tal modo entranhadas nela que mal se dava conta de que estava a executá-las.

A meio do mês de Janeiro de 1848, quando recebeu uma carta do diácono de St. Louis a informá-la de que a casa do ministro devia ficar vaga até ao final do mês, o medo sacudiu-a o suficiente para se aperceber de que a dor desesperada que sentia não era o seu pior problema.

De súbito, a realidade atingia-a em cheio. Não tinha dinheiro, excepto os vinte dólares que estavam no bolso de Giles por altura da sua morte, e mais oitenta dólares que encontrara numa caixa na sua secretária. Giles nunca discutira com ela a sua situação financeira — nunca lhe dissera se possuía poupanças ou uma mensalidade da família em Inglaterra e, como não era a sua viúva, também não tinha direito a nada. Não vira nenhum testamento e, embora Tabitha herdasse tudo o que ele possuísse, só receberia essa herança quando atingisse a maioridade. Como poderia ela continuar a olhar por Tabitha sem dinheiro nem casa?

Na ausência de outra pessoa com quem falar, foi ter com o Dr. Treagar. Ele ouviu o que ela tinha a dizer e leu a carta do diácono. A sua expressão ansiosa não lhe transmitiu nenhum conforto.

— Valha-me Deus — disse ele, coçando a cabeça. — Mas que crueldade da parte da Igreja. Compreendo que precisem da casa para o novo ministro, claro, mas sabendo que a Tabitha perdeu o único progenitor que ainda tinha, seria de esperar mais compaixão. Vou escrever pessoalmente ao diácono, Miss Jennings, a explicar a sua situação. Devem ter algum tipo de fundo para situações destas.

— Não quero caridade — insistiu Matilda, tentando invocar alguma dignidade. — Apenas um pouco de paciência até arranjar trabalho. Acha que podia dar aulas na escola?

Tempo houvera em que pensava que dar aulas estava acima das suas capacidades, mas, desde que chegara ao Missouri, descobrira que muitos professores sabiam muito menos do que ela. Em certas vilas pequenas, as raparigas mais velhas ensinavam as mais novas.

— Se precisássemos de uma professora aqui em Independence, acredite que a recomendava para o lugar — disse ele. — Mas temos uma professora, Matty.

— Noutra vila, então. E em Westport ou Kansas City? — perguntou, embora nunca tivesse estado em nenhuma delas.

O médico reclinou-se na cadeira e estudou Matilda por um momento. Tanto ele como a mulher lhe tinham um grande afecto e, na sua opinião, ela daria uma professora admirável. Mas, infelizmente, havia muitos preconceitos contra jovens mulheres solteiras que trabalhassem para se sustentar e ela deparar-se-ia com eles em todo o lado. Com uma criança de oito anos dependente dela, os seus problemas eram ainda maiores.

— Não seria mais sensato mandar a Tabitha para os avós em Inglaterra? — disse ele depois de reflectir por alguns momentos. — Eu sei que olhou por ela desde pequenina e que a ama, mas ela vai ser um fardo tremendo para si, minha cara.

— Mas eu prometi à Lily que olhava por ela — disse Matilda, indignada. — O senhor estava lá, sabe disso.

— É verdade — disse ele. — Mas a Lily não sabia que o Giles ia morrer tão cedo e havia de querer o melhor para a filha.

— Como é que mandá-la viver com estranhos pode ser melhor para ela? — perguntou Matilda num tom um pouco brusco. — O Giles escreveu aos pais da Lily quando ela morreu e, quando responderam, não ofereceram qualquer ajuda, nem mesmo verdadeiros sentimentos. Conheci-os antes de partirmos de Inglaterra e pareceram-me pessoas frias e mesquinhas, a Lily não havia de querer que eles ficassem com a Tabitha.

O médico acenou com a cabeça. Lily insinuara o mesmo em conversa com a mulher. — Mas do pouco que sei da família do Giles, não são assim, pois não? — perguntou ele.

— Talvez não — disse ela. — Mas ainda não devem ter recebido a minha carta a informá-los da morte dele. Podem demorar meses, um ano até, a responder. E eu preciso de encontrar uma solução para a Tabitha agora.

O Dr. Treagar concordou. — Podem vir para nossa casa até lá, Matty — disse ele. — Teremos muito gosto em tê-las aqui connosco, tanto eu como Mrs. Treagar temos muita afeição às duas.

A bondade dele trouxe lágrimas aos olhos de Matilda. — É muito generoso da sua parte, doutor — disse ela. — Mas não posso pagar-lhe.

— Acha que queremos que nos pague? — disse ele, pegando-lhe na mão e apertando-a. — Seria um péssimo amigo se lhe virasse as costas e à Tabitha quando mais precisam de ajuda. Vá lá embalar as suas coisas e tudo o que pertencia aos Milson guarda-se em qualquer lado por agora.

— Fico em dívida para consigo — disse Matilda em voz baixa. — Prometo que faço tudo ao meu alcance para o ajudar e a Mrs. Treagar para pagar a nossa estadia.

O médico sorriu. Sempre presumira que Matilda tinha origens semelhantes às de Lily Milson, mas estas poucas palavras haviam-lhe dito o contrário. As verdadeiras «senhoras» não se preocupavam em pagar favores, aceitavam-nos e presumiam que era um direito.

— Vou escrever uma carta ao diácono esta tarde — disse ele, mais determinado do que nunca em arranjar ajuda para esta jovem e corajosa mulher. — Vá para casa e comece a fazer as malas.

Foi quando estava a embalar os haveres de ambas que Matilda encontrou o seu diário do ano anterior. Não lhe tocava desde o dia 13 de Dezembro, dois dias antes de receber a notícia da morte de Giles. Ao ler as últimas anotações de felicidade, chorou novamente. «*A Alice e as crianças partiram*» estava sublinhado; não se atrevera sequer a aludir ao que acontecera a seguir, mas escrevera que Giles preparara um jantar de celebração de frango frito e que haviam dito a Tabitha que ela ia ser a nova mãe dela. Tinha enumerado os artigos que tinham comprado na loja e desenhado um pequeno esboço do vestido de noiva e expressara o seu receio de que Mrs. Abernought não conseguisse acabá-lo a tempo. Mas Mrs. Abernought trabalhara dia e noite nele e no vestido de Tabitha e tinha-os entregue dois dias depois do funeral de Giles. Matilda nunca desembrulhara o pacote de papel castanho, mas pagara à mulher e enfiara-o por abrir no armário.

Folheou o diário à sorte para trás, lendo pequenos fragmentos aqui e ali. Uma amarga queixa do filho mais velho de Alice, Ruben, que partira o bule de porcelana de Lily, mais atrás as suas opiniões sobre os saqueadores que haviam vasculhado as margens do rio, assim que a água da cheia desceu, roubando os parcos haveres que as vítimas haviam deixado para trás.

Em Fevereiro, quase um ano antes, anotara que sentira o bebé dar pontapés na barriga de Lily. Foi então que Giles começou a chamar-lhe Harry.

Leu de novo as suas reflexões depois de Lily e o bebé morrerem. «Nunca experimentei tamanha infelicidade», escrevera. «Como vou viver sem a minha querida amiga? É como se o sol tivesse desaparecido para sempre do céu.» Registara também que a menstruação lhe viera nesse dia, pois assinalara o facto com um rabisco junto à data.

De imediato, sentiu um sobressalto. Não se recordava de quando tivera o último período e começou a folhear o diário à procura das suas anotações. Julho, Agosto, Setembro, Outubro e Novembro, sempre com intervalos de vinte e oito ou vinte e nove dias, mas depois de 21 de Novembro não havia mais. Devia ter vindo pouco antes do Natal, mas, embora a maioria dos acontecimentos dessa altura permanecessem difusos, sabia que não era uma coisa de que se tivesse esquecido, pois a barrela e a lavagem dos panos era sempre uma tarefa desagradável.

Uma sensação de agonia apoderou-se dela. Hoje era 20 de Janeiro, já devia ter vindo outra vez!

— Não pode ser! — disse em voz alta. — Foi só duas vezes, Deus não podia ser cruel ao ponto de deixar um bebé ser concebido e depois matar o pai.

Começou a tremer de medo. Pôs um xaile pelos ombros e aproximou-se do fogão, sentando-se encolhida e consumida pela ansiedade.

Um mês depois, a viver agora com os Treagar, Matilda não teve mais dúvidas de que estava grávida. Além da falta dos períodos, sentia-se enjoada de manhã, não suportava o aroma do café e os seus seios estavam sensíveis. Calculara que o bebé nasceria por volta de 8 de Setembro e sentia-se aterrorizada.

Não podia falar com ninguém, nem sequer com o médico, pois um filho fora do casamento era um pecado grave e seria corrida da vila. Não era tanto com o que dissessem dela que se preocupava, mas conspurcar a memória de Giles e Lily era impensável. Depois havia Tabitha, que seria arrancada aos seus cuidados e, se não viesse ajuda dos avós, seria mandada para um orfanato.

Tabitha adaptara-se à morte do pai. Estava frequentemente pensativa, ainda rompia em lágrimas de repente, mas parecia ter-se resignado e Matilda sabia que isso só a ela se devia. Para Tabitha, a vida não mudara assim tão radicalmente. Ia para a escola todos os dias como antes, vivia numa casa agradável, comia bem e era bem tratada, apaparicada, aliás, pelos Treagar, mas era a presença de Matilda que lhe dava estabilidade na vida. Se esta lhe fosse subtraída, poderia ser a última gota. Não podia deixar que isso acontecesse.

Cissie era a única pessoa que Matilda conhecia capaz de a ajudar e, quanto mais pensava nela e no Oregon, mais claramente via que era a sua única opção.

Mas sobreviveria à longa e perigosa viagem? E se o bebé nascesse antes de lá chegar? E, se não chegasse, que seria de Tabitha? Não podia sequer escrever a Cissie porque o correio só era despachado quando as carroças partissem na Primavera. Quando ela recebesse a carta, o bebé estaria prestes a nascer.

No entanto, à medida que as semanas se arrastavam e as pessoas começavam a chegar à vila para prepararem a longa jornada na Primavera, a decisão de Matilda consolidou-se. As terras no Oregon eram gratuitas, ninguém a conhecia a não ser Cissie, e com a ajuda dela podia fazer-se passar por viúva e conseguir trabalho para criar o bebé e Tabitha. Não ia pôr-se a pensar nos contras. Havia de lá chegar.

A 1 de Março, na sequência de uma carta que chegou do diácono de St. Louis nessa manhã, com uma letra bancária de cinquenta dólares — a que ele chamava «subsídio de luto» —, decidiu comunicar os seus planos aos Treagar durante o jantar.

A casa dos Treagar era uma das melhores em Independence, uma casa de madeira branca como a do ministro, mas mais espaçosa e com uma bela mobília em estilo colonial que eles haviam mandado fazer quando estavam na Virgínia. A sala de jantar era muito elegante, com uma mesa de carvalho extremamente polido, suficientemente grande para dez pessoas, e cortinas de veludo como Matilda só vira em casa dos pais de Lily em Bristol.

Embora Matilda tivesse insistido em trabalhar enquanto lá estava, Mrs. Treagar nunca a deixara fazer mais do que costurar, pois tinha duas criadas que se ocupavam das lides domésticas e uma cozinheira que não permitia que ninguém entrasse na cozinha.

O jantar nessa noite era uma refeição especialmente apetitosa de pato assado. Os doentes mais pobres do médico normalmente pagavam-lhe em espécie, e o pato fora o pagamento pelo tratamento de uma perna partida no princípio da semana. A boa comida alegrava sempre o médico.

Depois de o pato estar trinchado e servido, Matilda deu a notícia.

— Decidi que eu e a Tabitha vamos na próxima caravana de carroças para o Oregon ter com os meus bons amigos, os Duncan — disse ela, esperando que a firmeza do seu tom impedisse que qualquer um dos Treagar pensasse que a podia dissuadir.

Ao princípio da tarde, Matilda fora buscar Tabitha à escola e, a caminho de casa, passando pelas campas de Giles e Lily, tinha sondado a criança. Tabitha ficara verdadeiramente excitada, como ficara quando os pais lhe haviam dito que iam viver para o Missouri. Tinha gostado imenso de Cissie e John e a ideia de viajar numa carroça coberta agradava-lhe. Até se riu quando Matilda lhe pediu para não dizer nada se a ouvisse contar algumas mentiras inofensivas aos Treagar ao jantar. Era uma criança astuta, sabia que Mrs. Treagar era pessimista, e compreendia que Matilda tinha de pintar os Duncan mais ricos do que eram, caso contrário, ela tentaria impedi-las de partir.

— Se ficarmos aqui à espera de notícias dos Milson de Inglaterra, pode ser demasiado tarde para integrar uma caravana — continuou Matilda. — E, além disso, a Tabby não quer regressar a Inglaterra. Os meus amigos, os Duncan, têm uma serração próspera e uma grande quinta, a Tabby terá a companhia dos filhos deles e novamente a segurança de uma família.

— Não podes fazer uma viagem tão longa sem um homem — disse Mrs. Treagar, horrorizada. — Não é seguro.

Matilda já preparara os seus contra-argumentos. — Há muitas mulheres que viajam sem homens — disse ela, calmamente. — Na maioria, vão juntar-se aos maridos que foram no ano passado. Nós juntamo-nos a elas. Já planeei tudo, tenho dinheiro suficiente para uma parelha de bois, uma carroça e provisões para a viagem. Uma vez instalada no Oregon, arranjo um lugar de professora.

O Dr. Treagar olhou penetrantemente para Matilda. Percebeu que ela não estava tão serena como queria parecer, tinha as faces rosadas e os seus olhos esquivavam-se aos dele, o que lhe levantou algumas suspeitas. Contudo, nos dois anos em que a conhecera e pelo que os Milson diziam dela, sabia que ela era honesta, pragmática e muito trabalhadora. Por ocasião da cheia, presenciara a sua compaixão pelos outros e a sua capacidade para assumir o comando de pessoas que de outro modo se teriam simplesmente entregue à lamúria em lugar de ajudar.

Mas fora depois da morte de Giles que ele compreendera a plena dimensão da sua coragem e orgulho. Achava que a maioria das mulheres na sua posição teria entrado em histeria, sobretudo quando era evidente que ela estava profundamente apaixonada por ele. E, contudo, não sobrecarregara ninguém com os seus problemas, olhara por Tabitha com a mesma firmeza de sempre e comportara-se com enorme e discreta dignidade. Agora interrogava-se se a sua decisão de partir para o Oregon se devia ao medo de que os avós insistissem em tirar-lhe Tabitha e essa ideia comoveu-o. Tanto Giles como Lily haviam exprimido o seu afecto e admiração por ela. Matilda sempre fora a verdadeira mãe de toda a família, sem dúvida que teriam preferido que a filha continuasse entregue às suas mãos capazes e no país que se tinham habituado a amar. Achava que não lhe competia tentar dissuadi-la.

— Acho que a Matty já tomou uma decisão — disse ele, lançando um olhar de advertência à mulher. — Na minha opinião, é um bom plano. Um novo começo numa terra de oportunidade.

Virou-se então para Tabitha. — E tu que achas da ideia, Tabitha?

— Quero muito ir — disse ela com sinceridade. — A Matty agora é a minha mamã e eu quero estar com ela.

O coração do médico enterneceu-se. Desde a morte de Giles que pensara em sugerir que ele e a mulher adoptassem Tabitha e a criassem como sua filha, mas não havia qualquer dúvida sobre quem a criança amava e o próprio Giles teria considerado que o amor era uma prioridade maior para a filha do que o conforto e a riqueza.

— Então que Deus as acompanhe — disse ele, sorrindo a ambas. — É uma viagem longa e penosa e não tenho dúvida de que hão-de vingar por lá. Mas eu e a minha mulher vamos sentir muitas saudades vossas.

Matilda rezou uma oração muda a agradecer a aprovação deles. Acrescentou o pedido de que a sua barriga continuasse a não se notar até estar bem longe de Independence e de que Tabitha recebesse bem a notícia de que ia ter uma meia-irmã ou um meio-irmão em Setembro.

CAPÍTULO 14

— Espero bem que isso não seja o que parece! — exclamou o Dr. Treagar ao olhar para a caixa de madeira deixada no seu vestíbulo. Matilda enchera-a de provisões para a viagem, mas um objecto comprido, embrulhado num oleado, estava pousado em cima.

— É — disse ela, lançando-lhe um olhar de desafio. — E aprendi a dispará-la.

— Matty! — exclamou ele com uma expressão horrorizada. — O Giles nunca teria aprovado armas de fogo.

— O Giles era bem capaz de mudar de ideias se soubesse que as palavras não protegem ninguém contra bandidos — disse ela acidamente. — Além disso, não tenciono matar ninguém com ela, a não ser alguém que pareça preparado para matar uma de nós. Não estou a pensar em mais do que um coelho para o tacho.

O médico olhou para ela tristemente. — Mudaste muito desde que ele morreu, Matty — suspirou. — Suponho que era inevitável, mas preocupa-me que estejas a ficar um pouco… — Calou-se subitamente, com medo de ferir as suas susceptibilidades.

— Diga lá — disse ela, com uma risadinha. — Um pouco masculina, era o que ia dizer?

O rubor do médico intensificou-se. — Não, ia dizer dura — respondeu ele. — Mesmo de arma às costas és demasiado bonita para seres masculina.

O termo «bonita», na verdade, ficava muito aquém da realidade, pensou ele. Mesmo com o seu simples vestido preto de luto, era bela e, no último mês, a sua beleza tornara-se ainda mais evidente, apesar da tristeza nos seus olhos. O seu cabelo louro era brilhante, como sol sobre milho maduro, e a sua pele exibia um novo brilho rosado. Também engordara um pouco, talvez graças à boa comida e ao repouso de que desfrutava ali em casa. Desejava que os desgostos do coração pudessem ser curados com a mesma facilidade, perdera a conta ao número de vezes em que a ouvira chorar à noite.

— Chiça — disse ela, parodiando uma das criadas dele do Louisiana. — Não há dúvida de que sabe transmitir confiança a uma rapariga, doutor.

Ele riu-se. Matty falava sempre com modos muito ingleses, mas ultimamente, quando alguém a cumprimentava, respondia sempre com aquela voz sarcástica do Sul profundo.

— Diz lá então, és boa atiradora? — perguntou ele.

Ela olhou por cima do ombro como que a verificar se Mrs. Treagar ainda andava lá fora. — Venha lá fora que eu mostro-lhe.

Foram para o pátio das traseiras, onde Tabitha estava a brincar com o cachorro que o médico lhe dera como prenda de despedida. Tinha-lhe posto o nome de *Treacle*[1], porque ele era preto e lustroso como o melaço que lhe tinham dado recentemente como purgante de Primavera.

— Tira o *Treacle* da frente e coloca as pedras — ordenou-lhe Matilda. — Vou mostrar ao doutor como sou uma atiradora de primeira.

Tabitha prendeu obedientemente o cachorro e correu ao fundo do pátio para colocar seis pedras sobre um balde virado ao contrário e afastou-se para o lado para ver.

Matilda colocou a arma sobre o ombro, olhou pela mira, semicerrando um olho, e premiu o gatilho. Uma pedra voou pelos ares. Recarregou e acertou noutra. Com seis tiros derrubou seis pedras.

— Quem te ensinou? — perguntou o médico, espantado. Pessoalmente, não era grande atirador e nunca vira uma mulher manejar uma arma com tamanha perícia.

— Foi o Solomon — disse ela com um sorriso.

Estava-se em meados de Abril e ela passara muito tempo nas últimas semanas a praticar tiro e a ler todos os panfletos disponíveis sobre como sobreviver à trilha para o Oregon.

---

[1] Melaço. *(N. do E.)*

— Também me ensinou a conduzir os bois e a mudar um eixo partido e ainda a reparar uma roda. Não posso fazer essas coisas sozinha, mas sei como se fazem.

O médico abanou a cabeça. — As senhoras não deviam ter de fazer essas coisas.

— Nunca fui uma senhora — disse ela secamente. — Aqui entre nós, doutor, porque sei que sempre teve curiosidade em saber como é que acabei com os Milson, comecei como ama deles. Antes disso, vendia flores nas ruas de Londres e fui criada num bairro degradado. Por isso, não se preocupe comigo. Os Milson podem ter-me ensinado modos refinados, mas a minha infância ensinou-me a sobreviver.

Embora o médico ficasse surpreendido com esta revelação, esclarecia muitas das inconsistências desconcertantes em que reparara nas últimas semanas, e admirou-a ainda mais pela sua sinceridade.

— Para mim, hás-de ser sempre uma senhora — respondeu, dando-lhe uma palmadinha afectuosa no ombro. — Vamos então levar essa caixa de tralha para a carroça antes que Mrs. Treagar veja a arma e lhe dê um chilique? Tens a certeza de que queres dormir na carroça na tua última noite?

— Absoluta — disse ela com um sorriso. — A Cissie disse que eu tenho de arranjar posição à frente e, se não estiver lá esta noite, alguém pode açambarcar-me o lugar.

— Basta sorrires ao capitão Russell que arranjas a posição que queres de certeza — disse ele, rindo. — Anda lá então que eu levo-te, Tabby, mais o cão e essa arma infernal até à praça no cabriolé. Amanhã de manhã levo lá Mrs. Treagar para se despedir.

— É muito aconchegadinho, não é? — sussurrou Tabitha; estavam as duas deitadas, aninhadas uma na outra, na carroça, com *Treacle* aos pés. Estava tudo calmo lá fora, tirando o som ocasional dos relinchos dos cavalos ou dos latidos dos cães, embora fossem trinta e cinco carroças e uma média de seis pessoas em cada. — É melhor que uma casa.

— Se calhar não vamos gostar tanto quando estiver a chover ou fizer um calor escaldante — disse Matilda pensativa. Era curioso, mas desde o primeiro momento em que Solomon lhe mostrara a carroça, gostara do seu aspecto, talvez porque nunca tivera uma casa que fosse exclusivamente sua. Solomon comprara-a no ano anterior a uma família que só percorrera trezentos quilómetros com ela e regressara a Independence, completamente desiludida com a ideia de viajar para oeste, e pedira a Matilda menos de metade do que lhe teria custado uma nova.

Os donos anteriores tinham acrescentado muitos extras em que ela nunca teria pensado. Havia bolsas na lona para guardar pequenos objectos, a base da cama era uma caixa funda com mais espaço de arrumação, tinha inclusivamente uma pequena mesa de refeição, dois bancos de pernas articuláveis e um fogareiro de campismo também com pés, que Solomon disse que era ultramoderno. Até os contentores da água, pendurados à volta da carroça, foram incluídos no preço.

Mrs. Treagar dera-lhe um velho colchão de penas, pondo-lhe um novo riscado. Quase tudo o resto de que precisavam, como panelas, pratos e talheres, era da casa antiga. O que restava dos pequenos tesouros e quadros de Lily, a Bíblia de Giles, o seu relógio e alguns livros especiais que ele estimava estavam arrumados debaixo da cama, juntamente com sacos de farinha, feijão seco, arroz, melaço, um grande naco de *bacon* e outros mantimentos essenciais. Tinham ficado com os edredões, cobertores e lençóis em bom estado, mas tudo o mais, incluindo o cavalo e o cabriolé, fora vendido para comprar a carroça. Aquando da cheia, Matilda dera as roupas mais informais de Lily, mas guardara as mais elegantes, pensando que podiam ser convertidas em peças para Tabitha. O enxoval do bebé Harry também fora preservado, pois tinha a certeza de que Lily haveria de querer que fosse para o novo bebé.

Vinte e cinco jovens árvores de fruto ocupavam a maior parte do espaço, mas eram um presente para Cissie e John. Estavam compactamente plantadas, num tabuleiro resistente, e embrulhadas em serapilheira para manter as raízes húmidas.

Os quatro bois haviam constituído a maior despesa e as cangas custaram vinte e cinco dólares, mas, com sorte, poderia vendê-los quando chegasse ao Oregon, e ainda lhe sobravam trinta dólares.

— Estás triste por partir? — perguntou Tabitha.

— Um pouco — admitiu Matilda.

— Porque já não podemos falar mais com a mamã e o papá?

— Podemos fazer isso em qualquer lado — respondeu Matilda. — Tenho a certeza de que os espíritos deles nos vão acompanhar e olhar por nós. E não te preocupes com as campas, porque Mrs. Treagar e o Solomon disseram que poriam sempre flores por nós.

— Passámos tempos felizes aqui — disse Tabitha melancolicamente. — Havia tantas pessoas simpáticas. Achas que também vão ser simpáticas no Oregon?

— Tenho a certeza que sim — disse firmemente Matilda. — Vá, agora dorme, temos de partir muito cedo amanhã.

— Em fila! Em fila! — A ordem gritada pelo capitão Russell acordou-as assim que o sol nasceu.

Matilda contorceu-se para sair da cama, olhou pela parte de trás da carroça e viu que já andavam outras pessoas a pé. Enfiou o vestido e pôs um chapéu de palha na cabeça sem pentear sequer o cabelo.

— Despacha-te, Tabby — disse ela. — Mais tarde lavamo-nos e arranjamos o cabelo.

Os ensinamentos de Solomon revelaram-se eficazes, porque tinha os bois jungidos e amarrados muito antes do resto das pessoas. Preparava-se para subir para o lugar do condutor quando o capitão Russell apareceu ao lado, montado no seu cavalo malhado.

— Bom-dia, Mrs. Jennings — gritou ele, parando o cavalo por um momento. — Vou deixá-la ir em segundo já que parece tão determinada em ir à frente, mas, se não mantiver um bom andamento, tenho de mandá-la para trás.

Ele era o principal tópico de conversa entre as mulheres da vila, pois todas o consideravam muito janota, com o seu uniforme militar, e morriam por saber se era casado. Tinha pelo menos um metro e oitenta de altura, ancas finas, cabelo louro comprido, olhos azuis brilhantes e um bigode caído. Matilda calculava que tivesse cerca de trinta anos, embora fosse difícil saber pois tinha um rosto muito moreno e rugas em redor dos olhos de apanhar sol. Concordava com as outras mulheres que ele era invulgarmente atraente, mas não apreciava os seus modos cáusticos nem a maneira enervante como observava as pessoas em silêncio.

Sabia também que começava com uma grande desvantagem. Ele não quisera que ela integrasse a coluna, dissera que não era lugar para uma mulher sozinha com uma criança. Fora só Solomon, que falara em sua defesa, que o convencera finalmente a concordar. Embora parecesse ter aceitado a ideia desde então, sentia que ele era extremamente preconceituoso em relação a ela e que estaria sempre à espera que ela cometesse erros. Além disso, Matilda tinha imenso medo que ele pudesse ter descoberto mais sobre ela nos últimos dias. Dissera-lhe que era viúva e que viajava com a enteada para junto de amigos no Oregon. Fazer-se passar por viúva era uma precaução comum das mulheres solteiras para evitar investidas dos homens, mas, se ele tivesse sido informado sobre os Milson na vila e visse depois a sua barriga a crescer, quem podia censurá-lo por pensar o pior a seu respeito?

Mas estava determinada em não permitir que estes pensamentos a incomodassem hoje e assim dirigiu-lhe um sorriso radioso. — Não se preocupe, eu vou manter bom andamento — disse ela. — Estou cheia de pressa para chegar ao Oregon.

O Dr. Treagar dissera que o governo estava a destacar oficiais do Exército para escoltar as colunas de carroças porque a sua presença encorajaria mais imigrantes a fixarem-se no Oregon. Ao que parecia, o território do Oregon ainda estava nas mãos dos Ingleses e a América cobiçava-o. Do ponto de vista das autoridades, quantos mais americanos se radicassem na região, mais provável era que os Ingleses abrissem mão dela. Matilda não queria saber a quem pertencia o Oregon nem se o homem que os conduziria até lá a aprovava. Estava apenas satisfeita por estar sob o comando de alguém que conhecia bem o território que iam atravessar.

— Trate de instruir a sua filha a não saltar da carroça em movimento — disse ele, olhando para Tabitha que estava a brincar com *Treacle*. — Não quero alarmá-la, minha senhora, mas já vi crianças ficarem com as pernas esmagadas debaixo das rodas. Seja cuidadosa.

— Com certeza — acedeu ela. Solomon já a advertira a esse respeito.

— E também não tenha pejo em pedir ajuda se alguma coisa correr mal — disse ele, puxando o chapéu para trás e sorrindo-lhe. — Se bem que, pelo que vi de si até agora, isso não seja fácil!

Matilda não percebeu bem se estas palavras foram ditas como um cumprimento ou por sarcasmo, mas não queria começar mal com ele. — Não tenho pejo em pedir conselhos — disse ela, sorrindo docemente. — Não me hei-de esquecer do que disse.

*

Matilda e Tabitha iam sentadas à frente, de rédeas na mão, preparadas para o sinal de partida, quando os Treagar apareceram no cabriolé.

— Trouxe-te comida acabadinha de fazer — gritou Mrs. Treagar, estendendo um cesto. — Tens aí um saboroso empadão de galinha, fiambre e ovos cozidos. Deve chegar para alguns dias.

Apearam-se do cabriolé e aproximaram-se de Matilda. — Também aí está uma caixa de medicamentos — disse o médico com um grande sorriso. — Quinino, láudano, amoníaco para mordidas de cobra, ácido cítrico para o escorbuto e uma série de outras coisas. Pus etiquetas em tudo. Não te esqueças de lavar quaisquer cortes ou escoriações com água salgada fervida e tapa-os até sararem. Se toda a gente fizesse isso, eu quase não tinha trabalho.

Já dera a Matilda um pequeno livro de medicina e ela achava que estava agora provavelmente mais bem equipada do que a maioria das pessoas na coluna.

— Andem sempre de luvas e chapéu de sol — disse Mrs. Treagar, olhando ansiosamente para Tabitha, notando talvez que ela não tinha penteado o cabelo nessa manhã —, senão quando lá chegarem parecem trabalhadoras do campo. Escreve-nos, sim? Nós reencaminhamos quaisquer cartas que cheguem para os teus amigos.

Matilda ainda não recebera nada da família de Giles. Dadas as circunstâncias, esperava nunca mais receber.

Saltou da carroça e deu um abraço a Mrs. Treagar. Os seus sentimentos por esta mulher, durante a estadia em casa dela, haviam oscilado entre afeição, porque ela lhe recordava Lily, gratidão pela sua generosidade, o mais das vezes irritação pelo seu puritanismo e ideias preconceituosas. Nem a palavra «cuecas» ela usava, referindo-se-lhes como «peças de baixo». Para ela, os índios eram todos selvagens, os negros tinham de ser propriedade de alguém pois não eram capazes de olhar por si, e todos os homens, à excepção do marido e talvez dos clérigos, deviam ser tratados com extrema cautela. Contudo, agora que estava de partida, Matilda só sentia afeição por ela.

— Nunca esquecerei a bondade com que os dois nos trataram — disse Matilda, um nó formando-se-lhe na garganta. — Não sei o que teria sido de nós sem a vossa ajuda.

Mrs. Treagar abraçou-a calorosamente, murmurando que esperava que pudessem esquecer as tristezas. Depois, largando-a, recuou um passo. — Lembra-te de te conduzires sempre como uma senhora

— disse ela com o seu puritanismo mais típico. — Deves dar um bom exemplo à Tabitha. O Giles e a Lily confiaram-ta e deves ter sempre presentes as fortes convicções religiosas deles e obrigar a Tabitha a ler as Escrituras e a rezar as suas orações.

Para alívio de Matilda, o apito do capitão Russell, assinalando o início da marcha, poupou-a a mais sermões. Beijou os Treagar, viu-os abraçar Tabitha e depois saltaram as duas para a carroça, rapidamente seguidas por *Treacle*.

O inevitável grupo de missionários começou a cantar um hino, tocando tambores e agitando pandeiretas, os batedores adiantaram-se a galope, fazendo sinal à primeira carroça para que andasse e, de súbito, a marcha havia começado.

Matilda fustigou os bois da frente com a ponta do chicote, como Solomon a instruíra, e os bois arrancaram obedientemente, os outros seguindo-os submissos.

Quando as rodas começaram a rolar, Matilda soltou um profundo suspiro de alívio.

— Adeus! — gritou ela, acenando aos Treagar. — Nunca vos esqueceremos.

Durante as primeiras horas, o andamento foi fácil. O caminho ao longo do rio estava liso e bem calcado das colunas anteriores e os bois avançavam vagarosamente atrás da carroça da frente sem exigirem grande condução. O sol primaveril aquecia-lhes as caras e, tirando o chocalhar das rodas, o ritmo era calmo e até entorpecente. Contudo, por mais agradável que fosse ir ali sentada com Tabitha, sabendo que cada quilómetro deixava mais para trás as dolorosas recordações, tinha também a aguda consciência de que doravante a sobrevivência e segurança das duas dependiam exclusivamente dela.

Quando escreveu a Dolly e às famílias de Lily e Giles a comunicar a morte dele e a sua promessa de cuidar de Tabitha, não lhe parecera conveniente referir que faziam tenções de se casar. Dizer-lhes mais tarde e acrescentar o facto de que trazia o filho dele no ventre estava fora de questão, pois poderia muito bem dar ideia de que estava a usá-lo com bode expiatório, sabendo que ele não o podia negar. Quer acreditassem ou não nela, ficariam escandalizados e considerá-la-iam imediatamente uma pessoa imoral e uma guardiã indigna para Tabitha, tomando talvez medidas para a subtrair aos seus cuidados.

Dolly respondera; a sua carta chegara pouco antes de partirem, mas o seu tom fora surpreendentemente frio. Disse que, na sua opinião, Matilda devia deixar os avós assumir a responsabilidade por Tabitha e que uma mulher solteira não podia criar uma criança sozinha. Embora tivesse dito uma vez que haveria sempre espaço para ela, caso ela decidisse regressar a Inglaterra, frisava também que as oportunidades para mulheres eram muito limitadas e que achava que a América tinha mais para oferecer. Terminava a carta dizendo-lhe que ela própria se sentia adoentada e que, tendo feito mau tempo no Verão anterior, tivera poucos clientes no salão de chá. No geral, Matilda ficou com a impressão de que Dolly estava a tentar dizer que tinha problemas que chegassem e não queria ser sobrecarregada com os de outra pessoa.

Mas maior do que a sua mágoa por saber que tinha de se desligar dos velhos amigos, e do que o seu medo do futuro, era a sua ansiedade a respeito da melhor forma de dar a notícia do bebé a Tabitha. Só a ideia de que podia perder o amor e a confiança da menina encheu-lhe de súbito os olhos de lágrimas.

— O que é que tens? — perguntou Tabitha, alarmada.

— Nada. — Matilda limpou os olhos à manga e esforçou-se por sorrir. — Acho que é só porque, depois dos preparativos todos e das despedidas e tudo, estar aqui sentada a ver desfilar a paisagem me dá muito tempo para pensar nas coisas.

— Como quê?

Seria muito simples dizer que fora acometida por uma onda de tristeza, pois ambas o eram com muita frequência, mas ao olhar de lado para a criança, Matilda viu que os olhos escuros de Tabitha, tão parecidos com os de Giles, estavam a estudá-la atentamente. Desde o primeiro momento em que aprendera a falar, sempre fizera perguntas a respeito de tudo, e agora, aos oito anos, não se deixava iludir facilmente pois era demasiado inteligente. Matilda compreendeu imediatamente que nunca haveria um bom momento para lhe contar a verdade, pelo que mais valia dizer-lha já e libertar-se desse fardo.

— Tenho um segredo, Tabby — disse ela. — É um segredo muito grande e não pude contar-to antes porque, se alguém descobrisse em Independence, pensaria muito mal de mim. Mas a ti quero contá-lo.

Tenho de contar porque é muito importante. Mas vai ser muito difícil explicar-te.

Tabitha franziu a testa. — Fizeste alguma coisa feia?

— Acho que não, mas há pessoas que diriam que sim — respondeu Matilda. Respirou profundamente. — Vou ter um bebé.

Tabitha simplesmente soltou uma gargalhada, o seu pequeno rosto iluminou-se com gozo. — Não sejas parva, Matty. Eu sei que não podes ter um bebé porque não és casada.

Matilda suspirou, imediatamente ciente de que teria de explicar muito mais do que pretendia. Tendo ela própria sido criada no seio de uma comunidade fechada e promíscua, onde os adultos raramente se casavam legalmente e as anedotas obscenas sobre sexo eram contadas mesmo diante das crianças, desde tenra idade que sabia alguma coisa sobre o amor entre adultos e como os bebés eram feitos. Mas a educação de Tabitha fora muito diferente, os assuntos tabu abundavam entre a sociedade elegante.

— Sabias que há um tipo de mimos especiais entre os homens e as mulheres e que é assim que são feitos os bebés? — perguntou ela.

Tabitha pareceu um pouco embaraçada. — Mais ou menos — sussurrou.

— Pois é, eles devem esperar até estarem casados antes de fazerem isso — disse Matilda. — Mas quando duas pessoas se apaixonam, querem fazer esse tipo de mimos porque é parte do amor que sentem uma pela outra e por vezes não conseguem conter-se apesar de ainda não estarem casadas.

Tabitha pôs um ar perplexo, mas não disse nada.

— Foi o que aconteceu entre mim e o teu papá, Tabby. Estávamos a planear casar-nos. Se ele não tivesse sido assassinado, ter-nos-íamos casado, mas, antes de ele partir para St. Joseph, fizemos esse tipo de mimos.

Estas palavras não suscitaram resposta, nem uma exclamação de horror, nada.

Matilda esperou, perfeitamente à espera que Tabitha, assim que tivesse tempo para digerir a novidade, se virasse para ela e dissesse que se sentia enojada.

Mas não foi isso que aconteceu. Uma lágrima correu-lhe pela face e contemplou Matilda com olhos tristes. — O Dr. Treagar sabia?

Matilda abanou a cabeça. — Não podia contar a ninguém, nem sequer a ele, porque teriam pensado que eu era uma mulher perdida e teriam dito coisas feias sobre o teu papá. Foi por isso que decidi que íamos ter com a Cissie, ela é a única pessoa que conheço que há-de compreender e ajudar.

«Mas tu sabes que eu não sou uma mulher má, não sabes? Sabes também que o teu papá queria que nos casássemos. Teríamos desejado muito dar-te uma irmã ou um irmão. Terias gostado, não terias?»

Tabitha acenou de novo com a cabeça.

— Faz assim tanta diferença para ti que o teu papá não tenha podido casar-se comigo?

Tudo revolvia em torno desta pergunta, e Matilda susteve a respiração, esperando que a criança respondesse.

— Não me faz diferença — disse ela com um suspiro. — Tu és a minha Matty, como sempre foste, e vai ser bom para nós ter um bebezinho. Mas quem vai olhar por ti? A mamã não conseguia fazer muita coisa sozinha quando o Harry estava para chegar e era sempre o papá que fazia os planos todos.

— As viúvas têm de se desenvencilhar sozinhas e é o que eu vou fazer. A Cissie ajuda-nos no Oregon quando o bebé nascer.

De repente, Tabitha crispou o rosto. — A mamã morreu ao ter o Harry. E se tu morres também?

Transferindo as rédeas para uma mão, Matilda passou o braço pelos ombros da menina e puxou-a contra si. — Eu não vou morrer — declarou. — Sou muito mais forte e mais nova do que a tua mamã. Mas agora temos de falar sobre o resto do segredo.

Explicou cuidadosamente que tinha dito ao capitão Russell que era viúva e que Tabitha era sua enteada. — Não é uma mentira muito grande — disse ela. — É assim que nos considero. Tu és minha enteada e eu sinto-me como uma viúva. Mas não me atrevi a dizer que me chamava Mrs. Milson, para o caso de alguém nesta caravana de carroças saber que não. Por isso, tenho de ser Mrs. Jennings por agora e tu tens de ser Tabitha Jennings. Importas-te?

— Não. — Tabitha sorriu levemente. — Mas o que é que digo se alguém me perguntar quem era o meu papá?

— Temos de ir pensando nisso pelo caminho — disse Matilda. — O que é que gostavas que ele tivesse sido?

— Médico — disse Tabitha sem hesitar. — Posso então dizer às pessoas que também vou ser médica. Mas não era melhor pores a aliança da mamã no dedo? Eu sei que Mrs. Treagar disse que deves andar sempre com as luvas, mas, se as tirares, as pessoas reparam que não tens anel.

Matilda ficou espantada com a observação madura da criança e muito sensibilizada por ela não se opor a que usasse o anel da mãe.

— É uma ideia muito inteligente — disse ela, sorrindo a Tabitha. — E se não te importas mesmo, vou pô-lo quando pararmos ao meio-dia.

O tempo seco e ameno durou oito dias. Todas as noites, quando a caravana parava, havia bons pastos para os animais e água em abundância, pois acompanhavam o rio, e estavam a cobrir cerca de trinta quilómetros por dia porque o trilho era liso e plano. Toda a gente na caravana ia bem-disposta, incluindo as mulheres que estavam muito tristonhas no início e iam agora mais animadas. Mesmo a travessia do rio a vau não apresentou problemas, pois o nível da água era baixo.

Depois de anoitecer, as fogueiras constituíam um espectáculo bonito, o velho que tocava rabeca era muito solicitado e as pessoas dançavam jigas e cantavam alegremente. Para Matilda e Tabitha era como umas férias, tinham tempo para conversar e rir, partilhavam tarefas e falavam do futuro em lugar de recordar o passado com tristeza. Quando Tabitha corria alegremente ao lado da carroça com *Treacle* ao lado ou chapinhava no rio quando enchiam os contentores de água, Matilda experimentava uma sensação de júbilo por estar a restituir-lhe a infância que ela correra o risco de perder para sempre.

Mas ao nono dia começou a chover e, subitamente, todas as pessoas descobriram o lado menos atractivo de viver ao ar livre. Para Matilda e Tabitha, na frente, o amolecimento repentino do solo não se revelou um grande obstáculo, mas, depois de dez ou doze carroças passarem sobre ele, as últimas atolavam-se na lama revolvida e o ritmo diminuiu consideravelmente.

Enquanto Tabitha ficava no interior da carroça enroscada com um livro e com *Treacle* por companhia, Matilda guiava. Mas, mesmo com a protecção de borracha que Solomon lhe dera para pôr sobre a cabeça e os ombros, a saia do vestido e as anáguas ficavam ensopadas e as suas mãos, a segurar nas rédeas, estavam rígidas e frias. Nessa noite, quando acamparam, não conseguiram acender o fogareiro, pois não havia lenha seca e, quando se deitaram depois de uma refeição de pão duro e queijo, descobriram que a chuva se havia infiltrado por um lado qualquer e o colchão e os cobertores estavam húmidos.

— Ainda achas que é aconchegado? — brincou Matilda, quando se aninharam uma na outra para se aquecerem, ouvindo o som da chuva a percutir na lona.

— Pelo menos não temos de dormir ao relento como algumas pessoas — disse Tabitha. — Sabias que há uma carroça onde viajam nove crianças? Só os mais pequenos e a mãe é que dormem lá dentro.

Um dos maiores prazeres de Tabitha na caravana era a liberdade de conviver com outras pessoas. Em Independence, ia para a escola e voltava para casa, de onde só saía se alguém a convidasse. Aqui podia participar nas caçadinhas ao lado das carroças e convidar outra rapariga para a carroça para brincar com a sua boneca. Por vezes brincava às escolinhas com várias crianças, e era sempre a professora porque sabia ler e escrever muito melhor do que as outras. Isto permitia-lhe conhecer também os pais destas crianças e recolher informações sobre os companheiros de viagem, que depois transmitia a Matilda.

Havia cinco carroças com mórmones que se dirigiam para um colonato fundado por um homem chamado Brigham Jones e que ficava num grande lago salgado. Tabitha disse que toda a gente falava deles porque alguns dos homens tinham duas mulheres. Comunicou que, numa das famílias, ambas as mulheres deviam estar também à espera de bebé porque tinham barrigas grandes e iam sentadas lado a lado na frente da carroça, com vestidos cinzentos idênticos. — Não são más pessoas — tinha ela dito com seriedade. — Estão sempre a rezar e as senhoras tratam-se por «irmã». Dizem que vão para a Terra Prometida.

Achava, por outro lado, que uma das mulheres de um grupo parecia perversa porque usava um vestido vermelho muito vistoso. Matilda dissera acidamente que na sua opinião isso não era perversidade, mas simplesmente estupidez, porque quando chegasse ao Oregon o vestido estaria em farrapos e desbotado do sol.

Uma das crianças noutra carroça, na cauda da coluna, estava muito doente e outra sofrera os ferimentos de que o capitão Russell falara, quando saltara da carroça e a roda lhe passara por cima do pé. Tabitha tinha dito que o pobre rapaz estava cheio de dores e que as pessoas diziam que o pé teria de lhe ser amputado se gangrenasse.

Mas as pessoas de quem Tabitha mais gostava na caravana eram os três batedores. Dois eram jovens de raça mista e usavam camisas de pele de búfalo; o terceiro, Carl, era mais velho, talvez com quarenta anos, e tinha ar de quem passara a vida na sela. Os três haviam também engraçado com Tabitha e paravam muitas vezes ao lado da carroça para a levar a dar um curto passeio nos seus cavalos. A princípio, Matilda receara-os, sobretudo os mestiçados, mas o capitão Russell garantira-lhe que os índios tratavam os filhos muito melhor do que os brancos e, como ela ia ver cada vez mais índios antes de chegar ao Oregon, a influência dos batedores sobre ela só podia ser benéfica.

Na manhã do décimo dia, um domingo, fez novamente sol. O capitão disse que podiam demorar-se por ali para descansarem e terem tempo de se lavar e secar a roupa.

Ocorreu a Matilda, ao levar a roupa para lavar no rio, que aquilo que o capitão pretendera dizer era que os homens podiam descansar. Estavam deitados na erva a fumar cachimbo e a jogar cartas, enquanto as mulheres se atarefavam mais do que o normal, dando de comer ao gado, enchendo recipientes de água, lavando, fazendo pão, limpando as carroças e olhando pelas crianças.

Ao meio-dia, soube que a criança que estava doente quase desde o início morrera. Tudo parou para um breve mas comovente serviço fúnebre e Matilda pensou que nunca vira nada de mais tocante do que o pai do menino a tentar gravar a fogo o nome da criança numa cruz de madeira para assinalar a pequena campa na berma da trilha.

— Ainda vai haver mais casos destes antes de chegarmos ao nosso destino — disse o capitão Russell a Matilda ao vê-la olhar para a mãe do rapaz a chorar junto do monte de terra castanha.

Matilda levantou os olhos para ele, surpreendida, pois o seu tom fora tão frio que lhe gelara o sangue.

Notara muitas inconsistências neste homem. À primeira vista, era um soldado típico, musculoso, seco, impaciente e duro para com os homens mais fracos na coluna. Nada disso a incomodava, era o que esperava de um chefe de coluna. Mas, de tempos a tempos, quando ele parava para falar com ela ou com Tabby, falava e agia como um cavalheiro. Mas se ela se mostrasse surpreendida com alguma das suas afirmações, ele apressava-se a disfarçar com palavras grosseiras ou sarcásticas.

Era também bastante insolente. Ouvira-o repetidas vezes gritar ordens às pessoas como se elas fossem imbecis. Parecia não compreender que quase tudo era uma novidade para as pessoas que conduzia. Eram agricultores, lojistas, carpinteiros, muitas vezes com o fardo de famílias numerosas. Achava que ele devia ser mais paciente com elas e explicar as coisas em vez de gritar com elas.

E agora estava também a revelar-se insensível!

— Queira desculpar, minha senhora — disse ele com um vago sorriso. — Suponho que as minhas palavras lhe pareceram cruéis, não foi essa a minha intenção. Mas olho para algumas destas pessoas e pergunto-me se saberão realmente o preço que terão de pagar por terras gratuitas no Oregon. Se conseguirem sobreviver a mordidelas de cobras, sarampo, cólera e índios, ainda há afogamentos, ulceração provocada pelo frio e pequenos acidentes normais que podem levá-las quando o veneno entra no sangue. Soube por um batedor que acabam de encontrar ouro na Califórnia... se for verdade, não tarda a haver milhares de pessoas a fazer este trajecto. Só Deus sabe quantas mais campas vão então encher a trilha.

— Quer-me parecer que não aprova a ideia de as pessoas quererem melhorar as suas vidas — disse ela acidamente. Achava que ele estava a fazer tudo para a assustar, mas não tencionava morder o isco.

— É essa a sua intenção? — perguntou ele com um sorriso sardónico, os seus olhos azuis zombando dela. — Ou está a fugir de alguma coisa?

Matilda sentiu uma reviravolta no estômago. Tinha descoberto alguma coisa sobre ela?

— As minhas razões para ir para o Oregon são comigo, capitão — disse ela num tom indignado.

— Talvez noutro sítio sejam, mas enquanto estiver na minha coluna, sou responsável por si. Não aprovo as mulheres que viajam sozinhas, não é seguro.

— Se é assim, então porque é que me aceitou? — disse ela, levantando o nariz.

Ele olhou-a penetrantemente por um momento. Matilda não percebeu se os seus lábios ostentavam uma expressão de escárnio ou um mero sorriso.

— Deduzi que partiria sozinha se não a aceitasse — disse ele. — Tem esse maldito ar de determinação. Não queria isso a pesar-me na consciência.

Matilda irritou-se. — É insuportavelmente insolente — disse ela, uma expressão que aprendera com Lily. — Porque é que presume que uma mulher desacompanhada é menos capaz de aguentar uma viagem longa do que uma mulher com marido? Pelo que vi, as mulheres têm tanto trabalho a olhar pelos homens que me admira que ainda não estejam todas prostradas por terra.

Ele surpreendeu-a com uma gargalhada. — As mulheres inglesas são todas tão irritadiças como a senhora? — perguntou.

— Suponho que sim — disse ela. — E agora, se me dá licença, tenho que fazer.

A cara ardia-lhe de raiva ao afastar-se. Não sabia de facto como lidar com ele porque nunca conhecera um homem assim. Seria melhor ignorá-lo ou tentar ser simpática?

«Não podes ser simpática», pensou. «Ele interpreta isso como fraqueza.»

— É como se estivéssemos imóveis — observou Tabitha uma manhã, duas semanas mais tarde. — Todos os dias é a mesma paisagem, capim, capim e mais capim. Nem uma árvore para nos dizer que estamos num sítio diferente.

Matilda riu-se. A criança tinha razão. Estavam há muito tempo a viajar através da planície interminável e vazia, com o seu capim alto e ondulante, sem vislumbrar nada à distância que lhes desse uma ideia de que estavam a aproximar-se do destino. A vastidão do cenário era assustadora, centenas de quilómetros sem nada, excepto índios e búfalos, naturalmente. À noite, ouviam os ruídos mais estranhos, e era demasiado fácil imaginar índios a rastejar na sua direcção ou animais selvagens à espreita para lhes saltar em cima.

Responder às necessidades da natureza eram também um suplício. Sempre que um par de mulheres se afastava um pouco, toda a gente sabia para quê — uma ficava de pé, com as saias esticadas, enquanto a outra se agachava atrás dela, numa postura muito pouco digna. Para Matilda, era ainda pior porque não podia abandonar os bois e assim tinha de esperar que parassem ao meio-dia e só tinha Tabitha para a esconder.

Ainda só iam a meio do mês de Maio, mas o calor já era intenso. Alguns dias antes, tinham-se desembaraçado das anáguas, mas com a aproximação do Verão, Matilda interrogava-se quanto mais quente iria ficar — já ambas tinham as caras tisnadas da cor de castanhas.

No dia anterior, tinham visto uma grande manada de búfalos. Tinham-nos ouvido muito antes de surgirem à vista, um ruído surdo e ribombante que foi crescendo à medida que se aproximavam e depois uma chocalhada dos seus chifres e cascos. Um dos batedores disse que eram mais de dois mil. Matilda sentira-se assustada mas excitada quando os viu, animais enormes e desgrenhados, com grandes olhos tristes. Achou terrível que os homens matassem tantos quando apenas dois chegariam para alimentar toda a gente durante dois dias. Mas teve de admitir que a carne era boa, tão saborosa como os suculentos bifes que comera em casa dos Treagar, e uma mudança agradável em relação ao *bacon* e ao feijão. Algumas das mulheres tinham ficado horrorizadas quando o capitão lhes disse que apanhassem os excrementos de búfalo para usar como combustível — Matilda rira-se imenso quando elas se aproximavam pudicamente de um monte e, tapando o nariz, os apanhavam com uma pá. Ela não tinha escrúpulos desses; se queimassem bem, e sem fumo, faria o necessário para ter sempre um saco cheio pendurado por baixo da carroça.

— Ainda vamos ter muito deste capim pela frente — disse Matilda, pensando no que o capitão lhe dissera no dia anterior, quando lhe entregara a carne de búfalo. — Pelo menos o andamento é fácil, Tabby, e não falta de comer para os bois. Quando chegarmos às montanhas, não vai ser tão fácil.

Um grito agudo atrás delas fê-las virar as cabeças. Para horror de Matilda, cavalgando a todo o galope na direcção da coluna, estava um grupo de índios, cerca de vinte homens, quase nus, com excepção de uns retalhos de pele de búfalo a cobrir-lhes as partes.

O capitão Russell apareceu a cavalgar ao longo da caravana. — Não há motivo para medos — gritou ele. — Parem, mantenham a calma e não engatilhem as armas. São Pawnees e não são hostis.

Mesmo assim, Matilda procurou com o pé a espingarda debaixo do assento e colocou-a numa posição onde pudesse facilmente deitar-lhe a mão se necessário. O coração batia-lhe aceleradamente e o suor brotava em todo o seu corpo.

— Não são lindos? — exclamou Tabitha, excitada, quando os índios se aproximaram. — Aposto que o capitão está certo quando diz que não são hostis.

Matilda concordou que eram muito bonitos, mas não estava convencida de que fossem pacíficos. Agora tinham parado as montadas e aguardavam enquanto um dos batedores mestiços avançava uns cinquenta metros na sua direcção. Estavam montados, altivos e orgulhosos, o cabelo preto e a pele cor de mogno reluzindo ao sol, mas os seus rostos soberbos nada denunciavam.

O batedor não lhes dirigiu mais do que algumas palavras e depois virou-se e voltou para junto do capitão Russell, que acenou com a cabeça, como se concordasse com alguma coisa, virando-se por seu turno e voltando a percorrer a caravana no sentido contrário, para fora da vista de Matilda.

Foi cerca de uma tensa meia hora mais tarde, com os índios ainda à espera como estátuas de pedra, que o capitão Russell e o batedor voltaram a cavalar na direcção deles, desta vez carregando dois pequenos sacos, um cobertor e o que parecia um par de camisas masculinas de algodão. Os índios pegaram nas coisas, deram meia-volta e afastaram-se.

— Em marcha — gritou o capitão. — O espectáculo terminou.

Mais tarde, colocou-se a par da carroça de Matilda quando Tabitha estava a dormir uma soneca atrás.— Teve medo? — perguntou ele, inclinando o chapéu para trás.

Matilda estranhava que o capitão lhe pedisse tão frequentemente a opinião sobre coisas que aconteciam na trilha; dava-lhe a sensação de estar a testá-la.

— Não — mentiu. — Devia ter tido?

— Quase todas as mulheres têm — disse ele com um sorriso. — Já tive mulheres em caravanas que desmaiaram mal os viram. Pensam que são todos selvagens assassinos só porque circularam algumas histórias estúpidas sobre eles. Este grupo só queria saber quem nós éramos e a farinha e outros bens foram uma espécie de pagamento para nos deixarem atravessar o território deles.

— Quem é que lhe deu os bens? — perguntou ela, interrogando-se se deviam todos contribuir com alguma coisa.

— Os que podiam dispensá-los — disse ele, encolhendo os ombros. — Há aí gente que leva as carroças tão carregadas de mercadoria que nunca há-de conseguir passar as montanhas. Apraz-me ver que não faz parte desse número.

Mais uma vez, ela não teve a certeza se esta última observação era um elogio ou uma tentativa para saber mais sobre ela. Queria não ter de analisar tudo o que ele lhe dizia, seria agradável ter uma conversa amistosa e franca com ele.

— Os meus amigos no Oregon disseram-me que era melhor viajar com pouca bagagem — disse ela com desenvoltura. — Ouvi dizer que alguém lá atrás veio com um cravo; isso sim, a meu ver, é uma estupidez.

— Quase tão estúpido como essa gente que parte sabendo que vai dar à luz pelo caminho — disse ele, olhando de frente para ela.

Ela corou intensamente. Não sabia se o comentário era genérico ou se ele teria notado o ligeiro volume da sua barriga. Fosse o que fosse, não ficava bem a um homem mencionar o assunto.

Decidiu ignorar o que ele dissera, era o que Lily teria feito. Porém, em vez de continuar ou de voltar atrás para verificar outras pessoas, ele permaneceu ao lado dela, a pouco mais de meio metro de distância. Apesar de manter os olhos firmemente fixos nos bois à sua frente, pressentiu que ele estava a olhar para ela, o que lhe causou extremo desconforto.

— Olhe que eu *sei* — disse ele por fim.

Ela olhou para ele, alarmada. Ele estava a sorrir-lhe despudoradamente, o chapéu inclinado para trás, dando-lhe uma visão clara dos seus olhos azuis vivos. — Sei quando uma mulher está assim só pela maneira como anda. Por isso, não negue, Mrs. Jennings.

— Que espertalhão me saiu — respingou ela. — Na minha terra, um cavalheiro não faz observações pessoais desse tipo.

Ele riu-se. — Nunca disse que era um cavalheiro. É bem capaz de agradecer que o não seja antes de a trilha chegar ao fim.

Nesse momento, afastou-se, deixando-a a tremer de raiva.

Quando o mês de Maio chegou ao fim, as boas pastagens e a água também acabaram. O terreno por onde se deslocavam agora era seco, pedregoso e estéril, à excepção de arbustos de salva, e tão quente durante o dia que tinham a sensação de estar a assar. A poeirada que as rodas da carroça levantavam tornava o vestido preto de Matilda cinzento todas as manhãs e os pulmões dela pareciam estar cheios de pó. *Treacle* já não queria largar a correr à frente delas, ficando a ofegar dentro da carroça.

Como Matilda e Tabitha só tinham quatro bois mas muitos contentores de água, os seus animais não passavam tanta sede como alguns na caravana, mas foi necessário deixarem de se lavar e a água para beber passou a ser racionada ao mínimo dos mínimos. Tinham os olhos ásperos do pó, o sol queimava-lhes as caras e, por vezes, Matilda sentia-se tão fatigada que dormitava, acordando estremunhada ao descair para o lado. Felizmente, os bois estavam tão habituados a seguir a carroça da frente que não pareciam precisar que ela os guiasse. Por vezes, ao fim do dia, estavam mesmo demasiado exaustos para comer, era um espectáculo lastimoso vê-los desabar assim que as cangas lhes eram tiradas. Tabitha tinha tanta pena deles que esgaravatava em redor para lhes encontrar tufos de erva na tentativa de os encorajar a pastar.

Quando avistaram Chimney Rock ao longe, ouve uma onda de júbilo geral, pois sabiam que representava um terço do caminho. Era uma vista extraordinária, lembrava a Matilda uma aldeia semienterrada com uma chaminé dourada e castanha a projectar-se no céu, embora ficasse a cerca de cento e vinte metros de altitude. O capitão informou-as de que era feita de argila seca.

Aquele rochedo consciencializou toda a gente das vastas distâncias daquelas regiões, pois, embora o vissem tão distintamente, levaram dias a chegar lá. Quando finalmente o alcançaram, muitas pessoas foram escrever os seus nomes na argila. Mas Matilda não. Já decidira não correr riscos, não faltavam cobras por ali e até os espinhos afiados que se lhes espetassem nas botas podiam causar problemas. E também não queria que ninguém entabulasse conversa com ela.

Já não podia esconder mais a volumosa barriga; o seu estado era evidente mesmo com um avental largo por cima do vestido e, por mais que desejasse ter outra mulher com quem falar, sobretudo para a descansar relativamente ao parto, fazia um esforço por se manter distante. Deixava Tabitha conviver com outras famílias enquanto preparava a refeição da noite, mas, assim que a comiam, subiam juntas para a carroça para passar a noite. Tabitha adormecia sempre instantaneamente e Matilda invejava-a. Apesar de exausta, de lhe doerem as costas, de ter as mãos perras e doridas, o sono demorava a chegar e, ali deitada a ouvir as conversas, os risos e a cantoria à sua volta, só lhe apetecia sair e juntar-se à animação. Mas mentir não era natural nela e sabia que, se criasse uma relação próxima com alguém, era muito capaz de contar a verdade sobre a sua situação e isso podia ser muito perigoso.

Tinha agora as ideias muito claras. Recordações ternas de Giles podiam surpreendê-la com frequência, mas construir uma boa vida para os seus dois filhos era o seu objectivo e era nisso que tinha os olhos postos. O Oregon podia ser uma região vastíssima, mas a má-língua viajava tão longe e tão depressa como os pássaros. Nunca faria nem diria nada que pudesse afectar a posição dos filhos na sociedade.

No dia 9 de Junho, ao crepúsculo, chegaram ao Fort Laramie. Matilda soltou um suspiro do mais absoluto alívio à vista dos toscos muros de adobe, pois significariam dois dias e duas noites inteiros de descanso e segurança. Nos últimos dias, tinham avistado Sioux em muitas ocasiões e, uma manhã, descobriram que vários cavalos tinham sido roubados durante a noite. Desde então, Matilda dormira com um braço em redor de Tabitha e a outra mão na espingarda.

Embora o forte fosse um posto avançado solitário, o Exército estava ali para os proteger. Podiam abastecer-se das provisões que haviam acabado, reparar as carroças e despachar cartas para casa.

Depois de passarem a noite acampadas na margem do rio, Matilda e Tabitha juntaram-se ao resto das pessoas para entrar no forte e verificar o que havia disponível nas lojas. Embora tivessem sido avisadas com antecedência que era usado como uma feitoria por caçadores de trápola para venderem as suas peles, o cheiro das enormes pilhas de peles em bruto no centro era nauseabundo. Além disso, o preço dos mantimentos era exorbitante; em Independence, Matilda podia comprar três sacos de farinha pelo preço de um aqui, e era um alívio não estar desesperadamente necessitada de nada. Mas pior ainda era a aparência desgrenhada dos soldados. Poucos tinham uniformes autênticos, estavam sujos e por barbear, e sentavam-se a jogar cartas e a galar as mulheres dos viajantes. Muitos estavam tão bêbados que não se tinham de pé.

Quando ela saiu do forte de mãos vazias, o capitão Russell interrompeu a conversa com outro oficial e dirigiu-se a ela e a Tabitha.

— Não compraram nada? Não havia nada de que precisassem?

Tabitha avistou uma criança com quem brincava muitas vezes e afastou-se aos saltos na sua direcção.

— Não ao ponto de pagar os preços que pedem — respondeu Matilda, com uma certa indignação. — E o mau cheiro e aqueles soldados imundos e bêbados! Até me custa a acreditar no que vi!

Ele riu-se. — Queria que eles se barbeassem, que polissem os botões e brunissem os uniformes quando não vão a lado nenhum?

Ela ficou espantada com a tolerância dele, nunca o vira sujo nem por barbear, mesmo o seu cabelo e bigode andavam sempre aparados.

— Mas bêbados! — exclamou ela. — E se os índios atacassem? Como é que os combatiam?

— Não se aflija com isso — disse ele. — Os soldados combatem melhor com álcool no bucho. Também bebia, Mrs. Jennings, se estivesse aqui presa sem muito que fazer, com saudades de casa e dos entes queridos.

— Em Inglaterra, um soldado nunca se apresentaria assim — disse ela, subitamente assaltada por uma imagem da Guarda Montada da rainha Vitória. — É de um desmazelo a toda a prova.

— Suponho que sim — disse ele com um ar divertido. — Mas não estamos em Inglaterra, minha senhora, este país é grande, bravio e muitas vezes cruel, capaz de transformar os homens assim. Passei muitos anos em fortes como este e assisti a coisas de que nunca ninguém me falou quando era cadete em West Point. Mas agora posso dizer-lhe que prefiro escolher dez homens do Fort Laramie para chefiar em combate do que vinte copinhos de leite asseados e pimpões do Leste.

Matilda olhou para ele penetrantemente, notando pela primeira vez que as suas feições eram extremamente refinadas, com maçãs do rosto bem definidas, um nariz elegante e quase aristocrático e lábios atraentes. Isso e as suas palavras sugeriam-lhe que fora de facto educado como um cavalheiro, mas que, a dado trecho, virara as costas à sua própria classe. Era um homem invulgar, sob todos os aspectos, e a sua curiosidade a respeito dele fora espicaçada.

— É casado, capitão? — perguntou. Depois, apercebendo-se de que uma pergunta demasiado directa como esta o encorajaria, por sua vez, a fazer-lhe perguntas igualmente frontais, apressou-se a acrescentar: — Só pergunto porque deve ser difícil ter casa e família quando o seu trabalho o obriga a viajar tanto.

— A minha mulher morreu há quatro anos, minha senhora — disse ele secamente, virando-se ligeiramente para olhar para o acampamento na margem do rio. — É melhor despachar-se a ir para ali onde o ar cheira melhor, Mrs. Jennings. Descanse bem, talvez até seja boa ideia beber um copo ou dois.

Matilda afastou-se apressadamente, irritada com o remoque e prometendo a si mesma ignorá-lo por completo a partir de agora. Mais tarde, nessa noite, interrogou-se como ele pensaria que alguém podia descansar aqui — podia cheirar bem ao pé do rio, mas tranquilo não era.

Alguns dos homens, inspirados pelo exemplo dos soldados, foram buscar garrafas de *whisky* e embebedaram-se, e os sons que Matilda ouvia transportaram-na de imediato a Finders Court: homens a brigar e a cantar, aos tombos e a blasfemar, mulheres aos berros com eles, a que se seguiam com frequência ruidosas bofetadas que as punham a gritar. As crianças, alarmadas, choravam e os cães latiam freneticamente. Ouvia-se também os sons do sexo, das molas das carroças a chiar e de pessoas a respirar pesadamente.

Ocorreu-lhe que ter vivido tanto tempo com os brandos e pacíficos Milson a havia levado a pensar que eles eram uma família típica e normal. A verdade era que eram extremamente excepcionais. O que estava a ouvir agora era o modo como a maioria das pessoas em todo o mundo, independentemente da classe, da educação, da riqueza ou da pobreza, se comportava depois de algumas bebidas. E, se queria construir uma boa vida para ela e para as crianças no Oregon, tinha de deixar de ansiar pela vida organizada que tivera com os Milson, recolher do passado as experiências que haviam moldado o seu carácter e usá-las, bem como as suas faculdades, para construir uma vida que lhe conviesse.

— Parece ser a única pessoa que está ansiosa por partir — disse o capitão Russell a Matilda, na manhã da partida. Ela já tinha jungido os bois e estava a aplicar unguento numa ferida na perna dianteira de um deles. Quase mais ninguém estava pronto. — Porque é que não nos fez companhia ontem à noite?

O dia anterior de descanso, aliado ao facto de todos terem podido reabastecer-se de provisões no forte, acabara numa grande festa. Os soldados tinham-lhes feito companhia, trazendo *whisky* com eles. Tinham pegado em guitarras, rabecas e acordeões, partilhado comida e, para a maioria das mulheres, fora uma oportunidade para envergarem os seus melhores vestidos e dançarem. Matilda deixara Tabitha participar por duas horas, mas ficara na carroça fingindo estar demasiado cansada para ir.

— Não estou em estado de dançar e foliar — disse ela acidamente, repondo a tampa no unguento e limpando as mãos a um trapo.

Ele encostou-se a uma das rodas da carroça e cruzou os braços. — Podia ter simplesmente assistido — disse ele, observando o rosto dela. Matilda tinha os olhos inchados e ele suspeitou que ela passara a maior parte da noite a chorar. — E conversado com as outras mulheres. Não lhe traz vantagens nenhumas mostrar-se tão fria.

Teve vontade de lhe dizer que também ele fora frio quando ela lhe fizera uma simples pergunta. Mas isso implicaria que se importava o suficiente para ter notado. — Não me juntei a esta caravana para fazer amigos — disse.

— Mas vai precisar deles quando chegarmos às montanhas — retorquiu ele, puxando o chapéu para trás e sorrindo-lhe com sarcasmo. — E quando o seu bebé nascer.

— Cá me arranjo — respondeu. Queria subir para a carroça, sentia-se vulnerável ali de pé tão perto dele, mas se fizesse menção de subir, sabia que ele a ajudaria e não queria que ele lhe tocasse.

— Mr. Jennings deve ter sido um homem poderoso — disse ele reflexivamente.

— Porque é que diz isso? — perguntou ela, alarmada.

Ele contemplou-a com um longo olhar glacial que a trespassou. — Bem, mesmo depois de morto e de todos estes quilómetros que percorremos, conseguiu prender-lhe de tal modo o coração que não precisa de mais ninguém. Nunca tive esse poder sobre nenhuma mulher. Fale-me dele.

A primeira reacção de Matilda foi lançar um comentário sarcástico, mas, ao levantar os olhos para o homem, não entreviu qualquer troça nos seus olhos azuis, apenas interesse.

— Não era um homem duro como o capitão — disse ela, abanando a cabeça. — Era um homem que se preocupava profundamente com as pessoas e queria pôr fim a todo o sofrimento com que se deparasse. Ainda hoje não compreendo por que razão o Senhor decidiu levá-lo quando há tantos homens malévolos no mundo.

O capitão fitou-a atentamente por alguns momentos, com uma expressão compassiva. — Então deve dar-se por feliz por ter tido um homem assim, mesmo por pouco tempo — disse ele com uma nova suavidade na voz. — Posso dizer-lhe, minha senhora, que não há muitos neste mundo como ele. Mas, pelo que disse, não me parece que ele gostasse que se isolasse das outras pessoas, sobretudo agora que tem tanto por que viver.

Ela sentiu um ardor de lágrimas nos olhos, mas estava determinada em não chorar diante dele. — Talvez tenha razão — disse friamente.

— Eu sei que tenho. — Sorriu, afastando-se da roda da carroça e endireitando o chapéu. — E não lhe fazia mal nenhum pôr outro vestido que não mostre tanto o pó. O preto preserva o calor e isso não lhe faz bem.

A preocupação dele sensibilizou-a. Estava farta de ser brusca e desagradável com ele e cansada de estar constantemente à defesa. — É um homem intrigante, capitão — disse ela. — Ora é insensível e sarcástico, ora generoso e atencioso. Diga-me o que o tornou assim.

— Provavelmente o mesmo género de coisas que a tornaram tão irritadiça — disse ele, olhando para os pés e arrastando as botas na terra arenosa. — A morte de pessoas amadas, a distância de casa. A senhora tem a pequena Tabby dependente de si, eu tenho esta gente toda. — Abarcou com um gesto o resto das carroças. — Nenhum de nós sabe o que nos espera.

Matilda sentiu que ele não estava preparado para lhe dar uma explicação mais extensa, mas dissera o suficiente para ela pensar que haviam, pelo menos, encurtado o fosso entre ambos.

— Conto consigo para saber o que nos espera — disse ela num tom de provocação.

Ele levantou os olhos e sorriu-lhe e, desta vez, havia amizade no seu olhar.

— Eu conheço as rotinas e os perigos — disse ele. — Não se preocupe, eu levo-a ao seu destino. Podemos fazer umas tréguas? Eu tento não ser sarcástico se prometer deixar de ser tão fria.

— Vou fazer os possíveis — disse ela com um sorriso.

Depois do Fort Laramie, a viagem tornou-se mais penosa, as rodas das carroças prendiam-se nas pedras, ameaçando virá-las, a poeira era mais densa que nunca e de dia para dia fazia mais calor. Durante dias a fio, não havia água nem comida para os animais e, à noite, quando acendiam as fogueiras, ninguém cantava ou dançava, apenas se ouviam os sons das crianças a chorar e a respiração difícil dos bois e dos cavalos. As árvores de fruto estavam a murchar por falta de água e Matilda dava constantemente por si a sonhar com um banho quente, com lençóis brancos engomados numa cama confortável e brisas frescas.

Por vezes, não percorriam mais do que doze quilómetros por dia porque o percurso era demasiado acidentado. Matilda avançava quase sempre com os bois da frente, conduzindo-os, pois embora fosse fatigante e penoso para os pés, era melhor do que andar constantemente em bolandas na carroça.

Os índios apareciam agora com mais frequência e era necessário colocar presentes num cobertor para eles inspeccionarem antes de os deixarem continuar. Os batedores transmitiram a presença de grupos de guerreiros mais a norte, o que pôs toda a gente nervosa. Mais duas crianças morreram, uma das mulheres mórmones deu à luz um menino, um homem com quatro filhos morreu de uma mordidela de cobra e vários bois tiveram de ser abatidos porque estavam demasiado fracos para continuar.

Oprimida pelo calor, Matilda pegou finalmente noutro vestido, o azul e branco que Lily lhe oferecera em Londres. Teve de desfazer a saia para usar parte do tecido para alargar o corpete e esperou não vir a engordar muito mais porque não tinha mais nada que pudesse ser adaptado.

Estavam agora a aproximar-se de Black Hills e Matilda descobriu por que razão o capitão dissera que ia precisar de amigos quando o seixo da sua carroça se partiu numa pedra. Estava muito bem saber em teoria como se mudava, mas era necessária força braçal para levantar a carroça e montar o eixo sobresselente.

Mas as pessoas foram simpáticas e quatro homens avançaram sem que ela pedisse e uma das mulheres aproveitou a oportunidade para lhe oferecer um velho vestido que usara aquando da sua última gravidez. Matilda teve de transigir, fez-lhes chá e deu-lhes todas as bolachas que fizera na noite anterior.

Na noite do dia a seguir ao incidente do eixo, acamparam em Willow Springs, onde havia pastos para os animais. Como várias crianças na caravana estavam doentes, o capitão Russell disse que passariam ali um dia inteiro para descansar, o que daria aos homens a oportunidade de irem caçar, pois estavam desesperadamente necessitados de carne.

Matilda acordou muito cedo na manhã seguinte e saiu silenciosamente da carroça para assistir ao nascer do sol. As pessoas ainda estavam a dormir, de todas as direcções chegavam suaves sons de ressonar e até *Treacle* permaneceu quieto debaixo da carroça.

O céu ainda estava muito escuro, apenas com um halo rosa e amarelo a nascente, e estava deliciosamente fresco. Matilda tirou uma toalha da carroça, pensando que talvez pudesse aproveitar a oportunidade para tomar banho no ribeiro, e quando a sua mão tocou na espingarda, decidiu também levá-la para o caso de haver cobras.

Ao passar pelas cinzas da fogueira da noite anterior, no meio do círculo das carroças, sentiu um pouco de calor ainda a emanar delas e estranhamente recordou-se de manhãs em Nova Iorque, em que se esgueirava até ao andar de baixo, de madrugada, para reacender a salamandra e desfrutar a tranquilidade de estar sozinha enquanto o resto da casa dormia.

Atravessou as carroças em bicos de pés, do lado do círculo voltado para o ribeiro, parando ao ver alces a beber na outra margem, a menos de quarenta metros. Não querendo assustá-los, encolheu--se contra uma carroça a observar. Já vira estes enormes cervídeos na trilha, mas apenas à distância, e não fazia ideia de que eram ainda mais altos do que ela e que as suas hastes eram tão colossais. Por um momento, limitou-se a observá-los, maravilhada com a sua beleza, esperando que a qualquer momento dessem pela sua presença e fugissem, mas talvez o vento estivesse a soprar na direcção errada, porque nem sequer levantaram as cabeças da água.

De súbito, recordou-se das palavras do capitão Russell, na noite anterior, sobre a desesperada necessidade de os homens conseguirem alguma caça. Até agora, as expedições de caça não se haviam saldado num grande sucesso porque os homens na caravana eram sobretudo agricultores e poucos conseguiam acertar no alvo. A ideia de matar um destes magníficos animais era abominável, mas havia muitas crianças doentes na caravana e Tabitha informara-a que pensava que muitas famílias já não tinham mantimentos, tendo ido ao ponto de sugerir que dessem o resto das suas provisões de *bacon*.

— Sinto muito — disse ela, colocando a espingarda sobre o ombro. — Não te matava se não precisássemos tanto de comida. — Enquadrou o maior na mira e disparou.

Ele cambaleou por um momento, enquanto o resto da manada se dispersava, e depois caiu pesadamente por terra.

Todo o acampamento acordou de imediato, os cães começaram

a ladrar, os cavalos relincharam, os homens saltaram para fora das carroças ou saíram de baixo delas, na maioria só de roupa interior.

— São índios? — gritou alguém, e logo o capitão Russell, antes de Matilda ter hipótese de se mexer ou falar, apareceu em passos largos, de tronco nu, pelo meio do círculo, de pistola em punho.

— Não é nada — gritou Matilda. — Fui eu que matei um alce.

Mais tarde, ao relatar a Tabitha como as coisas se passaram, ambas se riram ante a ideia de o capitão Russell surgir a correr, imaginando que estavam prestes a ser atacados por índios, e deparando-se com Matilda, de camisa de dormir branca, com uma espingarda na mão. Mas, assim que ele se encaminhou para ela, ela quis esconder-se dele e do olhar que todos os outros homens pousavam nela.

O capitão atravessou o ribeiro e debruçou-se sobre o alce para inspeccioná-lo.

— Onde é que uma mulher inglesa foi aprender a atirar assim? — gritou ele do outro lado.

Nesse momento, Matilda largou a correr para a carroça para se vestir. Teve um forte pressentimento de que hoje seria o único tema de conversa.

Ao meio-dia, Matilda já estava sentada à sombra da carroça a alterar o vestido que lhe fora dado e a saborear a tranquilidade que se apoderara do acampamento na última hora. O princípio da manhã assistira a uma actividade febril, com as mulheres a lavar roupa, a arejar colchões, as crianças a gritarem umas com outras enquanto carregavam água, os homens a martelar e a bater enquanto reparavam danos causados pelas pedras às carroças. Alguns haviam desmontado as rodas para as porem de molho no ribeiro porque o calor seco encolhera a madeira, fazendo com que os aros de ferro se soltassem. Mas agora o sossego era total, com a maioria das pessoas a descansar à sombra das árvores na margem do ribeiro, e pairavam aromas deliciosos de carne a estufar lentamente nos muitos fogareiros de campanha.

Tabitha chegou a correr com *Treacle* e os dois deixaram-se cair no chão, ao lado de Matilda, a ofegar com o calor. O chapéu de sol de Tabitha estava a pingar; poucos dias antes, um dos batedores dissera-lhe que a maneira como se mantinha fresco era encharcar de água o chapéu e ela imitara-o. Matilda achava que talvez resultasse com um chapéu de couro, mas não com uma touca de algodão.

— Toda a gente está a falar de ti ao pé do riacho — disse excitadamente Tabitha. — Mrs. Jacobson, a que tem nove filhos, disse que eu devia ter muito orgulho em ti.

— Não sei se deves ter, Tabby — respondeu Matilda, com um sorriso. — Fiquei cheia de pena por ter matado uma criatura tão nobre.

— És a única a pensar assim — disse Tabitha, sorrindo. — Havia muita gente sem nada para comer. Mrs. Jacobson disse que os filhos se deitaram cheios de fome ontem à noite e que, se os homens não arranjassem nada hoje, não sabia o que havia de fazer. Um dos homens disse que achava que podiam ter andado a caçar o dia todo e mesmo assim voltar de mãos vazias.

Matilda revirou os olhos, não matara o alce com a intenção de poupar os homens às suas obrigações familiares.

— Mas, apesar de não terem ido caçar, aposto que não estão a ajudar as mulheres — disse ela secamente. — Mandriões!

— Não, estão a falar sobre ti e a perguntar como é que uma senhora inglesa aprendeu a manejar assim uma arma — disse Tabitha, radiante. — Mas eu parei para falar com Mrs. Donnier, é a mãe dos meninos doentes. Estava a preparar-lhes um caldo com a carne, disse que esperava que melhorassem com ele. Eu disse-lhe que tu entendias muito de crianças doentes e ela pediu se lá ias dar-lhes uma vista de olhos para ver se sabes o que têm.

Matilda estava a saborear a sua fama recente, mas, ao ouvir isto, virou-se para a criança, horrorizada. — Oh, Tabby, não posso fazer isso — disse ela. — Podem ter uma doença infecciosa.

Tabitha mostrou-se espantada. — Pareces a mamã a falar — disse ela num tom acusador. — Estava sempre com medo de apanhar doenças. Pensei que eras mais corajosa.

Esta resposta, para Matilda, foi como um balde de água fria, porque não só se apercebeu de que devia ter soado egoísta e insensível, mas também porque de repente, ao fim de tanto tempo, compreendia realmente o instinto primitivo por detrás do medo que Lily tinha de doenças.

— A tua mãe, minha menina, tinha muita coragem — disse ela rispidamente. — Se tinha medo de doenças, não era por causa dela, mas por tua causa. Agora compreendo isso, porque não quero correr riscos que te possam fazer mal a ti, ao bebé na minha barriga ou a mim própria, já agora, porque sou eu que tenho de olhar por nós.

— Mas Mrs. Donnier está tão cansada e aflita — disse Tabitha, os seus olhos escuros enchendo-se de lágrimas. — Ninguém mais está a ajudá-la, e eu tinha a certeza de que tu ias ajudar.

Foi como se ouvisse Giles a falar e sentiu-se imediatamente envergonhada. Pôs-se de pé e estendeu a mão à criança. — Leva-me lá então à carroça dos Donnier. Mas, pelo sim, pelo não, não te aproximes.

Mesmo antes de chegar à carroça, Matilda ouviu a tosse seca indiciadora de sarampo. Sabendo que nem ela, nem Tabitha eram susceptíveis de apanhá-lo uma segunda vez, sentiu-se mais descansada. Quando a mãe se aproximou dela, limpando as mãos ao avental, Matilda apiedou-se dela.

Exibia a mesma expressão macilenta e derrotada de muitas das mulheres de Finders Court, uma combinação de pobreza, demasiados filhos, trabalho árduo e má alimentação. Provavelmente não tinha mais de vinte e quatro anos, mas parecia muito mais velha, magra e corcovada, com dentes pretos, e até o seu cabelo castanho era baço e parecia arame.

— Fico-lhe muito agradecida, Mrs. Jennings — disse ela. — Não queria incomodá-la, mas a sua menina disse que talvez soubesse o que aflige os meus filhos.

— A tosse deles indicia sarampo — disse Matilda. — Mas deixe-me vê-los.

Eram cinco crianças, apertadas na cama da carroça, a mais nova com cerca de um ano e a mais velha com sete. Matilda acocorou-se ao lado deles e apalpou-lhes as testas. Estavam todos demasiado quentes e a pele estava seca, exactamente como Tabitha quando tivera sarampo. Era difícil ver se tinham erupções porque a lona da carroça deixava entrar pouca luz.

— Tenho praticamente a certeza de que é sarampo — disse Matilda, voltando a sair. — Dê-lhes muita água. E passe-lhes também uma esponja embebida em água fria, mas deve proteger-lhes os olhos da luz, prenda-lhes qualquer coisa à volta dos olhos quando os trouxer cá para fora.

Continuou, explicando que as orelhas e os olhos das crianças deviam estar sempre limpos, usando água salgada fervida, mas apesar destas palavras, era grande o seu desalento. Quase haviam perdido Tabitha e ela estava numa casa com visitas diárias do médico. Pior ainda, nas últimas duas ou três semanas, estas crianças tinham provavelmente contactado com muitas outras, e por isso não tardaria que mais crianças e adultos adoecessem também. Apercebeu-se ainda de que a criança que ficara doente pouco depois de partirem de Independence fora provavelmente a portadora e, contudo, a mãe não dissera a ninguém do que sofria o filho, e as outras duas mortes infantis, que o capitão Russell atribuíra a «sezão», ficaram também quase de certeza a dever-se ao sarampo. Decidiu falar com ele sobre o assunto mais tarde, mas primeiro sentiu-se obrigada a ajudar a refrescar as crianças, pois a mãe estava com um ar demasiado exausto para o fazer sozinha.

Mais de duas horas depois, Matilda voltou para a sua carroça, mas, embora se sentisse fatigada de andar a carregar água, levantar as crianças e ajudar a mãe a lavar a roupa da cama suja, sentia-se demasiado zangada para descansar.

Mr. Donnier não tinha levantado um dedo para ajudar. Sentara-se à sombra, a jogar cartas com um grupo de homens, e a única vez que falara fora para perguntar quando é que o jantar estava pronto.

Marie Donnier não era muito inteligente, lembrava a Matilda os bois, caminhando pesadamente, indiferentes a tudo excepto o que estava à sua frente. Como os bois, trabalhava até cair para o lado e, mesmo então, o bruto do marido certamente só se aperceberia quando ela não lhe apresentasse a comida.

Marie dissera que se casara aos dezasseis anos e que já perdera dois bebés. Tinham vivido no Indiana, no Ohio e no Missouri e, segundo ela, o marido nunca se sentia bem num sítio durante muito tempo.

O capitão Russell estava a falar com um grupo de homens que estava a esfregar sal na pele do alce. Quando viu Matilda, parou e foi ao encontro dela, com um sorriso rasgado na cara.

— Como passa, heroína? — disse ele. — Em poucas horas, passou da eremita à senhora com quem toda a gente quer falar.

Ela ignorou o comentário e atirou-se imediatamente a ele, acusando-o de ter abafado a morte das duas crianças, alegando que era sezão quando era sarampo.

— Que quer, eu não sabia — disse ele com uma expressão de alarme. — Não sou médico, minha senhora. Acreditei no que a mãe me disse.

— Presumo que sabe que o sarampo é altamente infeccioso.

— Claro que sei — disse ele, franzindo a testa de ansiedade. — Temos de retirar imediatamente a carroça dos Donnier do círculo.

— É tarde de mais para isso — disse ela. — Como é tarde de mais para a pobre Marie Donnier fazer alguma coisa a respeito daquele monte inútil de bosta de búfalo com quem se casou.

Ele soltou uma gargalhada.

— Não se ria de mim — respingou ela. — Já é mau, sempre que temos um dia de descanso, ver as mulheres trabalharem como loucas enquanto os homens se refastelam por aí como lordes, mas esse homem nem sequer foi buscar água para refrescar os filhos doentes. Devia apanhar umas boas vergastadas.

Para surpresa dela, ele concordou. — Tem razão, Mrs. Jennings. Desde que conduzo caravanas de carroças que vejo a injustiça com que as mulheres são tratadas. Tenho tido vontade de assentar umas chicotadas a muitos homens por descurarem os seus deveres de maridos e pais. Mas diga-me o que havemos de fazer em relação ao sarampo para impedir que se propague mais.

A irritação de Matilda com ele evaporou-se. Ele era suficientemente honesto para admitir que não sabia tudo, e ela, por seu lado, ficou satisfeita por ser tratada como sua igual. — Não há muito que se possa fazer, excepto saber que crianças brincaram com os filhos dos Donnier e dizer aos pais que não os deixem conviver com mais ninguém até estarem fora de perigo — disse ela.

Ele fez um gesto de concordância. — Vou já tratar disso. Mas tenha cuidado, minha senhora, não quero vê-la a adoecer também.

— Já tive sarampo — disse ela. — E tratei da Tabitha que também teve. Não corro perigo. Estou mas é preocupada com Mrs. Donnier. Já está completamente esgotada e o mais certo é alguns dos filhos não sobreviverem. Podia obrigar esse paspalho do marido a perceber que a mulher precisa de ajuda e de descanso.

O capitão James Russell ficou a ver Matilda a afastar-se. Ela intrigava-o desde o primeiro dia, quando lhe fora pedir para integrar a caravana. Tinha sempre relutância em aceitar mulheres desacompanhadas, pois geralmente traziam problemas, sobretudo quando eram bonitas como Mrs. Jennings. Além disso, era inglesa e as poucas mulheres inglesas que ele conduzira para oeste eram uma dor de cabeça, sempre a queixarem-se ou a rezarem, e ele não sabia o que era pior.

Durante todo o tempo em que Matilda fizera os preparativos para partir, observara-a à distância e não podia deixar de se sentir impressionado. Gostava dos seus modos firmes mas brandos com os animais e com as crianças e da maneira como ela não fazia olhinhos aos homens para conseguir ajuda, preferindo fazer as coisas sozinha.

Depois, na última noite, num bar em Independence, ouvira a história sobre o ministro inglês que perdera a mulher, morta ao dar à luz, e fora depois morto com um tiro. Pelo que ouvira, o homem era muito especial, dispensando cuidados a todos como se fossem da família, falando contra a escravatura, apoiando os índios, acolhendo gente em casa depois da cheia.

Os homens da terra falavam da mulher que viera com eles para Independence com igual carinho, dizendo que vivia com eles como uma irmã. Disseram que não tinha despachado a filha do ministro para Inglaterra, mas tencionava criá-la ela própria.

James deduziu imediatamente que esta mulher só podia ser a inglesa Mrs. Jennings que aceitara conduzir ao Oregon e, a princípio, presumiu que ela adoptara o papel de viúva para desencorajar os homens de tomar liberdades com ela.

Só uma semana depois de partirem é que começou a suspeitar que ela estava de esperanças. Uma tarde, viu-a levantar dois baldes de água, e a maneira cautelosa como ela se endireitou recordou-lhe os movimentos da mulher quando estava naquele estado. Belle, como a mulher do ministro, morrera ao dar à luz enquanto ele andava longe a cumprir os seus deveres de militar, e uma parte dele morrera também, pois devia ter estado presente.

Inicialmente, pensou que Mrs. Jennings devia ser uma galdéria intriguista, que se metera na cama de um homem de luto com a única intenção de passar de parente pobre a mulher de ministro, com todas as regalias que isso implicaria. Pensou que teria de vigiá-la de muito perto para garantir que ela não arrastava a asa ao marido de alguém.

Contudo, enquanto a observava, começou a duvidar da sua primeira opinião. Ela não era galdéria nenhuma, possuía demasiada dignidade e reserva. Era flagrantemente claro que amava a menina e era inteligente, muito independente e suficientemente bonita para conquistar o coração de qualquer homem sem estratagemas. Quando finalmente conseguiu que ela falasse do «marido», o amor dela por ele foi evidente pela maneira como o cumulou de louvores.

Mas hoje revelara outra faceta do seu carácter. Primeiro, o abate do alce, para que toda a gente comesse, não para ela, pois nem sequer pedira as melhores peças de carne, deixando para os homens o desmanche e a distribuição. Depois a ajuda a Mrs. Donnier com os filhos doentes. Fora um acto de extrema bondade e coragem, porque o medo de doenças infecciosas, numa caravana de carroças, era ainda maior do que nas vilas e cidades e poucas pessoas estavam preparadas para se colocarem a si e às suas famílias em perigo.

Não era de maneira nenhuma uma galdéria, decidiu ao vê-la encher uma bacia de água, ao lado da carroça, para lavar as mãos. Era uma mulher que seguia o coração e não apenas a cabeça, e que Deus lhe valesse mas estava a apaixonar-se por ela.

James sabia que projectava a imagem de uma espécie de rufia. Descobrira que era um bom método para esconder a sua verdadeira natureza e o seu passado. Ser insolente, arrogante, insensível e até, por vezes, bruto poupava-o às atenções das pessoas refinadas que podiam querer atraí-lo ao seu círculo familiar. Carregava dentro de si uma amargura que sabia ter de apaziguar antes de se permitir estabelecer novos laços com alguém.

Com efeito, James pertencia a uma das melhores famílias da Virgínia. Se se tivesse casado com uma rapariga de uma família igualmente ilustre, a sua vida teria sido inteiramente diferente. Mas amara Belle, a filha do capataz na plantação da sua família, desde a infância e, quando se formou por West Point, casou-se com ela.

Todo o clã Russell se virou contra ele. Belle era uma «pacóvia do Sul», tão no fundo da escala social que a mãe entrava em histeria sempre que o nome dela era mencionado. James foi ostracizado, os amigos viraram-lhe as costas, mas ele não se importou pois amava Belle e pensou que isso seria suficiente.

Mas não tardou a descobrir que ser um militar de primeira água não fazia qualquer diferença se tivesse a mulher errada. Foram-lhe dados os piores destacamentos e não havia qualquer esperança de ser promovido. Belle ia com ele para onde quer que o mandassem, incluindo a guerra com o México, e o que James via das mulheres dos oficiais casados com a rapariga «certa» fazia-o amar Belle ainda mais.

De alguma forma, sentia-se satisfeito por ter sido deserdado, pois os destacamentos deprimentes e a visão de uma América muito mais vasta ajudaram-no a compreender que os valores da sua família estavam distorcidos e que a sua riqueza fora obtida à custa do sofrimento humano. Começou a compreender a perversidade da escravatura e aprendeu a admirar e a respeitar os índios, mas estas opiniões também não lhe valeram a consideração dos seus superiores.

Quando Belle morreu ao dar à luz, pensou em abandonar o Exército, mas sabendo que não possuía qualificações para mais nada, ficou. Era especialista no treino de recrutas e podia ter continuado indefinidamente nessas funções se o governo não tivesse decidido de repente que as caravanas de carroças rumo ao Oeste precisavam de oficiais com conhecimentos do terreno e dos índios das planícies para as chefiar.

No geral, James dava-se bem na tarefa. As pessoas que viajavam para o Oregon eram corajosas e decentes, com abertura de espírito, precisavam de liderança e ele gostava da aventura e do desafio de conduzi-las até lá o mais rápida e seguramente possível. Durante seis meses por ano, era senhor de si próprio sem ter de se vergar perante os oficiais superiores, que eram, na sua maioria, um bando de idiotas. Acreditava que estava a pôr os seus talentos ao serviço das pessoas e do seu país. Até agora, acreditara também que enterrara o seu coração no México, com Belle e com o filho nado-morto. Mas um homem não pode ter sempre razão.

O primeiro filho dos Donnier morreu nessa noite, uma menina chamada Clara, a segunda mais nova. Porém, antes que a campa dela pudesse ser aberta de manhã, o irmão mais novo, Tobias, faleceu também.

O capitão Russell decidiu que passariam mais um dia no local e, enquanto celebrava o simples serviço fúnebre e tentava encontrar palavras de conforto para a chorosa Marie, Matilda estava na carroça dos Donnier a olhar pelas outras três crianças.

O sol estava tão escaldante que a carroça parecia um forno. O colchão de palha estava completamente ensopado, tresandando a urina e vómito, e as crianças estavam a arder de febre. Matilda sabia, como soubera com Tabitha, que a sua única esperança de sobrevivência era tirá-las dali e levá-las sem demora para um lugar mais fresco. Sem esperar que a mãe regressasse, pegou na mais nova, enrolou-lhe um retalho de algodão à volta da cabeça para lhe proteger os olhos, agarrou numa manta e levou-a para o ribeiro. Mergulhou-a na água fria, mantendo-a ali cerca de cinco minutos, e depois embrulhou-a na manta, pô-la à sombra de uma árvore, e foi buscar a criança seguinte.

Estava a ir buscar a terceira e última quando os Donnier chegaram. Marie limitou-se a olhar para ela com os olhos carregados de dor, mas o marido perguntou a Matilda o que é que ela achava que estava a fazer.

— A arrefecê-los — respondeu ela secamente. Ele era um indivíduo corpulento, com ar de bruto, com cabelo louro desgrenhado e dentes pretos. — Dei banho aos dois mais novos e pu-los a dormir à sombra. Agora vou levar o John.

— Ninguém leva os meus filhos a lado nenhum sem a minha autorização — disse ele, enchendo o peito entroncado de ar e cruzando os braços musculosos. — Deixa-os estar, a Marie trata deles.

— A Marie não está em estado de fazer mais nada — disse ela, pousando-lhe uma mão no peito para lhe passar à frente. — Se se preocupa com os seus filhos, dê-me uma mão ou pelo menos saia-me da frente.

— Não admito que nenhuma mulher me fale assim — disse ele. — Desaparece-me da vista!

— Marie, vá para o pé das outras crianças e dê-lhes água — disse ela, olhando ferozmente para a mulher e rezando para que ela lhe obedecesse.

Marie soltou um gemido de medo e largou a correr.

— Volta aqui, mulher — gritou-lhe Mr. Donnier —, senão levas com o chicote.

Matilda não conseguiu mais conter a sua fúria contra ele. — Javardo — sibilou-lhe. — Acaba de chegar do enterro de dois filhos seus e fala em vergastar a sua mulher! Tem mais alguma coisa nessa sua cabeça além de osso? Perdeu dois filhos, os outros três estão gravemente doentes, o que é que é preciso para o levar a agir?

Ele cerrou o punho e deu um passo na direcção dela.

— Bata-me e juro que o mato — disse ela, falando a sério. — Entre para a carroça, tire de lá o seu filho e leve-o para o ribeiro. Já!

Teve consciência do ajuntamento de pessoas que se formara a assistir, mas a única coisa que a preocupava era tirar a criança lá de dentro e o rapaz era demasiado pesado para ela o transportar.

— Vais pagar por isto — disse ele por entre dentes, mas subiu para a carroça.

— Tape-lhe os olhos antes de o trazer para fora — gritou ela.

O homem obedeceu, mas fez menção de se afastar assim que ela mergulhou o rapaz na água.

— Mais devagar — gritou-lhe ela, metida na água até à cintura. — Tire o colchão de palha cá para fora, queime-o e lave a carroça com vinagre e água, e traga para aqui a roupa da cama suja para ser lavada.

Ele desapareceu e Matilda ficou a segurar na criança de sete anos, que tossia e esperneava dentro de água. Marie estava sentada ao lado dos mais novos na relva a chorar descontroladamente. As pessoas tinham-se aproximado para assistir ao que se passava, mas nenhuma se abeirou, com medo de apanhar a doença.

— Alguém que me ajude! — gritou Matilda. Era capaz de manter John na água sem problemas, apesar de ele se debater, mas não tinha força para o levantar e pousar na margem.

Ninguém se mexeu e a fúria dela cresceu e explodiu.

— Chusma de cagões e cobardes — gritou-lhes.

O capitão Russell abriu caminho à força por entre a multidão, saltou para dentro de água e caminhou na direcção dela. — Cagões! — murmurou-lhe. — Agora ficaram a saber que não é uma senhora de verdade.

O seu tom era de brincadeira e dissipou um pouco da fúria dela. — Sei palavras piores do que essa para lhes chamar — respondeu ela também num murmúrio.

— Não duvido, Mrs. Jennings — disse ele com um sorriso.

O leito pedregoso do ribeiro era irregular e, quando estendeu a criança ao capitão, o pé escorregou-lhe e ela vacilou para o lado. O capitão agarrou-a com um braço, passando-lho à volta da cintura. Por breves momentos, prendeu-a e à criança contra si.

— Vai levar o rapaz ou vamos ficar aqui a dar espectáculo? — disse ela, demasiado consciente do corpo duro dele muito próximo do seu e dos olhos na margem postos neles.

— Estou só a ampará-la — disse ele. Depois, tirando-lhe a criança dos braços, virou-se e dirigiu-se para terra com ela.

As pessoas começaram a dispersar-se assim que ele pôs o rapaz ao lado do irmão e da irmã e se afastou murmurando qualquer coisa sobre ir buscar um cobertor seco.

Ele não vinha, por isso, assim que Matilda se certificou de que as três crianças estavam a respirar mais normalmente, deixou-as aos cuidados de Marie e voltou ao círculo de carroças.

Para sua surpresa, estava reunido um grande ajuntamento mais à frente e ela deduziu que estava a decorrer uma cena de pancadaria. Abrindo caminho à força, viu que era o capitão Russell e Donnier, ambos de tronco nu e aos murros um ao outro. Pareceu-lhe que Donnier, que era mais forte, tinha começado em vantagem porque o capitão estava com um olho quase fechado e tinha sangue a correr-lhe pela face. Porém, apesar de mais leve e mais magro, movia-se com destreza, dançando em volta de Donnier e acertando-lhe com maior precisão, e Donnier estava sempre a recuar da força dos socos dele.

Enquanto ela os observava, o capitão apanhou Donnier pelo ombro e enterrou o punho na barriga do homem como se fosse um malho. Donnier cambaleou para trás e caiu, permanecendo imóvel no solo.

O capitão aproximou-se calmamente e pegou num balde de água. Parando por um momento para atirar uma mão-cheia à cara, despejou o resto do balde sobre o homem prostrado. — Faz o que te mandaram, queima o colchão e limpa a carroça. Passo por aqui mais tarde para me certificar que está tudo feito.

Tabitha já estava deitada e Matilda estava sentada do lado de fora da carroça, a escrever no diário à luz de uma vela num frasco, quando o capitão passou por ali, fazendo a sua ronda antes de ele próprio se deitar.

— Ainda está a pé? — perguntou ele. — Pensei que já estaria a dormir há horas depois do alvoroço de hoje.

Ela lavara toda a roupa de cama de Marie e pusera-a a secar e depois ficara a fazer companhia à mulher e às crianças, na margem do riacho, até a temperatura arrefecer, altura em que voltaram a levá-las para a carroça, que estava agora limpa e a cheirar fortemente a vinagre.

— Acho que precisava de anotar as minhas reflexões sobre esse homem execrável — disse ela. — Pobre Marie, espero que ele não descarregue nela.

— Enquanto eu andar por aqui, não se atreve — disse ele, acocorando-se ao lado dela. — O que me intriga é por que razão uma mulher escolhe um homem daqueles.

— Ela disse-me que foram os pais dela que o escolheram. Como ele era grande e forte, pensaram que ia trabalhar na quinta e tratá-los bem a todos. Mas o pai morreu alguns meses depois do casamento e a mãe não demorou muito a ir também. O Donnier deixou a quinta ir à ruína e depois vendeu a terra e insistiu para que se mudassem. Desde então, isto tem sido a vida dela.

— Só queria ter um dólar por cada vez que ouço histórias dessas — disse ele, abanando a cabeça. — É um mundo injusto, não há dúvida. Pode crer que estou contente por não ter nascido mulher.

O tom compreensivo dele surpreendeu-a. Esperava que ele apontasse defeitos a Marie.

— O que é terrível é que ela não tem saída — disse Matilda, levantando os olhos para o capitão com uma expressão preocupada. — A vida com ele é um inferno, mas, se o deixasse, como é que conseguia criar os filhos?

— Como é que vai conseguir criar os seus? — perguntou ele.

Embora uma semana atrás ela tivesse espumado perante uma pergunta destas, agora sentia que as intenções dele eram boas.

— Não sou feita da mesma fibra da Marie — retorquiu. — Desde criança que ganho o meu sustento. Não posso dizer que saiba, neste momento, como vou conseguir, mas hei-de arranjar maneira.

Apanhou-o a olhar penetrantemente para ela. Estava à espera que ele dissesse que tinha de encontrar um marido e estava pronta para lhe respingar, se o dissesse.

— Estou certo que há-de arranjar — disse ele, surpreendendo-a. — Uma mulher que sabe atirar, conduzir uma carroça, tratar dos filhos de uma estranha e ainda por cima é um regalo para os olhos, não há-de passar muitos tormentos.

— Obrigada, capitão, pelo elogio — disse ela, imitando o sotaque sulista. — Afinal quer-me parecer que é um cavalheiro.

Ambos se riram e uma sensação quente e doce passou entre ambos.

— Boa-noite, minha senhora — disse ele, levantando-se e tirando-lhe o chapéu. — Durma bem.

CAPÍTULO 15

Matilda acenou quando dez carroças se separaram do grupo principal para rumarem a norte, em direcção à Missão dos Whitman, no vale de Walla Walla no Oregon, uma parte de si desejando ir com elas.

Era o mês de Setembro, o nascimento do bebé estava iminente, e a Missão ficava a uma distância relativamente curta. Mas Narcissa e Marcus Whitman, que haviam fundado a Missão, e outras onze pessoas haviam sido massacrados pelos índios Cayuse no ano anterior, e muitos outros feitos reféns. Os que haviam decidido ir para lá tinham familiares e amigos na zona e estavam convictos de que o Exército os protegeria de mais hostilidades. O capitão Russell concordou que seria o caso e que as novas pessoas da Missão ofereceriam guarida e cuidados a Matilda, mas, na sua opinião, era muito mais sensato ela continuar até The Dalles, na margem do rio Columbia. Embora implicasse agora uma viagem muito mais longa, era uma vila bem estabelecida e ela estaria mais segura aí se viesse mau tempo e não conseguisse chegar junto dos amigos no vale de Willamette.

Sabendo que os conselhos de James eram sempre bons, Matilda estava a segui-los, mas sentia-se extremamente cansada de viajar.

Desde a partida de Willow Springs, quase três meses antes, passara um autêntico calvário. Muitos animais haviam morrido de exaustão e dias sem água nem comida. As rodas das carroças partiam, pois o sol secara a madeira. Muitas famílias foram obrigadas a abandonar as carroças, continuando a pé e carregando com o pouco que tinham às costas. Um pó áspero e asfixiante entrava-lhes para os olhos e para os pulmões e a fome, a sede e a exaustão deixavam todas as pessoas debilitadas. De dia, assavam ao sol, à noite gelavam. A subida das montanhas e a descida do outro lado eram esgotantes. Muitas vezes, as carroças tinham de ser esvaziadas e rebocadas, os bois incitados a avançar sobre perigosas saliências rochosas, onde um passo em falso significaria a morte certa. Reinava um medo sempre presente de os animais largarem em debandada pois, enlouquecidos pela sede, se lhes cheirasse a água à distância, precipitar-se-iam nessa direcção. Tinha havido tantas mortes na caravana que Matilda já não se recordava de todos os nomes nem dos lugares onde essas pessoas haviam sido enterradas.

O sarampo vitimara mais cinco pessoas, embora os outros três filhos dos Donnier tivessem escapado. Marie Donnier estava novamente grávida, com um ar tão frágil que Matilda duvidava que ela vivesse até ao parto. Oito homens, mulheres e crianças haviam morrido de cólera mas, felizmente, esta terrível assassina, que podia facilmente ter dizimado a caravana inteira, permanecera confinada a duas carroças. Dois homens afogaram-se ao atravessar a vau o rio Snake, arrastados pela corrente violenta, antes que fosse possível lançar-lhes uma corda. Inúmeros acidentes macabros incluíram uma criança esmagada pela roda de uma carroça e uma mulher que tropeçara num passo de montanha e partira a coluna ao cair sobre pedras. Um homem desaparecera numa surtida de caça e, embora os batedores tivessem encontrado o seu cavalo um dia mais tarde, a vaguear, não haviam encontrado o homem, nem o seu corpo.

Haviam contemplado as maravilhas das nascentes de água quente, a água jorrando das entranhas da terra, suficientemente quente para cozer um porco, haviam-se maravilhado com a beleza das montanhas e dos vales e haviam assistido a ocasos tão incríveis que traziam lágrimas aos olhos. Mas Matilda pouco queria agora saber da paisagem, o seu único desejo era descansar.

Tinha os braços e as pernas duros do esforço, as mãos calejadas e feias e doíam-lhe todos os ossos do corpo. À noite, cortava e confeccionava fraldas com um velho saiote de flanela e, sempre que olhava para as roupas do bebé, feitas com tanto cuidado por Lily para o filho, rezava para ter um parto mais fácil e para que o bebé nascesse forte e saudável. Aterrorizava-a a ideia de dar à luz na carroça, embora todas as noites desejasse que as dores chegassem para acabar com a ansiedade e para ela se libertar do tormento de um corpo tão volumoso e desajeitado.

Houvera momentos em que, se não fosse por Tabitha, se teria sentido talvez tentada a lançar-se de um precipício ou para um dos rios caudalosos para pôr fim ao seu suplício. Perguntava a si mesma por que razão conduzia tamanha luta — quando o bebé nascesse, as coisas seriam ainda mais duras para ela. Mas, sempre que surgiam estes pensamentos negativos, olhava para o rosto pequeno e confiante de Tabitha e recordava a sua promessa a Lily.

Contudo, apesar de todas as adversidades e sofrimento, também houvera momentos de felicidade. Nunca até então sentira uma liberdade tão intensa — as restrições de ser uma criada e de tentar preservar uma imagem de senhora haviam desaparecido. Podia dizer aquilo que pensava e muitas vezes fazia-o, deixando de se esconder atrás de eufemismos delicados. Ganhara a reputação de ser fisicamente tão resistente e auto-suficiente como um homem, mas sentia que era igualmente admirada pela sua inteligência, sabedoria e bom coração. Embora não tivesse partido com a intenção de fazer amigos, havia-os conquistado. Apercebia-se da estima que os seus companheiros de viagem nutriam por ela, agora que estava a chegar ao fim do tempo — os seus contentores de água estavam sempre milagrosamente cheios, descobria pequenos presentes de bagas, sopa, carne e biscoitos deixados à entrada da carroça e, nos troços mais difíceis da trilha, aparecia sempre alguém a ajudá-la.

No entanto, de todas as amizades, a do capitão Russell era a mais forte. Por vezes, parecia estranho que um homem que tanto a irritara no princípio pudesse ter-se tornado num amigo precioso, mas a verdade era que ele escondera a sua preocupação atrás do sarcasmo e da insolência, não a deixando ver o verdadeiro homem por baixo.

Ele podia ser intolerante para com o sectarismo e a estupidez, mas compreendia profundamente as fragilidades humanas. As suas opiniões sobre o sofrimento dos pobres e oprimidos eram muito semelhantes às de Giles. Possuía, além disso, um irreprimível sentido de humor e era tão curioso a respeito das pessoas como ela. Matilda descobrira que ele era um homem completo, duro, mas possuidor de uma ternura essencial, pelos fracos. Era altamente inteligente e culto, mas era também capaz de conversar com as pessoas menos dotadas. Era um líder nato, impondo respeito e admiração.

Quase todas as noites, vinha ver como estavam ela e Tabitha, e as suas conversas eram francas e naturais. Uma noite, falou-lhe da sua infância na Virgínia, de um pai que apenas avaliava um homem pela sua riqueza e pelo número de escravos que possuía, e de uma mãe que se interessava mais por festas e bailes e pelas modas mais recentes em França do que pelos filhos.

— Fui educado com a vara numa mão e a Bíblia na outra — disse ele, uma noite, com um sorriso malicioso. — Nenhum deles me ajudou em nada. Pergunto-me muitas vezes se poderia ter seguido outro rumo na vida, qualquer coisa entre soldado e dono de uma plantação. O que é certo é que nem um nem o outro me agradam muito, porque envolvem maltratar alguém. Mas não sei fazer mais nada.

Quando lhe falou da mulher, Belle, de como a família o deserdara e da morte de Belle ao dar à luz, Matilda compreendeu a amargura que ele carregava no peito e por que razão virara as costas à classe em que nascera.

Ela relatara-lhe a sua infância em Londres e o interesse dele por uma vida tão distante da sua foi tão forte que ela deu por si a fazer-lhe descrições vívidas de cenas londrinas comuns para o fazer rir. Contou-lhe como chegara à América como ama, mas, como ele não a pressionara sobre o «marido» nem sobre os motivos pelos quais acabara no Missouri, omitira essa parte da história.

Quando chegassem a The Dalles, algumas famílias construiriam jangadas para levar as carroças pelo rio Columbia abaixo em direcção a Portland e outras seguiriam pelo trajecto mais longo, mas mais seguro, em redor do monte Hood. O fim da viagem estava quase à vista, mas ela tinha a agoniante sensação de que o pior ainda estava para vir antes do reencontro com Cissie e a família.

Alguns dias depois de se separarem das pessoas que iam para a Missão dos Whitman, acamparam num local maravilhoso. Era um prado vasto de montanha, coberto de flores e rodeado de enormes abetos, atravessado a meio por um pequeno riacho. Os animais foram deixados à solta a pastar e as crianças estavam a tirar partido do sol do fim da tarde, saltando ao eixo e jogando às caçadinhas enquanto as mães preparavam o jantar.

Matilda fez no pequeno fogareiro um estufado de coelho com bolinhos de massa, condimentados com salva brava. Matara ela própria o coelho, no dia anterior, e a pele estava pendurada a secar, pronta a juntar-se às muitas outras que coleccionara ao longo da viagem, para serem mais tarde transformadas numa colcha. Enquanto o estufado fervia, retirou o colchão da carroça para lhe dar uma boa sacudidela e o arejar. Tabitha fora brincar com as outras crianças e *Treacle* estava a dormitar debaixo da carroça.

Pouco depois, aproximou-se o capitão Russell, em largas passadas. Dava para perceber que fora tomar banho no riacho porque o seu cabelo louro estava molhado e ele trazia uma camisa lavada. — Isso cheira bem — disse ele, baixando-se para inalar com satisfação o aroma do tacho.

— Fique e jante connosco — disse ela, mexendo os bolinhos. Uma das mulheres alemãs tinha-lhe ensinado a prepará-los, e eram do que Tabitha mais gostava. — Está quase pronto e há que chegue para três.

Ele sorriu, os seus olhos azuis semicerrando-se de prazer. — Gostava muito — disse ele. — Mas não vim aqui para pedir de comer, vim dizer que quando chegarmos a The Dalles, arranjei as coisas para ir na primeira canoa rio abaixo com o Carl; depois pomos a sua carroça numa jangada.

— Obrigada, capitão — disse ela, em voz baixa, erguendo os olhos para ele através das pestanas. Carl, o batedor, tinha uma mulher índia que pertencia a uma das tribos que viviam ao longo do rio Columbia. Deduziu que o capitão tomara estas providências pois o facto de conhecer Carl podia constituir uma ajuda caso o bebé nascesse de repente. Embora sensibilizada com a sua atenção, achava que ele não devia dar-lhe tratamento preferencial. Mas, antes de poder exprimir esta opinião, Tabitha apareceu a correr e o capitão abriu os braços para a levantar, fazendo-a rodopiar e guinchar de riso.

— Mais, capitão — gritou ela alegremente quando ele a pousou no chão.

— Se fores capaz de me tratar por James — disse ele.

Tabitha estava tonta e rodou nos calcanhares, tentando olhar para ele com um ar sério. — A Matty disse que não posso tratá-lo com familiaridade — disse ela.

O capitão desatou a rir. — Deixares que alguém te faça rodopiar parece-me bem familiar — disse ele.

Matilda riu-se com eles. Sentia-se feliz esta noite. O tempo estava bom, havia bom pasto e água em abundância e o estufado de coelho era o melhor que já preparara. Não via razão para proibir Tabitha de tratar pelo primeiro nome um homem que se revelara tão bom amigo.

— Vão os dois lavar as mãos — disse ela, apontando para o balde. — E depois sentem-se, que o jantar está pronto.

Foi uma noite divertida. O capitão contou-lhes muitas histórias engraçadas sobre personagens estranhos que conhecera em caravanas anteriores e Matilda, por sua vez, fez-lhe relatos de pessoas que conhecera em Londres. Tabitha ria-se de todas as histórias e, mais tarde, quando foram ter com os outros em redor da enorme fogueira e Mr. Ferguson pegou no acordeão para tocar algumas jigas, conduziu a dança, fazendo par com o capitão.

Matilda sentou-se num banquinho, vendo as pessoas a divertir--se. A luz da fogueira suavizava os rostos mais feios, o calor e a boa comida amoleciam os mais carrancudos. Observou também as mudanças dramáticas que a longa viagem operara em todos: mulheres que eram gordas e pálidas à partida eram agora magras e morenas, vestidos e chapéus impecáveis estavam agora rotos e desbotados. Homens que eram pomposos e arrogantes no início da viagem estavam mais meigos, outros aparentemente fracos haviam-se tornado assertivos. A trilha pusera toda a gente à prova, a morte e os ferimentos graves haviam afectado quase todas as famílias, havia casamentos desfeitos, convicções anteriores perdidas, e eram poucos os que não tinham concluído que estavam mal equipados, mental e fisicamente, para uma viagem destas. As crianças haviam-se tornado indisciplinadas e o contacto próximo com as outras levava-as muitas vezes a questionar a autoridade dos pais e os códigos de comportamento.

No entanto, de uma maneira geral, Matilda considerava que todos haviam, de algum modo, beneficiado. Todos haviam adquirido novas competências e capacidade de resistência, enfrentavam o desastre com coragem e as amizades fortes forjadas pelo caminho enriqueciam as suas vidas. Mas eram as mulheres as mais beneficiadas, na sua opinião. Antes de partirem, eram passivas, vergavam-se à vontade dos maridos, olhando silenciosamente pelas famílias e raramente exprimindo uma opinião sobre o que quer que fosse. Aos poucos, na viagem, o seu engenho, inventividade e paciência natural haviam-lhes conferido um novo estatuto, elevando-as a uma posição igual à dos homens, com voz própria. Matilda esperava que não abrissem mão destas conquistas quando a trilha terminasse e se encontrassem instaladas nas suas novas vidas. Pelo seu lado, sabia que jamais seria subserviente em relação a quem quer que fosse.

Durante a noite, acordou com uma dor no estômago e pensou que era por ter comido de mais. Alguns momentos depois, a dor desapareceu mas, quando estava novamente a adormecer, voltou.

Através do orifício por onde passava a corda na traseira da carroça, viu as estrelas a cintilar num céu negro e aveludado, mas a luz difusa e alaranjada das brasas ainda a brilhar na fogueira sugeria que ainda faltava muito para alvorecer.

Agarrada à barriga e massajando-a para aliviar a dor, apercebeu-se imediatamente de que não tinha nada a ver com excesso de comida. Era o bebé que estava prestes a nascer.

A sua primeira reacção foi de consternação. Ao jantar, o capitão dissera que achava que Carl as conseguiria pôr em Oregon City ao fim de duas semanas de barco, e ela alimentara a esperança de que o bebé esperasse até lá.

Porém, ali deitada à espera de uma terceira dor e a ouvir o pio das corujas, o vento nos abetos e Tabitha a ressonar suavemente ao seu lado, achou que fazia todo o sentido dar à luz aqui. Não havia lugar mais belo, sabia que lhe bastaria pedir e as pessoas correriam a ajudar. O seu filho ou filha seria um verdadeiro americano, imbuído à nascença do espírito deste bravo e esplêndido país.

— Vem depressa, meu pequenino — murmurou ela na escuridão, afagando com ternura o ventre duro e redondo. — Estou à tua espera.

Permaneceu calmamente deitada. As dores foram-se tornando cada vez mais fortes e frequentes até serem praticamente contínuas, mas ela concentrou-se no pedacinho de céu que via através da traseira da carroça, esperando que clareasse antes de acordar Tabitha.

Sentiu a presença reconfortante de Giles e de Lily e, para se tranquilizar, puxou para cima a manta que ela e Lily haviam feito, lembrando as palavras de Lily: «Vamos usar muito tecido vermelho. É a cor da paixão», naquele dia na cozinha.

Quando o céu começou gradualmente a clarear e as cores da manta se tornaram mais vívidas, cada uma delas pareceu revestir-se de um poderoso significado. O verde dos campos ingleses, o púrpura das violetas que outrora vendera em Londres, o laranja do cabelo do irmão e o azul-esverdeado do Atlântico que haviam atravessado, rumo a uma nova vida. O amarelo dos milheirais por que haviam passado a caminho do Missouri, o turquesa dos céus durante a maior parte da viagem até aqui. O rosa do vestido que envergara na primeira noite em que conhecera Flynn, o branco da camisa de dormir que trazia quando Giles a tomara nos braços na cozinha, na noite da tempestade.

À medida que foi clareando, viu também a personalidade de Lily e a sua incorporadas na manta. Lily usara tons das mesmas cores nos seus quadrados, para lhe conferir um efeito discreto e esbatido, semelhante ao modo como vivera a sua vida. Matilda contrastara vermelho com amarelo, púrpura com laranja, arrojada e imperiosamente.

De súbito, o sol nasceu, infiltrando-se na carroça e incidindo sobre o rosto de Tabitha. Com o seu cabelo escuro e normalmente liso despenteado e as faces rosadas do sono, parecia-se muito mais com Giles do que com Lily e, mesmo no meio das dores, Matilda sentiu o coração inchar de amor por ela.

— Tabitha, acorda! — disse ela, suavemente, afagando-lhe a cara.

A criança despertou instantaneamente, esfregando os olhos. — Sonhei com a mamã e o papá. Estavam aqui connosco. Chorei durante o sono?

— Não, acordei-te porque preciso que vás chamar Mrs. Jacobson. É que o bebé já quer sair. — Uma dor mais forte chegou nesse momento e foi a custo que reprimiu um grito. — Veste-te e vai buscá-la. De certeza que ela te deixa lá ficar com os filhos até eu te poder mostrar o bebé.

A criança virou-se para ela, os olhos carregados de desconfiança, e Matilda recordou-se que, da última vez que a mandara ficar com outra criança, a mãe morrera na sua ausência. — Vai correr tudo bem — disse ela, forçando um sorriso radioso e alegre. — Acho que o bebé não deve demorar muito. Vá, despacha-te, porque preciso mesmo da ajuda de Mrs. Jacobson.

Tabitha saiu da cama e vestiu-se numa questão de segundos, sentando-se na ponta da carroça para calçar as botas.— Não vou lá ficar — declarou ela, olhando por cima do ombro e franzindo a testa a Matilda. — Venho para aqui e fico à espera lá fora. Quero ser a primeira a pegar no meu maninho.

Matilda tentou levantar-se assim que Tabitha desapareceu. Colocara tudo o que era necessário numa caixa de madeira que enfiara na cabeceira da cama. Conseguiu rolar de modo a cair de gatas, mas outra dor surgiu então, obrigando-a a ficar nessa posição.

Ainda estava a debater-se para tirar a caixa quando Mrs. Jacobson chegou. Era uma mulher alta e robusta, de quarenta e poucos anos, com cabelo grisalho, e bufou ao subir para a carroça.

— Que diabo está a fazer, Mrs. Jennings? — perguntou ao deparar-se com a visão do traseiro de Matilda. — Isso não é posição para se ter um bebé.

Matilda conseguiu a custo fornecer uma explicação e a mulher avançou, retirou a caixa e voltou a deitar Matilda. Levantou-lhe a camisa de dormir, pousou-lhe suavemente as mãos na barriga no momento em que se deu outra contracção, e acenou com a cabeça.

— Cá para mim, está cheio de pressa — disse ela com ar de entendida. — É melhor estarmos prontas para o receber. Nunca fiz isto de joelhos, mas há uma primeira vez para tudo.

A mulher era extremamente confiante e despachada. Em dois tempos, colocara a protecção de borracha debaixo de Matilda, um lençol de algodão e por fim papel grosso castanho, e arranjara um balde para a placenta. Tinha levado com ela fio e uma lata com farinha alourada que disse ser para o cordão umbilical. Pousou estas coisas, juntamente com uma faca e um lençol branco lavado para embrulhar o bebé, na caixa de madeira, que colocou ao lado da cama.

— Tenho de ir pedir a alguém que me ferva água — disse ela. — Se tiver vontade de fazer força antes de eu voltar, faça-o.

Mal saíra da carroça quando veio outra contracção e foi tão violenta que Matilda gritou. Mas, mesmo acometida da dor lancinante, lembrou-se de que Tabitha podia estar lá fora e mordeu a almofada.

As dores sucederam-se, cada uma mais forte do que a anterior, a ponto de ela pensar que ia morrer. Sentiu um fluido escorrer de dentro dela e começou a chorar mas, subitamente, Mrs. Jacobson estava de volta e conseguiu aproximar-se dela, pousando-lhe uma mão na testa.

— Não foi nenhum acidente — disse ela com doçura, — Foram só as águas que rebentaram. Aposto que com a próxima contracção vai querer empurrar.

Tinha razão. A sensação chegou e não pôde ser ignorada. Parecia que o bebé a estava a incitar para que o ajudasse a sair. Empurrou com tamanha força que começou a grunhir como um porco e a mulher mais velha colocou-se de joelhos à sua frente, pegou-lhe nos dois pés e pousou-os nos ombros.

— Na próxima, faça pressão contra mim com toda a força — ordenou-lhe ela. — Dê tudo o que tem e mais. Lembre-se que os meus joelhos já não são o que eram.

Chegou outra contracção e Matilda obedeceu, empurrando com tanta força que teve medo de atirar com Mrs. Jacobson para fora da carroça. Mas ela permaneceu imóvel como uma pedra e continuou a encorajá-la.

— Já lhe estou a ver a cabeça — disse ela, a sua voz subindo de tom de tanta excitação. — Tem cabelo escuro. Vá, pense nele e empurre-o cá para fora.

Matilda respirou fundo quando a contracção seguinte chegou e, sustendo a respiração, expirou lentamente enquanto fazia força, as mãos apertando os lados da cama.

— Isso mesmo, está a sair — disse alegremente Mrs. Jacobson. — É rija, não há dúvida, ele há-de estar cá fora e ainda ninguém acordou.

O sol entrava agora em cheio pela traseira da carroça e ocorreu a Matilda que alguém que passasse veria perfeitamente o que se estava a passar. Mas não quis saber, estava unicamente concentrada em preparar-se para a próxima contracção e dar à luz o bebé sem demoras.

Voltou a empurrar, com todas as forças que tinha, e teve a sensação de que estava a desfazer-se.

— A cabeça já cá está — exultou Mrs. Jacobson. — Não empurre mais, linda, respire só e deixe-o sair por ele.

Matilda recompôs-se o suficiente para se apoiar sobre os cotovelos. Para seu espanto, viu a cabecinha escura do bebé a espreitar entre as suas pernas. Veio outra contracção e ela respirou, ofegante, deixando-se cair novamente na cama ao experimentar uma sensação fluida, quente e viscosa.

— É uma menina! — gritou Mrs. Jacobson, exaltada. — Estava capaz de jurar que ia ser rapaz, é para ver o que eu entendo destas coisas!

Matilda soergueu-se de novo para ver a bebé nos braços da mulher mais velha. Era vermelho-escura, roliça e reluzia à luz do amanhecer. Por um momento a sua imobilidade assustou Matilda, que se preparava para perguntar que problema ela tinha, quando rebentou um grito forte e zangado e ela esperneou com uma certa indignação.

— Linda menina — disse Mrs. Jacobson, rindo. — Uma pequena lutadora, igual à mãe.

Pousando a bebé na barriga de Matilda, explicou que ia só «tratar do necessário». Matilda não sabia nem queria saber o que isso significava. A dor desaparecera e tinha uma filha forte e saudável. Pôr-lhe-ia o nome de Amelia, o segundo nome de Lily, o sol brilhava, e dentro de poucas semanas estaria com Cissie. Tudo estava em ordem no mundo.

— É rija, esta — Mrs. Jacobson informou o capitão Russell uma hora mais tarde. — Não emitiu um pio, excepto para chorar de alegria quando pegou na bebé. Eu ainda nem tinha a água fervida. Mas não sei para que é que lhe estou a contar isto tudo. Imagino que seja como qualquer homem, que julga que ter um filho é como descascar ervilhas.

— Eu sei que não é — disse ele, olhando na direcção da carroça das Jennings e desejando ter o direito de lá entrar e lhe dizer que se orgulhava dela. — Só agradeço ao Senhor por tê-la poupado ao suplício por que a maioria das mulheres passa.

Por um momento, os dois ficaram ali a sorrir um ao outro. Até agora, não tinham trocado mais que uma dezena de palavras durante a viagem, não tendo nada em comum senão a vontade de chegarem ao Oregon depressa e a salvo. Mrs. Jacobson era feia, gorda e prematuramente envelhecida do trabalho agrícola e dos nove filhos, e a sua única ambição era que os filhos tivessem uma vida melhor do que a que lhe calhara a ela.

Ele era atraente, de um modo selvagem, magro e duro, nascido no seio de uma família rica a que virara as costas. Vivia a vida de dia para dia e não possuía ambições, pois vira muitas pessoas morrer sem concretizar as suas. Mas estavam agora ligados pela admiração partilhada e pelo seu afecto por Matilda e ele sentia-se eufórico por ela ter ultrapassado com sucesso os perigos do parto.

— Vá vê-la — disse Mrs. Jacobson, subitamente consciente de que o capitão tinha os olhos cheios de lágrimas. — Quer-me parecer que pessoas solitárias como os dois têm muito em comum.

James parou na traseira da carroça, com o chapéu na mão. Matilda estava deitada, apoiada contra as almofadas, com a bebé na curva do braço. O seu cabelo louro estava solto, caindo-lhe sobre a camisa de dormir branca e a cabeça da menina como um rolo de cetim dourado.

Ao longo dos anos, vira muitas mulheres imediatamente depois de darem à luz, mulheres de oficiais e soldados, parentes e em caravanas de carroças. Mas nunca até então presenciara tamanha serenidade no rosto de uma mulher nem sentira tal onda de absoluta ternura.

— Parabéns — disse ele, subitamente tímido perante tanta beleza. — Vim só felicitá-la. Soube que conseguiu tudo como sempre, praticamente sozinha!

Ela sorriu e os seus olhos eram tão azuis como o céu sobre as suas cabeças. — Não é verdade. Sem Mrs. Jacobson, não teria conseguido.

— Ela parece um cão com quatro caudas, de tanta felicidade — disse ele. — Seria de pensar que, depois de ter nove filhos, já não teria nada para dizer sobre o assunto. Mas anda por aí agora a informar toda a gente. Acho melhor ficarmos por aqui um dia para as pessoas celebrarem.

— Acho que ninguém vai fazer isso, tirando eu e a Tabby — disse ela.

— Engana-se — disse ele, sentando-se na traseira da carroça. — Olhe que conquistou aqui muitos corações. Sinceramente, não sei como consegue quando chama às pessoas paspalhos e outras coisas do género, mas pelos vistos conquistou. Então, posso ver a pequenina?

Ela indicou que sim e rodou a bebé nos braços.

James não queria simplesmente vê-la, queria pegar nela ao colo. Entrou na carroça e rastejou de joelhos até Matilda, pegando na bebé com as duas mãos.

— Linda como a mãe — disse ele, levantando-a e beijando-lhe o nariz. — Só te desejo que não sejas tão peneirenta.

Matilda soltou uma risadinha. Era cómico ver um homem tão rijo com uma bebé tão pequenina ao colo. — Oh, há-de sê-lo — disse ela. — Vou treiná-la desde cedo, e a atirar também.

Ele sorriu, sentado na ponta da cama, os joelhos desajeitadamente erguidos, e embalou a bebé nos braços, olhando atentamente para ela. A sua pele era mais escura que a da mãe e o cabelo negro como a noite. — Não é parecida consigo — disse ele, afagando-lhe ternamente o cabelo. — Imagino que saia ao pai.

— Também espero que tenha herdado a natureza dele e não a minha.

James virou-se ligeiramente para Matilda, viu as lágrimas nos olhos dela e, segurando na bebé com um braço, deu uma palmadinha no dela com a mão livre.

— Não há melhor altura para lhe dizer que sei quem ele era — disse ele, em pouco mais que um sussurro. — Não se preocupe, ninguém mais sabe além de mim e, pelo que ouvi, era um homem ainda mais excelente do que diz. Só lhe digo isto agora porque neste momento imagino que precisa de alguém com quem partilhar esse segredo e talvez falar sobre ele. Estou certo?

Ele viu o rosto dela endurecer momentaneamente e suavizar-se depois pouco a pouco. Uma grande lágrima rolou-lhe pela face.

— Íamos casar-nos. Ele foi a St. Joseph arranjar um ministro e apanhou um tiro.

— Foi o que me constou — disse ele, acenando com a cabeça. — Peço desculpa se lhe mexi com os nervos no princípio da viagem, calculo que também fui um paspalho. Mas tem aqui um amigo, sempre que precisar. Respeito-a profundamente.

— Obrigada, James — murmurou ela.

— O quê, já não sou capitão? — disse ele, fingindo-se indignado.

— Não se pode tratar uma pessoa por capitão quando ela conhece os nossos segredos — disse ela, limpando os olhos à manga. — E é melhor passar-me a menina e desandar daqui antes que as pessoas comecem a estranhar.

Duas semanas mais tarde, enquanto o guia índio segurava na canoa na margem do rio Columbia, James deu um beijo a Tabitha e ajudou-a a embarcar. — Porta-te bem, olha pela Matty e que Deus te abençoe — disse ele.

Estava a chover torrencialmente; ele via que o rio estava a subir e não era capaz de suportar a ideia do perigo mais adiante nos rápidos de Cascade. Mas Matilda estava determinada em seguir o mais depressa possível para junto dos amigos, senão seria obrigada a passar todo o Inverno em The Dalles, e Carl escolhera a dedo o guia, pois era o homem mais experiente no território.

James voltou-se então para Matilda. Parecia muito pequena e frágil debaixo da capa de borracha, os olhos carregados de medo, embora continuasse a esforçar-se por sorrir.

— Obrigada por tudo, James — disse ela timidamente, olhando para a bebé, abrigada debaixo da capa. — Sinceramente, não sei o que teríamos feito sem si. Vamos sentir a sua falta.

James avançou e beijou primeiro o alto da cabeça da bebé e depois a face de Matilda. Havia muitas coisas que queria dizer, mas estava embargado pela emoção e as palavras que ensaiara na noite anterior não surgiam.

— Também vou sentir a sua falta — foi tudo o que conseguiu dizer, amaldiçoando-se por perder agora a coragem. — Confie no Urso Branco. Ele pode não falar inglês, mas é bom homem e ninguém conhece melhor o rio do que ele.

— Escreve-me? — perguntou ela, olhando-o nos olhos e levantando a mão livre para lhe tocar na cara.

James assentiu com a cabeça. Mas, ao olhar para trás, viu as outras pessoas que tinham ido despedir-se de Matilda. Haviam feito as despedidas, abrigados pelas árvores, e ele sabia que não podia demorá-la mais. — Boa sorte — disse numa voz comovida e, pegando-lhe no braço, ajudou-a a entrar na canoa, baixando-se para lhe aconchegar a capa ao corpo. Virou-se então para Tabitha. — Eu olho pelo *Treacle* — disse ele. — Segue mais tarde na jangada com a carroça para guardar as vossas coisas.

Achou estranho ser capaz de tranquilizar uma criança a respeito de um cão, mas não ser capaz de dizer à mãe que se apaixonara por ela.

Urso Branco saltou agilmente para a canoa, pegou na pagaia, e com um impulso a canoa deslizou lestamente para o meio da corrente.

Atrás de James soou um coro de despedidas dos outros membros da caravana. Alguns correram ao longo da margem a acenar e a gritar mensagens de última hora.

James limitou-se a permanecer ali, observando a pequena embarcação a sulcar a água. O seu coração estava tão carregado como o céu em cima.

Às quatro horas de uma tarde de Outono enevoada e fria, quatro semanas mais tarde, Matilda estava a conduzir a carroça por um trilho estreito, lamacento e esburacado. À direita e à esquerda estendiam-se prados de ervas altas e ondulantes, à esquerda o terreno descia em declive até um pequeno riacho. À sua frente, distinguia uma pequena cabana de troncos e, atrás desta, um bosque denso. As folhas caíam agora intensamente, o solo estava coberto por um tapete de vermelho, dourado, laranja e amarelo e pairava um cheiro a lenha queimada no ar. Nunca nada se revestira de tanta beleza.

— É a casa da Cissie? — perguntou Tabitha, apertando a pequena Amelia bem contra o peito.

— Bem, dizia «Duncan» na tabuleta ali atrás — disse Matilda, com uma gargalhada. — E dá a sensação de que chegámos ao fim da trilha.

As últimas semanas tinham sido mais um teste à sua capacidade de resistência. Urso Branco era um guia experimentado, mas chovera constantemente, os rápidos eram aterradores e, quando não estava transida de medo, encharcada até aos ossos e a usar de todas as suas faculdades para manter a pequena Amelia e Tabitha secas e seguras, Matilda só podia rezar para que não morressem afogadas tão perto do termo da viagem.

À noite, acampavam numa tenda tosca improvisada em plena floresta. Eram mordidas pelos insectos, ouviam lobos a uivar, imaginavam-se atacadas por ursos e, sempre que a bebé acordava a gritar por mais comida, Urso Branco espreitava para dentro da tenda. De dia, Matilda sabia que era por preocupação com ela e as crianças, mas no escuro, os seus movimentos silenciosos e língua incompreensível causavam-lhe pânico e ela desejava ter contrariado James e insistido em trazer *Treacle* com elas. Tabitha apanhou um forte resfriado, a febre provocando-lhes suores quentes e frios, mas continuou a sorrir corajosamente como se estivessem num piquenique escolar de domingo.

Após inúmeras passagens por água violentas, longas escaladas por terreno pedregoso, com a pequena Amelia amarrada a uma tábua às costas dela como uma criança índia, Matilda ansiava por um banho, roupa seca, uma cama aconchegada, uma chávena de chá quente e doce e outro adulto que falasse inglês e a tranquilizasse, dizendo que em breve tudo estaria terminado. Somente uma determinação obstinada e a certeza de que, se desanimasse, estariam perdidas lhe davam alento.

Mas chegaram a Oregon City. O ministro local e a mulher acolheram-nas em casa e, finalmente, pôde tomar um verdadeiro banho, secar convenientemente as fraldas, dar de mamar a Amelia em condições de conforto e apaparicar Tabitha enquanto esperavam pela chegada de jangada da carroça, dos bois e de *Treacle*.

O Outono chegou em força, trazendo chuvas intermináveis e ventos frios mas, a salvo dentro de casa, sentada à lareira, com a bebé em segurança nos braços e Tabitha cheia de saúde ao seu lado, Matilda só podia agradecer a Deus tê-las conduzido até aí.

Ainda chovia torrencialmente quando a carroça chegou, e a água do rio havia danificado muitos dos seus haveres, mas a alegria de *Treacle* ao vê-las de novo foi encorajadora. Matilda não tinha mais do que um mapa vago da casa dos Duncan, desenhado pelo ministro, e *Treacle* apenas para as proteger, mas recuperara o seu velho entusiasmo e optimismo. A chuva parara finalmente, a paisagem era deslumbrante e até os bois pareciam sentir que estavam quase a chegar, estugando um pouco o passo.

— Está ali alguém — exclamou subitamente Tabitha. — Tem cabelo ruivo. É o Sidney?

Quando o rapaz começou a caminhar para elas, Matilda riu-se.

— É — disse ela, acenando-lhe com a mão. Ele hesitou, perscrutando na direcção delas e protegendo os olhos do sol da tarde. — Sou eu, Sidney — gritou ela a plenos pulmões. — A Matty!

— Matty! — gritou ele em resposta, num tom incrédulo, e depois correu para a cabana como uma lebre, chamando por Cissie aos berros. Assim que ela apareceu à porta, com um bebé contra a anca, ele largou a correr pelo caminho ao encontro de Matilda.

Nunca reencontro algum foi mais doce do que o momento em que Sidney estendeu os braços para a ajudar a descer e ela se lançou neles, rindo e chorando ao mesmo tempo. Ele começou a enchê-la de perguntas a que ela ainda não podia responder e logo Cissie começou a descer o declive a correr, com a criança aos saltos contra a sua anca.

Estacou junto dos bois, olhando para Tabitha em cima com o bebé ao colo. — Um bebé! — disse ela, incrédula.

Matilda assentiu com a cabeça e estendeu as mãos para pegar em Amelia.

— Onde está o Giles? — perguntou Cissie.

— Foi assassinado, Cissie — disse ela, mal conseguindo articular as palavras. — Logo a seguir à minha última carta. Antes de nos casarmos. Tinha de vir ter contigo. Eras a única pessoa que eu sabia que ia compreender. Não podia avisar-te, uma carta teria demorado tanto tempo como eu a chegar aqui. Não te importas?

Por um momento, Cissie limitou-se a olhar para ela, espantada. De súbito, os seus olhos verdes encheram-se de lágrimas e, ajeitando mais firmemente a filha gorducha, de cabelo escuro, contra a anca, estendeu o braço livre para Matilda. — Se me importo? — murmurou numa voz rouca. — Teria ficado mais furiosa que um cão raivoso se não tivesses vindo. Vá, entrem e contem-me tudo.

A cabana de troncos era apenas uma grande sala, com a cama de Cissie e John isolada por uma cortina, e uma cama mais pequena e um berço ao fundo, mas depois da carroça era como uma mansão. Havia duas pequenas janelas, um soalho de tábuas, uma mesa e bancos e um fogão autêntico. Cissie informou-as orgulhosamente de que John fizera a mobília e que eram as únicas pessoas das redondezas que tinham janelas de vidro e um fogão. Ele estava no local de construção da sua serração, Peter estava com ele, e voltariam por volta das sete para o jantar.

— É tão bonita — disse Matilda, sentindo-se de súbito muito constrangida por ter chegado sem avisar. Viu que os tapetes de trapos coloridos e as cortinas eram obra de Cissie e que ela tinha um aspecto de mãe de família com os caracóis escuros esticados para trás e presos num carrapito. Agora que se tornara respeitável, era bem capaz de ter desenvolvido também um carácter pudico!

Cissie pareceu sentir a ansiedade da amiga e, em lugar de continuar a interrogá-la, sugeriu que Sidney levasse Tabitha lá para fora para tirar a canga aos bois, sentou Susanna no chão com alguns blocos de madeira, tirou Amelia dos braços da mãe, mudou-lhe rapidamente a fralda e meteu-a numa caixa de madeira a dormir.

Mais tarde, enquanto tomavam chá e comiam rolo de fruta fresco, Matilda foi-se sentindo capaz de explicar o que acontecera desde a sua última carta, antes do assassinato de Giles.

— Não tenho palavras para exprimir o horror da morte dele, e depois descobri que estava grávida dele — desabafou. — Não podia ficar em Independence, sabes com certeza como teria sido. Mas vejo que estás bem instalada aqui, Cissie, se não nos quiseres cá, diz. Só vim porque não tinha mais ninguém para quem me virar.

Cissie levantou-se, pondo as mãos nas ancas com aquela familiar expressão de desafio nos olhos verdes. — Ouve bem, Matty. — Não comeces a pensar que estou uma presunçosa, sou a mesma Cissie de sempre, mesmo que agora traga uma aliança no dedo e tenha uma casa minha. Nunca me esquecerei da pessoa que me ajudou a sair daquela cave. Tenho uma dívida para contigo e é a minha oportunidade de a pagar. Por isso, nada de falar em ir para outro lado. Tu e os teus vão ficar aqui enquanto precisarem de nós.

Quando John chegou, já o jantar, uma grande panela de frango estufado, estava na mesa e Cissie colocara o berço de Susanna ao pé da cama que Sidney partilhava com Peter, tirara o colchão da carroça e preparara uma cama no chão para Matilda e Tabitha. Disse que John faria em breve uma cama a sério e que passariam o Inverno aconchegadas.

O acolhimento de John foi tão caloroso como o de Cissie. Ficou terrivelmente chocado ao saber da morte de Giles e ainda mais ao saber que Matilda tinha um bebé, mas rapidamente se recompôs e repetiu as palavras da mulher.

— Se não fosses tu e o reverendo — disse ele, estendendo o braço para lhe dar uma palmadinha tranquilizadora na mão —, duvido que o Peter tivesse sobrevivido e eu não teria conhecido a Cissie. Por isso, é com muito gosto que te recebo a ti, Matty, e às tuas filhas. Além disso, eu e a Cissie adoramos companhia. E estou muito agradecido por essas árvores de fruto também, custa a crer que nenhuma tenha morrido na viagem.

— No meu caso, houve alturas em que pensei que ia morrer — admitiu Matilda com uma gargalhada. — Mas suponho que as árvores não tiveram de fazer nada senão beber água.

Ao jantar, compararam histórias de horror sobre as viagens, rindo-se delas, agora que haviam passado. Aqueceu o coração de Matilda ver a felicidade de John e Cissie e como Sidney era tão importante para eles como Peter e Susanna. Ele ia metendo comida na boca da menina enquanto comia a sua e foi ele que lhe mudou a fralda e a deitou no berço.

— Sem ele, teríamos tido imensas dificuldades quando cá chegámos — disse John, sorrindo afectuosamente enquanto o rapaz aconchegava Susanna dentro de uma manta. — A Cissie não podia fazer muita coisa com a bebé sempre ao colo. Ele cortava árvores comigo, prendia-as atrás dos bois para as trazer para aqui e trabalhava como dois homens adultos. Agora que eu passo o tempo quase todo a pôr a serração a andar, ele faz quase tudo por aqui. Só espero que nunca se queira ir embora.

Sidney virou bruscamente a cabeça ao ouvir este último comentário e sorriu timidamente. — Não há nada que me faça ir embora — disse ele. — Vocês agora são a minha família.

Os últimos pensamentos de Matilda ao adormecer, nessa noite, ao lado de Amelia e Tabitha, foram sobre a última observação de Sidney. Também ela sentia que estava com pessoas de família. Era uma sensação agradável e reconfortante, como se nada pudesse voltar a magoá-la.

Na manhã seguinte, depois de John partir para a serração e de Sidney ter levado Peter e Tabitha para dar de comer aos animais, Matilda estava sentada ao pé do fogão a dar de mamar a Amelia enquanto Cissie começava a arrumar as coisas do pequeno-almoço.

— Fala-me mais desse capitão Russell — pediu Cissie de repente.

— Já te contei tudo ontem à noite — respondeu Matilda com uma certa surpresa.

— Não contaste nada — retorquiu Cissie. — Disseste quem ele era e que era bondoso contigo, mas quis-me parecer que era um pouco mais que um chefe de caravana.

Matilda riu-se. Cissie estava irreconhecível desde os seus primeiros tempos no lar, mas nem as roupas discretas e o cabelo escuro apanhado debaixo de uma touca erradicavam a rapariga da rua dentro dela. Nunca se desfizera completamente dos olhares matreiros de relance, dos comentários obscenos, do lampejo de malícia nos olhos verdes. Até certo ponto, ainda eram patentes quando passara por Independence, embora tão esbatidos que só alguém que a conhecesse bem daria conta.

Agora não havia nada que a distinguisse de qualquer outra esposa e mãe. Estava anafada, falava bem e o seu vestido cinzento, avental imaculado e a maneira como o cabelo escuro e encaracolado estava disciplinado transmitiam uma respeitabilidade absoluta. Contudo, esta última observação incisiva sobre o capitão Russell provava que não esquecera por completo as suas raízes.

— Oh, Cissie! — exclamou Matilda. — Na minha situação, não ia pensar num homem nesses termos. Simpatizei simplesmente com ele. E ficámos muito amigos.

Cissie revirou impacientemente os olhos. — Não estás a falar com um desses evangelistas — disse ela. — Estás a falar comigo! Sentiste-te atraída por ele, eu sei que sim, e pelo que disseste ele também ficou embeiçado por ti.

Matilda corou, mas, sabendo que Cissie não ia desistir do assunto, contou-lhe um pouco mais sobre ele, incluindo o facto de ele ser a única pessoa na caravana que sabia que ela não era viúva.

— Bem, e em que pé ficaram as coisas? — perguntou Cissie, sentando-se à mesa ainda por levantar e lançando um olhar penetrante à amiga. — Ele disse que te visitava?

Matilda abanou a cabeça. — Quando nos despedimos em The Dalles, beijou-nos a todas e desejou-nos felicidades. Pedi-lhe para escrever. Ele disse que sim. Foi tudo.

Cissie sorriu. — Já não é mau. Há-de aparecer aí um dia.

Matilda riu-se, pensando que a amiga estava a dar asas à imaginação. — Não aparece nada. Tem mais que fazer do que visitar uma mulher como eu com duas filhas a reboque.

Cissie só pôde sorrir à amiga, com um ar cúmplice. A sua vida de prostituta ensinara-lhe muito sobre os homens. Por tudo o que Matty lhe contara, supunha que este capitão Russell se apaixonara por ela. Duvidava que Matty fizesse realmente ideia de como era encantadora, não apenas fisicamente. Embora o seu cabelo louro, feições bonitas e olhos azuis bastassem à maioria dos homens, era dentro dela que estava o seu maior trunfo.

Na opinião de Cissie, Matty possuía uma intrigante combinação de inocência e de sensualidade natural. Com o seu vestido sem formas e estragado e as tranças impecáveis, tinha um ar puritano e recatado até falar e fixar as pessoas com a sua expressão directa e inabalável que dizia que não tinha medo de ninguém. Nenhum homem demoraria muito a detectar a sua força de vontade, coragem e bondade, especialmente se fosse inteligente como o capitão Russell parecia ser.

— Acredita no que te digo, vai aparecer — repetiu ela.

Amelia adormecera ao peito de Matilda. Ela levantou-a suavemente, abotoou o vestido e, embrulhando-a num xaile, deitou-a na sua caixa.

— Não posso amar mais nenhum homem — disse ela, com um suspiro. — Já não há nada dentro de mim.

Cissie ouviu a verdade nesta afirmação e viu a profundidade da tristeza nos olhos da amiga. Levantou-se e foi ter com ela, pousando-lhe uma mão no ombro. — Talvez penses isso agora, mas não há-de ser assim para sempre — disse ela, com ternura. — Daqui a seis meses, tudo será diferente.

A 1 de Abril de 1849, Matilda estava à porta da cabana a inalar o agradável aroma da terra da Primavera, e essas palavras de Cissie, seis meses antes quando chegara, assaltaram-na inesperadamente. Cissie tinha razão, tudo era diferente agora. Podia continuar a não querer um homem para amar — ter Amelia, Tabitha e Cissie por família era-lhe suficiente. Mas sabia que chegara o momento de pensar sobre o futuro.

Uma mancha verde e pálida de novas folhas cobria as árvores, a erva estava de novo a crescer e o riacho estava caudaloso graças à neve derretida que descia das montanhas. O Inverno aqui fora bastante ameno, comparado com Nova Iorque. Não houvera sequer geada, apenas chuva abundante, e ouvira dizer que era possível cultivar milho durante todo o ano. Dias antes, a porca parira catorze leitões e a vaca tivera dois vitelos, e Tabitha andava tão encantada com eles que não queria largar a sua companhia. Aqui nunca passariam fome, os rios transbordavam de peixe, havia coelhos, lebres e veados por toda a parte e tantas bagas diferentes que o difícil era escolher.

Adorava estar aqui, a beleza do cenário, o aconchego da cabana, a sensação de segurança na vida em comum com Cissie e John e a felicidade de ver as crianças brincar umas com as outras. Tabitha tinha agora nove anos e seguia Sidney, agora com catorze anos, para todo o lado. Tornara-se uma maria-rapaz, preferindo usar jardineiras a um vestido. Amelia quase conseguia sentar-se sozinha e o que mais adorava era estar deitada numa manta, ao pé de Susanna e de Peter, para poder observá-los.

De dia, Matilda trabalhava ao lado de Cissie, a cavar, a plantar hortaliças, a limpar e a cozer pão. À noite, remendavam roupa e faziam vestuário para as crianças, enquanto John se ocupava com algum trabalho de carpintaria. Fizera uma cama para Matilda e Tabitha, uma bela cama de pinho tão macio como cetim. Amelia passara para o berço de Susanna quando o pai lhe fez uma cama própria. Construíra uma cadeira de baloiço para o alpendre e um toucador de cerejeira para Cissie, tão bom como os que Matilda vira em Nova Iorque. Quase todos os dias falava em ampliar a cabana e construir quartos a sério, o que era a sua maneira de lhe dizer que esperava que ela ficasse para sempre com eles.

Além de tudo isto, havia a felicidade que retirava de Amelia. Era uma menina feliz e regalada, sempre sorridente e palradora. Muitas vezes, à noite, Matilda debruçava-se sobre o berço, só para a ver a dormir. Tinha pestanas pretas, espessas e longas, como leques, e as suas faces gorduchas eram rosadas, os olhos azul-escuros e o cabelo permanecera tão escuro e encaracolado como o de Giles. Mas, durante estas contemplações, Matilda sabia que Giles haveria de desejar mais, para ela e para Tabitha, do que crescerem meio selvagens numa cabana de troncos.

Lily e Giles haviam falado muitas vezes do futuro de Tabitha. Era sua intenção arranjar-lhe uma boa escola quando ela fizesse onze anos. Lily talvez se tivesse contentado se ela se dedicasse a actividades de senhora e casasse bem, mas Giles havia desejado muito mais. Tabitha era muito inteligente, a sua velha ambição de ser médica nunca a abandonara e até na viagem se lhe referira com frequência. Matilda achava que a profissão médica excluía as mulheres — se havia mulheres médicas, nunca ouvira falar em nenhuma —, mas sabia, sim, que para tentar sequer seguir uma carreira dessas era preciso ter primeiro a educação certa.

— Como vais arranjar dinheiro para isso? — disse em voz alta.

Finalmente, chegara uma carta dos Milson de Inglaterra, reencaminhada pelos Treagar em Independence. Matilda ficara chocada que um pai, respondendo à notícia da trágica morte de um filho, pudesse demonstrar tão pouca mágoa ou compaixão. Mal mencionava

Giles, dizendo apenas que fora um choque tremendo que o filho tivesse acabado os seus dias «abatido a tiro numa vila de fronteira». Descartava o pedido de Matilda para que se tornasse guardião de Tabitha, qualificando-o de «bem-intencionado, decerto, mas inapropriado», e dizendo que havia um orfanato para filhos de clérigos em Nova Inglaterra que seria o lar ideal para ela, onde teria as vantagens de uma boa educação cristã. Sugeria que Matilda contactasse o diácono local para este efeito. Não havia qualquer referência ao facto de ele ou qualquer membro da família tencionarem manter o contacto com Tabitha nem tão-pouco a oferta de auxílio financeiro. Terminava a carta laconicamente, dizendo esperar que Matilda encontrasse em breve outro emprego.

A frieza desta última frase dizia tudo, era uma lembrança de que ela não passava de uma humilde criada e de que podia manter o seu lugar. Era igualmente uma confirmação de que ele era um homem estúpido, além de insensível, porque preferia pensar que a neta receberia melhores cuidados num orfanato do que com alguém que a amara desde a infância.

Matilda queimou a carta sem nunca dizer a Tabitha que a recebera. A seu ver, era preferível a criança pensar que qualquer resposta se extraviara ou até que os avós tinham morrido do que conhecer a verdade. Como nada chegara dos Woodberry, os pais de Lily, tinha de presumir que se interessavam ainda menos.

Contudo, a sua revolta contra estas pessoas continha uma ponta de alívio; pelo menos não lhe haviam tirado Tabitha. Mas uma vozinha no seu subconsciente insistia em dizer-lhe que Mr. Milson podia muito bem ter escrito pessoalmente ao diácono a informá-lo dos seus desejos. Isso poderia trazer problemas no futuro.

Era em tudo isto e mais que Matilda ia a pensar a caminho do riacho para recolher água. Sabia que Cissie e John adoravam tê-la e às crianças em sua casa, alegavam que o trabalho que ela fazia valia muito mais do que aquilo que comiam, o que era provavelmente verdade, mas de qualquer modo não podia ficar indefinidamente com eles, não ficava bem.

Mas que podia fazer para se tornar independente? Tinha quarenta dólares, nada mais, que recebera da venda dos bois. Talvez pudesse reclamar um lote de terreno, mas como construiria uma cabana e compraria sementes de cultivo, ferramentas e animais com tão pouco? A sua ideia de dar aulas desabara por terra algum tempo antes, quando indagara em Portland. Esses cargos eram destinados a solteironas e o salário era tão baixo que elas tinham de viver com as famílias. Ninguém a aceitaria como criada, governanta ou para qualquer outro trabalho doméstico porque tinha filhas.

— Andaste esquisita o dia todo — disse Cissie, num tom acusador, quando estavam a preparar o jantar. — O que é que se passa?

Embora Cissie não fosse capaz de ler senão as palavras mais simples, Matilda descobrira que ela era extremamente perspicaz. John dissera uma vez, afectuosamente: «Ela é um melro de bico amarelo», e era verdade. Fazia tudo por instinto — cozinhar, criar os filhos e cultivar a terra — e o seu instinto trazia-lhe mais resultados do que às pessoas que estudavam por livros. Mas o seu maior talento era com as pessoas; era capaz de perceber, só pelo aspecto, se alguém era merecedor de confiança ou não. Pressentia a ansiedade ou o segredo mais bem escondido.

Sabendo que ela não descansaria enquanto não lhe arrancasse tudo, Matilda confidenciou-lhe os seus pensamentos.

— Adoro estar aqui contigo, Cissie — terminou, cheia de medo de poder ter ofendido a amiga. — Mas não posso ficar para sempre.

Cissie surpreendeu-a ao concordar. — Eu gostei muito de estar no Lar para Crianças Abandonadas e Sem Abrigo — disse ela. — Depois de ter um filho, o que uma pessoa quer é segurança e comida. Mas comecei a desejar mais, uma casa minha, um marido. Às tantas era boa ideia ver se te arranjamos marido.

Matilda empertigou-se. — Arranjar um homem para olhar por mim e pelas raparigas não é solução para mim — atalhou ela. — Quero a minha própria vida.

— Então que vais fazer? — retorquiu Cissie, pondo as mãos nas ancas, os olhos chispando de irritação. — Voltar a vender flores na rua?

— Duvido que as pessoas no Oregon comprassem flores — disse Matilda, levantando o nariz. — Pelo que vi dos teus vizinhos, são demasiado insípidos para quererem dar beleza às suas vidas.

— Isso não é justo e também não é verdade — argumentou Cissie. — Sabes muito bem que a gente da cidade só compra flores para disfarçar o mau cheiro debaixo do nariz, por isso não te ponhas com ares superiores comigo.

Matilda sentiu-se então envergonhada, sabia que Cissie estava a insinuar que ela também a considerava insípida. — Desculpa — disse ela. — As pessoas daqui não têm nada de mal e muito menos tu. Acho que só estou a ser má porque não sei o que fazer. Como é que posso ganhar dinheiro suficiente para dar às minhas filhas uma boa educação?

Cissie encolheu os ombros. — Para mim, alimentá-los bem e amá-los chega — disse ela com uma expressão de perplexidade nos olhos. — Não sei nada sobre educação.

— Passaste muito bem sem ela — disse Matilda, num tom reconfortante. — Mas as coisas estão a mudar, Cissie; quando os nossos filhos forem adultos, será indispensável a toda a gente. Não te preocupas com o Peter e a Susanna?

— Podem ir para a pequena escola ao lado da serração quando tiverem idade — disse Cissie obstinadamente. — E eu e o pai podemos ensinar-lhe tudo o resto que precisarem de saber.

Matilda calou-se, sabendo que Cissie esperava que os filhos nunca sentissem a tentação da cidade, que ficassem sempre ali e que, a seu tempo, se ocupassem da serração. Não podia escarnecer das suas modestas ambições, Cissie conhecia o perigo das cidades e talvez imaginasse que a educação despertaria a curiosidade deles a respeito do mundo para lá destas montanhas e florestas de pinheiros. Contudo, embora compreendesse Cissie e soubesse que ela e John haviam trabalhado duramente para construir este refúgio seguro para os filhos, era o refúgio e o sonho deles, não os seus.

CAPÍTULO 16

Uma tarde, em meados de Maio, Matilda e Cissie estavam a tirar a roupa seca do estendal quando John apareceu a cavalo pela estrada numa fúria, o cavalo alagado em suor da cavalgada feroz.

— O que é que se passa? — gritou Cissie, largando a roupa no cesto e correndo ao seu encontro.

John trabalhava muitas horas na serração e raramente chegava a casa antes das seis e meia da tarde e, por isso, Matilda imaginou imediatamente o pior, que ele ouvira dizer que se dirigiam para aqui índios hostis. Olhou nervosamente para a cabana onde as crianças estavam a brincar no alpendre.

— Ouro! — gritou John, saltando do cavalo. — Descobriram ouro na Califórnia, carradas dele!

Matilda soltou uma gargalhada, principalmente de alívio por não serem índios, mas também porque era pouco comum ver John, sempre tão sensato e sóbrio, numa tal excitação. Mas, ao olhar para Cissie, viu alarme na sua expressão perante um comportamento tão incaracterístico.

— Foi por essa razão que deixaste a serração, grande palerma? — gritou-lhe ela. — Não tens juízo suficiente para não acreditar em histórias da carochinha?

— Não é nenhuma história da carochinha — disse John, indignado. — É verdade, Cissie, e metade dos homens na cidade já se está a preparar para partir e deitar a mão a algum.

— Pois, são burros — repontou Cissie. — Quem é que já ouviu falar de ouro à espera de ser apanhado?

Matilda decidiu não se intrometer, embora calculasse que tinha de ser verdade, porque o capitão Russell falara desse rumor um ano antes, e assim continuou a apanhar a roupa. John foi prender o cavalo debaixo de uma árvore; ficara claramente desanimado ao ver que se metera numa trapalhada em lugar de ter sido portador de notícias empolgantes. Quando acabou de dar de beber ao cavalo e de o esfregar, já Cissie e Matilda estavam de novo na cabana a dobrar a roupa para ser engomada.

Cissie voltou novamente ao ataque assim que ele entrou, admoestando-o por ter abandonado o trabalho mais cedo, pois podia ter perdido clientes.

— Ninguém queria madeira hoje — disse ele, encolhendo os ombros. — Não te passa pela cabeça, Cissie, as pessoas estão a enlouquecer. Está toda a gente a arranjar maneira de chegar à Califórnia.

— Estou admirada que não tenhas jungido um par de bois e partido — disse Cissie num tom ríspido. — Ou estavas a pensar em ir nesse pobre cavalo que já quase mataste à chicotada?

— Alguma vez disse que queria ir? — perguntou ele, agarrando em Cissie para a abraçar. — Achas que deixava a minha querida e os meus meninos por uma saca de ouro?

O seu tom era de brincadeira e a fúria de Cissie evaporou-se com a mesma rapidez com que estalara. Devolveu o abraço e riu-se. — Então porque é que vieste para casa com tanta pressa?

— Porque pensei que eras capaz de gostar de dar lá um salto para ver os homens a correr para as lojas a comprar mantimentos e ferramentas — disse ele. — Nunca vi nada assim.

Durante o café, discutiram mais o assunto e finalmente decidiram que era demasiado tarde para ir agora, mas que iriam logo pela manhã. Cissie tinha muitos frascos de compota e conservas do Outono anterior que podia levar para vender, e de manhã haveria também pelo menos uma dúzia de ovos frescos.

— Pode ser que consiga vender a minha carroça a alguém — disse Matilda pensativamente. Estava guardada na serração desde a sua chegada e até agora nunca imaginara que alguém pudesse querer comprá-la.

— De certeza que consegues — concordou John, sorrindo de orelha a orelha. — Os cavalos e as mulas estão a render bom dinheiro. Quem me dera alguns que pudesse vender.

Passaram a noite toda a falar de ouro, John enumerando as pessoas suas conhecidas que estavam a preparar-se para partir e os mexericos que ouvira sobre cada uma delas.

— A mulher do Jonas Ridley está completamente doida — disse ele. — Consta que ela disse que se junta com outro homem se ele partir.

Cissie desatou a rir com isto porque Mrs. Ridley era uma mulher gorda e feia com cinco filhos e famosa por ser uma autêntica peste. — Não me parece que encontre muitos homens com vontade de tomarem o lugar do Jonas — disse ela.

Matilda contou-lhes que o capitão Russell previra o furor das pessoas, se os rumores fossem verdade, e que na opinião dele os mais inteligentes deixariam os idiotas precipitar-se para começar a extrair o minério e que entretanto pensariam em maneiras de fornecer bens ou serviços para fazer uma fortuna mais segura.

John ficou pensativo ao ouvir isto. — Se calhar podia fornecer madeira para esteios de mina e coisas assim — disse ele.

— Não vais a lado nenhum — apressou-se Cissie a dizer.

John sorriu da sua expressão ansiosa. — Nunca te hei-de deixar — disse ele. — A minha casa é aqui e é aqui que vou ficar. Vou ser um desses tipos inteligentes de que o capitão da Matty falou, hei-de descobrir uma maneira de ganhar uns cobres com esta corrida ao ouro sem nunca sair do Oregon.

Foram estas palavras de John que ficaram no espírito de Matilda muito depois de se terem ido deitar. Por mais voltas que desse à cabeça, não via de que modo John podia organizar um negócio com os mineiros a uma tão grande distância. Achava que só quem estivesse no local obteria encomendas de madeira, ferramentas, obras de construção e afins.

Oregon City *enlouquecera*, tal como John dissera, e era claramente contagioso porque, embora os homens que se acotovelavam, empurravam e debatiam para comprar picaretas, pás e armas de fogo nas lojas viessem sobretudo de cabanas nas montanhas altas e de quintas isoladas, até os residentes calmos e sóbrios, que possuíam há vários anos casas e negócios bem estabelecidos na cidade, pareciam ter sido apanhados na loucura. Quem tivesse alguma coisa minimamente apropriada para vender andava a oferecê-la. O ferreiro tinha um enorme letreiro à entrada da forja a lembrar às pessoas que ferrassem os cavalos antes de partir, na loja de fazendas fora instalada uma mesa à porta com montes de camisas e calças de trabalho em flanela para vender. Os vendedores de cavalos e mulas estavam a fazer bom negócio, na venda há muito que as tendas se haviam esgotado, e estava um missionário em cima de um caixote de madeira a pregar a ouvidos moucos que a corrida ao ouro era o caminho da perdição.

O *saloon* estava à cunha, havia mulheres em grupos a tagarelar, muitas delas tão alucinadas e entusiasmadas como os maridos que planeavam deixá-las, outras chorando lastimosamente e apertando bebés contra o peito, como que convictas de que o seu mundo estava prestes a desabar.

Depois de uma ou duas horas na cidade, Matilda já não sabia muito bem de que lado estava. Se bem que parecesse uma loucura que estes homens, que haviam atravessado a custo a América para reclamar terras e trabalhado arduamente para as desbravar e cultivar, pegassem de repente na trouxa e partissem, esperando que as mulheres e os filhos se desenvencilhassem sozinhos, compreendia-os. A agricultura era uma actividade difícil para ganhar dinheiro; para a maioria, passariam anos antes de ganharem o suficiente para transferirem as famílias de um casebre para uma casa em condições, e talvez também sentissem falta da excitação e da aventura que haviam experimentado na viagem para aqui.

Sentia igualmente o desejo de tamanhas riquezas — uma ou duas pepitas de ouro chegariam para começar um pequeno negócio, tornar-se independente e concretizar porventura esses sonhos que tinha para as filhas.

Ao meio-dia já vendera a carroça por sessenta dólares a quatro homens que tencionavam iniciar a viagem de cerca de mil quilómetros até São Francisco no dia seguinte. Se fosse, optaria pela rota marítima, mais rápida, e seria a primeira na fila a reclamar um lote de terra, mas não exprimiu esta vontade, para o caso de eles mudarem de ideias e não lhe comprarem a carroça.

Contudo, no regresso a casa, Matilda não ousou admitir que compreendia esta corrida aos campos de ouro, com medo de se interpor entre Cissie e John. Parecia-lhe que John, apesar do que dizia, se sentia muito tentado a ir. Como ela, provavelmente chegara à conclusão de que só os madeireiros no local conseguiriam encomendas. Cissie desconfiava claramente que ele se sentia dividido porque não se calou com uma torrente de invectivas contra os homens que estavam a abandonar as famílias.

Matilda achava que a insegurança da amiga era compreensível. Fora abandonada em criança e, até conhecer John e se apaixonar por ele, nunca se atrevera a olhar mais longe do que um dia no futuro. Agora tinha o que considerava uma vida perfeita e não ia permitir que nada a destruísse.

As crianças e Cissie estavam exaustas depois de um longo dia fora e, depois de se deitarem e de John estar a fumar o seu cachimbo no alpendre, Matilda foi fazer-lhe companhia. Ocorrera-lhe uma ideia no caminho para casa, mas não queria falar dela na presença de Cissie.

— O que te fazia jeito era um agente em São Francisco — disse ela, em voz baixa, esperando que Cissie não a ouvisse.— Alguém de confiança para receber encomendas de madeira e talvez cobrar os pagamentos em teu nome.

John olhou para ela, com uma certa surpresa; era evidente que não se apercebera de que também ela estava a pensar na Califórnia.

— Também me ocorreu essa ideia. Mas sem lá ir não arranjo ninguém — disse ele. — Mesmo que a Cissie concordasse que eu fosse, quem é que olhava pela serração? O Sidney é bom rapaz, mas ainda não tem experiência para tratar do negócio sozinho. Suponho que vou ter de esperar algum tempo até que alguém me aborde para fornecer mercadoria lá.

Ao contrário da mulher, a aparência de John não mudara desde que Matilda o conhecera em Independence. A sua barba era um pouco mais farta, o cabelo cor de areia um tudo-nada mais ralo, mas continuava um homem musculado, trabalhador e sóbrio. Contudo, nos últimos seis meses, Matilda compreendera aos poucos que ele era mais do que uma dessas pessoas que passavam a vida na labuta; era inteligente, ambicioso e clarividente. Enquanto a maioria dos pioneiros apenas se preocupava com as suas necessidades imediatas — terra rica e fértil, um clima temperado, abundância de vida selvagem e matérias-primas suficientes para construir cabanas pequenas e aconchegadas — a visão dele estendia-se até mais longe.

Exprimira muitas vezes o ponto de vista de que o Oregon, com as suas deslumbrantes paisagens de montanhas, florestas e largos rios, podia ser facilmente arruinado se ninguém tomasse em breve uma posição para impedir a construção selvagem por especuladores sem escrúpulos. Mas, para ter uma voz neste lugar que se habituara a amar, para criar as cidades cuidadosamente planificadas que contemplava, com belas casas, escolas e hospitais, sabia que precisava de transformar a sua serração na mais bem-sucedida da região, caso contrário ninguém lhe daria ouvidos.

Matilda respirou fundo. — Posso ir em teu lugar — disse num impulso. — Não entendo nada de madeira, mas tu podes dar-me amostras para eu apresentar às pessoas. Posso ir falar com os empreiteiros e os carpinteiros e descobrir onde se abastecem. Só precisas de algumas encomendas volumosas para começar e, quando virem que a madeira é de qualidade e que tu és de confiança, de certeza que as encomendas se repetem.

John virou-se para olhar para ela, espantado, os olhos quase lhe saltando das órbitas, surpreendido por uma mulher se lembrar de tal coisa.

— Não podes fazer isso — disse ele, num tom chocado.

— Porque não? — perguntou ela, encolhendo os ombros. — Porque sou mulher? Conduzi uma carroça sozinha durante mais de três mil quilómetros. Comecei a vender flores na rua em criança e ninguém me bate a regatear. Dentro em breve, tenho de arranjar trabalho para poder prover às minhas filhas; porque não trabalhar para ti e assim beneficiamos todos?

— A Cissie não ia gostar — disse ele, abanando a cabeça.

— Estás a dizer que não ia gostar que eu trabalhasse para ti, ou que se recusa a olhar pelas minhas filhas enquanto eu estou ausente? — perguntou.

— Claro que a Cissie não se recusa a olhar pelas meninas — apressou-se ele a dizer. — Não há-de querer é que tu partas, sente receio por ti. Pode ser perigoso lá para uma mulher só.

— Mas ela sabe que há-de chegar uma altura em que eu tenho de ir para algum lado — disse Matilda calmamente. — É melhor para mim fazer alguma coisa que os ajude aos dois a enriquecer do que arranjar um emprego numa loja ou coisa que o valha. Além disso, não vejo como é que a viagem à Califórnia possa ser mais perigosa do que fazer a trilha sozinha para aqui.

— Não sei que diga — disse ele, franzindo o sobrolho e coçando a cabeça. — Julguei que eras como a Cissie, a pensar que são todos malucos por desatarem a correr para lá.

— Acho que as pessoas que julgam que chegam lá e vão encontrar pazadas de ouro à espera são malucas — disse ela, rindo. — Mas o que vimos hoje deve estar a acontecer em toda a América, e esses malucos devem ser aos milhões. Imagina só, John, cada um desses homens vai precisar de madeira para alguma coisa, seja para casas, carroças ou simplesmente lenha para queimar no fogão. Não sei se há florestas na Califórnia como há aqui, mas podes apostar que, se alguém entrar à frente com uma provisão de madeira já cortada e pronta a utilizar, expedida directamente para o porto mais próximo, vão comprá-la em lugar de perder tempo à procura de um fornecimento mais à mão.

John apoiou os cotovelos nos joelhos e tapou a cara com as mãos. Matilda imaginou que ele estava tão espantado com a sua ideia que não era capaz de pensar direito.

— Pensa sobre o assunto nos próximos dias — insistiu ela, levantando-se para voltar para dentro. — Eu sou capaz, sei que sou. Ia de barco porque é mais rápido. Conseguia-te encomendas e regressava de imediato. Tu podias pagar-me uma comissão. Detesto a ideia de deixar a Tabitha e a Amelia, mesmo por alguns dias, mas se resultasse, quem sabe se não podia mudar-me para lá e levá-las comigo?

Deixou-o então a reflectir.

No domingo de manhã cedo, dois dias mais tarde, quando Matilda estava no ribeiro a encher os baldes de água, John foi ter com ela. Não voltara a mencionar a ideia dela e ela sabia que ele não falara disso a Cissie, pois a amiga fogosa não se teria calado sobre a questão.

— Acho que a tua ideia é capaz de funcionar — disse ele, tirando-lhe um dos baldes cheios da mão. — Vou sondar a Cissie esta manhã.

Matilda levantou os olhos para ele. Estava com um ar cansado, com olheiras fundas, era óbvio que andava a dormir mal, mas exibia também uma expressão determinada e ela percebeu que ele reflectira muito. — Queres que eu desapareça por um bocado? — perguntou.

— Não é má ideia — disse ele, com um sorriso. — E é melhor se levares as crianças contigo.

Matilda sorriu também, calculando que ele quereria adoçar Cissie na cama. — Dou-te duas horas — disse ela. — Não te esqueças de fazer ver à Cissie que pode significar ganhar dinheiro suficiente para construir uma casa na cidade.

Por mais que Cissie gostasse da sua pequena cabana, tinha a alma de uma rapariga da cidade e sentia a falta de ver pessoas todos os dias. Matilda considerava que era este o melhor argumento de venda do seu esquema.

Matilda meteu Amelia e Susanna no pequeno carrinho que John lhes fizera e, com Sidney a puxá-lo atrás dele, Tabitha e Peter ajudando aqui e ali em terreno mais acidentado, e *Treacle* a correr excitadamente à volta deles, partiram pelo caminho bem calcado pelo meio do bosque atrás da cabana.

— Porque é que o tio John quis que saíssemos? — perguntou Tabitha pouco depois de partirem. Embora lhe agradasse uma pausa nas tarefas habituais, era demasiado inteligente para não pensar que havia qualquer coisa de suspeito.

— Porque quer discutir um assunto com a Cissie — respondeu Matilda. Apercebeu-se então de que tinha de contar a Tabitha antes de voltarem, e convencê-la que seria o melhor.

Esperou até chegarem a uma pequena clareira, a oitocentos metros da cabana. Sidney tinha pendurado aí uma corda numa árvore, no Verão anterior, e agarrou-se avidamente a ela, com Peter a implorar-lhe que o ajudasse também a baloiçar. Deixando Amelia no carrinho, Matilda pegou na pequena Susanna, pô-la na erva macia e exuberante a brincar e estendeu uma manta para se sentar.

— Anda aqui sentar-te comigo um momento — disse ela a Tabitha. — Quero dizer-te uma coisa.

Houve ecos do dia em que falara a Tabitha do bebé que trazia no ventre. Como nessa altura, a criança não protestou, mas havia tristeza nos seus olhos.

— Não deixaria nenhuma das duas se houvesse alguma alternativa melhor — disse Matilda. — Mas para criar um verdadeiro lar para ti e para a Amelia, preciso de ganhar dinheiro. Talvez a tia Cissie recuse... é que vai ter medo que eu viaje para a Califórnia sozinha. Mas, mais cedo ou mais tarde, terei de fazer alguma coisa. Não está certo continuarmos eternamente dependentes da tia Cissie e do tio John.

— Não posso ir contigo? — perguntou Tabitha num fio de voz.

Matilda abanou a cabeça. — Não sei o que lá vou encontrar. Já assim, sem uma criança, pode ser difícil para mim arranjar onde ficar. Mal arranje encomendas para o tio John, volto. O que vai demorar mais são as viagens de barco.

— A tia Cissie disse no outro dia que devias arranjar um marido.

O tom empertigado da voz de Tabitha trouxe-lhe uma vívida e súbita recordação de Lily.

— E tu gostavas? — perguntou Matilda.

— Só se fosse o capitão Russell — respondeu Tabitha. Sorriu então levemente e Matilda compreendeu que ela não estava zangada, apenas um pouco triste.

— Bem, como o capitão Russell não nos veio visitar, suponho que o melhor é esquecê-lo — disse Matilda com pesar. Surpreendera-a a frequência com que pensava nele e sentia-se desapontada por ele não ter aparecido, pois tornara-se um bom amigo. Mas não tendo sequer escrito, era claro que a esquecera. — Seja como for, não me vou casar com ninguém só para tomar conta de nós. Acho que sou capaz de fazer isso sozinha.

Tabitha fez uma série de perguntas a que Matilda não soube responder, repetindo simplesmente que, fosse como fosse, a tia Cissie era capaz de não a deixar ir. — Mas, se eu for, tens de prometer que não ficas preocupada e que tomas conta da Amelia.

— Claro que tomo conta da minha irmã, mas se calhar não sou capaz de não me preocupar.

Matilda abraçou-a com força. — Deves sempre lembrar-te que te amo. Eu sei que não sou a tua mãe verdadeira, mas para mim és uma filha, exactamente como a Amelia. Passámos por muito juntas, Tabby, e tu és-me muito preciosa.

— Também te amo, Matty — disse Tabitha, afagando ternamente a cara de Matilda.

— Não ia tão longe, se houvesse outra alternativa — explicou Matilda. — Mas, se continuas a querer ser médica, tenho de arranjar dinheiro para te mandar para uma escola.

— O Sidney também não vai gostar que tu vás — disse Tabitha, olhando para onde ele estava, a baloiçar Peter na corda. — Também te ama.

— Acho que vai compreender — disse Matilda. — Passou por

tanta adversidade em pequenino que sabe que as pessoas têm de fazer coisas que nem sempre querem para se desenvencilharem.

Tabitha suspirou. — Eu sei que só vais por minha causa e da Amelia — disse ela numa vozinha tensa. — Mas isso não ajuda quando sinto saudades tuas.

Matilda apertou a criança contra si e reprimiu as lágrimas. Tabitha passara por muitos tormentos, mas aceitava tudo sem se queixar. Silenciosamente, jurou a si mesma que, acontecesse o que acontecesse, daria à criança o que ela merecia.

Duas semanas mais tarde, Matilda despediu-se dos amigos e das crianças, no convés de um pequeno vapor de carga com destino a São Francisco. Levava duas mudas de roupa, amostras de madeira e listas de preços de John num saco de pano, mas tinha a sensação de que lhe estava a ser arrancado o coração. John estava com Susanna ao colo, Amelia estava no de Cissie, Tabitha e Peter estavam de cada lado de Sidney, e todos acenavam febrilmente, mas ela sabia que, exceptuando os três mais novos, que não compreendiam a importância da partida, todos eles estavam a rezar orações silenciosas pela sua segurança, sucesso e rápido regresso.

A princípio, Cissie ficara horrorizada com o plano sugerido, os seus protestos chorosos centrados sobretudo nos seus receios pela amiga, mas finalmente, quando começou a compreender a lógica do plano, mudou de ideias. Foi ela que insistiu para que Matilda se apresentasse como uma senhora fina, para ter sucesso, e sugeriu que vasculhassem a caixa com as roupas de Lily e as preparassem para serem usadas. Matilda estava agora com o casaco de lã verde-escuro de Lily, debruado a veludo, e um chapéu a condizer. Por baixo trazia um vestido cinzento-escuro com uma gola de renda. O saiote de armação era desconfortável e limitativo e, se não fosse a insistência de Cissie, tê-lo-ia descartado, mas quando se viu ao espelho, concluiu que era um pequeno preço a pagar pela figura elegante que exibia.

Os rostos das crianças tornaram-se indistintos à medida que o vapor ganhava velocidade e Matilda agora não via mais do que o cabelo ruivo de Sidney e o chapéu de fitas verde-vivo de Tabitha. — Amo-vos a todos — murmurou consigo mesma, limpando os olhos húmidos.— Portem-se bem e tenham cuidado até eu chegar.

*

Era de noite quando o vapor se aproximou de São Francisco, duas semanas mais tarde. Tinham viajado a um bom ritmo, pois o tempo estivera bom, mas a viagem fora extremamente enfadonha para Matilda. Sentira-se obrigada a passar a maior parte do tempo no seu pequeno camarote, pois era a única mulher num barco a abarrotar de garimpeiros. No geral, comportaram-se de um modo repugnante, mais como rapazinhos excitados do que adultos. Quando não estavam a beber como esponjas ou a jogar cartas, estavam a vomitar ou andavam à pancada. A tripulação do barco não era melhor — a tripulação original, à excepção de dois membros, abandonara o navio da última vez que haviam feito escala em São Francisco, contagiada pela febre do ouro como toda a gente. O comandante confidenciou a Matilda que contava que a nova tripulação lhes seguisse o exemplo, a sua única esperança era que houvesse velhos marinheiros que se tivessem cansado da Califórnia prontos a aceitar trabalho quando lá chegasse, a troco da viagem de regresso. Dissera a Matilda, num tom que não deixava margem para dúvidas, que São Francisco não era lugar para uma senhora, era uma cidade de tendas, rixas, prostitutas e jogadores, onde as ruas eram lamacentas, o ar estava carregado de linguagem obscena e a perversão de todos os tipos espreitava em todas as esquinas.

No entanto, ao entrarem no pequeno porto, Matilda sentiu-se empolgada com a vista. Estavam fundeados cerca de 300 navios, e atrás deles erguia-se o que parecia um anfiteatro enorme, cintilante e dourado. O que ela estava a ver era na realidade um milhar de tendas. Estendiam-se desde as docas pelos montes circundantes acima, num colorido dourado das velas e candeias acesas em cada tenda. Ao aproximarem-se mais, um zunido sobre o ruído das ondas e do vento foi-se tornando cada vez mais forte até se materializar numa confusão de música e gritaria.

Matilda recuou, alarmada, quando os seus companheiros de viagem, na maioria bêbados, abriram caminho à força para a lancha. O comandante pegou-lhe pelo cotovelo e incitou-a a manter-se a bordo até de manhã por uma questão de segurança. Ela aceitou, agradecida, subitamente muito consciente de como uma mulher só podia ser vulnerável.

O barulho da cidade não amainou até quase de madrugada. Era pior do que tudo o que alguma vez ouvira em Finders Court, porque a música, as gargalhadas e as vozes grosseiras e exaltadas eram muitas vezes acompanhadas de tiros. Passou-lhe pela cabeça que podia sempre voltar de imediato para o Oregon, mas ter vindo até aqui e não fazer uma prospecção completa à cidade parecia uma grande cobardia.

Pairava no ar um nevoeiro frio e húmido quando foi transportada num barco a remos para terra na manhã seguinte. Aconchegando-se bem à capa, disse a si mesma que a sua prioridade seria encontrar um lugar seguro onde se hospedar e deixar o saco. Mas, ao preparar-se para sair do barco, deu por si a ser erguida nos braços de um homem de ar feroz, com um boné de pele de guaxinim e roupa de camurça, de espingarda a tiracolo, e foi invadida por uma sensação de terror.

Estava cercada de homens com um aspecto que nunca vira até então. Rostos castanhos, vermelhos, amarelos e brancos, todos a mirarem-na de boca aberta, com pistolas e facas à cintura e exalando um cheiro que lhe provocava tonturas.

— Não tenha medo — disse o homem do boné de pele de guaxinim numa voz áspera. — Ninguém lhe vai fazer mal nem roubá-la, é que não vêem uma senhora há bastante tempo.

Ela agradeceu-lhe num sussurro e afastou-se a toda a pressa, de saco de pano na mão, o coração a bater tão forte como as marteladas que ouvia por toda a cidade.

Caminhando cautelosamente por entre montes de mercadorias largadas na rua imunda, e evitando condutores de carroças que circulavam a toda a brida, indiferentes às multidões de homens à sua frente, alcançou a relativa segurança de uma loja de ferragens. Aturdida com o caos absoluto à sua volta, parou por momentos.

O que via, ouvia e cheirava era como as docas de Londres, os mercados de Nova Iorque, Independence antes de as caravanas partirem da vila e talvez Fort Laramie também. O barulho e o ritmo frenético eram incríveis. Um leiloeiro, de sobrecasaca preta e cartola, falava tão depressa em cima de um caixote que ela não conseguiu perceber o que ele estava a oferecer. Diante dele, um grande grupo de homens agitava punhados de notas. Havia homens a rebolar barris, outros a içar enormes caixotes de madeira. Mulas, cavalos e até cestos com galinhas vivas juntavam as suas vozes ao chinfrim geral.

Estavam presentes todas as nacionalidades de que já ouvira falar. Mexicanos de bigodes caídos com *sombreros* misturavam-se com negros, índios e chineses. Homens esbeltos, de pele trigueira, discutiam com brancos corpulentos; ela viu os uniformes de galões dourados dos comandantes dos navios, o azul-escuro dos militares americanos e as camisas de flanela vermelha dos trabalhadores. Palavras fugazes em inglês flutuaram até ela, sotaques escoceses, irlandeses, australianos, mas as línguas estrangeiras eram muitas mais. Fora avisada de que havia aqui muito poucas mulheres, mas não via mais do que quatro ou cinco talvez, entre cerca de seiscentos homens.

Respirando fundo e dizendo a si mesma que eram apenas pessoas, com mulheres e filhos nas suas terras de origem, voltou a levantar a saca e partiu na direcção daquilo que esperava ser o centro da cidade. Achou muito estranho, enquanto avançava, que se abandonasse simplesmente na rua uma quantidade tão grande de mercadorias valiosas — um caixote de charutos, um molho de pás e muitos outros objectos do género. Se esta cidade era o que o comandante afirmara ser, porque é que não eram roubados? Em Londres ou Nova Iorque, isso teria acontecido.

Depois de uma caminhada de dez minutos através de ruas ladeadas de casebres com armação de madeira coberta de lona, o chão debaixo dos seus pés um lamaçal de lixo e dejectos humanos, chegou a uma praça. À parte um velho posto de alfândega em adobe, os outros edifícios na praça eram de madeira e bastante imponentes. Como os seus nomes eram Alhambra, El Dorado, Veranda e Bella Union, e entravam muitas pessoas, presumiu que fossem hotéis e apressou-se para o Bella Union, que tinha o melhor aspecto.

Mas, ao transpor a porta, descobriu para seu espanto que era um salão de jogo, uma grande sala comprida que os espelhos ao fundo tornavam ainda mais longa, e contra as paredes mesas de faraó, roleta e monte. Ainda não eram dez da manhã, mas a maioria das mesas estava ocupada, um homem tocava harpa num estrado elevado num canto, e as velas no candelabro de cristal estavam todas acesas.

Por momentos, Matilda deteve-se, atónita com a visão. Os homens que estavam a jogar usavam roupas de trabalho grosseiras, com facas e pistolas à cintura, como os que vira nas docas, mas havia mulheres elegantes, com bonitos vestidos compridos de cetim, a dar cartas, e os responsáveis da banca exibiam colarinhos engomados, sobrecasacas e bigodes oleados. O chão estava coberto por esteiras de boa qualidade, havia quadros a óleo nas paredes revestidas a seda e palmeiras em grandes vasos.

Não tardou a perceber que todos os edifícios na praça eram salas de jogo e, parando para falar com um rapaz novo de expressão simpática que estava a varrer os degraus do El Dorado, soube que estavam abertas todo o dia e toda a noite, incluindo aos domingos. Ele disse-lhe que os homens muitas vezes jogavam com pepitas de ouro que eram pesadas pelo homem da banca antes de começarem a jogar, mas que os jogadores saíam muitas vezes de bolsos vazios.

Quando ela o interrogou a respeito de hotéis, ele indicou-lhe uma rua próxima. Mas ela ficou intrigada quando lá chegou pois pareciam ser apenas restaurantes, sórdidos ainda por cima, com nomes pomposos como Astor House, Delmonico's, Revere House e George Washington. O rapaz fora tão categórico ao dizer que eram hotéis que ela presumiu que teriam quartos nas traseiras e decidiu perguntar no Astor House.

— Um dólar por noite, minha senhora — respondeu um empregado moreno com um avental sujo. Indicou com o polegar uma fila de beliches estreitos ao longo da parede. — As senhoras são na outra ponta.

Ela teve dificuldade em acreditar que alguém pagasse um dólar para dormir à vista dos comensais, mas alguns ainda estavam ocupados e as pessoas tinham as cabeças tapadas com cobertores sujos.

Por pura curiosidade, dirigiu-se à «outra ponta», mas a única diferença entre este lado e o dos homens era que os beliches eram ainda mais estreitos e curtos, mas fora acrescentada uma cortina fina que presumivelmente podia ser corrida diante da cama.

Não era sequer um edifício de madeira ou tijolo, apenas lona esticada sobre sarrafos de madeira e com um pavimento de terra. A sua curiosidade não foi ao ponto de perguntar se havia casa de banho ou mesmo uma latrina. Tinha a certeza absoluta de que tais refinamentos não eram conhecidos nesta cidade.

À medida que a manhã ia passando, começou a recear nunca mais encontrar um sítio decente para ficar. As pessoas abrigavam-se em tudo e mais alguma coisa. Viu um barco podre, virado ao contrário, com um buraco tosco a fazer de porta, vários caixotes com homens enroscados lá dentro, como cães num canil, e até tendas índias consistindo num pedaço de lona à volta de uns paus. Ao afastar-se mais da cidade, subindo as colinas, conseguiu ver melhor a cidade de tendas que parecera tão encantadora do barco. De perto, não tinha nada de atractivo, embora gente com sentido de humor tivesse afixado letreiros que diziam: «Vale Feliz, Agradável e Contente», pois havia carcaças de animais em decomposição dispersas pelo chão, camisas esfarrapadas a secar em arbustos espinhosos, homens imundos e por barbear esparramados num torpor embriagado.

Regressando ao centro, começou a perguntar em todo o lado. Os bares eram tantos que lhes perdeu a conta, mas os únicos quartos que tinham eram para as «suas raparigas». Viu barracas de jogo de aspecto miserável, um antro de ópio e inúmeros bordéis com mulheres desmazeladas, de vestidos muito decotados, a incitar os homens a entrar. Num sítio, mostraram-lhe um cubículo minúsculo cercado por lona e era tal o seu desespero que estava a ponto de aceitar, apesar do colchão imundo e despido, quando ouviu um homem a vomitar no cubículo do lado. Fugiu dali, com as gargalhadas obscenas da dona a zumbir-lhe nos ouvidos.

De vez em quando, captava vislumbres de senhoras de aspecto normal a entrar apressadamente em lojas, algumas elegantemente vestidas, outras com os vestidos de algodão e chapéus de sol que se acostumara a ver na caravana de carroças. Animou-a constatar que também havia pessoas normais nesta cidade louca, mas os seus modos apressados e nervosos faziam-lhe lembrar veados assustados e recordavam-lhe que esta cidade não era para senhoras.

As mulheres nas ruas eram claramente, na sua maioria, prostitutas, algumas espampanantes, com vestidos compridos de seda vistosa e chapéus exuberantes, mas muitas mais andrajosas como as prostitutas em Nova Iorque. Como os homens, pareciam oriundas de todos os cantos do mundo.

As ruas não eram pavimentadas nem havia sequer passeios. Viu pessoas a despejar baldes de dejectos e lixo directamente na rua. Uma mula morta abandonada estava tão decomposta que até os cães vadios a ignoravam. A pestilência era opressiva, muito pior do que tudo o que vira em Londres e Nova Iorque. A única coisa pela qual podia sentir-se grata era o bom tempo — imaginava que com chuva a maioria das ruas seria intransitável.

No entanto, apesar do horror e por mais desalentada que se sentisse por não arranjar onde dormir, pairava uma excitação contagiosa e genuína no ar, semelhante a uma feira de diversões. Os homens que estavam a selar mulas e cavalos para subir às montanhas exibiam uma expressão de expectativa alegre na cara. O ritmo nas muitas lojinhas, que vendiam tudo desde pás e picaretas a fogareiros e cobertores, era frenético, e as filas eram longas à porta dos bancos, onde os homens depositavam pó, pepitas de ouro e dinheiro. Matilda percebeu com absoluta certeza que, se conseguisse arranjar uma cama, esta cidade podia ser a sua mina de ouro privada. Em várias ocasiões em que parara para perguntar às pessoas se conheciam algum sítio onde ficar, soube durante as conversas trocadas que todos os materiais de construção, especialmente a madeira, escasseavam e os preços de todos os bens estavam extraordinariamente inflacionados. Para não pensar na saca pesada e nos pés doridos, ajustou mentalmente a lista de preços que John lhe dera aos preços locais.

Finalmente, desesperada, virou-se para a igreja. Era um dos edifícios mais antigos da cidade, construído em adobe e pintado de branco, com fortes influências mexicanas. Não importava que fosse católica; sendo uma pessoa que só considerava Deus em último recurso, era indiferente às denominações.

Meia hora mais tarde, ao sair, sentia-se mais inclinada a acreditar em Deus, pelo menos por hoje. O padre Sanchez, que estava lá dentro, não só se condoera das suas dificuldades e rezara com ela para que a sua missão na cidade se coroasse de êxito, mas dera-lhe uma carta de apresentação para alguns amigos pessoais, Mr. e Mrs. Slocum, em Montgomery Street.

Mr. Henry Slocum era um vereador. O padre Sanchez dissera que ele era o autor da ideia de aterrar os marismas ao longo da enseada e construir novas docas. Matilda já estivera em Montgomery Street uma vez nesse dia, pois ficava a uns trinta metros da zona portuária, e descobriu que era uma das ruas mais antigas e elegantes da cidade e o centro da banca e das finanças. Tomou a resolução de encantar Mr. Slocum e a mulher a ponto de a aceitarem como hóspede pagante, pois, para além do seu conforto pessoal, era muito possível que também se interessassem pela madeira de John.

Ajeitou o chapéu à porta do número oito e sacudiu o pó da capa e, respirando fundo, subiu os dois degraus e bateu à porta com o batente.

Era uma das melhores casas que vira na cidade, de estrutura de madeira e fasquiada, com três andares, solidamente construída e bem conservada, com recatadas cortinas de renda nas janelas. Uma jovem criada mexicana abriu a porta.

— O padre Sanchez pediu-me para visitar Mr. Slocum — disse ela. Apresentou a mensagem. — Está tudo aqui explicado.

Os olhos escuros da criada inspeccionaram brevemente Matilda, talvez sem compreender completamente o que ela dissera, mas convidou-a a entrar, num inglês hesitante, e mandou-a esperar no vestíbulo.

Depois do barulho, imundície e confusão das ruas, a tranquilidade e asseio da casa de Slocum eram quase eclesiásticos. O chão estava encerado, uma mesa encostada à parede, de tampo de mármore, exibia uma redoma de vidro com uma ave empalhada e na parede estava pendurada uma colecção de camafeus, emoldurados a negro.

À sua esquerda, logo atrás da escada, ficava a porta pela qual a criada entrara e, atrás desta, ela ouviu o murmúrio de uma voz de homem. Matilda olhou para as luvas, de pelica cinzento-clara, e arrependeu-se de as ter posto tão cedo de manhã pois agora estavam manchadas de transportar a saca. Mas não podia tirá-las, o homem deitaria uma olhada às suas mãos ásperas e calejadas e perceberia que ela não era nenhuma senhora.

A porta abriu-se e a criada saiu.

— Mister Slocum vai recebê-la agora — disse ela, fazendo uma vénia. Matilda reprimiu uma risadinha; era a primeira vénia que lhe faziam. Deixando a maleta no vestíbulo, entrou na sala com um sorriso radioso.

— É muito amável em receber-me, Mr. Slocum — disse ela, no mesmo tom em que Lily tratava os paroquianos mais refinados de Giles. — Espero sinceramente que não considere a minha visita uma intromissão.

Mr. Slocum era um homem baixo e gordo, talvez na casa dos trinta, a calvície contrastando com a sua farta barba preta, e era ligeiramente zarolho. Estava de pé junto da lareira, mas ela achou que ele tinha estado a trabalhar à secretária, junto à janela, quando a criada o interrompera, pois havia muita papelada e mapas pousados sobre ela.

— É sempre um prazer conhecer uma senhora nesta cidade; são coisa rara — disse ele com um sorriso. — Informa-me o padre Sanchez que é viúva, Mrs. Jennings, e que veio a São Francisco em negócios mas não conseguiu arranjar onde ficar. Posso perguntar qual é o seu ramo de negócios?

— Madeira — disse ela. — Sou representante da serração do meu cunhado no Oregon. Mas passei muitas dificuldades hoje. Tentei vários hotéis para alugar um quarto e, infelizmente, não eram o que apregoavam ser. Fui ter com o padre Sanchez em desespero de causa.

Ele mostrou-se compreensivo, convidou-a a sentar-se e a tomar café com ele e depois disse que a mulher fora visitar amigas mas voltaria em breve.

Foi um alívio sentar-se e cruzou as mãos no regaço para ele não ver as luvas sujas.

— São Francisco não é lugar para uma mulher só — disse ele, olhando atentamente para ela, talvez a tentar adivinhar-lhe a idade. — Surpreende-me que o seu cunhado a tenha mandado.

— A ideia foi exclusivamente minha e custou-me persuadi-lo — disse ela com um sorriso rasgado. — É que fiquei com duas filhas, Mr. Slocum, e não estou preparada para aceitar caridade, nem mesmo da família. Como Mr. Duncan não podia abandonar a serração neste momento, achei que devia retribuir a sua bondade ajudando-o. Claro que, quando parti, não fazia ideia de que seria assim tão difícil encontrar alojamento.

— É inglesa, Mrs. Jennings? — perguntou ele. Tinha um pescoço muito curto e, quando movia a cabeça, o corpo acompanhava-a de uma maneira extremamente desconcertante.

— Sim, sou de Londres — disse ela. — Vim para cá em 1843 e, depois de dois anos em Nova Iorque como dama de companhia, mudei-me para o Missouri, onde me casei com Mr. Jennings, que era viúvo e tinha uma filha pequena. Infelizmente, ele morreu em Dezembro de 47, e assim eu e a filha dele, a Tabitha, integrámos uma caravana de carroças na Primavera para visitar a minha irmã no Oregon. A minha filha nasceu durante a viagem.

Trocara ama por dama de companhia, pois soava melhor, tal como o facto de Cissie ser sua irmã. Percebeu que Mr. Slocum ficou comovido e impressionado, exactamente como era sua intenção. As suas feições suavizaram-se e, quando a criada entrou com um tabuleiro de café, já ela sabia que ele estava a pensar em ajudá-la.

— Lamento muito a morte do seu marido. Era agricultor? — perguntou ele, depois de a criada sair.

— Não, era médico — disse ela. — A Tabitha deseja seguir-lhe as pisadas.

— Ao que parece, a ambição é comum na sua família — disse ele, agora com um sorriso mais caloroso. — Eu próprio sou um homem ambicioso e admiro essa qualidade nos outros. Mas, Mrs. Jennings, São Francisco é um lugar perigoso, agora que se descobriu ouro. Estamos a ser invadidos por condenados da Austrália, mexicanos desesperados, chineses, as mais baixas classes de pessoas deste país e da Europa, muitas delas criminosas. Todas as noites, há aqui alguém que é assassinado, não existe força policial, e se o Exército aparecesse acabaria a desertar para os campos de ouro. Temo pela sua segurança, minha cara.

— Agradeço a sua preocupação — disse ela com um sorriso afável. Era um homem com uma aparência estranha, mas possuía uma bela voz gutural e era claramente um cavalheiro. — Mas, assim que encontrar um alojamento seguro, não faço tenções de andar pelas ruas à noite nem de atrair atenções excessivas sobre a minha pessoa. Consideraria um grande favor se me pusesse em contacto com alguém que me aceitasse como hóspede pagante durante o tempo necessário a preencher o meu livro de encomendas e comprar passagem para casa.

Ele bebeu o café em silêncio, o olho são fixo em Matilda. No seu íntimo, ela estava a rezar para que ele a acolhesse. Não queria saber se ele lhe oferecesse uma cama na cozinha, a troco de algumas tarefas domésticas. Qualquer coisa seria melhor do que ter de calcorrear novamente aquelas ruas imundas.

Ele pousou a chávena e suspirou. — Pois bem, Mrs. Jennings, nunca fui capaz de resistir a uma dama em dificuldades e sei que a Alicia, a minha mulher, gostaria de companhia feminina — disse ele. — Ficará aqui connosco e talvez dentro de um ou dois dias possamos falar também da sua madeira.

— Tem a certeza? — perguntou ela, sentindo-se tentada a saltar e a beijá-lo. Não queria saber que ele tivesse um olho torto e um pescoço quase inexistente, estava sensibilizada com a sua generosidade. — É uma grande gentileza da sua parte!

— Ora essa, Mrs. Jennings — disse ele, com um sorriso. — Não falta espaço em nossa casa e será maravilhoso ter alguém novo e interessante com quem conversar.

*

Matilda achou que Henry Slocum estava sedento de companhia, pois manteve a conversa durante bastante tempo e falou-lhe mais sobre si próprio e sobre a cidade. Era oriundo da Virgínia, onde estudara arquitectura, mas passara alguns anos na América do Sul antes de chegar aqui. Ele e a mulher não tinham filhos, o que era, disse ele em tom de gracejo, uma «bênção e uma maldição», acrescentando que São Francisco não era um bom lugar para crianças. Matilda ficou com a impressão, por várias coisas que ele disse, que ele era uma espécie de independente que se metia em lugares onde pudesse ascender a uma posição de autoridade, ganhando provavelmente a vida com esquemas urbanísticos.

Falou com uma certa ansiedade do perigo omnipresente de incêndios na cidade e da necessidade de uma força mais séria do que os voluntários que tinham nesse momento. Queria as ruas niveladas e novas casas de tijolo. A falta de saneamento era uma das suas grandes preocupações.

Contudo, não exprimiu qualquer consternação com o lado selvagem da cidade. — Sim, precisamos de uma força policial — disse ele. — Todos os dias são mortas pessoas a tiro aqui, tanto os inocentes como os bandidos. Ainda no outro dia, uma bala destinada a outra pessoa passou-me de raspão e chamuscou-me o casaco. Se há uma rixa, puxa-se invariavelmente de uma navalha. Mas não existe roubo digno de nota, esta gente bruta tem o seu próprio código. Se alguém tentar roubar os bens de outra pessoa, é castigado rápida e impiedosamente. Se tivesse deixado a sua mala nas docas, Mrs. Jennings, garanto-lhe que ainda lá estava intacta. O mesmo se passa nas colinas, se um homem reivindicar um lote de terra, ninguém tenta tirar-lho.

Isto pelo menos ajudava a compreender a quantidade de mercadorias nas ruas, mas Matilda não tinha a certeza se um lugar em que as pessoas podiam ser esfaqueadas ou mortas a tiro, mas não roubadas, se podia considerar de elevado estatuto moral.

Às sete dessa noite, quando estava a mudar de roupa para jantar, Matilda estava tão entusiasmada com a sua boa sorte que mal conseguia apertar os botões do vestido. Alicia Slocum mostrara-se um pouco fria, mas, tendo em conta o facto de o marido lhe ter impingido uma hóspede assim que ela entrara em casa, não lhe dando hipótese de pensar se queria uma estranha em casa, não era surpreendente.

Alicia era uma mulher muito elegante, alta, com olhos brilhantes e muito protuberantes, e espesso cabelo castanho. Matilda teve a impressão de que ela se julgava melhor do que os outros. Possuía um modo desconcertante de olhar do alto do seu nariz fino e afilado e limitava-se a assentir com a cabeça em lugar de tentar ter uma conversa normal. Mas, como Matilda de qualquer maneira tencionava passar o dia fora, não ia deixar que isso a incomodasse. O quarto que lhe fora atribuído era esplêndido. Uma enorme cama de latão, com lençóis debruados a renda, mobília de mogno, e até um divã de aspecto estranho diante da janela, a que Alicia chamou uma *chaise longue*.

A baía, com os seus muitos navios fundeados, ficava apenas a quarenta metros da janela e a vista agora, ao pôr-do-sol, era magnífica. Mas o melhor era uma banheira de assento em loiça, decorada com flores cor-de-rosa, na pequena sala contígua ao quarto, e Maria, a criada mexicana, aparecera sem ninguém lhe pedir e enchera-a de água quente para ela.

Não havia nada que se comparasse à alegria de despir a roupa e se enfiar naquela água quente; recordou-lhe imediatamente o primeiro banho que tomara depois da viagem de pesadelo pelo rio Columbia. No barco até aqui, tinha sorte se arranjasse um jarro de água para se lavar, e lavar a cabeça estava fora de questão. Deliciou-se nele, jurando a si mesma que havia de ganhar tanto dinheiro que um dia poderia tomar banho todos os dias.

Mas as mãos apoquentavam-na, pois o seu aspecto era francamente horrível — faltava-lhe uma unha, arrancada na caravana quando a prendera nas pernas articuláveis da mesa, e não voltara a crescer. Havia cicatrizes, calos e manchas senis e nem a gordura de ganso que aplicara nelas todas as noites no barco produzira resultados.

Cissie sugerira que ela usasse as luvas de renda de Lily, mesmo dentro de portas, e parecera-lhe boa ideia, mas as senhoras usariam luvas à mesa? Não sabia porquê, mas duvidava.

Quando saiu do banho, descobriu que Maria lhe tinha desfeito a mala brunindo os dois vestidos e pendurando-os no armário. Decidiu que nunca tiraria as luvas — podiam considerá-la esquisita, se mais ninguém estivesse de luvas, mas era melhor do que sentir as mãos observadas.

*

«Não vás, sapateiro, além da chinela.» Matilda recordou-se muitas vezes, nos dias que se seguiram, da frase que o pai usara com frequência. De dia, sentia-se confiante a andar pela cidade. Ser arrojada, mulher e inglesa dava-lhe uma clara vantagem; os homens de negócios concordavam em recebê-la, mesmo quando estavam ocupados. John dera-lhe informações suficientes sobre a madeira para falar com conhecimento de causa e a sua rápida aritmética impressionava estes homens, por isso, conseguiu as encomendas que queria.

Mas à noite, em casa dos Slocum, reflectia sobre as suas falhas e sentia-se sujeita a uma tortura lenta. Muitas vezes esteve tentada a alegar uma dor de cabeça para se esquivar ao jantar com eles e com os seus inúmeros convidados, mas não podia fazer isso. Pressentia que Mr. Slocum não a convidara a ficar puramente por amabilidade, mas que nesta cidade predominantemente masculina ela era uma espécie de troféu que ele queria exibir. Talvez também porque a madeira era um bem valioso, ele não quisesse perdê-la de vista.

Talvez se tivesse tido a coragem de se abrir com Alicia, desde o princípio, confessando que não estava habituada a conviver com pessoas da sociedade, a mulher lhe tivesse facilitado a vida, mas ao dizer que o falecido marido era médico, havia-se enfiado inadvertidamente na boca do lobo.

Estava convencida de que os Milson a haviam treinado suficientemente bem para se dar com qualquer pessoa, mas estava enganada. Os hábitos deles eram de pessoas de província, a sua comida era simples e nunca se bebia vinho. Os Slocum serviam pratos refinados que ela não sabia comer, os seus convidados pareciam despertar o seu pior lado e não tardou a descobrir que o seu vestuário também era desajustado.

A primeira noite fora uma humilhação, embora, para ser justa com os Slocum, a culpa tivesse sido apenas sua e não deles. Não estando habituada a beber vinho, quando viu o copo cheio, pensou que tinha de bebê-lo senão eles achariam estranho. Nessa noite, o convidado era José de Galvez, um homem moreno, de olhos negros, com um bigode oleado e dentes brancos, grandes e reluzentes, que lhe dedicou demasiadas atenções. Antes de o vinho fazer efeito e lhe causar tonturas, Matilda deduziu que os Slocum o haviam conhecido, a ele e à família, quando viviam na América do Sul. José era dono de uma grande exploração pecuária lá e viera a São Francisco para fazer negócio com a carne.

— Disse-me o Henry que conduziu uma carroça sozinha do Missouri ao Oregon — disse ele com um forte sotaque espanhol. — É um feito extraordinário, Mrs. Jennings. Não teve medo?

— Não — disse ela. — Havia mais sessenta carroças comigo; o pior foi o cansaço, mas também eu estava grávida.

No momento em que a palavra saiu, ela percebeu que cometera o primeiro grande erro. Nenhuma senhora alguma vez a usava; nem sequer em «estado delicado» falavam na companhia de um homem. Talvez se se tivesse ficado por aí, a coisa não tivesse sido tão má, mas procurou justificar-se. — Peço desculpa, já sei que não se deve usar esta palavra. Não sei porquê, uma vez que é a palavra certa. Mas também não se pode dizer «cuecas» na América, pois não? Diz-se roupa interior, ou até trajes menores.

Os olhos protuberantes de Alicia quase lhe saltaram das órbitas. Henry corou e José sorriu ironicamente.

— Claro, Mrs. Jennings é inglesa — queixou-se Alicia a José. — Estou convencida de que os Ingleses gostam de se meter connosco, os Americanos.

A observação de Alicia, juntamente com o efeito estimulante do vinho, levaram Matilda a esquecer as lições de Lily a respeito de manter a conversa leve e ligeira à mesa do jantar. Abordou o tema da escravatura, o sofrimento dos pobres em Nova Iorque, e quando José e Henry fizeram comentários depreciativos sobre as suas mulheres, não foi capaz de deixá-los passar em branco.

Primeiro, Henry disse qualquer coisa a respeito de Alicia ter a cabeça demasiado cheia de bisbilhotice para pensar nas questões mundiais, depois José disse, em tom de gracejo, que a sua mulher era tão ignorante da história do seu próprio povo que pensara que Espanha devia ser uma cidade na América do Sul.

— Alguma vez leva a sua mulher nas suas viagens? — perguntou Matilda a José, surgindo-lhe subitamente uma imagem mental de uma mulher espanhola solitária, deixada sozinha num rancho enquanto o marido viajava pelo mundo.

— Oh, não, minha cara Mrs. Jennings — respondeu ele, revirando os olhos escuros. — A Rosita fica sempre em casa com os nossos filhos, não tem qualquer interesse noutros lugares.

— Como é que sabe se nunca a leva a nenhum lado? — perguntou ela.

Ele olhou para Henry a pedir apoio.

— As mulheres sul-americanas são muito diferentes das europeias, Mrs. Jennings — disse Henry debilmente. — Gostam de ficar em casa.

Matilda rebentou a rir. — Só queria ter um dólar por cada vez que ouvi essa afirmação na caravana — disse ela. — Diziam isso sobre as alemãs, as holandesas, as *squaws* índias, as francesas e as americanas. É um absurdo, as mulheres são basicamente as mesmas em todo o lado, exactamente como os homens. Se tivessem a oportunidade, todas as mulheres gostariam de visitar novas terras.

— Não estou muito certa disso, Mrs. Jennings — interveio Alicia, com o rosto um pouco afogueado. — Foram muito poucas as mulheres que decidiram vir com os maridos para São Francisco.

Tendo envergado um vestido comprido com renda acastanhada para o jantar e com o cabelo castanho penteado dentro de uma touca no alto da cabeça, Alicia era uma mulher atraente. Matilda deixara-se iludir pela sua figura, pensando que ela era inteligente e determinada, mas este comentário tolo provou que não era uma coisa nem outra.

— Os maridos não ofereceram às mulheres a possibilidade de virem para aqui, como Mr. Galvez não ofereceu à Rosita — retorquiu Matilda. — Limitaram-se a partir de casa sem pensar sequer nas mulheres e nos filhos. A julgar pela quantidade de bares e antros de jogo que vi hoje de manhã, a maioria vai voltar com menos do que trouxe. E como também vi muitos indícios de prostituição, quer-me parecer que também vão levar com eles umas quantas doenças desagradáveis.

Foi então que se apercebeu de que bebera de mais e que estava a ser grosseira e não divertida. — Peço desculpa — disse ela, corando da sua explosão. — Simplesmente fico zangada quando penso no que algumas mulheres têm de suportar.

— Não há dúvida de que é fogosa — disse José com um sorriso sarcástico. — Há-de ir longe nos negócios.

Ela conseguiu chegar ao fim da refeição sem se desgraçar mais, mas, quando os homens se retiraram para o escritório de Henry para fumar um charuto, tentou explicar-se a Alicia e perguntou-lhe se não ficava zangada por os homens fazerem observações tão estúpidas a respeito das mulheres.

— Zangada? — exclamou Alicia, erguendo uma sobrancelha num arco perfeito. — Porque é que havia de ficar zangada? Os homens não querem que as mulheres se interessem por nada fora de casa porque é a sua maneira de nos proteger de situações desagradáveis.

— Não é — retorquiu Matilda. — É a maneira de nos oprimirem. Na minha opinião, a maioria das mulheres tem muito mais bom senso do que os homens e, se levantasse a voz para se defender e inteirar-se do que se passa fora de suas casas, podia usar a sua influência para tornar este mundo melhor e mais justo.

— Para mim, é perfeitamente justo tal como está — disse Alicia. — Desde que tenha um marido para olhar por mim e me dar dinheiro para o governo da casa e para a modista, sinto-me absolutamente feliz.

— Não acredito que só se preocupe com isso — disse Matilda, arregalando os olhos de choque. — Nunca olha para as ruas imundas nesta cidade e pensa em pressionar o seu marido e os amigos para que resolvam o problema? Não a preocupa saber que todos esses homens na cidade abandonaram as mulheres e os filhos para vir para aqui à procura de ouro? As contas da sua modista são mais importantes do que isso?

— Bem, é claro que não gasta dinheiro em modistas — replicou Alicia, lançando um olhar significativo ao vestido de veludo azul-escuro de Matilda. — Mas se for capaz de esquecer, por uma ou duas horas, os seus negócios ou as nossas ruas imundas, não me importo nada de apresentá-la à minha modista francesa. Ela sabe instintivamente o que fica bem a uma mulher.

Matilda foi apanhada de surpresa. Pensara que o vestido de Lily era perfeito e que a levaria a qualquer lado. Sabia que Lily o tivera durante vários anos, mas isso não significava nada para uma rapariga que, noutro tempo, não possuíra mais do que um vestido miserável. Mas pior do que ver o vestido ridicularizado era a certeza de que Alicia desmontara a sua pose de «senhora». Provavelmente sentia-se furiosa com o marido por tê-la convidado a ficar, irritada por Matilda se considerar superior às outras mulheres ao interessar-se pelos negócios, e ciumenta por ela ser bonita e frontal. Zombar do vestido dela era uma tentativa de abalar a sua confiança.

— Não dou a mínima importância à roupa — disse Matilda com ligeireza. — Sempre pensei que as mulheres que seguem a moda são como ovelhas. Preocupo-me muito mais com coisas importantes, como o futuro das minhas filhas. Este vestido tem alguns anos, mas serve perfeitamente para esta cidade.

Sentiu uma ponta de prazer ao ver o sorriso superior de Alicia desvanecer-se, mas quase imediatamente se sentiu envergonhada; afinal, não passava de uma hóspede, ainda por cima sem ter sido convidada.

— Acho melhor ir deitar-me — disse ela, constrangida. — Não tenho palavras para lhe agradecer a sua hospitalidade. É extremamente amável. — Saiu apressadamente para o quarto e, uma vez aí, rompeu em lágrimas. Não era inteligente antagonizar Alicia, sentia saudades terríveis das filhas e, se não conseguisse encomendas para John, teria sido tudo em vão.

Mas conseguiu as encomendas. Nove dias mais tarde, só um homem, dos mais de trinta com quem falara, lhe dissera que não. Henry fizera-lhe uma encomenda enorme das pranchas de que precisava para o cais e disse que, se a primeira remessa fosse de boa qualidade e chegasse dentro de quatro meses, celebraria um contrato de fornecimento regular com John. Isto ajudava a levantar-lhe o ânimo quando tinha de pôr o vestido de veludo noite após noite e via o escárnio de Alicia. Ajudava-a a abster-se de tecer comentários subversivos aos convidados dos Slocum ao jantar, por mais que eles a irritassem. Suavizava a dor das saudades dos filhos, e ela descobriu que conseguia escapar dos enfadonhos serões entregando-se a devaneios sobre a alegria de Cissie e John quando chegasse a abarrotar de encomendas.

Contudo, estar aqui sozinha, longe dos amigos e das crianças, ensinara-lhe muito, e talvez a lição mais valiosa tivesse sido a de que devia aceitar-se tal como era. Recordou-se de ter dito uma vez a Flynn que não era carne nem peixe e percebia que era ainda mais verdade agora do que nesse tempo. Não possuía a educação, nem a submissão frívola, para se fazer passar por uma verdadeira senhora. Sabia também que perdera a docilidade que já possuíra e não podia voltar atrás e ser mais uma vez uma criada.

Mas o seu livro de encomendas cheio provava que tinha queda

para os negócios. Também sabia agora que tinha a coragem, a inteligência e a ambição para atingir qualquer objectivo a que se propusesse.

Lamentavelmente, sabia que fora o mais longe possível em nome de John. Fisicamente ele não podia dar vazão a mais trabalho do que aquele ela lhe arranjara. Se bem que ele viesse a ficar encantado com o seu sucesso, quando a madeira fosse abatida, serrada e expedida para aqui, os compradores passariam a tratar directamente com ele, se repetissem as encomendas, e ela seria supérflua.

Matilda sabia que John quereria continuar a pagar-lhe uma comissão sobre todos os negócios que ela conseguisse. Mas, depois de ter sentido o gosto ao negócio, queria mais do que viver de comissões numa cabana remota. Queria algo que fosse só dela. Um negócio que pudesse lançar, talvez para passar às filhas e aos netos.

Todos os dias, enquanto percorria São Francisco, estudava atentamente a cidade e os seus habitantes. O horror que sentira no primeiro dia abandonara-a à medida que ia descobrindo mais. Dois anos antes, a população de São Francisco era de apenas oitocentas pessoas. Pouco tinha a recomendá-la, com os seus nevoeiros frios e escassa vegetação, tirando o porto seguro. Mas desde a descoberta de ouro nas colinas circundantes, essa população crescera para mais de vinte e cinco mil, com centenas de pessoas a chegar diariamente, por mar e por terra, do Leste. Ouvira dizer que, só numa semana, havia seiscentos barcos fundeados na baía e os comandantes não podiam partir porque as tripulações os haviam abandonado.

Os garimpeiros não ficavam em São Francisco, traziam o seu equipamento e provisões e apressavam-se a partir para as montanhas. Mas voltavam para vender o ouro, divertir-se e gastar dinheiro. Quando chegava o Outono e se tornava demasiado chuvoso e frio nas montanhas, regressavam de novo. A prosperidade de toda a cidade assentava unicamente nisto, razão por que ninguém estava ansioso por acalmar a loucura ou acabar com o seu lado mais sórdido. O ouro era a única exportação da cidade. Tudo o que a população cada vez maior precisava, desde alimentos, bebidas e vestuário a equipamento e maquinaria, era importado e vendido com lucros exorbitantes.

Um dia, ela observou um homem no topo de Telegraph Hill a enviar mensagens por meio de sinais com bandeiras. Henry dissera-lhe que a função deste homem era detectar navios a entrar na baía e depois alertar os homens de negócios para o tipo de embarcação que era e que carga transportava para que eles pudessem ser os primeiros a esperá-la e a oferecer um valor pela carga inteira. O leiloeiro que ela vira no primeiro dia era um entre muitos e até um espectador novato podia arrecadar um lucro rápido e avultado, licitando por um caixote de charutos, lenços de seda, pás ou baldes e vendendo--os depois pelas ruas da cidade.

O capitão Russell fora muito astuto quando dissera que as pessoas inteligentes não iriam extrair minério. Todos os dias, andando pela cidade, Matilda via os responsáveis pelas bancas dos casinos, os donos dos restaurantes, os construtores e até os pescadores com grandes maços de notas. E interrogava-se sobre o que poderia fornecer a esta cidade que ainda não tivesse ocorrido a mais ninguém.

Não se lembrava de nada. Já tinham pensado em tudo, havia até um homem que fazia e vendia chocolate, mulheres que lavavam camisas por cinco dólares cada. A única coisa que notou que faltava eram flores. Mas mesmo que fosse possível importar flores antes de elas murcharem, quem as compraria? Não seriam certamente os mineiros.

Ao nono dia de Matilda na cidade, já passava das cinco quando regressou a Montgomery Street e, quando Alicia lhe abriu a porta com os olhos vermelhos, em lugar de Maria, adivinhou imediatamente que a criada se fora embora.

Matilda não ficou surpreendida, pois ouvira Alicia repreender Maria vezes sem conta, e reparara nos vergões que apareciam no rosto da criada. Uma rapariga nova e bonita podia ir directamente para qualquer um dos casinos e conseguir imediatamente um trabalho bem pago; se quisesse um marido, tinha muito por onde escolher entre uma hoste de homens elegíveis.

— Ainda bem que voltou para casa. A Maria deixou-me — balbuciou Alicia, rompendo novamente em lágrimas. — Não sei o que hei-de fazer. Não se arranja uma criada em sítio nenhum nesta cidade.

Matilda protestou interiormente. Alicia era estúpida, vaidosa e demasiado moralista e, embora se tivesse esforçado por encontrar nela algum traço que lhe agradasse, ainda não o descobrira. Contudo, lembrando-se de que se não fosse a bondade de Henry em acolhê--la, poderia ter sido forçada a dormir num cubículo de lona, sabia que tinha de reconfortar a mulher.

— Que aborrecimento terrível — disse ela, passando o braço pelos ombros da mulher e conduzindo-a para o salão, onde a sentou. Serviu-lhe conhaque e sentou-se ao lado dela a ouvir.

Enquanto Alicia explicou, entre soluços, como tinham tratado bem a rapariga, dando-lhe comida para ela levar para a família em casa, roupas velhas e até um dia inteiro de folga de vez em quando, e que não era capaz de compreender por que razão ela partira, Matilda teve de morder a língua para não dizer que talvez a rapariga sentisse que não lhe davam valor.

Sugeriu antes que talvez alguém tivesse feito uma proposta melhor à rapariga. Ao ouvir isto, Alicia empertigou-se de repente e assoou o nariz.

— Conheço todas as pessoas de bem desta cidade — disse ela, num tom altivo. — Nenhuma delas se rebaixaria ao ponto de roubar a criada de outrem. Não é uma coisa que se faça.

— Então, nesse caso, talvez ela tinha ido trabalhar noutra actividade — respondeu Matilda. Desejava agora ter agradecido pessoalmente a Maria por lhe levar a água para o banho. Dois lanços de escadas eram uma grande distância para carregar com vários baldes de água. Se havia pessoa que sabia como eram pesados, era ela.

— O que é que ela iria fazer? Nem sequer fala bem inglês — disse Alicia, cheia de indignação. — Há aqui qualquer coisa de muito estranho — continuou. — Quando lhe disse que fazia mal em me deixar, murmurou que podia ganhar dez vezes mais a fazer o mesmo que fazia aqui. Sabe, Mrs. Jennings, que eu lhe pagava quatro dólares por semana? Ninguém pagaria mais do que isso a uma criada.

Quatro dólares por semana era um excelente salário para uma criada. Matilda só recebera dois dólares por mês. Mas, por outro lado, os preços nesta cidade eram excessivos.

— Até fez um comentário desagradável a respeito de Mr. Slocum — continuou Alicia. — Disse que ele era sovina e insinuou que ele não lhe deu uma coisa que lhe tinha prometido. Tentei descobrir o que era, mas ela fez de conta que não entendia. Que é que lhe parece?

Matilda hesitou; fazia-lhe muito lembrar as queixas que as vendedoras de flores faziam dos homens nas suas vidas. — Deve ter-lhe prometido mais um dia de folga ou coisa assim — apressou-se a dizer. — E depois esqueceu-se.

Interrogou-se se Henry andaria a divertir-se com Maria. Não seria a primeira vez que os homens prometiam mundos e fundos exactamente por isso. Conhecia inúmeras raparigas que nunca haviam recebido o que lhes fora prometido.

Era possível. Maria dormia num quartinho nas traseiras da cozinha. Henry parecia ficar sempre a pé muito depois de Alicia se retirar para a cama. Uma noite, não conseguindo dormir, Matilda ouvira os passos de Henry a subir as escadas quando o relógio no salão batia as duas. Teria estado no quarto de Maria?

Depois havia a observação de ser paga dez vezes mais para fazer o que fazia aqui. Nunca ganharia quarenta dólares por semana como criada em lado nenhum, mas como prostituta, sim. Se Maria se submetia aos desejos carnais do patrão, para além do seu trabalho normal, provavelmente pensou que mais valia juntar-se às mulheres que eram bem pagas para isso.

Matilda sentiu-se horrorizada ao pensar que um homem na posição de Henry pudesse fazer tal coisa, mas mais preocupada ainda a respeito de Maria. Incapaz de exprimir estes pensamentos a Alicia, ofereceu-se para fazer chá.

Ao entrar na cozinha, retraiu-se. A desordem era total, com a loiça da noite anterior, tachos e panelas ainda por lavar na mesa, juntamente com as coisas do pequeno-almoço.

Nunca se envolvera no governo desta casa; saía sempre depois do pequeno-almoço e andava fora o mais possível. Mas sabia que havia outra mulher que vinha diariamente preparar e cozinhar o jantar, pois Alicia gabara-se de ter a sorte de a ter porque era a melhor cozinheira de São Francisco. Era evidente que Maria decidira deixar de trabalhar depois do jantar do dia anterior e só servira o pequeno-almoço nessa manhã para evitar uma cena com o patrão antes de ele sair para o escritório.

A primeira coisa que passou pela cabeça de Matilda era que devia sair desta casa o mais depressa possível. Mas, se o fizesse, Henry podia cancelar a sua encomenda de madeira. Podia até persuadir outros a fazer o mesmo. Não valia a pena pôr-se com moralismos a respeito dele e de Maria, podia estar enganada. Além disso, Henry fora extremamente amável com ela e, se queria lançar um negócio seu nesta cidade, ia precisar do seu apoio.

Fez o chá e levou-o a Alicia, que estava agora deitada no sofá.

— A Maria não lavou a loiça antes de se ir embora — transmitiu Matilda, apesar de ter a certeza de que Alicia já sabia. — Vou lavá-la eu. Fique aí a descansar.

A previsível Alicia dirigiu-lhe um sorriso insípido. — Oh, Mrs. Jennings, não posso deixá-la fazer isso.

— Eu tenho alguma experiência a lavar loiça — disse Matilda, com desenvoltura. — Não quer ficar também sem a cozinheira, pois não? Se ela chegar e vir aquele caos na cozinha, também se vai embora.

Demorou mais de uma hora a arrumar a cozinha. Quando voltou para o salão, já Alicia se recompusera com a ajuda de mais um conhaque.

— É uma sorte não termos convidados esta noite — disse ela, bocejando e reclinando-se nas almofadas. — Mr. Slocum tem uma reunião de negócios e também não vai cá estar. Somos só nós para o jantar. Não vou mudar de roupa, sinto-me demasiado cansada, por isso não se sinta obrigada a vestir-se para o jantar, minha querida. A cozinheira deve estar a chegar, vou lá dar um salto para falar com ela. Talvez ela conheça alguém para o lugar da Maria.

Essa noite pareceu interminável. Alicia não possuía dotes de conversação; fazia uma pergunta e, quando Matilda respondia, desviava os olhos ou falava de outro assunto completamente diferente. No fim do serão, Matilda já começava a achar que compreendia perfeitamente a atitude de Henry. Embora reprovasse o facto de ele seduzir a criada, entendia muito bem que pudesse ter uma amante e até por que razão a convidara a ficar quando sabia tão pouco sobre ela. A mulher era tão oca e tão absolutamente desinteressante que qualquer pessoa teria gostado de uma distracção.

— Foi muito amável em acolher-me como hóspede — disse Matilda, antes de pedir licença e recolher ao quarto. — Mas acho que vou ver se arranjo um barco para casa amanhã. Já tenho o livro de encomendas cheio e sinto imensas saudades das minhas filhas.

Viu a alegria insinuar-se nos olhos protuberantes da mulher, mas, previsivelmente, ela fez de conta que ficou angustiada.

— Não, não, ainda não pode partir — disse ela, estendendo as mãos para pegar nas de Matilda. — Tem sido maravilhoso ter outra mulher com quem falar e hoje foi muito boa comigo.

— Lavar a loiça não custa nada — respondeu Matilda. — Sobretudo depois de me ter tratado tão bem. Mas espero que nos voltemos a encontrar em breve. Tenciono regressar. Com sorte, por essa altura, já alguém terá construído um verdadeiro hotel e eu não terei de maçar pessoas bondosas como os senhores.

*

Na manhã seguinte, Matilda desceu e deparou-se com Henry junto do fogão na cozinha com um ar de perplexidade no rosto.

— Pus água a ferver para o café há bastante tempo — disse ele. — Mas não ferve.

Matilda teve vontade de rir, mas não se atreveu. — É preciso limpar as cinzas do fogão e acendê-lo todos os dias — disse ela. — Não se preocupe, eu faço isso.

Não levou mais do que alguns momentos. Henry ficou ali espantado enquanto ela acendia pedacinhos de papel torcido e colocava depois pequenos bocados de madeira no fogão.

— É um assombro — disse ele, quando ela ateou um bom fogo. — Onde é que aprendeu a fazer isso?

— Quando era criança, em Londres — disse ela, com um sorriso. — Não tínhamos criada na nossa família. Revelou-se um talento muito útil na caravana, é preciso saber acender um fogo mesmo quando está a chover.

Alicia ainda estava na cama e Matilda concluiu que ela devia ter lá ficado propositadamente, e assim ofereceu-se para preparar o pequeno-almoço. Enquanto batia ovos, disse a Henry que tencionava averiguar se havia barcos a partir hoje para o Oregon.

— Primeiro a Maria e agora a senhora — exclamou ele, com um certo alarme. — Espero que não parta pela mesma razão.

Esta observação sugeria que ele responsabilizava a mulher pela partida apressada de Maria. Não havia, de facto, culpa nos seus olhos, apenas uma expressão de preocupação.

— Não há qualquer relação, garanto-lhe — disse ela, sentindo-se imediatamente mais à vontade por estar sozinha com ele. — Já tenho as encomendas todas de que preciso e tenho demasiadas saudades das minhas filhas para me demorar mais.

— Por vezes esqueço-me de que tem família — disse ele. — Ontem à noite, ouvi dizer que há um barco que parte hoje às quatro horas. Se está mesmo decidida a ir, eu levo-a lá depois do pequeno-almoço e trato de lhe arranjar um camarote decente.

Matilda agradeceu-lhe, e conversaram com naturalidade sobre as filhas e o Oregon, enquanto esperavam que o fogão aquecesse. Depois de um pequeno-almoço de ovos mexidos, fiambre e café, que comeram na cozinha, Matilda levou um tabuleiro a Alicia e despediu-se.

Sentia-se de tal modo aliviada por se ir embora que até beijou a mulher com alguma afabilidade.

— Que manhã magnífica — comentou Henry ao saírem de casa um pouco mais tarde.

Não havia nevoeiro, para variar, o sol erguia-se num céu azul e, diante deles, a baía com os seus muitos navios era uma visão mágica.

— Não está? — concordou Matilda, sorrindo-lhe. Ele estava com uma cartola de seda e um fraque cinzento-escuro e a sua figura era bastante imponente, mesmo a transportar-lhe o saco de pano. — Se não estivesse tão exultante com a ideia de voltar para as minhas filhas, quase sentiria pena de partir.

— Eu devia ter dito isto logo de manhã — disse ele, um pouco hesitante. — Fiquei chocado quando soube que Mrs. Slocum a deixou limpar a cozinha ontem. Lamento dizer que ela por vezes é extremamente presunçosa e bastante desagradável.

— Não me importei nada de arrumar a cozinha — disse ela, pressentindo que ele estava a tentar dizer-lhe que o seu casamento não era propriamente feliz. Querendo que ele soubesse que o compreendia, pousou-lhe a mão no braço. — Eu e Mrs. Slocum temos origens e interesses tão diferentes que, infelizmente, não fomos feitas para virmos a ser verdadeiras amigas. Mas fiquei muito grata pela vossa hospitalidade e espero não ter ofendido nenhum dos dois. Por vezes, falo de mais.

— Não me ofendeu de maneira nenhuma — disse ele, olhando de soslaio para ela. — Considerei-a uma hóspede interessante e estimulante e admiro imenso o seu sentido dos negócios.

— Obrigada, Mr. Slocum — disse ela, sorrindo e pestanejando levemente. — Gostaria muito de lançar um negócio meu nesta cidade. Espero sinceramente poder contar com os seus conselhos e conhecimentos, se e quando o fizer.

— Minha cara Mrs. Jennings — disse ele —, consideraria uma honra ajudá-la em tudo o que puder. Estou convicto de que a senhora é uma ave rara, não apenas bela, afectuosa e divertida, mas com um excelente cérebro debaixo desse bonito cabelo. Pode vir a ter muito sucesso nesta cidade.

*

Henry despediu-se dela depois de lhe arranjar passagem para casa e inspeccionar o camarote. Um pouco mais tarde, Matilda deixou o barco para dar mais uma vista de olhos pela cidade e comprar algumas lembranças para as crianças.

Uma hora depois, acabara as suas compras e estava a regressar ao barco quando se deteve a olhar para a montra de uma loja de charutos, divertida com os guaxinins empalhados em exposição, cada um deles com um enorme charuto na boca. De súbito, viu reflectida no vidro uma rapariga a passar do outro lado da rua estreita. A maneira como ela parecia deslizar, e não andar, recordou-lhe Maria.

Virou-se abruptamente. Esta rapariga estava com um elegante vestido amarelo-vivo e um chapéu de palha de fitas, mas o seu brilhante cabelo preto e pele dourada eram definitivamente mexicanos.

Talvez se a rapariga não tivesse olhado para Matilda e hesitado por um breve segundo, com uma expressão de alarme no rosto, Matilda tivesse pensado que se enganara, mas nesse momento a rapariga largou de repente a correr, subiu precipitadamente um lanço de escadas de madeira ao lado de um armazém de artigos marítimos e desapareceu.

Sem parar para pensar, Matilda lançou-se no seu encalço.

Os degraus levavam a um alpendre de madeira que contornava as traseiras do andar superior do edifício. Havia várias cadeiras e mesas e duas portas. Matilda bateu à primeira.

Só enquanto esperava é que se interrogou por que razão teria vindo atrás da rapariga. Não haviam forjado nenhuma relação durante a sua estadia em casa dos Slocum e Maria vê-la-ia decerto como uma inimiga. Seria a razão por que ela se despedira sequer da conta de Matilda?

Contudo, não foi Maria quem abriu a porta, mas uma mulher de idade, vestida completamente de preto, com uma mantilha de renda preta sobre o cabelo branco.

— Acabo de ver a Maria a entrar para aqui — disse Matilda. — Posso dar-lhe uma palavrinha?

— O que é que lhe quer? — perguntou a velha. Possuía traços de um sotaque estrangeiro, se bem que Matilda não conseguisse identificá-lo, e olhos azul-vivos e muito penetrantes que pareciam trespassá-la.

— Não lhe quero nada de especial — respondeu Matilda. — Estive hospedada na casa onde ela estava a trabalhar e fiquei preocupada com a partida precipitada dela. Também já me vim embora de lá, mas, quando a avistei há um momento, quis só certificar-me de que estava tudo bem com ela.

— A que propósito é que ia preocupar-se com uma criada mexicana? — disse a mulher com desdém, mirando-a de alto a baixo.

Matilda enervou-se. — Gostava de pensar que ainda me preocupo com pessoas maltratadas, seja qual for a sua posição ou nacionalidade — atirou-lhe ela.

Para sua grande surpresa, a mulher sorriu. Só lhe restavam dois dentes na boca e o sorriso devia dar-lhe um ar ainda mais envelhecido, mas de repente pareceu anos mais nova.

— Deve ser a mulher inglesa que anda nas bocas da cidade — disse ela. Inclinou a cabeça de lado e olhou, intrigada, para Matilda. — É tão bonita como dizem, mas essa capa verde e esse chapéu não a favorecem.

A mulher podia ser velha e ter o rosto tão encarquilhado como uma maçã passada, mas havia algo de muito atraente nela e na sua voz. Mesmo a sua observação pessoal continha um registo de humor.

Não a pus senão para me agasalhar — retorquiu Matilda. — Então, posso falar com a Maria por um momento?

— Quer entrar? — perguntou a velha, abrindo mais a porta e revelando um pequeno vestíbulo decorado a vermelho-escuro e dourado. — Normalmente não convidaria uma senhora assim a entrar, mas, como se interessa pela Maria, acho melhor não ser vista publicamente aqui no meu alpendre.

Num súbito lampejo de intuição, Matilda apercebeu-se que a casa só podia ser um bordel e a mulher a «madama».

— Sabe o que é esta casa, não sabe? — perguntou a mulher antes de ela poder voltar atrás. Sorriu, como que divertida perante o choque de Matilda.

O sorriso constituiu um desafio para Matilda. Era demasiado orgulhosa para admitir que entrara ali por engano. Sentia também curiosidade.

— Sei, pois — disse ela, com todo o atrevimento de que foi capaz. Afinal, era meio-dia e não lhe parecia que lhe pudesse acontecer nada de mal em plena luz do dia. — Mas não me posso demorar porque tenho passagem num barco que parte em breve.

A velha deixou a porta de entrada escancarada e conduziu-a por outra porta. Matilda seguiu-a, esperando deparar-se com esqualidez, mas dando por si numa ampla e luxuosa sala. Era sombria porque a luz das janelas que davam para a rua em baixo filtrava-se através de pesadas cortinas de renda, o fumo entranhado de charutos misturando-se com o cheiro a cera fresca. As paredes estavam revestidas de um tom dourado forte, os muitos divãs de vermelho-escuro, e havia um candelabro suspenso do tecto.

Por um momento, ela pensou que chegara à conclusão errada sobre a natureza do lugar até se virar e ver uma pintura por cima da lareira de uma mulher quase nua, reclinada numa cama.

Uma gargalhada repenicada da velha sobressaltou-a. — Minha cara, a sua cara é impagável. Peço desculpa, mas disse que sabia o que esta casa era.

— E sabia — disse Matilda com mais confiança do que sentia. — Mas nunca tinha entrado num bordel.

— Um bordel! — exclamou a mulher com alguma indignação. — Minha cara, isto é uma casa de tolerância.

Cissie usara ocasionalmente a expressão e, pelo que Matilda recordava, significava que as «meninas» eram prostitutas refinadas que trabalhavam num lugar semelhante a um clube de cavalheiros elegante, onde os membros tomavam umas bebidas, dançavam e comiam um bom jantar. Cissie, naturalmente, nunca entrara em ambientes tão sofisticados, mas, na opinião dela, representavam o topo da escala.

— Infelizmente, não conheço a distinção — disse Matilda. Estava agora muito nervosa, perguntando-se se havia de correr para a porta aberta. — Talvez fosse melhor esclarecer-me.

A mulher não mostrou o mais leve sinal de embaraço ao explicar. Parecia ser, em linhas gerais, como Cissie dissera, mas a mulher afirmou que nem todos os homens vinham à procura da companhia paga de uma rapariga, mas que consideravam a casa um lugar agradável para se encontrarem, fazerem amizades e conversarem numa atmosfera confortável. Chamou «locatárias» às raparigas, como se fossem simples hóspedes com o fito de embelezar o lugar.

Foram a voz culta e os modos elegantes da mulher que acalmaram Matilda. Continuava a sentir que seria mais prudente ir-se embora porque, se constasse na cidade que tinha estado ali, as pessoas podiam deduzir que era como as raparigas que lá trabalhavam. Mas queria de facto falar com Maria e também achava a velha muito cativante.

Talvez a velha se tenha apercebido da sua aflição porque lhe tocou ao de leve no braço.

— Está perfeitamente segura. Agora estamos fechados. Não se encontra nenhum homem cá dentro, só eu e as minhas locatárias, e a maioria delas ainda está a dormir. Tome um chá comigo e eu chamo a Maria. Ainda não convenci nenhuma rapariga a trabalhar para mim por processos dúbios, e não vou começar consigo.

Pegou num pequeno sino e tocou-o. A porta abriu-se do outro lado da sala e uma negra alta e magra, com um uniforme de criada a que não faltava o avental e a touca engomados, entrou. — Ah, Dolores. Traz um tabuleiro com chá para mim e para a minha convidada — pediu ela —, e diz à Maria que quero falar com ela.

— De onde é? — perguntou Matilda, depois de ser convidada a sentar-se. — Tem um sotaque muito interessante.

— Da Rússia. — A mulher sorriu. — Mas fui mandada para Inglaterra em nova e também vivi muitos anos em França, pelo que o meu sotaque deve ser uma mistura dos três. Deixei a Inglaterra há mais de cinquenta anos, mas as recordações que guardo de lá são eternas.

Matilda calculou que ela teria sessenta e muitos anos. Desejou ter a audácia de perguntar o que a levara a abrir uma casa de tolerância. — Não nos apresentámos. Sou Matilda Jennings — disse ela.

— Eu sou a condessa Alexandra Petroika. Sou conhecida como «a mulher russa» pelas pessoas que me temem, «a condessa» pelas que me admiram, mas «Miss Zandra» pelas minhas meninas.

Matilda estremeceu ao ouvir isto. Uma noite, ao jantar, Alicia fizera uma observação estranhamente indirecta sobre «a mulher russa» e Henry desviara rapidamente a conversa para outro assunto. Agora percebia porquê.

Maria entrou com um passo leve, mostrando-se muito alarmada ao ver Matilda e fazendo menção de voltar para trás.

— Não tenhas medo, não venho da parte de Mrs. Slocum — garantiu-lhe Matilda, e depois, falando lenta e claramente, explicou. — Fiquei só preocupada contigo. Queria saber porque é que deixaste o teu emprego e vieste para aqui. Prometo que não digo a Mrs. Slocum onde estás.

No fundo, não havia prestado muita atenção a Maria na casa, registando um rosto bonito sob a touca engomada, mas pouco mais. A verdade era que ela era dramaticamente bela, com pele dourada, cabelo lustroso e uns olhos negros grandes e expressivos.

— Ela é mulher má — disse Maria, lançando a cabeça para trás. — Sempre a bater-me, trabalha, trabalha, trabalha.

Matilda suspirou; imaginava facilmente que fosse verdade. — E Mr. Slocum?

— Ele não é homem mau — respondeu ela. — Mas eu disse dá-me cinco dólares de cada vez que vem ter comigo, e ele disse sim Maria, mas parou de me dar dinheiro porque diz que me ama.

Matilda engoliu em seco. Mesmo considerando que Maria falava mal inglês, estava claramente a admitir que instigara a situação. A expressão de despeito no seu lindo rosto era arrepiante. Matilda olhou para a condessa, sem saber muito bem o que perguntar a seguir.

— Acho que Mrs. Jennings quer saber se és feliz a trabalhar aqui — disse a condessa.

O rosto de Maria abriu-se num sorriso. — Sou, pois. Boa comida, e o trabalho não é duro.

— Importas-te de te explicar a Mrs. Jennings porque é que vieste trabalhar para aqui em lugar de arranjares outro emprego como criada?

Maria fez um esgar. — Não gosto de limpar e lavar pratos. Quero muito dinheiro e vestidos bonitos. Posso ir?

A condessa assentiu com a cabeça e Maria saiu de imediato sem olhar sequer para Matilda.

A condessa levantou uma sobrancelha. — Está satisfeita? — perguntou, servindo o chá. — Estou certa de que queria interrogá-la mais, mas o inglês deficiente da rapariga torna impossível ter uma conversa coerente com ela ou até descortinar quem ela é realmente.

— Eu vi e ouvi o suficiente — disse Matilda com tristeza.

A condessa encolheu os ombros. — Está chocada, talvez até desiludida, por descobrir que a Maria não passa de uma pequena mercenária. Suponho que imaginou que Mrs. Slocum a tratava como uma escrava, ou que o marido forçava as suas atenções nela e ela se viu obrigada a sujeitar-se para não perder o lugar, ou talvez as duas coisas?

— Acho que Mrs. Slocum era demasiado severa com ela, mas sou franca, custava-me a crer que o marido fosse capaz de tal coisa — disse ela.

— Desconfio que a verdade era que a Maria aceitou esse emprego com o único propósito de deitar o laço ao Henry — disse a mulher, encolhendo os ombros. — O casamento desses dois é frio, sem filhos, e esse tipo de homens é presa fácil. Lá no fundo, a Maria e a mulher dele não são muito diferentes. O dinheiro é a ambição das duas.

Matilda ficou espantada por ela se referir a Henry com tanta familiaridade e pela sua opinião incisiva sobre o casamento dele. Esta mulher estava a tornar-se cada vez mais interessante.

Passou o chá a Matilda; as delicadas chávenas de porcelana de osso estavam decoradas com pequenas folhas verdes e, para Matilda, constituíram uma inoportuna lembrança de Lily. As visões dela sobre o amor e o casamento eram tão idealistas que teria ficado extremamente chocada se soubesse que eram muitas as mulheres que não as partilhavam.

— Agora a Maria veio trabalhar para mim — continuou a condessa. — Aceitei pô-la à experiência, mas duvido que ela fique muito tempo por aqui. Não aprecio tanta frieza nas minhas locatárias, por mais belas que sejam. Mas talvez ela mude. Tem tido uma vida muito dura.

— Quem a ouvir falar há-de pensar que dirige uma escola para jovens senhoras — disse Matilda impulsivamente. Os seus sentimentos eram confusos. Não sabia com quem havia de se sentir zangada, se com Maria, Alicia ou Henry ou até consigo própria por meter o nariz onde não era chamada. A condessa era a única pessoa sobre quem podia descarregar. — Mas só está a treiná-las como prostitutas. Ganha dinheiro com elas, corrompe-as.

— Eu não — disse a condessa, franzindo os lábios. — As raparigas que para aqui vêm não são virgens. Vêm de livre vontade e geralmente para uma vida melhor do que aquela que tinham. A minha casa é selecta, fora dessa porta há um caminho íngreme que leva a bordéis, onde se pratica a mais baixa prostituição, e mais abaixo há outros estabelecimentos do género. E por fim ainda há a mulher de rua que não tem sequer uma cama. As minhas meninas sabem tudo isto, aqui têm uma verdadeira oportunidade de viver bem e poupar dinheiro. Digo a todas que devem fazer planos para o futuro; algumas dão-me ouvidos e prestam atenção, outras não. Mas não tenho controlo sobre isso.

Matilda estava ainda mais confusa agora. A fria declaração de Maria a respeito de Henry provava que ela sabia exactamente o que estava a fazer. Por Cissie, Flynn e Giles, também sabia que muitas raparigas escolhiam deliberadamente esta vida porque ganhavam mais dinheiro do que a fazer qualquer outra coisa. Mas, por mais razões que conhecesse para as mulheres se virarem para a prostituição, continuava a horrorizá-la.

— Mas é terrível terem de vender o corpo para viver! — disse ela.

— Concordo consigo — disse a condessa, virando-se na cadeira para encarar Matilda de frente. — Pelo menos, teoricamente. O meu coração condói-se das que não têm qualquer alternativa. Há jovens molestadas pelos patrões e por membros da família, muitas que o fazem porque passam fome ou para poderem olhar por filhos doentes, e as que foram obrigadas ou mesmo vendidas para a prostituição. Gostava muito que pudessem ter empregos decentes.

«Mas deixe-me esclarecê-la, Mrs. Jennings. Nem todas as raparigas que se tornam prostitutas são vítimas desamparadas. Isso é um mito, criado pelos moralistas, por mulheres que odeiam os homens, como a sua Mrs. Slocum. As raparigas vêm ter comigo por uma série de razões e são surpreendentemente poucas as que vêm em verdadeiro desespero. Tenho locatárias que aqui chegaram à Califórnia à procura de aventura, exactamente como os homens. Tenho algumas que são pura e simplesmente preguiçosas e não querem um emprego onde têm de trabalhar no duro. Tenho outras que pensam que talvez arranjem marido, outras que só contam o dinheiro que ganham e outras ainda que o fazem unicamente porque adoram o sexo. Acha que esta casa seria uma diversão para os homens que a frequentam se todas as raparigas fossem relutantes? Todas as noites há aqui uma festa, o pianista toca, as minhas meninas dançam e muitas vezes cantam. Se não fosse assim, eu não teria o sucesso que tenho.»

— Mas os homens... — protestou Matilda.

A condessa soltou uma gargalhada. — Só passou alguns dias nesta cidade, Mrs. Jennings, mas pelo que ouvi causou bastante agitação. Porquê? Porque é jovem e bonita e, pelo que me disseram, bastante divertida.

— Que tenho eu a ver com isso? — perguntou Matilda. Estava surpreendida por esta mulher estar tão bem informada sobre ela.

— Porque é o que a maioria dos homens procura numa mulher, minha cara. Não estou a dizer que todos os homens que conheceu na cidade a cobicem de uma forma carnal, longe disso. Para a maioria, que deixou as mulheres e as namoradas a milhares de quilómetros de distância, basta ver alguém como a senhora e admirá-la. Mas há outros homens que precisam de algo de mais substancial do que um sorriso ou uma conversa. Eu satisfaço essa necessidade.

— Mas esta cidade está cheia de prostitutas — argumentou Matilda. — A senhora pode receber aqui os «cavalheiros». E o resto?

— Todos os homens têm a mesma necessidade, sejam cavalheiros, marinheiros, soldados ou mineiros de ouro — disse ela, encolhendo os ombros. — Quando um homem passou semanas metido em água gelada até à cintura, quando a tenda dele foi levada pelo vento nas montanhas e só a ideia de grandes riquezas o anima, precisa de uma pausa de vez em quando. Ter nos braços o corpo macio e quente de uma mulher por algumas horas dá-lhe forças para continuar.

— Dito assim, a prostituição quase parece sagrada — disse Matilda com desdém. — Mas não é, é imunda e humilhante.

A condessa lançou-lhe um olhar superior. — Nem sempre — disse ela. — Pode ser terna, divertida, relaxante, estimulante e simplesmente excitante. Os jovens aprendem muitas vezes a tornar-se grandes amantes com as prostitutas e, por seu turno, levam essa experiência para casa para deliciar as mulheres. Um homem não tem de fingir que é uma coisa que não é com uma prostituta. No meu tempo, ouvi muitos segredos de homens e mandei-os embora com a sensação de que haviam sido purificados. Conheci homens que, se não tivesse sido o afecto das prostitutas, poderiam ter posto fim à vida. Acha isso imundo e humilhante?

— Não, suponho que não é — disse Matilda com relutância. — Mas quando vivia em Londres, em rapariga, vi um lado terrível da prostituição, raparigas que se vendiam nas esquinas por alguns xelins para comprar de comer. Só queria que houvesse maneira de dar a essas raparigas uma oportunidade na vida, antes de acabarem numa viela escura, infestadas de doenças.

— Tem um coração de ouro — disse a condessa, dando-lhe uma palmadinha na mão. — Preocupa-se genuinamente com as pessoas, não apenas com a moralidade. Admiro isso.

Matilda achou que já se havia demorado o suficiente. Compreendia o ponto de vista da mulher. Até sentia uma certa admiração pela sua honestidade.

— É melhor ir andando — disse ela. — Tenho de apanhar o barco mais tarde. Agora que sei a verdade sobre a Maria e Mr. Slocum, estou mais descansada; só cá vim para saber isso.

— Não vá a correr se não tiver de ir — disse a condessa, o seu rosto pequeno e enrugado iluminado numa expressão de verdadeiro interesse. — É que ouvi falar imenso de si pelos meus cavalheiros, como era fisicamente, como era inteligente a fazer contas. Soube que é viúva, com filhas pequenas. Adorava conhecer a sua história!

— Soube tudo isso aqui? — murmurou Matilda. — Está a dizer que os homens com quem fiz negócio são seus «cavalheiros»?

A condessa riu-se. — Mas é claro, minha cara. Muitos dos meus melhores clientes são pilares da sociedade. Mas, exactamente como os garimpeiros, também gostam de se divertir. Fica surpreendida?

Matilda indicou que sim. Era difícil imaginar qualquer dos homens sérios e bastante desinteressantes a quem vendera madeira a vir para a farra aqui à noite e a falar sobre ela a esta mulher extraordinária.

— Se as mulheres deles fossem um pouco mais afectuosas, menos obcecadas com os bens materiais, eu não teria clientes. — A mulher esboçou um sorriso irónico. — As mulheres com quem eles são casados são tão prostitutas como as minhas raparigas, com a diferença de que vendem o corpo com relutância a troco do seu sustento. Mas chega, é raro ter a oportunidade de ter uma boa conversa com outra mulher. Conte-me como veio para a América e porquê.

Matilda não era distante por natureza e, desde a partida do Oregon, sentira-se muitas vezes só, desejando poder falar abertamente com outra mulher. Talvez tivesse começado a falar de si própria à condessa mais por delicadeza do que outra coisa, mas a mulher estava tão interessada, era tão hábil a arrancar-lhe informação, que não tardou a dar por si a contar-lhe toda a história, sem nada esconder.

— Imagino que está chocada por eu não ser de facto viúva — disse ela, com uma certa vergonha ao terminar com a chegada a casa de Cissie no Oregon. Ficou um tanto desconcertada por ter revelado tanta informação, mas sentia-se melhor por isso.

— De maneira nenhuma — disse a mulher mais velha, abanando a cabeça. — Só estou a pensar que é uma mulher extremamente afoita. Mas deixe-me dar-lhe um conselho para o futuro. Dizer que o seu marido era médico não é boa ideia porque é um dado que se pode verificar. E pode esbarrar com alguém que a tenha conhecido em Independence ou Nova Iorque.

— Mas agora não posso alterar o que disse — disse Matilda,

alarmada. — Enfim, pelo menos aqui nesta cidade, já demasiadas pessoas o sabem.

— Quase toda a gente nesta cidade vive uma mentira — disse a condessa, com uma gargalhada irónica. — Não se aflija com isso. Mas eu, no seu lugar, se um dia voltar aqui, recusava-me a falar mais sobre o assunto. Acabará por cair no esquecimento e, por outro lado, dar-lhe-á o estatuto de uma mulher misteriosa.

Matilda sorriu. — Como a senhora, talvez?

A condessa dirigiu-lhe um sorriso jovial e desdentado. — Sim, eu sou um pouco misteriosa. Pelo que vejo, temos muito em comum, Mrs. Jennings.

— Trate-me por Matty — disse Matilda. — Sinto-me mais confortável assim, sobretudo agora que sabe tudo sobre mim.

— E a mim, trate-me por Zandra — disse ela. — E se cá voltar, Matty, e espero bem que volte, tem de me visitar. — Fez uma pausa e riu-se. — Não se ponha a pensar que a quero como locatária, longe disso. Mas gosto de si, é tudo, minha cara.

Matilda estendeu impulsivamente o braço e pegou-lhe na mão. — Também gosto de si — disse ela. Estava contente por se ter intrometido na vida de Maria, pois, de contrário, nunca teria conhecido esta mulher fascinante. Cissie ia adorar esta história!

— Tem de manter-se em contacto comigo — disse Zandra com um sorriso. — Adorava ter notícias de sua casa e das suas filhas, e saber como os seus negócios evoluem. Posso transmitir-lhe as novidades daqui e talvez pô-la a par de novos cavalheiros na cidade que possam querer madeira.

A ideia agradou bastante a Matilda. Pegou numa caneta, escreveu a sua morada e entregou-lha.

Zandra escreveu igualmente a sua. — Mais um conselho — disse ela, ao passar-lha. — Use parte do dinheiro que ganhou aqui para comprar roupa nova. A sua cor é o azul, Matty, e não o cinzento e o verde. Estou convencida de que, se uma pessoa se rodear das cores correctas, o seu caminho na vida se torna de repente claro.

Quando Matty se levantou para partir, experimentou uma estranhíssima sensação de pesar. Não por ter falado tão abertamente, mas por não ter conhecido esta mulher ao chegar e por não ter tido tempo para a conhecer melhor. Fora por acaso que conhecera todas as pessoas que até agora haviam sido importantes na sua vida, e tinha a estranha impressão de que Zandra pertencia a esse grupo. Talvez

Zandra também estivesse consciente disso, pois levantou-se, tomou as duas mãos de Matilda e puxou-a para si para a beijar nas duas faces.

— *Au revoir* — disse ela suavemente. — É assim que as pessoas em França dizem adeus. Mas o significado literal é «até à próxima».

CAPÍTULO 17

Matilda avistou o inconfundível cabelo ruivo de Sidney entre o ajuntamento de pessoas no cais em Portland muito antes de o barco se aproximar o suficiente para ela lhe distinguir as feições. Ficou surpreendida ao vê lo ali, pois não era esperada hoje, mas deliciada porque assim não teria de viajar no *ferry* até Oregon City.

Acenou freneticamente. Sidney retribuiu o aceno, mas, para um rapaz tão excitável e exuberante, o seu aceno parecia bastante discreto. Matilda teria esperado que ele se pusesse aos saltos e também lhe gritasse uma saudação, especialmente quando tinha vindo de tão longe para o caso de chegar um barco da Califórnia.

Porém, à medida que se aproximava da doca, pressentiu que havia algum problema. A sua postura física, os ombros vergados, as mãos nos bolsos, transmitiam abatimento. Pensou que ele talvez se tivesse zangado com John e Cissie e tivesse vindo aqui para apanhá-la e contar-lhe a sua versão da história antes de voltar para casa.

O barco atracou e Matilda foi a primeira de seis passageiros a desembarcar, não esperando sequer pela ajuda de um dos tripulantes. No entanto, embora Sidney se precipitasse para ela, não houve nenhum grito entusiasmado de boas-vindas e ele limitou-se a lançar os braços à volta dela.

— O que é que se passa, Sidney? — perguntou. Mas ele apenas a apertou, o seu corpo fino tremendo, o rosto enterrado no ombro dela.

— O John morreu.

Ela ouviu o que ele disse, mas não quis acreditar. Agarrou-o com toda a força pela cintura e afastou-o de si para lhe ver a cara.

Ele estava a debater-se para reprimir as lágrimas, mas os seus olhos vermelhos e a cara, de um branco espectral, mostravam que andava a chorar já há bastante tempo.

— Morto! — exclamou ela, percorrida por um calafrio, apesar de estar uma tarde muito quente. — Como é possível?

— Morreu esmagado por uma carga de madeira — balbuciou o rapaz. — É terrível, Matty. Nem sei se consigo contar-te tudo.

Abalada como estava, Matilda pegou-lhe na mão e, ignorando os olhares curiosos das pessoas que os observavam, conduziu-o para perto de uma barraca e sentou-o num caixote. Instalando-se ao lado dele, puxou-o contra si e insistiu para que ele lhe contasse toda a história imediatamente.

— Foi há dez dias — disse ele com um soluço. — Chegámos à serração com uma carga de árvores na carroça, eram para aí cinco horas da tarde e chovia a cântaros. O John mandou-me chamar o Bill Wilder para nos ajudar a descarregar. Não encontrei logo o Bill e imagino que o John se deve ter cansado de esperar e subiu para a carroça para começar a desprender as árvores. Deve ter escorregado no molhado, caído ao chão e as árvores caíram em cima dele. Quando eu voltei com o Bill, vimos a madeira toda no chão, mas não víamos o John em lado nenhum. Depois vi uma das botas dele de fora.

Sidney foi-se abaixo, soluçando como uma criança. Matilda levou alguns minutos a acalmá-lo para lhe arrancar o resto da história. Não conseguiram levantar as árvores porque eram muito pesadas, por isso jungiram os bois para as rebocar, uma a uma. Finalmente libertaram John, mas ele já estava morto.

— Não é justo — soluçou Sidney. — O John amava as árvores, queria plantar tantas árvores novas quantas as que abatesse. Se os homens não tivessem corrido todos para a Califórnia, talvez tivéssemos conseguido salvá-lo. Mas demorámos demasiado tempo.

Nesse momento, Matilda perdeu também o controlo, agarrando-se a Sidney, angustiada. Era uma enorme injustiça que um homem tão trabalhador como John morresse de maneira tão atroz. Mal se atrevia a perguntar como estava Cissie. Sabia que a amiga estaria a pensar que a sua vida também acabara.

— Levámo-lo para casa na carroça e enterrámo-lo dois dias mais tarde — disse Sidney finalmente. — Foi terrível, Matty, e tu ausente e tudo. Ainda é pior agora, a Cissie está num farrapo, já não consegue fazer nada. O Peter está sempre a perguntar onde está o John, não consigo fazê-lo compreender.

— E a Tabby e a Amelia? — perguntou Matilda, sentindo um medo súbito a apertar-lhe o coração.

— Estão bem — disse Sidney num tom neutro. — A Tabby tem sido muito boa com a Amelia e a Susanna, mas está morta que tu chegues porque tem medo, com a Cissie no estado em que está. Tenho-lhes dito que vai ficar tudo bem quando voltares e, quando soube ontem que estava para chegar um barco, resolvi vir aqui, na esperança de que viesses nele.

Matilda sentiu o sangue a escoar-se-lhe lentamente das veias. Passara as duas semanas inteiras de viagem a pensar em pouco mais que a felicidade de John quando visse a quantidade de encomendas que trazia. John era um homem que devia ter vivido até aos noventa anos, gozava de boa saúde e era forte e cheio de vida. Cissie e Sidney dependiam completamente dele, pois era ele que tinha educação, um ofício, visão e sabedoria. Até ela se habituara ao apoio dele.

— Tenho tantas saudades dele — murmurou Sidney, os olhos a transbordar de lágrimas. — Ele era como um pai para mim e não sei o que fazer sem ele.

Matilda abraçou-o com força por momentos. Não havia nada que pudesse dizer para o consolar. Dizer-lhe que tinha de ser um homem agora e assumir o lugar de John não era apropriado, apesar de imaginar que era precisamente isso que ele estava a tentar fazer.

— Tens-me a mim — murmurou também. — Vá, vamos para casa.

Cissie estava simplesmente sentada ao pé do fogão a fixar o vazio quando chegaram à cabana. Olhou para Matilda como se estivesse a ver uma estranha, e não reagiu quando Matilda correu a abraçá-la. Sidney disse que ela praticamente não se mexera dali desde que enterrara John e, nas raras vezes que falava, parecia que era com ele.

Estava tão suja e desalinhada como a cabana, o cabelo parecia um ninho, os botões do vestido estavam todos desencontrados. As suas faces, outrora cheias, estavam encovadas, não havia luz nos seus olhos verdes e a pele estava muito macilenta.

Tabitha aparecera pelo caminho a correr assim que ouvira a carroça a chegar e lançara-se nos braços de Matilda, relatando entre soluços a sua versão de tudo o que acontecera. Agora havia serenado, sentada na cama com a irrequieta Amelia ao colo e prendendo Susanna para ela não correr para Matilda, que estava a abraçar Cissie. — Porque é que ela está assim, Matty? — perguntou, num tom bastante frio e tenso.

É o choque — disse Matilda, subitamente consciente de que devia tentar esconder as suas próprias emoções por causa das crianças. — É como se tivesse partido mentalmente para outro lugar por algum tempo. Mas agora que eu voltei para olhar por vocês, ela há-de melhorar.

Porém, embora fizesse esta afirmação aparentemente segura, não estava certa de que a sua presença operasse uma recuperação imediata. John não fora apenas o marido adorado de Cissie. Apagara as suas recordações de uma infância maculada, conduzira-a à respeitabilidade e dera-lhe o tipo de vida que ela nunca teria sequer imaginado quando vivia em Five Points. Todos os objectos na cabana que ele construíra para eles só serviam para o recordar — a mobília feita com amor pelas suas próprias mãos, as árvores de fruto lá fora que ele plantara com ternura. Até a cama que partilhavam ainda mostrava a marca do seu corpo. Sempre que Susanna tentava trepar para o seu colo, Cissie via os olhos azuis de John a mirarem-na. E os sonhos para o futuro que haviam alimentado juntos pairavam no ar para atormentá-la.

Matilda suspeitava que o espírito de Cissie havia regressado a essa cave fria e húmida em Nova Iorque, porque, no seu estado de dor e confusão, a morte de John devia indicar que tudo o que era bom chegara ao fim e que se afundaria de novo nas suas origens.

— Tentei fazer tudo o que a tia Cissie fazia — disse Tabitha, numa voz trémula. — Mas não conseguia tratar de tudo.

Matilda olhou para o rosto atormentado da criança, viu os círculos escuros sob os seus olhos e as suas mãos vermelhas e inchadas e o seu coração encheu-se de compaixão por ela. Nem com toda a boa vontade do mundo podia uma criança de nove anos lidar com uma bebé, uma criança de colo e um rapaz de seis anos, além de tentar preparar as refeições, dar de comer aos animais, lavar e limpar.

— Fizeste muito bem, Tabby. Estou orgulhosa de ti — disse ela. — Passa-me a Amelia. Disseste que ela já consegue gatinhar?

Depois de uma ausência tão prolongada, Matilda ansiava apenas estar a sós com a filha, mimá-la e examiná-la atentamente. Mas não podia cumulá-la de atenções especiais quando Susanna, Peter e

Tabitha precisavam muito mais dela. Via que Amelia crescera, tinha mais cabelo e mais dois dentes. Ao pousá-la no chão da cabana, a visão do seu rabinho gordo e da sua carinha atrevida virada para trás para se certificar de que a mãe estava a observá-la deram-lhe vontade de rir, mas não podia rir-se numa altura destas, nem sequer da sua própria filha.

— Agora estou com medo da tia Cissie — confidenciou Tabitha, mais ao fim do dia, quando Matilda levou as crianças todas até ao ribeiro para as lavar. Precisavam de um verdadeiro banho, mas estava uma tarde quente e, com tantas tarefas urgentes, Matilda decidira que um mergulho rápido no riacho teria de bastar por agora.

— Com medo da Cissie! — exclamou, achando melhor dar pouca importância à questão do que tentar explicá-la. — A seguir vais dizer-me que tens medo de mim.

— Ela devia lembrar-se que é mãe — disse Tabitha, franzindo os lábios de uma maneira que recordava vivamente a imagem de Lily a Matilda. — Já nem sequer pega na Susanna ao colo.

— Até as mães ficam doentes às vezes — respondeu Matilda, pensando se Tabitha estaria a lembrar-se do comportamento estranho da sua própria mãe. Prendeu a saia do vestido, despiu Susanna e entrou na água com ela para a lavar. Susanna guinchou de riso porque a água estava fria, e o som, depois de todas as desgraças, soou como música aos ouvidos de Matilda.

Olhou para as outras crianças. Tabitha estava a despir Amelia no colo, com Peter sentado ao seu lado a descalçar as botas. Desejava fazê-los rir também. — Mas esta mãe não fica doente e, depois de estarem todos lavados, vou preparar panquecas para o jantar. Até sou capaz de vos ler uma história.

No entanto, por mais reconfortante que Matilda se esforçasse por soar, também se sentia assustada. Susanna podia só ter dois anos e meio, mas estava perfeitamente consciente de que se passava algo de muito grave. Na ausência de Matilda, deixara de ser uma bebé e passara a ser uma menina pequena, mas, perturbada com a súbita mudança de ambiente em casa, voltara a molhar as cuecas e Sidney disse que ela se sentava muitas vezes no alpendre a baloiçar-se tristemente.

Peter não comia; Sidney disse que ele chorava durante o sono e tinha-o encontrado várias vezes junto à estrada, na esperança de que o pai voltasse. Não importava muito que estivessem todos sujos nem que tivessem comido mal nos últimos nove dias, mas a inesperada privação de amor e afecto era extremamente grave.

Nem conseguia imaginar a dor de Sidney. Esta família era tudo para ele, considerava os pequeninos como irmãos e irmãs, John fora um pai, um professor e um ídolo. Começara a aprender um ofício com ele, a ser um homem. Mas, com apenas catorze anos, ainda não passava de um rapaz, precisava de saber que esta continuava a ser a sua casa, que o amor que esta família lhe dedicara nunca lhe seria negado.

Até o fiel e dedicado *Treacle* parecia encolhido e assustado. Pusera-se furtivamente à volta das saias de Matilda quando ela descera da carroça com Sidney, mas mal abanava a cauda e estava de orelhas caídas. Seguia sempre Tabitha para onde quer que ela fosse, mas agora mantinha-se distante de todos, deitado no alpendre a observá-los melancolicamente.

Mas de todos, era Tabitha quem mais preocupava Matilda. Passara por inúmeras adversidades antes de chegarem ao Oregon. Adaptara-se a uma vida calma e feliz aqui na cabana e agora, mais uma vez, a morte mergulhara-a num estado de incerteza.

Nos dias que se seguiram, a ansiedade de Matilda aumentou. Na primeira noite, convencera-se de que, assim que arrumasse a cabana, deitasse as crianças, desse banho a Cissie e lhe lavasse o cabelo, esta cairia em si e compreenderia que estava novamente em segurança, começando de novo a reagir à família.

Mas não houve melhorias. Todas as manhãs, quando Matilda se levantava, Cissie já estava acordada, fixando silenciosamente o tecto, e era evidente que dormira muito pouco. Punha-se a pé e vestia-se quando Matilda a mandava, mas afundava-se imediatamente na cadeira, onde passava o dia, apenas se mexendo quando precisava de ir à sanita ou se Matilda lhe ordenasse que fosse para o alpendre.

Matilda compreendia-a perfeitamente, pois sabia o que era um coração despedaçado. Recordava vividamente essas longas noites depois de Giles ter sido assassinado, interrogando-se por que razão lhe coubera sorte tão cruel a ela. Conhecia também essa sensação de impotência, o desejo de estar simplesmente deitada e morrer. Mas recompusera-se para tomar conta de Tabitha e não era capaz de compreender por que razão uma pessoa tão forte como Cissie podia ignorar os filhos.

Fazia tudo para suscitar uma reacção da parte dela, usava de persuasão e lisonja e por vezes até lhe falava rispidamente, mas a amiga parecia surda a tudo. Nada a afectava, nem os gritos de Susanna, ou Amelia a tentar pôr-se em pé, agarrando-se-lhe às saias, ou Peter a pedir qualquer coisa. Matilda começou a pensar que, se a cabana pegasse fogo, ela não se mexeria do sítio.

A sua pele estava cada vez mais cinzenta, o seu cabelo encaracolado perdera o brilho, o sorriso insolente que antes fora parte integrante do seu carácter deixara de se revelar. Respondia às perguntas com um aceno, raramente pronunciando uma palavra, e engolia umas poucas colheradas de comida antes de a recusar.

Com o tempo, Matilda começou a sentir-se exausta com todas as lides domésticas, olhando pelas crianças e tratando das sementeiras, ordenhando a vaca e dando de comer aos animais. Estava sempre a dizer a si mesma que Cissie se arranjara na sua ausência, mas Sidney e John sempre haviam tratado dos animais, rachado lenha e caçado, com espingarda ou armadilhas, para obter carne para as refeições, e agora via-se também obrigada a fazer isso. Sidney esforçava-se por ajudar ao máximo, mas tinha de ir à serração todos os dias, para se certificar de que nada era roubado e tentar vender a madeira que restava e, assim, ela tinha de se desenvencilhar praticamente sozinha.

As crianças queriam a atenção de Cissie e, quando não a conseguiam, andavam de roda de Matilda. Tabitha procurava ajudar, mas zangava-se quando as coisas corriam mal. Um dia, quando Amelia saiu da cabana a gatinhar e se meteu num charco de água, ela pegou nela e bateu-lhe por pura frustração, pois acabara de lhe pôr um vestido lavado. Noutra ocasião, tentou rachar lenha para o fogão e, incapaz de o fazer, desferiu uma machadada, não acertando por pouco no pé de Peter. Matilda gritou com ela nas duas ocasiões e Tabitha fugiu para a mata a chorar. Matilda tinha vontade de fazer o mesmo, mas não podia, alguém tinha de ficar e ocupar-se da montanha de tarefas, bem como olhar pelos mais pequenos.

O futuro preocupava-a ainda mais do que o presente. John investira tudo o que tinha na serração e, se Cissie não recuperasse depressa e decidisse que destino lhe dar, o negócio que John construíra perder-se-ia e a serração deixaria de ter qualquer valor. Não passariam fome, pois ela e Sidney sabiam matar coelhos e veados e havia hortaliças suficientes para se alimentarem, mas ia ser terrível quando o Inverno chegasse, sem dinheiro para comprar petróleo para as candeias, rações para os animais e provisões como farinha, açúcar e arroz.

Sempre que olhava para as encomendas de madeira, sentia-se ainda mais frustrada. Se fosse possível satisfazê-las e despachá-las para São Francisco, os lucros resolveriam os problemas imediatos. Sidney possuía uma bagagem de conhecimentos surpreendente sobre madeira, mas não era capaz de dar resposta sozinho e, enquanto Cissie estivesse mergulhada na dor, Matilda não conseguia descobrir quanto dinheiro John deixara, arranjar homens para ajudar ou deixar as crianças em segurança para se ir aconselhar na cidade.

Passaram duas longas semanas, durante as quais o calor aumentava de dia para dia. Embora o sol constante facilitasse bastante a tarefa de lavar e secar a roupa, Amelia e Susanna andavam irritadiças, e significava também que as culturas e as árvores de fruto precisavam de rega. Muitas vezes, Matilda tinha de deixar este trabalho para quando anoitecesse e as crianças estivessem a dormir, e uma noite tropeçou numa pedra e caiu de cabeça no ribeiro.

Ficou mais surpreendida do que magoada, mas, ao levantar-se no escuro, completamente molhada, prendeu o pé no vestido, que se rasgou, e ficou subitamente furiosa, pois significava mais uma tarefa com que se ocupar. Ao voltar para a cabana, viu Cissie sentada no alpendre, com a habitual expressão distante nos olhos, e a sua frustração e fúria cresceram e explodiram.

— Isso, fica aí como se estivesses à espera que o padre chegasse. Não te rales que eu faça o trabalho todo, que ande derreada e quase me tenha afogado nesse maldito ribeiro — descarregou. — Continua a sentir pena de ti mesma. A puta da Matilda resolve-te os problemas todos.

Nunca usara este palavrão, eram resquícios de Finders Court que ela enterrara, mas talvez ao usá-lo tivesse também invocado a violência desse lugar. Um reflexo primitivo fê-la subir para o alpendre de um salto e assentar uma bofetada com força na cara de Cissie.

— Levanta-me esse cu e faz alguma coisa — gritou-lhe. — Tratava de ti, se estivesses doente, mas diabos me levem se vou olhar pela merda de um fantasma. Porque é o que tu és, Cissie, minha menina, uma merda de um fantasma, sem coragem, nem coração, nem alma.

Cissie levantou os olhos para ela, verdadeiramente surpreendida, a mão movendo-se, hesitante, para a face ardente. — Não sabia que conhecias palavrões tão feios — disse ela.

Ouvir Cissie proferir uma frase completa foi um choque tal que Matilda recuou, subitamente consciente de que, na sua fúria, revertera para a pessoa que já fora, uma rapariga de rua de Finders Court. Mas não era capaz de pedir desculpa, estava a espumar de raiva.

— Conheço ainda piores — respondeu à rapariga. — E, se não sais desse maldito transe em que andas, vais ouvi-los.

— Ninguém me bate sem pagar por isso — respondeu Cissie, saltando do assento e lançando-se sobre Matilda, os dedos preparados para arranhá-la.

Matilda esquivou-se agilmente e Cissie caiu para a frente no degrau do alpendre, estatelando-se no solo duro e batendo com a cara em cheio no chão.

Matilda caiu imediatamente em si, horrorizada pelo que dissera e fizera. Desceu o degrau de um salto e baixou-se para erguer Cissie. Mas, para sua surpresa, Cissie rebolou, apanhou-a pelos joelhos e puxou-a para baixo, pregando-lhe uma série de socos e lançando-lhe insultos. *Treacle* saiu disparado dos arbustos, ladrando furiosamente e puxando pela roupa das duas mulheres, não sabendo quem atacar e quem defender.

Foi Sidney quem pôs fim à escaramuça; apareceu a correr, só de calças e, saltando para junto delas, separou-as.

— O que é que se passa? — exclamou ele. — Perderam as duas o juízo?

Matilda estava deitada por terra, de costas, o vestido molhado e rasgado colado ao corpo. Cissie estava de pé ao lado de Sidney, tão ofegante como *Treacle*, que olhava para uma e para outra, perplexo. Sidney estava por cima dela, o peito nu muito branco e o cabelo ruivo brilhando como um archote sob a luz da candeia do alpendre atrás. Mas foi a sua expressão chocada que a fez ver o lado cómico do que acabara de acontecer. Tinha os olhos arregalados e estava boquiaberto.

A princípio, o riso saiu fraco, mas aos poucos transformou-se numa gargalhada forte e plena que não conseguiu conter. Rolou no chão, perdida de riso, e riu-se até começar a chorar.

— Ela perdeu a cabeça. Insultou-me e bateu-me — ouviu Cissie exclamar. — O que é que ela tem, Sidney?

— Não sei — respondeu ele. — Mas pelo menos pôs-te a falar outra vez, Cis. Acho melhor voltarmos para dentro.

Matilda oscilava entre o riso e as lágrimas enquanto os dois a conduziam para dentro, a sentavam e lhe perscrutavam ansiosamente o rosto. Demorou bastante tempo a conseguir exprimir o que estava a pensar.

— Não te devia ter insultado, Cissie — acabou ela por dizer. — E foi terrível ter-te batido. Desculpa. Mas, pelo menos, parece que te espicacei. É a primeira vez que mostras que a velha Cissie ainda existe.

Nesse momento, foi Sidney quem rompeu em longas gargalhadas de satisfação, enquanto preparava café.

Cissie olhou para as crianças adormecidas atrás e levou um dedo aos lábios. — Ainda as acordas, Sidney. Pára de rir e explica onde está a graça.

Nessa noite, Matilda estava demasiado exausta para acreditar que Cissie tinha de facto saído do seu transe. Quando acordou na manhã seguinte ao som do fogão a ser limpo e abriu um olho, vendo que era Cissie de roupão e com um xaile pelos ombros, mal conseguiu acreditar no que via.

Saiu da cama em silêncio, para não acordar as crianças, e passou um braço pelos ombros de Cissie. — Como é que te sentes hoje? — perguntou.

— Confusa — disse Cissie com um suspiro, pousando a cabeça no ombro de Matilda. — Eu sei que o John está morto e enterrado. Mas não sei como nos pegámos as duas. Porque é que foi?

— Fui eu que perdi a paciência — disse Matilda. — Senta-te que eu explico.

Cissie sorriu debilmente enquanto Matilda lhe contava o que desencadeara a luta entre as duas. Mas quando falou da frustração que sentira, Cissie pôs um ar perplexo. — Estás a dizer que andei louca? Que nem olhei pelas crianças?

Matilda tentou dar pouca importância ao assunto. — Era um estado de choque, foi mais forte que tu, Cissie. A Lily ficou assim durante bastante tempo depois de perder o bebé. Eu fui igualmente cruel com ela.

— Não me lembro de nada — murmurou Cissie. — Recordo-me de o Sidney e o Bill Wilder chegarem com o John na carroça. Fui eu que o lavei e vesti. Lembro-me de o ministro também aparecer aqui e do serviço fúnebre na igreja. Mas não me lembro de voltar a seguir para casa nem de nada. Quando é que voltaste então?

Matilda relatou tudo. — Agora não importa — disse ela suavemente. — Acho que caíste numa espécie de sono. Mas agora acordaste e as crianças vão ficar felicíssimas.

Não foi uma recuperação instantânea; Cissie andava confusa, umas vezes chorosa, outras vezes calada, de tempos a tempos tagarelando tanto que Matilda só queria que ela se calasse. Mas começou gradualmente a recompor a sua vida, mimava as crianças, fazia pão, varria a cabana e mondava a terra entre as filas de hortaliças.

Havia alturas em que queria falar constantemente de John, noutras não suportava pronunciar o seu nome. Um dia dizia a Matilda que achava que não conseguia viver sem ele, no seguinte negava esta afirmação e dizia que tinha de viver para bem dos filhos.

No dia em que finalmente perguntou pela serração, Matilda percebeu que ela estava verdadeiramente a recuperar. Pôde por fim falar das encomendas de São Francisco e da sua convicção de que deviam tentar satisfazer o maior número possível.

— Como é possível? — perguntou Cissie, os olhos verdes arregalados de surpresa e choque.

— Eu digo-te — respondeu Matilda, lançando-se na explicação do plano que traçara durante a última semana.

Sidney dissera-lhe que vários homens tinham indagado se a serração seria posta à venda. Era evidente que pensavam que a conseguiriam a um preço muito baixo porque sabiam que Cissie não era capaz de dirigi-la sozinha.

— Mas se arranjarmos alguém que a dirija por ti e satisfizermos essas encomendas, vale muito mais — disse Matilda.

Cissie mostrou-se céptica. — Porque é que não a vendemos já? Se oferecermos as encomendas ao comprador, ele oferece-me de certeza mais dinheiro e poupava-nos uma série de problemas.

— Mas o John ia obter um lucro de mais quatro mil dólares com elas — redarguiu Matilda. — Já depois de deduzir os custos de expedição e a minha comissão também. Duvido que um comprador te pagasse mil pelo negócio, mesmo com as encomendas, porque teria medo que a madeira não lhe fosse paga.

— Pois, mas isso também nos pode acontecer a nós — disse Cissie, duvidosa.

— Não, não acontece nada — afiançou Matilda. — Deixa isso comigo.

— Mas como é que vou pagar a um homem para a dirigir? — perguntou Cissie. — Não sei quanto dinheiro o John tinha no banco, mas não pode ser mais que uns duzentos dólares. Além disso, um homem sozinho não era capaz de fazer o trabalho.

Matilda já pensara neste problema. — Vamos ao banco e explicamos tudo e depois pedimos o dinheiro emprestado.

— Ninguém empresta dinheiro a uma mulher — retorquiu Cissie num tom de desalento.

Matilda sorriu. — Emprestam, pois, quando me ouvirem.

Jacob Weinburg, dono do Oregon City Bank, previra que Mrs. Duncan não tardaria a visitá-lo para discutir a situação dos negócios do falecido marido. Mas não estava à espera que ela aparecesse acompanhada por Mrs. Jennings, que não só alegou ser agente de Duncan, mas havia preparado um plano para manter o negócio de pé.

Weinburg era de opinião de que as mulheres não deviam meter-se em negócios, mas, no momento em que Mrs. Jennings começou a falar, teve de admitir que ela não era apenas a mulher mais atraente que vira desde que partira de Boston alguns anos antes, como era extraordinariamente inteligente e muito engenhosa.

— Está a dizer que foi a São Francisco e conseguiu sozinha todas estas encomendas? — perguntou ele, folheando o livro de encomendas que ela lhe entregou.

— Naturalmente — disse ela, encarando-o de frente. — Já lhe disse, Mr. Weinburg, estava em representação de Mr. Duncan. Estava de regresso com essas encomendas quando ele morreu e julgo que tenho um dever, para com ele e Mrs. Duncan, de as satisfazer, entregar e cobrar o pagamento.

Weinburg trabalhara na banca toda a vida, tal como o pai antes dele. Tinha cinquenta e cinco anos, era de constituição franzina, possuía um tom de pele amarelado e um nariz bastante proeminente, e sabia que, se não fosse a sua riqueza e posição, talvez nunca tivesse arranjado mulher.

Contudo, ao olhar para Mrs. Jennings e ao recordar que ouvira dizer que também ela era viúva como a amiga e viera sozinha com as filhas para o Oregon, não pôde deixar de se interrogar por que razão uma senhora tão encantadora não se casara em segundas núpcias. Podia certamente escolher o homem que quisesse na região. Os seus olhos eram do azul mais claro que já vira e, embora ela tivesse a maior parte do cabelo enfiado dentro do chapéu, era de um louro puro e muito bonito.

Afastou os olhos dela para olhar para Mrs. Duncan. Encontrara-a em duas ou três ocasiões antes, a última, infelizmente, no funeral do marido. Também ela era uma mulher bonita e entristeceu-o ver como estava agora magra e macilenta. Admirara bastante John Duncan; aliás, esperara que o homem empreendedor viesse a tornar-se num dos ilustres cidadãos de Oregon City dentro de alguns anos. Talvez não devesse despachar a sua viúva e a amiga sem lhes fazer a justiça de ouvi-las.

Matilda pressentiu que o horroroso banqueiro estava mais interessado na sua figura do que no que dissera até agora, mas como lhe captara a atenção, lançou-se primeiro no relato da sua viagem de barco para São Francisco com a intenção de ganhar dinheiro e, em seguida, no seu plano para satisfazer as encomendas.

— Se Mrs. Duncan puder oferecer salários generosos, podemos expedir as encomendas dentro dos prazos — disse ela num tom firme. — A única coisa que queremos do senhor é que pague esses salários até eu voltar da Califórnia com o dinheiro.

Como esperava, ele referiu a possibilidade de as pessoas se recusarem a pagar.

Matilda debruçou-se sobre a secretária dele e lançou-lhe um olhar penetrante. — Aquela cidade está absolutamente desesperada por todo o tipo de mercadoria imaginável — disse ela. — A madeira e outros materiais de construção figuram à cabeça da lista. Se os homens não levantarem a madeira e não me pagarem no cais, ponho-a logo ali a leilão.

Fez-lhe uma breve mas vívida descrição dos leilões nas docas e de como os homens esperavam a chegada dos navios, prontos a comprar a carga inteira.

— As verdadeiras fortunas naquela cidade não se fazem com a extracção do ouro — disse ela. — Esta encomenda — explicou, pegando na de Henry — é do vereador Slocum, que está a planear construir um novo cais. Fiquei alojada em casa dele e da mulher enquanto lá estive e posso dizer-lhe, Mr. Weinburg, que os homens que estão apostados em construir docas, salões de jogo e hotéis não vão dar a oportunidade a outros de se apossarem da madeira que encomendaram.

Continuando, disse-lhe que o seu plano era contratarem um homem e oferecer-lhe oitenta dólares por semana para abater as árvores, serrar a madeira e a entregar no navio o mais tardar a 10 de Setembro. Para garantir que este programa era cumprido, oferecer-lhe-iam um bónus de trezentos dólares no final. Disse ainda que quem aceitasse a proposta teria de contratar ajudantes e pagar-lhes do seu bolso.

Weinburg acenou com a cabeça. — É uma oferta extremamente generosa para qualquer pessoa — disse ele. — Mas não pode manter esse nível de salários depois de efectuar esta remessa. Como é que tenciona dirigir a serração depois disso?

— Ainda não tomei decisões sobre o futuro — disse Cissie. Até aqui, mantivera-se calada, sabendo que Matilda era capaz de explicar a situação melhor do que ela. — Podemos pô-la à venda; o preço dependerá do valor das encomendas que Mrs. Jennings trouxer com ela.

— Está então com ideias de conseguir mais?

— Com certeza — respondeu Matilda. — E procurar outras oportunidades de negócio enquanto lá estiver. Somos ambas viúvas, Mr. Weinburg, com filhos pequenos dependentes de nós. Não fizemos esta longa e perigosa viagem para aqui, para o Oregon, para arrumarmos as botas e cultivarmos meia dúzia de hortaliças.

Jacob Weinburg raramente achava os seus clientes divertidos, mas Mrs. Jennings dava-lhe vontade não só de rir, mas de aplaudi-la. Haveria de ir longe, era demasiado determinada para fracassar.

Olhou para Cissie, dirigindo-lhe as suas observações. — Bem, Mrs. Duncan, contrate lá o seu homem. O seu marido deixou um saldo na conta de quatrocentos e vinte e três dólares e, quando essa verba acabar, continuarei a deixá-la fazer levantamentos semanais até a expedição estar concluída e os custos suportados. Vou ter de preparar um documento para o efeito. Se achar bem, volte na próxima semana para o assinar.

Cissie e Matilda entreolharam-se e sorriram.

— Muito obrigada, Mr. Weinburg — disse Cissie, com uma expressão subitamente corada e animada.

— Foi um prazer fazer negócio com o senhor — disse Matilda, estendendo o braço para lhe apertar a mão. — Espero que possamos fazer mais no futuro.

Antes de sair da cidade, Matilda dirigiu-se ao escritório do *Oregon Spectator* e colocou um anúncio a pedir um homem experiente no negócio da madeira. Mais tarde, quando iam na carroça para casa, Cissie começou a tagarelar da maneira habitual.— Não era feio, o Weinburg? — exclamou. — Imagina ter de dormir na mesma cama com ele!

— Prefiro não imaginar — disse Matilda.

— Reparaste que tinha pêlos a sair das orelhas? — continuou Cissie. — E os dentes eram todos castanhos... que horror!

— Não conseguia tirar os olhos das mãos dele, eram tão brancas e macias. Ainda bem que não descalcei as luvas; provavelmente recusava-se a apertar-me a mão se a visse — disse Matilda a rir. — Mas deves estar melhor para imaginares dormir com alguém.

— É do que sinto mais falta — disse Cissie com tristeza. — De que é que tens mais saudades no Giles?

Matilda pensou por um momento. — Do sorriso dele — respondeu. — Mesmo no princípio, quando fui trabalhar para ele e para a Lily, era o que mais me agradava. A boca dele tremia ligeiramente, os olhos brilhavam, e depois fazia num sorriso de orelha a orelha. Dava-me sempre vontade de sorrir também.

— Então não tens saudades da coisa?

Matilda soltou uma risadinha. — Só aconteceu duas vezes, Cissie. Pode sentir-se saudades de uma coisa que se experimentou tão pouco?

— Nós não o fazímos muito depois da Susanna — disse Cissie, pensativamente. — Tínhamos medo porque não queríamos outro bebé antes de o negócio estar estabelecido e, além disso, estávamos sempre demasiado cansados. Acho que a última vez foi naquele domingo quando ele me disse que tu ias a São Francisco.

— Desejei nunca ter ido, depois de o Sidney me ter ido esperar a Portland e dizer que ele tinha morrido — disse Matilda.

— Teria acontecido mesmo que aqui estivesses — disse Cissie, com um suspiro. — O John gostava muito de ti, Matty. Uma noite, disse que estava com saudades tuas e eu fiquei cheia de ciúmes. Não foi uma estupidez, quando também eu estava com saudades tuas?

— Nem por isso. — Matilda pegou na mão da amiga e apertou-a. — Se eu estivesse a viver com o Giles e tu fosses viver connosco, imagino que me teria cansado por vezes. Acho que foste espantosa por me teres acolhido em tua casa e olhado pelas minhas filhas.

— Adoro-as como se fossem minhas, nunca me aborrecem. Mas vai ser difícil quando tiveres de voltar a São Francisco — disse Cissie, com um suspiro. — Mas talvez nos faça bem às duas. Não podemos viver agarradas uma à outra para sempre, pois não?

— Talvez não, mas havemos de ser amigas para toda a vida — disse Matilda, sentindo um nó a formar-se-lhe na garganta. — Ainda nem te falei de São Francisco; se decidires vender a serração, talvez possamos mudar-nos todos para lá. Depois de deitarmos as crianças mais logo, conto-te tudo.

O céu nocturno cintilava de estrelas, a brisa quente estava carregada do aroma dos pinheiros e a lua pairava sobre o enorme carvalho como uma lanterna, iluminando o ribeiro rumorejante, quando Matilda, Cissie e Sidney se foram sentar no alpendre, mais tarde, nessa noite. Atrás da cabana, uma coruja piou; a paz era total e tudo era muito diferente de São Francisco, mas eram o momento e o lugar perfeitos para Matilda lhes falar sobre a cidade.

Arregalaram os olhos ao ouvi-la descrever a cena nas docas quando chegara, sustiveram a respiração quando ela falou dos casinos, fizeram um esgar perante a ideia dos restaurantes de lona com beliches a um dólar por noite e da imundície nas ruas. Mas, à medida que se ia entusiasmando, descobriu que as suas histórias sobre as jantaradas eram divertidas e a sua viva imitação dos leiloeiros, dos mineiros boçais, dos bêbados e das prostitutas nas ruas os punham ora a soltar arquejos de espanto, ora a rir estrondosamente.

Parecia ter-se passado tudo há uma eternidade; Matilda mal se recordava do medo que sentira à chegada ao porto ou do humilhante embaraço nos jantares em casa dos Slocum; somente as boas recordações perduravam com nitidez. Partilhando as suas experiências com os amigos, ouvindo as suas gargalhadas e vendo os seus olhos brilhantes, sentiu que lhes dera algo em que pensar para além de John e de todos os sonhos desfeitos que os rodeavam.

Três dias mais tarde, estavam cinco homens à entrada da serração quando Matilda lá chegou com Sidney na carroça, todos eles tendo lido o anúncio no jornal. Cissie não quisera acompanhá-los, dizendo em tom de brincadeira que só ia escolher o mais atraente e, além disso, quem tinha cabeça para os negócios era Matilda.

Dos cinco homens, Matilda não teve alternativa senão escolher o que lhe agradava menos, pois era o único que apresentava robustez física, conhecimentos sobre o negócio da madeira e ganância suficiente para conseguir concluir o trabalho a tempo.

Hamish MacPherson era escocês, como John, mas as semelhanças acabavam aí. Era um homem gigante, com pelo menos um metro e oitenta e sete de altura e antebraços que pareciam troncos de árvore. O seu cabelo preto era comprido e oleoso, tinha os dentes podres, cheirava como se nunca tivesse tomado banho na vida e, ainda por cima, mascava tabaco. Sempre que abria a boca, cuspia um repugnante escarro castanho.

Ouviu a descrição do trabalho com muita atenção, interrompendo Matilda de tempos a tempos para esclarecer um ou outro ponto. Ela achou que ele era um homem muito manhoso, os seus olhos nunca a fitavam de frente, e teve a impressão de que ele estava a congeminar alguma vigarice.

— Vai mesmo pagar-me oitenta dólares por semana? — perguntou finalmente.

— Claro, foi o que prometi — disse ela, recuando um passo porque o odor que emanava dele era estonteante. — Mas tem de perceber que tem de arranjar ajudantes e pagar-lhes do seu bolso. E só recebe o bónus que ofereci quando a madeira estiver toda a bordo.

— Não me parece que seja difícil arranjar ajudantes — disse ele, coçando a axila e revelando que, além de sujo, tinha piolhos. — Estive a trabalhar numa exploração florestal no Canadá e os homens com quem trabalhei lá vieram quase todos para aqui, com a ideia de continuar para a Califórnia por causa do ouro. Mais algumas semanas não lhes hão-de fazer grande diferença, sobretudo se eu for o patrão.

— Vai ser o patrão *deles*, mas eu sou o seu — disse ela com secura, deitando-lhe um olhar severo. — Era agente de Mr. Duncan e sou responsável por tratar de tudo em nome da viúva. Estarei aqui todos os dias e, se vir que se atrasa, o nosso contrato é cancelado imediatamente.

— Não sou nenhum mandrião — disse ele, pondo um ar ofendido. — Dê por onde der, hei-de pôr-lhe essa madeira no barco. Tem algum sítio onde eu possa dormir? Ainda não arranjei onde ficar.

A ideia de o ter a dormir na serração era horrível, mas, dadas as circunstâncias, não teve alternativa senão oferecer-lhe a barraca onde a sua carroça costumava estar guardada.

— Trate de não pegar fogo a nada — avisou-o. — Vamos então examinar as encomendas para saber exactamente qual é a madeira necessária.

Cissie mostrou-se muito apreensiva quando Matilda descreveu MacPherson. Sidney amuou porque ela disse que fazia tenções de o acompanhar à serração todos os dias.

— Porquê? — perguntou ele. — Eu sou capaz de tratar de tudo. Devias ficar aqui.

— Não vou lá para te controlar — apressou-se ela a dizer, receosa de ter ferido a sua susceptibilidade. — Preciso que verifiques todas as encomendas à medida que vão ficando prontas para te certificares de que a madeira é da espessura e comprimento correctos. Só lá vou para vigiar o MacPherson. Conheço o tipo dele, aposto que já está a pensar em vender madeira à socapa. E não queremos que ele descubra para quem são as encomendas nem que tenha nenhuma ideia do lucro que vamos obter. Caso contrário, desanda para a Califórnia para conseguir as encomendas para ele. Tu não tens estofo para um patife como ele!

— E tu achas que podes com o homem? — disse Cissie com um sorriso matreiro. — Se é tão grande como dizes, não tens tamanho para lhe dar um chuto nos tomates se ele te enganar.

— Há mais maneiras de controlar um homem do que dar-lhe chutos nos tomates — disse Matilda, rindo. — Parece que estás sempre a esquecer-te que cresci entre gente da laia dele. Então, arranjas-te sem mim aqui?

— Acho que sim — disse Cissie, levantando Amelia do chão e fazendo-lhe mimos. — Mas acho que o Sidney devia fazer-me um pequeno parque para eu pôr esta lá a brincar de vez em quando. Gatinha tão depressa que preciso de ter olhos nas costas, e não é justo obrigar a Tabitha e o Peter a estarem sempre em cima dela.

Nesse momento, Sidney animou-se, deliciado por ver que era verdadeiramente útil. — Eu faço qualquer coisa amanhã.

MacPherson revelou ser muito mais eficiente do que Matilda esperava. Quando chegou com Sidney, na manhã seguinte, já ele tinha consigo três homens de aspecto igualmente bruto, um dos quais já estava a amarrar os bois à carroça. MacPherson disse que iam imediatamente para a floresta para abater as árvores. Acrescentou que iam acampar lá até terem abatido todas as árvores necessárias.

— É melhor assim, perde-se menos tempo — disse ele, cuspindo um jacto de tabaco e quase acertando na bainha do vestido de Matilda. — Quando estivermos prestes a acabar, volto com uma carga e começo a serrar e eles podem trazer o resto por turnos.

— Quanto tempo é que isso vai demorar? — perguntou ela.

Ele encolheu os ombros. — Duas semanas talvez. Guarde o meu dinheiro até lá. Não há nada por lá onde gastá-lo.

Matilda viveu num estado permanente de ansiedade durante as duas semanas seguintes. Embora não tivesse adiantado dinheiro nenhum a MacPherson, ele tinha a carroça, os bois e o equipamento de abate de John. Não tinha maneira de saber ao certo onde ele e os homens estavam e não podia, por isso, pôr-se a cavalo para ir verificar o que estavam a fazer. Também não havia razão para ir diariamente à serração.

E se eles não tivessem ido para a floresta, mas tivessem pegado na carroça e partido para a Califórnia? Quando descobrisse, seria tarde de mais para contratar outro homem.

Aplicou toda a sua energia na cabana, rachando lenha suficiente para lhes durar todo o Inverno e arando uma secção de terreno em que John e Cissie ainda não haviam tocado, preparando-a para plantar mais árvores de fruto. Muitas vezes, à noite, olhava para as mãos e suspirava. Estavam com melhor aspecto quando regressara de São Francisco, umas quantas semanas sem trabalhos pesados haviam-nas amaciado, mas agora estavam de novo horríveis e não lhe parecia que pudesse fazer alguma coisa para resolver o problema.

Um dia, ao fim da tarde, dezassete dias depois da partida de MacPherson, Sidney apareceu em casa a galope para comunicar que MacPherson e um dos homens dele haviam chegado durante a tarde com a primeira carga. Tinham-na descarregado e o outro homem dera meia-volta e levara a carroça para trazer segunda carga.

— Não gosto nada do ar do homem, é um animal — disse Sidney, ainda ofegante da cavalgada para casa. — Mas trabalha bem, não há dúvida. Disse que tinham estado a abater árvores desde o nascer ao pôr-do-sol.

Matilda teve vontade de cair de joelhos para dar graças. — Esperemos só que seja tão bom no resto da empreitada — disse ela. — Mas amanhã vou contigo para ver.

Se Matilda pensara que trabalhar a terra na cabana era extenuante, não tardaria a descobrir que dirigir uma serração o era ainda mais. MacPherson e o ajudante não davam descanso à serra, independentemente do calor que fizesse. A serra zunia, voavam aparas de madeira, o pó infiltrava-se-lhe nos pulmões e, mesmo quando ela escapava para o minúsculo escritório por cima do depósito da madeira, ele ia atrás. Mas raramente parava para descansar, pois eram muitas as pequenas tarefas que podia desempenhar enquanto Sidney ajudava os homens. Varria e apanhava o serrim e as aparas, pois podiam ser vendidos mais tarde à fábrica de papel mais adiante na margem do rio. A casca e pequenos fragmentos podiam ser usados para lenha e os fragmentos maiores guardados para venda a carpinteiros.

À medida que as pranchas serradas se iam amontoando, ela e Sidney transportavam-nas para começar a organizar as remessas para cada cliente. Na maioria, as encomendas eram de tábuas de pinho, mas havia também algumas de carvalho e freixo e ela não tardou a saber distingui-las.

Entretanto, os outros dois homens estavam constantemente a voltar com mais cargas, largando-as e partindo para ir buscar mais. Era Matilda quem levava os bois até ao rio para beberem e pastarem antes da carga seguinte, e estranhava a sua meiga docilidade quando eram tratados tão brutalmente pelos operários.

No final de cada dia, sentia muitas vezes inveja dos homens quando os via correr para o rio para tomar banho e lavar os corpos encardidos e cobertos de serrim, antes de irem ao bar. As suas vidas podiam ser duras, mas não eram complicadas por problemas domésticos. Pelo pouco que sabia sobre os homens através de Sidney, há anos que saltavam assim de emprego em emprego, gastando todo o dinheiro que ganhavam em bares e bordéis, nenhum deles tendo alguma vez ficado no mesmo lugar tempo suficiente para se casar. Sidney disse que as conversas entre eles eram todas sobre o ouro na Califórnia, onde estavam convencidos de que iam enriquecer e nunca mais precisariam de trabalhar.

A arrogância deles divertia-a. Todos sabiam que ela estivera em São Francisco e, contudo, nem um lhe pedira conselho ou mesmo a sua opinião sobre a cidade porque era mulher. Se tivessem pedido, talvez os tivesse aconselhado a adiarem a partida até ao princípio da Primavera, pois, se chegassem no Outono, estaria demasiado chuvoso e frio para peneirar ouro. Assim, achava que seria bem feito quando o dinheiro se lhes acabasse e o único abrigo que tivessem fosse uma tenda. Mas pelo menos a cobiça do ouro estava a fazê-los trabalhar arduamente.

Foi quando estava a organizar a expedição da madeira e a reservar a sua própria passagem para acompanhá-la, na manhã de 12 de Setembro, que Matilda se lembrou de Zandra. Metade das encomendas estava agora completa, muito antes do tempo, e com tudo o que acontecera desde que regressara de São Francisco, não tivera tempo para pensar nela e muito menos sentar-se a escrever-lhe uma carta. Essa visita à casa de tolerância fora a única história que omitira a Cissie e Sidney. Não parecia correcto, depois da morte de John, e Cissie não precisava que lhe lembrassem o seu próprio passado num momento tão difícil.

Mas simpatizara muito com a mulher e Zandra oferecera-se para ajudá-la a arranjar alojamento. Talvez até tivesse algumas ideias sobre alguma actividade em que Matilda e Cissie se pudessem lançar para sustentar as crianças. A amiga estava agora a restabelecer-se, estava a engordar, recuperara as antigas energias e, apesar de ainda se entregar a crises de choro ocasionais, expressara com frequência o desejo de viver numa terra mais vibrante e colorida.

Sabendo que havia um barco com destino a São Francisco no final da semana, que transportaria correio, Matilda sentou-se no escritório da serração e escreveu várias cartas, em primeiro lugar, para informar todos os clientes sobre a data do despacho. Comunicou que viajaria com a madeira e que esperava que ela fosse levantada e paga no cais, à entrada na doca. Em seguida, escreveu a Zandra.

Foi na primeira semana de Setembro que a criada de Zandra, Dolores, apareceu com duas cartas da estação de correios. Zandra sentia-se bastante desanimada porque tinha os dois joelhos muito inchados, e mal conseguira descer as escadas, quanto mais deslocar-se aos correios. Integrar a fila de homens que esperavam pacientemente por notícias de casa era um dos seus pequenos prazeres, pois era aí que muitas vezes ouvia os mexericos mais interessantes. Homens que não sabiam ler pediam-lhe muitas vezes que lhes lesse as cartas e isso dava-lhe uma oportunidade de sentir o pulso à pequena e vibrante cidade.

Mas quando Dolores lhe entregou o correio, esqueceu-se dos joelhos dolorosos, do facto de o médico lhe ter dito que devia aceitar a velhice com elegância, e do facto de os espelhos da casa não terem sido polidos ao gosto dela. A primeira carta era de um amigo advogado, Charles Dubrette, de Nova Orleães. Este decidira viajar até à Califórnia para se inteirar pessoalmente do que aí se passava. Vinha por barco até ao Panamá e, seguidamente, por terra até ao Pacífico, e devia chegar em finais de Setembro. A outra carta era de Matilda.

Zandra ficou deliciada com a carta de Charles, porque era muito amiga dele; mas ficou ainda mais com a de Matilda, porque tudo nela provava que não se enganara a respeito da rapariga.

A condessa Alexandra Petroika sempre preferira a companhia dos homens à das mulheres. Não se recordava de alguma vez, em toda a sua vida, se ter aberto com uma mulher como se abrira com Matilda nem de ter desejado forjar alguma amizade em especial com pessoas do seu sexo. A sua relação com as suas «locatárias» era semelhante à de uma professora primária com os seus alunos. Ensinava-as a comportar-se correctamente, a vestir, repreendia-as quando prevaricavam e olhava por elas quando estavam doentes. Mas raramente afectavam o seu coração.

No entanto, havia algo em Matilda que a tocara, e pensara amiúde nela desde esse encontro bastante breve. Achava que era por ter reconhecido uma natureza muito semelhante à sua: uma mulher fogosa e de bom coração, que encarava a vida de frente e se recusava a deixar-se abater pela tragédia ou pelo infortúnio.

Agora, ao ler a carta de Matilda, soube que ela passara por mais infortúnios com a morte do marido da amiga e, todavia, não havia nada na carta que sugerisse autocomiseração. Zandra deduziu que Matilda arcara sozinha com o fardo de olhar pela amiga e pelos filhos dela e sabia também como devia ser penoso para uma mulher organizar o corte e a expedição daquela madeira. A maioria das mulheres teria escondido a cara atrás do avental e chorado.

Nas entrelinhas da carta, Zandra reconheceu o mesmo espírito indomável que a levara a Paris, numa idade semelhante, onde, na penúria e sem nada além das suas faculdades e figura, ascendera à posição de cortesã mais celebrada e influente na cidade.

Podia ter ficado na sua adorada Paris, aceitado qualquer uma de muitas propostas de casamento para garantir cuidados na velhice. Mas o seu orgulho não lhe permitira fazê-lo, esses homens haviam sido amantes e amigos durante muitos anos e ela desejava perdurar nos seus corações numa imagem de juventude e beleza. Assim, aos quarenta e dois anos, fizera as malas e partira de Paris para tentar a sorte na América.

Abriu a sua primeira «casa de tolerância» em Nova Orleães. Gastou todas as suas economias para conseguir uma casa no local certo, pagar as decorações exuberantes e mobiliário elegante. As suas «locatárias», como as raparigas eram conhecidas, foram escolhidas com igual cuidado, não apenas pela aparência mas pelo carácter afável e personalidade. Abriu com uma grande *soirée*, convidando apenas os homens mais ricos da cidade e servindo champanhe, excelentes vinhos e iguarias soberbas. Em poucas semanas recuperou o investimento, porque os seus cavalheiros não tardaram a descobrir que uma noite na sua sofisticada casa não só era a melhor distracção na cidade, como também funcionava na mais absoluta discrição.

Vinte anos mais tarde, aos sessenta e cinco anos, Zandra começava a sentir-se cansada e considerava que era tempo de se reformar. Deu uma última e esplendorosa festa, fez as suas despedidas, vendeu o negócio e mudou-se para Charleston, levando consigo a criada, Dolores. Podia ter ficado aí para sempre se não fosse um rumor que ouvira de que um carpinteiro descobrira ouro perto de Sacramento. No princípio da Primavera do ano seguinte, reservou uma passagem para ela e para Dolores num navio que fazia o percurso em redor do Cabo Horn, só para dar uma vista de olhos.

Não foi, de maneira nenhuma, o desejo do ouro que motivou esta perigosa viagem por mar. Zandra era suficientemente rica para acabar os seus dias no maior luxo, mas a sua curiosidade e espírito de aventura levaram-na a querer descobrir se havia alguma verdade no rumor e, se sim, observar a loucura que decerto se seguiria.

Zandra chegou a São Francisco em Junho, deparando-se com o pequeno porto praticamente deserto. Ouvira dizer que, apenas um mês antes, a 12 de Maio, Sam Brannan, um ancião mórmon e director do *California Star*, após regressar de Sacramento, onde fora investigar os rumores, desfilara por Montgomery Street, agitando uma garrafa de *whisky* cheia de ouro em pó e anunciando que o rio American transbordava de ouro. Quase todos os homens fisicamente capazes haviam debandado para deitarem a mão ao seu quinhão.

Zandra deu por si inesperadamente atolada na cidadezinha desolada. Havia navios a chegar todos os dias, trazendo cada vez mais homens sedentos de ouro, mas não podiam partir novamente porque as tripulações os abandonavam para ir também à caça da fortuna.

Depois da vida sofisticada a que estava habituada, foi com horror absoluto que contemplou o aglomerado de primitivas casas de adobe que constituíam a cidade. Mas, como não podia partir, disse-lhe a experiência que tirasse o máximo partido da situação e, assim, comprou um terreno e montou uma tenda para se alojar temporariamente. Dolores, que partilhara tantas experiências com ela no passado, aceitou, se não com prazer, pelo menos com resignação. Com persistência, subornos e lisonja incessante, Zandra conseguiu construir uma casa de madeira fasquiada. Tinha dois andares, um espaçoso e, comparado com tudo o que se via na cidade, luxuoso apartamento para ela própria e, por baixo, dois armazéns que pretendia arrendar.

No Outono, quando vieram as chuvas e os homens começaram a regressar das montanhas com os bolsos cheios de ouro, começaram a chegar empresários aos milhares. Salas de jogo rebentaram como cogumelos em redor da praça, bares e restaurantes de paredes de lona foram montados num abrir e fechar de olhos. Zandra recebeu uma oferta pelos seus armazéns três vezes superior ao que esperava. Olhando para o seu apartamento com novos olhos, decidiu pôr fim à reforma e retomar o negócio da casa de tolerância.

*

O salão de Zandra estava extremamente concorrido no dia em que recebera a carta de Matilda. As velas no candelabro projectavam uma luz ténue mas bruxuleante sobre a sala, o pianista ia tocando tudo, desde polcas alegres a suaves trechos de Mozart, e as suas doze raparigas, com vestidos de noite de cetim de cores garridas e cabelo impecavelmente arranjado, conviviam com os seus cavalheiros.

Como sempre, recebeu pessoalmente os homens à porta, pegou-lhes nos chapéus e mandou depois uma das raparigas servir-lhes bebidas. Recusava a entrada a quem não estivesse elegantemente vestido ou estivesse com um grão na asa. As armas e as navalhas eram confiscadas e guardadas numa gaveta fechada à chave até os seus donos partirem.

O papel de Zandra era certificar-se de que nenhum homem era ignorado pelas meninas e de que os forasteiros eram apresentados aos clientes habituais. Enquanto o porteiro se mantinha discretamente atento a potenciais desordeiros, Dolores acompanhava os cavalheiros às três alcovas nas traseiras da casa, e era nas suas mãos que o dinheiro era enfiado. Mais tarde, Dolores voltava ao quarto para mudar a roupa da cama.

Embora Zandra não pudesse providenciar o champanhe francês e os faustosos jantares que oferecera em Nova Orleães, nem tão-pouco instalações para os cavalheiros que pretendessem passar toda a noite com a rapariga escolhida, mantivera os seus elevados níveis de higiene e tratava bem as raparigas. Insistia para que tomassem banho todos os dias, iniciou-as no uso de pessários contraceptivos de cera ao estilo europeu e mantinha-as vigilantes a qualquer sinal de doença. Eram bem alimentadas e bem pagas, recebendo metade da quantia paga pelos seus serviços pessoais.

A maioria das madamas, aqui e noutras cidades, providenciava vestidos e *lingerie* sofisticados, mas depois cobrava preços exorbitantes por eles, mantendo as raparigas permanentemente em situação de endividamento. Faziam vista grossa quando um cavalheiro tratava as raparigas com mais brutalidade, mantinham-nas praticamente prisioneiras, algumas encorajavam mesmo o uso de opiáceos para se tornarem mais dóceis. Mas Zandra apenas cobrava o custo real do vestuário, qualquer homem que tratasse mal uma rapariga era posto na rua e nunca mais era admitido e dava liberdade às raparigas, pois há muito que aprendera que, tratando-as bem, a sua felicidade se reflectia no seu trabalho.

Mas, esta noite, Zandra não estava muito concentrada. Sentia os joelhos a latejar, o fumo dos charutos dos homens estava a fazer-lhe arder os olhos e sentia-se completamente esgotada.

«Estou velha de mais para isto», pensou, observando Maria a lançar um sorriso sedutor ao homem com quem estava a dançar. «Acho que está a chegar a altura de me reformar de vez.»

— Aí tem a sua remessa, minha senhora — gritou MacPherson a Matilda, na tarde de 6 de Setembro. — As encomendas estão completas e prontas a ir para Portland amanhã.

Ela estava no escritório, por cima do depósito de madeira, a organizar encomendas de antigos clientes de John. A voz de MacPherson entrou pela janela aberta e ela desceu a correr a estreita escada para ver com os seus olhos.

MacPherson estava refastelado contra uma pilha de madeira, como sempre a mascar tabaco. Sidney estava em pé em cima de outra pilha, a amarrar uma corda em volta.

Poucas coisas haviam parecido tão belas aos seus olhos como aqueles montes perfeitos, cada um com o nome do proprietário anotado a giz, estendendo-se de uma ponta à outra do pátio. Não precisou de perguntar se Sidney verificara tudo, não havia uma tábua rachada que escapasse aos seus olhos perspicazes e não teria deixado MacPherson chamá-la se não estivesse satisfeito.

— Parabéns, Mr. MacPherson — disse ela. — Fez um excelente trabalho. Só espero que não haja problemas a transportá-la para o navio e a carregar.

— Não há-de haver, minha senhora — disse ele. — E além disso ainda temos uma margem de alguns dias. Só espero que receba o seu dinheiro do outro lado. Pelo que ouvi, não faltam por lá patifes.

Matilda reprimiu um sorriso. Os homens em São Francisco seriam cordeirinhos ao lado de MacPherson. Depois de ter completado metade das encomendas, o homem começara a encher-se de importância; Matilda chegara um dia, de manhã cedo, e dera com ele a carregar a carroça de outro homem com alguma da madeira deles, com a intenção clara de embolsar o dinheiro. Quando lhe ordenou que a descarregasse, ele dirigiu-lhe imprecações e jurou que a madeira era dele porque a havia cortado. Ela sublinhou que toda a madeira, a partir do momento em que era trazida para a serração, era propriedade de Mrs. Duncan e, se ele não lhe obedecesse, chamaria o xerife. Ele cedeu então, mas ela desconfiava que ele já metera dinheiro ao bolso de outras cargas de que não tinha conhecimento.

Na última semana, ele discutira a propósito de tudo, alegara que não lhe sobrava nada depois de pagar aos homens, que ela era a mulher mais implacável que já conhecera e que Sidney era um presunçoso. Mas agora que o trabalho estava concluído, nada disso tinha importância.

— Posso receber agora o meu bónus? — perguntou ele. — Preciso de tratar de uns assuntos.

— De maneira nenhuma — disse ela, calculando que ele tencionava embarcar no navio que partia para São Francisco nessa noite. — O acordo é que recebe o bónus quando a madeira estiver a bordo.

Ele fez-lhe má cara, cuspiu ruidosamente para o chão e afastou-se.

— Está tudo pronto para embarque — disse Matilda alegremente quando entrou na cabana com Sidney ao crepúsculo. Cissie estava a dar banho a Amelia e a Susanna na tina do banho, Tabitha estava a pôr a mesa para o jantar e Peter a brincar com *Treacle* no chão. — E para celebrar há presentes para todos.

— Está tudo pronto! — exclamou Cissie, retirando Amelia da banheira e envolvendo-a numa toalha. — Tão cedo!

— Temos de o agradecer ao horroroso MacPherson — disse Matilda a rir, pousando alguns embrulhos de papel pardo na cama de Tabitha. — Pois bem, quem quer ser o primeiro a ver o presente?

— Onde é que foste arranjar dinheiro para presentes? — perguntou Cissie, desconfiada.

— Ainda tinha algum da venda da minha carroça — disse Matilda, um pouco magoada com o tom da amiga. Ultimamente, Cissie começara a comportar-se como se ela fosse sua criada e isso não lhe agradava. — Não me rebaixei ao ponto de vender a *tua* madeira, se é nisso que estás a pensar.

Cissie não pediu desculpa, mas também raramente o fazia, do mesmo modo que não dava grande valor a Matilda por ter resolvido os assuntos do marido.

Matilda trouxera pequenas bonecas de trapos para Susanna e Amelia. Peter recebeu um soldadinho de chumbo e Tabitha um livro sobre medicina. Sidney já tinha aberto o seu presente a caminho de casa, uma nova camisa de lã.

— Vá lá, abre o teu — insistiu Matilda com Cissie, tirando-lhe Amelia dos braços. — E, se fazes mais comentários desagradáveis, volto a tirar-to.

— Não voltei a ter um presente desde que conheci o John — disse Cissie, ficando subitamente lacrimosa. — Ele ofereceu-me um par de luvas de lã vermelhas.

Ao abrir o embrulho, soltou uma exclamação de prazer. Era um vestido de lã verde-esmeralda, com pequenos botões de madrepérola no corpete.

Encostou-o ao corpo e os seus olhos vidraram-se de lágrimas.

— Oh, Matty, é lindo e é a minha cor favorita. Onde é que o arranjaste?

— Mandei-o fazer — respondeu Matilda —, numa modista na cidade. Dei-lhe as medidas do teu vestido de domingo. É melhor que o vistas para ver se serve.

— O que é que está aí então nesses embrulhos? — perguntou Cissie, olhando para os dois em cima da cama.

— O pequeno é a prenda de anos da Amelia. Não te vou dizer o que é, tens de esperar por depois de amanhã. O outro é o vestido que eu ia pôr para me casar com o Giles. Mandei-o alterar. Achei que precisava de qualquer coisa mais elegante para vestir para o caso de me cruzar outra vez com a Alicia Slocum.

— Vamos experimentá-los juntas — disse Cissie.

As crianças riram-se e bateram palmas quando elas puseram os vestidos. O de Cissie estava um pouco largo, porque ela estava muito mais magra do que antes, mas ficava-lhe muito bem. O vestido de noiva azul de Matilda fora alterado, tendo um decote mais pronunciado e uma elegante armação e assentava-lhe agora na perfeição, acentuando a sua cintura delgada.

— Não parecemos duas senhoras de classe? — disse Cissie, cirandando pela cabana com uma mão na anca. — Se tivesse um vestido assim no meu tempo de Nova Iorque, teria conseguido trabalho numa casa de tolerância.

Matilda levou um dedo aos lábios para indicar que as crianças estavam a ouvir. Tabitha raramente deixava escapar o que quer que fosse e o mais certo seria perguntar-lhe o que ela queria dizer.

Ocorreu a Matilda, imediatamente antes de adormecer nessa noite, que era a primeira referência de Cissie ao seu passado desde que chegara aqui ao Oregon há onze meses. Teria sido apenas o vestido ou Cissie andaria a pensar muito nisso?

Em São Francisco, um mês mais tarde, no princípio de Outubro, Matilda encontrava-se nas docas a ver afastar-se pesadamente a carroça com o resto da madeira. A bolsinha firmemente presa ao pulso estava cheia de letras bancárias e, embora estivesse a chover torrencialmente, sentia-se exultante.

Podia ter vendido quatro vezes mais. À medida que cada pilha era descida para as barcaças que a transportavam para o cais, fora repetidamente abordada por homens que queriam saber se ela tinha madeira a mais. Mas o dono de cada uma das cargas mostrara-se demasiado ávido para isso; estavam todos à espera do barco e pagaram-lhe, apressando-se a levar a madeira dali. Depois das dificuldades e trabalho duro das últimas semanas, quase se sentia desapontada por não lhe ter sobrado uma pilha para leiloar. Sabia com absoluta certeza que, desse modo, ganharia muito mais dinheiro com ela.

Era uma sensação estonteante registar tal sucesso num mundo de homens, ver a admiração nos rostos de homens que, alguns meses antes, se haviam mostrado quase desdenhosos da sua capacidade de dar cumprimento às encomendas. Passar-lhe-iam todos novas encomendas, quase certamente em quantidades três ou quatro vezes superiores, mas não seria ela a satisfazê-las — Cissie não deixara dúvidas, antes de ela partir, de que queria vender a serração.

Durante a longa viagem para aqui, Matilda reflectira demoradamente sobre a razão por que Cissie se quereria ver livre dela. Inicialmente, parecera-lhe que era o desejo de se libertar das dolorosas recordações de John, mas agora Matilda já não estava tão certa disso.

Parecia mais provável, depois de ponderar a maneira como Cissie não demonstrara verdadeiro apreço pelos seus esforços e o seu frequente tratamento de Matilda como uma parente pobre, que não queria, no fundo, que a amiga dirigisse a serração porque sentia que seria relegada ao papel de dona de casa.

Na última noite, Cissie anunciara subitamente que queria vender a cabana e a terra, ir viver para a cidade e abrir uma pequena loja. Matilda não quis chamar a atenção para o facto de um comerciante precisar de saber ler e escrever nem quis perguntar se Cissie estava a tentar dizer-lhe que arranjasse casa própria.

Mas, por agora, não ia pensar mais em Cissie. Eram quase cinco da tarde e fazia tenções de ir directamente a casa de Zandra visitá-la e saber se ela conseguira arranjar-lhe um quarto.

Encaminhando-se para Kearny Street, custava-lhe a crer na quantidade de novas construções desde a sua última visita. Vários hotéis, que pareciam genuínos, mais bares, lojas, restaurantes e casas haviam brotado como cogumelos em todos os terrenos disponíveis. Mas a chuva transformara a rua num lodaçal e ela tinha de levantar as saias e imitar as outras pessoas, saltando de um caixote, caixa ou prancha estrategicamente colocados para outro.

Dolores, a criada, abriu-lhe a porta e conduziu-a através da sala principal à sala de estar de Zandra, informando-a pelo caminho de que a senhora estava com problemas terríveis nas pernas.

Matilda sentia uma enorme curiosidade a respeito da criada. Era uma mulher muito feia, com uma expressão severa, mas pelos modos afectuosos com que Zandra a mencionara várias vezes na carta que chegara pouco antes de Matilda partir do Oregon, era claro que se tratava de mais do que uma criada para ela. Era mais uma coisa que Matilda queria descobrir.

— Que bom voltar a vê-la, minha cara — disse Zandra, debatendo-se para se levantar da cadeira. — Não imagina o prazer que me deu saber que ia voltar. Já soube por um dos meus informadores que os seus clientes estavam todos à espera do navio. Deve estar muito satisfeita por ter despachado a madeira toda.

A sala de estar dela era inesperadamente bonita, muito pequena, mas decorada a creme e azul, com mobília delicada que tinha aspecto de ser francesa. Havia muitos livros e pequenos quadros, mas não estava atulhada de ornamentos, como era moda. Matilda sentiu, ao olhar para ela, que estava a conhecer outro lado desta interessante mulher de idade, no fundo muito feminina e culta.

Quando Zandra fez um esgar de dor, Matilda ajudou-a a sentar-se novamente na cadeira. — Também tenho muito prazer em voltar a vê-la, mas não doente. Que se passa com as suas pernas? Quer que vá buscar-lhe alguma coisa?

— É só da velhice e é uma coisa que tenho de aceitar — disse Zandra, sorrindo. — Vá, conte-me da sua amiga; a morte do marido foi uma tragédia.

Matilda explicou-lhe como Cissie e as crianças estavam quando chegara a casa e que lhe parecera importante satisfazer e expedir as encomendas de madeira se Cissie queria vender a serração. Riu-se ao descrever o seu pânico com o medo de não conseguir concluir tudo a tempo.

— Mas em que situação é que fica se ela realmente a vender? — perguntou Zandra.

— Se quer saber, não faço ideia — respondeu Matilda, franzindo a testa porque Zandra estava a dar voz à preocupação persistente que andava a atormentá-la. — No fundo, é estranho porque a Cissie fala dos meus filhos como fala dos dela, como se não fosse capaz de imaginar a vida sem eles de roda dela. Mas nunca pergunta se eu tenho planos; às vezes acho que ela imagina que eu tenho simplesmente de me adaptar aos dela.

— Duas mulheres numa casa raramente funciona — disse Zandra com compreensão. — Sobretudo quando têm as duas personalidades fortes. Mas o que é que gostava de fazer?

— Bem, da última vez que falámos, estava a considerar a possibilidade de lançar aqui um negócio meu. Mas, nessa altura, não imaginava que pudesse acontecer alguma coisa ao John. Sugeri à Cissie que viéssemos todos para aqui viver e, durante algum tempo, a ideia pareceu agradar-lhe, mas agora acho que mudou de ideias. Isso complica a minha vida; suponho que presumi que ela olharia pelas crianças enquanto eu trabalhava para o nosso sustento. Claro que podia arranjar terra para mim aqui, mas nunca ganharia muito dinheiro e seria uma vida demasiado dura para uma mulher sozinha.

Zandra inclinou-se e, para surpresa de Matilda, pegou-lhe na mão direita e descalçou-lhe a luva de renda.

— Não, não olhe para elas — exclamou Matilda, tentando afastar a mão, mas Zandra segurou-a com firmeza e passou o dedo pelos calos e pelas cicatrizes. Com as tarefas de cavar, rachar lenha e as farpas de madeira da serração, estavam ainda piores do que alguns meses antes.

Zandra emitiu um ruído de reprovação. — Dizem tudo sobre a sua vida lá — disse ela suavemente. — Tem de arranjar maneira de usar o seu excelente cérebro para ganhar a vida, em lugar do trabalho físico que claramente tem andado a fazer. Se continuar assim, vai envelhecer prematuramente.

— Nasci para trabalhar no duro — disse Matilda.

— Eu nasci no seio da nobreza — retorquiu Zandra. — Mas uma pessoa não tem necessariamente de aceitar que a posição em que nasceu é a única que lhe serve. Diga-me o que mais deseja da vida.

Por um momento, Matilda ficou desorientada. Já lhe havia sido feita esta pergunta, em duas ocasiões, primeiro por Flynn e depois por Giles, ambos influentes na formação do seu carácter. Tinha uma forte impressão de que esta mulher ia exercer uma influência igualmente marcante sobre o seu futuro.

— Dar uma boa educação à Tabitha e à Amelia.

— Porquê?

— Para não terem de casar com o primeiro homem que as pede em casamento, para poderem decidir se querem ser médicas, professoras ou advogadas, se for esse o desejo delas.

— No fundo, o que quer dizer é para que possam ser aceites nos círculos sociais certos, não é?

— Suponho que sim — respondeu Matilda, com um certo embaraço.

— Não se acanhe comigo, minha cara — disse Zandra, sorrindo levemente. — Faz muito bem em querer uma vida melhor para as suas filhas, mas o tipo de educação com que sonha para elas é cara. Nunca ganhará o suficiente com uma parcela de terra no Oregon. Tem de pensar em termos mais ambiciosos.

— Eu sei — disse Matilda num tom pesaroso. — Durante quase toda a viagem para aqui, vim a pensar sobre isso. Talvez pudesse persuadir Cissie a não se desfazer da serração e conseguir encomendas de madeira suficientes, enquanto aqui estou, para a tornar extremamente lucrativa, mas, mesmo que a Cissie concordasse, o trabalho e a organização são tão duros que acho que não seria capaz de aguentar durante muito tempo.

Zandra assentiu com a cabeça. — Isso é porque não é a solução indicada para si. Para começar, teria de estar dependente da ajuda de homens, e depois, a não ser que convencesse a Cissie a dar-lhe sociedade, os lucros seriam dela e não seus. Não teria satisfação com o trabalho, só ia esgotar cada vez mais as suas forças. E não tardaria muito a estar de candeias às avessas com a Cissie. O que tem de fazer é conceber um esquema só seu. Uma coisa a que possa dedicar o seu entusiasmo e que lhe renda muito dinheiro.

— Já tentei pensar em alguma coisa, mas não me ocorre nada — disse Matilda, de rosto crispado. — Sinto que tem de haver alguma coisa aqui, em São Francisco, que está mesmo debaixo do meu nariz, mas não sei o que é.

— Marquei-lhe quarto num hotel perto daqui — disse Zandra. — Logo à noite, quando estiver aconchegada na cama, comece por pensar em todos os sítios, lojas e empresas, que alguma vez admirou ou com que sentiu alguma afinidade na vida. Depois passe-as em revista uma a uma e tente imaginá-las aqui e ver se teriam sucesso. Depois de fazer isso, pense em todos os talentos que tem e pergunte a si mesma se se encaixariam num esquema desses.

— O mais certo é surgir-me uma ideia acima das minhas posses — brincou Matilda.

— O dinheiro que tem não importa. Se tiver uma boa ideia, há sempre pessoas que a financiam — disse a mulher mais velha com um sorriso entendido. — Mas agora é melhor ir-se embora, minha cara. Os meus cavalheiros hão-de estar a chegar e eu não quero que esbarre com nenhum. Venha visitar-me novamente de manhã.

Matilda partiu pouco depois com as indicações para o hotel que Zandra lhe dera na mão. Já caíra a noite, chovia ainda mais e soprava um vento forte do mar. Por alguns momentos, Matilda deteve-se sob o toldo da loja por baixo da casa de tolerância, hipnotizada com a visão da rua, pois ainda não a vira à noite. Ardiam candeias por cima de todos os bares, as suas luzes reluzindo nas poças e ressaltando das montras das lojas. Chegava música de todas as direcções, incluindo o piano no andar de cima, no salão de Zandra, jigas irlandesas tocadas ao violino, flautas, uma harpa e uma guitarra. A música era acompanhada de gargalhadas sonoras, do tinido dos copos e do som de botas ferradas a bater num soalho de madeira. Mais à frente na rua, havia duas tendas de jogo, as luzes intensas no interior recortando em silhueta os jogadores às mesas e lembrando-lhe um teatro de sombras. O ar estava saturado de tentadores aromas de comida — cebola frita, *bacon*, bife e muitos mais que ela não conseguia identificar.

Mas era a diversidade de pessoas, correndo de um lado para o outro para se abrigarem da chuva, que era ainda mais fascinante. Cavalheiros de cartola, homens de expressões azedas com chapéus de coco e fatos garbosos, oficiais do Exército de uniforme, uma mão-cheia de marinheiros, chineses, negros e mineiros mal-amanhados com roupas esfarrapadas. Também havia raparigas em todas as portas, convidando os homens a entrar, os seus vestidos de cetim captando o brilho das lanternas e os olhares de todos os homens. Talvez a rua fosse imunda, mas era o espectáculo mais excitante que ela já vira. Sabia que era aqui que queria estar.

O hotel era pequeno e tão novo que ainda cheirava a madeira e tinta fresca e os proprietários, Mr. e Mrs. Geiger, um casal alemão, acolheram-na calorosamente. Disseram, num inglês hesitante, que os seus hóspedes eram exclusivamente pessoas de negócios respeitáveis e que mudavam as camas sempre que eles partiam, servindo igualmente jantar.

Os lençóis, quer fossem mudados ou não, constituíam uma espécie de luxo e, embora o quarto de Matilda fosse acanhado e as paredes não passassem de finos tabiques, a cama estava limpa, havia cabides atrás da porta para pendurar a roupa e um lavatório de pé com uma bacia e um jarro de água, além de um penico debaixo da cama.

Depois de uma refeição surpreendentemente agradável de porco assado, partilhando a mesa com um casal de Santa Fé, que disse estar na cidade para comprar terra, e dois caixeiros-viajantes de St. Louis, Matilda foi-se deitar. Sentia-se extremamente cansada, a viagem fora agitada e a excitação do que a esperava não a deixara dormir muito bem.

Seguiu o conselho de Zandra e, assaltada pela recordação de tantos negócios fascinantes em Londres, sentou-se, reacendeu a candeia e, tirando um bloco do saco de pano, fez uma lista.

Havia a loja de rebuçados em Oxford Street em que parava sempre para espreitar. Recordou as centenas de frascos nas prateleiras, a senhora lá dentro a pesá-los e a deitá-los em cones de papel. Havia também uma chapelaria que sempre lhe chamara a atenção, e uma sapataria a que afluíam senhoras finas enquanto as carruagens as esperavam na rua.

Sempre gostara do aspecto de uma cervejaria na Strand. O cheiro dos charutos flutuava para a rua, juntamente com gargalhadas masculinas. Havia a loja de empadas em Fleet Street e a loja de bonecas em Regent Street. A tipografia em Fetter Lane sempre a havia fascinado, com o seu odor acre a tinta e o homem que escolhia pequenas letras de metal e as enfiava em filas. Sempre achara também interessante a agência funerária em Hampstead, onde havia uma atmosfera tranquila com as flores na janela, envoltas em cetim púrpura, para não falar do magnífico carro fúnebre puxado por quatro cavalos.

A loja de roupa em segunda mão mais selecta de Rosemary Lane era boa, bem como a loja de artigos marítimos onde os recolectores de lixo levavam os achados do dia para vender, a loja de enchidos e a tenda dos queijos no mercado. Recordava-se de admirar dezenas de livrarias em Charing Cross Road. E as lojas de flores também — havia, entre estas, muitas que apreciava.

Os teatros, claro, tinham de fazer parte da lista, não porque alguma vez tivesse entrado nos palácios dourados que admirara. E aquela casa em Haymarket, onde os finos levavam as raparigas da vida.

Fez uma pausa quando uma vívida imagem da última lhe assaltou a mente. À noite, tinha archotes a arder à porta, um homem de libré vermelha abria as portas aos clientes e uma explosão de música animada flutuava sempre até à rua. Apresentavam aí espectáculos, dançarinas, cães amestrados, malabaristas e cuspidores de fogo, por vezes também pugilistas profissionais. Uma vez, o porteiro deixara-a entrar para vender rosas e ela ficara tão extasiada com o espectáculo a decorrer no palco central, uma mulher contorcionista, que não abordou ninguém para vender as flores.

Depois de encher o lado esquerdo da página até baixo com ideias, voltou a passá-las em revista, riscando aquelas que, na sua opinião, não funcionariam aqui em São Francisco. Só duas, a chapelaria e a sapataria de senhoras, seriam definitivamente um erro e, quanto à livraria, não tinha bem a certeza. Neste momento, duvidava que alguém lesse, mas talvez estivesse enganada, se houvesse livros disponíveis. E também não estava segura a respeito da loja de artigos marítimos. Haveria um mercado para pregos ou pedaços de madeira usados? Uma loja de bonecas talvez funcionasse, a maioria dos homens que aqui chegava tinha filhos, mas comprariam uma boneca quando viviam em condições tão primitivas?

A coluna ao lado destinava-se aos seus talentos. A leitura e a aritmética, vender, era boa atiradora, sabia conduzir uma carroça, cozinhava, limpava e olhava pelas pessoas.

Enterrando o lápis na face, estudou esta curta lista e achou-a desinteressante. Era capaz de fazer rir as pessoas, era boa a dar ordens, era uma pessoa feliz, esperta e bonita, por isso tomou também nota destes atributos.

Por fim, a última lista: de que forma estes talentos se encaixavam nas ideias da primeira coluna. À primeira vista, a única em que não encaixavam era a agência funerária. Ser feliz e fazer rir as pessoas não era uma vantagem nesse ramo e, como tal, riscou-a.

Rebuçados, sim, mas daria para ganhar muito dinheiro? Já havia cervejarias e bares mais do que suficientes. E lojas de empadas também, mesmo que nenhuma fosse tão encantadora como a que conhecia de Londres. Roupas em segunda mão eram uma possibilidade, mas onde poderia adquiri-las? Além disso, não suportava a ideia de piolhos. As flores eram uma óptima ideia, mas quem as compraria aqui, mesmo que conseguisse arranjar um fornecedor?

Uma tipografia era uma boa possibilidade, não lhe parecia que já houvesse alguma, mas não entendia nada de impressão e, por conseguinte, tinha de excluí-la. Os teatros a mesma coisa, uma boa ideia, mas duvidava que os seus talentos dessem para isso e a construção custaria uma fortuna.

Só sobrava uma coisa. A casa de diversões em Haymarket.

Nesse momento, soprou a vela e deitou-se, mas uma bolhinha de excitação corria-lhe nas veias, parecendo querer explodir e desfazer-se num milhar delas. Era isso, a única coisa de que esta cidade precisava. Não faltavam bares normais para pôr todos os homens da Califórnia bêbados durante uma semana, havia bordéis em fartura e dezenas de casinos para os separar do seu dinheiro ganho à custa de muito suor. Mas, embora a comida, a bebida, o jogo e o sexo tivessem sido acautelados, não havia um único lugar de recreação decente.

Podia dirigir uma casa assim, sabia que podia. Podiam contratar dançarinas, malabaristas e cuspidores de fogo, através de anúncios, noutras cidades. Já havia músicos na cidade, ouvira-os tocar nas esquinas das ruas por algumas moedas atiradas para um chapéu. Algumas raparigas bonitas para empregadas de mesa seriam fáceis de arranjar. Talvez também raparigas para dançarem com os clientes.

«Mas deve ser caro estabelecer um sítio assim», pensou. «Tinha de ser espaçoso, de construção sólida num local proeminente, com uma decoração luxuosa para atrair gente rica. Alguém me emprestaria essa quantidade de dinheiro?»

Adormeceu, imaginando-se com um vestido de noite em veludo e diamantes ao pescoço, convivendo com os seus clientes enquanto as dançarinas actuavam no palco.

*

Na manhã seguinte, Matilda correu para a sala de estar de Zandra sem esperar que Dolores a anunciasse. — Tive uma ideia! — exclamou.

Zandra estava com as duas pernas levantadas sobre um banquinho para aliviar o inchaço, mas esqueceu-se do seu mal-estar quando viu o rosto afogueado e os olhos brilhantes de Matilda. — Vá, venha então contar-me — disse ela. — Traz-nos chá, Dolores. Se alguma das raparigas quiser falar comigo, tem de esperar até mais tarde.

— Que tal uma casa de diversões? — perguntou Matilda, lançando-se imediatamente numa descrição viva e visual do local. — Dançarinas, encantadores de serpentes, cuspidores de fogo, todas as noites um espectáculo diferente. Sempre alguma coisa para todos os gostos e o espectáculo está incluído no preço das bebidas. Um sítio onde um homem pode levar a mulher ou a namorada, onde não ia desbaratar o dinheiro ganho nem acabar a cair de bêbado.

O sorriso radioso de Zandra levou-a a mostrar-lhe os toscos esboços do interior: um palco central, para que os clientes pudessem circular, uma pequena pista de dança, um bar comprido de um dos lados. Disse que achava que devia situar-se mais acima na colina para as pessoas poderem ver as luzes à porta num raio de quilómetros.

— O que é que acha? — perguntou quando chegou ao fim.

O rosto pequeno e enrugado de Zandra abriu-se noutro sorriso e ela bateu palmas. — Acho que é uma ideia verdadeiramente maravilhosa — disse ela, num tom extremamente caloroso. — Vi lugares semelhantes em Londres e Paris, mas aqui ainda teria mais sucesso graças à nossa grande diversidade de nacionalidades.

— Podíamos organizar noites especiais para diferentes países — disse Matilda, empolgada. — Mexicanas, francesas e alemãs. Os empregados e as empregadas podiam vestir-se para a ocasião. — Fez uma pausa e o seu rosto contraiu-se. — Mas vai custar uma fortuna.

— Vai — disse Zandra, pensativa. — Mas, na minha experiência, quanto mais ambicioso e esplêndido for o projecto, mais fácil é pedir o dinheiro emprestado ou arranjar financiadores. É um projecto empolgante, Matty, como disse, é do que a cidade está a precisar.

— Quando diz «financiadores», quer dizer que o negócio não seria meu? — perguntou Matilda, subitamente nervosa por se ter alargado tanto. — Quer dizer, a ideia é minha. Não quero que ninguém ma roube.

Zandra olhou para ela por um momento, um sorriso irónico dançando-lhe na boca. — É exactamente igual a mim na sua idade. Impetuosa, desconfiada e não querendo largar o controlo.

— Não quero soar desconfiada aos seus ouvidos, Zandra — apressou-se Matilda a dizer. — Mas a questão é que não faço ideia de como montar uma coisa destas. Tenho medo de abordar a pessoa errada e de ser levada para uma viela escura e roubada.

— Pois acontece que o meu advogado, Charles Dubrette, chega dentro de um ou dois dias — disse Zandra pensativamente. — Acho que deve expor-lhe a sua ideia. Quanto aos financiadores, limitam-se a investir dinheiro num negócio e recuperam-no por meio de uma participação nos lucros quando os houver. Normalmente são convidados a ser financiadores porque possuem competências ou conhecimentos úteis, mas, em regra, não participam activamente na gestão. Por exemplo, pode convidar-me a pertencer a esse grupo. Ou o Henry Slocum, não se esqueça de que ele é arquitecto.

— Não me parece que ele quisesse ser um financiador — disse Matilda, com uma risadinha.

— Acho que está enganada; a meu ver, é uma pessoa entusiástica e útil. Como eu seria.

— A sério? — disse Matilda.

— Está a perguntar se eu seria entusiástica ou útil?

— Útil já foi — redarguiu Matilda. — Quis dizer entusiástica.

— Pode crer — disse ela, com um brilhozinho nos olhos. — É o género de esquema que gostava de ter concebido para mim. — E já pensou no nome que lhe daria?

Matilda corou e riu-se. — Já, mas não sei se é apropriado.

— Diga lá.

— Bem, a princípio pensei em Matilda's Fun Palace, mas é um trava-línguas, não é?

Zandra experimentou pronunciá-lo. — É — concordou. — Matilda é um nome demasiado longo.

— E se fosse London Lil's?

Zandra bateu palmas. — Perfeito — disse ela. — Cosmopolita, sonante, suficientemente vulgar para esta cidade. Sintetiza lindamente a ideia. Mas porquê Lil?

— Andava à procura de um nome que começasse por «L» e, claro, ocorreu-me Lily porque era o nome da mãe da Tabitha.

— É sempre um bom presságio pôr-lhe o nome de alguém por quem tinha afeição — disse Zandra. — Muito bem, já demos o primeiro passo, tem um projecto e tem um nome. A seguir temos de considerar os custos antes de abordar financiadores.

— Não faço ideia por onde começar nesse capítulo — disse Matilda.

— Nem eu — disse Zandra tristemente. — Mas o Charles faz! Posso averiguar se existem terrenos disponíveis. Se, como sugeriu, se vai decidir por um local elevado nas colinas, há-de ser muito mais barato do que aqui em baixo. Calculo que, neste momento, consegue um por seiscentos dólares, mais ou menos. Mas, pelo andar das coisas nesta cidade, prevejo que no próximo ano venha a custar duas vezes mais.

— Só tenho novecentos dólares — disse Matilda com um suspiro, pensando na sua comissão da venda da madeira. — E só os recebo quando regressar a casa. Os outros trezentos não vão dar para muito, pois não? Sobretudo se também tiver de arranjar casa para mim e para as crianças.

— Ah, as crianças — disse Zandra pensativa. — Isso, minha cara, vai ser o seu maior dilema.

Que quer dizer? — Matilda franziu a testa.

— Neste momento, esta cidade não é sítio para crianças — disse Zandra, abanando a cabeça. — É uma cidade suja, infestada de doenças e violenta. O meu conselho é que as deixe onde estão porque estão mais seguras com a Cissie.

— Mas não posso simplesmente deixá-las! — A voz de Matilda tornou-se aguda de indignação. — A Amelia não passa de uma bebé. Fez um ano pouco antes de eu partir. Não ia ter muitas oportunidades para a ver a quase mil quilómetros de distância. E a Tabitha ia pensar que eu estava a abandoná-la.

Zandra suspirou. — Minha cara, essa é uma decisão que tem de tomar sozinha. Tem uma ideia brilhante que, na minha opinião, lhe pode render uma fortuna, mais do que o suficiente para pagar a educação que quer para as suas filhas. Daqui a dois anos, é bem capaz de ter que chegue para construir uma casa mais perto daqui, contratar uma boa ama, contratar, aliás, um contingente completo de criados.

— Dois anos! — exclamou Matilda. — Enquanto estive fora, não vi a Amelia começar a gatinhar e perdi o nascimento de dois dentes. Se estiver ausente esse tempo todo, perco os primeiros anos dela por completo.

— Eu sei, mas a oportunidade raramente bate à porta mais que uma vez — disse Zandra sabiamente. — Neste momento, este sítio é uma cidade em desenvolvimento, está tudo em aberto para quem tiver coragem e imaginação. Mas não vai ficar sempre assim, daqui a pouco as terras baratas vão ser todas arrebatadas, exactamente como o ouro. Se quer realmente avançar com o London Lil's, tem de andar depressa enquanto as probabilidades estão a seu favor. O que deve considerar é se o sacrifício de deixar as suas filhas agora é melhor para elas a longo prazo, porque lhe permite prover às necessidades delas no futuro.

Os olhos de Matilda encheram-se de lágrimas. Tentou contê-las, mas não foi capaz. Acordara nessa manhã exultante de felicidade e excitação, imaginando não só a sua gloriosa casa de diversões mas um apartamento por cima para ela e para as filhas, e para Cissie e Sidney também, se eles quisessem vir.

Na sua excitação, preferira esquecer a realidade da cidade. Zandra tinha razão, não era um lugar para crianças. Por mais encantador que o apartamento fosse, o barulho de baixo impedi-las-ia de dormir todas as noites. Não havia nenhuma escola que Tabitha pudesse frequentar, nem campos ou florestas onde pudessem brincar. Estariam diariamente em contacto com o lado abjecto da natureza humana, o álcool, o jogo, antros de ópio, rixas e mesmo o crime.

No Oregon, podia protegê-las destes males. Mas, como Zandra frisara, nunca poderia dar-lhes uma boa educação e teria de passar o resto da vida a lavrar a terra. Não tardaria que as mãos de Tabitha e Amelia se tornassem ásperas e calejadas como as suas, casar-se-iam quase de certeza com lavradores e até os seus netos teriam a mesma vida adversa.

Zandra viu as lágrimas rolar pelas faces de Matilda e condoeu-se dela, pois sabia exactamente o que lhe ia no pensamento.

— Sei muito bem como se sente, Matty — disse ela. — É uma decisão terrível, a que tem de tomar. Só posso sugerir que tente pensar o que é melhor para elas.

Matilda foi-se embora cerca de uma hora mais tarde, sentindo-se abatida. Zandra fora extremamente bondosa; para uma mulher que não tinha filhos, parecia possuir um entendimento extraordinário sobre o que significava para uma mãe separar-se dos filhos. Os homens tinham sorte, pensou ela, podiam sair para o mundo, fazer o que queriam e continuar a ter o amor dos filhos.

Era o que mais a assustava. No seu íntimo, sabia que podia deixá-las, desde que Cissie estivesse disposta a olhar por elas. Provara-o com as suas duas visitas aqui. Era simplesmente esse medo terrível de que, em última instância, elas a rejeitassem. Seriam capazes de compreender que partia para bem delas?

Pensou que Tabitha compreenderia. Se Cissie fosse viver para a cidade, Tabitha poderia frequentar aí a escola, faria amigos da sua idade e seria decerto muito mais feliz lá do que seria aqui. Mas com Amelia era diferente. Só tinha um ano de idade, era demasiado nova para saber na realidade qual das duas mulheres que a haviam criado até então era a mãe. Dentro de dois anos, sem a presença de Matilda, Cissie seria a pessoa mais importante para ela. Seria capaz de suportar isto?

Profundamente absorta em reflexões, encaminhou-se pela colina acima até ao local onde Zandra dissera que estava à venda uma parcela de terreno. Pertencia a um mexicano que tinha avultadas dívidas de jogo e Zandra dissera que ainda ninguém se mostrara interessado em comprar porque ficava um pouco distante da cidade.

Matilda encontrou-a sem dificuldade, atrás do último aglomerado de tendas. Estava demarcada por uma simples vedação, feita com um único arame preso a algumas estacas, e estavam algumas cabras amarradas na erva rala.

Passando por baixo do arame, caminhou até ao centro do terreno e virou-se depois para olhar para a baía em baixo. A chuva do dia anterior parara durante a noite e o nevoeiro frio com que se deparara ao acordar dissipara-se. Era uma vista de cortar a respiração — o mar azul-turquesa, as colinas verdejantes no outro extremo da baía, centenas de navios fundeados, as velas a bater na brisa para secar. Gaivotas e pelicanos voavam no céu, mergulhando de vez em quando para apanhar um peixe. No entanto, no ponto onde se encontrava, praticamente não ouvia o ruído da cidade e o ar era fresco e agradável, embora em poucos minutos a pé pela colina abaixo se estivesse de novo no meio da sujidade, da pestilência e do barulho.

Parecia perfeito, como se já lhe pertencesse. Ocorreu-lhe que as pessoas eram de vistas muito curtas, não deitando agora a mão aos terrenos altos, pois não tinha dúvidas de que o espaço para construir em baixo não tardaria a esgotar-se. Se fosse rica, seria aqui que construiria uma casa, e era capaz de apostar que não demoraria muito que houvesse mais pessoas a pensar como ela.

— Aproveita a oportunidade e compra-o — murmurou consigo mesma. — Mesmo que não consigas deixar as crianças, podes vendê-lo dentro de um ano com um belo lucro.

CAPÍTULO 18

— Queres ser paga? — exclamou Cissie, o seu olhar tão frio como uma manhã de Janeiro. Juntou o monte de letras bancárias na mesa com um gesto protector, quase como se esperasse que Matilda as roubasse. — Pensei que tinhas ido cobrar os pagamentos por mim.

Matilda ficou siderada com esta hostilidade súbita. Minutos antes, Cissie rejubilara por ela ter trazido mais encomendas de madeira de São Francisco.

— Claro que os cobrei para te ajudar — disse ela, pensando que Cissie estava confusa. — Não estou a dizer que quero comissão sobre as novas encomendas, consegui-as só para te ajudar a vender a serração. Mas quero a comissão que o John me prometeu sobre o primeiro lote.

Era Novembro, a viagem de barco fora extremamente agitada e ela e Sidney haviam ficado encharcados até aos ossos com a chuva torrencial no regresso de carroça de Portland. Porém, assim que transpusera a porta, Cissie recebera-a calorosamente, despira-lhe a roupa molhada e envolvera-a num cobertor quente. Não puderam conversar a sério sobre a viagem ao jantar porque as crianças estavam muito animadas, e só quando elas por fim se deitaram é que Matilda pôde ir buscar as letras bancárias, mostrar a Cissie as encomendas e pô-la a par das novidades.

Havia dois homens interessados em comprar a serração, mas Mr. Weinburg aconselhara Cissie a esperar pelo regresso de Matilda antes de fixar um valor. Poucos dias antes, chegara ao Oregon uma família do Connecticut que estava ansiosa por comprar a terra e a cabana.

Cissie foi toda sorrisos e entusiasmo até Matilda lhe falar do lote de terreno que queria comprar e lhe sugerir que, quando fossem ao banco de manhã, Cissie pedisse a Mr. Weinburg uma letra de 600 dólares para enviar a Charles Dubrette para o comprar em seu nome.

— Não sei como és capaz de o pedir agora que o John morreu — continuou Cissie, o rosto branco carregado de rancor. — Estás a tirar comida da boca dos meus filhos.

— Cissie! — exclamou Matilda. — Como podes dizer tal coisa? Tu é que estás a tentar fazer isso às minhas filhas! Eu ganhei esse dinheiro; sem os meus esforços não terias nada que valesse a pena vender na serração. Não acredito que possas ser tão mesquinha, o John deve estar a dar voltas na campa.

— Isso, fala nele para me magoares outra vez — retorquiu Cissie, furiosa. — Acolhemos-te, demos-te de comer e olhámos por ti e nunca te pedimos um tostão. E agora queres ser paga!

Matilda sentiu-se exasperada e profundamente ferida com estas palavras.— Trabalhei como uma escrava nesta casa — disse ela. — Tu própria disseste que eu fiz mais do que o suficiente para assegurar o meu sustento. Além disso, ainda antes de irmos pedir ajuda ao banco, expliquei-te qual seria o valor final que ias receber, depois de deduzidas as despesas, os custos de expedição e a minha comissão. Vais ganhar tanto dinheiro com a venda da serração e desta casa que podes viver folgadamente até ao fim da vida sem precisares de trabalhar. Como é que podes negar-me o que me foi prometido? De que é que eu vou viver?

— Eu sustento-te — disse Cissie.

Matilda sentiu vontade de gritar ao ouvir isto. Perguntou-se se Cissie teria perdido o juízo de novo. Contudo, Sidney dissera-lhe que ela andara especialmente animada e enérgica enquanto Matilda esteve ausente. Disse que, em várias ocasiões, ela se aperaltara com o novo vestido e, levando as crianças com ela, fora à cidade na carroça. Era uma coisa que nunca fizera antes, nem quando John estava vivo.

— Cissie! Ainda agora me atiraste à cara o tempo que aqui passei sem pagar um tostão. E agora dizes que me queres sustentar? Queres que me torne tua escrava?

Subitamente, Cissie deixou cair a cabeça e rompeu em lágrimas.

Matilda ignorou-a, demasiado furiosa para pensar sequer em consolá-la. Quando Sidney saiu de trás do quarto isolado por uma cortina que partilhava com Peter, ensonado e a esfregar os olhos, ela olhou para ele à procura de uma explicação, deduzindo que as suas vozes exaltadas o tinham acordado.

— Ela está com medo, Matty — disse ele, pousando uma mão protectora no ombro vergado de Cissie. — Não percebe quanto dinheiro é que há, nunca teve de gerir mais de dez dólares em toda a vida. O John tratava de tudo e, quando ele morreu, tu assumiste essas funções. Eu também não entendo nada, confio em ti, mas a Cissie está cheia de medo que te vás embora e a deixes sozinha a ter de pensar por ela.

Matilda acalmou com esta explicação. Presumira que Cissie compreendia o dinheiro, ainda que não soubesse ler nem escrever muito bem. Levantou-se e contornou a mesa, pousando uma mão nos ombros convulsos de Cissie. — O Sidney tem razão? — perguntou.

Um leve aceno confirmou-o e a fúria de Matilda abandonou-a. — Porque é que não me disseste isto antes? Se tivesses dito, eu ter-te-ia explicado tudo ao pormenor.

Cissie virou-se na cadeira e, sem levantar a cabeça, estendeu cegamente a mão para a amiga. — Porque sou estúpida — soluçou. — O John sabia como eu era e tratava de tudo e depois, quando ele morreu, não fui capaz de te dizer e deixei tudo a teu cargo. Mas, depois de partires e aparecerem primeiro esses homens a querer comprar a serração e depois essa família interessada em comprar a cabana, as coisas tornaram-se de mais para mim. Quando falaste em comprar esse terreno, entrei em pânico e disse a primeira coisa que me veio à cabeça para te impedir de o fazer.

— Não és estúpida, coisa nenhuma. Olha para tudo o que aprendeste desde que te conheci! Agora sabes cozinhar, costurar, tratar dos animais e cultivar a terra — disse Matilda, apertando-a contra si e embalando-a. — E, se és capaz de contar dez dólares, também és capaz de contar centenas e até milhares. Amanhã mostro-te como é fácil e conversamos sobre o futuro. Não há motivo nenhum para ter medo.

Mais tarde, deitada na cama, ouvindo o vento a uivar à volta da cabana e reflectindo sobre o problema de Cissie, Matilda apercebeu-se de que muitos dos comentários mordazes que a amiga fizera no passado deviam ter constituído um indicador do que estava mal. Devia ser extremamente assustador não saber ler nem compreender os números, especialmente quando desde tenra idade aprendera a não confiar em ninguém. Para Cissie, letras bancárias deviam ser simplesmente folhas de papel com coisas escritas que não lhe faziam qualquer sentido. Talvez se lhe tivesse sido entregue um saco cheio de notas de dólar, percebesse melhor o dinheiro que tinha.

Agora compreendia por que razão Cissie tinha dado uma no cravo e outra na ferradura a respeito de ir para São Francisco. Como é que podia tomar uma decisão racional quanto a vender a serração e a cabana quando não fazia ideia do seu valor real e muito menos se o dinheiro duraria o suficiente para lhe dar, e aos filhos, alguma segurança?

Na manhã seguinte, já a chuva forte do dia anterior passara e, assim que tomaram o pequeno-almoço e as crianças saíram para dar de comer aos animais, Matilda pôs Amelia no parque a brincar e depois rasgou várias folhas de um bloco de notas e escreveu 10 dólares em dez delas. — Isto faz cem dólares — disse ela, metendo o maço nas mãos de Cissie. — Como não tenho papel que chegue para te mostrar exactamente a enorme quantidade de dinheiro que essas letras bancárias representam, vou fazer cruzes neste papel para te mostrar em centenas.

Cobriu a folha de cruzes, contando em voz alta à medida que escrevia.

Cissie susteve a respiração quando a página ficou cheia.

— Pronto, é o total, mais coisa, menos coisa — disse Matilda. — Agora vou riscar nove que é a minha comissão e vais ver quanto sobra.

— Eu tenho isso tudo? — Cissie arregalou os olhos de surpresa. — É uma fortuna!

— Pois é, Cissie — concordou Matilda. — Muito mais do que o John podia ter ganhado durante anos a vender madeira por aqui. — Riscou mais algumas cruzes. — Isto é mais ou menos o que o banco vai deduzir para reembolsar o empréstimo, os salários e os custos de expedição, mais ainda ficas com isto. Quase quatro mil dólares.

Em seguida, explicou, em termos simples, que se fosse tudo depositado no banco e lá deixado, Cissie também ganharia juros e a quantia seria maior. — Quando venderes a serração e também lá puseres o dinheiro, tens o suficiente para viver exclusivamente dos juros, desde que não te ponhas com extravagâncias. Mas eu vou ensinar-te alguns rudimentos de aritmética para poderes tomar nota de tudo o que gastas e fazeres as contas sozinha. Assim sabes que ninguém te está a enganar.

Matilda passou então a explicar por que razão queria comprar a parcela de terra em São Francisco. — Mesmo que não faça nada com ela e a deixe estar durante um ou dois anos, aumenta de valor. É o que se chama um investimento. É mais ou menos como pôr o dinheiro no banco e receber juros sobre ele. Mas tenho uma ideia para construir nele uma coisa que me renderia ainda mais dinheiro.

Descreveu ao pormenor o projecto da casa de diversão e disse que as pessoas com quem falara em São Francisco pensavam que ela ganharia uma fortuna, desde que entrasse na corrida agora enquanto o ouro ainda estava a afluir à cidade.

— Havia uma casa dessas na Bowery — disse Cissie, a expressão animada de excitação. — Os finos todos costumavam lá ir. Estava à cunha todas as noites. Tens de ir por diante com isso, Matty, é uma ideia fantástica.

— Mas há um grande problema — disse Matilda, com os lábios a tremer porque, sempre que pensava no assunto, sentia que nunca seria capaz de ir avante. Olhou de relance pela janela para se certificar de que as crianças não estavam para chegar. — Não vejo como posso levar a Tabitha e a Amelia comigo por enquanto. É uma cidade imunda e perigosa e não posso expô-las a isso. Talvez dentro de um ano ou assim seja mais civilizada, mas neste momento não é segura.

— Bem, deixa-as comigo — disse Cissie sem hesitar.

— Como é que posso fazer uma coisa dessas? — disse Matilda, com um suspiro. — Já tens que fazer sozinha.

— A Tabby vale o peso dela em ouro — disse Cissie, encolhendo os ombros. — Seja como for, não sou capaz de me imaginar a desenvencilhar-me sem a ajuda dela. Mas não é isso, Matty, amo as duas como se fossem minhas filhas.

— Eu sei que sim — respondeu Matilda. — Mas amo-as tanto que não sei se aguento deixá-las, mesmo contigo. Além disso, tu disseste que tinhas medo de estar sozinha sem mim.

Cissie lançou-lhe um olhar demorado e penetrante. — Quando entender de dinheiro, já não tenho medo. Sobretudo se puder ir viver para a cidade, porque não falta gente a quem posso perguntar coisas. Além disso, pelo que tu disseste de São Francisco, acho que a Tabby e a Amelia serão mais felizes se ficarem aqui. Mas a questão não é essa, pois não? Já estás decidida a ir por diante com isso, não estás?

Matilda assentiu com a cabeça. — Está a consumir-me por dentro, quase não consigo pensar em mais nada. A mãe dentro de mim diz-me que devo cá ficar, comprar um terreno e contentar-me com isso. Mas eu sei que não fui talhada para a agricultura, Cissie.

— Serás uma má mãe para elas se não fores feliz — disse Cissie com objectividade. — Acho que tens de te lançar nisso. Se não o fizeres, hás-de passar a vida a lamentá-lo. Além disso, não é como se te fosses embora para sempre. Se és a patroa, podes vir cá sempre que te apetecer.

Matilda ouviu Tabitha a aproximar-se, conversando com Peter. Levou um dedo aos lábios.

— Logo à noite falamos mais — disse ela, em tom de aviso. — Agora é melhor irmos à cidade mostrar esse dinheiro a Mr. Weinburg.

— Vou-lhe dizer para te dar a tua parte — disse Cissie, abrindo os braços para a abraçar. — Desculpa ter sido tão mesquinha, Matty. És a melhor amiga que alguém pode ter e não te quero perder nunca, juro.

Pouco faltava para o Natal, alguns dias depois do décimo aniversário de Tabitha, quando Matilda recebeu uma carta de Charles Dubrette a comunicar-lhe que o terreno em São Francisco lhe pertencia agora legalmente.

O futuro de Cissie estava agora resolvido. A serração fora vendida por um valor excelente e Sidney conseguira lá um emprego com os novos proprietários. Depois de receber uma boa oferta pela cabana, pela terra e pelo gado da família do Connecticut, Cissie arranjara uma pequena casa em Oregon City, para onde se mudaria depois do Natal, para que Tabitha e Peter pudessem começar na escola em Janeiro. Seria também mais fácil para Sidney, que viveria mais perto do trabalho, e ele sentia-se verdadeiramente orgulhoso porque seria agora o chefe da família. Matilda planeara, naturalmente, ajudar na mudança e ficar com Cissie por uns tempos na cidade, talvez até à Primavera, mas a carta de Dubrette implicava que teria de partir muito mais cedo.

Ele orçamentara todo o projecto — a construção, a abertura de um poço, o mobiliário, o equipamento e o fornecimento inicial de bebidas — em cerca de 5500 dólares. Continuava dizendo que, se Matilda ainda quisesse ir por diante, considerava que a sua parte, o terreno propriamente dito, devia ser estimada em 1500, pois, assim que a construção estivesse concluída, seria esse o seu valor real. Com mais quatro pessoas, cada uma delas entrando com 1000, continuaria a ser a maior accionista.

Dizia que gostaria, ele próprio, de ser um desses accionistas, o mesmo se passando com Zandra, Henry Slocum e um amigo de Henry, Simeon Greenstater. Se Matilda estivesse de acordo, gostaria que ela se deslocasse a São Francisco o mais brevemente possível, para assinar os documentos legais e aprovar o projecto de arquitectura para que as obras pudessem começar imediatamente. Frisava que cada um dos accionistas contribuiria com os seus conhecimentos para o projecto. Henry era arquitecto, Greenstater era construtor e Zandra e ele próprio actuariam na qualidade de consultores nas áreas de negócio que dominavam.

A sua primeira reacção a esta carta foi de pânico. Cinco mil e quinhentos dólares era uma verba enorme — aqui no Oregon daria para construir várias ruas de casas — e não contava que Dubrette se começasse a mexer tão depressa. Mas, se Henry acreditava no projecto o suficiente para investir nele dinheiro, a ideia devia ser boa porque ele não era nenhum parvo. Não conhecia Greenstater, mas fora Henry que o trouxera ao negócio e portanto também devia ser aceitável. Além disso, possuía as competências para o construir.

Depois de muito reflectir, não via que tivesse nada a perder. A terra continuaria a pertencer-lhe, mesmo que o edifício ardesse. Se Greenstater, Henry, Zandra e Dubrette, todos eles pessoas de negócios astutas, estavam preparados para apoiar a sua ideia com dinheiro, que possível razão tinha para recusar?

Matilda conhecera Dubrette, o advogado elegante, de cabelo branco, em casa de Zandra e ficara muito bem impressionada com ele. Embora tivesse os modos e o sotaque arrastado e lento de um cavalheiro sulista, Zandra dissera que ele ganhava o seu dinheiro com a prática da advocacia e não por ter herdado uma fortuna. Matilda gostara do seu sentido de humor e do facto de ele não perfilhar o habitual ponto de vista masculino de que as mulheres eram todas idiotas, criaturas fracas incapazes de gerir um negócio. Até a rapidez com que ele organizara tudo isto provava que esta visão era sincera.

Quando Matilda explicou a Cissie o que a carta dizia, de início ela ficou entusiasmada, mas, quando Matilda explicou que teria de partir pouco depois do Natal, a sua excitação deu lugar ao desânimo.

— Não me importo nada que vás — insistiu ela. — Estou muito entusiasmada com o teu projecto. Suponho que é só o medo de que já não me queiras para amiga quando começares a dar-te com essa gente importante.

O coração de Matilda apertou-se com esta última observação. Cissie estava, na realidade, à altura de quase toda a gente, mas graças às suas origens e falta de educação sentia-se sempre inferior. Por mais que lhe dissesse que praticamente todas as pessoas que a conheciam a admiravam, ela não se convencia.

— Hás-de ser sempre a minha melhor e mais querida amiga — disse Matilda em voz baixa. — Não vou pensar de outra maneira só porque me dou com algumas pessoas importantes. Nem nunca hei-de esquecer que, se tu e o John não me tivessem acolhido e às minhas filhas, quando eu mais precisei de ajuda, nunca se me teria apresentado esta oportunidade.

Cissie animou-se então um pouco e declarou que era mais uma razão para fazer deste Natal uma ocasião muito especial, pois seria o último na cabana.

— Vamos ter um Natal maravilhoso — disse Matilda, abraçando a amiga. — E só parto para São Francisco depois de estares instalada na nova casa.

O dia de Natal foi mágico. Ela e Cissie tinham decorado a cabana com azevinho, atado com fitas vermelhas, e pendurado figuras de biscoitos de gengibre e paus de caramelo em mais fitas nas janelas. O aroma a ganso assado misturava-se deliciosamente com a canela, laranjas, limões e cravinhos que tinham colocado no tacho de vinho aromatizado que estava a aquecer ao lume.

Os guinchos de prazer quando as crianças mais velhas descobriram os presentes foi o mais feliz de todos os sons — não estavam à espera de mais do que a escassa quantidade de rebuçados e fruta a que estavam habituadas. Este ano, havia iguarias, ratinhos doces, caramelos em pequenas latas, bonitas fitas para o cabelo, um colar e um diário para Tabitha, e ainda soldadinhos de chumbo e um pião com corda para Peter.

Havia igualmente presentes maiores para todos. Sidney recebeu um par de calças novas e um casaco de *tweed*, Tabitha o vestido vermelho com que sempre sonhara. Havia um pequeno carro para Peter, uma boneca de porcelana autêntica para Susanna e, para Amelia, um cavalinho de pau que ela podia puxar. Matilda comprara um novo chapéu de fitas para Cissie, debruado a pele, e Cissie comprara-lhe uma bonita camisa de dormir guarnecida a renda. *Treacle* recebeu uma manta nova para dormir.

Mas, embora o coração de Matilda quase explodisse de felicidade e excitação em relação ao futuro e de deleite ante a nova prosperidade de Cissie, no seu íntimo sentia uma ponta de pesar, pois sabia que aquele dia representava o fim de uma era.

As crianças e Cissie teriam uma vida muito mais confortável na cidade. Podiam andar na escola, ir à igreja e travar amizades com outras famílias. Sidney tinha um emprego fixo, e a nova casa em madeira fasquiada era como um palácio em comparação com a cabana, com uma escada para os quartos, uma bomba de água junto da porta de trás e uma cave onde podiam conservar os alimentos frescos no Verão.

Mas esta cabana e o terreno circundante, como as suas dezenas de árvores de fruto e filas perfeitas de hortaliças cuidadosamente tratadas, constituíam o sonho que ajudara Cissie, John e Sidney a aguentar a longa e penosa viagem desde New Jersey e lhes dera forças e determinação para o concretizar.

Peter, Susanna e Amelia eram demasiado novos para apreciar o que estas toscas paredes de madeira representavam para os membros mais velhos das suas famílias. Embora Cissie e Matilda desejassem que eles nunca viessem a passar pelas adversidades e privações que elas próprias haviam vivido, esperavam que o espírito deste lugar perdurasse nas suas memórias até à idade adulta.

— Gostas da tua nova casa? — sussurrou Matilda a Tabitha, sentando-se ao lado dela na cama que ela partilhava com Susanna. A criança mais nova já estava a dormir a sono solto, tal como Amelia no seu berço.

As portadas estavam completamente fechadas contra o forte vento exterior e a vela derramava uma luz suave e dourada pelo quarto. No dia anterior, tinham celebrado o Ano Novo de 1850 e Matilda partiria para São Francisco de manhã. Era a sua última oportunidade para descobrir se Tabitha sentia receio com a sua partida.

Três dias antes, dois velhos amigos de John haviam-nas ajudado na mudança, transportando toda a mobília numa grande carroça agrícola. Tinham ficado com algumas galinhas, que puseram numa capoeira no quintal atrás da casa, e Sidney desenterrara uma macieira e uma pereira para crescer aqui e lhes recordar a sua vida na cabana.

Uma salamandra bojuda no andar de baixo mantinha toda a casa quente, e o fogão de cozinha era também muito maior e melhor do que o antigo. Matilda e Cissie haviam feito cortinas para as janelas da sala e era intenção de Cissie gastar também algum dinheiro num tapete e num sofá.

— Adoro a casa — disse Tabitha, os seus olhos escuros olhando directamente para os azuis de Matilda. — É muito aconchegada e vai ficar muito bonita quando estiver tudo pronto. A Cissie disse hoje que vamos criar um verdadeiro jardim com relva e flores porque eu lhe disse que a mamã gostava de tomar chá no jardim no Verão.

Matilda sentiu satisfação ao ver que Tabitha se recordava de muitos aspectos relativos à mãe, especialmente a sua essência inglesa. A influência de Cissie era extremamente americana e, embora Matilda tentasse preservar muitos costumes ingleses e, de facto, obrigar as crianças a falar um inglês correcto, por vezes sentia que a herança da criança corria o risco de se perder para sempre.

— Há então alguma coisa de que não gostes? — perguntou Matilda, afastando o cabelo da testa com uma carícia.

— Só que não estejas aqui — disse Tabitha, com um leve suspiro. — Mas quando for para a escola, talvez já não me importe tanto.

Formou-se um nó na garganta de Matilda. — Compreendes porque é que vou, não compreendes?

Tabitha assentiu com a cabeça. — Para ganhar muito dinheiro para nós.

— Não é só o dinheiro — disse Matilda com ternura, sabendo que devia à criança a verdade absoluta. — Quero fazer isto porque é a minha oportunidade de provar o meu valor. Para certas pessoas, ganhar o suficiente para se alimentarem e vestirem, a elas e aos filhos, não basta. Chama-se ambição. A ambição do teu pai era pôr fim à pobreza e libertar os escravos. O tio John queria transformar esta cidade num lugar belo com ruas pavimentadas, um hospital e até parques para as pessoas passearem. A tua ambição é seres médica, e espero que nunca a percas.

— Não vou perder — disse Tabitha. — Nunca quis tanto ser médica como agora.

— Acho que a minha ambição não é tão honrosa como a tua, ou a do teu pai e do tio John — disse Matilda, sorrindo. — Mas vai criar empregos para algumas pessoas, proporcionar momentos felizes às pessoas que lá forem e espero que me traga dinheiro suficiente para tu e a Amelia terem o tipo de vida que a tua mãe e o teu pai teriam desejado para as duas.

— Acho que és muito corajosa — disse Tabitha, esboçando um sorriso. — A tia Cissie disse que são os homens que mandam neste mundo e que tu vais mostrar às outras mulheres que elas também são capazes de gerir negócios.

Matilda sorriu ao ouvir estas palavras. Nas últimas semanas, ela e Cissie haviam passado muitas horas juntas, não apenas concentradas na aritmética, mas também a ler e a escrever. Cissie era agora capaz de escrever uma lista de compras completa e somar uma coluna de números. Matilda apanhara-a muitas vezes a olhar para os livros de leitura que Matilda comprara no Verão passado para ensinar Peter. Parecia determinada em aprender, talvez até esperasse vir a gerir um dia um negócio.

— Faça o que fizer na Califórnia, hei-de estar sempre a pensar em ti e na Amelia e a sentir saudades vossas — disse ela, a voz embargada pela dor de saber que era a última noite que as aconchegaria na cama e lhes daria um beijo de boas-noites. — Vou escrever todas as semanas e tu tens de responder a contar tudo. Hei-de vir a casa sempre que puder. Mas vai ser difícil durante algum tempo porque vou ter imenso que fazer.

Tabitha acenou com a cabeça. — Eu sei, a tia Cissie explicou-me que um grande restaurante demora tempo a instalar.

Matilda preparava-se para dizer que não era restaurante nenhum, mas conteve-se. Não tinha, de facto, em momento nenhum, dito a Tabitha, nem a Sidney na verdade, em que consistia o projecto, apenas que era um negócio.

Deu um beijo de boas-noites à criança e desceu. Cissie estava sentada à mesa da cozinha a copiar uma lista de palavras que Matilda lhe dera para estudar. Fechando a porta atrás dela, Matilda sentou--se ao lado da amiga.

— Porque é que disseste à Tabby que era um restaurante? — perguntou numa voz calma.

— Desmentiste? — respondeu Cissie, lançando um olhar severo a Matilda.

Matilda abanou a cabeça.

— Porque não?

— Porque não quis.

Cissie encolheu os ombros. — Foi exactamente por isso que eu disse que era um restaurante. Não seria boa ideia deixá-la espalhar aos quatro ventos que a mãe era dona de uma casa de alterne.

Matilda pensou por um momento antes de responder. As casas de alterne estavam apenas a um ou dois passos dos bordéis. As raparigas que lá trabalhavam dançavam com os homens a dois cêntimos por dança. Mas, muitas vezes, as raparigas também vendiam o corpo.

— Mas sabes muito bem que não vai ser nada disso — disse ela por fim.

Cissie sorriu maliciosamente. — Claro que sei, mas basta as pessoas religiosas desta cidade captarem uma baforada de álcool e ouvirem falar em dançarinas para levantarem logo o nariz. Acho melhor a Tabby acreditar que é um restaurante; não queremos que ninguém seja mau com ela, pois não?

Um medo súbito apoderou-se de Matilda. — São Francisco é tão diferente daqui, Cissie. É tão louco e livre de hipocrisia que uma pessoa se esquece de como o resto do mundo é tacanho. Quando pensei neste projecto, não achei que ninguém o considerasse indecente.

Cissie sorriu da sua expressão preocupada e deu-lhe uma palmadinha na mão. — Nem eu, mas nós crescemos entre pessoas que gostam de uns copos e de um pé de dança. Não temos essas ideias na cabeça. Se chegar aos cem anos, hei-de continuar a querer que as pessoas se divirtam. Mas estava na loja antes do Natal e ouvi duas senhoras a falar mal dessa francesa que dirige o bar. Percebi logo que iam dizer a mesma coisa a teu respeito.

— Se calhar não me devia meter nisto — disse Matilda, duvidando pela primeira vez. — Suponho que o Giles não aprovaria.

— O Giles está morto, que Deus o tenha — disse Cissie sem rodeios. — Eu sei que ele era bom homem, mas não te deixou ficar nada, nem às filhas. Se não fosses tão inteligente e corajosa, terias acabado mal, com a Tabby num orfanato qualquer.

— Eu sei, mas...

Cissie interrompeu-a. — E foi também a tua inteligência que me pôs nesta situação folgada. O que estou a dizer é que vás e ponhas a tua ideia em pé. São Francisco fica muito longe daqui e, se fizermos constar que é mais decente e limpa do que é, quem é que vai descobrir?

Matilda teve de sorrir. Como John sempre observara, Cissie era um melro de bico amarelo!

Matilda olhou para os seus quatro sócios em redor da mesa e sentiu uma onda de excitação. Achava que constituíam uma equipa formidável. Charles Dubrette, com o seu elegante charme sulista e os seus profundos conhecimentos de direito, o corpulento vereador Henry Slocum, que conhecia a fundo o pulsar desta cidade e sabia como se faziam as coisas. A condessa, a par dos segredos de praticamente todos os homens de negócios da cidade, e Simeon Greenstater, que fizera uma fortuna pessoal a construir casas em Filadélfia.

Matilda já estudara os planos que o arquitecto preparara e estava espantada com a forma como ele pegara nos seus esboços rudimentares e hesitantes e, com os seus conhecimentos sobre obras estruturais, havia produzido um projecto para um edifício que era prático, bonito e podia ser construído depressa e a baixo custo, agradando ao mesmo tempo a todos os interessados.

Seria uma construção comprida, baixa, de dois andares, feita em tijolo, com um amplo alpendre que ocupava a fachada. Todo o piso térreo, à excepção de algumas salas nas traseiras, faria parte do bar, com uma escadaria aberta que levava a uma galeria, atrás da qual se situava o apartamento privado de Matilda.

Simeon sugerira a construção em estrutura de ferro, favorecida em Nova Iorque. Era de rápida montagem, resistente e à prova de fogo. Simeon não era um homem que suscitasse propriamente simpatia. Era frontal, implacável, e quando não concordava com alguém, calava a pessoa com berros. O seu berrante fato de quadrados, o tom vermelho da sua pele, o mau cheiro da pomada que aplicava no cabelo e o seu hábito de falar sem tirar o gordo charuto da boca eram irritantes, mas os seus conhecimentos sobre construção eram vastíssimos. Henry disse que, quando ele indicava uma data para a conclusão de uma obra, se podia confiar. Não era propenso a poupar em materiais sem qualidade e os homens que empregava respeitavam-no.

Estavam a ter esta reunião no salão de Zandra, mas ela chamava-lhe agora, em tom de brincadeira, a sala de reuniões, pois, durante a ausência de Matilda, Zandra decidira finalmente reformar-se da sua antiga actividade. As locatárias haviam todas partido, a maioria para uma nova casa de tolerância mais adiante na rua. Os quartos em estilo de camarata estavam vazios, Matilda estava a ocupar uma das três alcovas onde antes recebiam os cavalheiros, e Dolores, a criada, ocupava outra. Ao fim de algumas semanas de descanso, as pernas de Zandra haviam melhorado consideravelmente e ela estava de olhos brilhantes e cheia de entusiasmo com o novo projecto, declarando que a tinha rejuvenescido.

— Vamos passar à ordem de trabalhos? — disse Charles, olhando para cada um dos presentes à vez. — Ficarão decerto satisfeitos por saber que Mrs. Jennings aprovou os planos de arquitectura e cada um dos accionistas individualmente e está ansiosa por que o trabalho comece sem demora. Mrs. Jennings gostaria neste momento de se dirigir a todos.

Todos olharam para ela.

— Em primeiro lugar, quero dar as boas-vindas a todos ao projecto do London Lil's — disse ela, a voz falhando-lhe um pouco com os nervos, apesar de ter ensaiado este pequeno discurso muitas vezes. — Espero que não sejamos apenas sócios, mas amigos, e que este empreendimento não só venha a render-nos muito dinheiro, mas também nos dê prazer.

«Como creio que o Charles já vos informou, insisti numa cláusula nos nossos contratos segundo a qual, se alguém desejar vender a sua participação na empresa a qualquer momento, deverá ser convocada uma reunião deste tipo e eu deverei ter direito de preferência sobre essa participação. Como estou certa que compreenderão, trata-se de uma medida para garantir que eu não perco o controlo do negócio. Mas, do mesmo modo, se eu pretender retirar-me, numa data futura, os restantes accionistas terão direito de preferência sobre a minha participação antes de ser abordada uma pessoa de fora. Embora o Charles fique encarregado dos aspectos legais do negócio, tenciono nomear um contabilista independente para tratar da escrita. Esta, naturalmente, estará à disposição de todos para inspecção.»

Em seguida, descreveu mais pormenorizadamente os seus planos para a decoração interior e o equipamento necessário e sugeriu que lançassem um concurso para o fornecimento dos copos, da cerveja e das bebidas alcoólicas junto de empresas com que Zandra já transaccionara. Já havia explicado a Henry a sua ideia sobre o palco central, o balcão comprido e uma pista de dança e ele fizera desenhos pormenorizados que submeteu então à aprovação dos presentes. Matilda referiu que pretendia receber um salário, pois, a partir do momento em que a casa abrisse, trabalharia ali em regime permanente e tinha de prover ao sustento das filhas, mas referiu ainda que todos eles seriam pagos por serviços prestados mediante a apresentação de uma factura.

Durante mais de duas horas, discutiram vários aspectos do negócio, desde a decoração interior às empreitadas especializadas que seriam necessárias, e concordaram em realizar uma reunião todas as sextas à noite para discutir o progresso dos trabalhos.

— Acho que está tudo tratado — disse Matilda finalmente, sorrindo a todos. — Só mais uma coisa, gostaria que deixassem de me tratar por Mrs. Jennings, pelo menos em privado. Sou Matty para todos vós.

Zandra tocou à campainha e Dolores apareceu com uma garrafa de champanhe e taças para um brinde.

— Ao London Lil's — disse Charles, erguendo o copo. — Que se torne num farol que ilumina toda a cidade com a sua alegria e diversão.

— Ao London Lil's — repetiram todos, tocando nos copos uns dos outros.

Tudo em São Francisco avançava a um ritmo frenético, mas a rapidez com que o edifício foi construído foi um verdadeiro milagre. Um dia, não havia mais do que uma parcela de terra coberta de silvas, no seguinte estavam abertas as valas para as fundações. Houve um compasso de espera enquanto as estruturas de ferro não chegavam por mar, e observar os homens a carregar as grandes e pesadas peças pela colina acima em carroças foi enervante, pois, pelo menos a Matilda, parecia impossível imaginar que alguém soubesse como encaixavam umas nas outras.

Mas Simeon e Henry sabiam exactamente o que estavam a fazer e, num abrir e fechar de olhos, os operários tinham-nas montado e rebitado umas às outras. A estrutura erguia-se sobre a cidade como uma grotesca jaula castanha, suscitando tanto risos como desconfiança. Mas depois os pedreiros começaram a assentar os tijolos e, de dia para dia, ia-se parecendo cada vez mais com os desenhos de Henry. Felizmente, durante o mês de Fevereiro e Março, o tempo manteve-se ameno, com pouca chuva, e os mineiros que haviam descido das montanhas para uma pausa das condições gélidas das alturas não disseram que não a algumas semanas de trabalho. Em meados de Março, Matilda pôde subir a uma escada para inspeccionar a estrutura do seu apartamento privado e a vista sobre a baía do ponto onde ficaria a janela da sua sala. Embora ainda não houvesse cobertura, apenas o vigamento, era suficientemente empolgante para ajudar a mitigar a dor que sentia por estar longe das filhas.

Tabitha escrevia todas as semanas e quase sempre chegava também uma página de Cissie, provando que ela estava a levar a sério as aulas. Amelia tinha começado a andar, desde que tivesse alguma coisa a que se agarrar, já tinha mais alguns dentes e agora gostava de comer pela sua mão, fazendo uma sujeira terrível. Sidney não estava muito contente na serração. Cissie chamava ao dono um «palerma» porque, em lugar de ensinar ao rapaz novas competências, tratava-o como um operário que só fazia recados e nunca lhe confiava tarefas de aplainar ou serrar madeira. Dizia que tinha começado a frequentar a igreja porque era um bom pretexto para comprar um chapéu bonito.

Lendo nas entrelinhas, era evidente que Cissie estava muito mais feliz. A mudança para a cidade poupava-a a grande parte do trabalho árduo e a muitas ansiedades e havia menos lembranças dolorosas de John. Tinha tempo para travar amizade com outras mulheres, financeiramente estava segura e sentia-se mais descansada sabendo que tinha vizinhos próximos. Embora dissesse em todas as cartas que sentia imensas saudades de Matilda, não havia indícios de verdadeira solidão.

As cartas de Tabitha estavam cheias dos pormenores da vida familiar que Cissie nunca abordava. *Treacle* procriara uma ninhada de cachorros com uma cadela da rua. Dizia ela que eram tão amorosos que queria ficar com todos, mas os donos da cadela estavam furiosos com Cissie por ela deixar *Treacle* à solta pela cidade e, assim,

Sidney tinha-lhe construído uma casota no jardim e reparara a vedação. Peter estava a sair-se muito bem na escola, era o aluno que melhor sabia ler da sua idade e tinha um amigo chamado Tom. Descrevia como Susanna olhava para um livro e fazia de conta que lia, mas muitas vezes o livro estava de pernas para o ar. Ela insistia constantemente que já era uma menina crescida e que achava que também devia andar na escola. Mas o que mais agradava a Matilda nas cartas de Tabitha era a sua evidente satisfação com a sua nova vida. Falava das lojas, de como observava o ferreiro, dos seus passeios pela margem do rio, da professora na escola e das novas coisas que ia aprendendo, e dava para perceber que se sentia feliz e confiante.

Os dias eram simplesmente curtos de mais para Matilda. Desde manhã cedo até ao fim do dia, andava atarefada a escolher mobília, a examinar amostras trazidas por caixeiros-viajantes de tudo, desde copos e candeeiros de petróleo a cadeiras, assistindo a audições de artistas, procurando o pessoal mais competente para lhe dar apoio na gestão da casa. Havia momentos terríveis de pânico quando coisas que encomendara não eram entregues, fúria quando chegavam artigos de qualidade inferior e frustração quando Henry ou Simeon declaravam que determinada parte da obra estava mal executada.

Henry e Simeon praticamente não saíam do estaleiro. Pareciam estar sempre a discutir algum pormenor insignificante, o entalhe nos corrimões para a galeria, o desenho das portas envidraçadas, o comprimento exacto do balcão do bar e a altura dos espelhos atrás deste.

Quando o palco estava construído por completo, teve de ser novamente desmantelado porque os respectivos apoios não eram suficientemente resistentes. Os homens que foram abrir o poço fizeram três tentativas falhadas antes de finalmente encontrarem água. E quando o vidraceiro chegou para instalar as janelas, um jovem aprendiz caiu da janela do primeiro andar e partiu o braço. Cada dia parecia carregado de ansiedade e, embora Zandra lembrasse constantemente a Matilda que ela tinha mais quatro sócios que partilhavam os problemas e podiam solucioná-los juntos, Matilda continuava a sentir-se responsável por tudo o que corria mal.

Por mais preenchida que fosse a sua vida, por mais excitantes que fossem as perspectivas futuras, as saudades das filhas nunca a abandonavam e sentia frequentes crises de culpa porque sabia que não se envolvera nisto unicamente para benefício delas. Esta certeza transmitia-lhe uma sensação interior de fracasso enquanto mãe e, por isso, atirava-se ainda com mais afinco ao trabalho, como justificação.

Foi Zandra quem, uma noite, no princípio de Abril, a uma semana apenas da grande inauguração, lhe chamou a atenção para isso.

O exterior do London Lil's estava concluído, à excepção do letreiro que seria colocado sobre a porta na véspera da abertura. O edifício erguia-se orgulhosamente na colina, evocando as grandiosas casas das plantações nos estados sulistas. Pintado de branco, com telhas verdes e a balaustrada do alpendre e os caixilhos das janelas de um vermelho brilhante, via-se num raio de quilómetros.

No interior, o palco central ainda precisava das camadas de verniz finais, mas as paredes já tinham uma demão de tinta e o artista a quem fora encomendada a reprodução de cenas de rua de Londres, copiadas de um livro de esboços que Zandra lhe emprestara, estava a trabalhar com afinco.

Um longo balcão com espelhos atrás corria a todo o comprimento do lado direito da sala e aguardava igualmente uma camada de verniz. O lado esquerdo seria a pista de dança. Uma larga escadaria levava a uma galeria estreita que proporcionaria uma vista melhor dos espectáculos no palco a quem reservasse mesa de antemão e daria ainda a Matilda um lugar de onde visualizar todo o andar de baixo. Aqui em cima, havia também duas pequenas salas destinadas a partidas de póquer privadas. Outra porta dava para o apartamento de Matilda, quatro divisões e uma pequena cozinha. As traseiras do edifício estavam ocupadas com arrecadações, uma ampla cozinha, lavabos e camarim para os artistas, bem como algumas salas mais pequenas para o pessoal. Uma grande cave ocupava a parte inferior do edifício e as casas de banho eram acessíveis por um pequeno caminho.

— Pousa esses livros, chega aqui e descansa os pés — ordenou Zandra a Matilda em mais uma noite em que voltara a encontrar a amiga debruçada sobre os livros de contabilidade, à luz da vela, com uma expressão preocupada no rosto.

— Não posso, não tenho tempo — respondeu Matilda numa voz cansada. — Já ultrapassei o orçamento e preciso de determinar o valor exacto para dar amanhã ao Charles.

Os custos de construção haviam excedido os 3000 dólares, estando pagos na íntegra, mas as provisões, o equipamento, o mobiliário e todas as despesas suplementares perfaziam muito mais que 1500 e muitas destas facturas ainda estavam por pagar.

Zandra limitou-se a rir, aproximou-se da mesa, fechou os livros com uma pancada, arrancou o lápis da mão de Matilda e apontou para o sofá junto da lareira.

— O Charles não se importa. Todos sabemos que o orçamento foi ultrapassado, mas a primeira semana de funcionamento resolve isso. Quero falar contigo.

Quando Zandra falava neste tom imperioso, toda a gente lhe obedecia, incluindo Matilda. Relutante, dirigiu-se para o sofá.

— Tira os sapatos e levanta os pés! — disse Zandra num tom firme. — Servi-te um copo de conhaque.

Matilda pegou no grande copo de pé da mesa de apoio e bebericou cautelosamente. Desenvolvera um gosto por conhaque desde que Zandra lho dera a conhecer, mas continuava a achar que as bebidas espirituosas eram perigosas.

— Nas últimas semanas não paraste — disse Zandra. — Não podes continuar a trabalhar a este ritmo, Matty, ficas doente e o que é que nos acontece depois?

— Não fico nada doente, sou forte como um touro — retorquiu Matilda.

— Era o que eu também dizia — disse Zandra, sorrindo. — Mas nós somos parecidas em muitos aspectos. Trabalhar até cair para o lado é uma boa maneira de evitar problemas e desgostos. Mas garanto-te que, se caíres para o lado, eles não se fazem rogados para te cair em cima.

— Eu não tenho problemas — disse Matilda, indignada. — A não ser a apreensão relativamente ao facto de as coisas ficarem ou não prontas a tempo, e se as dançarinas aparecem para a inauguração.

— Tens, sim, sentes que és má mãe.

Esta declaração frontal levou Matilda a virar-se bruscamente, surpreendida.

— Tenho razão, não negues — disse Zandra, acenando com uma mão a Matilda. — Não há nada que eu possa dizer que te convença do contrário, mas digo-te que sei como te sentes e que tens de te resignar à tua decisão de deixares as tuas filhas. Se não o fizeres, serás cada vez mais infeliz e, quando isso acontece a uma mulher, as consequências são desastrosas.

Matilda olhou para o copo de conhaque na mão e interrogou-se se Zandra quereria dizer que ela se habituaria a gostar demasiado de álcool.

— Sim, é um dos caminhos que podes tomar — disse Zandra, erguendo uma sobrancelha. — Outros são deixares entrar os homens errados na tua vida, gastares mais do que ganhas e até recorrer a opiáceos. Eu sei porque já passei por isso tudo.

Matilda preparava-se para ripostar que não era estúpida a esse ponto, mas conteve-se, recordando que Zandra dissera que sabia como ela se sentia.

O laço entre ela e Zandra fora-se fortalecendo gradualmente nas últimas semanas. Já não notava que Zandra era idosa, encarquilhada, com pernas doentes e poucos dentes, o que via agora era apenas uma boa amiga, alguém em quem podia confiar, uma mulher que, como ela, tinha certamente passado por muito sofrimento pessoal para ser tão conhecedora e compreensiva como era.

— Deixou um filho? — perguntou ela em pouco mais do que um sussurro.

Zandra assentiu com a cabeça.

— Quer contar-me?

Zandra suspirou. — Nunca contei isto a ninguém, Matty. Por isso, tens de prometer que, mesmo se um dia cortarmos relações, continua a ser um segredo entre nós.

— Claro que sim — respondeu Matilda.

— Fui seduzida aos dezassete anos pelo nosso cocheiro. O meu pai açoitou-o e mandou-me em desgraça para casa da minha tia no Somerset — disse ela rapidamente, como se, falando depressa, pudesse não sentir agora a dor.

«Quando me apercebi de que estava grávida, sabia que não podia esperar ajuda da minha família, por isso, fugi de casa uma noite e fui para Bath. Já lá tinha estado uma ou duas vezes e achava que era uma terra tão animada que suponho que pensei que alguém lá me ajudaria. E na realidade, aconteceu. Conheci um cavalheiro muito distinto que parecia estar enfeitiçado por mim. Possuía uma grande propriedade rural e, quando lhe confidenciei a minha situação, ele disse que se encarregaria de tudo. — Zandra hesitou. Era evidente que o relato dos acontecimentos não mitigava o sofrimento.

«Isso quis dizer que se aproveitou de mim como quis e quando quis até o meu filho Piers nascer. Depois fez-me um ultimato. Ou entregava o meu 'fedelho', como lhe chamava, à guarda de alguém, e ele pagaria as despesas, e vivia com ele em condições de luxo, ou saía imediatamente de casa dele. É escusado dizer que parti, levando comigo imprudentemente alguns objectos de valor que lhe pertenciam.»

Matilda sorriu levemente. — Eu teria feito o mesmo.

Zandra encolheu os ombros. — Ele pôs uns homens no meu encalço; eu tinha acabado de me instalar numa pequena casa de campo e eles levaram-me tudo, não apenas o que lhe pertencia, mas as minhas jóias e também a maior parte das minhas roupas. De repente, pela primeira vez na minha vida, vi-me numa situação de absoluta indigência e sozinha com um bebé de quem cuidava unicamente por instinto, porque não tinha qualquer experiência a tratar de uma criança.

Calou-se mais uma vez, os olhos marejados de lágrimas.

— Não aguento contar-te o que me aconteceu nesse ano terrível, Matty. Basta dizer que sofri todo o género de humilhações. Passava fome, andava suja e estava desesperada. Então, com medo que o meu filho morresse de fome, escrevi finalmente ao meu pai e implorei-lhe que me ajudasse.

— Não me diga que ele recusou — exclamou Matilda.

— Recusou-se a receber-me pessoalmente, mas mandou-me algum dinheiro e disse que eu devia ir falar com o advogado dele em Londres. Foi lá que me foi feita a proposta. Um amigo do meu pai, outro homem extremamente rico, estava desesperado por ter um filho e herdeiro. A mulher tinha estado grávida cinco vezes até ao sétimo mês e, de todas as vezes, tinha dado à luz nados-mortos. Estavam dispostos a adoptar o Piers e a criá-lo como se fosse seu filho. Eu conhecia bem estas pessoas, Matty, e sabia que eram honradas e bondosas. Seja como for, a proposta era que eu entregasse o Piers ao advogado e recebesse duzentas libras, mas devia abandonar o país e nunca mais voltar.

Fez uma pausa e lançou a Matilda um olhar de desafio. — Concordei. Decidi ir para Paris porque falava fluentemente francês. O dinheiro que me tinham dado chegou para me instalar e abraçar a única profissão para que estava qualificada. Cumpri o meu lado do acordo e nunca mais voltei.

Matilda ajoelhou-se diante de Zandra. — Sinto muito — sussurrou.

Zandra encolheu os ombros e limpou os olhos. — Não lamento ter dado o meu filho para adopção; se tivesse recusado, duvido que ele tivesse chegado sequer ao segundo ano de vida. Mas o que lamento, sim, é ter aceitado essas duzentas libras — disse ela. — É a minha culpa, Matty. Mesmo cinquenta anos depois, ainda me consome a alma.

— Não me parece que tivesse tido grande alternativa — disse ela.

— Tinha — retorquiu Zandra. — Podia ter entregado o meu filho e virado costas, mas aceitei-o porque sabia que, sem dinheiro, acabaria na sarjeta.

«Tu decidiste vir para aqui e deixar as tuas filhas ao cuidado da Cissie, ninguém te obrigou. E, como eu, tens de viver com essa decisão. No teu caso é diferente, não as deste a ninguém nem saíste das vidas delas para sempre, muito menos aceitaste dinheiro por elas, e eu sei que vais pagar o seu sustento. Mas sei que, apesar disso tudo, te perturba profundamente. Deves, contudo, encontrar uma maneira de perdoar a ti própria, Matty, porque se não o fizeres tornar-te-ás insensível e implacável como eu.

— Não a acho insensível e implacável — disse Matilda, afagando com ternura o rosto da velha mulher. — Talvez tenha sido a minha primeira impressão, mas não durou muito.

— A minha primeira impressão de ti foi de uma mulher com um grande coração — disse Zandra numa voz doce. — Essa impressão não se desvaneceu, não deixes que isso aconteça.

Na noite da abertura, os archotes à porta do London Lil's foram acendidos às oito e a banda começou a tocar uma alegre jiga quando as portas foram abertas. A vasta multidão que se fora juntando na última hora invadiu o recinto como uma enxurrada.

Havia pessoas que tinham declarado que ninguém haveria de querer subir a colina para tomar uma bebida, mesmo havendo dançarinas e cuspidores de fogo, mas acabaram por fazê-lo, a pé, a cavalo, em mulas, em carroças e carruagens — toda a gente queria ver.

Dolores arranjara o cabelo de Matilda em grandes caracóis no alto da cabeça e ela mal conseguia acreditar que a mulher sofisticada que via no espelho era de facto ela. O vestido era um presente de Zandra, um velho vestido seu que fora desmanchado e refeito pela modista que costumava confeccionar os vestidos das suas raparigas. Era de veludo azul, com um decote indecente no peito, pelo menos na sua opinião, mas Zandra insistiu que ela não podia apresentar-se como uma professora primária e, além disso, era a última moda de Paris. Tingira um par de luvas de renda pelo cotovelo na mesma cor e, por baixo do vestido, a segurar-lhe as meias, tinha ligas vermelhas, um presente que Charles lhe dera. Ele rira-se da sua expressão chocada quando ela abriu a caixa. Disse que ela podia ser decorosa e recatada por fora, mas que sabia que possuía um lado atrevido e que devia usá-las para lhe dar sorte. Por qualquer razão, só o facto de pô--las fê-la sentir-se temerosa e provocadora e a sensação agradou-lhe.

— A uma noite memorável — disse Charles, trazendo uma garrafa de champanhe para a mesa na varanda onde ela estava sentada com Henry, Simeon e Zandra. — Olhem só para essa multidão!

Havia seis filas de homens no bar, acotovelando-se e empurrando-se para conseguir uma bebida, o resto da casa estava completamente à cunha, e as expressões de todos eram de assombro perante a decoração.

— Vieram muitas mulheres — disse Matilda, com uma certa surpresa. Assim de cabeça, calculou que estivessem presentes cerca de cinquenta e, na maioria, muito bem vestidas. Estava à espera que todas as prostitutas da cidade aparecessem. Sem dúvida que tinham sabido que a proprietária da casa andara a recrutar empregadas de mesa entre elas e queriam ver com os seus próprios olhos se as amigas não estariam, na realidade, apenas a praticar aqui o seu velho ofício. Ficariam desiludidas quando descobrissem que não era o caso. Matilda entrevistara mais de quarenta raparigas e mulheres, das quais apenas contratara dez para várias funções. Todas estas lhe haviam confiado que queriam subir na vida e ela oferecera-lhes uma oportunidade de o provarem. Não duvidava que algumas retomariam os maus caminhos, que um vestido bonito, uma cama lavada, comida e salário não seriam suficientes para as mais gananciosas. Mas, como lhes dissera, se enveredassem por aí, voltariam para a rua.

— Quem são as mulheres, Henry? Conhece algumas delas?

— Algumas são casadas — disse Henry com um sorriso, mirando-a com o seu olho bom e passando o outro tremulamente pela sala. — Estou espantado com a presença de algumas, mas suponho que acharam que tinham de vir cá, pelo menos hoje, e ver se havia alguma verdade no rumor de que isto não é um bordel.

Todos os sócios haviam mantido a ideia de que o London Lil's nunca desceria ao mais abjecto tipo de entretenimento que proliferava pelo resto da cidade. Era importante criarem um nicho, oferecendo diversões decentes e honestas, um lugar onde os homens pudessem trazer as mulheres e as namoradas sem receio de brigas, grosseria e obscenidades que os embaraçassem. As mulheres deviam ser encorajadas a vir, pois começavam a chegar à cidade mulheres solteiras, e tanto Matilda como Zandra consideravam importante que tivessem um sítio onde pudessem fazer amizades e conhecer jovens num ambiente seguro.

— A Alicia vem mais tarde? — perguntou Matilda com uma certa inquietação. Encontrara-se com Alicia várias vezes nos últimos meses, mas a mulher era sempre muito fria com ela e nunca a convidara para casa. Em diversas ocasiões, Henry confidenciara a Matilda que Alicia não aprovava este novo projecto, especialmente porque Zandra estava envolvida.

O sorriso morreu-lhe nos lábios. — Não, invocou uma indisposição — disse ele. — Já contava que ela arranjasse uma desculpa para não vir. Tem muitas maneiras de me fazer sentir culpado e esta é a favorita dela.

— Pobre Henry — disse ela compassivamente. Nos últimos dois meses, ganhara uma grande afeição a este homem. O seu entusiasmo pelo projecto e a fé que depositava nela haviam-na ajudado a ultrapassar várias crises.

Recuperou o sorriso. — Uma coisa é certa, sem ela divirto-me muito mais — declarou. — E quando ela vir o dinheiro que ganhamos, há-de ficar de queixo caído.

Um rufo de tambores anunciou que o espectáculo ia começar. Dois empregados de bar precipitaram-se para afastar as pessoas da porta do camarim e para pendurar uma corda de cada lado, criando uma passagem para as dançarinas. Todos os rostos se viraram imediatamente para a porta do camarim, ansiosos.

A música começou, a porta do camarim abriu-se e seis dançarinas saíram, com brilhantes vestidos de cetim arregaçados, revelando saiotes folhados, meias pretas e botas de botões. Com sorrisos grandes e provocantes, subiram a correr os degraus do palco, formaram um círculo e começaram a dançar.

Era o grande projecto de Zandra. Embora tivesse abandonado Paris há muitos anos, correspondia-se com velhos amigos aí e, através deles, tomara conhecimento desta dança, o cancã, que surgira em Paris na década de 1830 e simbolizava o lado picante da cidade. Zandra nada descurara para conseguir reproduzi-lo, pedira partituras musicais, cartazes de teatro, desenhos dos figurinos e pormenores sobre a coreografia das danças. Seleccionara pessoalmente um pequeno grupo de dançarinas e ensaiara-as todas as tardes. Até agora, nenhum dos sócios, incluindo Matilda, fora autorizado a vê-lo.

A multidão clamou a sua aprovação, aplaudiu e bateu com os pés, quase abafando a música da banda. Matilda estava tão extasiada como os seus clientes, debruçando-se na balaustrada e observando as raparigas a rodopiar, agitando as saias, oferecendo tentadores vislumbres de pernas bem torneadas ao projectarem bem alto os pés. Não era um espectáculo inteiramente perfeito, não dançavam acertadas, muitas vezes os seus movimentos eram desajeitados, mas as raparigas estavam a divertir-se e, como Zandra era provavelmente a única pessoa em toda a casa que já estivera em Paris, não tinha importância nenhuma.

Matilda recordou-se das palavras de Zandra, no primeiro encontro entre as duas, sobre a necessidade dos mineiros de algo de feminino nas suas vidas árduas. Estavam a olhar para estas raparigas como se elas fossem deusas, com sorrisos calorosos e olhos cintilantes. Por breves momentos, podiam esquecer que tinham de regressar a essas montanhas, que alguns de entre eles morreriam de doenças e acidentes e que mesmo aqueles que sobrevivessem podiam não voltar para casa com os bolsos cheios. Talvez um vislumbre de carne branca e macia, acima das meias, lhes recordasse as mulheres em casa e apressasse até os seus esforços para fazerem fortuna e regressarem. Pelo menos, este lugar não estava a roubar os homens, nem as raparigas estavam à venda. Talvez não fosse exactamente decente, pelo menos da perspectiva a preto e branco com que Lily via as coisas, mas não era e nunca seria um lugar de perfídia, isso Matilda jurava a si mesma.

Depois das raparigas do cancã vieram os malabaristas, seguidos de um contorcionista, anunciado como «O Homem Sem Ossos». Homens adultos guincharam de incredulidade enquanto ele executava uma série de proezas extraordinárias, colocando os pés atrás da cabeça e inclinando-se para trás até as mãos tocarem no chão, e caminhando em seguida na diagonal através do palco.

Depois do espectáculo, a banda retomou a música. Era neste ponto que Matilda receava que as pessoas começassem a debandar para os bares onde as bebidas eram mais baratas. Mas não aconteceu.

Talvez quisessem assistir ao segundo espectáculo mais tarde e tivessem medo de não conseguir entrar de novo; a verdade é que ficaram, compraram mais bebidas e começaram a dançar.

Eram três da manhã quando as portas finalmente se fecharam, as receitas da noite foram guardadas no cofre e os candeeiros a petróleo apagados. O soalho de madeira envernizado estava alagado de cerveja, as escarradeiras transbordavam e o cheiro a charutos e a suor humano era opressivo. Mas fora uma noite gloriosa e Matilda sabia, no seu íntimo, que doravante só haveria enchentes.

Zandra ainda estava sentada a uma mesa na varanda; ia passar aqui a noite porque era demasiado tarde. Quando Matilda se virou depois de trancar a porta, a velha senhora olhou para ela em baixo e sorriu.

— Por tua causa, minha querida, esta noite ficará para a História — disse ela.

— Porquê? — perguntou Matilda, subindo as escadas a mancar porque as botas novas lhe estavam apertadas.

— A primeira mulher a abrir uma casa de diversões. E ainda por cima uma mulher jovem e bonita. Mandaste esses homens de volta para as tendas a dançar. Aposto que amanhã o teu nome vai andar nas bocas do mundo, e continuará assim durante muitas semanas.

— Só espero que continuemos a arranjar bons artistas — disse Matilda, fatigada. — Essas pobres dançarinas deviam estar exaustas quando acabaram a segunda actuação.

— Não hão-de tardar a fazer-te fila à porta para actuar aqui — disse Zandra, rindo. — Dentro de alguns meses, a tua fama já chegou a cidades como Nova Iorque e Nova Orleães. Vais ver como músicos, dançarinas, cantores e acrobatas se vão meter no primeiro barco, caravana ou mula para cá chegar. Daqui a pouco vais ter de cobrar entrada porque os espectáculos serão de primeira qualidade.

— Espero que sim — disse Matilda. — Mas neste momento só consigo pensar na cama. Vem?

Pegou no braço da velha senhora e ajudou-a a levantar-se; Zandra bebera muitos conhaques esta noite e, ainda que o seu cérebro continuasse a funcionar, Matilda duvidava que as pernas correspondessem.

— Reconheces esse cheiro? — perguntou Zandra, apoiando-se na mulher mais jovem.

— Reconheço, cerveja, charutos e suor — disse Matilda, rindo.

— Não, não é só isso, minha querida — disse ela. — É o cheiro do sucesso. Inala-o bem e profundamente. E nunca te esqueças dele.

CAPÍTULO 19

São Francisco, 1852

Da janela da sala de estar do seu apartamento, Matilda observava um fluxo regular de pessoas a subir a colina para uma noite de diversão no London Lil's.

— Nunca tem medo que a sua sorte não dure muito tempo? — perguntou ela a Zandra, que se encontrava numa poltrona, os pés pousados num banquinho.

— Na minha idade não faz grande diferença — disse a velha senhora com uma gargalhada. — Mas não deves deixar que esses pensamentos te aflijam, Matty. Fizeste deste sítio um sucesso enorme e agora tens dinheiro que te dá segurança. Mesmo que acontecesse o pior e a casa ardesse esta noite, podias lançar um novo projecto.

O London Lil's estava agora a funcionar há dois anos e cumprira todas as suas expectativas e mais ainda. Charles Dubrette voltara aos seus deveres de advogado em Nova Orleães, Simeon Greenstater estava envolvido em obras de construção em Sacramento e até as visitas de Henry Slocum ao London Lil's eram apenas visitas sociais, mas todos os sócios se sentiam mais do que satisfeitos com o continuado e excelente retorno do seu investimento.

Quase todas as noites estava à cunha, muitos dos trabalhadores iniciais continuavam ao serviço e, como Zandra previra, a fama da casa chegara tão longe que os artistas afluíam constantemente à porta. Estavam à espera que, durante a Primavera e o Verão, quando os mineiros regressassem em massa às montanhas, a actividade abrandasse, mas isso não acontecera, pois todos os dias os navios, as caravanas de carroças e as diligências traziam mais garimpeiros.

Em apenas dois anos, a cidade quadruplicara de tamanho e as tendas haviam sido substituídas por verdadeiras construções. A zona das docas era hoje muito diferente. O que era antigamente praia estava agora cheio de pedras e entulho de Telegraph Hill, com edifícios construídos no local e também novas ruas. Haviam sido construídas docas para que novas mercadorias pudessem ser descarregadas directamente dos navios, em lugar do antigo sistema de usar barcos para transportá-las para o cais.

Algumas das ruas estavam agora revestidas com pranchas, haviam também sido construídos passeios e tivera lugar uma organização da cidade desesperadamente necessária. Os advogados e banqueiros ocupavam Montgomery Street, as lojas de vestuário e fazendas estavam em Sacramento Street e os matadouros foram banidos do centro da cidade. O Teatro Adelphi francês abrira em 1850, juntamente com um teatro chinês. Os alemães e judeus haviam fundado recentemente escolas e havia uma nova igreja católica, St. Francis.

Estas melhorias, na sua maioria, haviam surgido à medida que mulheres e namoradas respeitáveis iam chegando à cidade para se juntarem aos seus homens. Havia agora uma gelataria, uma chapelaria e uma loja de vestidos de noite, era possível assistir a uma peça de Shakespeare ou ir a um concerto.

O London Lil's já não se encontrava em esplendoroso isolamento na colina. Como Matilda previra, pouco a pouco os terrenos em frente haviam sido comprados e as pessoas mais ricas haviam construído casas aí, longe do bulício e da pestilência do porto. A maioria das pessoas que Matilda conhecera quando aqui chegara havia agora abandonado agora o centro da cidade. Os Slocum tinham vendido a sua casa em Montgomery Street a um advogado e ido viver para uma moradia muito mais majestosa junto da velha Missão.

Tiveram finalmente lugar algumas tentativas para pôr fim aos piores excessos da cidade. Os casinos foram proibidos de abrir aos domingos e as prostitutas já não gozavam da mesma deferência para com a sua profissão que recebiam nos primeiros tempos. Mas a falta de lei e ordem continuava a constituir um sério problema. Quase todas as noites alguém era assassinado, os tiroteios e esfaqueamentos eram tão comuns que as pessoas raramente se davam conta. Grassava ainda a doença, a cólera, a varíola e a febre amarela faziam inúmeras vítimas, especialmente na zona terrivelmente esquálida a que chamavam Sydney Town, onde os australianos, todos eles alegadamente ex-condenados, viviam juntamente com o resto dos habitantes mal afamados da cidade.

A menção de fogo fez Matilda desviar-se da janela, alarmada.
— Não diga isso, Zandra — disse ela. Os incêndios eram o maior perigo da cidade. Com edifícios de madeira e lona, uma vela ou um candeeiro a petróleo que tombasse ou apenas uma ponta de charuto atirada por descuido podiam desencadear um incêndio que se transformava num inferno numa questão de minutos. Raramente passava uma semana sem que qualquer coisa ardesse, por vezes ruas inteiras.

A antiga casa de Zandra, as duas lojas por baixo e os edifícios em volta haviam desaparecido assim poucas semanas antes. Felizmente, Zandra vendera a propriedade um ano antes, e mudara-se temporariamente para o apartamento de Matilda porque as suas pernas haviam, mais uma vez, inchado terrivelmente. Por isso, não tivera prejuízos financeiros, mas quinze pessoas haviam morrido nesse incêndio, entre elas duas raparigas que já haviam sido suas empregadas.

— Tomaste todas as precauções contra isso — disse Zandra, num tom tranquilizador. Impressionava-a sempre a maneira vigilante como Matilda inspeccionava o edifício todas as noites antes de se deitar e insistia para que fossem distribuídos baldes de água e areia pelo bar. — Além disso, esta casa é de construção sólida e não está próxima de nada. O que é que pode correr mal?

Matilda encolheu os ombros. — Bem, sabe como tem sido a minha vida até agora, já passei por mais altos e baixos que o balde do poço.

— Às tantas já tiveste a tua conta — disse Zandra, com uma gargalhada. — As tuas filhas estão bem, estás rapidamente a transformar-te numa mulher rica, és jovem, bela e inteligente; pensa nisso em lugar de vaticinares desgraças.

Matilda sorriu. Criara com Zandra uma relação de profundo afecto desde que ela fora viver com ela. Inicialmente, seria apenas uma curta estadia, até que ela construísse uma pequena casa nas proximidades, mas não tardaram a descobrir que era uma situação mutuamente confortável e agradável que se tornara permanente.

Zandra não era capaz de subir e descer escadas com facilidade e, por isso, passava a maior parte do tempo no apartamento e tratava Matilda como uma mãe, preparando refeições, costurando e lendo. Dolores, a criada, acompanhara-a, ocupando um dos quartos nas traseiras do edifício em baixo, e fazia tudo, desde limpar a arranjar-lhe o cabelo. Matilda ficava assim livre para se concentrar exclusivamente no trabalho, mas tinha a companhia de Zandra quando a desejava.

— Esta mulher jovem, bela e inteligente devia ir agora lá para baixo — disse ela, sorrindo e ouvindo os primeiros acordes da banda. — Precisa de alguma coisa antes de eu descer?

— Sou perfeitamente capaz de me levantar desta cadeira — respondeu Zandra, num tom repreensivo. — Vai lá e diverte-te.

Matilda passou os olhos pela sala de estar antes de sair. Como sempre, experimentou uma onda de prazer: cortinas de renda creme nas janelas, sofás de veludo vermelho-escuro, um tapete de pêlo alto no chão e uma cómoda francesa soberba em pau-rosa que Zandra lhe oferecera; nunca nos seus sonhos mais fantasiosos imaginara possuir uma casa tão elegante.

Quando visitara Cissie, em Outubro passado, ficara bastante perturbada ao ver que os soalhos de madeira despidos e a mobília simples, que sempre lhe haviam transmitido uma sensação de aconchego, tinham agora um aspecto primitivo depois da sofisticação a que se habituara por influência de Zandra. Queria sugerir a Cissie que envernizasse o chão ou pusesse alguns tapetes para quebrar o aspecto austero, mas não se atreveu, pois a temperamental Cissie dir-lhe-ia decerto que ela se estava a dar ares.

Caminhando ao longo da galeria, Matilda parou, como era seu hábito, para olhar para a multidão em baixo e, como sempre, muitos dos homens sorriram-lhe. Esta era outra fonte de prazer para ela, pois sabia que, apesar de não ser aceite por pessoas da classe de Alicia Slocum e das outras mulheres da sociedade, era muito admirada pelos maridos delas e pelos seus clientes. Em casa, o seu vestido de seda verde-esmeralda, com um ombro a descoberto, suscitaria olhares de reprovação. Até Cissie ficaria chocada com a quantidade de pele à mostra. Mas, ao tornar-se a «London Lil», deixara de tentar soar e comportar-se como uma «senhora» americana. Quando pensava nisso, sabia que adoptara uma personalidade que era uma amálgama de rapariga de rua londrina, mulher de negócios implacável e pioneira temerária, com um acentuado toque do esplendor e elegância que aprendera com Zandra.

Por baixo das anáguas de seda, tinha uma pequena pistola enfiada na liga vermelha. Podia ser bonita, com a sua coronha em madrepérola, mas em muitas ocasiões, quando as coisas se haviam complicado aqui, sacara-a, perfeitamente preparada para a usar. Aliás, para que os clientes soubessem que não se tratava de uma ameaça vã e que tinha boa pontaria, participara uma vez num concurso de tiro e ganhara.

Tal como escondia as mãos em luvas de renda, também aprendera a esconder os seus sentimentos. Sabia que o pessoal e os clientes a consideravam rija e insensível, uma mulher que nunca recorria a lágrimas femininas, mas muitas vezes interrogava-se sobre o que pensariam dela se a vissem sozinha no seu quarto ao fim da noite.

Chorava com frequência. Pelas filhas, de quem sentia saudades atrozes. Por esses meses breves e ditosos, depois de ter chegado a casa de Cissie e John, quando passava os dias a amá-las e a brincar com elas, sem experimentar grandes ansiedades a respeito do futuro. Chorava também por Giles e pela felicidade que podiam ter vivido se ele não tivesse sido assassinado. Mesmo depois de todo este tempo, o seu coração e o seu corpo suspiravam por ele. Não sabia se essa sensação alguma vez a abandonaria.

No entanto, além de todas as pessoas de quem sentia saudades e por quem chorava, também havia aqui em São Francisco muitas coisas que a entristeciam. Muitos dos homens que haviam abandonado as mulheres e os filhos, em busca de ouro, haviam morrido aqui, de ferimentos de bala, acidentes e doenças. Como se desenvencilhariam as mulheres sem um homem? Haveria algumas que se sentiriam tentadas pela prostituição só para dar de comer aos filhos?

Esta cidade transbordava de prostitutas, embora os nomes inventados para dar um aspecto menos sórdido à sua ocupação quase a divertissem: senhoras da noite, messalinas, mariposas, meninas, mulheres da vida. Para as poucas que eram suficientemente jovens e bonitas para conseguirem um lugar numa casa de tolerância selecta, podia ser uma forma agradável de ganhar a vida. Mas a verdade era que, para a maioria das raparigas e mulheres que decidiam abraçar a profissão, era um caminho perigoso que levava à degradação e possivelmente a uma morte prematura.

Nos últimos anos, Matilda soubera que havia prostitutas itinerantes que subiam às montanhas para ganhar a vida. Numa tenda montada à pressa, chegavam a satisfazer sessenta homens todas as noites. Nas vilas mineiras ainda mais distantes, havia também as chamadas «pocilgas», uma fila de casebres pequenos e imundos, com uma mulher em cada, trabalhando dia e noite para satisfazer as necessidades dos homens. Pior ainda, estavam a ser despachadas para aqui raparigas chinesas, algumas ainda só com nove e dez anos, muitas vezes vendidas pelas famílias porque uma filha não tinha qualquer valor. A vida destas era a pior de todas, mantidas naquilo que pouco mais era que uma gaiola, meio esfomeadas, drogadas com ópio para não se revoltarem e sem nunca receberem um cêntimo das centenas de clientes. Matilda ouvira dizer, horrorizada, que quando os proprietários sabiam que estas jovens raparigas estavam demasiado doentes para atrair qualquer tipo de comprador, lhes administravam veneno e os seus corpos emaciados eram depois lançados na baía.

Matilda não podia fazer nada contra isto, particularmente a respeito das raparigas chinesas. Para a maioria dos americanos, esta raça não era sequer considerada humana, servindo apenas para o trabalho braçal na construção de estradas, com sorte como criados, inferiores, até, aos negros, que pelo menos falavam inglês. Assim, quando tentava sensibilizar as pessoas para o problema, deparava-se com um muro de indiferença. Vira frequentemente grupos de mineiros a deitar a mão a um chinês e a cortar-lhe a trança para humilhá-lo, espancando-o depois até ele ficar desfeito, e isto era considerado uma boa diversão! Não era de admirar que os chineses não saíssem da sua zona da cidade, fora da qual raramente se aventuravam, e isso pelo seu lado perpetuava o mito de que era uma gente a temer.

Contudo, estava determinada em fazer alguma coisa para pôr fim a estes males. Até agora, só conseguira salvar algumas raparigas das ruas e oferecer-lhes empregos decentes.

Olhou para Mary Callaghan, em baixo, a abrir caminho através de um grupo de homens com um tabuleiro de bebidas. Com os seus cachos ruivos, o nariz arrebitado pintalgado de sardas e o sorriso radioso, parecia uma jovem fresca acabada de chegar de uma quinta no Idaho. Contudo, seis meses antes, era conhecida como a «Mary do Barro», vivendo numa cabana de adobe na margem do rio, em

Sacramento, e aviando todos os jovens que desembarcavam dos navios em busca de ouro.

Foi por acaso que Matilda a conheceu. Ia a caminho da estação de correios, um dia de manhã cedo, quando viu a rapariga a caminhar ao seu encontro, num passo cambaleante, através de um terreno devoluto. Parecia ter estado a rebolar-se na lama, o seu vestido estava imundo, o corpete rasgado, a cara inchada e cortada. Instintivamente, Matilda perguntou se podia ajudá-la e perguntou como ela se ferira.

— Não é da sua conta! — respondeu a rapariga em tom de desafio.

Matilda respondeu que não era capaz de virar as costas a uma pessoa que estivesse ferida. A isto, a rapariga deixou-se cair ao chão e rebentou em lágrimas. Disse que partira de Sacramento, alguns dias antes, para tentar começar vida nova aqui. Na noite anterior, um homem tinha-a abordado, dizendo que queria olhar por ela.

— Percebi muito bem o que ele queria dizer — disse ela, furiosa. — Disse-lhe que não precisava de chulo, que era capaz de olhar pela minha vida. Um pouco mais tarde, aproximaram-se de mim duas mulheres bem-postas e, a princípio, pensei que me iam tratar mal porque eu estava a ocupar a zona delas, mas pareceram muito simpáticas e pagaram-me um *gin*. Depois disseram que iam ao London Lil's e perguntaram se eu queria ir com elas. Claro que nunca lá cheguei, levaram-me para ali. — Apontou para o terreno devoluto atrás. — Ele estava lá à espera, já se sabe. O velhadas que me tinha abordado antes. Atirou-se a mim e não parou de me bater até eu desmaiar. Quando recuperei os sentidos, descobri que ele me tinha roubado e acabei por passar ali a noite toda cheia de dores. Não sei o que vou fazer agora. Não tenho dinheiro e ele disse que, se eu tentasse trabalhar nesta cidade, me matava.

Matilda não se conteve, passou os braços à volta da rapariga e abraçou-a. — Não te mata nada — disse ela. — Eu trato disso. Vá, anda comigo para casa e deixa-me lavar-te.

— Não vou trabalhar em nenhum bordel — disse a rapariga, libertando-se do abraço dela. — Foi assim que dei nisto, por ter deixado uma mulher que disse que olhava por mim levar-me para casa dela.

— É isso que achas que eu sou? Proprietária de um bordel? — exclamou Matilda.

— Então não é?

— Não, não sou — respondeu Matilda, indignada. — O que é que te levou a pensar que era?

— Uma senhora normal não falaria com gente como eu — disse a rapariga.

— Suponho que não sou assim tão normal — disse Matilda, rindo-se. — Sou a dona do London Lil's.

A rapariga limitou-se a olhar para ela, atónita. — Não acredito! Dizem que a dona de lá é dura como uma pedra.

— Ai dizem? — respondeu Matilda com um sorriso irónico. — E porquê?

— Porque não deixa as raparigas da vida trabalharem lá.

— É verdade, não deixo — disse Matilda. — Mas isso não me impede de levar comigo uma rapariga para a lavar.

Matilda recordou-se do dia em que dera banho a Cissie enquanto enchia a banheira na casa de banho para Mary, porque as duas raparigas tinham muito em comum. Mary era tão atrevida como Cissie e a sua história era igualmente trágica. Tinha viajado para a Califórnia numa caravana de carroças, em 1848, com o pai viúvo e duas irmãs mais novas. Uma irmã morreu de sede no deserto do Nevada, mais tarde o pai alvejou-se por acidente enquanto limpava a espingarda e morreu duas semanas depois de uma infecção na ferida. Mary atravessou as montanhas, sob fortes nevões, até Sacramento, mas a outra irmã morreu pouco depois de chegarem. Mary tinha apenas treze anos quando a dona do bordel vendeu a sua virgindade ao maior licitante.

Matilda arranjou-lhe um vestido enquanto o dela era lavado e cosido, mas só ofereceu trabalho a Mary como empregada de mesa no dia seguinte, assim como um quarto nas traseiras do bar, sob a condição de ela abandonar de vez a prostituição.

Quase todas as raparigas ao seu serviço tinham sido prostitutas e não alimentava ilusões de que todas haviam deixado a prostituição para sempre. Pagava bons salários, mas se, por qualquer razão, elas se fossem embora, imaginava que não tardariam a retomar os seus velhos hábitos. Como Zandra dissera, as raparigas seguiam esse caminho por uma série de razões e a ganância e a preguiça eram duas razões muito fortes. Mas Mary era diferente, a felicidade no seu rosto quando Matilda lhe ofereceu trabalho fora profundamente tocante. Quando disse que nunca mais queria que um homem a tocasse sequer, falou sinceramente, e agora, seis meses depois, era a rapariga mais trabalhadora e conscienciosa na casa, estando rapidamente a tornar-se mais uma amiga do que uma mera empregada.

Matilda desceu as escadas enquanto as diversões da noite começavam a desenrolar-se. Hoje havia dançarinas, um tenor italiano e uma mulher contorcionista e, como habitualmente, a casa estava à cunha. Matilda deambulou por entre as pessoas, cumprimentando os clientes habituais e apresentando-se aos estreantes, sempre atenta à possibilidade de desacatos. Tornara-se perita em detectar sinais de perigo e, muitas vezes, olhava para alguém que entrava e percebia que vinha desejoso de uma luta.

Em várias ocasiões, tinha havido aqui brigas, mesas e cadeiras atiradas contra os espelhos, garrafas partidas e pessoas inocentes magoadas quando os presentes se envolviam na disputa. Normalmente era por causa de uma mulher, pois a proporção de mulheres continuava a ser muito reduzida em relação aos homens — pela última contagem, segundo o que lhe chegara aos ouvidos, havia oitenta homens para cada mulher.

As dançarinas voltaram por breves momentos no final do espectáculo, e Matilda preparava-se para subir novamente à galeria, para montar vigilância de cima, quando sentiu um par de olhos cravados nela.

Mary afirmara recentemente na brincadeira que a patroa tinha outro par de olhos escondido debaixo do cabelo, e realmente era verdade que Matilda era capaz de pressentir coisas que se passavam nas suas costas. Virou-se e, para sua absoluta surpresa, o capitão James Russell estava à porta, olhando directamente para ela como se não acreditasse no que estava a ver.

A sua primeira e instintiva reacção foi fugir e esconder-se. Pensara neste homem muitas vezes durante os primeiros meses no Oregon, e tê-lo-ia recebido, a qualquer momento, de braços abertos se ele tivesse aparecido na cabana. Mas ele não aparecera, não escrevera sequer uma carta, e a única coisa que lhe ocorreu, no momento de reconhecimento inicial, foi que este era o homem que conhecia todos os seus segredos.

Mas não podia fugir, estava encurralada por todos os lados, e de qualquer forma ele estava a encaminhar-se para ela.

— Matty? — perguntou ele, a sua voz grave desencadeando uma profusão de doces recordações da caravana. — Não posso acreditar. Oh, Matty!

A surpresa, felicidade e absoluta incredulidade no rosto dele eram quase insuportáveis. Sentiu o ar sair-lhe dos pulmões, as varas do espartilho ficaram de repente demasiado apertadas, o coração começou a bater-lhe descompassado no peito. O desejo de se esconder abandonara-a, pois era maravilhoso voltar a vê-lo.

— Bons olhos o vejam, capitão Russell — disse ela, esforçando-se por recuperar a compostura. — Por que carga de água é que está em São Francisco?

Ele aproximou-se mais. O seu cabelo louro estava agora mais curto, mal lhe chegando ao colarinho, o bigode aparado num traço fino, trajava um casaco verde-escuro sobre calças de montar e botas altas castanho-escuras. Tinha o ar do cavalheiro que ela sabia que era, mas o seu corpo magro e as rugas em redor dos olhos, de passar muitas horas a semicerrá-los debaixo do sol, não haviam mudado. À volta deles, romperam aplausos ao espectáculo e, se ele respondeu à pergunta dela, Matilda não ouviu.

Ele estendeu a mão pelo meio das pessoas que os cercavam. — Venha comigo para podermos conversar — disse ele, agarrando-lhe no pulso.

Conduziu-a em direcção à porta, com a clara intenção de sair para o alpendre, mas Matilda deteve-o. Por mais espantada que se sentisse por vê-lo, estava uma noite fria e, além disso, precisava de vigiar os clientes.

— Não, vamos para a varanda lá em cima — insistiu ela e, dando meia-volta, esperou que ele a seguisse.

Ele ergueu uma sobrancelha quando ela se sentou à mesa com a marcação de reservada, mas Matilda não o informou que a mesa era sua nem que era a proprietária da casa.

Ele permaneceu alguns minutos sentado a olhar para ela, quase como se estivesse a ver um fantasma. — Magnífico — exclamou por fim, os seus belos olhos azuis ainda mais cintilantes do que ela recordava. — Peço desculpa por me estar a repetir, mas é absolutamente fantástico. É que quando me disseram que o London Lil's era o melhor sítio da cidade, o nome fez-me pensar instantaneamente em si. — Fez uma pausa como que para se acalmar e levou as duas mãos às têmporas. — Foi muito estranho. Tive de súbito uma vívida imagem sua a falar-me sobre Londres. Acho que, mesmo que me tivessem dito que era o pior bar da cidade, teria vindo só pelo nome. Durante toda a subida da colina, vim a pensar em si. Depois entrei e aqui estava.

A sua alegria por a ver era extremamente comovente. Fê-la lembrar que haviam sido bons amigos e até que, não fosse o facto de estar grávida, a amizade poderia ter evoluído para algo mais. Mas continuava picada por ele não lhe ter escrito como prometera.

— Surpreende-me que se tenha sequer lembrado de mim — disse ela secamente. — Deve conhecer tantas mulheres nas caravanas.

— Como a Matilda não — disse ele com um sorriso. Só a maneira como os seus lábios carnudos se curvavam deixou-a desconfortavelmente consciente do tempo que passara a pensar nele nos primeiros tempos com Cissie. — Fiquei muito desapontado quando não respondeu à minha carta, mas pensei que podia ter-se casado.

— Carta? Não recebi carta nenhuma — exclamou ela. — Quando é que a mandou?

— No primeiro Natal depois de nos separarmos. Fiquei em The Dalles durante algumas semanas, a organizar a descida do rio Columbia para o resto do grupo. Estava a planear visitá-la mais tarde, na Primavera, mas como não tive resposta e fui destacado depois para o Fort Laramie, a oportunidade passou.

Matilda não sabia se havia de acreditar ou não nesta história. Afinal, recebera outras cartas enviadas de Independence. Se chegavam às suas mãos de tão longe, por que razão não chegara a carta dele?

— Então que está aqui a fazer? — perguntou ela. A maneira como falava era tão diferente como a sua aparência, era um verdadeiro cavalheiro agora, e não o homem áspero e duro que parecia ser na trilha. — Deixou o Exército?

Ele abanou a cabeça. — Não. Continuei. Estou a caminho de um novo destacamento em território do Novo México. Mas fale-me de si, Matty. Como estão a Tabitha e a Amelia? Vivem aqui agora?

Nunca nada fora tão penoso como admitir que as filhas ainda estavam no Oregon com Cissie. Viu os olhos dele assumirem uma expressão fria e ele pareceu retrair-se um pouco.

— E aceitou um emprego aqui? — perguntou ele, num tom escandalizado.

— Esta casa pertence-me, capitão Russell — disse ela com modos altivos. — Sou a London Lil, sou a proprietária.

Fez sinal a Mary sobre a balaustrada enquanto ele reflectia sobre isto. De súbito precisava rapidamente de uma bebida.

Mary apareceu. Matilda pediu um conhaque para si e *whisky* para ele. Mary olhou com curiosidade para o estranho atraente, mas, recebendo um olhar ríspido de Matilda, apressou-se a desaparecer.

— Como, porquê? — perguntou ele assim que Mary se afastou. Estava com um ar desconcertado. — Pensei que ia reclamar terras e dedicar-se à agricultura.

Matilda explicou tudo o mais rápida e concisamente que pôde. — Não fui talhada para a agricultura — disse. — Queria muito trazer as minhas filhas para aqui, mas não é uma cidade segura para as crianças, como decerto notou. Estão muito felizes com a Cissie, o dinheiro que lhes mando proporciona-lhes uma vida muito confortável. Tenho imensas saudades delas, mas vou a casa sempre que posso.

Ele não disse nada durante um bom bocado. Mary voltou com as bebidas e ele foi bebendo a sua, pensativo. — A Amelia deve ter agora quatro anos e a Tabitha doze — disse ele por fim, e era evidente que estava a invocar muitas recordações de todas elas. — Sempre a tinha imaginado a viver numa cabaninha, talvez até casada e com outro bebé. Mas, por outro lado, a Matilda sempre foi uma mulher cheia de surpresas.

— Diga-me porque é que os homens pensam que casar e ter filhos é o sonho de qualquer mulher? — disse ela, atirando a cabeça para trás numa atitude de desafio. Ele estava a fazê-la sentir que tinha de se desculpar pelo que se tornara, o que não lhe agradava de todo. — Se eu tivesse entrado aqui e descoberto que a casa era sua, teria dito «Maravilhoso», «É um homem de sucesso». Não dizia que estava à espera que estivesse na Virgínia a cortar cana-de-açúcar, com uma ninhada de filhos à sua volta. Nunca conheci um homem no Oregon de quem gostasse o suficiente para lhe dar sequer a mão, quanto mais casar-me com ele. Estou a trabalhar para dar um futuro às minhas filhas e dou trabalho a dezenas de pessoas. Isso é assim tão mau?

— Temperamental como sempre — disse ele, sorrindo. — Tão inglesa como antes e duas vezes mais bela! Tenho de admitir, Matty, que o vestido lhe assenta melhor que a roupa de viúva que usava na trilha. Se não tive oportunidade para exprimir a minha admiração por este sítio, foi só porque ainda não me recompus de voltar a vê-la.

Apaziguada, Matilda descontraiu-se um pouco, explicando-lhe que, no fundo, tudo acontecera em resultado do negócio de John e mais tarde da sua morte. Ele interrogou-a ao pormenor sobre os contratos da madeira, claramente impressionado com isto, e disse então que muitos dos seus amigos haviam sido contagiados pela febre do ouro e que conhecia homens no Leste que estavam a planear construir brevemente um caminho-de-ferro através da América até aqui.

— Também ouvi dizer a mesma coisa — disse ela. — O Henry Slocum estava desejoso de se envolver nesse esquema e, nos últimos tempos, raramente tem falado de outra coisa. Só gostava que as pessoas no Leste pudessem ser avisadas, antes de partir, que são poucas as que vão fazer fortuna com o ouro. Tenho visto mais homens abandonar a cidade com os bolsos vazios do que com eles cheios.

— Não aprecio muito as pessoas loucas que perseguem sonhos — disse ele. — O meu medo é sobretudo pelos índios. Avizinham-se problemas sérios; até agora só tem havido escaramuças sem importância com os colonizadores, mas os índios neste momento não estão nada satisfeitos com tanta gente a atravessar as suas terras. Estamos a introduzir doenças para as quais eles não têm mecanismos de defesa. As manadas de bisontes de que dependem para viver estão a ser dizimadas. Se instalarmos carris através das suas terras de caça e trouxermos mais pessoas aos milhões, vão insurgir-se e veremos tamanha carnificina que não dá sequer para imaginar.

Agradou-lhe muito descobrir que ele continuava a apoiar os índios; a maioria dos homens que Matilda conhecia nesta cidade veria com bom grado o seu extermínio. — Nesse caso, as coisas vão tornar-se muito difíceis para si, James — disse ela, num tom compassivo. — Suponho que, enquanto oficial do Exército, terá de chefiar soldados para os combater…

Ele assentiu com a cabeça e pôs um ar envergonhado. — Que alternativa tenho? Tenho de obedecer a ordens. Mas não me agrada, Matty. Aprendi a admirar e a compreender os índios, há muitos aspectos da cultura deles que são preferíveis à nossa. Acho que seria possível os colonos brancos viverem em paz com os índios se a situação fosse gerida com sensibilidade de ambos os lados. Mas os homens no governo são, na sua grande maioria, irresponsáveis ou especuladores gananciosos interessados apenas em encher os bolsos.

— Não é possível adoptar uma via de moderação e levantar a voz em defesa dos direitos dos índios, protegendo ao mesmo tempo os colonos? — perguntou ela.

— Não parece haver uma via de moderação em nada na vida — disse ele, num tom de profunda tristeza. — Se há alguém que o sabe, é a Matty.

Ela sabia exactamente o que ele queria dizer. Ao abrir uma casa como o London Lil's, ela ostracizara-se da sociedade. No entanto, se tivesse decidido ficar no Oregon, vivendo o que a maioria das pessoas considerava uma vida «decente», tão-pouco estaria mais perto dela.

— Há muito tempo alguém me perguntou o que eu desejava da vida — disse ela. — A minha resposta foi que, quando morresse, queria sentir que tinha feito uma diferença, para melhor, na vida de outra pessoa. Continua a ser esse o meu desejo e essa é a minha via de moderação, capitão.

Ele sorriu. — É um desejo louvável — disse ele. — E apraz-me ver que não perdeu nada da integridade e coragem que tão admiravelmente revelou durante a trilha. Ah, estou a ver pessoas a dançar lá em baixo... a London Lil está autorizada a dançar também?

— Não vejo razão para não dançar, capitão — disse ela, rindo. — Provavelmente não se vai falar noutra coisa amanhã na cidade, mas isso nunca me demoveu.

— Se me trata por capitão mais uma vez, sou bem capaz de lhes dar mais motivos de falatório — disse ele, com um brilho maroto nos olhos. — Não diga que não a avisei!

Matilda nunca mais dançara com um homem desde aquela noite com Flynn em Nova Iorque, quando os Milson estavam ausentes em Boston. Mas, no momento em que James lhe abriu os braços, recordou toda a excitação e prazer dessa noite. Lily havia-a treinado no Missouri para o caso de a oportunidade de um baile alguma vez se apresentar, mas duas mulheres a rir nos braços uma da outra, tentando trautear uma melodia e acertar o passo, não tinham comparação com estar nos braços de um verdadeiro homem.

Os olhos dela não conseguiam ver sobre o ombro dele e ele estava a apertá-la com tanta força que ela apenas podia seguir os movimentos do corpo dele com o seu. Mas a pista de dança também estava tão apinhada que estes movimentos não eram rápidos nem complexos e ela não tardou a fechar os olhos, ouvindo apenas a música e comprazendo-se no deleite de se deixar guiar pelos braços fortes de um homem.

Desconfiou que a banda passou a tocar temas lentos só para eles porque as jigas rápidas eram mais populares junto dos clientes. Com tão poucas mulheres com quem dançar, os homens dançavam muitas vezes uns com os outros. Aliás, parte da atracção do London Lil's residia nas figuras ridículas que alguns homens faziam. Ela já vira homens a pôr um chapéu de sol e um avental e a comportar-se de modo afectado com os respectivos pares. Quando era tocado o cancã, havia homens que projectavam as pernas mais alto do que as raparigas no palco.

Mas esta noite estava indiferente a tudo a não ser a mão de James na sua cintura, a face dele encostada ao seu cabelo e o seu corpo magro movendo-se em uníssono com o dela. A dado passo, ele largou-lhe a mão direita e pousou a dele no seu ombro, afagando suavemente a pele nua com as pontas dos dedos. Ela sentiu o despertar do desejo no mais fundo de si e desejou ser mais alta para que a face dele se encostasse à sua.

Uma vozinha murmurou dentro da sua cabeça que estava a dar espectáculo, mas ignorou-a. James era um velho e bom amigo, porque não havia de dançar com ele? O destino trouxera-o até ela e não havia absolutamente nada que os impedisse de serem namorados se assim quisessem. Nesse momento, compreendeu que era exactamente o que desejava. Durante todo este tempo em São Francisco, inúmeros homens haviam tentado cortejá-la, mas ela rejeitara-os a todos. Nunca nenhum a fizera sentir-se tonta e excitada, e já tinha começado a pensar que nenhum homem seria capaz de o fazer. Até agora.

Outros homens tentaram dançar com Matilda, mas James ignorou-os, afastando-se a rodopiar com ela com uma pequena gargalhada. Ela manteve os olhos fechados porque não queria ver, esta noite, olhares curiosos e sorrisos. Só queria que este estado de felicidade durasse para sempre.

Pararam quando a banda passou subitamente do refrão tristonho de «Fair Anne» para o ritmo frenético de «Oh Susanna» e Matilda apercebeu-se de que o segundo espectáculo da noite estava prestes a começar.

*

— Divertiste-te?

Matilda paralisou de choque ao ouvir a voz de Zandra quando entrou no apartamento algumas horas mais tarde.

— Sim, bastante — respondeu, levantando um pouco mais o candeeiro de petróleo para poder trancar a porta. Pela pergunta de Zandra, calculou que Mary dera um salto aqui acima para lhe dizer que ela estivera com um homem.

— Então chega aqui e conta-me tudo — pediu Zandra. — Não consegui dormir consumida de curiosidade sobre o teu companheiro. A Mary disse que nunca o tinha visto, mas que achava que era um velho amigo.

Matilda entrou no quarto de Zandra e pousou o candeeiro no lavatório. A amiga transformara este quarto num espaço muito agradável. Por cima da cama de latão, fixara um drapeado de musselina tingida de azul a um vértice central e a manta, feita por ela, era toda em tons diferentes de azul. Reclinada contra almofadas debruadas a renda, com uma camisa de dormir e touca imaculadamente brancas, exibia toda a aparência de uma condessa.

Sentando-se na cama, Matilda explicou quem era o estranho e que, depois de dançar com ela, ele a convidara para ir até ao Bella Union, na praça, jogar nas mesas.

— Ele disse que não costumava jogar mas que eu lhe ia dar sorte — disse Matilda, rindo. — E devo ter dado porque ganhou duzentos dólares. Depois ceámos num restaurante novo chamado Georgie's. E no fim ele trouxe-me a casa.

Zandra sorriu. Interrogou-se se ele teria beijado Matilda, pois a sua pele e os seus olhos emanavam uma luz que não provinha apenas do candeeiro. Recordou os relatos da amiga sobre este homem que chefiara a caravana dela e a sua aparente desilusão por ele não lhe ter escrito nem ter ido procurá-la a casa de Cissie. — E vais voltar a encontrar-te com ele? — perguntou.

— Vai levar-me a andar a cavalo amanhã — disse Matilda, inclinando-se, com uma expressão subitamente ansiosa. — Que é que hei-de vestir?

— Não me parece que ele se importe se fores de combinação — disse Zandra num tom irónico. — Pelo menos, a julgar pela expressão de êxtase na tua cara.

Matilda soltou uma risadinha. — Não imagina como foi bom

voltar a vê-lo, Zandra. Gostava imenso dele então, mas estava grávida e não podia alimentar ideias românticas. Mas agora é diferente, não é?

— Claro que é e é tempo de teres um homem na tua vida — disse Zandra. — Bem, quanto ao que podes vestir amanhã... Acontece que tenho um fato de montar no meu roupeiro. Podes levá-lo, estou certa de que te serve. Infelizmente é verde-garrafa, que não é a tua cor, mas tenho uma *écharpe* de seda que podes pôr e lhe dá uma certa alegria.

— Porque é que tem um fato de montar? — perguntou Matilda. Zandra nunca usava roupa que não fosse preta, mas, quando se mudara para o apartamento, levara quatro baús de vestidos de noite e outras peças de vestuário, algumas com quarenta anos. Mas um fato de montar parecia um traje bastante implausível para ela.

— Porque, minha menina inocente, nem sempre fui uma velha frágil; montava muito bem e adorava. Guardei o fato para recordar velhos tempos.

Matilda apercebeu-se de súbito de que era muito tarde. — É melhor ir deitar-me e deixá-la dormir — disse ela. — Precisa de alguma coisa antes de eu ir?

— Não, minha querida — disse ela. — É bom ver-te feliz. Diverte-te amanhã e não te preocupes com o andar de baixo. Passam perfeitamente bem sem ti.

— Assenta-me bem? — perguntou Matilda, virando-se para um lado e para o outro diante do espelho do toucador de Zandra. O fato de montar podia ter sido feito para ela, o casaco de veludo justo favorecia-a e a saia, embora dividida como calças de homem, tinha a aparência de uma saia comprida normal quando ela estava de pé. A complementar o traje, havia um toque pequeno e gracioso, com um véu e uma pluma.

Zandra atou-lhe uma *écharpe*, em estilo de laço, ao pescoço. Era creme com pintas verdes e conferiu imediatamente um tom mais lisonjeiro ao rosto de Matilda.

— Se te assenta? Estás adorável — disse Zandra. — Agora não caias do cavalo, é humilhante, para não dizer doloroso. Se ele quiser partir a galope, resiste à tentação de o imitar. Desconfio que a tua experiência hípica se reduz a cavalos de tracção.

— É verdade — disse Matilda, com uma risada, sentindo-se de súbito como se tivesse dezasseis e não vinte e seis anos. — Mas não disse isso ao James.

— Duvido que ele faça tenções de te pôr à prova — disse Zandra com um sorriso malicioso. — Não hás-de tardar a saber se faz, se aparecer com um garanhão enorme para ti.

Zandra tinha claramente razão, pois, embora James tivesse subido a colina, às onze da manhã, num belo garanhão negro, trouxera-lhe uma dócil égua cinzenta que olhou para a figura franzina de Matilda quase com alívio.

— Estás esplêndida — disse James com um sorriso. — Pelo fato, presumo que montas com frequência?

Matilda não tencionava admitir que o traje era emprestado nem descair-se, dizendo que ele também estava esplêndido. Estava com o uniforme e ficava-lhe muito melhor do que o traje civil, emprestando-lhe aquele aspecto sensual que ela admirara quando se haviam conhecido. Mas não queria elogiá-lo nem admitir que não costumava montar e, assim, limitou-se a rir e, antes de ele poder sequer desmontar para ajudá-la, colocou um pé no estribo e saltou para a sela.

— Também me quis parecer que não precisavas de uma sela de senhora — disse ele, abrindo-se num sorriso. — E ainda bem, porque os estábulos não tinham nenhuma.

Tomaram o caminho que saía da cidade, logo atrás dos últimos edifícios, e depois seguiram por terreno acidentado ao longo da crista dos montes para sul. Estava uma manhã magnífica, sem o habitual nevoeiro e, como chovera pouco recentemente, a marcha era fácil.

Cavalgaram talvez durante uma hora, conversando naturalmente, como costumavam fazer na trilha. Na noite anterior, haviam falado de assuntos banais, da cidade e do negócio dela, mas agora ele quis saber tudo sobre Tabitha e Amelia. Tornou-se cada vez mais claro para Matilda que tanto ela como as filhas haviam deixado uma marca vívida e permanente na sua memória, e isso encantou-a.

— E a tua madrasta e irmãos em Inglaterra? — perguntou ele.

— Só recebi uma carta da Dolly depois de ter chegado ao Oregon — disse Matilda com tristeza. — Nem parecia ela, só dizia que se sentia muito cansada. Acho que deve ter morrido pouco depois e não havia ninguém que pudesse informar-me. Penso muitas vezes nos meus irmãos, onde estarão, o que estarão a fazer. Mas suponho que nunca virei a saber. E a tua família, James, estiveste com eles?

— Fiz mais ou menos as pazes com eles quando passei um tempo na Virgínia — disse ele, com um sorriso irónico. — Não posso dizer que goste mais deles, mas suponho que o avanço dos anos me tornou mais tolerante.

Não se alargou sobre este assunto e puxou pelas rédeas para parar e contemplar uma vista esplêndida da baía. Como sempre, estava repleta de navios e, sob a luz intensa do sol, tinha um ar idílico.

— Este lugar seria maravilhoso para construir uma casa — disse ele, pensativo. — Podia sentar-me à janela todos os dias que nunca me cansaria desta vista.

— Gostavas então de te instalar aqui se deixasses o Exército? — perguntou ela, o seu coração sobressaltando-se subitamente.

— Antigamente pensava que sim, antes de terem descoberto ouro e a cidade entrar neste frenesim louco — disse ele, olhando para ela e sorrindo. — Adoro o clima ameno e o oceano, mas não me parece que queira viver tão perto de todos esses vagabundos e ladrões na cidade.

— Mas que generalização exagerada e absurda — exclamou ela, indignada. — Na maioria, não passam de aventureiros.

— Como tu? — disse ele, levantando uma sobrancelha loura e farta, os lábios abertos num sorriso sarcástico.

— Sim, como eu — retorquiu ela. — É o meu género de cidade, adoro a coragem, a falta de hipocrisia, é um sítio muito mais honesto do que qualquer outro onde já vivi.

Ele abanou a cabeça na direcção dela. — Pode parecer assim agora, Matty, mas quando as beatas, os padres e a lei e a ordem chegarem, és muito capaz de dar contigo do lado errado da barricada.

— Isso é outro absurdo — respondeu ela. — A minha casa é a mais popular da cidade.

— Eu sei, muitas pessoas disseram-me isso mesmo — disse ele. — Dizem que toda a gente a adora, desde o homem de negócios mais influente ao mineiro e estivador mais pobre.

O tom dele não era sarcástico e, por isso, Matilda explicou-lhe. — Tem sido um verdadeiro sucesso, James. Planeei uma casa de diversões decentes e honestas, onde os homens pudessem levar as mulheres e as namoradas, uma coisa boa e diferente. E consegui. Trata-se de um lugar de referência, a coisa mais parecida com uma instituição que a cidade tem. Não imaginas o número de homens de negócios proeminentes na cidade que tentaram convencer-me a vender-lhes uma participação.

— Mas diz-me, Matty — disse James, olhando para ela com curiosidade —, és convidada para as casas desses homens de negócios? As mulheres deles recebem-te?

— Não tenho tempo para essas coisas — disse ela.

— Então talvez seja melhor assim — disse ele, em voz baixa. — Porque, se tivesses mais tempo, eras capaz de notar que a tua agenda estava bastante vazia.

Esta observação era a última coisa que ela queria ouvir, pois era algo que já sabia mas preferia ignorar. Ardendo de humilhação, enterrou os calcanhares no flanco da égua, mas, em lugar de tomar o gesto como simplesmente um sinal para continuar, a égua largou num galope.

Um trote rápido era uma coisa, mas Matilda não tinha experiência de cavalgar a toda a brida. Saltitava sobre a sela, segurando-se com todas as suas forças, com medo de ser derrubada e, sem fazer a mais pequena ideia de como refrear a montada, tentou fazer de conta que se estava a divertir.

Devia ter percorrido uns três quilómetros quando ouviu os cascos do cavalo de James imediatamente atrás dela. — Eh! — chamou ele e, galopando para se pôr a par com ela, estendeu o braço e puxou pelas rédeas dela, obrigando a égua a parar. — Porque é que fazes tudo a galope quando mal aprendeste a trotar? — perguntou ele, sorrindo-lhe.

Ao aperceber-se de que ele sabia muito bem que ela não era uma amazona experiente, sentiu-se ainda mais embaraçada. Libertou o pé direito do estribo para desmontar, mas, ao fazê-lo, percebeu tarde de mais que devia ter retirado também o pé esquerdo e, deslizando pelo flanco da montada, caiu ao chão, com o pé ainda preso no estribo.

James saltou do cavalo e correu a ajudá-la, mas, em lugar de mostrar preocupação, rompeu em gargalhadas. Ela acabou por conseguir libertar o pé, mas não sem primeiro expor a perna toda aos seus olhos.

— Parvalhão! — gritou-lhe ela, levantando-se de um salto para lhe assentar uma bofetada na cara sorridente. Ele esquivou-se e a mão dela apenas lhe agarrou no braço. Ainda mais enfurecida, atirou-se a ele para lhe dar murros no peito.

Ele agarrou-a pelos cotovelos e puxou-a para si e, de súbito, começou a beijá-la. Ela debateu-se por um momento, mas rendeu-se ao calor e à doçura dos seus lábios, perdendo a força para resistir. Haviam passado mais de cinco anos desde que Giles a beijara, dessa última vez, antes de partir para St. Joseph. Porém, envolvida pelos braços de James, com o corpo dele apertado contra o seu, esses sentimentos de desejo e paixão, que tanto se esforçara por esquecer, invadiram-na como uma enxurrada.

A língua dele agitava-se dentro da sua boca, as mãos dele acariciavam-lhe as costas, puxando-a ainda mais contra si, até os botões do uniforme se lhe enterrarem nos seios. Matilda experimentou essa onda quente e familiar dentro de si e, nesse momento, se ele a tivesse deitado na erva e possuído, não teria oferecido resistência.

Foi ele o primeiro a afastar-se, ainda a prendê-la com vigor mas enterrando a cabeça no ombro dela. — Não devia ter feito isto, Matty. Lamento muito.

Ela não estava a contar com uma desculpa e levantou a cabeça dele entre as mãos para lhe ver o rosto. A sua expressão era quase infantil, a boca trémula, os olhos doces, uma expressão que ela só vira uma vez antes. Fora na manhã em que Amelia nascera e ele entrara na carroça para a felicitar. Nesse dia, interpretara-a como simples compaixão, mas agora sabia, de algum modo, que não era isso, era algo de mais profundo. — Pois eu não lamento nada — disse ela, sorrindo-lhe. — Gostei muito.

— Eu também — murmurou ele, numa voz estranhamente tensa. — Mas também passei a maior parte da viagem e muito tempo depois a imaginar que te beijava. Quem me dera ter tido a coragem de te beijar então.

— Não me lembro de teres falta de coragem — disse ela. — Mas as coisas nessa altura eram diferentes, eu só estava preocupada em chegar ao Oregon antes de a minha filha nascer, e depois não estava numa situação que me permitisse pensar em romances.

Ele afastou as mãos dela da cara e recuou. Estava com um ar tão perturbado que a sua expressão lhe fez lembrar *Treacle* quando fazia alguma asneira. Pensou que ele talvez se sentisse culpado por não ter vindo à procura dela.

— O que foi, James? — perguntou ela, em surdina. — É claro que há qualquer coisa que queres dizer. Diz-me. Não acredito que seja demasiado tarde para nós.

Ele não respondeu e o seu rosto crispou-se como se sentisse dores.

— Diz-me — insistiu ela.

— Não posso, Matty — disse ele. — *É* tarde de mais.

Foi como se uma nuvem tivesse de súbito encoberto o sol. Por um momento, não foi capaz de responder, porque se lhe formara um nó na garganta, ameaçando asfixiá-la.

— És casado agora, não és? — conseguiu finalmente perguntar.

Ele assentiu com a cabeça, olhando para o chão.

Por um momento, Matilda ficou sem fala. O instinto dizia-lhe que ele estivera apaixonado por ela e, a julgar pelo modo como a beijara, ainda estava. A noite anterior fora maravilhosa, houvera momentos em que apenas se haviam contemplado um ao outro, começando a rir a propósito de nada. Fora deitar-se com a memória dele no peito, certa de que estava prestes a acontecer algo de extraordinário.

— Porque é que não me disseste ontem à noite? — perguntou ela, numa voz trémula. — Porque é que me convidaste a sair e hoje a vir andar a cavalo contigo?

— Fiquei tão feliz por te ver — disse ele, continuando de cabeça baixa e fitando-a através das pestanas. — Os meus sentimentos por ti reavivaram-se, numa questão de minutos voltámos a ser como antes. Suponho que só quis que o momento se prolongasse um pouco mais. Se te tivesse dito logo, a nossa relação teria sido imediatamente formal, a nossa conversa neutra, e a ideia era intolerável.

— Queres dizer que eu não teria dançado contigo — disse ela, pensando com tristeza na ditosa sensação de ser apertada nos seus braços, pois fora esse o ponto em que compreendera que transpusera a fronteira entre a amizade e algo mais.

— Não planeei nada do que aconteceu — disse ele, com uma ponta de irritação. — Penses o que pensares de mim, por favor não te esqueças disso. Foi simplesmente tão maravilhoso voltar a ver-te, ter notícias das crianças, saber como tinhas chegado aqui, todas as coisas importantes. Mas, quanto mais conversávamos, mais difícil se tornou contar-te. Porque só conseguia pensar que devia ter saltado para o cavalo e ido ao vale de Willamette à tua procura para te pedir em casamento.

Matilda fechou os olhos por um momento, recordando a ternura com que ele a instalara na canoa e a tristeza nos seus olhos quando Urso Branco se afastara da margem. Sabia que ele estava a falar verdade a respeito dos seus sentimentos e, na realidade, era igualmente culpada porque nunca se apercebera.

— Em que estás a pensar? — perguntou ele.

Matilda soltou um profundo suspiro. — Na tristeza de tudo isto — respondeu com honestidade.

— Ia contar-te tudo hoje — disse ele, olhando-a nos olhos. — Não fazia tenções de fugir como um ladrão na noite, se é nisso que estás a pensar. Mas diz-me uma coisa, Matty. Sentiste alguma coisa por mim durante a viagem?

— Sabes muito bem que sim — disse ela com indignação. — Nunca me permiti pensar em ti *dessa* forma por causa da minha situação, mas eras um amigo muito querido.

— E mais tarde, quando chegaste a casa dos Duncan, alguma vez pensaste em mim?

— Pensei — admitiu ela. — Tinha esperança que aparecesses. Eu e a Tabitha falávamos muitas vezes de ti.

— Não me parece que esses sentimentos fossem iguais aos que eu tinha por ti — disse ele, estendendo a mão e passando-lhe os dedos pelos lábios, os seus olhos estudando o rosto dela. — Foi também em parte essa a razão por que não senti uma necessidade imediata de te dizer que me tinha casado. É que não encontrei a mesma Matty que conhecia. Parecias uma mulher muito sofisticada e mundana. Pensei que podíamos recuperar a nossa amizade, rir-nos dos velhos tempos e eu esqueceria o que tinhas significado para mim no passado. Mas agora, quando largaste a galope e caíste da égua, fez-me lembrar tanto a velha Matty, obstinada, independente e tão absolutamente cativante, que perdi a cabeça.

— É melhor voltarmos agora — disse ela, sentindo-se a ponto de quebrar a sua própria regra e chorar em público.

— Não, ainda não — disse ele, pegando-lhe no braço quando ela se virou para a égua. — Não te posso deixar fugir outra vez, beijaste-me como se me desejasses. Não podemos ficar por aqui.

Ao ver os vívidos olhos azuis dele, Matilda compreendeu que

devia negar os seus sentimentos, repeli-lo como se ele não passasse de um de muitos pretendentes. Mas não foi capaz.

— Sim, desejo-te — disse ela, simplesmente. — Mas, se és casado, não pode haver nada entre nós. Agora temos de voltar e tentar esquecer o passado.

Cavalgaram vagarosamente de regresso à cidade e James disse-lhe que estava prestes a assumir o comando de um forte no Novo México. Ela interrogou-se sobre a mulher com quem ele se teria casado — os seus modos e discurso mais refinados e as suas anteriores observações bastante moralistas sugeriam que encontrara alguém da sua própria classe. Mas ele não falou nela, não mencionando sequer o seu nome, e Matilda não tencionava perguntar.

James desmontou à porta do London Lil's e aproximou-se de Matilda para ajudá-la a descer.

— Posso visitar-te se passar por aqui outra vez? — perguntou ele. — Na qualidade de amigo.

Quando ele lhe pôs as mãos na cintura para a descer, ela teve vontade de beijá-lo intensa e demoradamente para lhe dar algo mais do que amizade para a recordar, mas resistiu à tentação.

— Claro que sim, James — disse ela, tentando soar descontraída. — Serás sempre bem-vindo.

— Dá um abraço meu à Tabitha quando lhe escreveres — disse ele. — Diz-lhe que não me esqueci dela, e dá um beijo à Amelia.

Matilda só foi capaz de acenar com a cabeça. De algum modo, dizia muito sobre este homem que as suas últimas palavras fossem para as filhas.

Zandra estava sentada à janela da sala de estar quando Matilda entrou. O seu rosto velho e encarquilhado estava iluminado de excitação; tivera a oportunidade de examinar bem o capitão antes de ele partir e aquilo que vira agradara-lhe.

Matilda atirou o chapéu para uma cadeira e deixou-se cair em frente a Zandra. — É casado — foi tudo o que conseguiu dizer.

Durante alguns momentos, Zandra não fez nenhum comentário. Sentiu o profundo pesar na amiga, viu a dor e a perplexidade que lhe turvavam os olhos. Para Zandra, o casamento pouco significava, passara toda a sua vida com homens comprometidos com outras mulheres e essa situação agradava-lhe porque tivera o seu amor, continuando a preservar a sua liberdade para fazer exactamente o que lhe apetecesse fazer.

Mas sabia que Matilda não estava preparada para mais dos seus pontos de vista cínicos, estava nas garras da paixão, pronta para o amor e, para ela, isto era mais um duro golpe. — Sinto muito, Matty — disse ela, condoída. — Ele era tão elegante e atraente, imagino perfeitamente a tua desilusão.

— Desilusão não chega para descrever o que sinto — explodiu Matilda. — Estou furiosa, só queria que tivesse morrido nalguma campanha, qualquer coisa para não ter aparecido outra vez na minha vida.

Zandra acenou com a cabeça. Tinham passado muitos anos desde que um homem agitara as suas emoções da forma que via agora em Matty. Mas recordava a sensação.

— Não desejas que ele tivesse morrido, não, e daqui a pouco vais sentir-te satisfeita por teres voltado a vê-lo porque ele foi um bom amigo quando precisaste — disse ela, num tom reconfortante. — Porque é que não marcas passagem no próximo mês para visitares as tuas filhas? As coisas vão acalmar quando os homens regressarem às montanhas no Verão. Eu sou perfeitamente capaz de olhar pela casa com a ajuda da Mary enquanto estás ausente.

Matilda assentiu, os olhos marejados de lágrimas. — Quem me dera não ter estado cá para não me ter encontrado com ele — disse ela. — Porque é que o destino às vezes é tão cruel, Zandra?

— Se eu soubesse isso, seria a mulher mais sábia do mundo — respondeu a mulher mais velha com um sorriso. — Mas aprendi que estas coisas nos são mandadas para nos pôr à prova e, com cada acontecimento triste e terrível, tornamo-nos um pouco mais fortes.

Matilda ficou calada durante algum tempo. Estava a olhar pela janela, profundamente absorta. Mas, por fim, virou-se para Zandra. — O que é que faria em relação ao James, se estivesse no meu lugar? — perguntou.

Zandra pensou por um minuto, dividida entre a verdade e uma mentira mais nobre. Mas não podia mentir à amiga, sabia que ela não se deixaria enganar.

— Corria à cidade à procura dele — respondeu. — Dizia-lhe que o queria como amante, independentemente de ser casado. Agarrava todos os momentos de felicidade que pudesse sem pensar nas consequências. — Fez uma pausa e fitou os olhos cheios de lágrimas de Matilda. — Mas eu tenho a alma de uma prostituta, Matty. Nunca fui do género casadoiro e, na tua idade, tinha muito pouca integridade.

O capitão Russell apertou as correias dos seus alforges e montou graciosamente de um salto. Estava escuro agora e ele fazia tenções de passar mais uma noite na cidade antes de partir ao nascer do sol no dia seguinte. Mas sabia que se ficasse não resistiria a ir ter com Matty, e se o fizesse estaria perdido.

Via o London Lil's distintamente no alto da colina, as lanternas brilhantes ao longo da fachada eram como um farol convidativo e extremamente tentador. Passara as últimas seis horas a beber *whisky*, mas continuava sóbrio, talvez porque os seus companheiros de copos não se calavam a falar de Matilda.

Ela estava rapidamente a transformar-se numa lenda. Ouvira falar dos seus negócios de madeira e da sua amizade com a dona de uma casa de tolerância que agora residia com ela. Ouvira também falar das prostitutas que ela salvara das ruas e a quem dera trabalho honesto. Um homem dissera que ela pagara as passagens para casa a dois mineiros falhados e jurara que os mataria se soubesse que tinham ficado na cidade e deixado as mulheres e os filhos sozinhos durante mais um Inverno.

Sabia que ela pagava bons salários aos seus empregados e que os tratava bem. No entanto, dizia-se também que era fria como gelo se alguém a roubasse ou se descobrisse que as raparigas se ofereciam aos clientes a troco de dinheiro. Os homens com quem falara não entendiam as razões disso, pareciam pensar que ela era estúpida por recusar uma comissão sobre tais acordos, nem compreendiam por que razão ela levantava a voz contra a escravatura e simpatizava com a causa dos chineses, dos negros e dos mexicanos, que eram tratados como seres inferiores pelo resto das pessoas.

Na melhor das hipóteses, estes homens consideravam os pontos de vista dela bizarros e até subversivos, porque estava a meter na cabeça das outras mulheres ideias de que não deviam conformar-se com o domínio dos homens. Mas, mesmo assim, admiravam-na. A sua casa era um lugar de conforto numa noite fria, de honestidade numa cidade cada vez mais desonesta, de diversão decente quando em tudo o resto imperava a imoralidade.

Custara-lhe não falar sobre o que sabia dela. As imagens dela que guardava na memória a tratar aquelas crianças com sarampo, a conduzir os bois por desfiladeiros de montanha quase no fim da gravidez e o seu rosto manchado de terra, debruçada sobre um tacho ao lume, eram tão vívidas, tão pungentes, que desejava desesperadamente partilhá-las com alguém.

Não podia dizer aos homens que falavam com desejo sobre a sua beleza que tivera uma vez um vislumbre do seu corpo nu, a tomar banho no rio Platte. Nesse tempo, a sua barriga era apenas uma curva suave, a pele rosada da água fria, os seios cheios e as pernas altas e bem torneadas. Nem podia dizer quantas vezes a vira escovar o cabelo à luz da fogueira, um cabelo que parecia ouro cintilante, caindo em cascata sobre os seus ombros magros, de um modo que só a recordação lhe formava um nó na garganta.

Um dos homens observara que ela andava sempre de luvas, mesmo quando recolhia copos sujos. James sabia porquê, tratara-lhe da mão quando ela perdera a unha durante a viagem. Ele próprio ficara sem cor ao vê-las, pois nenhuma mulher tão jovem e bela devia ter as mãos calejadas de uma moça de lavoura.

Mas não pôde fazer qualquer comentário sobre ela, com medo de perder o controlo e não ser capaz de esconder, não apenas o que conhecia dela, mas o facto de a amar.

Ao sair da cidade, na noite, pela estrada sulcada em direcção ao Novo México, os seus olhos iam marejados de lágrimas. O seu casamento com Evelyn, filha única do coronel Harding, realizara-se em Setembro passado na Virgínia. Ela era a mulher ideal para um oficial, uma anfitriã afável, prendada, bonita, uma companhia divertida, e compreendia que um soldado passava grande parte da sua vida profissional longe de casa. Embora James estivesse consciente de que não a amava apaixonadamente como amara Belle ou Matilda, dissera a si mesmo que um casamento fundado com os alicerces sólidos das origens sociais semelhantes e da compatibilidade tinha maiores hipóteses de sucesso e que, com o tempo, nasceria o verdadeiro amor.

Até ao dia anterior, vivera perfeitamente contente. Estava em paz consigo mesmo e o casamento havia, em parte, curado a clivagem entre ele e a família, pois aprovavam Evelyn. Em breve seria promovido e, correndo tudo bem, teria filhos também.

Mas o facto de ter reencontrado Matilda destruíra essa paz de espírito. Quando não recebeu resposta à sua carta, quatro anos antes, convencera-se de que quaisquer sentimentos que ela pudesse nutrir por ele eram puramente fraternais e que não lhe respondera porque se sentia embaraçada e talvez chocada com a sua confissão de amor. Mesmo a sua expressão de medo quando se deparara com ele no bar parecia corroborar esta ideia. Fora um alívio quando ela disse que não recebeu a carta. Pensara sinceramente que a esquecera e que podia passar uma noite agradável com ela sem pensar no passado, e que todos os fantasmas estavam definitivamente enterrados.

Mas enganara-se. O seu rosto, o som da sua voz, a maneira como se movia, até a faísca nos seus olhos quando falava de coisas que a entusiasmavam trouxeram tudo de novo à sua memória. Ficara acordado a compará-la com Evelyn e, num momento de puro cinismo, tentara analisá-las como se fossem cavalos. Evelyn surgia-lhe como uma égua árabe, bonita e delicada, enquanto Matty era um cavalo de caça forte e lustroso. A delicada égua árabe podia regalar a vista, mas não se desenvencilhava em terreno difícil, não saltava sebes e valas como um cavalo de caça.

Hoje de manhã, a elegante mulher de traje de montar à sua espera à porta do London Lil's era tão diferente da velha Matty que, por momentos, pensou que estava de novo no bom caminho. Mas depois ela ofendera-se com o que ele dissera e largara a galope e, de repente, ali estava ela outra vez, essa Matty obstinada, impulsiva, absolutamente adorável, e foi incapaz de resistir ao desejo de beijá-la.

Esse único beijo abrira a velha cicatriz a tal ponto que compreendeu que jamais sararia. Ela devia ter-lhe pertencido, tudo no corpo dele o clamava. Devia ter seguido o seu coração e partido à procura dela, custasse o que custasse. Agora teria de viver com a mágoa até ao fim da sua vida.

— Diabos te levem, Matty — exclamou em voz alta, olhando por cima do ombro. As luzes de São Francisco estavam agora indistintas, apenas uma névoa dourada contra o céu escuro e aveludado. Por um momento, sentiu-se tentado a voltar para trás, mas resistiu ao impulso, enterrou as esporas nos flancos do cavalo e afastou-se a galope.

CAPÍTULO 20

Matilda regressou do Oregon em finais de Julho, e correu a visitar Zandra. Tinha as faces rosadas da revigorante viagem por mar, o nariz pintalgado de sardas e tinha um ar repousado e os olhos brilhantes.

Zandra estava a dormitar na cadeira, mas, quando Matilda se precipitou para dentro da sala, o seu rosto abriu-se num sorriso grande e desdentado. — Minha querida, que bela surpresa. Só te esperava dentro de dois dias.

— Os novos vapores são muito mais rápidos. Não é como antigamente — respondeu Matilda, aproximando-se para abraçar a velha senhora. — Como tem passado?

— Bem, melhor ainda agora que já cá estás. Tive imensas saudades tuas — disse Zandra, pegando na mão de Matilda e apertando-a. — Estás com um aspecto esplêndido, ainda que não ache bem que uma rapariga nova exponha a cara ao sol. Anda sentar-te aqui e conta-me tudo sobre as tuas férias.

— Foi maravilhoso — disse Matilda com um suspiro. — A Tabby está uma perfeita senhora e tão inteligente... bate-me aos pontos com as coisas que sabe! Lembra-se que ela escreveu, aqui há tempos, a dizer que um ministro inglês chamado reverendo Glover lhe estar a dar aulas extra? Pois conheci-o e à mulher dele, enquanto lá estava, e ganharam os dois uma grande afeição à Tabby. O reverendo perguntou-me se estaria disposta a considerar deixá-la sair da escola, que, na opinião dele, só está a inibir o seu potencial, e deixá-la viver em casa deles para ele poder dar-lhe aulas privadas.

— Isso será boa ideia? — Zandra pôs um ar duvidoso. — Ela é uma grande ajuda para a Cissie, não é?

— É — concordou Matilda. — Mas a Cissie foi a primeira a dizer que era uma oportunidade demasiado boa para a Tabby recusar. Os Glover não têm filhos e a Tabby receberia o tipo de educação que a prepararia para o ensino superior. Imagine, o reverendo está até a ensinar-lhe latim! Acho que é o que o Giles teria desejado para ela e, além disso, a Tabby pode dar um salto a casa da Cissie sempre que quiser.

— E a Amelia? — quis saber Zandra.

— Oh, é a coisa mais querida que se pode imaginar — disse Matilda, extasiada. — tem umas bochechinhas que parecem duas maçãs rosadas, pestanas pretas e compridas e o cabelo agora está todo encaracolado. A Tabitha está cheia de inveja dele, o dela é completamente liso. Mas não me ponha a falar sobre ela senão mato-a de tédio. Não me calei a falar dela com uma mulher no barco para cá. Acho que ela suspirou de alívio quando me viu pelas costas.

Zandra riu-se. — E a Cissie e os filhos como estão?

— O Peter, agora que tem nove anos, julga-se um grande durão. — Matilda sorriu afectuosamente. — Adoro-o, as sardas na carinha dele, o sorriso radioso, a maneira como bebe as minhas palavras. Sempre senti que ele era, em parte, meu filho porque o salvei daquela cave e lhe dei o primeiro banho, mas tenho de ter cuidado para não o apaparicar de mais porque a Susanna fica cheia de ciúmes. É uma menina muito feminina, adora brincar às casinhas e olhar pelas bonecas, mas também é capaz de ser toda empertigada... quando faz uma birra, ouve-se na cidade inteira! — Fez uma breve pausa, sorrindo perante as recordações. — Ah, já me esquecia — acrescentou. — A Cissie tem um admirador!

— A sério? Conta — exclamou Zandra. Embora nunca se tivesse encontrado com Cissie, sentia que a conhecia bem por tudo o que Matilda lhe contava.

Matilda franziu o nariz. — Chama-se Arnold Biggleswoth e é dono de uma pequena tipografia, mas é um tanto pomposo, na minha opinião. Já pediu a Cissie em casamento. Tenho um certo receio de que possa andar atrás do dinheiro dela.

— Ela aceitou?

— Ainda não, sente-se feliz como está, sozinha com as crianças. Mas ele acompanha-a à igreja e leva-a a passear, é uma companhia para ela e as crianças gostam dele, sobretudo a Tabitha. Por isso, é bem possível que venha a casar-se com ele.

— Não falaste do Sidney!

— Bem, essa é que é a surpresa. Vai conhecê-lo pessoalmente em breve, em Setembro vem para cá trabalhar para mim.

— Que bom — exclamou Zandra. — Mas como é que isso aconteceu? Pensei que ele e a Cissie eram inseparáveis.

Matilda fez um esgar. — Quase. É parte da razão pela qual ele vem. As pessoas começaram a falar do facto de ele viver com a Cissie. Ele está com dezasseis anos e soube-se que não era realmente irmão dela... enfim, já sabe como são as pessoas! Ainda por cima, ele detesta a serração e acho que também quer conhecer mais da América. Oregon City é uma cidade bonita, mas não é muito estimulante para um rapaz novo.

Zandra assentiu. — Pelo que me contaste sobre ele, tenho a certeza de que há-de ser uma grande ajuda para ti aqui. Estou desejosa de o conhecer.

Matilda falou então dos muitos piqueniques que haviam feito, dos passeios que haviam dado. Contou-lhe que tinham apanhado duas vezes o *ferry* para Portland. — Foi delicioso — disse ela com nostalgia. — A Cissie criou um jardim muito lindo, com um relvado e canteiros de flores. O Sidney também lá construiu uma casa de brincar para os mais pequenos. Mas custou muito deixá-los mais uma vez.

— Podes regressar, já ganhaste dinheiro suficiente para abrir uma loja ou fazeres quase tudo o que te apetecer — recordou-lhe Zandra.

Matilda olhou para ela com uma expressão sombria. — Sinceramente, acho que já não me adaptava lá, estou demasiado habituada a uma grande cidade. Por mais que adorasse estar com as crianças, havia noites em que achava que ia enlouquecer de tédio. A Cissie só fala das crianças e das pessoas da igreja; suponho que foi sempre assim, mas nunca me tinha dado conta. — Fez uma pausa, uma súbita expressão de excitação estampando-se-lhe no rosto. — Já me esquecia, recebi uma carta da tia da Tabitha em Inglaterra!

— De que lado da família? — Zandra conhecia a história toda da família.

— Uma das irmãs da Lily, a mais nova, chamada Beth. Vou buscá-la para lhe ler. — Correu para ir buscá-la à carteira, que deixara no vestíbulo.

— É de uma morada em Bristol — disse ela. — Mas, como tem data de Janeiro do ano passado, suponho que deve ter ficado por Independence durante uns tempos antes de a reencaminharem para Oregon City.

Cara Miss Jennings, leu ela. *Não tenho dúvidas de que ficará surpreendida por ter notícias minhas tanto tempo depois da morte do meu cunhado, mas só soube da tragédia há algumas semanas quando estava a arrumar uns papéis na minha antiga casa de família, na sequência da morte do meu pai. Encontrei a sua carta, com data de Janeiro de 1848 e dirigida aos meus pais, no fundo de uma gaveta na secretária do escritório dele.*

Posso, naturalmente, estar enganada mas suspeito que o meu pai não lhe respondeu porque, nessa época, sofria de graves problemas de saúde. Na verdade, não falou a mais ninguém da família sobre a sua carta.

Se ele não lhe respondeu, deve ter pensado muito mal de nós e peço-lhe, portanto, que aceite as nossas desculpas e também os nossos sentidos pêsames por um clérigo excelente e profundamente empenhado ter encontrado a morte de maneira tão terrível.

Como mãe de dois filhos pequenos, considerei a sua oferta para continuar a olhar pela Tabitha extremamente generosa. Tinha acabado de me casar quando a minha irmã e o marido ficaram em nossa casa antes de partirem para a América, mas recordo que a sua dedicação à Tabitha foi comentada na altura.

Depois de descobrir a sua carta, visitei os Milson em Bath, presumindo que teriam assumido a responsabilidade pela Tabitha. Descobri que Mrs. Milson morreu há dois anos e Mr. Milson disse-me, em termos categóricos, que lhe tinha escrito a sugerir que colocasse a neta num orfanato.

Imagino o que terá pensado de nós, família. Nenhuma resposta do meu pai e uma reacção tão fria de Mr. Milson. Recordo que a minha irmã falava de si com profunda estima em todas as suas cartas, especialmente depois de se ter mudado para o Missouri, e dizia que a considerava uma boa amiga; tenho por isso a certeza de que terá agido tendo em conta os interesses da Tabitha, embora me custe imaginar como, mesmo com as melhores intenções do mundo, uma mulher só possa ter sido capaz de olhar por uma criança; em Inglaterra teria sido certamente impossível.

Desde que descobri a carta, tenho andado consumida de ansiedade pela minha sobrinha e por saber como terão passado desde a morte do reverendo Milson. Peço-lhe que me escreva e me informe sobre a situação e, se a Tabitha já não estiver consigo, por favor envie-me o nome e morada do orfanato para onde ela foi mandada para poder entrar em contacto com ela.

Com os meus melhores cumprimentos, Beth Hardacre.

— Meu Deus — disse Zandra, com um ar espantado. — Como é possível um pai ler uma notícia tão triste e meter simplesmente a carta numa gaveta sem falar a ninguém do que dizia?

— Deve ser verdade, senão por que razão é que ela escrevia agora? — respondeu Matilda, encolhendo os ombros. — Parece ser boa pessoa, não acha? Lembro-me de a Lily dizer que ela era dez anos mais nova que ela; calculo que terá agora trinta e três anos.

«Já lhe escrevi a dizer que a Tabitha está bem e de boa saúde e que quer seguir medicina. Disse também que nunca tinha contado à Tabby nada sobre a carta insensível que recebi de Mr. Milson porque ela teria ficado magoada. O que não pude dizer foi que estava a viver e a trabalhar aqui e que a Tabitha tem uma irmãzinha.»

Zandra mostrou-se preocupada. — Mostraste à Tabitha essa carta da tia?

— Não. Ela não faz ideia que o avô foi tão indiferente e achei melhor esperar para ver o que a tia Beth responde antes de abordar o assunto.

Zandra concordou. — Acho que foste prudente. Não seria aconselhável criar esperanças à pequena; afinal, quando a mulher souber que a Tabby está em boas mãos, pode perder o interesse. Mas, por falar em cartas, está no teu quarto uma que chegou para ti. Acho que é bem capaz de ser do teu capitão.

A velocidade com que Matilda saiu da sala provou a Zandra que nem umas férias no Oregon com os filhos a tinham feito esquecer o homem.

Matilda pegou na carta com mãos trémulas e abriu-a.

Minha querida Matty, leu. *Escrevi uma dezena de cartas antes desta e rasguei-as todas, pois dizia coisas que não tenho o direito de dizer. Assim, cingir-me-ei ao que é seguro, dizendo como estou feliz com o teu sucesso em São Francisco; ninguém o merece mais do que tu. Desejo-te, a ti e às tuas filhas, as maiores felicidades para o futuro.*

Quero também pedir desculpa por não te ter falado imediatamente do meu casamento. Na minha felicidade por te ter reencontrado ao fim de tanto tempo, e apercebendo-me, aliás, do grave erro que tinha cometido em não ter ido à tua procura no Oregon, não pensei de forma lúcida.

Só posso pedir que me deixes considerar-me teu amigo.

Teu para sempre, James.

Matilda leu a carta várias vezes. Ouvia as palavras que ele não escrevera, sentia todas as emoções que ele experimentara ao escrever. Podia ter-se casado bem, com alguém que seria uma esposa muito mais adequada do que ela alguma vez seria, mas era ela quem ele de facto amava.

Mas saber isso não era consolação. Também o amava; a viagem tornara-lhe o facto ainda mais óbvio, pois passara todo o tempo a pensar nele e a sonhar com ele. Bastava fechar os olhos para evocar o seu beijo, e a necessidade que sentia dele deixava-a invariavelmente com um aperto no estômago. Ele possuía todas as qualidades que desejava num homem: força, inteligência, arrojo e ternura. Adorava a sua figura, e a maneira como ele andava e falava, não lhe ocorria uma coisa de que não gostasse nele.

Mas quando conversara sobre o assunto com Cissie, concluíra que, mesmo que James fosse livre, só o amor não teria sido suficiente para uma felicidade duradoura. Uma mulher que era dona de um bar não era uma esposa conveniente para um oficial, teria entravado quaisquer promoções e tê-lo-ia ostracizado da sociedade. O mais provável seria ele ser colocado a título permanente num lugar remoto, como o Fort Laramie. Estaria preparada para renunciar a tudo o que possuía e ir viver para um sítio desses com ele?

Matilda soltou um profundo suspiro, passando os olhos pelo quarto. Era tão bonito como a sala de estar, papel importado com delicadas volutas cor-de-rosa nas paredes, reposteiros pesados de veludo na janela e uma vista da baía que lhe levantava o ânimo todas as manhãs quando olhava lá para fora. A ornada cabeceira da cama pertencera a uma das alcovas de Zandra, com um novo e alto colchão de penas e uma colcha de renda branca e cetim. Possuía verdadeiros guarda-fatos para as suas muitas roupas, Dolores enchia-lhe todas as manhãs o jarro de água quente e, se se sentisse demasiado cansada à noite para pendurar os seus vestidos, Dolores encarregava-se disso também.

Um chinês vinha buscar a roupa suja e voltava a trazê-la um ou dois dias depois, lavada e engomada. Até o seu cabelo era arranjado por Dolores todas as noites, não cozinhava uma refeição, não pregava um botão e não limpava as suas próprias botas.

Seria uma felicidade fazer amor com James aqui, na sua cama lavada e bem cheirosa, mas como se sentiria se tivesse de lavar as camisas dele no rio, fazer face a uma vida em comum num casebre improvisado, com cobras, insectos e ratos? Estar com o homem que amava tornaria tais tormentos suportáveis?

No entanto, não adiantava cismar com situações hipotéticas. James era casado e, mesmo que não amasse a mulher tanto como a amava a ela, não podia tê-lo. O que devia fazer era agradecer a Deus o que tinha em lugar de pensar no que lhe faltava.

Matilda demorou algum tempo a voltar para a sala de estar. Não disse uma palavra, deixando-se cair desanimadamente no sofá. Zandra viu os seus olhos vermelhos e compreendeu que ela estivera a chorar desalmadamente.

— Queres falar-me sobre essa carta? — perguntou ela.

— Não há nada a dizer — disse Matilda com um suspiro, e uma lágrima rolou-lhe pela face. — Ele é casado e está tudo dito. Tenho de tentar esquecê-lo.

Alguns meses mais tarde, no dia de Ano Novo de 1853, Zandra morreu. Já antes do Natal se começara a sentir mal, e passava a maior parte do tempo na cama. No Dia de Natal, ela e Matilda trocaram presentes e conseguiu descer para o jantar de peru com o pessoal, mas voltou imediatamente a seguir para a cama.

Matilda foi ver como ela estava depois de terem lançado alguns petardos chineses para celebrar o Ano Novo. Zandra estava a dormir tranquilamente, as duas mãos unidas sobre os imaculados lençóis brancos, e quando Matilda a beijou na face e lhe desejou bom ano ela nem sequer se mexeu. Na manhã seguinte, Matilda entrou no quarto pouco depois das oito, descobrindo que a amiga falecera durante a noite.

Matilda sentou-se ali a chorar durante algum tempo, incapaz de acreditar que aqueles olhos nunca mais se abririam e que aquele rosto enrugado nunca mais se rasgaria num sorriso jovial. Sentia-se como se tivesse perdido a mãe, mas era ainda pior do que quando perdera a sua mãe verdadeira, pois não a conhecera tão bem como conhecera Zandra.

Para muitos, ela não passava de uma velha proprietária de bordel, distinta mercê do seu título, mas mesmo assim maculada pela sua profissão. Contudo, para Matilda, fora uma fonte de educação e inspiração. Sabia que os setenta e dois anos eram uma idade avançada, que Zandra tivera a felicidade de não perder as faculdades nem o seu apurado sentido de humor e que morrera sem dor nem tormento. Mas isso não aliviava o sofrimento de Matilda nem a impedia de pensar no vazio deixado na sua vida.

Nunca mais poderia enroscar-se na cama de Zandra e pô-la a par dos mexericos da cidade, nem ler-lhe as cartas de Tabby e Cissie. Zandra nunca viria a conhecer as filhas, como haviam esperado. Nunca mais haveria conversas francas sobre os homens e o amor, ninguém com quem partilhar as suas alegrias e triunfos. Ninguém para a tranquilizar de que, com o tempo, acabaria por esquecer James.

Foi para Sidney que se virou em busca de consolo. Desde que chegara em Setembro, ele e Zandra haviam-se tornado grandes amigos. Foi Zandra quem o ajudou a adaptar-se à vida numa cidade buliçosa, que o advertiu sobre os riscos que um jovem incauto corria, que lhe disse onde comprar as roupas indicadas para ter um ar mais elegante mas suficientemente duro para ser levado a sério. Falou-lhe também sobre as mulheres, disse-lhe que evitasse as casas de jogo e que não bebesse. Ele idolatrava-a, tratava-a por avó, não deixava que lhe faltasse conhaque e muitas vezes trazia-lhe chocolates. Tirando Matilda e Dolores, era provavelmente a única pessoa que penetrara a fachada sofisticada e descobrira a mulher genuína por baixo.

Matilda preparou Zandra com a ajuda de Dolores, que estava igualmente inconsolável, vestindo-lhe um roupão e um *negligé* de seda escarlate que Matilda descobriu embrulhados em papel de seda, como se tivessem um valor sentimental. Escolheu os três empregados de bar de quem Zandra mais gostava para lhe carregarem o caixão, juntamente com Sidney, e eles transportaram-no aos ombros, descendo California Street Hill até St. Francis para o funeral.

A pequena igreja estava tão lotada nessa tarde como o London Lil's nas noites de sábado. Muitos dos homens haviam chegado das montanhas para lhe prestar um último tributo, ainda sujos de lama que não tiveram tempo de limpar. Estavam presentes marinheiros dos navios, soldados, carroceiros, estivadores e carpinteiros, juntamente com muitos mercadores e dignitários cívicos. Foi estranho ver as antigas «locatárias» de Zandra e muitas raparigas da rua, de quem ela fora amiga, vestidas sobriamente e sem os rostos maquilhados. Quando Matilda proferiu algumas palavras sobre a importância que a condessa tivera pessoalmente para ela, muitos dos presentes tinham os olhos marejados de lágrimas. Quando o caixão foi transportado para fora da igreja para ser enterrado, o organista tocou uma popular e alegre canção russa e, depois do funeral, todos voltaram para o London Lil's, onde as bebidas eram por conta da casa.

Essa noite foi a primeira na sua vida em que Matilda se embebedou. Nunca tomava mais do que três bebidas numa noite, era uma regra que estabelecera para si própria desde o dia da abertura e tinha-a observado. Mas, nessa noite, pôs de lado todas as suas regras.

Henry Slocum estava ao lado de Sidney e observou-a a dançar com um homem atrás de outro. Sentia que o rapaz estava angustiado com o comportamento invulgar de Matilda. — É exactamente assim que a Zandra teria gostado que fosse a sua despedida — disse ele, tentando reconfortá-lo. — Não era mulher para despedidas tristes.

A nova posição de Sidney como assistente geral de Matilda e a influência de Zandra haviam dado ao rapaz uma aparência refinada. Com o seu cabelo ruivo, pestanas claras e sardas, não podia ser considerado atraente, mas era alto e musculoso do trabalho árduo na serração e os seus olhos castanho-claros e sorrisos espontâneos eram muito bonitos. Sob a supervisão de Zandra, o seu cabelo estava bem cortado e ela havia-lhe escolhido um casaco verde-escuro e um colete bordado a fio de ouro, além de o ter ensinado a fazer o nó da gravata com estilo. Tinha o ar e o discurso de um jovem cavalheiro e possuía tanta confiança interior que a maioria das pessoas que o conhecia assumira que o era.

— Acho melhor levar a Matty para a cama — disse Sidney, franzindo a testa. — A Zandra podia apreciar uma despedida animada, mas não estou certo que a Matty venha a gostar de andar nas bocas de toda a gente amanhã.

— Deixa-a estar, filho — disse Henry, pousando uma mão no braço do rapaz. — Ela hoje está com amigos e precisa de descontrair. Nunca a vi ralar-se com o que as pessoas dissessem dela.

Sidney tinha bebido mais do que a sua conta de álcool e a última observação de Henry enfureceu-o porque sabia que não era verdade. — Nisso está enganado — disse ele, impulsivamente. — Rala-se e muito, mas também ninguém nesta cidade a conhece como eu.

Henry levantou uma sobrancelha. Não fazia ideia de como Sidney encaixava no passado de Matilda; em Setembro ela limitara-se a apresentá-lo como o seu novo assistente. — Ai sim? Na minha opinião, és demasiado novo para pensares que a conheces melhor do que um velho amigo como eu.

A resposta ligeiramente trocista do homem mais velho enfureceu Sidney ainda mais. — O senhor conhece-a há dois anos, é tudo. Eu tinha oito quando ela me salvou a mim e a uma série de outros miúdos do pior bairro de Nova Iorque — atirou-lhe Sidney. — Foi a primeira pessoa em quem confiei e dava a vida por ela.

Henry também já bebera de mais; perdera igualmente uma grande amiga hoje. Mas, perante esta explosão surpreendente, recuperou subitamente a lucidez. — Salvou-te? Bem, meu filho, isso é uma afirmação intrigante. Admiro a Matty mais do que qualquer outra mulher que conheço e gostava muito de saber mais sobre ela.

Sidney sentiu-se agradado pela atenção do homem. Desde que viera trabalhar para o London Lil's, irritava-o que as pessoas considerassem Matilda implacável e fria, ouvira mesmo algumas pessoas dizer que a única coisa que ela apreciava era o dinheiro. — Mas nunca diga a ninguém que lhe contei — disse ele. — Ela matava-me.

Lançando-se numa vívida descrição de como e onde conhecera Matilda, explicou como ela e o reverendo Milson planearam e executaram o salvamento e fundaram o Lar para Crianças Abandonadas e Sem-Abrigo em New Jersey. — Se não fosse ela, a estas horas estávamos todos mortos — terminou. — Mas guarde esta informação para si. Ela já não gosta de falar do reverendo, é uma grande tristeza a mulher dele ter morrido e ele ter sido assassinado mais tarde. Todos pensam que ela é dura como a pele de uma mula, mas não é. Tem um coração de ouro.

Mais tarde, Henry afastou-se para falar com outra pessoa, mas Sidney pintara um novo e inesperado retrato de Matilda que era extremamente cativante. Sendo um homem experiente e astuto, Henry sabia que o reverendo Milson devia ser o pai da filha de Matilda, mas, como ela não adoptara o seu nome, não podia ter chegado a casar com ela antes de ser morto. Mas, em lugar de se sentir chocado, descobriu que se sentia profundamente comovido.

Mais ou menos uma hora mais tarde, Sidney viu Matilda cair em cheio de costas ao tentar dançar o cancã, mostrando as pernas de maneira extremamente indecorosa. Abriu caminho por entre os outros dançarinos e levantou-a do chão. — Vamos, Matty, são horas de ir para a cama — disse ele.

— Não sejas desmancha-prazeres, Sid — disse ela, mas as suas palavras saíram desesperadamente entarameladas.

Sidney não ligou e, encostando o ombro à cintura dela, levantou-a às costas e transportou-a para o andar de cima. Pousou-a na cama e desabotoou-lhe as botas. Preparava-se para a cobrir com a colcha e esgueirar-se para fora do quarto quando ela de repente se inclinou para a gaveta ao lado da cama.

— O que é que queres? — perguntou ele.

— Olha aí dentro — disse ela, indicando a gaveta. — Ainda os tenho, bem como a tua mensagem.

Intrigado, Sidney aproximou-se e abriu a gaveta. — Na caixa de madeira — disse ela. — Abre-a!

Ele obedeceu e viu o lenço debruado a renda que lhe dera em Independence. Desembrulhou-o e os seis cêntimos ainda ali estavam, assim como a sua mensagem infantil e mal escrita.

— Guardaste-os! — exclamou ele, um nó formando-se-lhe na garganta.

— Claro que guardei — disse ela, afundando-se nas almofadas. — Dou-lhes muito valor. Andei com eles no bolso mesmo quando desci o rio Columbia na canoa. Quando chegar a minha vez de morrer, quero-os no caixão comigo.

Sidney estava embargado de emoção. Falara sobre o seu primeiro encontro com Matilda esta noite porque era o marco mais importante na sua vida. Mas não sabia que também tinha uma grande importância para ela. Debruçou-se e beijou-a na face. — Ainda falta muito tempo para morreres — sussurrou. — E eu amo-te.

— Vai arranjar alguém da tua idade para amares — disse ela, com uma risadinha, mas agarrou-lhe na mão e beijou-a. — E não me lembres amanhã a bebedeira que apanhei.

Um dia de manhã, em Março, Matilda descobriu que os bolbos de narciso que plantara em floreiras no Outono haviam finalmente desabrochado no alpendre com o sol. As flores nesta cidade eram raras, o ritmo era demasiado frenético, as pessoas demasiado intransigentes para pensar em criar jardins. Esta visão trouxe-lhe lágrimas aos olhos e uma vaga de nostalgia por Inglaterra, mas ao mesmo tempo as suas cores brilhantes pareciam sugerir que era tempo de pôr de lado o seu desgosto com a morte de Zandra e olhar para o futuro.

Duas semanas antes, soubera por Charles Dubrette que Zandra lhe deixara o grosso da sua fortuna. Não apenas a sua participação no London Lil's, mas cerca de 12 000 dólares e a sua considerável colecção de jóias. Dava a sensação de que Zandra previra que o seu fim estava próximo, pois, em Setembro passado, enviara uma carta a Charles pedindo-lhe que, quando o momento chegasse, dissesse a Matilda que a considerava como uma filha, que a amava de todo o coração e desejava agradecer-lhe por lhe ter enriquecido os últimos anos de vida.

Matilda sempre tivera perfeita consciência de que fora o encorajamento, o saber e os contactos de Zandra que a haviam colocado no caminho do sucesso; sem o apoio desta astuta mulher, nunca teria ousado alimentar tão altas ambições. Agora, porém, graças à herança de Zandra, a sua vida subira mais um passo e as possibilidades que se lhe abriam eram quase ilimitadas.

No entanto, em lugar de pensar em investimentos ou novos projectos comerciais, dava frequentemente por si a sonhar em voltar para Inglaterra. Os dez anos em que estivera ausente haviam quase certamente erradicado quase todos os vestígios das suas verdadeiras origens. Com a segurança do dinheiro e uma história cuidadosamente articulada, tinha praticamente a certeza de que se enquadraria com facilidade na classe média. Tabitha fizera treze anos pouco antes do Natal, a idade perfeita para frequentar uma dessas escolas elegantes para jovens raparigas. Amelia beneficiaria igualmente com uma preceptora particular. Ela própria talvez pudesse também deixar de suspirar por James num país onde nada lho recordaria.

Este devaneio fora em parte induzido por Beth Hardacre quando ela respondera à carta de Matilda no Verão passado. Embora tivesse ficado claramente aliviada por a sobrinha estar em segurança e a ser educada correctamente, exprimira o desejo de contribuir para o futuro de Tabitha. O marido, Charles Hardacre, era médico e, embora Beth referisse que a maioria dos médicos se opunha completamente à entrada das mulheres na profissão, dizia ela que Charles era um homem esclarecido que defendia que, com o tempo, este ponto de vista se alteraria. Era, no geral, uma carta encantadora que parecia sugerir que Lily não fora a única pessoa da sua família a possuir uma natureza bondosa e compassiva.

Matilda fazia tenções de ir em breve ao Oregon, falar da tia e do tio a Tabitha, e discutir a sua educação futura com o reverendo Glover. Ele era um homem bom e generoso e, desde que Tabitha vivia com ele e a mulher, enviava relatórios mensais a Matilda sobre os progressos dela. Era a melhor pessoa para prestar aconselhamento a respeito de Tabby porque conhecia as suas verdadeiras capacidades. Talvez então o seu próprio caminho se tornasse mais claro.

Enquanto Matilda estava no alpendre, passou um grupo de homens montados em mulas. Saudaram-na efusivamente, dizendo que estavam de regresso às montanhas e que voltariam a vê-la no Outono.

Ela viu-os descer para a cidade, esperando que tivessem sorte, pois constava agora que o ouro estava a tornar-se muito difícil de encontrar, sobretudo para pesquisadores como estes, que o procuravam nos riachos de montanha. Mas a verdade era que os tempos estavam difíceis para todos e não apenas para os garimpeiros.

Nos primeiros tempos, quando a Califórnia dependia inteiramente de alimentos e todo o tipo de bens importados, os comerciantes ganhavam lucros enormes. Porém, nos últimos dezoito meses, haviam surgido quintas e fábricas locais, satisfazendo directamente as necessidades das comunidades e excluindo os intermediários. Havia também uma fábrica de moagem e uma indústria de pesca muito maior.

Já não era possível fazer fortunas rápidas, comprando e vendendo lotes de terreno, e a bancarrota estava a tornar-se cada vez mais frequente nos negócios especulativos. Homens qualificados como carpinteiros, estivadores, construtores e carroceiros já não podiam exigir os salários excessivamente altos que pediam em 1850 e 1851, e eram tantos os homens e mulheres não qualificados à procura de trabalho que a oferta excedia muito a procura dos seus serviços.

Matilda contava que também os seus lucros baixassem este ano e duvidava que alguma vez registassem os níveis elevados dos dois primeiros anos. Comprara as participações de Simeon Greenstater e de Charles Dubrette no negócio pouco antes de Zandra morrer, e assim era proprietária de tudo menos da participação de um quinto que Henry Slocum ainda retinha. Por conselho de Charles Dubrette, as suas economias estavam depositadas no banco de Oregon City e o numerário guardado no cofre, pois havia uma forte possibilidade de alguns bancos aqui falirem num futuro próximo.

Contudo, embora soubesse que tinha de estar vigilante em relação ao seu negócio e adaptar-se às mudanças à sua volta, a verdadeira preocupação de Matilda era com os pobres.

Apesar da agitação, sujidade e anarquia de São Francisco nos primeiros tempos, não havia verdadeira pobreza e fome nessa época. Os homens podiam perder tudo nas mesas de jogo, mas entreajudavam-se e não faltava trabalho para quem precisasse. Mas a situação agora era diferente, viam-se homens e mulheres esfomeados a mendigar nas ruas, exactamente como em Nova Iorque. Os apoios aos indigentes eram escassos, as instituições de caridade como a Ladies Relief e o YMCA apenas podiam ajudar uma pequena minoria. Quanto a cuidados médicos para os pobres, eram quase inexistentes. As condições eram tão atrozes no Marine Hospital que poucas pessoas tentavam sequer lá ir; as pessoas com doenças infecciosas eram despachadas para a Pest House e poucas saíam de lá com vida.

Voltando para dentro de casa, Matilda pensou na sorte que esta cidade lhe trouxera e que talvez fosse tempo de retribuir, dando alguma coisa à cidade.

Durante a tarde, Matilda estava sentada à secretária na sala de estar, a escrever as suas cartas semanais a Tabitha e a Cissie, quando Dolores entrou.

— Devia estar ao sol, minha senhora — disse ela, em tom de censura. — Passa demasiado tempo dentro de portas e não lhe faz bem à saúde.

Matilda sorriu. Dolores era uma criatura enigmática. Era a criada perfeita, competente, leal e inteiramente de confiança, e desde a morte de Zandra transferira todos os cuidados e dedicação que prodigalizara à ex-patroa para Matilda. Mas, embora andasse de roda dela como uma mãe galinha, insistindo constantemente com ela para que comesse mais e trabalhasse menos, Matilda ainda não conseguira transpor o muro que rodeava a mulher negra e descobrir o que ela pensava verdadeiramente sobre as coisas.

Zandra dissera-lhe que Dolores aparecera à porta da sua casa de tolerância, em Nova Orleães, há mais de vinte anos, quando tinha mais ou menos treze anos. Estava vestida com andrajos, esfomeada, e tinha o corpo todo marcado de um espancamento recente. Disse que fugira da plantação onde nascera quando a mãe fora vendida pelo dono. Ao que parecia, também fora violada, mas Dolores nunca confirmou nem desmentiu isto. Zandra deu-lhe banho, comida e roupas, tencionando entregá-la a uma das organizações que ajudavam escravos fugidos, mas a rapariga suplicou-lhe que a deixasse ficar como criada.

Zandra dissera que nunca conhecera uma rapariga tão ansiosa por aprender; no espaço de dois ou três anos, tornara-se uma cabeleireira e bordadeira competente, mas era a sua absoluta lealdade à sua nova patroa que mais a valorizava aos olhos dela. E assim Zandra mantivera-a ao seu serviço, durante a reforma e mais tarde em São Francisco. Observava muitas vezes que, em mais de vinte anos, Dolores nunca revelara qualquer emoção a respeito de nada e nunca lhe contara nada de pessoal.

Matilda achava que Zandra se teria sentido muito sensibilizada se tivesse visto como Dolores reagira à sua morte. Ficara no quarto, junto do seu corpo, durante dois dias inteiros antes do funeral, gemendo aflitivamente. Mas, assim que a cerimónia terminou, retomou os seus velhos modos dignos e pediu a Matilda para continuar como criada dela.

— És capaz de ter razão — disse Matilda, olhando de relance pela janela e pensando como o sol era convidativo. — Talvez vá dar um passeio.

Dolores lançou-lhe um sorriso. Era uma mulher excepcionalmente feia, alta e magra, com maçãs do rosto angulosas e um nariz largo e achatado. A sua expressão habitual era suficientemente severa para intimidar qualquer pessoa e só quando esboçava um dos seus raros sorrisos é que se tinha um vislumbre da sua natureza bondosa.

— Linda menina — disse ela, como se Matilda fosse uma criança. Depois, aproximando-se da janela, tocou nas cortinas de veludo e franziu a testa. — Vou tirar estas cortinas enquanto está fora e dar-lhes uma boa escovadela — declarou.

Matilda calçou as suas botas mais resistentes, pôs o seu chapéu mais simples e colocou a velha capa cinzenta pelos ombros. Olhou para o espelho e estremeceu perante a sua aparência. A sua pele tinha um ar macilento e o pouco cabelo que espreitava debaixo do chapéu estava baço. Pensou que Dolores tinha razão, passava tempo a mais dentro de casa. Desde a morte de Zandra praticamente não saíra.

Quando atravessou o bar fechado, Sidney estava a tratar do abastecimento para a noite. Desde a morte de Zandra, por uma questão de decoro, mudara-se para o antigo quarto de Dolores atrás do bar e Dolores passara para o quarto dele no andar de cima.

Jantavam sempre juntos na cozinha do apartamento. Sem Zandra e com Sidney a viver no andar de baixo, era a forma de manterem uma vida familiar e terem a oportunidade de discutir problemas de trabalho.

— Não vás muito longe, ainda vai chover — gritou Sidney.

Matilda sorriu perante esta advertência, incrédula, ao descer California Street Hill. Não havia uma nuvem no céu e estava quase demasiado quente para andar de capa. Um casal jovem passou por ela a correr, de mãos dadas, as botas a ressoar nas pranchas, e ela calculou que se dirigiam para o espaço aberto no cume da colina. No Verão, era um local favorito dos namorados, com a vista esplêndida e a erva macia e cheirosa. Imaginou que o sol quente os tentara a ir à procura de um lugar isolado para fazer amor.

Virou-se por um momento para os ver a subir a colina a correr. As suas figuras de costas recordaram-lhe ela própria e Flynn. Tinham ar de muito pobres, o chapéu da rapariga estava deformado e o seu xaile e vestido estavam coçados. O rapaz usava um chapéu de coco cinzento igual ao de Flynn, e roupas que lhe assentavam igualmente mal.

Enquanto caminhava, evocou as sensações que Flynn suscitara nela, o alvoroço no estômago, as noites de vigília a pensar no que ele estaria a fazer, todos esses sonhos que não haviam dado em nada. Era estranho que um amor que fora tão arrebatador, tão absorvente e tão doloroso quando chegara ao fim, pudesse tornar-se em algo que ela recordava com um sorriso. Mas talvez fosse porque, com o tempo, viera a compreender que escapara por pouco. No entanto, Flynn fora o seu primeiro amor e teria sempre um pequeno lugar no seu coração. Esperava que ele tivesse conseguido concretizar alguns dos seus grandes planos.

Pouco depois, quando ia na estrada costeira que levava ao Presídio, o antigo forte e missão de adobe construído pelos espanhóis cerca de setenta anos antes, as suas reflexões voltaram-se para James, talvez porque ele ficara alojado no forte da última vez que o vira. Desejava conseguir esquecê-lo, ou pelo menos descobrir que as suas recordações dele se haviam tornado agradavelmente nostálgicas, sem pesar nem desgosto. Mas ele continuava a ocupar o seu coração, mesmo ao fim de todos estes meses. Lembrava-se com frequência de Zandra dizer que, no seu lugar, teria ido atrás dele e se teria contentado em ser sua amante. Talvez devesse ter agido assim.

Mas era demasiado tarde agora para lamentações; ele estava longe, no Novo México, e ela devia manter firmemente o conselho do pai de «nunca olhar para trás» no espírito. Enquanto caminhava, olhou à sua volta, o mar cintilava, a brisa era suave e quente, a sujidade e bulício da cidade pareciam estar a centenas de quilómetros de distância, o único som era o das aves marinhas. O ar salgado era revigorante e, pela primeira vez em meses, sentia-se tranquila, o que talvez significasse que estava finalmente a restabelecer-se e que algum novo interesse se apresentaria em breve.

Algumas carroças e pessoas passaram por ela enquanto se encaminhava para o Presídio e, quando lá chegasse, fazia tenções de tomar um caminho diferente de regresso à cidade. Nuvens escuras acumulavam-se no horizonte, mas Matilda não lhes deu atenção.

Um homem num cabriolé interpelou-a e perguntou-lhe se queria uma boleia de volta porque se anunciava uma tempestade, mas, como ele tinha um ar pouco recomendável e ela estava, de qualquer modo, a desfrutar o passeio, declinou a oferta e continuou.

Cerca de quilómetro e meio mais à frente, o sol desapareceu subitamente. Levantando os olhos, viu que o céu escurecera por completo e, alarmada, arrepiou imediatamente caminho. Era frequente em São Francisco que um nevoeiro frio e denso avançasse de súbito do mar, mas isto era pior e, numa questão de segundos, as primeiras gotas de chuva começaram a cair.

Num abrir e fechar de olhos as pessoas desapareceram das ruas, não se via um caminhante, uma carroça ou um cavaleiro, e com as gotas de chuva cada vez mais pesadas e velozes, o caminho rapidamente se transformou em lama. Matilda arrependeu-se de não ter aceitado a oferta de boleia do homem, porque ele tinha razão, era uma tempestade e não um aguaceiro, a luz estava a desvanecer-se depressa e ela tinha cinco ou seis quilómetros para percorrer antes de encontrar algum abrigo.

Arregaçando as saias, largou a correr, mas, sob a chuva cada vez mais forte, o caminho transformou-se num lamaçal, abrandando ainda mais o seu passo e, com a roupa cada vez mais molhada, começou a tiritar de frio. Mas o que mais a afligia era a obscuridade que se adensava; imaginara que não seriam mais do que quatro horas, mas talvez fosse muito mais tarde e, na verdade, não era seguro para uma mulher só andar à noite na rua.

Tornava-se cada vez mais difícil andar. O solo escorregadio e a escuridão eram um perigo. Várias vezes tropeçou e, com receio de torcer o tornozelo e ser então incapaz de andar, abrandou o passo, avançando cautelosamente.

À medida que a escuridão aumentava, Matilda começou a sentir-se verdadeiramente assustada, arrependida de não ter dado ouvidos ao aviso de Sidney. Não tinha sequer a certeza de estar no caminho certo. E se se tivesse desviado e estivesse a avançar para a extremidade do penhasco? Não ouvia o mar, mas de facto a chuva caía com tanta força que duvidava que ouvisse um tiro de canhão.

Continuou, a passo de caracol, cada vez mais assustada e enregelada. Tinha a terrível sensação de que era muito possível que estivesse a andar em círculos.

Então, subitamente, ouviu um som sobre o ruído da chuva. Estacou, perscrutando à sua frente na escuridão e apurando os ouvidos.

Eram cascos de cavalo que ouvia e o retinir de esporas, muitas, e vinham na sua direcção. Nunca um som fora tão agradável, pois calculou que seriam soldados a caminho do Presídio.

Parou no meio daquilo que esperava que fosse o caminho para aguardar a sua aproximação. Passou-lhe pela cabeça que, na escuridão, e estando ela completamente encharcada e em desalinho, a ignorassem e continuassem. Mas cerrou os dentes e preparou-se para chamar por eles.

De repente avistou-os, pelo menos os vultos sombrios de homens a cavalo.

Arregaçando as saias ensopadas, avançou para eles. — Por favor, ajudem-me. Perdi-me na escuridão — gritou ela.

Ninguém reagiu, nenhum soldado rompeu das fileiras para a socorrer, limitaram-se a avançar na sua direcção, e agora estavam tão próximos que ela distinguia os da frente, os rostos por baixo dos chapéus descidos, cansados, tensos e gelados de uma longa cavalgada.

O instinto fê-la recuar quando percebeu que não tencionavam parar. Por um momento, olhou incrédula para os dez primeiros homens que passaram sem se dignar sequer olhar para ela. Sentiu a raiva avolumar-se-lhe no peito, pois sabia que, no dia seguinte à noite, estes mesmos homens estariam no London Lil's a assistir ao espectáculo. Como se atreviam a ignorar uma mulher que pedia ajuda num caminho solitário e isolado?

— Por favor, ajudem-me! — gritou mais uma vez, tentando correr ao lado deles. — Estou perdida, molhada e cheia de frio. Vão deixar-me aqui a morrer?

Ouviu dois deles rir, o que a enfureceu ainda mais.

— Se me deixam aqui, nenhum de vocês alguma vez há-de pôr os pés no London Lil's — berrou a plenos pulmões. — E vou apresentar formalmente queixa ao vosso comandante.

Mas eles continuaram. — E consideram-se homens? — gritou. — Sacanas cobardes, todos sem excepção. Espero que morram todos de varíola.

Então, subitamente, um homem na cauda da unidade rompeu as fileiras e cavalgou até ela. — Bem, finalmente, aparece um cavalheiro — disse ela.

— E que está uma *senhora* a fazer aqui numa noite escura e chuvosa? — ripostou ele.

Matilda sentiu-se como se tivesse sido fulminada por um relâmpago, porque, embora estivesse demasiado escuro para distinguir as feições do homem, a sua voz e o tom sarcástico eram familiares.

— James! — murmurou. — És mesmo tu?

— Nem mais — respondeu ele, saltando do cavalo. — Devo declarar, minha senhora, que aparece nos sítios mais implausíveis.

Ocorreu-lhe que talvez estivesse a delirar. A que propósito um homem que significava tanto para ela haveria de aparecer de repente quando precisava de ajuda? Mas não era uma questão de tomar os desejos pela realidade, porque ele estava mesmo ali, o resto da unidade prosseguindo em direcção ao forte.

Ouviu-o chamar vagamente pelos soldados e dizer que ia levá-la a casa, mas estava tão atordoada que era como se ele estivesse a falar noutra língua.

— Que estás a fazer aqui? — conseguiu articular quando o último soldado passou. Sentia as pernas fracas, estava tão enregelada que batia os dentes como se fossem castanholas, mas o seu coração pulsava como um bombo.

— Fui colocado em Benicia — explicou ele. — E tu, porque é que andas cá fora? Estás completamente encharcada.

— Andava a passear quando a tempestade rebentou — conseguiu ela dizer no momento em que as pernas lhe cederam.

James amparou-a nos braços antes que ela caísse. — O que foi? Também estás doente?

— Não, não estou doente — disse ela a custo. — Suponho que me encontro apenas em estado de choque por me teres socorrido. Começava a pensar que ia passar aqui a noite, incapaz de encontrar o caminho para casa. Mas, agora que aqui estás, estou perfeitamente bem.

Ele apertou-a contra o peito. Estava tão molhado como ela e cheirava intensamente a cavalo, mas nunca nada no mundo cheirara tão bem. — Oh, Matty — murmurou ele. — Só pode ser o destino! Quando soube que ia passar por São Francisco, jurei a mim mesmo que não tentaria ver-te. — A sua voz tremia de emoção. — E eis-nos juntos de novo, como se estivesse escrito. Como é que tu ou eu podemos resistir a isto?

Ela levantou os olhos. O chapéu dele estava puxado para trás, o rosto reluzente da água da chuva. Ela vira-o assim muitas vezes na trilha e parecia que tinham recuado anos, até ao tempo em que a sua amizade fora a única coisa que tornara a viagem tolerável.

— Não há outro sítio onde preferisse estar — murmurou ela. — Não vou resistir a nada.

Os lábios dele colaram-se aos dela. Estavam igualmente frios e molhados, mas a sua língua abriu os lábios dela, e o calor inesperado, a felicidade de estar em segurança nos seus braços, despertaram o desejo adormecido há muito tempo. O beijo prolongou-se, crescendo de intensidade naquele abraço. A chuva caía em bátegas, o vento assobiava à sua volta, mas estavam indiferentes a tudo.

Ele levantou-a e tirou-a do caminho, colocando-a ao abrigo de uma grande árvore, e continuou a beijá-la. — Pensei que te tinha perdido — murmurou ele, enterrando a cabeça no seu pescoço. — Os últimos meses foram uma tortura lenta, não acredito que sejas de carne e osso. Diz-me que não é um sonho!

Ela tomou-lhe o rosto entre as mãos, olhando-o nos olhos. Estava demasiado escuro para lhes ver a cor, mas distinguiu neles a paixão e o amor. Nesse instante, não quis saber que ele tivesse uma mulher em casa. Conhecera-o primeiro, ele pertencia-lhe legitimamente. Nada mais importava senão o momento, nem as filhas no Oregon, nem Sidney e Dolores, desesperados em casa por ela não ter voltado. Nem o comandante dele no Presídio ou a sua respeitável família na Virgínia. Desejava James, de corpo e alma, e amanhã se veria.

— Possui-me — sussurrou ela e, antes que ele pudesse protestar, voltou a beijá-lo, comprimindo o corpo contra o dele. Ouviu um leve gemido quando as mãos dele se enfiaram debaixo da sua capa e os seus dedos frios procuraram desabotoar-lhe o vestido. Mas, quando a mão encontrou o seio dela, ele soltou um suspiro de êxtase.

Foi frenético, grosseiro e brutal, mas, ainda assim, mais doce do que fazer amor numa cama quente e confortável. Dois corpos gelados aquecendo ao contacto um do outro, os dedos buscando pontos sensíveis, envolvidos pela chuva e pela noite.

Quando ele se baixou para lhe beijar os seios, Matilda ofereceu a cara à chuva, extasiada perante o contraste entre o frio no rosto e o calor da boca dele. As mãos dele estavam agora debaixo das suas saias, os dedos demorando-se na carne macia do interior das suas coxas. Nunca nada fora tão sensual nem tão deliciosamente perverso e os dedos dela procuraram os botões das calças dele, desesperados por também lhe dar prazer.

Ele soltou um arquejo quando ela libertou o seu pénis e o segurou ternamente na mão. Acariciou-a com os dedos, fazendo-a gemer e contorcer-se contra ele.

— Amo-te, Matty — sussurrou ele, levantando-a contra si e penetrando-a, e era tão delicioso que ela gritou o nome dele.

Com os dedos profundamente enterrados nas suas nádegas, movia-a ao mesmo ritmo dele, a sua boca nunca se separando da dela, beijando-a com tal paixão que ela teve a sensação de estar a fundir--se com ele.

De repente, ele parou e ela compreendeu que ele estava a dominar-se para não a engravidar. Nesse momento, amou-o ainda mais por ser capaz de pensar nela num momento destes, quando esse perigo não lhe havia sequer ocorrido. O sémen brotou contra a barriga dela, e James abraçou-a e continuou a explorá-la com os dedos para lhe dar prazer. A última coisa que Matilda ouviu, ao entregar--se ao abandono do clímax, foi a voz dele segredando-lhe que a amaria para sempre.

— Estou completamente molhada — foi a única coisa que ela conseguiu articular, encostando-se à árvore para recobrar o fôlego. Mal acreditava que se tivesse descontrolado, tão indiferente à possibilidade de ser vista.

— Molhada, talvez, mas nunca mais bela — respondeu ele, enchendo-lhe a cara de beijos enquanto tentava apertar-lhe o vestido. — Mas tenho de te pôr em casa antes que apanhes um resfriado.

Por um momento, ficaram a olhar um para o outro, agora estranhamente nervosos, sabendo que haviam ultrapassado um ponto sem retorno. Matilda passou os dedos pelo contorno das maçãs do rosto dele. — Amanhã vamos provavelmente arrepender-nos — murmurou. — Mas neste momento não lamento nada.

— Nem eu — disse ele e ela percebeu que estava a sorrir. — Mas agora vamos, salta para o meu cavalo, vamos para casa. Nunca mais me perdoo se apanhares uma febre.

Ergueu-a para cima da sela e montou atrás dela, as suas ancas finas colando-se de tal modo às nádegas dela que pareciam que eram um só. Com os braços à volta dela, o queixo sobre o seu ombro e o bigode fazendo-lhe cócegas na face, a cavalgada para casa à noite já não era assustadora, nem tão-pouco gélida.

Ele falou-lhe da colocação em Benicia. Era um posto militar cerca de cinquenta quilómetros a sudeste de São Francisco. Era uma localização conveniente caso ocorressem conflitos aqui, em Stockton ou Sacramento. Matilda não podia perguntar se a mulher iria ter lá com ele, mencionar o nome dela agora destruiria o momento. Talvez no dia seguinte pudessem conversar acerca desse assunto. Enquanto avançavam a trote, ele ia afagando a face dela com a sua, dizendo--lhe que não passara um dia em que não tivesse pensado nela e que começara a convencer-se de que ela lhe lançara um feitiço.

— Minha pequena bruxa inglesa — disse ele, rindo, quando as luzes da cidade surgiram à vista. — Mas se isto é bruxedo, não quero que ninguém o quebre.

James amarrou o cavalo à balaustrada à porta do London Lil's. Através das janelas viam apenas um punhado de clientes, pois ainda era cedo e, esta noite, a chuva torrencial provavelmente desencorajaria todos excepto os bebedores mais determinados.

Quando entraram, ambos completamente encharcados, Sidney precipitou-se de trás do bar. — Onde é que te meteste, Matty? — exclamou, o seu rosto normalmente jovial carregado de ansiedade. — Aconteceu-te alguma coisa? O que se passou? Quem é este?

Matilda explicou rapidamente onde estava quando a chuva começara e como o capitão e os seus soldados tinham passado e ele a socorrera.

— Deves lembrar-te de eu ter falado do capitão Russell — continuou. — Sabes, o capitão responsável pela minha caravana. Não foi estranho ter sido ele a passar? Pensei que nunca mais voltaria a vê-lo.

Ao dar estas explicações, apercebeu-se de que deviam soar perfeitamente improváveis. Em rapaz, Sidney adorara ouvir falar deste homem. Em quaisquer outras circunstâncias, teria acolhido James com grande entusiasmo. Mas agora era um homem, considerava-se o protector de Matilda. Quase de certeza que a ouvira falar de James a Cissie, na sua última visita ao Oregon, e quem podia censurá-lo se pensasse que este encontro fora planeado?

— Foi colocado aqui, capitão? — perguntou ele com uma certa formalidade.

— Não, estou a caminho de Benicia — respondeu James. Baixou os olhos para os charcos que iam aumentando à volta dos pés de ambos. — Mas falamos mais tarde, Sidney, a Matty ainda apanha um resfriado se não se meter já num banho quente, esteve muito tempo à chuva antes de eu aparecer.

— Com certeza — apressou-se Sidney a dizer, pegando no chapéu e na capa ensopados de Matty. — A Dolores tem o nosso jantar à espera — disse ele. — Não consegui comer de tão aflito que estava. Devias ter dito onde ias. Nem sequer sabia em que direcção havia de te procurar. Mandei um dos rapazes a casa de Mr. Slocum, pensando que podias lá estar.

— Desculpa — disse Matilda, corando perante o olhar atento de Sidney. Não lhe parecia que ele fosse suficientemente maduro para saber que as suas faces ruborizadas eram resultado da paixão e não do vento e da chuva, mas mesmo assim estava ansiosa por se afastar dele. — Achas que arranjas algumas roupas secas para o capitão? Depois de me ter socorrido, o mínimo que podemos fazer é secá-lo e dar-lhe de comer.

Sidney conduziu James à casa de banho nas traseiras do bar e Matilda subiu ao andar de cima, as suas saias molhadas deixando um rasto atrás dela.

— Oh, meu Deus — exclamou Dolores quando Matilda entrou.

— Está tudo bem, só estou molhada — disse Matilda com firmeza, ansiosa por não apanhar um longo sermão, por mais bem-intencionado que fosse. Explicou que fora surpreendida pela chuva e que o capitão a trouxera para casa. — Vou só tomar um banho e mudar de roupa — disse ela. — O Sidney está a tratar do capitão. O jantar chega para ele?

— Claro, fiz uma grande quantidade de frango frito — disse Dolores, pousando as duas mãos nos ombros de Matilda e encaminhando-a para a casa de banho, onde tirou um cobertor do armário. — Vá, toca a tirar essa roupa molhada e embrulhe-se nisto enquanto a banheira está a encher. Vou-lhe preparar conhaque quente para acabar com esse frio.

Depois de Dolores se afastar na direcção da cozinha, Matilda libertou-se rapidamente da roupa encharcada e coberta de lama. Uma vez embrulhada no cobertor, olhou para a sua imagem no espelho e sorriu ante o seu aspecto desalinhado. Tinha o cabelo colado à cabeça, mas as suas faces estavam coradas e os olhos brilhantes. Não parecia nem se sentia minimamente mal, o apartamento estava aquecido e o aroma do frango frito estava a fazer-lhe crescer água na boca.

— Devias ter vergonha nessa cara — murmurou ao seu reflexo. Mas não tinha, sentia-se exultante, tonta e a fervilhar por dentro. Só esperava que ao jantar ela e James conseguissem portar-se normalmente para não dar a Sidney ou a Dolores razões para suspeitarem de alguma coisa entre eles.

Até isso a fez sorrir. Dolores passara toda a sua vida adulta numa casa de tolerância e, como Zandra, não se deixava enganar facilmente. Mas, ainda assim, Matilda tinha uma posição a manter, por isso, devia conduzir-se com o máximo decoro. Se uma palavra sobre isto transpirasse, mulheres como Alicia Slocum entrariam num frenesim incontrolável. Por ela, não queria saber, mas tinha de pensar em James e nas filhas. Dentro em breve, tencionava trazer Amelia para aqui e não seria bom ela ouvir dizer que a mãe tinha um amante.

Quando Matilda voltou para a sala de estar, depois de tomar banho e pôr um vestido cor-de-rosa, o cabelo ainda molhado atado atrás com uma fita, James e Sidney estavam sentados junto da lareira à sua espera, conversando como se se tivessem conhecido toda a vida. James estava com uma camisa de flanela vermelha e um par de calças de trabalho gastas que pertenciam a Albert, um dos outros empregados. Estava descalço, apenas com um par de peúgas grossas. O seu cabelo louro e molhado fumegava levemente ao secar.

— Sentes-te bem? — perguntou Sidney, levantando-se de um salto.

— Melhor que nunca — respondeu ela, esforçando-se por evitar os olhos de James. O conhaque quente, com mel e limão, que Dolores lhe trouxera, subira-lhe directamente à cabeça, fazendo-a sentir-se ainda mais tonta e ameninada. — E tu, James?

— A tua criada é uma ditadora — disse ele a rir. — Levou-me o uniforme para secar e nem sequer me deixou ficar com as botas.

Matilda sorriu. Normalmente, ela e Sidney comiam o jantar na cozinha, mas, enquanto estivera a tomar banho, Dolores pusera a mesa aqui dentro, com a melhor toalha de renda e as pratas de Zandra. Embora pudesse ser simplesmente por causa da patente e classe de James, achava que não, era muito mais provável que a criada soubesse perfeitamente que era este o homem por quem suspirava há tanto tempo e tivesse decidido encorajá-lo.

— Mandei o Albert limpar o cavalo do capitão, dar-lhe um pouco de aveia e metê-lo no barracão lá atrás — disse Sidney. — Está a chover tão torrencialmente que é melhor ele passar aqui a noite. Calculo que há-de haver zonas da cidade que já estão inundadas.

Neste momento, Dolores abriu a porta e entrou com um grande tabuleiro repleto de comida.

— Agora sentem-se todos à mesa — disse ela.

Nenhum deles precisava de encorajamento. Os pratos com frango frito, batatas assadas e vários legumes diferentes tinham um aspecto e um cheiro deliciosos, e estavam todos esfomeados.

*

— Nunca comi frango frito tão bom — disse James, sorrindo a Dolores, quando ela entrou na sala mais tarde trazendo mais batatas. — Faz-me lembrar as refeições da minha infância.

Dolores não reagiu ao elogio, mas serviu-lhe mais frango, apressando-se a sair da sala.

— Disse algum disparate? — perguntou James, olhando para Matilda.

— De maneira nenhuma — disse ela, com um sorriso. — A Dolores é uma mulher de poucas palavras, ter-te servido mais frango é a sua forma de mostrar o seu reconhecimento. Já me habituei a ela, mas, quando veio para aqui com a Zandra, achava-a bastante intimidante.

— Imagino — disse ele. — Ouvi dizer que a condessa a trouxe de Nova Orleães; era escrava?

— Não da Zandra, a escravatura horrorizava-a — respondeu Matilda, contando-lhe então a história.

— Suponho que, se a Dolores não fosse tão feia, ela a teria forçado a desempenhar outras funções — disse ele, com um certo sarcasmo.

Matilda ficou irritada. — Nunca faças esse tipo de comentários a respeito da Zandra — repreendeu ela. — Ela nunca «forçava» ninguém a trabalhar para ela, como dizes. Só o facto de a Dolores ter preferido continuar a olhar por Zandra, quando estava velha e frágil, é prova da alta estima que tinha por ela. A Zandra deixou-lhe quinhentos dólares, é evidente que também lhe tinha afeição.

— Peço desculpa — disse ele, mostrando-se um tanto embaraçado. — Suponho que sou como o resto das pessoas e tenho dificuldade em imaginar que a dona de uma casa de tolerância tivesse bom coração.

— É pena que não tenha chegado a conhecê-la — interveio Sidney, querendo pôr água na fervura. — Era uma senhora adorável, capitão Russell, teria gostado dela como nós; mas fale-nos do seu novo posto.

James repetiu o que já contara a Matilda. — Benicia é um dos melhores destacamentos porque é um forte recente. Infelizmente, a tentação de desertar, para alguns dos soldados, será mais forte aí, tão perto desta cidade de pecado e ouro, do que noutro lado qualquer — disse ele, com um suspiro. — Especialmente quando não vai haver praticamente mais nada para fazer o dia todo senão exercícios militares.

— Não vão combater os índios? — perguntou Sidney.

James sorriu da visão ingénua de Sidney e abanou a cabeça. — Só aqui estamos para fazer respeitar a lei e manter a ordem nas cidades mineiras — disse ele. — Os conflitos estalam como uma faúlha em palha seca, e o nosso papel é reprimi-los.

Depois de fazer algumas perguntas sobre a vida militar, Sidney voltou relutantemente para o bar. Matilda e James instalaram-se no sofá em frente à lareira enquanto Dolores levantava a mesa.

— Não tens de descer esta noite? — perguntou ele depois de Dolores sair da sala e de Matilda lhe oferecer um conhaque.

— Tenho, mas não o vou fazer — disse ela. — Não te quero deixar aqui em cima sozinho e não podes acompanhar-me sem botas.

— Não me importo de ficar sozinho — disse ele, afagando-lhe a face com um dedo. — Devia estar no forte com os meus homens e não aqui confortavelmente refastelado. Vou ter de me levantar muito cedo para conduzi-los para Benicia.

Matilda não se apercebera de que ele partiria tão cedo. — Pensei que ias passar alguns dias aqui — disse ela com tristeza.

Ele puxou-a para os seus braços. — Suponho que é um momento tão bom como outro qualquer para falar das coisas — disse ele. — Não sei que futuro podemos ter, Matty. A Evelyn vai ter comigo a Benicia brevemente.

O coração de Matilda caiu-lhe aos pés. Enquanto a mulher dele estava do outro lado da América, na Virgínia, imaginou que podia esquecer que ela existia. — Estás a dizer-me que isto é tudo? — perguntou em voz baixa.

Ele levantou o rosto dela para ele e olhou-a nos olhos. — Como é que posso dizer uma coisa dessas, Matty? Quem me dera poder dizer que foi um erro terrível e que tem de acabar aqui, mas não posso. Não me parece que haja nisto erro nenhum, parece a coisa mais acertada que alguma vez fiz.

— Mas como podemos ter mais do que isto, James? — perguntou ela numa voz doce, subitamente consciente de como esta ligação amorosa seria precária. — Como posso fazer parte da tua vida quando a Evelyn está contigo no forte? Talvez suportasse o facto de teres uma mulher se ela estivesse distante. Mas não aqui, tão próxima.

Ele não disse nada por alguns momentos. Matilda apercebeu-se da tremura sob o olho dele e compreendeu que havia algo que ele queria confidenciar-lhe mas achava que não era capaz de dizer.

— O que foi? Vá, conta-me, não podemos ter segredos agora.

— Ela não quer vir — desabafou ele de repente. — Foi o pai dela que insistiu.

Matty franziu a testa. — Porque é que não quer? Todas as mulheres querem decerto estar com os maridos.

Ele baixou a cabeça; pareceu-lhe que se sentia embaraçado.

— A verdade é que a Evelyn esperava que o pai dela me fizesse subir nas fileiras assim que nos casássemos — disse ele rapidamente. — Pensou que eu seria colocado em Washington e imaginou-se numa casa elegante, recebendo outros oficiais e as mulheres deles. Ficou chocada quando o pai a mandou vir ter comigo ao Novo México porque planeava ficar em casa na Virgínia. — James fez uma pausa e debruçou-se para atiçar o fogo. — O mais triste de tudo é que a Evelyn se enganou a respeito do pai, como se enganou a meu respeito. Ele pertence à velha guarda, como eu, acredita na verdadeira acção militar e não numa carreira de gabinete. Sabia que o meu maior talento era treinar recrutas. Acredita também que uma mulher que se casa com um soldado tem de aceitar as contingências da profissão.

— E tem — disse Matilda com vigor.

James soltou uma gargalhadinha triste. — És capaz de imaginar, Matty, o que é ter uma mulher ao meu lado determinada em odiar tudo o que não conhece? Era uma criança mimada e apaparicada, Matty, não tem espírito de aventura, nenhum desejo de alargar os seus horizontes e nunca aprendeu que a vida, por vezes, exige cedências.

Matilda reparou que James escolhera cuidadosamente as palavras que usara sobre a mulher, era demasiado nobre para ser abertamente desleal. Achava que a verdade nua e crua era que Evelyn se casara com James convencida de que podia manipulá-lo, a ele e ao pai, para conseguir exactamente o que queria e que o verdadeiro amor nunca fizera parte da equação.

Se isto era verdade, então não precisava de ter a consciência pesada ao tomar o marido de Evelyn como amante. Continuava a significar que não tinham qualquer futuro juntos. Seria sempre uma relação ilícita que seriam obrigados a esconder. Mas, por mais doloroso e difícil que isso fosse, era decerto menos agonizante do que apagá-lo da sua vida.

— Não sou capaz de me despedir de ti — disse ela, encostando-se ao peito dele. — Por isso, não temos alternativa senão sermos amantes em segredo. Isto é, se arranjares maneira de me visitar de vez em quando.

— Consigo arranjar centenas de pretextos para vir a São Francisco se ainda me quiseres — disse ele, numa voz embargada de emoção. — Talvez até possas organizar motins regulares para me dar boas razões.

Matilda riu-se. — Se não vieres é que há um motim.

Um pouco mais tarde, Dolores bateu à porta para dizer que tinha feito a cama para o capitão no antigo quarto de Zandra e perguntou se precisavam de mais alguma coisa.

Matilda agradeceu-lhe e respondeu que não precisavam de mais nada. James sorriu sarcasticamente quando a porta se fechou atrás da criada, mas não fez qualquer comentário.

— Acho que nunca me hei-de habituar completamente a ter uma criada — disse Matilda pensativa. — Eu, pelo menos, era uma criada muito curiosa e sabia absolutamente tudo a respeito dos Milson. Não me agrada a ideia de a Dolores saber tudo sobre mim.

— Nunca pensei nisso nesses termos — respondeu ele com um sorriso. — Mas também vivi rodeado de criados desde que nasci. A maneira como a Dolores me tratou da roupa molhada foi quase como voltar para casa.

— E deviam ser escravos, não?

— Sim — disse ele, com o rosto subitamente sombrio. — Claro que só por volta dos onze anos é que compreendi a importância desse facto. Mais ou menos nessa altura, o meu pai proibiu-me de brincar com as crianças. Até então, pensava que éramos apenas uma grande família, negros ou brancos. Aliás, preferia de longe os negros, eram muito mais bondosos comigo do que os meus próprios pais. — Fez uma pausa momentânea, com uma expressão perturbada nos olhos. — É outra nuvem no horizonte — disse ele, ao fim de alguns momentos. — Se os estados sulistas alguma vez fizerem parte da União, terão de aceitar abolir a escravatura. Mas não os vejo a fazer isso e só prevejo que as coisas acabem numa guerra civil.

Matilda não compreendia por que razão isto havia de o perturbar excessivamente, e disse-o.

— Estás a esquecer-te de que sou sulista — disse ele com um suspiro. — Como posso chefiar os meus soldados contra o meu próprio povo?

Foi impossível continuar a conversa porque a banda no andar de baixo começou a tocar. James sobressaltou-se quando os candeeiros começaram a tilintar com a vibração e Matilda soltou uma gargalhada. — O nosso sossego acabou — disse ela. — Dentro de uma ou duas horas não vamos sequer conseguir ouvir as nossas próprias vozes.

— Nesse caso, beija-me — disse ele.

Os beijos anteriores haviam sido selvagens, uma sede que tinha de ser saciada, todo o acto fora um impulso primitivo sem finura nem subtileza. Mas agora era o momento de se provocarem e explorarem, de darem prazer um ao outro. James criou um ninho de almofadas diante da lareira e deitou-a nele, tirando-lhe a fita e passando os dedos pelo seu cabelo. Murmurou palavras meigas, os olhos repletos de ternura, repetiu que o destino devia ter planeado o seu reencontro. Entre beijos, as roupas foram lentamente retiradas, peça a peça, e postas de parte.

Matilda baixou os olhos para ele quando ele lhe libertou os seios da combinação para lhos chupar e estremeceu de prazer. Quando ele tirou a camisa e o seu peito duro e dourado, que tantas vezes admirara na viagem, lhe tocou os mamilos pela primeira vez, foi de tal modo erótico que ela se sentiu desfalecer de desejo.

Foi ela que lhe despiu as calças, passando lhe as mãos pelas coxas musculosas, afagando-lhe as nádegas rijas, deleitando-se com os pêlos macios e dourados das suas pernas. O pénis dele era muito maior do que o de Flynn ou Giles, tão erecto como um sabre, mas quente e macio ao toque.

James afagava-lhe o corpo como se estivesse a afinar um instrumento musical, esperando pelo momento em que o timbre e o tom estivessem perfeitos. Cada beijo intensificava a sensualidade dos seus dedos exploradores; lambia e chupava a carne nua dela como que a banquetear-se nela e, quando finalmente a penetrou, já Matilda estava a perder o controlo sobre os seus sentidos, perdida no assombro de amar e ser amada.

Moviam-se em uníssono como um só, as pernas dela cingindo-lhe a cintura, os corpos húmidos de transpiração, emitindo ruídos ao tocarem-se. Ela desejava-o cada vez mais fundo dentro de si, enterrando-lhe os dedos nas costas e nas nádegas, e então, por fim, deu-se de novo essa gloriosa erupção dentro dela, e só foi capaz de permanecer agarrada a ele, murmurando o seu nome vezes sem conta.

Uma ou duas horas mais tarde, James acocorou-se e sorriu a Matilda, nua sobre o monte de almofadas.

— Porque é que estás a sorrir? — perguntou ela. — Tenho um ar cómico?

— Tens um ar dissoluto — disse ele. — Mas cómico não, a não ser que se considere divertida a tua relutância em passar para uma cama confortável.

— Bem, a Dolores podia ter saído do quarto para saber se queríamos alguma coisa — disse ela.

— Nem um incêndio arrancaria a Dolores ao quarto esta noite, quer-me parecer — disse ele. — Sabia que tinhas ideias a meu respeito.

— Não sabia coisa nenhuma — retorquiu Matilda, pegando numa almofada e atirando-lha.

— Os bons criados sabem ler o pensamento — disse ele. — Às tantas também sabia que estavas a precisar de ser bem amada. — Ele nunca conhecera uma mulher que se abandonasse tanto ao acto sexual como Matilda e, contudo, sabia que não resultava da experiência. Era também a mulher mais bela com quem fizera amor, e sentia um aperto no coração só de olhar para ela.

James era capaz de se afogar nas profundezas daqueles olhos azuis, os lábios dela eram macios e cheios, a sua pele era como cetim creme. O cheiro do seu cabelo evocava-lhe a salva aromática nas pradarias e o seu corpo era uma perfeição. Uns seios ainda tão firmes e empertigados como no dia em que a vislumbrara nua no rio, a sua cintura delgada realçando as curvas das suas ancas e as nádegas redondas e empinadas. A maioria das mulheres de vinte e seis anos começara a perder dentes, mas os dela eram brancos e alinhados como os de uma criança.

— Foi bom — disse ela com um sorriso, e só o modo como ela olhou para ele fê-lo estremecer e desejá-la outra vez.

Deitou-se ao lado dela e tomou-a nos braços, enterrando-lhe o nariz no cabelo e inalando o seu perfume fresco e lavado. Havia tantas coisas que desejava dizer-lhe. Que Evelyn não gostava de fazer amor, limitava-se a suportá-lo. Que era tão frívola que uma ou duas horas sozinho com ela pareciam intermináveis. Não pensava senão na sua aparência, sempre a arranjar-se ao espelho, e era também intoleravelmente rude com os criados. Mas não podia dizer nenhuma destas coisas, mesmo que ajudassem Matilda a compreender por que razão fora infiel à mulher.

Já cometera o maior acto de deslealdade, não era correcto falar também dos defeitos de Evelyn. Não havia nada que ela pudesse fazer contra a sua maneira de ser, era simplesmente um produto típico da sua classe e educação.

— Podia abandonar o Exército e fugir contigo e as tuas filhas para Inglaterra — sussurrou ele, quando a ideia lhe ocorreu. — Podíamos fingir ter-nos casado na caravana, que a Amelia é minha filha. Podia arranjar lá trabalho e tínhamos filhos.

Ela sorriu levemente. — Nunca poderias deixar o Exército — disse ela, torcendo-lhe o nariz. — É o que gostas de fazer. E ias detestar a Inglaterra, é fria e chuvosa e tão cheia de intolerantes como a América. Com o tempo acabarias por me odiar por te ter levado para lá.

— Mas que outra alternativa temos?

— O que temos neste momento.

Neste instante, parecia bastar-lhe. Aguentaria passar meses a fio em campanha, desde que pudesse voltar para ela. Mas calculava que, assim que Evelyn chegasse, cada noite na sua companhia pareceria uma eternidade.

— Mas não tenho o direito de querer que fiques sempre à minha espera. Podem passar meses, por vezes talvez anos.

— Não importa, James. Eu espero — disse ela, a sinceridade estampada nos olhos muito abertos. — Prefiro ter apenas algumas horas do teu tempo, de quando em quando, do que ter-te para sempre, sabendo que arruinei a tua vida e a tua carreira. Um dia podes chegar a general, podes vir a estar em posição de ajudar a endireitar este país. Eu verei isso com prazer.

James apoiou-se sobre um cotovelo e olhou para ela. — Mas tu mereces muito mais do que isso.

— Enquanto espero por ti não hei-de estar parada — disse ela. — Tenho a minha vida e um negócio para gerir.

Ouvindo estas palavras corajosas, ele admirou-a mais do que nunca. Ela era uma mulher verdadeiramente independente e não ia murchar num canto enquanto ele estivesse ausente.

— É assim mesmo — disse ele, em tom de brincadeira. — Por um momento, pensei que só alimentavas ideais nobres. A verdade é que me queres pelas costas, *há* um certo interesse pessoal!

— Claro — disse ela com um sorriso maroto. — Agora que esclarecemos isso, talvez seja melhor mudarmos de assunto.

— Tenho de me ir embora — murmurou James quando rompeu o dia. — Não quero ir, Matty, mas tem de ser.

Meteram-se na cama dela quando Matilda se convenceu de que Dolores estava a dormir a sono solto e não tinham dormido mais do que uns breves minutos durante toda a noite. Haviam feito amor, conversado e voltado a fazer amor muitas vezes. Matilda estava exausta, mas estendeu a mão para o robe.

— Não te levantes — disse ele. — Eu saio sozinho.

— Tenho de me levantar — disse ela. — Preciso de trancar a porta do bar quando saíres. — Abriu ligeiramente as cortinas e espreitou lá para fora. — Pelo menos parou de chover. Vou buscar a tua roupa.

O uniforme dele estava pendurado, seco e escovado da lama. As botas estavam ao lado da mesa, engraxadas por Dolores como se ele tivesse de se apresentar na parada. Ao vê-las, Matilda sentiu vontade de chorar, desejando ter sido ela a fazer estas coisas por ele. Mas abriu a porta da despensa e tirou as sobras de uma empada de carne que embrulhou em papel. Também não a tinha feito, mas pelo menos era ela e não Dolores que a estava a oferecer.

James vestiu-se rápido, demasiado rápido, pensou ela, e supôs que também teria de se habituar a este facto. Esperou ser capaz de dominar as lágrimas até ele sair.

— Não podes só tomar um café antes de partir? — perguntou ela enquanto ele apertava o cinto e ajustava o coldre. Ele abanou a cabeça, mas sorriu quando ela lhe passou o embrulho com a empada.

— Agora não fiques à porta a acenar — advertiu-a ele quando saíram para o corredor. — Vestida assim, todos perceberão!

Matilda olhou para a roupa. Com a pressa de se levantar, não se lembrara que o robe era fino, e era como se estivesse nua. Parecia estranho não se ter importado, na noite anterior, que James olhasse para o seu corpo, mas agora, à luz da manhã, sentia-se embaraçada. Tirou o casaco do armário e vestiu-o por cima. James riu-se de mansinho.

— Vou guardar para sempre a lembrança do teu belo corpo, por mais roupas que vistas no futuro — disse ele e, aproximando-se, tomou-a nos braços. — Amo-te, Matty — acrescentou ternamente. — Hei-de voltar assim que puder.

Por um momento, cingiu-a em silêncio e Matilda sentiu que ele estava a ceder a um momento de desespero, tal como ela. Iria ser sempre assim, nunca haveria para eles momentos de tédio normais como havia entre marido e mulher. Seria sempre uma premência dilacerante. Isso podia agora parecer empolgante, mas por quanto tempo seria assim? Quanto tempo suportariam duas pessoas viver no fio da navalha?

O seu último beijo terno foi quase doloroso de mais; Matilda sentia que ele estava tão relutante em partir como ela em vê-lo afastar-se. — Também te amo — disse ela, apertando-o com vigor e inalando o vago odor a cavalo do seu uniforme.

Deixou-o sair pela porta das traseiras, apontando para o lugar onde o cavalo dele estava abrigado, e demorando-se por alguns momentos a vê-lo selar o animal. Em seguida, trancou a porta e correu ao andar de cima para vê-lo afastar-se.

O cavalo era fogoso, empinando-se sobre as pernas traseiras por um momento antes de arrancar na descida acentuada da colina. Matilda pensou que nunca vira ninguém com uma figura tão galante e atraente quando ele se virou para acenar pela última vez. O seu chapéu estava inclinado de lado, as botas e as esporas reluziam à luz do alvorecer e as lágrimas que se esforçara por reprimir rolaram-lhe descontroladamente pelas faces.

Apesar de extenuada, não conseguiu dormir. A sua cama tinha o cheiro dele e, enterrando o rosto nos lençóis, deu largas ao pranto. Pensara que o sexo com Giles era maravilhoso, mas com James fora levada a píncaros mais altos. Agora compreendia Cissie quando ela falava das saudades que sentia de fazer amor; mesmo agora que o seu corpo estava fatigado e até um pouco dorido, continuava a querer mais.

Acordou mais tarde com o barulho da entrada de Dolores com dois baldes de água quente para o seu banho e ficou surpreendida ao descobrir que eram quase dez horas. Dolores limitou-se a desejar-lhe um bom dia, encheu a banheira atrás do biombo e saiu.

Matilda saiu da cama e estava a despir a camisa de dormir quando Dolores voltou a entrar com um jarro de metal na mão, cujo conteúdo cheirava a ervas. — Vai precisar disto, minha senhora — disse ela.

Matilda pegou no jarro, imaginando que talvez fosse para o cabelo. Mas a flutuar no líquido estava um objecto de borracha em forma de uma bola e com um bico. — O que é? — perguntou ela, olhando perplexa para a criada.

— Um duche — disse Dolores, sem qualquer emoção no rosto. — Não quer bebés, pois não?

Matilda corou até à raiz dos cabelos.

— Não ponha esse ar — disse Dolores, a expressão suavizando-se imediatamente. — Miss Zandra disse-me sempre que eu tinha de olhar por si quando morresse. Eu sei que ama esse homem, mas ele não é seu; por isso, vai fazer o que lhe digo e lavar-se por dentro e por fora. Assim fica segura.

— Segura! — murmurou Matilda mais tarde enquanto se vestia. Supunha que a possibilidade de se proteger contra a gravidez devia levar uma mulher a sentir-se segura, mas achava que uma poção mágica contra a paixão seria mais segura ainda.

CAPÍTULO 21

— Quem me dera poder ir contigo — disse James, olhando melancolicamente para Matilda. Dolores estava aos pés dela, marcando com alfinetes a bainha de um novo vestido que confeccionara para a patroa vestir na visita ao Oregon.

Ele não estava de uniforme, mas apenas com um camisa de quadrados e umas calças velhas. Estava a precisar de cortar o cabelo, pois já lhe dava pelos ombros, mas quando estava com Matilda preferia esquecer-se do Exército.

— Não sejas tolo — disse Matilda, mas o seu tom era terno porque também desejava que isso fosse possível. — Não ias aguentar estar com duas mulheres tagarelas e uma cambada de crianças.

Era o mês de Julho de 1855, mas, embora tivessem passado mais de dois anos desde que se haviam tornado amantes, na realidade, o romance entre ambos reduzia-se a escassos dias e noites juntos em que continuavam a não vislumbrar a esperança de um futuro. Em Maio de 1853, alguns meses depois de a sua ligação começar, Evelyn chegou a Benicia para se instalar nos alojamentos dos oficiais.

James passou todo o Verão no forte. Não escreveu nem mandou mensagens, mas, por mais infeliz e desolada que Matilda se sentisse, acreditava que ele estava a agir correctamente ficando com ela e tentando salvar o seu casamento. Mas recebia notícias dele através dos soldados que apareciam no London Lil's. Estes diziam piadas grosseiras sobre a «Beldade Sulista» que mudava de roupa quatro ou cinco vezes por dia, açoitava uma criada por não lhe arranjar o cabelo como queria e cortara relações com as mulheres de todos os outros oficiais. Foi só no final do ano que James a visitou e apenas porque ele e as suas tropas foram despachadas para a cidade para manter a ordem durante um polémico enforcamento público.

Quando James entrou no London Lil's, ela ficou profundamente chocada com a transformação na sua aparência. Os seus olhos estavam baços, rugas profundas marcavam a sua fronte e até o seu sarcasmo e bom humor habituais pareciam tê-lo abandonado. Após algumas bebidas, acabou por admitir que o seu casamento estava a desfazer-se.

Disse que Evelyn estava exasperada com a falta de conforto nos alojamentos dos oficiais, com a antipatia das mulheres dos outros oficiais e que odiava amargamente ter de viver entre soldados boçais, a quilómetros de qualquer forma de entretenimento civilizado. Disse que ela estava constantemente a ameaçar regressar à Virgínia se ele não arranjasse o que ela considerava uma «colocação decente».

James insistia que as outras mulheres haviam sido inicialmente muito simpáticas com ela, haviam organizado pequenas festas, se ofereceram para ajudá-la a tornar a casa mais acolhedora, mas que Evelyn fora tão rude com todas que acabaram por desistir e ignorá-la.

Matilda achava-se numa situação insustentável. Embora amasse James e, na verdade, não pudesse deixar de desejar secretamente que o casamento de James fracassasse tão redondamente que Evelyn partisse de vez, também sentia pena dela. Devia ser extremamente difícil para ela estar tão longe da família e dos amigos, sobretudo quando era deixada sozinha no forte semanas a fio, enquanto James se ausentava em Sacramento ou Stockton. Sentia-se também culpada quando James admitia que era impaciente e ríspido com Evelyn porque desejava estar com ela.

Nessa altura, a única atitude digna a tomar foi dizer a James que estava tudo acabado entre ambos. Disse que concluíra que não era capaz de passar a vida a desejar uma coisa impossível e que ele devia esquecê-la e esforçar-se mais por ser um marido bom e atencioso. Foi extraordinariamente doloroso vê-lo afastar-se a cavalo. Sentiu que lhe estava a ser arrancado o coração, mas pensou que falara e agira da melhor forma para os três.

Mas quando chegou a Primavera, Evelyn concretizou a ameaça e partiu de diligência para leste. As suas últimas palavras a James foram que, a não ser que ele arranjasse uma colocação em Boston ou Washington, ficaria permanentemente com a família na Virgínia.

Quando James escreveu a Matilda a contar isto, qualquer compaixão ou preocupação que sentisse pela mulher abandonou-a. Era evidente que Evelyn não amava James, provavelmente nunca amara, preocupava-se exclusivamente com ela própria e em ter o género de vida social agitada a que, na sua opinião, a mulher de um oficial tinha direito.

Assim, Matilda aceitou-o de novo na sua vida com entusiasmo e, desde então, haviam aproveitado todos os momentos que podiam para estarem juntos. Por vezes, era um turbilhão de emoções. Embora fosse maravilhoso quando estavam um com o outro, assim que ele partia para Benicia, Matilda mergulhava frequentemente no desespero, torturando-se com conjecturas de que Evelyn arranjaria maneira de impor a sua vontade ao marido, com imagens de ambos a fazerem amor quando chegasse o momento de ele partir para casa de licença. Que aconteceria se tivessem um filho?

O ciúme apoderava-se dela com frequência, pois, embora soubesse que James a amava, a mulher tinha o nome dele e a dignidade do casamento. Nunca podiam ser vistos juntos em público, a jantar em restaurantes, como companheiros num baile ou num jantar de festa. Se bem que ninguém ligasse se um oficial visitasse um bordel quase todas as noites, uma ligaçao amorosa com alguém conhecido como ela significaria a desgraça. A vida social deles estava limitada a jantar no andar de cima do London Lil's apenas com a família e alguns amigos de confiança.

No dia seguinte, James partiria para Kansas City. Eram constantes os conflitos nesta cidade entre os abolicionistas e os esclavagistas, e o seu papel era acalmar a situação. Matilda ia a casa, no Oregon. Esta noite podia ser a última vez que estariam juntos durante meses ou até anos. Mas nenhum deles exprimia esse receio, conversavam sobre coisas triviais, porque podiam assim controlar as suas emoções.

Dolores levantou-se do chão e recuou para verificar a bainha do vestido. — Agora está direito, minha senhora — disse ela. — Tire-o que eu coso-a já.

Matilda saiu da sala de estar para tirar o vestido e vestiu apressadamente o velho antes de voltar. Parecia uma estupidez quando James a via mais vezes sem roupa do que com ela, mas, diante de Dolores, mantinha sempre uma atitude decorosa.

— Vai ser a minha última visita a casa com a Tabby lá — disse ela ao voltar para a sala, determinada em preservar o tom ligeiro da conversa. — Não faço ideia de como vou arranjar-me quando ela partir para Boston. É tão longe que suponho que não a vou ver com frequência.

Tabitha tinha agora quinze anos e meio. Nos últimos dois anos, continuara alojada em casa do reverendo e de Mrs. Glover, recebendo instrução privada, mas em Setembro os Glover iam para um novo presbitério no Connecticut. O reverendo sugerira que seria uma oportunidade ideal para Tabitha entrar para a Academia de Raparigas de Boston, pois podia fazer a viagem com eles até Boston e estaria suficientemente perto para visitá-los durante as férias.

Embora sentisse apreensão por Tabitha ir para tão longe e frequentar uma escola em regime de internato numa cidade estranha onde não conhecia ninguém, Matilda sabia que o reverendo tinha razão quando dizia que ela precisava desta oportunidade para aperfeiçoar a sua educação em preparação para a entrada na universidade. Além de todas as disciplinas académicas em que ela brilhava, aprenderia ainda a tocar piano, a dançar e a pintar. Era uma oportunidade para fazer amizade com raparigas com interesses semelhantes aos dela, de boas famílias, e as professoras orientá-la-iam para uma carreira em medicina.

— Já não vejo a Tabby há tanto tempo que não sou capaz de imaginá-la tão crescida — disse James com um sorriso. — Ainda a vejo na minha imaginação de totós e com uma boneca nos braços. Mas, se é a última vez que vais vê-la por algum tempo, é provavelmente uma boa altura para trazeres a Amelia contigo. Já tomaste alguma decisão a esse respeito?

Trazer Amelia para viver aqui com ela era uma ideia que não largara Matilda nos últimos dois anos, na verdade, desde que Tabby fora viver para casa dos Glover. Cissie protestara nessa ocasião, alegando que ela ainda era uma bebé, mas as coisas haviam mudado desde então. Numa carta recente, Cissie dissera que tencionava casar-se com Arnold mais para o fim do ano. Matilda tinha a certeza de que desejavam ter filhos e seria um começo melhor da vida de casados se só tivessem Peter e Susanna a seu cargo.

— Sim, vou trazê-la — disse ela, sentando-se ao lado dele. — Chegou a altura de ela estar comigo, não é?

James virou-se para ela e passou-lhe o braço pelos ombros, encostando-lhe o rosto à cabeça. — Sim, é. Se ela sair a ti, há-de resistir às pequenas farpas que a vida lhe lançar. E é melhor para ela vir para cá enquanto ainda é pequena do que mais tarde. Mas acho que talvez fosse melhor se arranjasses outra casa para viver com ela. Morar por cima de um bar barulhento não é o melhor lugar do mundo para criar uma criança.

Matilda estendeu o braço e afagou-lhe a face. Amava-o por muitas razões, pelo seu vigor, coragem e força de vontade, pela sua inteligência, sentido de humor e paixão, mas era a sua bondade inata que amava acima de tudo. Via brutos todas as noites no bar, tratavam as mulheres com desdém, as amantes com crueldade, mas James nunca fora assim. Fizera tudo ao seu alcance com Evelyn e continuaria a apoiá-la, por mais que ela continuasse a magoá-lo. Ouvira também histórias sobre ele contadas por alguns dos seus soldados e era claro, pela maneira como falavam dele, que era respeitado e admirado, mas nunca temido.

James preocupava-se com as pessoas do mesmo modo que Giles se preocupava, odiava a injustiça e a intolerância, acreditava que os fracos deviam ser protegidos. Enquanto Giles partia para a luta apenas armado com a sua fé em Deus, James tinha a sua espada e a sua arma, mas no fundo da sua alma era em tudo tão pacifista como Giles, motivado apenas pela lealdade ao seu país.

Falava-se muito sobre a guerra entre a Inglaterra e os Russos na Crimeia. Quando Matilda lia nos jornais sobre as baixas e as terríveis condições aí, apercebia-se do que significava verdadeiramente ser soldado. Esperava ardentemente que James estivesse enganado quando dizia que os índios se sublevariam em força dentro em pouco, e que as contínuas disputas entre o Norte e o Sul pudessem ser resolvidos sem derramamento de sangue.

— Hoje em dia o bar não é tão barulhento — disse ela com um suspiro. Este ano a cidade conhecera o pânico financeiro porque o ouro finalmente se esgotara. Nas montanhas, cidades inteiras haviam sido abandonadas, a maquinaria, as pás e as picaretas deixadas onde haviam sido largadas. Aqui, na cidade, dezenas de lojas, restaurantes, bares e casinos estavam vazios, e centenas de pessoas perdiam os seus empregos. Todos os dias, partiam mais pessoas para voltar para as suas terras e ir trabalhar nos campos ou nas fábricas. O London Lil's sobrevivia unicamente graças à sua fama e Matilda possuía reservas monetárias que lhe permitiriam aguentar até chegarem melhores tempos.

James sugerira-lhe que vendesse o negócio e também se mudasse. Mas ela sentia instintivamente que o seu lugar era aqui. Talvez quando regressasse do Oregon com Amelia investisse as suas energias num projecto novo, mas neste momento não era capaz de pensar no futuro, quando sabia que James não podia fazer parte dessa nova vida.

Talvez ele a tivesse achado um pouco pensativa, porque sugeriu que fossem dar um passeio pelas colinas. Matilda concordou prontamente, não querendo que o tempo precioso que lhes restava fosse dominado por pensamentos tristes.

Quando chegaram ao cimo da colina, Matilda estava sem fôlego e parou para contemplar a vista da cidade. Recordava que, da primeira vez em que aqui subira, em 1849, apenas havia um aglomerado de edifícios permanentes ao longo da zona costeira; agora a cidade estendia-se por toda a baía. As construções de madeira e lona que eram, na sua memória, um traço característico da paisagem nos primeiros anos haviam desaparecido, e os novos regulamentos significavam que todas as construções deviam ser de tijolo. Hoje mal recordava como a situação era desesperada antes de as ruas serem cobertas de pranchas e de um novo sistema de saneamento ter sido instalado. Agora havia inclusivamente candeeiros a gás em determinados locais, e um serviço de transporte público com carruagens puxadas a cavalos.

Hoje havia dezenas de igrejas, todas bastante concorridas, escolas, um verdadeiro estabelecimento prisional em lugar do velho navio-prisão fundeado ao largo da baía que ela recordava vagamente, mas continuava a ser um lugar selvagem e sem lei. Supunha que sempre seria, com o seu volátil cadinho de nacionalidades e culturas diversas e, agora que o ouro se esgotara, muitos dos elementos mais desesperados e infames, que não tinham dinheiro para deixar a cidade, arranjavam novos processos de ganhar a vida aqui. Suspeitava que, mesmo que fosse criada uma boa força policial, por mais que fossem as pessoas de ideias moderadas que quisessem pôr fim ao jogo, ao vício e à corrupção, construir igrejas, escolas e casas para a classe média, a cidade nunca perderia o seu carácter único e colorido. Esperava que não, pois era isso que a prendia aqui.

— Alguma vez te disse que foi uma coisa que disseste que me fez vir para aqui? — disse ela, reflexivamente.

— Eu?

— Sim, estavas a falar do rumor de que havia ouro na Califórnia e disseste que as pessoas inteligentes não iam à procura dele mas iam ganhar dinheiro a fornecer aos que iam aquilo de que precisassem.

— Sempre fui um espertalhão — disse ele, sorrindo.

— É verdade — disse ela, rindo. — Lembras-te do dia em que disseste que sabias que eu estava grávida? Fiquei furiosa contigo.

— Foi a tua petulância que me fez apaixonar-me por ti — disse ele. — Se tivesse sido mais corajoso e confessado o meu amor, talvez as nossas vidas tivessem sido diferentes.

— Nessa altura, eu não estava preparada para o amor — disse ela num tom pesaroso.

Ele ficou calado por alguns momentos, com os braços à volta da cintura dela, a contemplar o mar. — Houve decerto um propósito em reencontrarmo-nos, a centenas de quilómetros do lugar onde nos tínhamos separado — disse ele finalmente. — Não pode ter sido só um acaso.

— Gostava de pensar que não, mas, pelo que tenho visto, o destino não faz sentido nem é racional — disse ela. — Olha para o Giles e o John! O Giles abominava a violência e foi morto a tiro. O pobre John foi esmagado pela madeira que adorava!

— Talvez fizesse parte do plano, por mais terrível que seja — disse ele. — Se não tivesse sido a morte do Giles, não nos teríamos conhecido e a do John foi responsável por nos encaminhar de novo um para o outro. Mas não tenciono deixar tudo nas mãos do destino, o que temos é demasiado precioso para isso. Existe o divórcio, existe uma vida fora do Exército.

Embora o divórcio estivesse a popularizar-se na Califórnia, Matilda não estava certa de que fosse igualmente simples nos outros estados. Como não estava convencida de que um homem distinto de uma das melhores famílias da Virgínia, um diplomado por West Point, pudesse virar as costas a tudo que lhe fora incutido desde a infância. Virou-se para beijá-lo. — Não sejas demasiado precipitado, James, adoras o Exército, não deites isso a perder irreflectidamente. Dá tempo ao tempo.

Ele enterrou a cabeça no ombro dela. — O tempo só há-de agravar as coisas. Não suporto a Evelyn — murmurou. — Sei que talvez não seja uma observação muito nobre sobre a mulher que jurei amar e acarinhar mas tenho de te dizer, Matty, é importante que saibas.

«Dias depois de nos termos casado, percebi que tinha sido o maior erro que alguma vez tinha cometido; ela é uma mulher terrivelmente superficial, absolutamente egocêntrica, apenas mais uma beldade sulista oca. Uma noite, apanhei-a a açoitar a criada com o meu cinto só porque não tinha gostado da maneira como ela lhe tinha arranjado o cabelo. Fazia uma cena arrepiante se o banho estivesse quente ou frio de mais; já não era capaz de ver nela qualquer beleza como via antes, só o som da voz dela arranhava-me os ouvidos. Não imaginas o inferno que é ter de viver com alguém por quem se nutrem estes sentimentos. Tinha a sensação de estar encarcerado numa prisão. Mas, enquanto não sabia onde tu estavas, podia fazer um esforço para viver com a Evelyn. Quando te reencontrei, tornou-se impossível.»

Era a primeira vez que ele falava tão abertamente sobre ela e Matilda sentiu-se chocada ao pensar que ele sublimara tudo isto, durante tanto tempo, por lealdade.

— Não, James — sussurrou ela, apertando-o com força. — Não deves dizer coisas tão terríveis sobre ela.

Ele levantou a cabeça e pegou-lhe pelos cotovelos, os olhos duros e desesperados. — Devia ter sido mais sensato, Matty, porque sabia o que era o verdadeiro amor. Amei a Belle de alma e coração e, quando ela morreu, pensei que ia morrer também. Quando te conheci, foi-me dada uma segunda oportunidade, os sentimentos eram os mesmos mas, como um louco, deixei-te escapar, talvez porque tinha medo que me rejeitasses.

«Quando conheci a Evelyn, nunca me senti atraído como me senti por ti ou pela Belle, mas ela lançou-me a rede e envergonha-me admitir que alinhei só porque ela era filha do coronel. Nem sequer tivemos um período de namoro normal, Matty, só a via quando ia a casa de licença, em jantares e bailes. Nos intervalos andava nas planícies com os meus soldados e iludi-me pensando que a amava por ela ser quem era e pelas vantagens que podia trazer à minha carreira.»

— Não acredito que tivesses tido esse sangue-frio todo, James — disse ela. — Fizeste o que qualquer homem sensato faria, escolheste uma mulher que tinha as credenciais certas. Se não me tivesses voltado a encontrar, provavelmente teria tudo corrido bem. São poucas as pessoas que casam por amor. Têm filhos e aprendem a entender-se.

— Acho que nunca serei capaz de me entender com ela — disse ele, fatigado.

— Tens de tentar — disse ela. — Outros homens tentam, absorvem-se no trabalho. E tu tens a sorte de o teu te levar com frequência para longe.

— Esperemos que me traga sempre para junto de ti.

Matilda reprimiu as lágrimas. Desejava muito mais do que estes momentos clandestinos. Queria-o consigo todos os dias, ter filhos dele e ser amada às claras, sem vergonha nem mentiras. O seu negócio já não era importante para ela, lavaria de bom grado as camisas dele num ribeiro e cozinharia numa fogueira. Mas não lhe podia dizer isso agora porque ele podia virar as costas à sua carreira e perder tudo. Tinha de ajudá-lo a manter a estabilidade, amá-lo e acarinhá-lo para que ele preservasse a fé nos seus ideais. Era a única maneira.

Assim, abraçou-o e beijou-o até ele a deitar sobre as ervas e fazer amor com ela. Quando ele a penetrou, com as saias do seu vestido enfunadas à volta deles com a brisa, Matilda recordou-se dos casais que vira, em rapariga, nos parques de Londres. Sempre imaginara que as mulheres eram prostitutas, mas talvez fossem simplesmente mulheres como ela, esquecendo por breves momentos a realidade.

Na manhã seguinte, quando Matilda estava no convés do vapor a acenar a Sidney no cais, as lágrimas corriam-lhe pelas faces. James partira ao romper do dia, depois de uma noite inteira de amor. Tinham bebido vinho ao jantar, descido ao bar e tomado champanhe, enquanto assistiam ao espectáculo, indiferentes a que os vissem juntos. Henry Slocum juntara-se a eles mais tarde e Matilda dançara com os dois homens tão descontraidamente como na noite do funeral de Zandra. Mais tarde, James levara-a para cima, despira-a, soltara-lhe o cabelo e amara-a com tamanha fúria que ela perdeu toda a noção de tempo e lugar.

Mas agora tinha de pensar no futuro e encarar o facto de que James nunca faria parte dele. Tinha à sua frente as férias com Cissie e as filhas e toda a excitação de trazer Amelia consigo. Na noite anterior, Henry sugerira que as casas que estavam a ser construídas em South Park seriam ideais para ela, era uma zona elegante, próxima da melhor escola e, acima de tudo, um lugar seguro para criar uma criança. Talvez vendesse até a sua participação no London Lil's, ficasse em casa e se tornasse mãe a tempo inteiro.

*

— Mamã, mamã! — guinchou Amelia, libertando-se da mão de Cissie que a prendia e correndo para a mãe quando ela desceu a prancha de desembarque do *ferry* para Oregon City.

Matilda largou a mala e pegou nela ao colo, lágrimas de felicidade avolumando-se-lhe nos olhos. — Meu amor — murmurou ela, enchendo de beijos a sua cara pequena. — É tão bom ver-te!

— Porque é que estás a chorar? — perguntou Amelia, os seus dedos rechonchudos limpando as lágrimas no rosto da mãe. — A tia Cissie disse que ias ficar muito feliz quando visses o que cresci.

— E fiquei — respondeu Matilda. — Sou a senhora mais feliz no mundo inteiro.

Cissie, Susanna e Peter precipitaram-se também para abraçá-la, falando todos ao mesmo tempo. Cissie estava a tentar dizer-lhe que o casamento com Arnold estava marcado para o mês seguinte, Peter a perguntar por Sidney, Susanna a declarar que admirava o seu novo vestido e Amelia a gritar que tinham feito um bolo especial para ela e que Tabitha iria visitá-la mais tarde.

— Um de cada vez — exclamou Matilda, rindo-se ao pousar Amelia no chão para poder abraçar e beijar cada um deles à vez. — Temos muito tempo.

Estava uma tarde quente de sol e, enquanto caminhavam para casa, as duas meninas pequenas de mão dada, Peter e Cissie carregando com a mala, Matilda sentiu a satisfação da expectativa que sempre experimentava nestas visitas. Esta noite e o dia de amanhã seriam uma balbúrdia, cada membro da família bombardeando-a com as notícias mais importantes e cada um competindo pela sua total atenção. Mas aos poucos, à medida que se habituavam à presença dela em casa, as coisas acalmavam e ela ia percebendo o progresso que cada criança fizera e ouvindo de Cissie todas as histórias engraçadas, a bisbilhotice local, os triunfos e os desastres. Chegariam então os melhores momentos, a serenidade de fazer de novo parte da família, de ser capaz de relaxar, ouvir e observar. De voltar a sentir-se como uma verdadeira mãe, pondo a roupa a secar, preparando legumes para o jantar e brincando com as crianças. Momentos em que renovaria a sua amizade com Cissie, falaria dessas coisas banais que velhas amigas precisavam de partilhar. Momentos para amar e ser amada.

Olhou para Amelia e sorriu, contente. À primeira vista, não se parecia com ela nem com Giles. O seu cabelo era escuro e encaracolado como o de Giles mas os olhos eram de um azul muito escuro e a pele propensa a sardas. Mas possuía o queixo determinado da mãe e era uma menina muito bonita. Com seis anos e meio apenas, era demasiado cedo para saber se viria a ser tão inteligente como Tabitha; a verdade era que não possuía o mesmo temperamento sério — saltitando ao lado dela, ia a cantar uma cantiga e, sempre que via alguém conhecido, aproveitava para informar que a mãe chegara a casa.

Susanna era uma réplica em ponto pequeno de Cissie. Cabelo escuro e encaracolado idêntico, e a mesma boca grande. Mas tinha os olhos azuis de John e a sua natureza calma e diligente, nunca tão feliz como quando estava a trabalhar com as mãos, fosse a fazer massa, a coser vestidos de boneca ou a desenhar, o género de criança que os adultos admiravam e em que as outras crianças confiavam.

Não era de admirar que nunca ninguém tivesse adivinhado que Peter, agora com doze anos, não era o verdadeiro filho de John, porque se tornara muito parecido com ele. Tinha olhos castanhos mas o cabelo escuro que tinha em bebé clareara para um tom castanho-pálido. Possuía também a mesma expressão destemida. No entanto, tinha a impetuosidade de Cissie — em várias cartas, este ano, ela transmitira que ele se metia em lutas na escola, desencaminhava os outros rapazes, rasgava a roupa a trepar às árvores e nunca estava presente quando ela precisava dele. Mas havia sempre um registo de orgulho nas suas palavras, enchia-a de satisfação ver que ele era um autêntico rapaz. Por vezes, quando Matilda olhava para Peter, quase sentia ciúmes por ele pertencer a Cissie. Também adorava Susanna, mas não experimentava um sentimento tão poderoso em relação a ela. Supunha que era apenas porque Peter constituía o elemento de ligação ao passado, às memórias de Giles e Nova Iorque, quase como se fosse a pedra em que a família assentara os seus alicerces.

— Não ouviste uma palavra do que eu disse!

Matilda estava tão absorvida nos seus pensamentos e a olhar para as crianças que a observação indignada de Cissie a sobressaltou. — Desculpa, Cissie — disse ela. — Estava concentrada a admirar a nossa prole. O que é que disseste?

— Que pintei a casa, olha, não está bonita?

Matilda olhou à sua frente e soltou uma exclamação de surpresa. Sempre que vinha ao Oregon, ficava espantada ao ver como a cidade crescera, como era muito mais asseada e bonita do que São Francisco e como os seus habitantes sentiam orgulho nas casas e nos estabelecimentos comerciais. Mas a casinha desinteressante de Cissie destacava-se agora como a mais elegante da rua. Não só o fasquiado fora pintado de branco e a porta de entrada de verde-escuro, mas a secção estreita de jardim à frente fora cercada por uma pequena vedação de estacas e haviam sido plantados alguns arbustos.

— É tão elegante como tu, Cissie — disse ela, com um sorriso, pois a amiga estava com um moderno vestido de cetineta verde, com uma gola de folhos creme. Não teria parecido deslocada numa das grandes cidades do leste. — De onde é que vem essa elegância toda? Será porque estás para te tornar Mrs. Bigglesworth?

Cissie riu-se. — Foi o Arnold que construiu a vedação. Acho que queria provar que era tão bom como o John. Quando a pintou de branco, destoava com a casa e eu arranjei um homem para a pintar. Estou sempre a arranjar pretextos para sair só para poder admirá-la.

Como Matilda previra, essa noite foi um pandemónio. *Treacle* fez-lhe uma recepção calorosa, repleta de lambidelas, sacudidelas de cauda e latidos de prazer, e as crianças debateram-se para ter a sua atenção, cada uma tentando superar as outras. Arrastada de sala em sala para admirar todas as novidades, com livros escolares enfiados nas mãos, torrentes de perguntas e relatos de todas as trivialidades acontecidas no último ano, não teve possibilidade de conversar com Cissie sobre nenhum assunto de adultos. Tabitha chegara às seis horas e, embora a sua presença acalmasse um pouco os mais novos, também ela estava alegre e entusiasmada, desesperada por falar a sós com Matilda sobre os planos da partida para Boston.

Tabitha estava agora mais alta do que Matilda, com uma figura esbelta e ameninada. Embora possuísse os olhos escuros e expressivos de Giles e as feições miúdas de Lily, no fundo não era muito parecida com nenhum dos pais. Matilda sabia que muitas pessoas a consideravam feia, o que a irritava. A seu ver, Tabby possuía a delicada beleza de uma violeta tímida e discreta. Mas, mesmo que a sua figura nunca se tornasse mais atractiva nem o corpo mais elegante, o seu espírito vivo, afabilidade e paciência levá-la-iam a bom porto.

*

Só quando as crianças se foram finalmente deitar e a casa ficou em silêncio é que as duas mulheres puderam conversar.

— Eu e o Arnold tínhamos planeado casar-nos em Outubro — disse Cissie. — Os dois irmãos dele chegam do Ohio nessa altura. Mas eu insisti que antecipássemos o casamento para poderes cá estar.

— Tens a certeza de que ele é a pessoa certa para ti? — perguntou Matilda, depois de ouvir todos os planos de casamento. — Não me disseste uma única vez que o amavas!

— É certo que não sinto por ele o mesmo que sentia pelo John — disse ela com tristeza. — Mas é um bom homem, Matty, e eu sou viúva há demasiado tempo. Tenho vinte e sete anos, estão a esgotar-se-me as oportunidades e preciso de um homem. Sabes bem o que quero dizer.

Matilda assentiu com a cabeça. Cissie sentia a falta do sexo.

— Mas ele ama-me. — Cissie sorriu maliciosamente. — Está morto por se meter na cama comigo!

Matilda achava que quase todos os homens no Oregon haviam de querer meter-se na cama da amiga e não tinha a certeza de que o facto de Arnold também querer fosse uma razão suficientemente forte para ela se casar com ele mas, por outro lado, Cissie andava com ele há anos e devia saber o que estava a fazer.

Em seguida, falou-lhe dos seus planos para levar Amelia consigo. — Eu sei que tu a amas, Cissie, e tens sido para todos os efeitos uma verdadeira mãe para ela. Mas agora é comigo que ela deve estar.

Os olhos de Cissie encheram-se imediatamente de lágrimas mas, para surpresa de Matilda, não se lançou num protesto. — Tens razão, é contigo que ela deve estar — disse ela, com um ar desolado. — Não sei como vou passar sem ela, adoro-a como se fosse minha, às vezes até me esqueço de que não é. Mas acho que é melhor se a levares agora e não mais tarde, há algum tempo que o Arnold diz isso.

Quando se foram deitar já passava da uma da manhã mas, depois de se meter na cama, Matilda sentiu-se subitamente triste. Sempre considerara esta pequena casa como um lar, Cissie como uma irmã, Peter e Susanna tão preciosos como Tabitha e Amelia.

Mas Tabitha, primeiro, fora viver com os Glover, brevemente partiria para Boston, e Amelia voltaria com ela para São Francisco, onde viveria com ela e Sidney. Tinha a sensação de que, assim que Cissie se casasse, esta casa se tornaria na casa de Arnold e que ela e as outras crianças deixariam de ser bem-vindas. Ficara ofendida quando Cissie dissera que ele achava que era tempo de ela levar Amelia; ele não tinha o direito de dar opiniões sobre um acordo feito entre duas amigas chegadas. Mas, ao que parecia, ele tinha opiniões convictas sobre tudo e Cissie parecia alinhar com a maioria.

Matilda nunca simpatizara com ele. Era um homem de vistas muito tacanhas, limitado pelo estreito horizonte do seu trabalho e religião. A mãe era alemã, o pai inglês, do Lancashire, e haviam-se conhecido e casado quando eram jovens imigrantes, tendo adoptado o estilo de vida puritano quando se mudaram para a Pensilvânia. Uma noite do ano anterior, Arnold discorrera sobre o escrupuloso asseio em que a mãe mantinha a casa, apesar de ter quatro filhos, e como o pai trabalhava duramente, quase como se pensasse que Cissie e Matilda tinham nascido numa vida de luxo.

Embora Matilda não considerasse que Cissie devesse contar a Arnold tudo sobre a sua vida anterior, achava que a amiga estava a criar problemas para ela própria ao deixá-lo acreditar que perfilhava os seus pontos de vista tacanhos. Ela era, afinal, uma mulher fogosa, que gostava de se divertir, e passar o resto da vida a negar a sua verdadeira maneira de ser não passaria de uma morte em vida.

Numa radiosa manhã de sol, passadas duas semanas de férias, Matilda e Peter acenaram a Cissie, Arnold e às duas meninas pequenas que estavam de partida, no cabriolé de Arnold, para visitar uns amigos dele. Estes amigos tinham chegado da Pensilvânia, como Arnold, mas havia-lhes sido dado terra a quarenta quilómetros de distância e ele só os vira uma vez desde a sua chegada ao Oregon. Soubera que tinham tido recentemente uma filha e esperava persuadi-los a estarem presentes no seu casamento. Como eram oitenta quilómetros de ida e volta, ele e Cissie tencionavam lá pernoitar.

Como esta família só tinha filhas pequenas, Peter não mostrou grande entusiasmo em acompanhá-los e, assim, Matilda sugerira que ele ficasse com ela e que fizessem uma viagem no *ferry* a Portland para ver os navios.

— Divirtam-se — gritou Matilda quando eles arrancaram. Cissie estava muito bonita, sentada ao lado de Arnold, com um vestido estampado verde e branco e um chapéu de sol a condizer. As duas meninas iam atrás, com um cesto de piquenique, Amelia de azul e Susanna de cor-de-rosa, ambas com babeiros engomados por cima dos vestidos. — Portem-se as duas bem — acrescentou quando as raparigas lhe sopraram beijos. — Vou ter saudades.

A sua ansiedade a respeito do casamento iminente desvanecera--se agora. Arnold era sisudo e opinioso mas, nas duas últimas semanas, acabara por detectar outra faceta nele. Esta descoberta acontecera na primeira tarde de domingo aqui, quando ela vira o homem pequeno e robusto, com o seu colarinho engomado e fato de domingo, na brincadeira com Amelia e Susanna no jardim. A sua alegria ao brincar com elas não era fingida, era claramente um homem que gostava de crianças e destas em especial. Mais tarde nesse mesmo dia, tivera um vislumbre dele e de Cissie a beijarem-se apaixonadamente na sala e concluíra que talvez o tivesse ajuizado mal.

Desde então, o homem surpreendera-a em muitas ocasiões; ajudava a lavar a loiça quando ia jantar com eles, lia livros às crianças e tinha uma relação muito próxima com Peter e também com Tabitha. Talvez fosse um pouco moralista ao condenar o álcool e as mulheres nos negócios mas era afável, era visível a sua adoração por Cissie e cuidaria bem dela e dos filhos.

Matilda olhou de relance para Peter, que estava a observar atentamente a partida do cabriolé. — Tens mesmo a certeza de que não queres ir também? — perguntou ela, afagando-lhe o cabelo cor de areia com a mão. — Podes correr atrás deles, se tiveres mudado de ideias.

Peter sorriu. — É mais divertido contigo, tia Matty — disse ele, os seus olhos castanhos brilhando de travessura. — Aposto que me vais deixar nadar!

Matilda sorriu afectuosamente. Arnold não achava bem que um rapazinho tomasse banho no rio; Matilda desconfiava que era puramente porque ele próprio não sabia nadar. Por qualquer razão, duvidava que ele tivesse alguma vez trepado a uma árvore, rasgado as calças em brincadeiras mais vigorosas ou se tivesse envolvido numa luta. Pessoalmente, achava que os rapazes tinham de fazer estas coisas para não virem a tornar-se uns medricas.

Peter não era medricas nenhum; desde a partida de Sidney para São Francisco, assumira as funções de chefe da casa — rachava a lenha, acendia as lareiras e matava coelhos e patos para o jantar. Depois das aulas, ajudava também os donos das mercearias, entregando encomendas, enchendo prateleiras, e entregava sempre a Cissie o dinheiro que ganhava.

— Depois vê-se, isso de nadar — disse ela. — Pelo sim, pelo não, talvez seja melhor levar uma toalha. Se ninguém estiver a olhar, até sou capaz de molhar os pés.

Peter era uma companhia excelente, com idade suficiente para ela não entrar em pânico sempre que ele desaparecia de vista, mas ainda suficientemente novo para admirar os navios e o porto com grande excitação. Em muitos aspectos, o seu temperamento era semelhante ao de Sidney, com a mesma exuberância e interesse por tudo e mais alguma coisa, mas a verdade era que estivera sob a influência de Sidney desde que nascera. Contudo, Peter era muito mais inteligente, lia muito e tinha uma boa cabeça para os números. Matilda pensou que devia falar com Cissie, quando ela voltasse, a respeito de pô-lo também numa escola melhor, pois achava que ele esgotara as possibilidades oferecidas pela pequena escola de Oregon City.

Durante o dia, Peter confidenciou-lhe que queria ser militar. Sabendo que Cissie nunca o quereria nas fileiras recrutadas do Exército, ao lado de todos esses homens brutos, Matilda disse que ele devia então aplicar-se na escola e talvez pudesse ingressar em West Point e tornar-se oficial. Decidiu interrogar James sobre isto quando voltasse a estar com ele.

Era quase noite quando voltaram para casa, nesse dia, e acharam estranho terem a casa por sua conta. Decidiram que no dia seguinte iriam buscar Tabitha a casa dos Glover e dar um longo passeio pela margem do rio e, se descobrissem um lugar suficientemente recatado, talvez também tomassem um banho.

Arnold e Cissie chegaram tarde, na noite do dia seguinte. As duas raparigas, profundamente adormecidas na traseira do cabriolé, nem sequer acordaram quando Arnold pegou nelas e as levou para a cama. Arnold partiu depois de um jantar ligeiro e Cissie lançou-se num relato da viagem e dos amigos de Arnold, Martha e Egon.

— A cabana deles era horrorosa — disse ela, fazendo uma expressão enojada. — Um chão de terra, sem janelas, nem sequer têm fogão. Perdi logo a vontade de lá passar a noite, mas era tarde de mais para virmos embora.

Este comentário divertiu Matilda. Nos últimos anos, Cissie tornara-se extraordinariamente refinada. Fizera um esforço evidente para falar melhor e estava constantemente a estudar um livro sobre boas maneiras. — Não me digas que agora tens ideias de grandeza — disse ela a brincar.

Cissie sorriu. — No fundo, não foi tanto a cabana, foi a maneira de ser deles, um bocado preguiçosos, pouco interessados em torná-la acolhedora — explicou. — O Egon não é agricultor, na terra dele dirigia uma loja de fazendas. E a Martha, enfim, tive mesmo pena dela, com um bebé e mais quatro filhas com menos de seis anos, estava com um ar tão cansado e doente, acho que não tinha muito leite para a bebé porque ela estava sempre a chorar. Felizmente, levámos muita comida connosco, não tinham quase nada para comer, a não ser feijão e arroz. E as crianças estavam sujíssimas!

A cena que Cissie estava a descrever recordou a Matilda episódios da sua própria infância e, pela ansiedade nos olhos da amiga, deduziu que ela também se tivesse lembrado da sorte que tivera em casar-se com um homem engenhoso como John.

— Fiz o que podia — continuou ela. — Mas havia tanto que fazer, Matty, as fraldas sujas dos mais pequenos estavam simplesmente num balde, os tachos e as panelas a precisar de uma boa esfregadela, as galinhas constantemente a entrar na cabana e aquela pobre bebé sempre a choramingar! Percebi que o Arnold preferia que não tivéssemos ido e a Susanna só olhava para mim como que a dizer: «Quando é que vamos embora?»

— Aposto que agora a tua casa te parece um palácio, não? — disse Matilda.

— Então não parece, Matty? — disse Cissie, passando distraidamente os dedos pelo cabelo. — Estou morta por me deitar na minha cama. Ontem à noite dormimos no chão mas eu não consegui pregar olho a pensar no que podia estar a acontecer por ali. Há anos que não penso naquela cave mas veio-me tudo outra vez à memória no escuro.

Matilda percebeu que a visita a Egon e a Martha afectara Cissie profundamente. Nos dois dias seguintes, não parou de lavar roupa, de esfregar o chão e de limpar janelas, como se fosse um caso de vida ou de morte. Até Arnold parecia sombrio quando apareceu na noite do dia seguinte, dizendo que Egon sempre parecera forte e enérgico na Pensilvânia e que não entendia por que razão ele mudara tanto.

*

Na terceira noite depois do regresso a casa, Amelia chamou Matilda a meio da noite, queixando-se de fortes dores de barriga. Matilda sentou-a no pote e ficou perturbada ao ver que as suas fezes eram muito moles. Como ela adormeceu imediatamente a seguir, Matilda pensou que se tratava apenas de uma leve indisposição e também se foi deitar.

Na manhã seguinte, muito cedo, Susanna correu para a casa de banho, agarrada ao estômago, gritando pela mãe alguns segundos mais tarde. Não conseguira chegar a tempo e ficou numa aflição por se ter sujado. Um pouco mais tarde, Amelia gritou do andar de cima que também tinha tido um percalço.

Como as duas crianças não paravam de se queixar de dores de barriga, foram postas na cama, mas só mais tarde, quando Cissie se queixou de um mal-estar no estômago e dores nas pernas, é que Matilda foi chamar o médico. Ele andava a visitar doentes mas a mulher prometeu que ele iria assim que chegasse. Quando regressou a casa, Cissie informou-a de que Amelia tinha vomitado.

Nas quatro horas antes de o médico finalmente chegar, tornou-se claro a Matilda que as duas raparigas tinham muito mais do que uma vulgar perturbação gástrica. Cissie estava com diarreia, exactamente como as crianças. Estavam as três cheias de sede e com dores na barriga e nas pernas. Mas Amelia era de longe a pior, vomitara toda a comida que tinha no estômago e agora só deitava pela boca e pelo ânus um fluido aguado e incolor. Chorava aflitivamente e estava encolhida na cama, incapaz de endireitar as pernas.

Cissie tentara manter-se em pé e ajudar com as crianças mas, sempre que a acometia um espasmo, tinha de se dobrar e Matilda obrigou-a a deitar-se. Por precaução, mandou Peter ficar no andar de baixo.

O Dr. Shrieber desfez-se em desculpas, no seu cerrado sotaque alemão, por chegar tão tarde, ouviu atentamente a descrição de Matilda dos sintomas e seguiu-a lá acima para examinar as crianças.

Matilda não conhecia este homem mas ouvira Cissie e Tabitha dizer que o homem grande e louro, com frios olhos azuis, era considerado um dos melhores médicos de todo o território.

Começou por examinar Amelia, tomando-lhe o pulso e apalpando-lhe suavemente a barriga e as pernas. Ao aconchegar de novo os cobertores à sua volta, passando ao exame de Susanna, Matilda achou que ele empalidecera bastante, mas como a luz da candeia era fraca, esperou que fosse imaginação sua.

A maneira jovial como ele cumprimentou Cissie, dizendo que tinham todas comido de mais e que estariam melhores dentro de um ou dois dias mitigou os seus receios. Só quando desceu novamente é que Matilda reparou que a sua expressão era muito grave.

— Não tem nada a ver com comida a mais, pois não? — perguntou ela.

Ele abanou a cabeça. — Não, quem me dera que tivesse, Mrs. Jennings. Lamento muito, mas é cólera — disse ele, no seu pronunciado sotaque.

Ela susteve a respiração e apoiou-se à mesa da cozinha para não cair. Sabia perfeitamente que esta terrível doença raramente deixava sobreviventes. Ninguém sabia o que a causava e não existia nenhum tratamento, a não ser umas gotas de láudano e manter o doente quente.

— Sinto muito, Mrs. Jennings — disse ele, os olhos repletos de compaixão. — A senhora tem algum sintoma?

Ela abanou a cabeça. — Não, nem o Peter, por agora. Ficámos cá quando Mr. Bigglesworth e Mrs. Duncan foram visitar uns amigos. Possivelmente foi lá que apanharam isto. Sabe se Mr. Bigglesworth também está doente?

— Não, mas vou investigar. Tem de manter o Peter bem longe das doentes — disse ele, limpando a cara transpirada com um lenço.

— E a Tabitha? — perguntou ela, o medo revolvendo-lhe as entranhas. — Também esteve aqui.

Durante estas férias, Tabitha tinha aparecido quase todos os dias, embora por períodos curtos por causa dos estudos.

— Vou também passar por casa dos Glover a pedir que não a deixem sair de casa por enquanto — disse ele. — Aconselho-a a pôr Mrs. Duncan no quarto com as crianças; embeba por favor um lençol em vinagre e pendure-o na porta. Deve ter cuidado consigo, Mrs. Jennings. Lave as mãos depois de tocar nas doentes, a roupa de cama suja deve ser fervida e os potes e outros recipientes devem ser bem esfregados. Até a doença passar, a senhora e o Peter não devem sair e eu vou afixar um letreiro à porta de entrada para avisar os visitantes.

Matilda sentiu-se de repente muito fraca quando a enormidade do que ele lhe estava a dizer foi lentamente assimilada. Se tivesse razão e fosse cólera, dentro de poucos dias Amelia, Susanna e Cissie podiam estar mortas.

Levantou os olhos para este alemão alto e forte, por quem toda a cidade tinha o maior respeito, viu a profunda preocupação nos seus olhos e compreendeu que era improvável que estivesse enganado. Sentiu vontade de lhe gritar, de lhe dizer que era injusto, mas controlou-se e perguntou o que podia fazer para as salvar.

— Mantenha-as quentes, dê-lhes muito de beber, o conhaque também ajuda; mais tarde trago-lhe uma garrafa e algum láudano. Dê duas ou três gotas às crianças, Mrs. Duncan pode tomar até dez. Passo por cá mais tarde para ver como estão.

— Chega aqui, Matty — chamou Cissie, depois de o médico sair. Matilda subiu, hesitante, receosa que a amiga lesse nos seus olhos a gravidade da situação. Cissie parecia muito pequena na enorme cama que John fizera com tanto amor. Com o rosto muito branco, as suas mãos estavam a torcer o edredão. — Eu sei o que é — disse ela, os olhos verdes arregalados de medo. — Vi na caravana. Era capaz de matar o Arnold por nos ter levado àquela casa. Mas suponho que ele não podia adivinhar que íamos apanhar uma coisa destas.

— Claro que não podia e vão ficar todas boas — disse Matilda, abeirando-se da amiga e pegando-lhe na mão. — Eu olho por vocês.

— Se tiveres algum juízo, pões-te já a mexer daqui — disse Cissie rispidamente. — Nunca vi ninguém a sobreviver à cólera. A única coisa boa que tem é que a morte é normalmente rápida.

— Nada de conversas derrotistas sobre a morte — disse Matilda num tom feroz. — Não to permito. E também não me vou embora, nós podemos lutar contra isto, Cissie, mas tens de te esforçar. Para já, vou explicar ao Peter o que se passa e depois volto cá acima para te mudar para junto das raparigas.

Arrastou a cama estreita de Tabitha para o quarto das raparigas e fê-la para Cissie, entre as camas das crianças. Uma ou duas horas mais tarde, Susanna estava a vomitar, como Amelia, e ambas as raparigas estavam a gritar de dores.

De manhã, Matilda mal se deu conta do sol a nascer porque, por essa altura, já Cissie estava a vomitar e, entre gritos de dor, as três pediam água. Mas assim que Matilda conseguia que a bebessem, misturada com conhaque e láudano, era expelida. Rasgou lençóis, fronhas e toalhas para usar como fraldas mas, quase com a mesma rapidez com que lhes envolvia as nádegas, ficavam ensopadas nesse estranho fluido branco que parecia água de arroz.

Ao romper do dia, correu para o andar de baixo para esvaziar e esfregar as bacias de vomitado e para pôr as fraldas a ferver ao lume, ordenando a Peter que não tocasse em nada mas mantivesse o fogão aceso com lenha. Não sabia o que era pior, ver o terror nos seus olhos ainda saudáveis ou a resignação nos das doentes lá em cima.

O Dr. Shrieber apareceu mais tarde nessa manhã, informando que Arnold também estava doente e que o isolara num anexo da pensão onde ele vivia. Matilda não perguntou se havia alguém a tratar dele, sabia perfeitamente que ninguém, a não ser o médico, ousaria aproximar-se dele. Era terrível pensar que um homem, que ainda dois dias antes aguardava ansiosamente o seu casamento, morreria sozinho.

— Ele mandou alguma mensagem para a Cissie? — perguntou.

O médico indicou que sim. — Que a ama e que está a rezar pela recuperação dela. Pediu para não lhe dizermos que também está doente.

— E a Tabitha? — perguntou ela.

— Está de perfeita saúde. Queria vir ajudá-la a olhar por Mrs. Duncan e pelas crianças — disse ele com um leve sorriso. — Claro que lhe disse que não podia vir. Pediu-me para lhe dizer que está a rezar por todas.

Durante todo esse dia e novamente durante a noite, Matilda não parou, acalmando, dando de beber, segurando nas bacias para o vómito, lavando e mudando as doentes e correndo para cima e para baixo, durante os breves momentos de acalmia, para enxaguar as fraldas fervidas e pôr a ferver mais um balde cheio delas. Peter perguntava-lhe o que podia fazer mas ela não podia deixá-lo fazer mais do que pôr a roupa a secar, rachar mais lenha para o fogão e trazer água fresca da bomba.

No entanto, apesar de todos os seus esforços e orações, pela manhã, já Amelia sucumbira à última fase da doença, que o médico lhe descrevera. Estava simplesmente deitada, quase inerte, o rosto azul, os olhos encovados, a respiração superficial e penosa, a pele fria e pegajosa e praticamente sem pulso que se detectasse. Matilda compreendeu então que o fim estava muito próximo.

Era difícil controlar os seus sentimentos. Sentia uma raiva absoluta por a sua única filha lhe estar a ser arrebatada. Culpa por ter partido para ganhar dinheiro. Um profundo remorso por terem passado muito pouco tempo juntas. Mas tinha de controlá-los, não podia deixar que a filha sentisse senão o seu amor por ela nas suas derradeiras horas de vida.

Sentada ao lado da criança, murmurando palavras ternas, viu Cissie a observá-la em silêncio. O rosto dela estava exausto, com a dor das cãibras, mas não proferiu um som e Matilda sabia que a amiga estava a chorar com ela pois também fora uma mãe para Amelia.

Susanna estava igualmente calada; parecia que também se aproximava rapidamente da última fase pois os seus olhos estavam a ficar encovados como os de Amelia. De um modo estranho, a cena recordava a Matilda o seu primeiro encontro com Cissie. Aqui não havia ratazanas, era um quarto quente e agradável, mas talvez fosse porque Cissie parecia estar a guardar as duas crianças como guardara todos os pequeninos naquela cave.

— Eu e o John olhamos por ela — disse Cissie, numa voz pouco mais forte que um suspiro. — E também vou contar ao Giles e à Lily a obra maravilhosa que fizeste com a Tabby. Havemos de te acompanhar sempre e olhar por ti.

Matilda virou-se para a amiga, querendo dizer que ela estava a ser sentimental e que não queria ouvir tais desabafos, mas a expressão de Cissie não a deixou. Era a mesma que tinha naquele dia na cave, dando corajosamente de mamar à bebé Pearl em detrimento do próprio filho. Nobre, honesta e não esperando nada para si mesma.

Amelia morreu cerca de dez minutos depois. A sua respiração tornou-se cada vez mais fraca e finalmente parou. Matilda afagou a sua carinha azul, passou-lhe os dedos pelos caracóis despenteados e teve vontade de gritar a sua dor mas não podia. Susanna estava também a sucumbir rapidamente, não era bom deixá-la saber que a amiguinha abandonara este mundo.

Silenciosamente, fechou os olhos de Amelia, levantou-se e sentou-se na cama de Susanna. Era a vez dela de ser confortada.

Susanna aguentou mais três horas. Matilda aproximou a cama dela da cama da mãe para que ela pudesse dar-lhe a mão, falando com ambas como se fosse uma noite igual às outras em que aconchegava as crianças antes de adormecerem.

Falou da cabana, dos animais e das árvores de fruto, dos banhos no ribeiro e dos passeios no bosque. Disse-lhes que Tabitha se tornaria médica, que Peter seria um excelente oficial de cavalaria e que os momentos mais felizes da sua vida haviam sido passados com elas.

Cissie soergueu-se quando Susanna parou de respirar e Matilda deitou-lhe a mão, com medo que ela tentasse levantar-se da cama.

— Sinto muito — murmurou, abraçando a amiga com força.

Ficaram assim abraçadas por alguns momentos, retirando em silêncio conforto da sua perda mútua. Haviam-se tornado amigas porque Matilda salvara Cissie e Peter, mas foram as duas crianças pequenas que fizeram delas irmãs — ambas nascidas em carroças, próximas na idade, lembranças permanentes dos dois homens bons que haviam amado e perdido. E vendo as crianças a brincar juntas e a partilhar tudo, as duas mulheres haviam encontrado conforto na certeza de que elas haviam herdado os talentos dos pais e tinham diante de si futuros risonhos.

Não devias abraçar-me — disse Cissie, voltando a cair na cama. — Se fores ter comigo ao Céu, hás-de ouvir-me por seres tão imprudente.

Um fantasma do seu antigo sorriso insolente dançou-lhe nos lábios mas também o seu rosto estava a tornar-se azul e os seus olhos encovados. — Posso pedir-te que olhes pelo Peter? — sussurrou.

— Não precisas de pedir. Claro que olho — respondeu Matilda, debatendo-se para conter as lágrimas. — Farei tudo para que ele venha a ser tudo o que desejaste para o teu filho.

— Fala-lhe de mim quando ele for um homem — disse ela, numa voz quebrada. — Diz-lhe que o amei profundamente.

— O que é que vou fazer sem ti, Cissie? — perguntou Matilda.

Cissie limitou-se a olhar para ela e uma lágrima rolou-lhe de um olho.

— Arranja outras raparigas como eu para salvar — murmurou. — Hei-de estar atenta para te ver fazê-lo.

Matilda acendeu uma candeia, quando escureceu, e observou o rosto de Cissie passar de azul a roxo e as mãos adquirirem um aspecto molhado como as de uma lavadeira. Ela abriu os olhos apenas uma vez mais e fitou Matilda. — O mais triste é que nunca descobri como seria com o Arnold — murmurou. — Diz-lhe que o amo e que só queria tê-lo deixado fazer a coisa pelo menos uma vez.

Depois disso, a sua respiração esgotou-se, como se tivesse usado o resto do ar para proferir esta última observação atrevida. Matilda fechou-lhe os olhos, beijou-a na testa e depois tapou-lhe a cara com o lençol.

— Amo-te, Cissie Duncan — sussurrou. — Vai ter com o John, com uma criança em cada mão. Não te preocupes com o Peter, agora é meu filho.

Beijou as raparigas e tapou-as também. Acendeu uma vela ao lado de cada cama e, pegando na candeia, afastou a cortina embebida em vinagre e desceu.

Eram cerca das onze da noite e Peter estava enroscado com *Treacle*, na manta dele, no chão da cozinha, profundamente adormecido. *Treacle* levantou os olhos tristonhos para ela e bateu com a cauda no chão para a saudar.

— Fica com ele por agora — murmurou ela ao cão. — Eu já trato dos dois.

Tirando a última panela de água quente do fogão, levou-a lá para fora, despiu a roupa e esfregou-se da cabeça aos pés com sabão de lixívia até ficar com a pele vermelha, antes de voltar para a cozinha. No dia seguinte, depois de os corpos serem levados, teria de ferver a roupa. A roupa das camas e os colchões teriam de ser queimados, os quartos completamente esfregados. Contudo, não tinha maneira de saber se ela e Peter haviam sido contagiados com a doença. Embrulhando-se numa toalha de mesa, voltou ao andar de cima à procura de uma camisa de dormir lavada e só então, quando estava certa de ter tomado todas as precauções concebíveis, é que tornou a descer para acordar Peter.

Ficou sentada a vê-lo dormir durante algum tempo. Havia manchas de lágrimas nas suas faces cor de mel, umas quantas sardas no nariz, e Matilda apercebeu-se do que ele passara nos últimos dois dias, aprisionado aqui em baixo, solitário à excepção de *Treacle*, ouvindo sons de vómito e gemidos e vendo inúmeras pilhas de fraldas sujas e lençóis a serem fervidos no fogão. Portara-se como um homem, mantendo o fogão aceso, estendendo a roupa e olhando por si mesmo sem se queixar, mas tinha apenas doze anos, ainda era uma criança, e agora ela tinha de acordá-lo e dizer-lhe que a mãe e as irmãs estavam mortas.

Em duas ocasiões, tivera de dar a Tabitha notícias trágicas idênticas, mas não era por isso que seria mais fácil encontrar as palavras certas para o fazer com Peter. Parecia ter sido há tão pouco tempo que John morrera e ela o confortara. Recordava-se de como ele costumava esperar no caminho, na esperança vã de que fosse tudo um engano e John chegasse a cavalo.

Como podia falar calmamente quando estava a sofrer terrivelmente com a morte da sua própria filha? Como podia dizer-lhe que voltariam em breve a encontrar a felicidade os dois quando sentia que o coração lhe fora arrancado do peito e desejava também morrer?

Só a forma como ele estava enroscado à volta de *Treacle* sugeria que sabia que não haveria nenhuma recuperação milagrosa. Era tentador deixá-lo dormir um pouco mais mas estava a cair de exaustão, ao fim de dois dias e duas noites sem descanso, e não podia correr o risco de ele acordar durante a noite e investigar a razão do silêncio.

— Peter — chamou suavemente. — Peter, acorda!

Ele sentou-se e esfregou os olhos. — Estão melhores? — perguntou num sussurro.

Matilda abanou a cabeça. — Não, Peter, morreram há pouco, infelizmente. Sinto muito.

Tinha jurado que não lhe tocaria, não fosse haver a possibilidade de lhe passar a doença dessa forma. Mas foi mais forte do que ela; quando o rosto dele se ensombrou, teve de se acercar e abraçá-lo.

— A tua mãe pediu-me para te dizer que te amava e que devias ser o meu filho agora — disse ela, apertando-o bem contra o peito e esforçando-se por não chorar. — Foi muito corajosa, Peter, como sempre, e a Susanna e a Amelia morrerem sem ter consciência do que estava a acontecer.

Cissie sempre sentira um enorme orgulho por Peter nunca chorar, mesmo quando era pequeno. Afirmava que ele se ria, mesmo quando lhe batia. Mas agora chorou, demorada e convulsivamente, enterrando a cara no colo de Matilda, dizendo entre soluços que esperava também apanhar a doença porque não queria viver sem a mãe e as irmãs.

— Eu sei o que sentes — murmurou Matilda. — Eu também as amava, como amava a Amelia. Mas desejar a morte é um insulto à memória delas, Peter.

Aqueceu leite para os dois e deitou umas gotas de conhaque em cada copo. — Ambos pensamos que perdemos todas as pessoas que amamos esta noite. Mas não podemos esquecer que ainda nos temos um ao outro. E temos a Tabitha e o Sidney também. Vou levar-te em breve para São Francisco para junto do Sidney. Havemos de construir lá uma nova vida juntos.

— Porquê, tia Matty? — perguntou ele, o rosto desprovido de

cor, os olhos castanhos profundamente desolados. — Porque é que a mamã e as raparigas tinham de morrer? Não é justo.

Não podia dizer-lhe que a vida não era justa, que em toda a América e em todo o mundo também as pessoas morriam de repente sem que fizesse sentido. Apenas podia murmurar o género de coisas que Giles teria dito, que Deus queria que Cissie e as raparigas fossem viver com Ele e com os anjos porque eram muito especiais. Duvidava que ele acreditasse, tal como ela não acreditava, mas as palavras eram reconfortantes.

Pegando-lhe na mão, levou-o mais tarde para a cama e deitou-se ao lado dele, embalando-o nos braços. O conhaque não tardou a fazer efeito nele e, algum tempo depois, os seus soluços transformaram-se em roncos; Matilda, porém, não teve o consolo desse esquecimento.

Sabia que toda a gente tinha de enfrentar tragédias destas. Já em criança, recordava-se de ouvir os vizinhos falar dos filhos que haviam enterrado, dos incêndios em que outros membros da família haviam perecido e das doenças que podiam percorrer todo um prédio como ratazanas. Mas o que não compreendia era por que razão o destino a escolhia tão frequentemente para tamanha crueldade.

Arnold morreu algumas horas depois de Cissie, e o funeral, realizado no dia seguinte, foi colectivo. Cissie e as crianças foram enterradas ao lado de John e Arnold nas proximidades.

Foi extremamente doloroso ver Tabitha pela primeira vez desde as mortes, entre o reverendo e Mrs. Glover, com um vestido preto sóbrio e um chapéu. Poucas pessoas haviam comparecido, receosas da doença, e o médico dissera a Matilda que não devia abraçar Tabitha até o perigo passar.

Os olhos de Tabitha espelhavam tudo o que Matilda sentia. Grandes e profundos lagos de mágoa e incredulidade. Estavam a cerca de três metros uma da outra, ambas desejando silenciosamente cair nos braços da outra, sabendo que as palavras que trocariam mais tarde nunca confortariam tanto como um abraço.

Matilda segurou firmemente na mão de Peter enquanto os caixões eram descidos para as covas e pensou na coragem de Cissie, naquela cave, quando ele nascera. Nesse momento, fez uma promessa silenciosa aos amigos de que sempre o amaria e protegeria.

*

Depois de a cova ser coberta. Matilda fez sinal a Tabitha para que se aproximasse e viesse falar com ela e afastaram-se para o lado do cemitério, continuando a manter entre si alguns passos de distância.

— O que é que vai acontecer agora, Matty? — perguntou Tabitha, lavada em lágrimas.

— Vou levar o Peter comigo mas quero que fiques com o reverendo — disse Matilda num tom firme, embora todo o seu ser desejasse levar também consigo a única filha sobrevivente. — Deves fazer tudo o que planeámos; a Cissie ficaria muito zangada se não te tornasses médica por causa disto.

— Mas agora és a única pessoa que me resta — disse Tabitha a chorar. — Quero estar contigo.

— E eu quero-te também ao meu lado — disse Matilda, perturbada com a dor da criança. — Mas quando a tua mãe e o teu pai te confiaram à minha guarda, fiz uma promessa de que faria sempre o que fosse melhor para ti. E sei que levar-te para São Francisco não é o melhor para ti.

— Tens a certeza? — perguntou Tabitha, os seus olhos escuros repletos de dúvida.

Matilda assentiu com a cabeça. Reflectira demoradamente sobre esta questão. Embora Tabitha pudesse apreciar São Francisco numas férias, numa altura em que não estivesse a sofrer, levá-la agora para lá seria a pior solução possível porque ela detestaria a cidade. O barulho, a sujidade e a algazarra horrorizá-la-iam, não teria amigos, seria praticamente uma prisioneira no apartamento e em breve lamentaria amargamente ter recusado a oportunidade de ir para Boston.

— O reverendo e Mrs. Glover gostam muito de ti — disse ela, num tom tranquilizador. — Todos os teus amigos estão aqui, é uma terra bonita e pacata e uma vida que conheces e te dá segurança. Dentro de algumas semanas, se continuares a sentir que queres desesperadamente estar comigo, então talvez possamos mudar de ideias. Mas primeiro tenta.

— Não vais já partir, pois não? — perguntou Tabitha com uma expressão de alarme.

Matilda abanou a cabeça. — Achas que ia antes de poder abraçar-te outra vez? Claro que não, Tabby! Vou ficar até dar destino à casa da Cissie e tudo o resto. Preciso também de tempo para visitar a campa da Amelia, assimilar tudo isto e fazer as minhas despedidas.

Uma expressão de profunda preocupação surgiu no rosto da rapariga e instintivamente deu um passo para Matilda.

— Estava a esquecer-me — disse ela, calando-se a meio da frase e corando.

Matilda compreendeu o que lhe ia na ideia. — Sempre te amei, Tabby, como se tivesses nascido do meu ventre. Para mim, és uma filha e nunca nada mudará isso. Mas a Amelia também era muito especial, era filha do teu pai e minha, a razão por que tivemos de percorrer esses milhares de quilómetros para encontrar segurança aqui, no Oregon. Era também tua irmã, a bebé que nos ligou ainda mais às duas. E agora foi-nos levada, é mais uma boa razão para nunca perderes de vista as tuas ambições.

— Pobre Matty — sussurrou Tabitha. — Estava tão mergulhada na minha dor que não pensei na tua.

Matilda sentiu um ímpeto de amor por esta criança-mulher que possuía a aptidão do pai para se pôr na pele dos outros. — Nunca ninguém substituirá a Amelia — disse ela, em voz baixa, esforçando-se por não voltar a chorar. — Mas tenho-te a ti, ao Peter e ao Sidney. E quando olho para ti, Tabby, vejo o Giles e a Lily também. Não há nada de mais reconfortante.

— Amo-te, Matty — disse Tabitha e, com as faces lavadas em lágrimas, parecia a menina que era aos seis ou sete anos.

— Também te amo, minha querida — respondeu Matilda, os seus braços ansiosos por abraçar a criança. — Vá, agora vai com os Glover e vemo-nos dentro de um ou dois dias, quando soubermos que esta doença já fez o que tinha a fazer.

Alguns dias mais tarde, quando Matilda estava a queimar os colchões no jardim, o Dr. Shrieber apareceu para lhe dizer que fora à quinta que Arnold e Cissie haviam visitado, tendo encontrado toda a família morta. Como Peter e Matilda continuavam de boa saúde, apesar do contacto próximo com as vítimas, não era, na sua opinião, uma doença contagiosa como a varíola. Tinha uma teoria de que poderia resultar da ingestão de água contaminada pelos esgotos e tencionava estudar outros casos para descobrir se podia provar que era essa a causa da doença.

Matilda pensou que ele era um homem bom e desejou-lhe sucesso na sua investigação, mas o seu coração estava demasiado carregado de dor para discutir teorias a respeito da causa da morte da filha. Deixara aqui Amelia pensando que era um lugar seguro, mas, no fim, revelara ser tão perigoso como qualquer outro.

Agora a única coisa que queria era pegar em Peter e *Treacle* e deixar Oregon City para sempre.

CAPÍTULO 22

— Não pode continuar a sofrer assim, minha senhora — disse Dolores quando, pela quinta manhã consecutiva, descobriu que a patroa ignorara o pequeno-almoço e o banho e ainda estava na cama ao meio-dia. — Vá, saia dessa cama!

Matilda abriu um olho vermelho. O seu hálito estava azedo do conhaque que bebera na noite anterior e sentia-se cheia de náuseas.

— Desaparece e deixa-me em paz — atirou-lhe. — Não tens nada que te meter na minha vida!

— Ai é assim? — Dolores pôs as mãos nas ancas e fulminou Matilda com os olhos. — Pois eu acho que tenho quando a minha senhora se está a portar como uma idiota. Eu sei que está a sofrer, Deus sabe que o que aconteceu foi uma coisa terrível e cruel. Mas não é a primeira pessoa que enterra entes queridos e, se continua assim, sou eu que vou ter de a enterrar.

— Como te atreves a falar-me assim? — exclamou Matilda.

— Porque sou uma negra emproada, pelo menos é o que já me disseram um milhar de vezes — retorquiu Dolores, revirando os olhos muito negros de impaciência. — Miss Zandra mandou-me olhar por si e é exactamente isso que tenciono fazer, nem que tenha de lhe dar uns açoites no rabo com o cinto para a chamar à razão.

Matilda aguentara razoavelmente a viagem para São Francisco. Conseguira dar a terrível notícia a Sidney e arranjar uma boa escola para Peter. Mas depois, cumpridas estas tarefas, um dia acordou apercebendo-se de como a sua vida era agora absolutamente vazia e não era capaz de o suportar.

Desde o nascimento de Amelia que tudo o que fizera fora com o futuro de Amelia e Tabitha em mente; agora, de súbito, não tinha nenhum objectivo. Considerara Cissie e Susanna como a sua família e o Oregon como a sua terra, mas agora nada mais restava aí. Tabitha estava com os Glover e James andava longe.

Olhando para trás, não via agora mais do que uma fila de túmulos, cada um deles inscrito com o nome de alguém que amara profundamente. Ter belas roupas, dinheiro no banco e um negócio de sucesso nada significava para ela, se não houvesse um objectivo no horizonte. Tinha vinte e nove anos, era demasiado velha e cínica para acreditar que podia esperá-la algo de bom ao virar da esquina, mas demasiado jovem para aceitar que a sua vida entrara numa curva descendente.

Este sentimento de melancolia agravava-se de dia para dia. Não tinha vontade de comer, de falar com ninguém nem de fazer nada. Peter e Sidney olhavam para ela, perplexos, e ela sentia-se terrivelmente culpada ao vê-los depender um do outro para obter o conforto que devia ser ela a dar-lhes.

Começou a beber pequenos goles de conhaque durante o dia para se sentir melhor e, a princípio, pareceu resultar, mas não tardou muito que estivesse a beber copos inteiros, ficando no apartamento em cima por períodos cada vez maiores e ignorando o que se passava em baixo. Por fim, desligou-se de tudo, do negócio, do pessoal, de Sidney e de Peter. Não se dava sequer ao trabalho de se vestir, começando a beber assim que acordava e continuando até acabar por cair num estado de embrutecimento.

— Se és assim tão esperta, diz-me como hei-de superar isto — lançou Matilda a Dolores.

— Pense em alguém que esteja pior — respondeu Dolores. — Miss Zandra deixou-lhe o dinheiro dela porque pensava que ia utilizá-lo bem. Se soubesse que andava a gastá-lo na bebida, voltava para a assombrar. E ainda há o capitão. O que é que ele há-de pensar se voltar e a encontrar nesse estado?

Embora o espírito de Matilda estivesse extremamente confuso, no sentido em que não fazia ideia de que dia era nem há quanto tempo estava metida no apartamento, as palavras desdenhosas da criada cortaram um caminho claro através do nevoeiro. — Ele nunca mais vai voltar — disse ela, num tom queixoso. — Foi-se embora, como toda a gente.

Dolores estremeceu perante esta incaracterística demonstração de autocomiseração. Achava que o aspecto e o cheiro da patroa eram piores do que os de uma rapariga da rua e decidiu que tinha de adoptar uma atitude mais firme. Agarrando em Matilda pelos ombros, abanou-a com força. — Esse homem vai voltar — gritou-lhe. — Nunca vi um homem amar tanto uma mulher. E tem de pensar no Sidney, no Peter e em Miss Tabitha.

Matilda repeliu-a e recuou para o outro lado da cama, assustada com este ataque. — Não são meus filhos — argumentou.

— Pode não os ter dado à luz — respondeu Dolores. — Mas agora é a pessoa mais parecida com uma mãe que eles têm e estão a sofrer porque não se está a comportar como tal. Há lá em baixo no bar raparigas que davam a vida por si porque lhes deu uma oportunidade de abandonarem as ruas. É uma pessoa importante, Miss Matilda, as pessoas por aqui respeitam-na e eu não tenciono deixá-la perder esse respeito. Por isso, meta-se imediatamente nesse banho. Senão tem de se haver comigo!

Matilda apenas conseguiu olhar para Dolores, profundamente aturdida por esta mulher, que raramente falava e nunca oferecia uma opinião sobre nada, se ter atirado a ela com tamanha ferocidade. Precisava de uma bebida mas tinha a impressão de que, se tentasse servir-se, Dolores concretizaria a sua ameaça e lhe bateria. Não vendo alternativa, levantou-se da cama mas, assim que pousou os pés no chão, Dolores deitou a mão à ponta da sua camisa de dormir e tirou-lha pela cabeça, deixando-a nua.

— Meta-se ali dentro! — disse ela, num tom que não podia ser ignorado, apontando para a banheira cheia no canto. — E também lhe vou lavar o cabelo, tem o aspecto e o cheiro de um ninho de ratos.

Uma hora mais tarde, Matilda estava lavada, corpo e cabelo. Agora, enquanto o cabelo secava junto à janela aberta, Dolores tinha-a obrigado a pôr as mãos numa bacia cheia de um óleo tépido. Embora indignada por estar a ser tratada como uma criança fraca de espírito, também era reconfortante entregar-se aos cuidados de alguém. A luz do sol que entrava pela janela e a fragrância de alfazema na sua pele limpa estavam a fazê-la sentir-se um pouco menos desalentada.

As arrumações no Oregon e as intermináveis lavagens em lixívia haviam dado às mãos de Matilda o aspecto que tinham quando chegara a São Francisco, mas não se sentira com ânimo para fazer nada a esse respeito, nem mesmo cobri-las com as luvas habituais.

— É chocante ver as mãos de uma senhora nesse estado — censurou Dolores. — Nunca vi nada assim, nem num moço de lavoura.

— Não sou uma senhora, Dolores — disse ela, debilmente. — Nunca fui e nunca serei.

— Não me diga! Pois fique a saber que é minha patroa e isso faz de si uma senhora — respondeu Dolores com rispidez. — Sou capaz de as pôr em condições, de lhe fazer um penteado bonito e acho que consigo obrigá-la a comer outra vez, e esconder o álcool. Mas não consigo fazê-la sorrir, só a senhora é que pode fazer isso. É bom que comece a pensar em abrir outra vez esses bonitos lábios num sorriso e trazer a luz aos olhos.

Era o tom da mulher que divertia Matilda. Em parte zangada, em parte cheia de amor. Como ela fora tantas vezes com Tabitha no passado.

— Assim sim — disse Dolores, apreciando o sorriso da patroa. — Não há dúvida de que é uma mulher atraente quando sorri.

— Achas mesmo que o capitão vai voltar? — perguntou Matilda um pouco mais tarde, enquanto Dolores lhe enrolava o cabelo em caracóis. Imaginava que a mulher era uma entendida em homens, do tempo passado com Zandra, e além disso não tinha mais ninguém com quem se abrir a respeito de James.

— Tenho a certeza que vai — disse Dolores num tom firme. — Não é o tipo de homem que desista. Aposto que, se ele soubesse da sua tristeza, já cá tinha vindo, nem que tivesse de atravessar o país inteiro com setas de índios pelas costas. Foram feitos os dois um para o outro, sobre isso não há dúvidas.

— Mas ele é casado, Dolores!

— E depois? — Dolores parou de lhe arranjar o cabelo e pôs as mãos nas ancas, fulminando o reflexo da patroa no espelho com os olhos. — Na minha opinião, é a si que ele ama. Isso conta mais que um anel no dedo.

— Alguma vez amaste um homem? — perguntou Matilda, imediatamente curiosa a respeito desta mulher alta e feia que dedicara quase toda a sua vida a Zandra.

Dolores abanou a cabeça. — Fui usada por alguns homens, antes de ter entrado ao serviço de Miss Zandra. O que vi então desencorajou-me de vez. Mas não é por isso que não sei como são as coisas entre si e o capitão, exactamente como sei o que sente por ter perdido a sua menina. Suponho que, no fim de contas, o amor é todo igual. Eu amava Miss Zandra, pensei que o meu coração ia definhar quando ela morreu. Mas agora tenho-a a si para amar e cuidar e pode crer que não tenciono deixá-la esfrangalhar-se toda.

Formou-se um nó na garganta de Matilda e sentiu os olhos a arder. Com meia dúzia de palavras ásperas, esta mulher normalmente incoerente conseguira transmitir uma mensagem muito simples mas profunda. Para recuperar, bastaria a Matilda transferir o amor que sentira por Cissie, Amelia e Susanna para outra pessoa ou outra coisa.

— Muito obrigada pelas tuas palavras — disse ela, em voz baixa, pegando na mão da mulher negra. — Fizeste-me sentir muito melhor. Obrigada.

Durante a tarde, Matilda desceu ao andar de baixo. Usava um vestido preto de luto, mas Dolores insistira para que suavisasse hoje a sua austeridade, prendendo-lhe uma gola de renda creme. Sentia-se um pouco trémula, mas decidira que um passeio lhe faria muito melhor do que ficar a cismar no apartamento.

Sidney estava sozinho no bar, verificando as provisões. Sorriu a medo e Matilda apercebeu-se de que o tratara com excessiva insensibilidade nas últimas semanas.

— Chega aqui um momento, Sidney — disse ela.

Ele limpou as mãos a um pano e dirigiu-se apressadamente para ela. — O que foi?

— Dá cá um abraço — disse ela, abrindo os braços e puxando-o para si. — E desculpa por ter sido tão má.

Ele abraçou-a e ela sentiu-o tremer de emoção. — Não precisas de me pedir desculpa — murmurou ele. — E não és nada má, Matty, só estás a sofrer e isso afecta-nos a todos de maneiras diferentes.

— Não, preciso de pedir desculpa — disse ela. — Estava tão absorvida nos meus problemas que me esqueci do teu próprio sofrimento. Passaste muito mais tempo com a Cissie e com as raparigas do que eu. Sinto vergonha por não ter pensado nisso e não ter olhado melhor por ti.

— Agora sou um homem. Sei desenvencilhar-me sem que ninguém olhe por mim — disse ele, mas suspirou como se isso não fosse completamente verdade. — O que mais me assustou foi pensar que também te tinha perdido.

— Hás-de ter-me sempre — disse ela, levantando-lhe o queixo e beijando-o na face. — Acho que me perdi durante uns tempos mas agora julgo que estou a recuperar. Vou comprar qualquer coisa para o jantar, temos de manter o que resta da nossa família unida.

Ele sorriu timidamente, os olhos castanho-claros reluzindo com as lágrimas, e afagou-lhe carinhosamente a face. — Estás muito bonita outra vez, Matty. Gosto de te ver assim.

— Também acho que gosto mais assim — disse ela, sorrindo. — Se o Peter chegar da escola antes de mim, dá-lhe um grande abraço meu e diz-lhe que não demoro.

Comprou bifes para o jantar, legumes e fruta frescos, e depois deambulou por Market Street, olhando à sua volta. Há muito tempo que não vinha a esta zona, normalmente quem fazia as compras era Dolores, e Matilda, quando saía, cingia-se geralmente às ruas mais elegantes.

Antes de ter partido para o Oregon, falava-se muito sobre os efeitos do pânico financeiro na cidade, mas talvez tivesse andado demasiado absorta para reparar na gravidade da situação. Mas agora o que via chocava-a.

Havia inúmeras lojas entaipadas, negócios outrora prósperos mas agora inactivos, e muitíssimas mais pessoas a mendigar nas ruas. Sentiu um aperto de piedade no coração perante as dezenas de crianças esfarrapadas e de olhos encovados, mas quando viu uma mulher com um bebé ao colo baixar-se para apanhar um nabo abandonado na sarjeta e escondê-lo debaixo do xaile, sentiu vergonha de não se ter apercebido antes de como as coisas se haviam deteriorado.

Desde o primeiro momento da corrida ao ouro que esta cidade fora um lugar onde as pessoas conduziam a sua vida social nas ruas. Os trabalhadores juntavam-se nas esquinas a discutir boxe ou carros de bombeiros, os jovens cristãos nos degraus das igrejas. Os casais de namorados preferiam Stockton Street enquanto as classes médias escolhiam Montgomery Street. A praça era um ponto de encontro para toda a gente; enquanto rapazinhos pequenos lançavam papagaios de papel e jogavam *baseball*, os homens de negócios realizavam reuniões improvisadas e os mais idosos sentavam-se a observar.

Talvez este estilo de vida muito público tivesse derivado puramente da falta de espaço em termos de alojamentos e da necessidade de a maioria da população comer em restaurantes, mas não se alterara, nem quando o problema da habitação conheceu melhorias.

Tudo na cidade enfatizava um sentimento de intimidade. De dia, as ruas estreitas estavam pejadas de mercadorias, charretes, carroças e carroceiros percorriam as ruas, obrigando as pessoas a apertarem-se. À noite, as casas de jogo, os teatros, os bares e outros locais de diversão enchiam as ruas de música, luz e folia. Muito embora os chineses, os italianos e muitas outras nacionalidades diferentes tivessem as suas zonas na cidade, estas estavam todas ligadas e eram usadas por todos como vias de circulação. Matilda pensara muitas vezes que era como um teatro vivo, com uma dezena de peças diferentes desenrolando-se ao mesmo tempo. Qualquer pretexto dava origem a um desfile, música de uma dezena de origens diferentes assaltava os ouvidos. Não era invulgar ouvir na mesma rua um tenor italiano a cantar ópera, um grupo de ciganos espanhóis a dançar flamenco ou trovadores negros a cantar. Mas hoje, embora ainda ouvisse música alegre, risos oriundos dos cafés, dos bares e dos restaurantes e os níveis de tráfego e de pessoas a encher as ruas continuasse igual, Matilda sentia o desânimo no ar.

Viu homens a vaguear sem destino, talvez na esperança de encontrarem trabalho. As mulheres tinham um ar ansioso, parando diante de produtos alimentares expostos, como que a fazer mentalmente contas a um orçamento muito curto. Os pregões dos comerciantes soavam desesperados e não joviais e até os muitos cães vadios a esgaravatar nas sarjetas pareciam mais magros do que ela se recordava.

Mas o que mais a preocupou foi o número de raparigas e mulheres muito jovens a deambular pelas ruas quando antigamente teriam trabalhado em casas particulares como criadas, ou em lojas. Imaginou que tivessem chegado a São Francisco nos últimos dois ou três anos, quando a cidade florescia, mas tinham agora perdido os seus empregos. Parecia ter sido há muito pouco tempo que Alicia Slocum se queixara de que não se arranjavam criados em lado nenhum. Ainda no ano anterior houvera letreiros em muitas montras de lojas a oferecer trabalho, mas esses letreiros haviam agora desaparecido e ela sabia perfeitamente para que tipo de actividade estas raparigas poderiam virar-se num acto de desespero, se nada mais encontrassem.

Reflectindo sobre isto, encaminhou-se para Sydney Town, o famigerado bairro no sopé de Telegraph Hill. Embora só compreendesse ao todo oito quarteirões, transbordava de bordéis, casinos, *saloons* e salões de dança rascas. Sempre fora poiso dos personagens mais abjectos e desesperados e um viveiro de crime e assassínio, mas no último ano, políticos, pretensos reformadores sociais e jornalistas haviam começado a chamar-lhe a Costa da Berbéria, afirmando que ombreava com Seven Dials, em Londres, e Five Points, em Nova Iorque, pela sua imundície e depravação.

Matilda sempre se rira da ideia de a zona de prostituição de São Francisco ser comparada com os dois lugares monstruosos que ela própria explorara e considerava que as pessoas que faziam tais afirmações exageravam. Para ela, Sydney Town possuía uma jovialidade e até sofisticação que faltavam nas outras duas áreas. Mas hoje, talvez porque estava mais receptiva, constatou que essas pessoas tinham razão, era em tudo igualmente mau.

Sentiu o cheiro nauseabundo da imundície e da miséria, pressentiu a doença e a corrupção a espreitar nas vielas escuras, exactamente como em Londres e Nova Iorque. Mesmo agora, em plena luz do dia, andavam centenas de prostitutas em actividade nas ruas, exibindo flagrantemente os seios com vestidos de cetim decotados, algumas até sentadas em montras de lojas unicamente de roupa interior. Percorrendo vielas, Matilda teve de desviar os olhos para não assistir a cenas de prostitutas e marinheiros a fornicar à pressa. Havia inúmeros homens e mulheres condenados, com os reveladores olhos vidrados dos consumidores de ópio e numerosos bêbados prostrados onde tinham caído, insensíveis ao que se passava à sua volta.

Compreendeu imediatamente por que razão a classe média-alta da cidade estava constantemente a exigir que esta zona fosse arrasada. Mas isso, infelizmente, nunca viria a acontecer enquanto o licenciamento da venda de bebidas alcoólicas continuasse a ser uma importante fonte de receitas para a cidade e, na realidade, os homens de negócios recebiam rendas exorbitantes pelos imóveis que possuíam aqui.

Tendo visto o suficiente para ficar incomodada, encaminhou-se para casa, tentando pensar em coisas mais agradáveis, embora uma vozinha na sua cabeça insistisse em lembrar-lhe que, apesar de viver e gerir um negócio nesta cidade, não podia fechar os olhos e os ouvidos ao que se passava em determinadas partes da mesma.

*

Algumas noites mais tarde, no final de Setembro, Matilda estava sentada na varanda sobranceira ao bar. Sentia-se agora muito melhor. Parara de beber e começara mais uma vez a tomar as rédeas do negócio, preenchendo os dias com trabalho para não ter tempo de se entregar à autocomiseração. Todas as noites, jantava com Peter e Sidney e estavam todos a sentir-se novamente capazes de falar de Cissie e das raparigas, o que ela considerava um bom indício de que estavam a caminho da recuperação.

Hoje, embora tivesse esperado uma noite sossegada porque estava a chover torrencialmente, a casa estava surpreendentemente movimentada. À parte os clientes habituais, os comerciantes e mercadores que viviam nas proximidades, estavam presentes muitos marinheiros. Um grupo pertencia a um navio russo que entrara no porto nessa tarde, outro era da América do Sul, e esta gente era uma mistura de americanos, alemães e irlandeses. Os marinheiros tinham o hábito de visitar o London Lil's em primeiro lugar à noite e, depois de tomarem algumas bebidas e assistirem ao espectáculo, regressavam ao centro da cidade para passarem o resto da noite a embebedar-se e a procurar mulheres.

Quando duas raparigas desacompanhadas entraram um pouco mais tarde, Matilda sorriu, pois todos os homens viraram a cabeça para olhar para elas. A população feminina podia ter aumentado nos últimos anos mas as mulheres jovens, bonitas e solteiras continuavam a ser poucas. Uma destas raparigas era mexicana, a outra negra. Pareceu-lhe que elas estavam muito nervosas, pensou que talvez nunca tivessem ousado entrar num bar.

Sidney apareceu a correr pelas escadas acima. — Queres que as mande sair? — perguntou, inclinando a cabeça na direcção das raparigas.

— A que propósito? — exclamou ela. As raparigas traziam vestidos simples de algodão e botas pesadas, não pareciam minimamente mulheres da vida. — Calculo que sejam criadas que tiveram a noite de folga e querem divertir-se um pouco para variar.

— Não me parece, Matty — disse ele, franzindo a testa. — Vi a mexicana no outro dia à noite em Kearny Street.

— Talvez sim, mas isso não quer dizer que seja prostituta — retorquiu Matilda. — Além disso, nunca corri com raparigas da vida daqui por tomarem uma bebida, só quando aliciam clientes. Está a chover muito lá fora e elas têm direito à companhia de gente amiga como qualquer outra pessoa. Dá-lhes uma bebida por conta da casa que eu fico de olho nelas e, se fizerem alguma, eu trato-lhes da saúde.

Viu Sidney a servir bebidas às raparigas que, em seguida, desapareceram no meio da multidão. O espectáculo começou alguns minutos depois e Matilda esqueceu-se delas porque estava demasiado ocupada a observar as dançarinas. Achou que os fatos delas tinham um aspecto decididamente miserável e que faltava brilho à sua actuação. Há mais de dois anos que se apresentavam aqui duas vezes por semana e a sua complacência era visível. Teria de falar com elas sobre o assunto mais tarde.

Mas os malabaristas que se lhes seguiram eram excelentes, perfeitos e sofisticados. Decidiu cumprimentá-los mais tarde e oferecer-lhes uma participação regular.

As dançarinas voltaram para terminar o espectáculo e Matilda levantou-se, preparada para descer e falar com elas antes de partirem. Prestes a descer as escadas, um súbito movimento perto da porta chamou-lhe a atenção. Parando para olhar por cima do corrimão, viu que a rapariga negra caíra ao chão e que a amiga mexicana estava a precipitar-se porta fora.

Desceu o resto das escadas a correr. — Abram alas — disse ela, afastando do caminho os homens reunidos em volta da rapariga.

— A escurinha bebeu um copo a mais — gritou alguém. — Ponham-na na rua que a chuva põe-na sóbria num instante.

Matilda ficou furiosa com este comentário; mesmo depois de doze anos na América, a atitude impiedosa para com os negros continuava a irritá-la. Ajoelhou-se ao lado da rapariga e pousou-lhe a mão na testa. Estava a arder.

— Traz-me sais de cheiro — pediu a Sidney, que havia furado pelo meio das pessoas. — E água.

Os sais reanimaram a rapariga, que se retraiu perante o cheiro e abriu os olhos. O seu chapéu de palha tinha deslizado, revelando cabelo encaracolado, cortado rente, como o de um rapaz. Era também muito nova, talvez apenas com catorze anos, e terrivelmente magra. Os seus olhos cor de carvão pareciam demasiado grandes para o seu rosto, e estavam muito assustados.

— Já passou, deves ter desmaiado — disse Matilda, debruçando--se mais para a rapariga poder ouvi-la sobre o ruído da música. — Tenta sentar-te e beber um gole de água.

Passou um braço pelas costas da rapariga e ajudou-a a sentar-se. O vestido dela estava pegajoso mas se era da chuva lá fora ou de uma febre, não sabia. — Podes dizer-me o teu nome? — perguntou.

— Fern — disse a rapariga, mas de súbito o seu rosto contorceu--se de dor e involuntariamente agarrou-se ao antebraço de Matilda.

— Onde é que te dói? — perguntou Matilda.

A rapariga pousou a mão na barriga.

Com o horror da cólera ainda tão vívido no seu espírito, Matilda poderia ter recuado mas, estando de joelhos, não era fácil. — Deixa--me levar-te para um sítio sossegado para te deitares — disse ela.

Foi quando estava a ajudá-la a levantar-se com Sidney que Matilda reparou numa pressaga mancha de sangue na parte de trás da saia da rapariga. Pensando que seria apenas resultado de uma menstruação particularmente abundante e não querendo embaraçar a rapariga, não disse nada e, pondo o braço à volta dela para ampará-la, conduziu-a para um dos quartos livres nas traseiras, deitou-a na cama e acendeu um candeeiro.

Ao repor o vidro, a luz tornando-se mais intensa, notou que a rapariga estava a chorar em silêncio e Matilda instintivamente sentiu que as lágrimas eram causadas por algo mais do que dor física ou embaraço.

O seu nariz largo e achatado e os lábios grossos não permitiam que fosse considerada bonita, mas as suas maçãs do rosto angulosas, olhos enormes e o lustro da pele escura eram muito atraentes.

— Estás a sangrar, minha querida — disse Matilda, sentando-se ao lado dela. — Estás menstruada?

A rapariga desviou a o olhar e tapou a cara com as mãos, levantando os joelhos contra o peito. Embora Matilda reconhecesse neste gesto uma atitude de defesa infantil, também revelou de novo a mancha de sangue que se alastrara numa nódoa com dez ou doze centímetros de largura. Olhou para ela por alguns momentos e decidiu que era demasiado grande para ser causada simplesmente pela menstruação.

— Estou a tentar ajudar-te — disse ela num tom mais firme. — Mas não posso fazê-lo se não falares comigo. Estás a perder um bebé?

Soou um leve gemido e a rapariga protegeu a cabeça como se estivesse à espera de uma bofetada. — Fui obrigada a fazer isto — sussurrou. — Era a única maneira.

Matilda não tinha a certeza se a rapariga estava a tentar dizer que fora violada ou se estava a admitir que fizera um aborto. — Não entendo muito dessas coisas — disse ela suavemente. — Mas a minha criada entende, por isso vou buscá-la. Agora fica aí quietinha que eu não demoro.

Dolores escutou a explicação de Matilda. Não fez nenhum comentário mas desapareceu imediatamente no quarto dela, voltando com um cesto tapado, que lhe entregou, e duas velhas toalhas do armário da roupa.

— Vá lá para baixo — disse ela. — O menino Peter está a dormir bem. Vou só buscar água quente e uns panos.

— Achas que ela fez alguma coisa para tentar livrar-se do bebé? — perguntou Matilda, receosa.

Dolores assentiu, o seu rosto altivo extremamente sombrio.

Matilda apercebeu-se de mais uma faceta de Dolores nas horas que se seguiram — bondosa, reconfortante, sem uma única palavra de censura a Fern e tão-pouco de choque quando a rapariga admitiu que tinha enfiado um espeto de carne na vagina. Despiu a roupa à rapariga com a ajuda de Matilda, não teceu nenhum comentário sobre os vergões de uma tareia recente nas costas dela nem sobre as marcas nos seus pulsos e tornozelos, como se tivesse sido acorrentada. Lavou-lhe o corpo todo, como se ela fosse um bebé impotente, e massajou as costas da rapariga sempre que vinha uma dor.

Matilda podia ter ajudado com o que sabia do aborto espontâneo de Lily e do nascimento do seu filho nado-morto, mas essas experiências não tornavam a visão de tanto sangue e do sofrimento da rapariga menos aterradora.

— Será melhor chamar um médico? — perguntou, assustada, a Dolores.

Dolores lançou-lhe um olhar desdenhoso. — Que médico é que tratava de uma rapariga negra?

Matilda olhou de Dolores para Fern e teve vontade de chorar pelas duas. Que espécie de país era este em que era recusado tratamento médico às mulheres por causa da cor da sua pele?

O barulho do bar ia aumentando, à medida que a noite avançava, e as dores de Fern eram agora quase contínuas. Ela estranhava que uma pessoa tão jovem pudesse ser tão estóica, pois os únicos sons que emitia eram ténues gemidos. Matilda só podia apanhar as compressas de pano sujas, ir buscar mais água e rezar para que a rapariga sobrevivesse.

Finalmente, a banda parou de tocar e ouviram as pessoas sair e o bar fechar. O silêncio era agora tanto que Matilda ouviu mesmo Sidney a trancar as portas, mas ele não tentou entrar nem chamar à porta, adivinhando talvez o que se estava a passar. Só ele, Mary e Albert dormiam agora nestes quartos do andar de baixo e Matilda pensou que ele provavelmente impedira os outros de se aproximarem.

Por fim, Fern soltou o único grito dessa noite e despejou uma massa ensanguentada no papel castanho que Dolores colocara debaixo dela.

— Pronto, está acabado — disse Matilda num tom reconfortante, esperando que fosse o caso, enquanto Dolores se apressava a retirar o papel castanho e o seu conteúdo. Limpou a cara e pescoço da rapariga com um pano fresco. — Estás em segurança connosco, nós tratamos de ti.

Fern pareceu relaxar um pouco, as veias que se haviam tornado salientes na cara e no pescoço durante o seu tormento voltando lentamente ao normal. Virou ligeiramente a cara para Matilda, os olhos marejados de lágrimas. — Porque é que me ajudou? — perguntou num sussurro.

— Porquê? Porque precisavas, é evidente — respondeu Matilda. — Queres explicar-me agora porque é que vieste ao meu bar quando tinhas acabado de fazer uma coisa destas a ti própria?

— A Anna, a minha amiga, disse que o *gin* daria resultado de certeza. Além disso, não tinha nenhum sítio para onde ir e estava a chover.

— Que rica amiga que ela se mostrou, a desaparecer quando perdeste os sentidos — disse Matilda com amargura.

Nesse momento, Dolores voltou com uma nova bacia de água quente e começou a lavar novamente Fern. — Não vais a lado nenhum durante uns tempos — disse ela bruscamente. — Por isso, é bom que nos digas de onde vens.

Fern olhou ansiosamente para a cara de uma e da outra mulher.

— Diz simplesmente a verdade — disse Matilda num tom doce. — Nós não vamos contar a ninguém, somos tuas amigas.

Ela tinha apenas catorze anos. A mãe era governanta de uma família em Filadélfia e Fern trabalhara aí como criada de cozinha desde os sete anos. Há um ano, viajara para a Califórnia com outras nove raparigas, sob a supervisão de uma negra chamada Mrs. Honeymead, que lhes prometeu a todas empregos bem pagos como criadas. O que ela encontrou no final dessa longa viagem foi um bordel nas docas.

Matilda ficou um tanto surpreendida quando Dolores disse a Fern que chegava por esta noite. Vestiu-lhe uma camisa de dormir lavada, administrou-lhe um medicamento e mandou-a dormir, dizendo que viria ver como ela estava durante a noite.

Sidney, Mary e Albert estavam sentados a tomar café no bar e todos eles levantaram ansiosamente os olhos.

— A rapariga está mal — disse Matilda. — Mas agora está a dormir. Vão-se deitar. De manhã, explico tudo.

Assim que ela e Dolores chegaram ao andar de cima, Matilda perguntou-lhe por que razão tinha calado Fern tão abruptamente.

Dolores fulminou-a com os olhos. — Não queria que ela tivesse pesadelos com esse lugar — respondeu. — Já passou por tormentos que cheguem esta noite.

— Conheces então o bordel?

— Claro que conheço — redarguiu Dolores, abanando a cabeça. — Chama-se Girlie Town e é o pior sítio onde uma rapariga pode acabar. Arranjam meninas, negras e chinesas, na maioria, e os animais que largam em cima delas não são dignos de se chamarem homens.

Matilda ouviu, horrorizada, Dolores contar que ouvira dizer que muitas das raparigas eram acorrentadas. — Viu as marcas que ela tinha — disse ela. — É assim que os homens gostam de ter prazer nesse vespeiro. E essa Mrs. Honeymead! É uma mulher execrável, ouvi dizer que era do Haiti, consta que lança feitiços para desgraçar as pessoas que a aborrecem.

Era espantosa a quantidade de informação que Dolores possuía. Mrs. Honeymead era uma proxeneta e trabalhava para um homem chamado Gilbert Green, conhecido como o Grande Gê. Era dono de muitos sítios na «Costa», onde por dez cêntimos um homem podia ver uma mulher ter relações com um burro ou ser violada por um homem seleccionado de entre a audiência.

— Todas as raparigas que trabalham para ele vão lá parar como a Fern — disse Dolores. — Jovens inocentes a quilómetros de casa.

No espaço de dois anos, ele brutaliza-as de tal maneira que elas deixam de se importar com o que ele lhes faça.

— Não posso acreditar que nada disso me tenha chegado aos ouvidos antes — disse Matilda, indignada.

— Não existia quando cá chegou — respondeu Dolores. — Nesse tempo, os mineiros só queriam uma mulher, ponto final. Mas já não se ganha dinheiro com o ouro e, como tal, os homens pérfidos não tardaram a descobrir uma maneira de fazer dinheiro e foi isto que arranjaram.

— Mas como é que estás ao corrente?

— Sou negra — disse ela, encolhendo os ombros. — As outras negras contam-me. Também me chamaram para resolver problemas como o da Fern.

— Estás a dizer que as ajudaste a livrarem-se de bebés? — exclamou Matilda, profundamente chocada.

— Não me ponha esse ar — disse Dolores, franzindo os olhos. — Não há nada pior que uma criança nascer quando não é desejada, não tem nada à frente dela senão miséria. É melhor que seja alguém como eu a fazê-lo do que uma dessas velhas imundas que se estão nas tintas se as matarem.

Dolores desaparecia com frequência a horas estranhas mas Matilda sempre imaginara que as mensagens que lhe eram deixadas no bar e a levavam a sair estavam relacionadas com a igreja. Mas o bem ou o mal do que Dolores fazia não era assunto que Matilda quisesse discutir naquele momento. — Mas a Fern disse que não tinha para onde ir. Achas que esse homem, o Grande Gê, a pôs na rua?

— Ele não é de pôr raparigas na rua, quando são novas e frescas como ela. Imagino que fugiu e, se for esse o caso, ele há-de vir à procura dela.

Matilda não conseguiu dormir nessa noite com todas as imagens de terror que Dolores lhe metera na cabeça. Levantou-se duas vezes e desceu para ver como Fern estava mas, felizmente, ela dormia profundamente. Interrogou-se sobre o que haveria de fazer com a rapariga quando ela estivesse melhor. Não precisava de mais empregadas e, mesmo que precisasse, se Dolores tivesse razão e este Grande Gê aparecesse à procura de Fern, voltaria ao ponto de partida.

No entanto, as palavras de Cissie, pouco antes de morrer, a respeito de salvar raparigas como ela, não lhe saíam do pensamento.

Tinha de fazer mais do que apenas tratar da rapariga e mandá-la à vida dela.

De manhã, Fern estava muito melhor. Não tinha febre e Dolores disse que a quantidade de sangue que estava a perder era normal, pelo que não lhe parecia que viesse a haver complicações. Por uma questão de segurança, Matilda mandou Sidney instalar a rapariga no antigo quarto de Zandra; muitas pessoas tinham-na visto desmaiar no bar e o Grande Gê não demoraria decerto a saber.

— Se alguém perguntar por ela, diz que a deixei deitar-se por algum tempo e que depois a mandei embora — disse ela a Sidney. — Não deixes ninguém saber que ela está aqui.

Sidney ficou muito preocupado. — Já ouvi falar do Grande Gê — disse ele. — Não é homem com quem se brinque, Matty.

— Queres ver a Fern voltar para essa vida?

— Bem... não — disse ele, um pouco embaraçado.

— Também não me parece — disse ela, sorrindo. — Sempre tiveste bom coração. Portanto, temos de protegê-la, certo?

Mais tarde, Matilda foi ver como Fern estava e sentou-se na beira da cama.

— Diz-me como fugiste — pediu ela.

Fern parecia ter ainda menos que catorze anos, ali deitada na cama enorme, os seus grandes olhos castanhos repletos de medo. — Miz Honeymead tinha-nos sempre trancadas — disse ela. — Só saíamos quando ela nos levava a um homem mas também éramos trancadas com ele. Só que anteontem ela estava a levar-me depois de ter estado com um homem quando o Grande Gê apareceu. Ele estava furioso por causa de qualquer coisa e ela enfiou-me num quarto e foi-se embora com ele. Suponho que estava tão perturbada que se esqueceu de me fechar à chave. Aproveitei e fugi. Não conhecia nenhum sítio, a não ser os quartos onde me trancavam, mas fui à cozinha, escondi-me atrás de uma porta até que a mulher que lá estava virou costas, saí a correr pela porta de trás e galguei o muro.

— Isso foi anteontem? — perguntou Matilda para esclarecer.

Fern indicou que sim. — Foi de manhã e só tinha vestida uma combinação. Cheguei a uma espécie de pátio atrás de um bar e foi quando conheci a Anna. Ela estava ali sentada a descansar. Disse-lhe que tinha fugido. Ela disse que eu não ia muito longe sem roupa e levou-me para o quarto dela para me esconder. Fiquei lá todo o dia e toda a noite. Acabei por lhe contar que estava grávida e ela disse que era melhor desfazer-me do bebé senão só ia aumentar a minha desgraça. Só sabia da maneira que Miz Honeymead fazia com as raparigas e foi o que fiz.

Matilda sentiu o estômago revolver-se à ideia de uma rapariga tão nova fazer uma coisa tão bárbara a si mesma.

— Pensei que ia sair logo — disse Fern num tom normal. — Doeu mas mais nada. Acho que a Anna também começou a ter medo por me estar a esconder porque me deu um vestido e um par de botas e me mandou desaparecer da «Costa» e esperar por ela ao pé do London Lil's. Disse que ia tentar arranjar-me algum dinheiro e que ia ter comigo. Começou a chover enquanto eu estava à espera e já me estava a sentir mal, mas ela apareceu e foi assim que entrámos no bar.

Subitamente, Matilda compreendeu. Anna provavelmente ouvira dizer que ela se condoía das raparigas da rua, talvez até tivesse esperado que, ao mandar Fern esperar ao pé da casa, ela a visse e a acolhesse. Anna era claramente uma pessoa compassiva, fora ver o que acontecera à nova amiga, e quem podia censurá-la por ter desaparecido quando achou que ela estava em boas mãos?

— Por favor, não me mande outra vez para Miz Honeymead! — disse Fern subitamente, olhando para Matilda com uma expressão suplicante nos olhos. — Eu lavo a loiça, esfrego o chão, tudo o que disser.

— Não, não te mando com certeza para lá. — Matilda pegou nas duas mãos da rapariga e apertou-as. — Mas não te posso ter aqui para sempre, Fern, por mais que gostasse, não preciso de mais empregadas. Mas prometo que te arranjo um sítio seguro quando estiveres melhor.

Deixou Dolores falar com Fern mais tarde e descobriu, pela criada, que a rapariga era submetida a sexo com dezenas de homens por dia. Mrs. Honeymead publicitava Fern aos seus «cavalheiros» como uma «gatinha diabólica», afirmando que era tão feroz que tinha de estar sempre acorrentada. Fern fora treinada para dar patadas, lutar e cuspir aos homens. Se não desse um bom espectáculo, era espancada e era-lhe negada comida.

Tamanha depravação agoniava Matilda, não era capaz de imaginar que género de homem apreciava divertimento tão macabro. Mas Dolores disse enigmaticamente que se passavam coisas piores na «Costa».

*

Duas noites mais tarde, Matilda estava no bar com Henry Slocum. Estava uma noite sossegada porque não havia espectáculo, apenas a banda a tocar. Matilda tinha estado a perguntar a Henry o que se podia fazer a respeito das pessoas que recrutavam raparigas muito novas e as mantinham praticamente prisioneiras. A resposta dele não foi encorajadora, na sua opinião era extremamente difícil de provar porque, enquanto usassem apenas mexicanas, chinesas e negras, a palavra delas não seria ouvida contra a de um homem branco.

Em seguida, falaram sobre a cidade em geral. Henry contou-lhe que Mr. Meigg, outro vereador como ele, famoso por ter construído o Cais de Meigg, com quatrocentos e oitenta metros de comprimento, havia fugido depois de ter desviado fundos municipais para financiar os seus precários negócios pessoais. Estava precisamente a dizer que constava que o homem estava no Peru, a construir estradas, quando as portas do bar se abriram com um estrondo e um homem enorme entrou, com um casaco chocante de xadrez preto e branco e um chapéu de coco preto. Só o tamanho do homem, bem mais de um metro e oitenta, e a sua expressão irada disseram imediatamente a Matilda que se tratava do infame Grande Gê.

Só o seu tamanho bastava para pôr Matilda a tremer e a maneira como ele olhava para ela não lhe deixava dúvidas de que era excepcionalmente perigoso. Um grande rosto quadrado, da cor de fígado cru, com barba preta por fazer no queixo e olhos claros e malévolos. O género de homem que tinha ar de quem teria gozo em matar ou mutilar quem quer que o irritasse.

O homem estava claramente bem informado a respeito de Matilda, porque se dirigiu logo para ela, em passos largos, afastando Henry com uma cotovelada.

— Ouvi dizer que está a dar guarida a uma das minhas raparigas — disse ele, olhando para ela com uma expressão ameaçadora. — Quero que ma entregue e já.

— Peço desculpa, mas não sei do que está a falar — retorquiu Matilda. — Não estou a dar guarida a ninguém.

— Ora bem — disse Henry —, não sei quem o senhor é nem o que pretende de Mrs. Jennings, mas isso não são modos de falar com uma senhora.

O matulão lançou a Henry um olhar cáustico e empurrou-o brutalmente para o lado, como se ele fosse um insecto maçador. Henry, pensando talvez que ajudaria mais se não interferisse, manteve-se à distância.

Matilda sempre supusera que ninguém ousaria fazer-lhe mal no seu próprio estabelecimento, mas sentiu que este homem não teria escrúpulos em atacar ninguém, homem, mulher ou criança, onde quer que estivessem. Visto de perto, era ainda mais temível — feiíssimo, com pêlos pretos a espreitar-lhe do nariz enorme e os poucos dentes que lhe restavam podres, mas eram os olhos que mais a assustavam, pois eram azul-claros e possuíam uma expressão alucinada, como os de um cão raivoso.

— Não brinque comigo — atirou-lhe. — Tenho maneiras de lidar com as pessoas que metem o nariz nos meus negócios. Vá buscar a rapariga imediatamente.

A banda continuava a tocar alegremente, mas toda a gente no bar se calara e a tensão era palpável. Matilda viu que ele tinha uma arma enfiada no cinto, o casaco aberto o suficiente para expor a coronha lustrosa. Não tinha dúvidas de que ele não hesitaria em usá-la.

Matilda estava aterrada. Não ousava mandar ninguém ir buscar ajuda pois ele atirar-se-ia certamente à primeira pessoa que se mexesse. A sua única alternativa era levá-lo a mudar de ideias.

— Peço desculpa mas não sei o seu nome — disse ela, tentando acalmar a situação com um certo charme. — E não percebo como é que pensa que uma das suas raparigas está aqui. Não dirijo nenhum bordel, as únicas raparigas que aqui tenho são as minhas empregadas de mesa.

— O meu nome é Gilbert Green — disse ele, num tom desdenhoso, como se só o som do nome devesse pô-la em fuga. — Sei tudo sobre si, faço questão de saber tudo sobre as pessoas desta cidade. Por isso, se não quer problemas, vá buscá-la.

Apesar de assustada, Matilda tinha uma posição a defender e não tencionava permitir que ninguém pensasse que podia falar com ela naqueles termos.

— Faça o favor de sair, Mr. Green — disse ela, endireitando-se o mais que pôde, mas mesmo assim mal lhe dava pelo ombro. — Como disse, está enganado. E não gosto que me façam ameaças.

Ele fez-lhe má cara e afastou-se, sim, mas na direcção da porta que levava aos quartos onde Sidney dormia. Era óbvio que ouvira dizer que fora para ali que Fern fora levada.

— Pode inspeccionar aí à vontade — disse ela. Sidney estava a encaminhar-se para eles e ela lançou-lhe um olhar de advertência para que não se aproximasse. — Por aqui. Eu própria lhe mostro.

Passou à frente do homem, abriu a porta de fora e conduziu-o de quarto em quarto. — Está a ver? — disse ela, triunfante. — São apenas quartos onde o meu pessoal dorme, nada mais.

— Mas trouxe-a para aqui — disse ele, quando voltaram para a porta. — Eu sei que trouxe.

Todos os poros na pele dela pareciam estar a abrir-se de terror. Sentia o suor na cara, no peito e até nas costas. — De facto, uma jovem negra desmaiou no bar no outro dia à noite — disse ela, como se acabasse de se lembrar. — Sim, na altura trouxe-a para aqui até ela recuperar mas, quando fechámos o bar, foi-se embora. Nunca mais a vi.

Ele pareceu acreditar nela e, quando começou a afastar-se, Matilda experimentou uma onda de alívio. Mas ele estacou subitamente ao fundo das escadas e olhou para as portas em cima.

— O que é que fica ali em cima?

Com isto, Matilda entrou em pânico. Não só Fern estava no seu apartamento, mas Peter e Dolores também.

Antes de lhe ocorrer alguma coisa para o demover, já ele ia a subir as escadas de dois em dois degraus. Ela só pôde correr atrás dele.

Deixou-o espreitar nas primeiras divisões, que eram salas de jogo privadas, onde não estava ninguém, esperando que alguém no andar de baixo tivesse o bom senso de correr a pedir ajuda. Mas, se alguém se mexeu, ela não ouviu e ele estava agora a aproximar-se da porta do apartamento.

Experimentou o puxador mas estava trancado. Virou-se para ela, com um sorriso malévolo na cara. — Abra isto — ordenou ele.

— Era o que faltava — disse ela, indignada. — É o meu apartamento.

— Então deito abaixo a merda da porta — declarou ele.

Só a ideia de ele arrancar Fern da cama e a arrastar de novo para aquele bordel, enquanto ela ainda estava a perder bastante sangue, quase fez as pernas de Matilda ceder, pois seria o mesmo que assinar a sentença de morte da rapariga. Sabia também que Dolores lutaria como um urso para proteger Fern e o homem podia muito bem apontar-lhe a arma. Peter também estava lá dentro e, se ouvisse alguma coisa, levantar-se-ia para lidar com a questão.

Quando ele se virou para meter o ombro à porta, Matilda baixou-se, levantou a saia e tirou a pequena pistola da liga.

— Afaste-se já dessa porta — gritou. — Senão mato-o!

Em dois anos, nunca tivera motivo para ameaçar ninguém com a arma, mas andava sempre com ela carregada, por uma questão de hábito, e nunca deixara de praticar tiro ao alvo.

A banda parou subitamente de tocar, o bar mergulhando instantaneamente num silêncio sepulcral, todos os olhos fixos na cena que se desenrolava em cima.

Foi o silêncio repentino, mais do que as palavras dela, que o fizeram virar-se, mas quando viu a pequena arma, rompeu a rir com uma expressão escarninha. — Não acertava num elefante com isso — disse ele.

Matilda ficou aterrada. A mão que segurava na arma estava a tremer, talvez não conseguisse premir o gatilho se fosse necessário. Mas não podia deixar o homem levar a melhor sobre ela. Tinha de fazer finca-pé e impedi-lo de abrir aquela porta.

— Não me tente a provar que está enganado — disse ela, a sua voz tremendo tanto como as mãos. — Afaste-se dessa porta imediatamente.

Quando ele se afastou ligeiramente e se preparou para se lançar contra a porta, Matilda percebeu que o *bluff* não seria suficiente.

Apontou para o ombro dele e premiu o gatilho.

Na sala silenciosa, a detonação soou com um tiro de canhão. O matulão virou-se, cambaleou para ela e depois caiu a três passos dela. Nas costas do seu casaco de xadrez via-se um orifício nítido, o tecido em volta negro e fumegante.

Matilda ficou atordoada. Apontara ao ombro dele, tencionando feri-lo de raspão, nada mais, mas ele devia ter-se virado um pouco quando ela disparou. Ficou paralisada de horror, a arma fumegante ainda na sua mão.

De imediato, foi quebrado o silêncio, alguém aclamou, outras pessoas bateram os pés e aplaudiram. Mas foi o som de passos de corrida nas escadas atrás dela que a trouxe à realidade. Sidney foi o primeiro a chegar junto dela, agarrando-a nos braços. Alfred, o outro empregado de bar, dirigiu-se ao homem prostrado, rolou-o sobre as costas e, removendo-lhe a arma do cinto, disparou um tiro contra a porta da sala de jogo privada.

— Porque é que ele fez aquilo? — perguntou Matilda debilmente. A varanda parecia estar a oscilar e o fumo era tanto que mal conseguia ver. Parecia ser um sonho bizarro, mas sabia que não era.

— Para podermos alegar que o Grande Gê disparou contra ti primeiro —sussurrou Sidney.

— Ele está morto? — perguntou ela, baixando os olhos para o homem estendido no chão, com Henry Slocum debruçado sobre ele.

— Ainda não — disse Henry, o rosto branco como pergaminho. — Mas suponho que estará em breve. Não se preocupe, Matty. Nós tratamos disto.

Dolores saiu a correr pela porta do apartamento, logo seguida de Peter que estava só de camisa de dormir, e ambos sustiveram a respiração ao ver o corpo do homem no patamar.

— Voltem para dentro — Matilda conseguiu dizer. — Já passou.

A última coisa que Matilda ouviu quando Dolores levou Peter de novo para dentro foi a voz entusiasmada do rapaz: — Achas que foi a tia Matty que o matou?

Se Matilda alguma vez duvidara da lealdade e admiração do seu pessoal e dos seus clientes, nos dias seguintes tais dúvidas foram dissipadas. Todos sem excepção corroboraram a história de Sidney e Henry à polícia de que o Grande Gê entrou no bar a ameaçá-la e que ela sacara da arma quando ele se dirigira ao andar de cima, a fim de tentar impedi-lo de entrar no apartamento. Ele virara-se, vira a arma, puxara da sua e disparara, não lhe acertando por centímetros, e ela disparara a dela, em último recurso, quando ele tentara mais uma vez deitar abaixo a porta.

A polícia, raramente eficiente, aceitou de bom grado esta história. Gilbert Green era odiado e temido por centenas de pessoas e a sua morte, algumas horas depois do tiro, foi motivo de alegria e prazer e não de tristeza.

Matilda estava tão profundamente chocada que, durante dois dias, achou quase impossível entrar no bar. Embora não sentisse quaisquer dúvidas a respeito da morte do homem — afinal de contas, ele era um bruto malévolo — espantava-a pensar que era capaz de matar outro ser humano. Fizera muitas coisas no seu tempo mas matar, ainda que por uma boa causa, era um fardo demasiado pesado para carregar.

Sentia-se igualmente perturbada por descobrir que se tornara uma heroína da noite para o dia. Embora fosse muito agradável ser apelidada de «valentona» e ganhar o respeito de homens que anteriormente a julgavam uma mera figura de proa no London Lil's, sabia que as suas acções a haviam levado demasiado depressa à situação de ter de tomar uma posição pública contra as atrocidades que sucediam diariamente na cidade.

Na terceira noite após o acontecimento, encheu-se de coragem para voltar ao bar. Ficar no apartamento só servia para alimentar mais histórias chocantes sobre si própria e ela sabia que devia mostrar-se calma e controlada. O bar estava à cunha — Sidney dissera em tom de brincadeira, ao jantar, que talvez ela devesse matar alguém todos os meses porque era bom para o negócio. Ao abrir caminho por entre a multidão, parando para falar com clientes habituais como era seu costume, muitos homens gritaram-lhe palavras elogiosas.

Jack Skillern, um antigo mineiro que usara o ouro que encontrara para abrir uma loja de calçado, acercou-se dela e beijou-a na face.

— Para que é que foi isso, Jack? — disse ela, a rir. Gostava deste homenzinho magrizela que estivera presente na noite da inauguração e era, desde então, cliente habitual.

— Não é só de mim — disse ele, com um ar tímido —, mas da rapaziada toda. É que temos todos muito orgulho em si. Foi muito corajosa. A maioria de nós viraria as costas e fugiria se esbarrasse com o Grande Gê.

— Obrigada, Jack — disse ela, beijando-o também na face. — Talvez lhes possas dizer a todos que aprecio o apoio que me deram. Fiquei muito sensibilizada com isso, não sabia que tinha tantos amigos.

— Tem muitos mais do que imagina, minha senhora — disse ele. — É que consideramos o London Lil's o nosso sítio especial. Recebe-nos sempre bem, é uma casa alegre e amigável. Cá a rapaziada faria tudo por si.

Ela limitou-se a olhar para ele por um momento, sentindo um nó a formar-se-lhe na garganta. Este homenzinho cómico fizera uma fortuna com o ouro, perdera-a ao jogo e voltara a fazer fortuna. Finalmente, tivera o bom senso de guardar uma parte para abrir a sua loja. Era como muitos dos seus clientes, fanfarrões barulhentos, irresponsáveis, imprevidentes, afáveis e preciosos para ela. As suas poucas palavras elogiosas significavam muito para Matilda.

— Vai beber com o resto da rapaziada uma bebida por conta da casa — disse ela. — Vou já dizer ao Sidney.

Ainda o Grande Gê não arrefecera na campa quando Mrs. Honeymead foi presa, acusada de recrutar raparigas para a prostituição, e o advogado de acusação pediu a Matilda que o acompanhasse para falar com algumas das raparigas que ainda estavam no bordel, para encorajá-las a apresentarem-se como testemunhas.

Estava a chover torrencialmente na manhã em que o Dr. Rodrigious a levou na sua charrete para se encontrar com as raparigas. Ele era um sul-americano baixo e magro, mas rijo, com cabelo preto oleado e um bigode caído, que falava um inglês impecável. Disse-lhe durante a viagem para o bordel que estudara em Boston e que esperava um dia ir para Inglaterra, pois, na sua opinião, o direito inglês era o melhor do mundo.

— Possivelmente vai achar muito perturbantes as condições em que se encontravam as raparigas — disse ele, parando a charrete em Kearny Street. — A maioria delas desapareceu quando Mrs. Honeymead foi detida. As que ficaram sao as que estão demasiado doentes e confusas ou que são mesmo demasiado fracas de espírito para fugir. Levei-lhes comida e água, mas recusaram-se a sair dos quartos enquanto lá estive.

Enquanto percorriam uma viela sinuosa, estreita e nauseabunda, Matilda recordou-se da excursão ao Castelo das Ratazanas nesse passado distante. Por cima da porta, ao fundo da viela, havia um letreiro, «Girlie Town», e, de cada lado, chocantes imagens pintadas de raparigas nuas. As janelas gradeadas em cima estavam todas tapadas e, mesmo à luz do dia, uma sensação de iniquidade causou-lhe um arrepio na espinha.

O Dr. Rodrigious abriu a porta com uma chave e olhou então para ela, como se esperasse que lhe faltasse a coragem.

— Estou bem — disse ela. — E quero ver tudo. Não apenas o que pensa que é próprio para uma senhora ver.

O advogado deteve-se à entrada para acender um candeeiro a petróleo, pois, graças às janelas tapadas, a escuridão era total e o silêncio absoluto. No andar de baixo, Matilda não viu nada que a surpreendesse: um bar de dimensão razoável à frente com sofás coçados, bem como um pequeno balcão que tinha ar de ter sido recentemente pilhado. Atrás deste, ficava uma cozinha, apenas diferente pela imundície, com pilhas de pratos sujos e a mesa coberta de caganitas de rato. Ela abriu a cortina na porta e viu o pátio e o muro que Fern galgara para escapar. Os aposentos de Mrs. Honeymead eram contíguos à cozinha, uma sala excessivamente mobilada e um quarto adjacente, apenas notável por ser surpreendentemente acolhedor e asseado.

Em seguida, subiram ao andar de cima. Aqui havia seis pequenos quartos, sem qualquer mobília à excepção de uma cama de ferro no centro de cada um. Não havia cobertores nem lençóis, apenas colchões sujos que, mesmo à luz ténue do candeeiro, exibiam manchas de sangue e outras nódoas repugnantes.

— Estes são os quartos para onde Mrs. Honeymead levava as raparigas — disse o Dr. Rodrigious, aproximando a luz da cabeceira da cama para ela ver as correias de couro ainda ali suspensas. Apontou a luz às paredes para lhe mostrar os respingos de sangue. — Nem dá para imaginar o que se passava nestes quartos.

Ao subirem outro lanço de escadas, Matilda ouviu gemidos fracos.

O advogado virou-se para ela e falou em voz baixa. — Quando vir os quartos delas, vai estranhar que prefiram ficar aqui. Concluí que é porque se sentem mais seguras com o que conhecem.

Em redor de um pequeno patamar central, no qual se encontrava um tabuleiro vazio, presumivelmente o que contivera a comida que o advogado lhes levara, e um jarro também vazio, havia uma dúzia de portas estreitas, todas elas com uma grelha sem resguardo. Matilda espreitou por uma e recuou imediatamente perante o odor a fezes.

— Comeram a comida que lhes trouxe mas os baldes dos dejectos não foram despejados desde a detenção de Mrs. Honeymead — disse o Dr. Rodrigious, tapando o nariz. — Não consegui arranjar ninguém que cá viesse tratar de nada.

Matilda abriu a porta mais próxima e, tirando-lhe o candeeiro da mão, entrou. Uma rapariga pequena estava enroscada no chão como um cão. Quando foi apanhada no feixe de luz, soltou um latido de terror e tentou recuar para o canto.

O quarto sem janelas era mais como uma jaula, com menos de um metro de largura e cerca de um metro e meio de comprimento, o tecto tão baixo que era necessário baixar a cabeça para entrar. Não havia uma única peça de mobília, apenas um cobertor no chão e o balde fétido.

A rapariga não tinha mais de dez anos e era chinesa, coberta apenas por um vestido informe, manchado e roto. Pôs os braços descarnados à volta das pernas e o seu olhar alternava, assustado, entre Matilda e o homem à porta.

— Venho ajudar-te — disse Matilda, aproximando-se dela. Estendeu a mão para acariciar a testa da rapariga. — Este senhor também te quer ajudar. Não te vai fazer mal.

Não houve reacção e Matilda deduziu que ela não compreendia inglês. — Amiga — disse ela, pegando numa das pequenas mãos da rapariga entre as suas e massajando-a.

— Há outra rapariga chinesa, duas mexicanas e quatro negras — disse o Dr. Rodrigious atrás dela. — Posso traduzir o espanhol mas infelizmente não sei chinês.

À medida que examinava as raparigas uma a uma, a revolta e indignação de Matilda para com Mrs. Honeymead e os homens que haviam usado estas raparigas cresciam. Só a maneira como haviam ficado encolhidas nas suas gaiolas, em lugar de procurarem o conforto umas das outras, revelava o terror que sentiam. Uma das raparigas negras exibia ferimentos horríveis de um espancamento recente e as duas mexicanas pareciam mais mortas que vivas, imóveis e silenciosas nos respectivos cobertores.

Estavam em muito pior estado do que as crianças em Five Points, pois a falta de comida e roupa era facilmente corrigida. Mas estas raparigas haviam estado prisioneiras às escuras, sujeitas a crueldades e perversões inenarráveis, e seria necessário muito mais do que um banho quente e algumas boas refeições para recompor os seus ânimos alquebrados.

O Dr. Rodrigious permaneceu no patamar enquanto ela falava com cada uma das raparigas. Matilda concluiu que ele era um homem de bom coração mas que, no meio de tudo isto, se sentia muito mais perdido do que ela.

— Temos de tirá-las daqui — disse ela, voltando para junto dele. Uma das negras mais jovens parecia compreender que ela estava ali para ajudar e aproximara-se dela, metendo a mão na dela. — Estão todas doentes, esfomeadas e sabe Deus em que estado têm a cabeça.

O Dr. Rodrigious ficou consternado. — Mas não há nenhum sítio para onde as levar — disse ele. — O orfanato não aceita raparigas destas.

Matilda explodiu de fúria perante a estupidez do homem. — É impossível que não perceba que, antes de serem interrogadas sobre o que se passava aqui, têm de recuperar a saúde.

— Mas quem é que vai encarregar-se disso? — perguntou ele, o seu rosto pálido perdendo a cor. — Podem ser portadoras de uma série de doenças graves.

Neste aspecto tinha razão e, por mais que ela quisesse pegar nas raparigas e levá-las para casa, seria um gesto imprudente.

Raciocinou rapidamente. — Eu cuido delas — disse ela. — E, se não houver mais nenhum sítio para onde as levar, então terá de ser aqui, lá em baixo no bar. Mas o senhor tem de arranjar um médico que esteja disposto a vir examiná-las.

— Nenhum médico que eu conheça viria aqui — disse ele, encaminhando-se para as escadas como se tencionasse fugir.

Foi uma súbita e nítida imagem de Cissie, Amelia e Susanna, deitadas moribundas sobre as camas, que clarificou repentinamente o espírito de Matilda. Nada podia tê-las salvo e nada alguma vez apagaria a dor de perdê-las. Mas podia salvar estas crianças e fá-lo-ia, custasse o que custasse.

Colocou-se à frente dele, barrando as escadas. — Ouça, Dr. Rodrigious, quando me foi pedir ajuda, acreditei que era porque tinha bom coração e um carácter compassivo. Um dos maiores obstáculos que estas raparigas terão de enfrentar é aprender a confiar novamente nos homens. Pode ajudar nessa questão fazendo alguma coisa por elas já — disse ela num tom veemente.

— Mas não conheço nenhum médico disposto a vir aqui!

— Vá falar com o Henry Slocum, ele há-de conhecer alguém, diga-lhe que fui eu que insisti. E quero que tragam colchões limpos para aqui, lençóis, cobertores, comida e duas mulheres para limpar a cozinha; pago todas as despesas.

— Não sei, não — disse ele, recuando. — As minhas instruções eram simplesmente no sentido de conseguir a sua ajuda para produzir testemunhas e não para transformar esta espelunca num hospital.

— Não haverá testemunhas com vida a não ser que ajude — respondeu-lhe Matilda com brusquidão. — Não lhe estou a pedir que arregace as mangas e faça trabalho sujo, unicamente que se preocupe com oito crianças o suficiente para agir para bem delas.

Ele estava agora a tremer de agitação e ela concluiu que era mais fraqueza do que insensibilidade.

— Duas destas raparigas são da sua raça — disse ela, determinada em inculcar-lhe à força a ideia na cabeça. — Como é que se sentiria se uma filha sua fosse aliciada para longe de casa com a promessa de um bom emprego, vindo a descobrir mais tarde que ela tinha morrido num bordel porque um homem não lhe prestou ajuda?

Ele soltou um suspiro profundo e puxou pelo bigode. — Seja. Vou fazer o que puder, Mrs. Jennings. Mas devo avisá-la que acho que está a ser excessivamente emocional e imprudente.

— Antes imprudente que cobarde — disse ela, num tom resoluto. Vá, agora desça enquanto explico a esta criança que vou voltar.

Ajoelhou-se diante da rapariguinha negra e afagou-lhe ternamente a cara. — Vou olhar por vocês todas — disse ela num tom meigo. — Mas primeiro tenho de ir buscar algumas coisas. Mas eu volto em breve, com comida e outras coisas. Não se assustem quando ouvirem barulho lá em baixo, sou só eu que vou voltar com umas senhoras simpáticas. Podes explicar isto às outras raparigas?

Três horas mais tarde, Matilda estava pronta para trazer as raparigas para o andar de baixo.

Ocorreu-lhe, enquanto o Dr. Rodrigious a levava de volta ao London Lil's, que usar o bar como camarata não era prático. Se aparecessem homens a bater à porta e às janelas à noite, as raparigas ficariam ainda mais perturbadas. Assim, decidira usar a sala e o quarto de Mrs. Honeymead, que pelo menos apresentavam uma aparência de conforto e as janelas não estavam gradeadas nem tapadas. Pediu a Dolores que a acompanhasse.

Foram levadas à sua presença duas mulheres, uma irlandesa e uma negra, e embora parecessem apreensivas, quando Matilda explicou a situação e lhes ofereceu mais dinheiro, não tardaram a acender o fogão e a aquecer baldes de água e o som das limpezas e o odor a sabão encheram o andar de baixo da casa.

Dolores levou sopa e pão às raparigas em cima enquanto Matilda removia mobília a mais e tudo o que pudesse lembrar Mrs. Honeymead. Quando os colchões e a roupa de cama foram entregues, fez as camas no chão.

As duas mulheres haviam feito um excelente trabalho na cozinha. A última tarefa que Matilda lhes deu antes de lhes pagar foi a de irem buscar duas tinas de metal lá fora e encherem-nas com água quente.

Depois subiu com Dolores para trazer as raparigas.

Dolores já declarara que achava que uma das negras não tinha salvação. O seu corpo estava coberto de contusões e, na sua opinião, a rapariga tinha também lesões internas. As duas mexicanas estavam demasiado fracas para ingerir mais que algumas colheres de sopa e a pequena chinesa que Matilda vira primeiro tinha tanto medo dela que teve de lhe deixar a sopa e o pão no chão e afastar-se.

— Temos de carregar com as mais fracas — disse Dolores quando chegaram ao patamar de cima. — Pode ser que as outras venham atrás.

Matilda entrou em cada um dos quartos para cumprimentar as raparigas antes de as transferir. A pequena negra que lhe pegara na mão antes acedeu de bom grado a ir e a primeira rapariga chinesa arrastou-se dois passos na sua direcção. Pegando nesta ao colo, ficou espantada ao reparar que pesava o mesmo que Amelia e, apertando-a contra o peito, voltou a cada um dos quartos.

— Vimos já buscá-las — disse ela. — Não demoramos nada.

Dolores carregou com a jovem negra gravemente ferida, reconfortando-a com palavras meigas enquanto desciam as escadas. Um ruído de passinhos leves atrás delas levou-as a parar — a rapariga negra seguia-as cautelosamente.

— Anda lá então — disse Matilda, acenando-lhe com a cabeça. — Não há razão para teres medo.

Enquanto Matilda metia a rapariga chinesa directamente no banho, Dolores considerou que a sua estava demasiado ferida para se sentar sequer e assim deitou-a na mesa da cozinha e começou a despir-lhe os trapos ensanguentados. — Venha cá ver isto — sussurrou ela.

Matilda aproximou-se mas o choque do que viu encheu-a de náuseas. As costelas da rapariga projectavam-se-lhe da pele em ângulos esquisitos, quase não tinha um centímetro de corpo que não estivesse pisado e, quando Dolores afastou as pernas magras como espetos da rapariga, viu que ela tinha a vagina rasgada e inchada.

Levou imenso tempo a lavar cada uma das raparigas e a deitá-las nas novas camas. Cada movimento tinha de ser lento e suave para não as assustar mais e não havia sequer maneira de descobrir os nomes das raparigas para facilitar a comunicação com elas. Matilda seguiu o exemplo de Dolores, tagarelando docemente sobre tudo e mais alguma coisa, num tom quase cantado, pois elas pareciam achar isso calmante.

Mas depois o médico chegou e, assim que entrou na sala com Matilda, começaram todas a choramingar, excepto a gravemente ferida, que parecia não se aperceber de nada.

— Este senhor não é mau — disse Matilda num tom firme. Conhecia o Dr. Wilinsky, um polaco, de passagem, porque ele aparecia de vez em quando no bar. — É médico e veio pô-las boas. — Mas as suas palavras nada fizeram para acalmar os receios delas.

Matilda sentiu que o Dr. Wilinsky estava aqui sob coacção e o seu exame não foi completo nem particularmente compassivo. Foi nesse momento que ela começou verdadeiramente a acreditar que as mulheres deviam ser autorizadas a praticar medicina, ainda que apenas com raparigas e mulheres que tivessem sido molestadas por homens.

Meia hora mais tarde, à porta da sala, o médico disse a Matilda que não alimentasse esperanças relativamente à negra gravemente ferida pois, na sua opinião, a sua costela partida perfurara-lhe o pulmão, mas sugeriu que lhe amarrassem firmemente as costelas com uma ligadura para aliviar a dor e lhe administrassem láudano. Quanto às outras, opinou que descanso, boa comida e cuidados carinhosos as ajudariam a recuperar, pois achava que nenhuma delas sofria de alguma doença infecciosa.

Matilda preparava-se para admoestar o homem de constituição franzina pela sua falta de interesse quando subitamente ele disse que ia escrever um relatório completo ao Dr. Rodrigious e que estava preparado para comparecer em tribunal para garantir que Mrs. Honeymead era enforcada pelo que fizera a estas raparigas.

— Muito obrigada, senhor doutor — disse ela, contente por não se ter, afinal, atirado a ele.

— Não queria vir — admitiu ele, tendo a delicadeza de pôr um ar embaraçado. — Suponho que sou como a maioria das pessoas, mas a senhora, Mrs. Jennings, encheu-me de vergonha. Que tenciona fazer com estas raparigas quando elas se restabelecerem?

— Neste momento, não sei — disse ela com um suspiro. — Mas acho que todos os homens e mulheres adultos desta cidade deviam unir-se a mim para pôr cobro a este tipo de bestialidade.

— Tem todo o meu apoio — disse ele, surpreendendo-a. — Sobretudo se encontrar maneira de reabilitar estas raparigas para que possam esquecer o que aprenderam neste lugar.

Uma semana mais tarde, de novo no London Lil's, Dolores estava a preparar um grande cesto com frango frito, um grande recipiente de sopa e pão caseiro, preparando-se para ir render Matilda durante a noite, quando Sidney entrou a correr na cozinha.

— O capitão Russell está no bar — disse ele, sem fôlego.

— Santo Deus! — exclamou Dolores, a sua expressão um misto de deleite e apreensão pois, tal como Sidney, compreendeu que ele não tivera maneira de saber das trágicas mortes no Oregon. Partira em Julho, era agora o princípio de Outubro, e se tivesse passado as últimas semanas a viajar do Kansas, não podia ter recebido a carta de Matilda.

— Acho que temos de informá-lo antes de ele estar com ela — disse Sidney. — Mas não quero ser eu.

Dolores deu uma palmadinha compreensiva no ombro do rapaz.

— Trá-lo cá acima, Sidney — disse ela. — O menino Peter está no quarto dele a fazer os deveres; vou tratar de não o deixar sair de lá e dizemos os dois ao capitão.

No bar, em baixo, James estava intrigado. Em primeiro lugar, Sidney não o cumprimentara com a sua habitual afabilidade, desaparecendo apressadamente a pretexto de precisar de falar com Dolores. Depois, virara-se para Mary e Albert, mas eles pareciam estar especialmente empenhados em servir clientes na outra ponta do bar. Seria possível que Matilda tivesse arranjado outro homem?

Mas, quando Sidney reapareceu com um ar tenso e lhe perguntou se não se importava de subir para falar com ele e com Dolores, James sentiu subitamente medo que lhe tivesse acontecido alguma coisa.

Exprimiu esse medo ao ser conduzido à sala de estar.

— Aconteceram-lhe muitas coisas desde a sua última visita — disse Sidney. — É o que precisamos de lhe explicar antes de a ver.

Dolores entrou, serviu-lhe um copo de *whisky* e lançou-se no relato.

— A Amelia, a Cissie e a Susanna morreram? — sussurrou ele, horrorizado. — Não... E ela trouxe o Peter para aqui?

Dolores assentiu com a cabeça. — Andou muito deprimida durante uns tempos, capitão, como deve imaginar, mas agora já arrebitou.

— Mas... e a Tabitha? — perguntou ele. A cor abandonara-lhe as faces e deixou-se cair numa cadeira como se as mortes tivessem ocorrido na sua própria família.

Dolores explicou que ela ficara com o reverendo Glover e que, nesse momento, frequentava a escola em Boston.

— Foi então o *Treacle* que me saudou lá fora? — disse James, num murmúrio. — Achei que era extremamente parecido com ele e estranhei que se pusesse assim à minha volta. Ela também o trouxe para cá?

— Bem, a Tabby não o podia levar para Boston — esclareceu Sidney. — E dava alegria ao Peter ele estar por cá. Mas ainda não lhe contei tudo.

Sidney falou então de Fern, de Gilbert Green, do assassinato e finalmente do que se estava a passar em Girlie Town.

James ficou atónito e confuso mas conseguiu fazer algumas perguntas.

— A Fern já está melhor — disse Dolores. — Ainda cá está, a dar uma ajuda. Mas Miz Matilda está a dar tudo por tudo para pôr essas pequenas de boa saúde outra vez. Uma morreu, não tinha hipóteses, coitadita, mas Miz Matilda não vai desistir das outras, não se cala com tontices sobre abrir uma casa para raparigas daquelas. Tem de lhe meter algum juízo naquela cabeça bonita, capitão!

James estava tão profundamente chocado com as mortes de Cissie e das duas meninas que mal conseguia digerir mais informação.

— Estás de acordo com a Dolores? — perguntou a Sidney depois de um momento de reflexão.

— Não, não estou. — Sidney olhou para Dolores e sorriu. — A Dolores só está com medo pela Matty. Não é por não gostar da ideia de um lar para raparigas, tem-se esforçado tanto como a Matty por essas raparigas e, sem a ajuda dela, parece-me que teriam morrido mais. Mas a Dolores quer que a patroa seja uma senhora e acha que as senhoras genuínas não se metem nessas coisas.

James teve de se rir destas palavras. — Bem, isso é verdade, sentam-se nas suas carruagens e rodam as sombrinhas, mas não me parece que nenhum de nós veja a Matty nesse papel.

Dolores fez-lhe má cara. — O capitão sabe muito bem o que eu quero dizer — exclamou. — Neste momento, toda a gente na cidade fala dela, é famosa como essa enfermeira inglesa, a Florence Nightingale. Em breve, está com trinta anos e, se não se emendar, nunca mais arranja um homem respeitável com quem se casar, fica a braços com uma cambada de crianças que não lhe pertencem, gasta o dinheiro todo e acaba sozinha.

James era capaz de reconhecer um discurso maternal e sorriu afectuosamente a Dolores. — Sim senhor, estou a ver que te tornaste na mãezinha dela — exclamou. — Ela não acaba nada sozinha, tem-te a ti.

— É a verdade — disse Dolores, agitando um dedo na direcção dele. — E, se eu fosse a mãe dela quando ela se embrulhou consigo, tinha-o mandado de malas aviadas. Suponho que não nos traz boas notícias, como por exemplo que a sua mulher morreu de uma febre ou de um coice do cavalo.

— Dolores! — repreendeu Sidney, num tom horrorizado.

— Não faz mal, Sidney — disse James com uma gargalhada. — Sabes, no Sul, não há problema que uma mãe exprima estas ideias quando está em jogo o futuro da menina dos olhos dela. Mas lamento desapontar-te, ao que ouço, a Evelyn está a vender saúde. E feliz por eu estar colocado tão longe.

Embora Sidney, em geral, não aprovasse os homens casados que tinham amantes, admirava tanto o capitão que se permitia fazer vista grossa a este defeito.

— Aqui, em São Francisco? — perguntou ele.

— No Presídio, nem mais — disse James com um sorriso. — Não por muito tempo, desconfio, hão-de nos despachar para dar caça a índios renegados e guardar malas-postas. Mas ficarei aqui por uns tempos.

Dolores levantou-se. — Acho melhor ir render Miz Matilda — disse ela. — Há-de estar a perguntar porque é que estou a demorar tanto. Gostei muito de o ver, capitão. Talvez consigo aqui Miss Matilda melhore ainda mais. Ainda chora terrivelmente a morte da filhinha, acho que foi por isso que ficou tão empenhada na causa destas raparigas.

— Eu vou contigo para te levar o cesto — disse ele. — E também trago a Matty para casa.

— Não pode lá entrar — disse Dolores, um tanto alarmada. — Miz Matilda não deixa lá entrar homens porque as raparigas ficam muito assustadas.

— Então espero à porta. — Sorriu. — Será como nos velhos tempos, ver a tua patroa dispensar cuidados às pessoas. Acho que foi o que me levou a apaixonar-me por ela.

CAPÍTULO 23

Matilda soergueu-se sobre um cotovelo para observar James a dormir ao seu lado. Achava-o atraente de todas as formas, com ou sem uniforme, sujo de uma viagem ou em parada. Porém, ali deitado ao seu lado, numa depressão abrigada, junto da praia em Santa Cruz, com o sol a incidir-lhe sobre o cabelo louro e as feições relaxadas, tinha um ar muito mais novo do que os seus trinta e seis anos.

Era o mês de Janeiro de 1856, três meses depois de ele ter regressado a São Francisco. Na próxima semana, voltaria para o Kansas com a sua unidade e ela não fazia ideia de quando voltaria a vê-lo. Mas haviam partilhado um tempo de tão intensa felicidade nos últimos meses que ela não ia permitir que nada arruinasse estes últimos dias juntos em Santa Cruz.

Haviam viajado para aqui a cavalo, pelo caminho costeiro, e estavam numa pequena cabana de praia que tinham alugado a um homem na aldeia piscatória. Acordavam todas as manhãs ao som da rebentação das ondas e dos gritos das aves marinhas e tinham passado os dias a andar a cavalo, a caminhar e a fazer amor. Há dois dias que não viam vivalma e, se Matilda pudesse satisfazer um desejo, era que pudessem continuar aqui para sempre.

Não havia nada aqui que lhe recordasse Amelia. Em São Francisco, tinha Peter e Sidney e era frequente, quando conversavam sobre o passado, que o pequeno rosto de Amelia lhe assaltasse o espírito, permanecendo na sua mente. Não era que precisasse de lembranças para evocar todos os pormenores sobre ela, mas aqui podia, pelo menos, controlar as memórias, saboreando as doces e repelindo as desagradáveis, da sua morte.

Agora sentia-se satisfeita por ter ajudado Fern e isso a ter levado à descoberta das outras raparigas. Nunca compensaria a perda de Amelia, mas o mérito das suas acções aliviara o seu sofrimento. Como Dolores dissera nesse dia em que se irritara, tinha Tabitha, Peter e Sidney. Tabitha sentia-se muito feliz na nova escola e estava a ter bom aproveitamento. Peter fizera amigos em São Francisco e parecia mais adaptado. Quanto a Sidney, enfim, por vezes perguntava-se que seria dela sem ele.

Virando-se, sentou-se, olhando na direcção do mar, que ficava a duzentos metros de distância. Era azul-turquesa, o céu em cima limpo e azul, com apenas alguns farrapos de nuvens, o sol tão quente como num dia de Primavera em Inglaterra.

Sorriu perante a recordação pois, hoje em dia, a sua memória parecia pregar-lhe partidas. Porque seria que, quando pensava em Inglaterra, visualizava árvores em flor, os casacos escarlates dos guardas da Torre de Londres brilhantes, contra os muros antigos e cinzentos e o Tamisa cintilando à luz do sol? Sabia que, na realidade, se fosse transportada para lá agora em Janeiro, o vento seria cortante e frio, as ruas estariam cobertas de sujidade e as pessoas seriam tão esfarrapadas e desoladas como quando partira treze anos antes. Contudo, por vezes, sonhava em regressar.

Sabia que estes pensamentos eram tolos, todas as pessoas que amava estavam aqui na América e, além disso, depois destas férias, ia abrir a Agência Jennings, uma agência de emprego para jovens mulheres.

Havia muitas pessoas em São Francisco que a consideravam doida por acalentar um tal projecto em tempo de crise financeira, mas ela achava essas pessoas tacanhas. Continuavam a afluir massas à Califórnia, atraídas pelo clima ameno, e eram uma gente mais abastada e rija do que as pessoas chegadas durante a corrida ao ouro. Muitas delas precisariam de criadas, amas, costureiras e empregadas de balcão e seria ela quem forneceria este pessoal. No Natal, tornara Sidney gerente do London Lil's para se poder dedicar completamente a este novo projecto.

A ideia ocorrera-lhe durante o período em que cuidara das raparigas doentes do bordel. Quando elas recuperaram fisicamente, constatou que a única forma de sarar as suas cicatrizes emocionais e evitar que fossem de novo arrastadas para uma vida de vício era descobrir uma maneira de treiná-las para que arranjassem empregos decentes. Mas nenhuma tinha idade suficiente para isso e, inicialmente, tentara convencer algumas das pessoas mais proeminentes na comunidade a acolher uma rapariga em casa e olhar por ela até aos treze anos ou assim. Esta tentativa fracassara redondamente — ninguém, ao que parecia, possuía um coração suficientemente generoso para receber raparigas tão arruinadas. Mas algumas das mais caridosas haviam-lhe feito doações para ajudar a sustentar as raparigas.

A sugestão de que usasse estes donativos e constituísse um fundo surgira do seu velho amigo Henry Slocum. Disse ele que, se ela conseguisse encontrar e equipar uma casa para ela própria acolher estas raparigas e cuidar delas até terem idade para trabalhar, trataria pessoalmente de lhe obter subvenções da câmara municipal. Ela poderia então apelar ao público para conseguir mais donativos para fazer face aos custos restantes.

No final de Novembro, Matilda descobrira a casa ideal, em Folsom Street, por uma renda baixa. Os proprietários haviam partido para a América do Sul mas estavam indecisos relativamente à sua venda. Criou a Fundação Jennings, e o seu contributo foi o pagamento do primeiro ano de arrendamento, começando então a persuadir as pessoas a doar fundos, vestuário, mobília e equipamento.

Os ânimos das raparigas levantaram-se assim que foram transferidas do velho edifício do bordel, com as suas terríveis recordações. Embora, nessa primeira semana de Dezembro, a nova casa estivesse parcamente mobilada e fosse fria, no dia em que se mudaram para lá, Matilda ouviu pela primeira vez verdadeiras manifestações de alegria de todas elas.

Fern revelara-se inestimável. Matilda mantivera-a no London Lil's depois de ela se restabelecer e, enquanto Dolores estava no bordel a dispensar cuidados, Fern ocupara-se das tarefas habituais dela. Era ainda uma intermediária perfeita em Girlie Town para Matilda, pois as mais novas confiavam nela, sabendo que também já por ali passara. Foi ela que conseguiu levá-las a falar, com a ajuda de uma intérprete para as raparigas chinesas e mexicanas. O Dr. Rodrigious obteve os seus depoimentos e Mrs. Honeymead foi acusada de proxenetismo e condenada a trabalhos forçados durante dez anos.

Agora Fern vivia na casa com as outras raparigas. Embora, com catorze anos, tivesse idade para trabalhar, tanto Matilda como Dolores achavam que ela possuía as qualidades necessárias para receber treino e um dia vir a tornar-se governanta.

Entretanto, Dolores tinha a casa a seu cargo, tendo-se instalado no quarto da frente. Cada uma das raparigas sabia que por detrás da sua fachada austera estava uma mulher bondosa e compreensiva, mas haviam aprendido desde então que ela era vigilante, inflexível e não se deixava enganar. Possuía fortes princípios de higiene que esperava que todas adoptassem, eram obrigadas a comer o que lhes fosse posto no prato, caso contrário não lhes seria dado mais nada, e tornou muito claro que, mesmo quando estivessem de boa saúde para poderem sair, seria com ela e não sozinhas.

Matilda informara as raparigas de que, apesar de esta casa ser um lugar seguro enquanto precisassem dela, também estavam ali para aprender. Deviam dividir as lides domésticas, as mexicanas e as chinesas tinham de aprender a falar inglês. Todas aprenderiam a ler e a escrever, a costurar e a cozinhar, bem como outras competências do governo de uma casa.

James mexeu-se ao seu lado, estendendo a mão para lhe acariciar as costas. — Devo ter adormecido — disse ele. — Não foi muito galante da minha parte.

Matilda virou-se para ele e beijou-o no nariz. — Às tantas devias tentar dormir à noite — disse ela, rindo.

— Em que é que estavas a pensar? — perguntou ele, sentando-se ao lado dela. — Espero que não fosse nada triste.

— De maneira nenhuma — disse ela. O regresso de James fora o melhor remédio para a dor no seu coração. Ele deixara-a falar sobre Cissie e as raparigas e chorar a sua morte, mas dera-lhe também muitos momentos de boa disposição e, por vezes, isso era melhor do que a compaixão. — Embora suponha que estava mais ou menos a interrogar-me se a Agência Jennings alguma vez terá clientes.

— Claro que vai ter — disse ele num tom decidido. — Pode demorar algum tempo a impor-se, mas tenho a certeza que, dentro de um ano, será um sucesso estrondoso, exactamente como o teu negócio da madeira e o London Lil's.

— O meu primeiro anúncio vai aparecer no *Alta Chronicle* para a semana — disse ela, pensativa. — Prometeram também escrever um artigo sobre ela. Mas receio vir a receber dezenas de mulheres à procura de emprego e não ter trabalho para lhes oferecer. Vou fazer uma figura muito triste se isso acontecer, não achas?

— Tem fé — disse ele.

— É o que o Giles dizia sempre a respeito de tudo.

— Resultava?

— Às vezes — disse ela com um sorriso. — Mas quando não resultava, ele dava a volta ao texto e declarava que Deus tinha recusado por um bom motivo. Pergunto-me muitas vezes se, quando chegou à Porta do Paraíso, ficou zangado por ter sido chamado prematuramente.

James levantou os olhos para o céu e pôs as mãos em concha na boca. — Giles, se estás a ouvir, faz com que resulte para a Matty — gritou.

Matilda riu-se. — Acho que ele está a olhar pela Tabitha; na última carta, ela disse que tinha as melhores notas da turma.

— O Peter também é inteligente — disse James. — Na minha última visita, falou-me de um problema de matemática que eu não fazia ideia de como se resolvia mas ele sabia. É um jovem estupendo, quase todos os miúdos de treze anos são desajeitados e, depois de tudo o que ele passou nos últimos seis meses, seria de esperar que fosse um rapaz difícil.

— Estou muito satisfeita com a maneira como ele se adaptou comigo e na nova escola — disse ela. — Mas não tenho a certeza de que ele já tenha estabilizado. Lembras-te da reacção dele quando lhe expliquei a questão do património da mãe?

James indicou que sim. Cissie deixara cerca de 8000 dólares. Quando Matilda tentou explicar a Peter que seriam investidos em nome dele até atingir a maioridade, tinha explodido num ataque de fúria, dizendo que não queria dinheiro sujo e que Matilda devia escrever aos advogados no Oregon a dizer que devia ser dado a famílias pobres que precisassem realmente dele. — Suponho que, para um rapaz novo, esse tipo de dinheiro deve parecer um pagamento pela morte da mãe — disse ele. — Mas dentro de alguns anos há-de pensar de maneira diferente.

— Suponho que sim — concordou Matilda. — Mas o que me chocou nesse dia foi ver a que ponto ficou furioso; imagino que fosse uma raiva que ele tinha sublimado durante esse tempo todo e eu nunca me apercebi antes da explosão. Desde então fala-me muitas vezes da morte, conta-me que outros colegas da turma dele perderam alguém chegado. Custa-me pensar que ande a cismar sobre quem será o próximo a morrer. Ainda há seis meses, as únicas coisas por que se interessava era trepar às árvores e nadar.

— A morte de alguém próximo é muitas vezes uma experiência iluminadora — disse James. — Conheci jovens soldados que só pensavam no álcool e na diversão até um dos amigos chegados ser morto. De repente, apercebem-se de como a vida é frágil e amadurecem em dois tempos.

— Talvez seja então por isso que me sinto tão velha — disse Matilda. — Estou sempre a dizer a mim mesma que os trinta não são uma idade avançada mas, quando olho para trás e vejo as pessoas todas que morreram mais novas do que eu, parece uma idade veneranda.

Ele puxou-lhe o chapéu para trás e perscrutou-lhe o cabelo. — Ainda não tens uma única branca no seio desse dourado — brincou. Depois, obrigando-a a abrir a boca, espreitou também lá para dentro. — E ainda tens os dentes todos!

— Não tenho nada. — Riu-se. — No ano passado, pedi ao Sidney que me arrancasse um que me doía.

— Ele fez isso? — James fez um esgar, fingindo-se horrorizado.

— Bem, ou era ele ou ia à barbearia — retorquiu Matilda. — Prefiro a dor às mãos de alguém de confiança do que de um estranho.

— Só de pensar em arrancar dentes dá-me dores nas pernas — disse James, levantando-se de um salto e puxando por ela. — Vai uma corrida até ao mar?

Matilda correu o mais depressa que pôde mas, por causa da saia e anáguas compridas, não foi capaz de acompanhá-lo. Quando ele chegou ao mar, virou-se e abriu os braços e ela correu para ele, sabendo que ia rodopiá-la como fazia com Tabitha no passado.

— Amo-te tanto — disse ele, quando a pousou no chão, e ela agarrou-se a ele, tonta e ofegante. — Se não tivermos a oportunidade de estar juntos durante muito tempo, vou guardar no coração a memória de como estás hoje.

— Como é que estou? — perguntou ela, ofegante.

— Desalinhada — disse ele, prendendo as farripas de cabelo que se lhe haviam soltado debaixo do chapéu. — Os teus olhos são brilhantes e belos como o céu, as tuas faces são dois pêssegos maduros e tens o vestido coberto de areia. Acho que estou a ver agora como eras quando vendias flores.

— Nesse tempo, não usava roupas bonitas como agora. — Riu--se, baixando os olhos para o belo vestido de lã e capa a condizer, debruada a veludo. — Só tinha um vestido roto, um xaile e uma touca de folhos.

— Diz-me como apregoavas as flores — pediu ele, pegando-lhe na mão e voltando a subir pelo areal deserto.

Matilda soltou uma risadinha e aclarou a garganta. — Ricas violetas fresquinhas, é só dez o molho — gritou ela a plenos pulmões, no seu melhor sotaque *cockney*. — Ande lá, cavalheiro, regale a senhora e faça-a sorrir.

— Levo o cesto todo — disse James.

— C'os diabos, é muito generoso. Seis xelins para o senhor.

James tirou algumas notas do bolso. — Ao que parece, só tenho dólares — disse ele.

— Não faz mal, patrão — disse ela, arrancando-lhos. — É pena não ter troco para lhe dar. — Dito isto, largou a correr para a cabana entre gargalhadas.

Na sua última tarde, o sol ainda brilhava, mas estava um pouco fresco. James acendeu um fogo dentro de casa e outro na areia e sentaram-se no alpendre a contemplar o pôr-do-sol e a escutar as ondas a rebentar na praia. À medida que o sol mergulhava lentamente no mar, as chamas da fogueira evocavam a ambos emotivas recordações da caravana de carroças. Deram as mãos e observaram as chamas, os dois conscientes de que o tempo que lhes restava estava a esgotar-se depressa.

Matilda aprendera a nunca fazer perguntas sobre Evelyn, pois todas as respostas feriam, por mais cuidadosamente que James as fraseasse. Procurava recordar apenas que era ela que ele trazia no coração. Esta noite, não sentia o mais leve ciúme de Evelyn; ela podia viver numa casa imponente e ter o título de Mrs. Russell, mas a única alegria que podia esperar como mulher casada era o chá da tarde com outras senhoras nas mesmas circunstâncias. Festas ou bailes estariam fora de questão sem o marido a acompanhá-la e nunca poderia dedicar-se a qualquer tipo de trabalho a não ser obras de caridade. A vida dela devia ser extremamente desconsolada.

— Propus o nome do Peter para West Point — disse James subitamente. — Se me acontecer alguma coisa... quer dizer... antes de ele ter idade para entrar, como guardiã dele deves contactá-los pessoalmente e, claro, falar-lhes em mim. Disse que os pais dele eram velhos amigos meus.

A frase «se me acontecer alguma coisa» causou um calafrio a Matilda. Sempre que James partia, tentava sempre imaginá-lo a treinar recrutas principiantes ou simplesmente montado no cavalo, conduzindo a sua unidade por intermináveis e desertas planícies. Mas os índios estavam agora a sublevar-se contra o homem branco, era raro passar uma semana sem uma nova história de massacres, escalpamentos e reféns, algures no Midwest ou no Texas e Arizona. Sabia também que os conflitos no Kansas podiam degenerar numa situação muito grave. Os «Free Soilers», como eram conhecidas as pessoas que ali se haviam fixado em solo livre, opunham-se radicalmente à escravatura, mas o vizinho Missouri ainda era um estado esclavagista e o seu povo queria a liberdade de levar os seus escravos para qualquer lugar no Oeste e estava preparado para tudo a fim de defender o que considerava um legítimo direito.

— Não é que esteja a prever uma morte prematura — disse James, rindo suavemente. — Mas é sempre bom discutir todas as eventualidades, não vá o Diabo tecê-las.

— Nesse caso, se alguma coisa me acontecer a mim, encarregas-te de inscrever o Peter em West Point? — disse ela, mantendo um tom ligeiro.

— Claro que sim — disse ele, apertando-lhe a mão. — E ficarei em contacto com a Tabitha, não há-de existir ninguém mais orgulhoso do que eu quando vir o título de Dra. à frente do nome dela.

— Só gostava de saber se ela vai mesmo conseguir — disse Matilda. — No outro dia, o Henry Slocum disse que há umas doze médicas plenamente qualificadas no país. Falou-me de uma senhora inglesa, chamada Elizabeth Blackwell, que foi a primeira mulher a obter um diploma médico aqui, em 1851. Voltou para Inglaterra e candidatou-se a um lugar num hospital. Assinou como E. Blackwell, D. de M., e aceitaram-na, pensando que era um homem. Mas não tardaram muito a correr com ela, quando descobriram, e por isso veio trabalhar para cá.

— Mas as coisas estão constantemente a melhorar — disse James. — Hoje uma dúzia de médicas, amanhã centenas. Neste momento, é muito fácil conseguir um divórcio na Califórnia. Dentro em pouco, será igualmente comum na Virgínia e eu estarei entre os primeiros.

Ela virou-se de lado para olhar para James. Não era a primeira vez que ele falava de divórcio mas era a primeira vez que declarava que tencionava fazê-lo. Os olhos dele fitaram os dela, graves e imperturbáveis, e ela compreendeu que ele falava a sério. — Custe o que custar? — perguntou ela.

— Custe o que custar — respondeu ele. — E prometes casar-te comigo, assim que ficar livre, custe o que te custar a ti?

— Sim, prometo — disse ela, acenando com a cabeça.

— Então tens de fazer alguma coisa agora para o provar — disse ele, numa voz divertida.

— O que quiseres.

Por um momento ele olhou para ela com uma expressão avaliadora, os seus olhos azuis brilhando e um lado da boca ligeiramente retorcido, como fazia sempre que congeminava marotices.

— Tens de vir dar um mergulho comigo no mar.

— Mas deve estar gelado! — exclamou ela, horrorizada. Agora que o sol desaparecera, estava frio, só a fogueira e o aconchego do alpendre permitiam que continuassem fora de portas.

— Se não vieres, não posso levar a sério as tuas promessas.

Sem pensar segunda vez, Matilda começou a desabotoar o vestido; tirou-o, tirou as anáguas, o espartilho e as meias, ficando apenas de combinação. James começou também a despir-se, atirando o casaco, a camisa e as calças para dentro de casa, até ficar de ceroulas.

— Essas também — disse Matilda, apontando para elas.

— Nesse caso, também tens de tirar a combinação — disse ele, com um sorriso. Esperou que ela ficasse completamente nua e depois atirou-lhe uma das suas ligas vermelhas. — Põe só isso — disse ele. — Depois há-de andar sempre no meu bolso até ao dia em que nos casarmos.

Ela riu-se, embora o vento já estivesse a enregelá-la, e puxou-a pela perna acima até à coxa.

— Pronta? — perguntou ele e, pegando-lhe na mão, correram os dois pela praia fora e entraram imediatamente na água.

Estava tão fria que lhe cortou a respiração. Mas, quando ele mergulhou, teve de segui-lo e, ao avançar lentamente, o frio que se lhe insinuava na pele quente era como uma tortura lenta.

— Mais, até só teres a cabeça fora de água — gritou-lhe ele. — Se não avanças, empurro-te para dentro.

Não havia outro remédio senão ir. Dobrou os joelhos, deixou-se flutuar o suficiente para ele a ver e depois saiu a correr da água.

Ele correu atrás dela pela praia acima, levantou-lhe os braços e abraçou-a. — És a mulher mais corajosa que alguma vez conheci — disse ele, cobrindo-lhe a cara de beijos salgados.

Transportando-a a espernear nos braços, levou-a para dentro de casa, fechou a porta com um pontapé e agarrou num cobertor da cama para se embrulharem ambos. Fê-la rir ao obrigá-la a arrastar os pés pelo quarto, presa a ele, enquanto pegava em almofadas, coxins e mais cobertores para levar para junto da fogueira.

Sabe o que lhe vou fazer agora, Mrs. Jennings? — perguntou ele, roçando o cabelo molhado contra a cara dela.

— Desconfio que tenciona fazer-me alguma descortesia, cavalheiro — disse ela, numa voz aguda de indignação.

— Tem toda a razão, minha querida — disse ele, levantando-a e baixando-a sobre os cobertores. — Não lhe vale de nada gritar por socorro, não há ninguém num raio de quilómetros.

— Nesse caso, suponho que não tenho outro remédio senão sujeitar-me — disse ela, franzindo os olhos. — Só lhe peço que se despache.

Ele começou a beijar-lhe o pé direito, subindo pela perna até chegar à liga, que agarrou com os dentes e lhe desceu pela perna. Deixara-lhe gotas de água do mar na pele e, lentamente, ele percorreu de novo a perna para cima, lambendo-as uma a uma. Em seguida, passou ao pé esquerdo e repetiu o movimento, indo até à barriga e ao seio.

Nunca nada fora tão erótico; Matilda ainda sentia um formigueiro na pele, da água do mar fria e, quando ele introduziu o seu mamilo na boca quente, desejou-o imediatamente. Mas era claro que James estava determinado em fazê-la esperar. Passou para as pontas dos seus dedos, chupando-as, e lentamente subiu pelo braço dela, de novo em direcção ao seio, depois ao outro, até ela sentir que não aguentava nem mais um momento. Seguidamente, desceu pelo meio do seu peito até à barriga e, encostando o rosto à carne macia, explorou-a com os dedos até Matilda lhe suplicar que ele a fodesse.

— Foder-te? — disse ele, levantando a cabeça da sua barriga, com uma expressão de indignação fingida. — As senhoras não usam essa linguagem!

A sua aparente relutância em penetrá-la aumentou o seu desespero; ela contorcia-se contra os seus dedos, enfiando-os ainda mais fundo dentro de si. Ele ajoelhou-se entre as suas pernas, abrindo-as mais e sorrindo ao vê-la mover-se contra ele. Então, de repente, baixou a cabeça para o sexo dela, abrindo-o completamente com os dedos, a língua pronta para lambê-la. Ela estava chocada mas desejava-o tanto que já não queria saber do que ele fizesse.

Mas a sensação quando a língua dele começou a lambê-la foi tão maravilhosa que ela se esqueceu de si mesma e das suas ideias de decência e se entregou simplesmente ao prazer absoluto. O braço mais próximo do fogo estava terrivelmente quente, o outro frio, saía vapor do cabelo molhado dele, mas Matilda flutuava em direcção a um mundo onde permanecia a salvo do desconforto físico.

O seu orgasmo não tardou, lançando-a numa espiral de êxtase. Ouvia a sua voz gritar pelo nome dele, mas não parecia emanar das suas próprias cordas vocais.

Subitamente, tomou de novo consciência dele, a boca dele sobre a sua e o seu cheiro salgado nos lábios dele. — Agora sim, vou foder-te — murmurou ele. — Durante horas e horas.

Matilda pensava que haviam subido, muitas vezes antes, aos mais altos píncaros da paixão, mas ele levou-a um nível superior. Deitando-se de costas, obrigou-a a encavalitar-se nele, acariciando-lhe os seios com tal violência que lhe doía. Depois virou-a de barriga para baixo e penetrou-a por trás, murmurando-lhe palavras doces e ternas nos ouvidos e beijando-lhe o pescoço até ela atingir um segundo orgasmo. Em seguida, tornou a virá-la e continuou, beijando-a com tal ardor que era como um fogo que a consumia.

Quando ele finalmente atingiu o clímax, gritou pelo nome dela e correram-lhe lágrimas pelas faces. Ela apertou o seu corpo duro e transpirado contra si e rejubilou, sabendo que tinha de preservar esse momento para sempre na memória, para o caso de nunca mais voltar a acontecer.

Nessa noite, deitados nos braços um do outro a escutar o mar e o vento, desejou ser capaz de traduzir em palavras o que sentia por ele. O amor compreendia tantos graus diferentes de emoção. Sentira amor pelo pai, por Giles e por Lily, por Tabitha, por Cissie e pelos filhos dela e por Sidney também. Havia o amor que sentira por Amelia, distinto dos outros e, contudo, igual. Depois, claro, o amor romântico por Flynn, Giles e agora James. Com cada um, parecera que nada podia ser mais forte nem mais intenso mas, olhando para trás, a paixão que experimentara por Flynn não era nada comparada com Giles e os seus sentimentos por James ultrapassavam de longe as duas experiências anteriores. Os poetas falavam do desejo de morrer se não pudessem ter a pessoa amada, mas ela achava este sentimento débil. O amor era enriquecedor, devia ser guardado no coração com orgulho, mesmo que a pessoa amada morresse ou nos fosse arrebatada.

No entanto, sabia que era fácil ter tão nobres pensamentos na segurança dos braços do amante, sabendo que o coração e o espírito dele estavam em sintonia com os seus. Talvez esse orgulho se esboroasse sem garantias constantes ou se passassem demasiado tempo separados.

Ainda havia luz suficiente do fogo para lhe ver a cara; ele estava a olhar para ela, quase como que a ler-lhe o pensamento e a concordar com todas as reflexões. Um rosto alongado e magno, cada traço sugerindo de que modo ganhava a vida. As pequenas rugas nos cantos dos seus olhos, de os semicerrar contra o sol, as pequenas cicatrizes de várias batalhas que nunca relataria. Na caravana, ela notara que ele fazia má cara perante a incompetência e essas rugas na sua fronte eram agora muito mais profundas. Depois havia o modo como ele espetava o queixo com determinação, a ruga fina sob os seus lábios mostrando que não perdera esse traço.

— Amo-te — murmurou ela. — Não imaginas a que ponto.

— Em breve, quando estivermos juntos para sempre, será que continuaremos a estudar a cara um do outro, tentando ler o pensamento um do outro? — disse ele.

— Talvez nessa altura já não seja preciso — sussurrou ela.

Ele tomou-a nos braços e apertou-a firmemente e ela percebeu que ele estava a chorar em silêncio.

Uma semana mais tarde, Dolores voltou ao apartamento no London Lil's para falar com Matilda, e deparou-se com ela a olhar para um daguerreótipo de James, lavada em lágrimas.

— Então, que vem a ser isso? — disse Dolores. — Onde está a mulher que nunca chora?

Matilda sorriu debilmente. — Isso não passa de um mito — retorquiu.

— Mandou fazer esse retrato? — perguntou Dolores com curiosidade, tirando-lha da mão. — Há gente que faz coisas espantosas, não há? Não percebo como conseguem pôr a imagem de uma pessoa numa folha de papel.

— Nem eu, Dolores — suspirou Matilda. — Cada um de nós fez uma mas eu fiquei com um ar tão severo na minha como o James nesta.

— Realmente parece que está com um pau enfiado no rabo — disse Dolores, com uma gargalhada. — Mas é um belo homem, disso não há dúvida.

— É tudo o que tenho para me lembrar dele por uns tempos — disse Matilda melancolicamente. Recordou como James guardara a sua imagem numa pequena carteira de couro, com a sua liga vermelha e uma madeixa do seu cabelo. Disse que ia andar com ela no bolso para sempre.

— Não, não é tudo o que tem. Tem uma cabeça cheia de boas recordações — disse Dolores. — É mais do que muita gente tem.

Dolores tinha sempre um jeito especial para pôr o dedo na ferida.

— Tens razão, claro — disse Matilda, pousando a fotografia. — Por momentos, perdi a cabeça. Como vão as coisas lá na casa?

— Óptimas — respondeu a criada. — A pequena Mai Ling aprendeu uma frase inteira ontem. Disse: «Mim não gosta milho.» Suponho que é um começo e compreendeu muito bem quando eu disse que ia comê-lo e gostar.

Matilda sorriu. Dolores não admitia que ninguém se recusasse a comer o que cozinhava. — Como está a Bessie? — perguntou ela. Bessie era a rapariga negra mais nova. Na altura em que descobriram as raparigas no bordel, ela parecia ser a menos perturbada mas, desde então, tivera pesadelos terríveis, acordando aos gritos. Molhava continuamente a cama e, numa ocasião, sujara as paredes do quarto que dividia com outras três raparigas com fezes.

— Acho que começa a adaptar-se — disse Dolores. — Levei-a para a minha cama uma noite quando ela acordou a gritar e nunca mais se molhou. Desde então, tenho-a deixado dormir comigo.

— Mas ela tem de aprender a dormir sozinha — disse Matilda.

— Não passa de uma criancinha — disse Dolores, mostrando que era muito mais maternal do que dava a entender. — Seja como for, vim cá dizer-lhe que uma das amigas de Mrs. Slocum nos deu uma máquina de costura dessas modernas. Fartei-me de tentar, mas não consigo pô-la a trabalhar.

— Eu passo por lá mais tarde para dar uma vista de olhos — disse Matilda. Ficou entusiasmada com este presente, pois, se as raparigas aprendessem a costurar com ela, seria mais uma competência útil.

— Venha agora — ordenou Dolores. — Não serve de nada ficar para aí a remoer, e as raparigas querem vê-la. A Fern não pára de praticar as letras que lhe ensinou, estou pelos cabelos de ouvir aquela lousa a chiar quando ela a limpa.

Matilda teve de concordar. Dolores tinha razão, se ficasse em casa não faria nada senão entregar-se à depressão.

A casa em Folsom Street era acolhedora, mas não propriamente elegante. Como toda a mobília fora doada, ia de um banco toscamente talhado, que enchia de farpas uma mão incauta, a uma mesa de mogno outrora imponente, com grande parte do verniz gasto, e um sofá coçado e excessivamente acolchoado. Dolores ocupava o quarto da frente, que estava tão despido como a cela de um monge — uma cama de ferro, um lavatório e pouco mais. Nas traseiras, havia uma grande cozinha e sala de estar que um fogão de lenha mantinha aquecidas. Uma copa atrás albergava uma caldeira para aquecer água para banhos e lavagens e, quando o fogo debaixo desta era acendido, o calor chegava para assar um porco.

Havia dois quartos em cada um dos dois andares superiores, mas dormiam quatro raparigas num quarto, duas por cama, no primeiro andar. Quanto às camas, havia uma simples de madeira, com base de corda, uma elegante de latão com molas verdadeiras e duas velhas de ferro. Mas as ofertas de tapetes de trapos, imagens bíblicas e muitos edredões de cores vivas conferiam aos quartos uma atmosfera alegre e aconchegada.

Quando Dolores e Matilda chegaram à casa, as raparigas estavam todas na cozinha. Mai Ling e Suzy, as duas chinesas, estavam sentadas num banco a brincar à cama do gato com um pedaço de corda, Maria e Angelina, as mexicanas, estavam junto do fogão e as três negras, Bessie, Ruth e Dora, estavam sentadas à mesa a escutar atentamente as palavras de Fern, que estava a ensinar-lhes o que sabia sobre as letras.

À chegada das mulheres mais velhas, Bessie correu a saudá-las e a cara de Fern abriu-se num grande sorriso, mas as outras limitaram-se a acusar a sua presença com acenos de cabeça. Matilda tivera algumas dificuldades a adaptar-se a esta frieza pois sempre estivera habituada a crianças exuberantes que se lançavam nos seus braços para a cumprimentar. Mas Dolores, uma mina de informação sobre praticamente todos os assuntos, garantiu-lhe que ela ganhara a confiança delas, porque não se escondiam e, além disso, estavam sempre a perguntar quando ela ia voltar.

— Uma de vocês que faça chá para Miz Jennings — disse Dolores. — Se não me engano, é a vez da Ruth, e tu, Dora, mostra a Miz Jennings os bolinhos que fizemos.

Custava a acreditar a Matilda que estas raparigas eram as mesmas criaturas assustadas e tristes que encontrara naquelas celas medonhas no bordel. Todas haviam engordado, Bessie e Dora estavam até a tornar-se obesas. O cabelo preto de Mai Ling, Suzy, Angelina e Maria começara a brilhar de novo e a sua pele possuía um lustro dourado. Ruth, a terceira rapariga negra, era a única que ainda dava a Matilda verdadeiro motivo de preocupação, pois, apesar de ter engordado, os seus olhos escuros ainda exibiam uma expressão acossada, e encolhia-se sempre que alguém fazia um movimento súbito perto dela.

Todas usavam vestidos de algodão às riscas idênticos, alguns cor-de-rosa, outros azuis, pois o dono de uma das lojas de fazendas de Market Street oferecera-lhes duas peças de tecido. Matilda mandara confeccionar os vestidos a duas costureiras. Quando Matilda as levava a passear numa pequena fila, duas a duas, passavam facilmente por alunas de uma escola privada e, embora alguns dos vizinhos se tivessem inicialmente mostrado hostis por este tipo de raparigas viver na mesma rua que eles, agora não despertavam mais do que um breve olhar de curiosidade.

Matilda falou com cada uma das raparigas à vez; Mai Ling e Suzy sorriram timidamente, mas os seus fracos conhecimentos de inglês impediam-nas de dizer muito mais do que sim e não. Maria e Angelina estavam a aprender depressa e ambas lhe agradeceram as fitas para o cabelo que ela lhes deixara na sua última visita. Mas Bessie, Dora e Fern tinham muito que contar, sobre os bolos que tinham feito, as letras de Fern e a máquina de costura, pois Fern vira uma a trabalhar quando estava na sua terra, em Filadélfia, e tinha-lhes descrito o que fazia.

— Bem, temos de pô-la a funcionar agora — disse Matilda.

— Nunca usei uma mas tenho a certeza de que, se pusermos as cabeças a trabalhar, descobrimos como funciona. Onde é que está, Dolores?

— No meu quarto, minha senhora — respondeu Dolores.

As raparigas foram atrás de Matilda e, quando ela soltou um arquejo de surpresa ao reconhecer que era o último modelo, Fern bateu palmas de excitação. Abrindo a gavetinha na mesa de suporte, descobriu um livro de instruções com diagramas a explicar como se enfiava a agulha e reparou que Dolores não tinha percebido que precisava de dois tubos de linha, um em cima e outro em baixo.

Numa questão de minutos, enfiou a agulha e Dolores foi buscar um retalho de algodão para experimentar. Seguindo as instruções, Matilda fixou o tecido com o pequeno pé e começou a rodar a manivela. À medida que uma distinta linha de pontos perfeitos começou a surgir do outro lado, Dolores proclamou que era um milagre.

Uma a uma, todas experimentaram e, quando Matilda olhou para os rostos extasiados à sua volta, apercebeu-se de súbito de que o verdadeiro milagre desta máquina não era apenas o facto de poupar o tempo de coser à mão mas tê-las unido num interesse comum, como nada até então conseguira.

Mais tarde, enquanto as raparigas se revezavam na máquina, Matilda sentou-se a falar com Dolores. — Podíamos usar essa máquina para ganhar dinheiro para esta casa — disse ela, entusiasmada. — Podíamos começar por fazer coisas simples, como aventais, mas a seu tempo podíamos passar a vestidos e a camisas, não achas?

Dolores, que já era uma costureira muito competente, fez um sorriso. — Então não podíamos? Acho que ganhávamos uma pipa de massa assim. Especialmente com camisas de flanela para os trabalhadores. Eles não são muito esquisitos com o modelo desde que a peça seja resistente. E ensina às raparigas uma actividade útil.

Em Março, já Matilda se sentia verdadeiramente preocupada com a viabilidade da Agência de Emprego Jennings. Haviam-se apresentado muitas raparigas no pequeno escritório que ela arrendou em Montgomery Street, na sequência dos seus anúncios no *Alta Chronicle*, mas poucos potenciais empregadores e, quando não pôde arranjar colocação imediata para as raparigas, elas não tardaram a perder o interesse e desapareceram. Mas recusou-se a desistir e, todas as manhãs, percorria a cidade, visitando pessoalmente empresas e casas abastadas, insistindo com os proprietários para que, pelo menos, a ouvissem antes de a mandarem imediatamente embora. Sublinhava que, embora pudessem ter dezenas de candidatas para uma posição, bastando para isso pendurar um anúncio à porta, era moroso terem de entrevistar raparigas, recolher cartas de recomendação e analisar uma série de candidatas sem as competências desejadas. A troco de uma pequena comissão, ela encontraria exactamente o tipo de rapariga que lhes convinha, verificaria as suas credenciais e garantiria que ela sabia exactamente o que se esperava dela. Prometia que, se a rapariga se revelasse insatisfatória ao fim de um mês de experiência, encontraria gratuitamente uma substituta.

Lentamente, a sua sorte começou a mudar, no final da Primavera, quando a crise financeira começou a abrandar. Em primeiro lugar, conseguiu um contrato para fornecer doze raparigas para uma nova fábrica de doçaria, uma padaria precisava de mais duas trabalhadoras, uma série de pessoas contactou-a à procura de criadas e ajudantes de cozinha e, numa fábrica de conservas de peixe, surgiram mais seis vagas.

O trabalho era duro. Na sua maioria, as raparigas que apareciam na agência eram analfabetas; podiam ser inteligentes e empenhadas, mas muitas vezes estavam sujas e esfomeadas e não tinham mais do que as roupas esfarrapadas que traziam no corpo. Matilda perdeu a conta a quantas despachou para a casa de banhos ou ao número de vestidos respeitáveis e pares de botas que teve de arranjar antes de poder sequer considerar pô-las a trabalhar. Frequentemente, mandava estas raparigas passar dois dias em Folsom Street antes de assumirem posições como criadas, para que Dolores pudesse instruí-las no tipo de tarefas que se esperava delas.

No entanto, tudo começou, aos poucos, a resultar. As raparigas estavam a obter bons empregos e, à medida que constava na cidade que o serviço que oferecia era de confiança, foram sendo disponibilizados mais lugares. Mas um dos resultados mais animadores foi o apoio de algumas das senhoras mais beneméritas da sociedade de São Francisco. Estas enviavam embrulhos de vestuário, peças de algodão e flanela que não queriam e, em alguns casos, ofertas de alojamento para raparigas sem abrigo.

Entretanto, em Folsom Street, várias raparigas novas haviam aparecido na casa a pedir asilo e Dolores acolheu-as, tratou delas até recuperarem a saúde e pô-las a ajudar na confecção de camisas. Esta revelara-se uma boa fonte de receitas. Dolores cortava os moldes e o tecido, as raparigas revezavam-se de bom grado na máquina, outras cosiam os botões, faziam casas e bruniam as peças acabadas e uma loja de roupa de homem em Market Street ficava com a totalidade da produção.

No final de cada longo dia, Matilda estava tão exausta que adormecia instantaneamente. Continuava a insistir em jantar com Sidney e Peter todas as noites para não perderem a sua unidade como família, mas a refeição era muitas vezes comprada feita na padaria porque não tinha muito tempo para cozinhar. Sabia que a agência estava a registar prejuízos, mas não eram significativos e podia comportá-los. A casa de Folsom Street ia-se desenvencilhando com os apoios da câmara municipal, os donativos e o negócio da confecção de camisas. Apesar de frequentemente esgotada e de a vida parecer, por vezes, deprimente com a ausência de James e Tabitha, nunca Matilda se sentira tão realizada. Sidney geria o London Lil's tão bem como ela e, de dia para dia, a sua confiança aumentava, talvez também devido ao contributo daquilo que lhe parecia o princípio de uma ligação amorosa com Mary, e Peter também se sentia feliz, tanto na escola como em casa.

Se o número de raparigas que conseguia ajudar parecia insignificante quando comparado com os vastos números que diariamente acabavam nas sarjetas da «Costa da Berbéria», pelo menos sentia que estava a fazer alguma coisa. Recordava-se de ter dito uma vez a Giles que a sua ambição era puramente a de pensar que fazia uma diferença na vida de algumas pessoas e era precisamente isso que estava a acontecer. Tencionava fazer ainda muito mais antes de chegar ao fim.

CAPÍTULO 24

1861

Sidney precipitou-se na sala de estar, uma manhã em Maio, a agitar uma carta, e com um sorriso radioso. — É do capitão — disse ele. — Pode ser que ele explique o que se está a passar.

Menos de um mês antes, a 12 de Abril, o general Beauregard ordenara aos seus rebeldes do Sul que abrissem fogo sobre as tropas da União, no Fort Sumpter, no porto de Charleston. A única baixa foi um cavalo confederado mas, mesmo assim, a guerra fora declarada entre o Norte e o Sul e não se falava de mais nada.

Matilda apressou-se a abrir a carta mas, assim que viu que James continuava a escrever de Fort Leavenworth, onde estava colocado há cinco anos, levantou os olhos para Sidney. — Ainda está no Kansas — disse ela.

Os conflitos entre os Free Soilers anti-esclavagistas da Nova Inglaterra e os sulistas pró-esclavagistas, do outro lado da fronteira, no Missouri, haviam finalmente levado à guerra, em Maio de 1856. Uma populaça de pró-esclavagistas saqueou a vila de Lawrence, nas mãos dos Free Soilers, em território do Kansas, mandou pelos ares o Free State Hotel, incendiou a casa do governador e lançou as prensas do jornal local para o rio. John Brown, um abolicionista fanático, retaliou, investindo contra Pottawatomie Creek, uma povoação pró-esclavagista, onde massacrou cinco homens a sangue-frio. Brown foi enforcado mas, no final do ano, já haviam sido mortas duzentas pessoas no que viria a ser conhecido como «Kansas Sangrento».

Sidney ficou desapontado. — Pensei que o capitão estaria directamente envolvido no conflito — disse ele.

Matilda sorriu levemente da ingenuidade de Sidney. O seu interesse por política era reduzido, somente as notícias mais sensacionais lhe prendiam a atenção.

— Foi o problema no Kansas que desencadeou tudo isto — disse ela. — E continua a ser um foco de combate de guerrilha. Contava que Mr. Lincoln esfriasse os ânimos quando se tornou presidente no ano passado, mas agora que onze estados sulistas se separaram porque não chegam a acordo na questão da escravatura e formaram a Confederação, suponho que a única alternativa é uma guerra total.

Sidney mostrou-se confuso. — Talvez a carta do capitão explique de maneira que eu entenda — disse ele. Tanto Sidney como Peter idolatravam James e acreditavam firmemente que as suas opiniões eram mais correctas do que aquilo que liam nos jornais. — Acho melhor deixar que a leias.

Matilda sorriu, sabendo que o que ele queria realmente era que ela a lesse nesse momento e lhe transmitisse o que dizia. Dir-lhe-ia mais tarde porque, nos últimos anos, ele tornara-se no seu melhor amigo e não havia segredos entre eles. O seu pequeno rapazinho de rua transformara-se num excelente homem e enchia-a de orgulho. Um vivo sentido de humor, um coração de ouro e uma ausência de vaidade eram os atributos que mais lhe valiam a apreciação das pessoas, mas não se deixava enganar. Geria o London Lil's com eficiência, era suficientemente inflexível para lidar com os clientes mais difíceis e os seus primeiros anos de vida haviam-no dotado de tal astúcia que estava sempre um passo à frente da maioria das pessoas.

Tinha agora vinte e seis anos. O seu distinto cabelo e barba ruivos, juntamente com mais peso e músculos, valera-lhe a alcunha de Grande Vermelho, mas o casamento com Mary Callaghan, dois anos antes, conferira-lhe uma dimensão adicional de calma e estabilidade. Matilda rejubilara com a união entre os dois porque a anterior vida dura de Mary e os anos que ela e Sidney haviam passado a trabalhar juntos faziam deles parceiros ideais. Adoravam a sua pequena casa a alguns quarteirões de distância e estavam agora ansiosamente à espera do primeiro filho.

— Daqui a pouco dou um salto lá abaixo e conto-te as notícias todas dele — disse Matilda. — O que é que o Peter está a fazer hoje de manhã?

— Continua impaciente para se alistar — disse Sidney com um grande sorriso. — Mas eu dei-lhe um sopapo há pouco e mandei-o limpar a cave e não ser estúpido.

Matilda franziu a testa. Peter não perdera o seu entusiasmo por uma carreira militar e aguardava ansiosamente notícias sobre o facto de ter sido ou não admitido em West Point. Mas assim que soubera da guerra, deixara subitamente de querer ser oficial e só queria partir de imediato para combater.

Peter sempre ocupara um lugar especial no coração de Matilda mas, desde a morte de Cissie, ainda se lhe tornara mais precioso. Enquanto Sidney sempre fora como um irmão mais novo, considerava Peter um filho. Muitas vezes pensava que tinha transferido todo o amor que sentia por Amelia, Cissie e Susanna para ele, depois das suas mortes; cuidar dele e vê-lo transformar-se num homem preenchera uma necessidade profunda dentro dela. Ele possuía um temperamento feliz, todo o calor e vivacidade de Cissie, mas era muito inteligente e perspicaz. Era o seu palhaço quando precisava de levantar o ânimo, o seu companheiro e assistente. Desde que a sua escolaridade terminara no Outono passado, altura em que fizera dezoito anos, passava o tempo, enquanto esperava por notícias de West Point, a trabalhar para ela. Ocupava-se da escrita, pintou toda a fachada do London Lil's e fazia-lhe recados relacionados com as raparigas.

Para além da sua relutância em que ele a deixasse e o terrível medo de que pudesse ser morto, Matilda detestava a ideia de ele se alistar. Dera o seu melhor para que ele recebesse uma educação refinada e a ideia de ele se misturar com homens violentos, alcoólicos e boçais incomodava-a profundamente.

Sidney não sentia o mesmo desejo de se alistar. Não era patriótico, dizia que a sua única lealdade era para com as pessoas que amava e não via sentido em lutar por algo que não compreendia. Também adorava Peter e sentia-se tão ansioso como Matilda por impedi-lo de partir.

— Suponho que não podemos acorrentá-lo para o impedir de ir — disse Sidney, a testa franzida numa expressão de apreensão. — Vou fazer tudo o que puder para o demover.

— Talvez o James diga alguma coisa sobre o Peter na carta dele — disse ela. — Não me importava tanto que ele fosse se pudesse integrar o regimento dele.

— Deixo-te então para a leres — respondeu Sidney. — Entretanto, vou mantê-lo a trabalhar na cave.

Depois de Sidney sair, Matilda instalou-se a ler a carta.

Nada resultara como haviam planeado. Depois das curtas férias em Santa Cruz, James regressou ao Fort Leavenworth, no Kansas, e na sua primeira licença foi a casa, na Virgínia, e pediu o divórcio a Evelyn, mas ela recusou categoricamente. Era-lhe indiferente que o casamento entre ambos não passasse de fachada, que nunca houvesse filhos e até o facto de ele ter confessado que estava apaixonado por outra mulher. A sua única preocupação era não ser afectada por um escândalo.

James disse-lhe que, nesse caso, se devia considerar abandonada, pois nunca mais voltaria para ela e, desde então, cumprira esta promessa. Também teria abdicado da sua comissão de imediato mas a situação no Kansas era volátil e os colonos inocentes estavam tão desesperadamente necessitados de protecção que ele entendia ser seu dever aguentar até os problemas estarem resolvidos.

Nos últimos cinco anos e apesar dos mais de três mil quilómetros que os separavam, haviam conseguido passar algum tempo juntos. No ano passado, ela viajara até ao Ohio para ver Tabitha, quando esta começou na Faculdade de Medicina de Clevedon, e também se encontrou aí com James. Durante todo este tempo, haviam se atido à convicção de que seria uma questão de meses até que James se conseguisse libertar do Exército e fosse viver com ela mas, quando Matilda recebeu as notícias da guerra, sabia que ele nunca se demitiria durante uma crise.

Meu amor, leu. *Escrevo esta carta invadido pela tristeza, sabendo que, com toda a probabilidade, quando a receberes, já estaremos em guerra. Ao longo dos anos, tenho escrito muitas cartas a pedir-te desculpa por te desapontar mas, nesta, não posso sequer oferecer palavras de esperança no nosso futuro comum porque a situação se afigura extremamente grave.*

Não possuo tão-pouco a convicção de que esta seja uma guerra que tem de ser travada porque as forças que estão na sua origem são tão confusas como os meus próprios sentimentos. Se se tratasse simplesmente de uma questão da moralidade da escravatura, então saltaria de bom grado para o meu cavalo de sabre em riste, pois já conheces os meus arraigados pontos de vista sobre esse tópico. Mas acontece que se trata apenas de um confronto entre elites minoritárias.

A maioria dos nortistas não é abastada nem politicamente poderosa nem se preocupa o suficiente com a escravatura para entrar em guerra por ela. Do mesmo modo, a maioria dos brancos no Sul compõe-se de lavradores pobres e não de decisores. As elites nortistas querem a expansão económica, terra livre, trabalho livre, um mercado livre, uma alta tarifa proteccionista para as manufacturas e um Banco dos Estados Unidos. As elites sulistas opõem-se a tudo isso e consideram que Lincoln e os republicanos entravam o seu agradável e próspero estilo de vida.

Os meus sentimentos estão divididos em ambas as direcções. Afinal, sou natural da Virgínia e, mesmo que deplore algumas das tradições, é contra o meu povo que me pedem que combata. Talvez, se pudesse acreditar que ia combater do lado da razão, pudesse pôr de parte as lealdades pessoais. Mas sei perfeitamente que a escravatura não é o verdadeiro problema e, mesmo que a guerra se salde na libertação de todos os escravos, os problemas não acabarão, pois existem enormes preconceitos contra os negros e são muito poucos os que acreditam que eles devem ter os mesmos direitos dos brancos.

Na realidade, os negros recebem amiúde pior tratamento no Norte do que no Sul mercê da ignorância e do medo. Em Nova Iorque, um negro não pode votar a não ser que possua bens no valor de duzentos e cinquenta dólares. Essa regra não se aplica aos brancos. Mas não preciso de te dizer estas coisas, querida Matty, pois sempre foste uma defensora dos pobres e dos oprimidos, independentemente da cor da sua pele, do seu sexo ou religião.

Diz-se que o Exército da União pode facilmente desbaratar a Confederação; afirma-se que temos mais riqueza, armas, estradas e caminhos-de-ferro e uma Marinha potente, ao passo que os estados do Sul estão praticamente na bancarrota e o algodão é o único verdadeiro bem que possuem. Tudo isto é verdade. Mas eu sei que, em qualquer batalha, o adversário mais forte é aquele que acredita fervorosamente na sua causa. O Sul tem líderes fortes e uma convicção absoluta de que a sua causa é honrosa, e eu acredito que combaterá até à morte para defendê-la.

Hoje ouvi dizer que estão a afluir torrentes de jovens em todo o país para se alistarem pela União, como acontece aqui no Kansas. Poucos são aqueles realmente inspirados pela glória, pelos ideais, pelas bandeiras e pelas cornetas. São movidos apenas pelos treze dólares por mês, e talvez pela aventura. Acreditam piamente que tudo estará acabado em noventa dias.

Conhecendo como conheço os sulistas, duvido que os rebeldes possam ser subjugados tão depressa. Interrogo-me ainda como podemos esperar que os nossos soldados permaneçam inquebrantáveis em relação a uma causa quando tiverem cohecimento do verdadeiro significado da guerra, descobrirem que as condições de vida são muito piores do que aquelas que deixaram para trás nos bairros degradados das cidades, sendo rações insuficientes e a morte uma possibilidade real.

Mas basta, meu amor, pois não hás-de querer ouvir pensamentos tão pessimistas. Uma certeza emergiu desta situação: se tiver de combater contra os meus velhos vizinhos e amigos, jamais poderei regressar à Virgínia quando tudo isto chegar ao fim. Nessa altura, deixarei de vez o Exército e ficarei ao teu lado para sempre. Reza, portanto, para que seja uma batalha breve e vitime poucas pessoas.

Trago o teu retrato junto do coração, beijo-o todas as noites e todas as manhãs. Escreve assim que possas e conta-me todas as tuas alegres novidades sobre as raparigas, e diz ao Sidney que estarei presente para ser o padrinho do filho dele, como prometi, embora não possa para já dizer quando. Tenho a impressão de que o jovem Peter está desesperado para se alistar, pois tem um temperamento tão fogoso como eu na sua idade. Se não conseguires dissuadi-lo, pelo menos faz tudo para que ele venha para aqui e integre o meu regimento pois, nesse caso, posso tentar velar pela sua segurança.

Lembra-te que te amo, meu amor. O meu corpo pode estar aqui no Kansas e o meu pensamento na guerra, mas o meu coração estará para sempre contigo.

Eternamente teu, James.

Matilda limpou as lágrimas que lhe corriam copiosamente pelas faces, dobrou a carta e guardou-a no corpete do vestido. Mordeu o lábio para não chorar mais e tentou animar-se, como fazia com frequência, limitando-se a contemplar a vista da sua janela.

Estava uma magnífica manhã de Maio, com um sol quente e uma brisa muito leve, e a vista da baía sobre os telhados era tão bela e pacífica como sempre, agitada com o movimento dos navios e dos barcos de pesca. Mas, enquanto a admirava, recordou que tudo o que esta cidade tinha de bom e que se habituara a amar só fora conseguido à custa de longas e renhidas batalhas para erradicar o mal.

Pensou nos tempos passados dos Justiceiros. Sam Brannan, o primeiro homem a declarar que havia ouro no rio American, havia organizado um grupo de homens para tomar em mãos o combate à anarquia da cidade. Na ausência de uma boa força policial, tinham como alvo os jogadores, os incendiários, os rufiões de rua, os falsificadores eleitorais, os políticos corruptos e criminosos confirmados e suspeitos. Enforcaram alguns, assentaram valentes coças a outros e baniram muitos mais da cidade. No seu apogeu, em meados da década de 1850, tinham 4000 soldados de infantaria, armados de mosquetes e trinta canhões, e funcionavam com disciplina militar, a partir do Fort Gunnybags, o seu quartel-general em Sacramento Street. Matilda ainda recordava vividamente a excitação na cidade, no Verão de 1856, quando os Justiceiros exigiram que as autoridades lhes entregassem dois assassinos, chamados Cora e Casey, e os levaram para o Fort Gunnybags para serem julgados. Foram dados como culpados e enforcados das janelas do segundo andar.

Mais tarde, nesse mesmo ano, os Justiceiros haviam-se desmembrado. Talvez a sua organização fosse imperfeita, mas tinham contribuído para que São Francisco saísse da era de cidade-cogumelo, mostrado aos piores bandidos que a sua presença não seria tolerada e lançado os alicerces de uma verdadeira cidade civilizada. Mais tarde, em 1859, a descoberta de prata no Filão de Comstock trouxe nova e desejada prosperidade à cidade, mas já não havia a loucura de que Matilda se recordava do tempo do ouro.

Contudo, havia muito mais a fazer. Talvez São Francisco, para a maioria dos seus cidadãos, estivesse a transformar-se num lugar limpo e ordeiro, com agradáveis subúrbios, boas escolas, faculdades, teatros e bibliotecas, mas a «Costa da Berbéria» e todas as suas obscenidades ainda medravam. E assim continuaria, pois a maioria das pessoas fazia vista grossa desde que não afectasse as suas vidas e trouxesse rendimentos adicionais à cidade.

Por vezes, Matilda sentia que a tarefa a que se propusera de ajudar raparigas a escapar da prostituição e a evitá-la em definitivo era como tentar esvaziar uma grande banheira de água com um dedal. Nos últimos cinco anos, ela e Dolores haviam sido instrumentais em obter a condenação de apenas cinco donas de bordéis por recrutarem menores. Haviam salvado um total de trinta e três crianças e proporcionado um tecto e cuidados temporários a mais de 200 raparigas. Mas haviam apenas aflorado a superfície de um lamaçal pejado de infelizes a quem nunca poderiam acudir.

Das oito primeiras raparigas acolhidas em Folsom Street, só Fern continuava com ela, trabalhando como governanta numa pensão para raparigas trabalhadoras que Matilda fundara. Mai Ling casara-se com o dono de um restaurante, Suzy era criada de uma família rica em Rincon Hill. Maria e Angelina eram costureiras, Dora e Bessie eram ambas empregadas domésticas. Todas elas visitavam Matilda e Dolores de tempos a tempos e ofereciam amizade e encorajamento às novas raparigas que ali encontravam.

Dessas oito primeiras raparigas, Ruth era o único fracasso. Aquela expressão acossada nunca a abandonara e, pouco depois de ter começado a trabalhar como criada de cozinha, o seu corpo dera à costa na praia. Como a polícia não encontrou indícios de violência, concluiu que se suicidara.

Das outras raparigas a quem Matilda dera guarida, cerca de sessenta por cento continuavam nos mesmos empregos que ela lhes arranjara, trinta por cento haviam casado, saltado de trabalho em trabalho, voltado ao seio das famílias ou ido viver para outra cidade. Ela acreditava que cerca de cinco por cento do número total poderiam ter sido de novo aliciadas pela prostituição, pois nunca mais as vira nem tivera notícias delas.

Era impossível acompanhar o percurso de todas as raparigas auxiliadas pela agência de emprego. A não ser que posteriormente voltassem a recorrer à sua ajuda, não tinham qualquer razão para se manterem em contacto. Mas sendo na maioria raparigas espertas e capazes, que tinham amigos e familiares, duvidava que tivessem sido muitas as transviadas.

A Agência Jennings registava agora lucros, ainda que pouco significativos, mas a sua finalidade também nunca fora a de tornar-se num esquema lucrativo. Arranjara trabalho a mais de duas mil raparigas e possivelmente conseguira influenciar alguns homens de negócios a pensar que as mulheres tinham capacidades intelectuais iguais às dos homens e mesmo a tratar as suas empregadas com justeza. Mas agora Matilda não podia cruzar os braços; a guerra iminente apresentava mais uma oportunidade e, se não a aproveitasse, outros fá-lo-iam.

Reflectindo sobre isto, pegou num bloco e num lápis da escrivaninha. De que precisava um exército?

Elaborou uma lista. Comida, armas, munições, uniformes, tendas, cavalos, hospitais e enfermeiras. Franziu a testa perante as imagens que os dois últimos pontos suscitaram. Não tinha dúvida de que Tabitha se sentiria compelida a interromper os estudos para prestar cuidados de saúde. A sua ambição de ser médica sempre fora acompanhada pela necessidade de ajudar os doentes, mais do que baseada no seu desejo de promoção ou glória pessoais — nisso, era extremamente parecida com o pai. Deveria escrever-lhe agora a dizer-lhe para não abandonar a faculdade?

— Não vais fazer nada disso — disse em voz alta. — Ela tem vinte e um anos, a mesma idade que tinhas quando a Lily morreu, e se quer ajudar os feridos, não deve ser impedida.

Tabitha viajara para Inglaterra para visitar a tia e o tio quando terminara a escola. Matilda alimentara a esperança de que os seus familiares pudessem inscrevê-la numa universidade inglesa para seguir medicina. Mas, infelizmente, a profissão médica em Inglaterra ainda se opunha firmemente à entrada de mulheres para as suas fileiras e o tio médico aconselhara-a a ingressar na Faculdade de Medicina no Ohio porque aí não grassavam esses preconceitos. Contudo, a viagem a Inglaterra fora muito enriquecedora para Tabitha; conhecera os seus outros parentes e descobrira muito mais a respeito da mãe quando era rapariga. Levara-a também a compreender que era agora americana e que era a este país que devia as suas lealdades.

Matilda olhou de novo para a sua lista. Iria falar com Henry Slocum mais tarde; ele saberia como se procedia para obter contratos do governo, talvez até conhecesse algum homem de negócios local que estivesse a apresentar propostas. Precisariam de pessoal extra e, com tantos homens a partir para se alistarem, haveria vagas que talvez pudessem ser preenchidas por mulheres. Se tinha de esperar por James até esta guerra acabar, mais valia fazer algo de útil.

Matilda lamentava muitas vezes ter seguido sempre os conselhos de Dolores para evitar a gravidez. Tinha agora trinta e cinco anos e, quando James voltasse para ela, talvez já fosse demasiado tarde para ter um filho. Era frequente as raparigas que ela e Dolores ajudavam terem um bebé e, sempre que pegava num ao colo, ansiava desesperadamente por ter um filho seu. Era um sentimento que nunca se desvanecia inteiramente, tal como nunca se libertaria da dor de ter perdido Amelia.

Era como uma onda de maré que surgia inesperadamente. Perdia o pé, submergindo por vezes tão profundamente que pensava que se ia afogar. Depois voltava a desaparecer e permitia-se pensar que nunca mais voltaria. Mas voltava.

Dolores parecia sempre saber quando isso acontecia. Pegava-lhe na mão e apertava-a, raramente dizendo o que quer que fosse. Matilda interrogava-se amiúde como Dolores intuía estas coisas, mas a verdade era que ela era uma mulher extraordinária em todos os aspectos.

Matilda deslocou-se a Rincon Hill de cabriolé mais tarde para falar com Henry. Ao sair de casa, *Treacle* saltou para junto dela no veículo. Estava velho agora, o seu pêlo preto tingido de cinzento e passava a maior parte do tempo a dormir ao sol, mas adorava os passeios de cabriolé tanto como ela. Matilda achava que talvez fosse porque se recordava da carroça, e agradava-lhe pensar que um animal pudesse ter sentimentos de nostalgia, como um ser humano.

Poucas coisas lhe haviam dado tanto prazer como comprar o cabriolé. Adorava as rodas vermelhas e pretas, o cheiro dos estofos de couro vermelho e a sensação de liberdade que lhe transmitia. *Star*, a égua castanha, era calma e meiga, se bem que nada a entusiasmasse mais do que um bom galope numa estrada desimpedida.

A casa de Henry era imponente, com duas fachadas de empenas pontiagudas e cinco degraus com balaustrada para a porta de entrada. Matilda entrou no caminho de acesso e ordenou a *Treacle* que ficasse no cabriolé e, como era frequente quando aqui vinha, reflectiu como era estranho que Henry, a primeira pessoa a ajudá-la em São Francisco, tivesse permanecido um amigo leal ao passo que Alicia continuava a tratá-la com a frieza de outrora.

Alicia parecia finalmente feliz, tinha as suas tardes de *bridge* e as suas intermináveis jantaradas e, de tempos a tempos, animava-se praticando obras de caridade. Mesmo depois de Henry se tornar sócio do London Lil's e de Alicia beneficiar com os lucros que registavam, continuava a não ser capaz de admitir que possuía uma participação numa casa de diversões e nunca lhe passaria pela cabeça convidar Matilda para uma das suas elegantes festas. No entanto, reunia embrulhos de roupa para as raparigas de Matilda e persuadia as suas amigas presunçosas a usar a Agência Jennings quando precisavam de empregadas domésticas. E não se importava que Matilda visitasse o marido.

— Prazer em vê-la, Matty — disse Henry com grande afecto quando a criada a conduziu ao escritório dele. — Tem graça ter aparecido hoje, estava precisamente a pensar em si.

— Pensamentos positivos, espero — disse ela, rindo. — Com tanta conversa de guerra, bem preciso de algum ânimo.

— Os meus pensamentos sobre si são sempre positivos — disse ele com galanteria, elogiando o seu vestido de seda rosa e o chapéu. — Não compreendo como é que quando todos os meus amigos estão a ganhar cabelos brancos e rugas, a Matilda parece ter encontrado o segredo da eterna juventude — disse ele.

— É um bajulador incorrigível — disse ela, sorrindo. Não sabia que idade Henry tinha, mas calculava que devia andar pelos sessenta anos e, ultimamente, a sua barba outrora escura tornara-se completamente branca. Estava agora muito gordo, como uma pipa redonda, mas a sua mente continuava lúcida como sempre. — Mas vou directamente ao assunto da minha visita. Quero discutir contratos governamentais para a guerra.

Ele riu-se e convidou-a a sentar-se. — Não acredito que esteja a pensar no negócio das armas!

Matilda explicou-lhe a sua ideia. — Só quero estar um passo à frente dos outros — admitiu. — Ocorreu-me que serão necessários uniformes e também produtos alimentares. Quero empregos para as minhas raparigas.

Henry disse que achava que os uniformes seriam todos confeccionados no Leste e duvidava que fosse prático fornecer produtos alimentares devido à longa distância. — Mas vou ficar atento e há-de haver vagas, com tantos homens a alistar-se — disse ele, perguntando em seguida por James.

Um dos aspectos mais reconfortantes da sua amizade com Henry era que ele se preocupava genuinamente com a sua felicidade. Nos primeiros tempos da sua parceria, apresentara-a a muitos homens que esperava virem a ser potenciais maridos. Mas, assim que percebera que James era o homem que ela desejava, e talvez por causa do seu próprio casamento sem amor, esperava sinceramente que um dia encontrassem juntos a felicidade.

Matilda falou-lhe da carta de James e confidenciou o dilema dele por se ver obrigado a combater contra o seu próprio povo.

— Receio bem que haja muitos homens nessa situação — disse Henry com um suspiro. — Eu também sou do Sul, não se esqueça, as minhas lealdades também estão divididas.

— Mas certamente que não aprova a escravatura, Henry? — disse ela, horrorizada.

Ele encolheu os ombros. — Fui criado no meio dela, Matty. Os nossos escravos eram bem tratados e eu tinha uma ama negra e brincava com crianças escravas. Nem tudo é como n'*A Cabana do Pai Tomás*, sabe, a Harriet Beecher Stowe tem muitas contas a prestar por ter pintado um retrato tão faccioso. Só queria saber o que vai acontecer aos escravos quando forem libertados... poucos têm experiência de qualquer outra coisa que não seja cultivar algodão.

— As pessoas podem aprender outros ofícios — disse Matilda, indignada.

— Está a esquecer-se do vasto número deles. — Henry encolheu os ombros. — Se forem todos a correr para as cidades, quem é que os vai alimentar e dar-lhes um tecto? Muitos vão morrer de frio se forem para Norte, os homens brancos terão receio que eles se transformem em mão-de-obra barata. Vejo muitos problemas no futuro. O próprio Lincoln não tem respostas.

— Vai então envolver-se no fornecimento de armas ao Sul? — atirou Matilda em tom crítico.

— Não, não vou — disse ele calmamente. — Nem ao Norte nem ao Sul. Vou manter a neutralidade e assistir ao combate entre os dois lados. Mais tarde, quando acabar, suponho que serei um dos que vão tentar endireitar novamente o país.

Matilda sentiu-se um pouco humilhada, pois as palavras dele eram sensatas. — Desculpe, Henry, não sei porque é que me exalto tanto, também não é a minha luta.

— Não tem de ser — disse ele, debruçando-se e pousando-lhe uma mão no braço. — Não hão-de faltar exaltados sem nós. Hoje ouvi dizer que três dos meus sobrinhos correram a alistar-se na Geórgia. Vou incluí-los nas minhas orações, juntamente com o James e também o Peter, se ele se alistar. Entretanto, as pessoas como nós, Matty, têm de manter as rodas a girar aqui.

Depois de sair de casa de Henry, Matilda dirigiu-se imediatamente para Folsom Street, levando um caixote de roupa que Alicia lhe dera.

Ao transpor a porta de entrada, ouviu Dolores a vociferar na cozinha.

— Não quero saber que os teus seios estejam doridos — gritou ela. — Esse bebé precisa de leite senão morre. Deixa-te de lamúrias, pequena, e vai buscá-lo.

Ao longo dos anos, tinham acolhido muitas raparigas grávidas e os bebés nasciam na casa. Era sempre difícil arranjar empregos para estas raparigas; geralmente acabavam a responder a anúncios de agricultores viúvos no interior. Todavia, muitos destes casamentos combinados tinham corrido bem porque, para a maioria das raparigas, um lar e um marido era tudo o que desejavam.

Mas Matilda percebera, desde o primeiro momento em que conhecera Polly, a rapariga com quem Dolores estava a gritar, que ela era problemática. Via isso nos seus olhos azuis calculistas e na sua postura insolente e ouvia-o na sua voz lamurienta. Mas não podia mandá-la embora.

Fern encontrara-a uma noite, já tarde, acocorada no vão de uma porta e em estado avançado de gravidez. Tinha apenas catorze anos e virara-se para a prostituição quando fora corrida de um emprego de criada de cozinha porque a patroa descobriu que ela estava grávida. Vivia nas ruas desde Março, estava imunda, piolhosa, faminta, e Dolores achava que ela tinha sífilis. Estava com a barriga enorme as pernas e os braços eram paus de virar tripas e tinha os olhos encovados. Dolores teve de lhe rapar o cabelo porque estava demasiado empastado para a livrar dos piolhos. Tinha pior aspecto do que qualquer das crianças de Five Points.

Matilda entrou na cozinha e deparou-se com Polly refastelada numa cadeira. Dolores estava ao lado dela, tão furiosa que tinha as veias na testa salientes.

O bebé de Polly nascera oito dias antes. Dolores ajudara no parto e até lhe dera a sua própria cama para que a jovem mãe tivesse paz e sossego durante o puerpério. Polly pôs-lhe o nome de Abraham, em homenagem ao presidente, e uma das outras raparigas disse a rir que era um bom nome porque ele era esgalgado, magro e feio como Lincoln. Nascera com cerca de dois quilos e setecentos, mas possuía um ar enfermiço e era visivelmente essa a razão pela qual Dolores estava agora tão zangada.

Matilda esperara estar enganada a respeito de Polly mas, infelizmente, ela revelara-se muito pior do que qualquer outra rapariga a quem já tinham dado abrigo. Detestava obedecer, insultava todas as raparigas negras e não se calava a alardear que, na sua terra natal, no Indiana, o pai era dono da maior quinta num raio de quinhentos quilómetros. Roubava fitas do cabelo e outros pequenos tesouros das outras raparigas e não acatava nenhuma das regras da casa. Dolores disse que ela saíra de casa às escondidas uma noite e regressara mais tarde com dois dólares, que devia ter recebido de um homem.

Agora, três meses depois da sua chegada, já não estava com um aspecto lastimoso. O seu cabelo louro estava novamente a crescer, possuía um tom rosado de pele e os braços e pernas haviam mais uma vez engordado. Com um vestido azul estampado, tinha uma aparência bem cuidada e bonita.

— Eu vou buscar o bebé — disse Matilda, na esperança de acalmar a situação. Recordava que, no início, os seus próprios seios estavam muito doridos e, entretanto, ouvira dizer que as mulheres de pele mais clara reagiam deste modo.

Abraham não estava a chorar, permanecia ali calado, e ela percebeu que era este silêncio passivo que mais afligia Dolores. Pegou nele e descobriu que a fralda, o chambre e a roupa da cama por baixo dele estavam encharcados. Era evidente que não fora mudado durante todo o dia apesar de estar um monte de fraldas e chambres em cima da cómoda.

Matilda levou-o para a cozinha, pousou-o sobre uma toalha na mesa e despiu-o rapidamente. O rabinho da criança estava cheio de assaduras.

— Quando foi a última vez que o mudaste? — perguntou ela a Polly.

— Ainda nem há uma hora — disse Polly, amuada.

— Isso é mentira — disse Matilda, esforçando-se por não se exaltar. — O rabinho dele está vermelho e dorido. Não acredito que o tenhas mudado uma só vez hoje. Assim não pode ser, Polly. Os bebés são impotentes e ele é demasiado pequeno para sequer chorar suficientemente alto para te dizer como está desconfortável.

— Então porque é que uma das pretas não trata dele?

Matilda atirou-se a ela. — Nesta casa não usamos essa palavra detestável — disse ela. — As outras raparigas aqui são hóspedes, exactamente como tu, não estão aqui para olhar por ti ou pelo teu bebé. E, se não és capaz de mostrar respeito por mim, por Miss Dolores e pelas outras raparigas, vais direitinha para o hospício dos pobres.

Dolores estava a revirar os olhos. A sua expressão dizia: «Que vá já. Estou pelos cabelos com ela.»

Matilda aplicou pomada no rabinho do bebé, obrigando Polly a levantar-se para ver como se fazia, e pôs-lhe uma fralda e um chambre limpos. — Agora dá-lhe de mamar — disse ela, entregando-lho.

— Não posso, dói-me — insistiu a rapariga.

— Há muita coisa que dói na maternidade — disse Matilda com secura. — Vá, senta-te e dá-lhe de mamar, deixa de pensar só em ti própria.

Quando Polly desabotoou o vestido, Matilda viu que os seus mamilos estavam um pouco doridos mas não tão mal que ela não pudesse suportar cinco minutos em cada seio. Disse isto mesmo a Polly e voltou para o quarto da frente para mudar a roupa do berço. Ao baixar-se para apanhar uma coisa do chão, viu que Polly tinha atirado toalhetes ensanguentados para debaixo da cama e que o pote estava quase cheio.

Estes hábitos desmazelados enfureceram-na, mas decidiu esperar que o bebé tivesse mamado antes de se pronunciar, e voltou para a cozinha. Notou que Polly mal olhava para o filho ao dar-lhe de mamar, fixando vagamente um ponto à distância, fria e indiferente.

Dolores fez chá para todas e, depois de o bebé mamar, Matilda pegou nele e explicou a Polly que ela devia lavar e enxugar os mamilos depois de cada mamada, e aplicar, em seguida, pomada em cada um. — Agora vai para o teu quarto, apanha esses toalhetes e o pote e trata deles — disse ela. — A sujidade facilita a propagação de doenças fatais. Não a admito nesta casa.

— Mas ela é a criada, não é? — Polly indicou Dolores. — É ela que faz isso.

Matilda enfureceu-se. — Miss Dolores é a governanta aqui. Pode ter-te despejado o pote e limpado outras coisas quando estavas demasiado fraca para o fazeres tu, mas agora és perfeitamente capaz de cuidar de ti. Portanto, faz o que te digo!

Polly obedeceu com relutância. Matilda embalou o bebé até ele tornar a adormecer e depois foi aconchegá-lo no berço. Quando regressou à cozinha, Polly estava novamente refastelada na cadeira e fazia claramente tenções de ali continuar.

O sucesso desta casa dependia de todas as raparigas darem o seu contributo para o esforço comum. Matilda não esperava obviamente que Polly esfregasse o chão tão cedo depois de ter tido um bebé, mas era perfeitamente capaz de remendar roupa ou descascar batatas para o jantar.

— Assim não pode ser, Polly — disse Matilda enquanto Dolores se atarefava a lavar roupa na copa. — Estavas muito mal quando a Fern te trouxe para aqui; se ela não te tivesse trazido, podias ter morrido na rua. Por isso, diz-me porque é que fazes tudo e mais alguma coisa para tornar a convivência contigo tão difícil?

Foi infeliz que as outras cinco raparigas da casa tivessem escolhido esse momento para chegar de um passeio. Ouvindo a voz dela, pararam à entrada, sem saber muito bem o que fazer.

— Porque vocês pensam todas que são melhores que eu — disse Polly, os olhos azul-claros tão frios como gelo. — Basta olhar para si, toda aperaltada com sedas. O que é que sabe de ter um bebé sozinha ou de não ter dinheiro? Ouvi falar muito de si na rua, diz-se que tem um coração de pedra e que ganha dinheiro com raparigas como eu.

Matilda sabia que a última acusação era um boato espalhado pelas donas dos bordéis para demover as raparigas de recorrerem ao seu auxílio. Era-lhe indiferente. Mas a primeira acusação irritou-a profundamente.

— Sei perfeitamente o que é ter um bebé sozinha — disse ela, subitamente indiferente a que as outras raparigas a ouvissem. — Tive a minha filha numa caravana de carroças e, quando ela era da idade do Abraham, desci o rio Columbia numa canoa com ela. Não tive uma pessoa bondosa como a Dolores para olhar por mim. Tive de dormir numa tenda à chuva e arranjar maneira de secar as fraldas.

E os meus mamilos estavam muito mais doridos do que os teus. Mas mesmo assim dava-lhe de mamar, sempre que ela precisava.

— Suponho que está agora nalgum internato fino — escarneceu Polly.

— Quem me dera que estivesse — disse Matilda, o sangue a ferver-lhe nas veias. — Está morta, Polly. Morreu de cólera, juntamente com a minha melhor amiga e a filha dela. Só tinha seis anos e não passa um dia em que não chore a sua morte.

Ouviu-se um arquejo colectivo na entrada e Dolores atravessou a cozinha para mandar as raparigas para cima.

— És uma rapariga de rua — continuou Matilda, a sua voz subindo de tom, instigada pela fúria. — Uma desgraçada malcriada, ingrata e porca. Mas vou dizer-te uma coisa, vou fazer de ti uma verdadeira mãe e um ser humano decente, demore o tempo que demorar. A minha amiga que morreu também era uma prostituta quando a conheci. Encontrei-a numa cave em Nova Iorque, cheia de ratazanas, com a filha recém-nascida. Estava muito pior do que tu mas, quando lhe foi dada uma oportunidade, agarrou-a e transformou a vida dela. Na noite em que morreu, obrigou-me a prometer que ajudaria outras raparigas como ela. Foi por isso que fundei esta casa, por ela. Porque a amava.

— E depois? — retorquiu Polly. — Ganha uma pipa de massa com ela. Não a vejo dar nada a ninguém. Anda por aí na sua carruagem elegante e tem esse rapaz para lhe fazer os recados.

A insinuação de que Peter era uma espécie de amante encolerizou Matilda ainda mais. — Esse rapaz é filho da minha amiga, o bebé nascido na cave. Além de prometer à minha amiga que olhava por raparigas como tu, prometi tomar conta dele. Não sabes nada sobre a minha vida, miserável, mas fica a saber que passei por tantas adversidades como tu. Ando de vestido de seda e tenho uma carruagem elegante, sim, mas usei a minha cabeça para ganhar o dinheiro para os ter. Qualquer mulher pode vender o corpo, não é preciso inteligência nem habilidade para isso, basta abrir as pernas e receber o dinheiro. Talvez não tivesses alternativa quando andavas nas ruas, mas agora tens.

Calou-se, ofegante de raiva.

— O que é que decides então, o hospício dos pobres e a rua outra vez? Ou aplicares-te aqui e fazer como as outras?

— Não suporto as pretas — disse Polly num tom provocante.

Foi a última gota e Matilda pregou-lhe uma valente bofetada na cara. — Não tens categoria para beijar o chão que elas pisam — vociferou ela. — Deus deu-lhes uma pele negra porque vêm de um país quente onde precisam de protecção contra o sol; por dentro são exactamente iguais a nós. Mas têm uma coisa que tu não tens, que é cabeça, porque todas elas querem uma vida melhor do que aquela em que nasceram. Agora volta para o teu quarto. Suponho que nenhuma delas quer estar também ao pé de ti. Amanhã de manhã vou voltar e Deus te ajude se não encontrar melhorias na tua atitude.

A rapariga saiu a correr, com uma expressão aterrorizada. A fúria de Matilda abandonou-a instantaneamente, deixando apenas a vergonha de ter reagido com tamanha violência. Deixou-se cair numa cadeira, pousou a cabeça na mesa e rompeu em lágrimas.

Não ouviu Dolores regressar, sentindo apenas uma mão calorosa na nuca. — Não chore por causa dela, a rapariga não presta — disse Dolores com doçura.

— Presta, sim — disse Matilda, fungando. — Não passa de uma miúda que foi mal educada. Não sabe nada sobre o amor porque nunca ninguém lho deu.

— Às vezes, tem amor a mais para dar, Miss Matilda. — Dolores virou-a para si e embalou-a contra o seu peito ossudo. — Há pessoas que nasceram más. Não pode fazer nada contra isso.

Tenho de tentar — soluçou Matilda. — Não lhe devia ter batido.

— Umas vezes, a solução é um beijo, outras vezes é uma estalada, em qualquer caso, fez o que podia. Mas não me parece que vergue essa, é dura de mais. Mas amo-a por tentar.

Matilda levantou os olhos e, pela primeira vez, reparou que Dolores estava a tornar-se uma velha. O seu cabelo crespo estava semeado de brancas e exibia rugas na cara. O choque recordou-lhe que, durante todo o tempo em que haviam estado juntas, apesar de tudo o que haviam partilhado, ainda sabia muito pouco sobre a amiga, incluindo a sua idade exacta.

— Nunca te perguntei sequer se querias estar aqui — disse ela, subitamente envergonhada por nunca ter realmente pensando no que Dolores podia desejar. Tinha-se limitado a fazer planos e a esperar que Dolores alinhasse neles. — Já não és nova e este sítio deve ser um fardo demasiado pesado para ti. Mas posso arranjar outra pessoa para o gerir e tu podes voltar para o meu apartamento e levar a vida com mais calma.

Dolores soltou uma grande e sonora gargalhada. — O que é que eu ia fazer lá agora? — disse ela. — Estas raparigas são como as filhas que eu não nunca tive. A única maneira de me tirar daqui é quando o bom Deus me vier buscar.

— E quando algumas são ruins como a Polly?

— A gente compra uma dúzia de ovos e um está partido — disse Dolores com um suspiro resignado. — Mas ainda se pode usar o partido se se for rápido. Talvez seja preciso batê-lo um pouco mas não se deita fora.

— Achas que a bati que chegasse? — murmurou Matilda.

— Talvez, o tempo o dirá. Vá, limpe esses lindos olhos e vá falar com as outras raparigas. Imagino que o que a ouviram dizer há-de andar nas bocas da cidade amanhã, não ajuda muito à sua reputação se as pessoas souberem que afinal também tem coração.

Matilda riu-se. A fama da sua insensibilidade era algo que lhe agradava. Era mil vezes melhor do que ser tomada por trouxa.

Matilda fracassou com Polly. Duas semanas mais tarde, quando Dolores estava ausente, a rapariga esgueirou-se da casa em Folsom Street, levando consigo o dinheiro do governo da casa que Dolores guardava numa lata e deixando Abraham para trás. Dois dias depois, receberam a informação de que ela fora vista a embarcar numa diligência para Denver. Matilda deduziu que ela tencionava tentar a sorte nos bordéis de lá. Embora triste com o fracasso, no fundo não ficou surpreendida. Polly possuía um coração de pedra.

Foi penosa a decisão de entregar Abraham ao Lar para Crianças Abandonadas mas, como Dolores frisou, «A nossa actividade não é olhar por bebés, Miz Matilda. E eu não vou ficar aqui a vê-la prender-se ao menino. Tem de se preparar para ter filhos seus quando o capitão James voltar para casa!»

Foi esta ideia que lhe transmitiu um resquício de conforto quando acordou um dia de manhã e deparou com um bilhete de Peter a dizer que partia para o Kansas para integrar o regimento de James. «Não te preocupes comigo, tia Matty», escreveu ele quase como uma lembrança final. «Eu e o James damos uma sova aos rebeldes e voltamos num instante.»

*

Um ano mais tarde, no domingo, 6 de Abril de 1862, James acordou com a luz intensa do sol a entrar na sua tenda, consultou o relógio e verificou que pouco passava das seis. Há quase um mês que se encontrava aqui, com 42 000 soldados sob o comando do general U. S. Grant, em ravinas arborizadas, do lado oeste do rio Tennessee, perto de Pittsburg Landing, à espera que o general Buell e o seu Exército do Ohio se lhes juntassem. O plano era investir contra o coração do Mississípi, rechaçando os rebeldes.

Não pela primeira vez, James desejou ter escolhido uma carreira diferente da militar. Ali estava ele, no meio de uma guerra, morto por combatê-la e ir para casa, e em vez disso, tinha de aguardar decisões de generais que pareciam mais preocupados com a sua imagem e convoluta estratégia do que em sair para campo aberto e lutar. Oito em dez dos seus soldados eram filhos de agricultores imaturos e ele desconfiava que, por mais que os treinasse, nunca adquiririam o instinto assassino dos verdadeiros soldados. Sentia-se muito contente por não ter estado presente na primeira humilhante derrota em Bull Run. Quando ouviu descrevê-la como a «Maior Debandada», corara de vergonha por os soldados da União terem fugido da batalha. Não admirava que os Confederados estivessem a rir-se deles a bandeiras despregadas.

Pelo menos no Kansas, sentira que a missão tinha um objectivo palpável. Os civis precisavam de protecção e os rufiões assassinos do Missouri, que incendiavam as suas cabanas e destruíam as suas culturas, tudo em nome da secessão do seu estado, tinham de ser perseguidos e castigados. Sob o comando do general de brigada Nathaniel Lyon, um homem intrépido que muito admirava, assistira ao tipo de combate em que acreditava. Mas até isso redundara num fracasso, haviam perseguido esses homens ao longo de 320 quilómetros através do Missouri até Wilson Creek, mas Lyon acabara por ser morto e o Exército da União repelido de volta a St. Louis.

Agora, estava aqui no Tennessee simplesmente à espera, os rebeldes estavam apenas a trinta e cinco quilómetros em Corinth. Enquanto os generais discutiam entre si e empatavam, os Confederados ganhavam tempo para recrutar mais soldados, se organizarem melhor e se tornarem mais confiantes.

Constava que o próprio Lincoln escrevera ao general Buell, dizendo que «A demora está a arruinar-nos». Em alguns regimentos, os homens bebiam e lutavam entre si e muitos tinham fugido para casa, convencidos de que as mulheres, os filhos e as quintas precisavam mais deles do que o seu país. James também não os censurava, momentos houvera em que ele próprio voltara saudosamente os olhos para Oeste.

Mas talvez agora que parecia que o general Grant dirigia as operações, as coisas mexessem. Grant já registara duas vitórias importantes, no Fort Henry, no rio Tennessee, e no Fort Donelson, no rio Cumberland. No espaço de uma semana, conquistara Nashville e os Confederados haviam sido expulsos do Kentucky.

James pegou na carta que começara a escrever a Matilda, na noite anterior, e leu-a. Ela estava sempre no seu pensamento. Adormecia a pensar nela, acordava e descobria que ela era a primeira coisa que lhe assaltava o espírito. Interrogava-se muitas vezes se haveria mais homens que amassem tão profundamente como ele. Era o seu amor por ela que o mantinha são e lhe dava um propósito. Era capaz de passar longas horas na sela a imaginar como e onde viveriam quando a guerra terminasse. O seu plano era comprar uma quinta na Califórnia onde pudesse criar cavalos, nada de extravagante, apenas uma casa bonita e confortável, com um alpendre amplo e ensombrado, um jardim em estilo inglês para ela, a que não faltassem canteiros de rosas, e picadeiros atrás. Esperava que não fosse demasiado tarde para terem filhos mas, se fosse, talvez pudessem adoptar alguns. Gostava de imaginar Sidney, Peter e Tabitha a passarem férias com eles, acompanhados mais tarde pelos maridos, mulheres e filhos. Imaginou que arranjaria uma velha carroça coberta e a transformaria numa casa de brincar. As crianças adorariam e, de vez em quando, levaria Matty para lá e faria amor com ela, debaixo daquela sua velha manta de retalhos que tanto significava para ela.

Endireitou-se bruscamente e guardou a carta, lembrando-se que tinha de sair e falar com os seus soldados. Muitos deles estavam a sofrer de disenteria ou «Passo dobrado do Tennessee», como gostavam de lhe chamar. Deteve-se do lado de fora da tenda, animado pela vista que se estendia à sua frente. Chovera antes e o sol agora luminoso reflectia-se nas árvores em redor do acampamento, como milhares de diamantes. Um aroma a café fresco chegou-lhe às narinas e os homens estavam atarefados a limpar e a polir os mosquetes ou a escovar os casacos. Era como se fosse um domingo em casa.

Interrogou-se se os rebeldes estariam assim ocupados. O seu comandante, Albert Johnston, era na opinião de James o soldado mais competente na Confederação. Se estivesse na pele de Johnston, lançaria um ataque agora antes de as tropas de Buell chegarem para reforçar as fileiras da União. Ainda no dia anterior, exprimira este ponto de vista ao general Grant, mas caíra em orelhas moucas.

James avistou Peter Duncan do outro lado do acampamento, sentado num tronco, a engraxar as botas. O seu boné estava puxado para trás e ele estava absorvido na tarefa. Peter aparecera de surpresa no Fort Leavenworth, no Verão anterior, de diligência, o seu rosto jovem e imberbe de tal modo a transbordar de entusiasmo que James não tivera coragem para chamá-lo à pedra por se ter escapulido sem se despedir devidamente da tia.

Fora uma sorte que James tivesse acabado de chegar do Missouri. Se não estivesse presente, Peter podia muito bem ter sido imediatamente despachado com o resto dos novos recrutas para o Tennessee e para a Batalha de Fort Henry e ter sido morto, ainda antes de Matilda saber onde ele estava. Mas asim James pôde tomá-lo sob a sua protecção, ministrar-lhe algum treino básico e dar-lhe um gosto de combate no Missouri antes da marcha para aqui.

James não podia ser visto a dar tratamento especial ao rapaz, mas Peter também não o esperava nem falara a ninguém da sua ligação ao capitão. James achava que ele possuía as qualidades de um excelente soldado. Não se queixava, era um exímio atirador e era popular junto dos outros homens. James só esperava que ele estivesse à altura de uma batalha pesada, pois ainda não passara por essa experiência.

Às nove e meia, a paz e tranquilidade do acampamento foram quebradas por tiros e por esse característico berro dos rebeldes, meio grito, meio latido frenético de um cão. James já o ouvira muitas vezes mas ainda lhe provocava um estranho formigueiro na espinha. Quando os homens se precipitaram para pegar nas armas, apertar botões e até calçar botas, James sentiu um certo prazer ao ver que adivinhara as intenções do general Johnston e que finalmente haveria um confronto, mas ficou irritado pelo seu próprio general o ter ignorado quando decerto teria sido avisado que os Confederados haviam marchado de Corinth durante a noite.

Com a aproximação do ruído lancinante e ribombante do tiroteio e dos canhões, James saltou para o cavalo e chefiou os seus soldados para os matagais que cresciam ao longo de uma estrada sinuosa e enterrada. Os rebeldes não tardariam a alcançá-la e, se ele e os soldados conseguissem aguentar aí a sua posição até chegarem os reforços, tinham algumas hipóteses.

Os rebeldes chegaram muito mais cedo do que se esperava, um mau sinal, pois queria dizer que as tropas mais à frente não haviam conseguido contê-los. Um canhão da União disparou sobre eles e três soldados caíram, mas os restantes limitaram-se a passar por cima deles, abrindo fogo de espingarda para a direita e para a esquerda.

— Não disparem enquanto eles não estiverem em cima de nós — gritou James aos seus soldados, deitados ombro a ombro na vegetação. — É exactamente como matar esquilos — acrescentou, a pensar nos muitos que nunca haviam confrontado um alvo humano.

Via que muitos dos seus homens estavam assustados, mas esperava tê-los treinado suficientemente bem para não baterem em retirada quando as coisas ficassem difíceis. O objectivo dos rebeldes seria obrigá-los a recuar para o rio e, se conseguissem, massacrá-los-iam todos aí. Tinha de defender esta estrada, pelo menos até receber mais ordens de Grant.

Voltaram a soar tiros de canhão, fazendo explodir árvores e até pedras, e os rebeldes estavam agora ao alcance de tiro. James galopou ao longo da linha, disparando através dos arbustos pelo caminho, encorajando os seus soldados a agir.

Os rebeldes estavam a cair como tordos mas mesmo assim continuavam a surgir mais atrás. Os seus soldados estavam a atirar bem, aguentando a posição, e James procurou Peter com os olhos.

Foi um alívio ver que ele encontrara um local melhor do que a maioria dos outros, protegido por uma árvore tombada à sua frente e dois soldados regulares de cada lado. Estava a atirar como um profissional mas, ao virar-se de lado para recarregar, viu James atrás dele e sorriu maliciosamente.

— Cabeça para baixo, soldado — ordenou-lhe James, apontando a pistola a alguns soldados desgarrados que estavam a aparecer pelos arbustos na direcção de Peter e matando-os em rápida sucessão antes de continuar.

Foi a batalha pior e mais sangrenta em que James alguma vez se envolvera. Repetidas vezes enquanto cavalgava, desferiu golpes de sabre contra rebeldes que, tendo furado as linhas, tentavam derrubá-lo do cavalo. Mas estavam sempre a aparecer mais, inexoravelmente, como demónios enraivecidos, e o rugido dos canhões e dos obuses que caíam era tão forte que ele não conseguia sequer ouvir as suas próprias ordens gritadas nem a detonação da sua pistola.

Mais tarde, deixou os soldados para ir inteirar-se do que estava a passar-se num pomar de pessegueiros nas proximidades, onde ouvia trocas de tiros ainda mais renhidas. Viu soldados da União deitados de barriga para baixo, disparando contra os rebeldes que surgiam na sua direcção, um nevão de macias pétalas rosa flutuando e caindo sobre os vivos e os mortos.

Mais tarde, viria a saber por outro oficial que muitos dos homens sob o seu comando haviam debandado, aterrorizados. James perdeu a cor mas chamou a atenção para o facto de também ter visto muitos Confederados a fugir.

Mais tarde nesse dia, enquanto James e os seus soldados continuavam a defender tenazmente a sua frágil posição, ouviram dizer que Johnston, o líder rebelde, fora morto e que o comando passara para Beauregard. Mas James não sentiu prazer nenhum com isso, pois Johnston era bom homem.

Finalmente anoiteceu mas, embora os soldados de James e outros ao longo da estrada enterrada, até a um lugar a que puseram o nome de Ninho de Vespas, tivessem defendido a posição, o resto do exército recuara três quilómetros. Quando amanhecesse, seriam certamente derrotados. Chegou-lhes a informação de que 5000 dos seus soldados estavam acobertados junto do rochedo na margem do rio e que alguns tinham mesmo tentado atravessar o rio a nado para se porem a salvo.

Peter estava intacto, mas profundamente abalado com os acontecimentos do dia. Quando James esteve com ele pela última vez nessa noite, ele estava a escrever uma carta para um camarada analfabeto, as mãos tremendo de tal maneira que mal conseguia segurar no lápis. Dirigiu a James um sorriso hesitante, baixando em seguida a cabeça sobre a carta como se temesse que James se apercebesse do medo nos seus olhos e o desprezasse.

Nesse momento, James sentia desprezo por si próprio, desejando nunca ter enchido a cabeça do rapaz com histórias de valentia em combate. Talvez então Peter estivesse em segurança, numa universidade qualquer, construindo uma carreira que tivesse a ver com a vida e não com a morte. Nos limites do acampamento, havia homens feridos prostrados entre os mortos, a gritar por ajuda, mas não existia qualquer sistema em campo para recolhê-los ou tratar deles. Nunca se sentira tão impotente.

Mais tarde, começou a chover e os feridos que haviam estado a implorar água calaram-se subitamente.

— Deus deve ter ouvido as súplicas deles — gritou alguém no acampamento, suscitando uma explosão de risos embaraçados. Quando, mais tarde, os relâmpagos rasgaram o céu, James viu javalis a refastelarem-se com os mortos.

Deitou-se debaixo de uma árvore para dormir algumas horas, tapou os ouvidos para abafar os gritos dos feridos e tentou imaginar que estava a cavalgar na praia em Santa Cruz com Matilda e que o único som que ouvia era o mar. Pareceu-lhe captar um toque de corneta ao longe mas disse a si mesmo que também era fantasia.

Mas a corneta não era imaginária, era o Exército do Ohio de Buell que chegava com 25 000 reforços.

— Acabámos por derrotá-los, capitão — disse Peter, sorrindo a James na noite do dia seguinte.

Com as novas tropas, haviam atacado os rebeldes de madrugada. Durante o dia, tinham visto os rebeldes recuar duas vezes, voltando a contra-atacar, mas finalmente, ao fim da tarde, haviam batido em retirada para Corinth, sempre a abrir fogo.

James, montado no cavalo, olhou para Peter e sorriu-lhe. Sentiu vontade de desmontar e abraçar o rapaz, pois o seu rosto estava negro de pólvora, os olhos brilhantes com a luz da vitória. Exibia a queimadura de uma bala no topo do chapéu e estava enlameado até à cintura. Muitas vezes hoje, James vira Peter corajosamente sozinho, disparando invansavelmente sem atenção à sua segurança pessoal. Noutra ocasião, vira-o a caminhar para trás, arrastando outro homem ferido para um abrigo, sem parar de disparar. Hoje provara ser um homem mas, aos olhos de James, ainda era em grande parte a criança que Matilda amava. Contudo, embora outro recruta pudesse abraçar um camarada, enquanto capitão do rapaz, tinha de manter a distância na presença dos outros.

— É verdade, derrotámo-los — concordou James. — E tu combateste bem e com coragem, soldado Duncan. Tenho muito orgulho em ter-te sob o meu comando.

— E agora, capitão? — perguntou Peter, levantando a mão para afagar o cavalo de James. — Vamos atrás deles?

James suspirou. Peter era um verdadeiro soldado, estava com o sangue a ferver e queria mais. Também ele já fora assim, mas agora viraria de bom grado as costas a tudo isto.

— Ainda temos à nossa frente a pior de todas as tarefas — disse ele baixinho. — Os mortos têm de ser enterrados. Não apenas os nossos mas os deles também.

O solo estava semeado de corpos. James havia percorrido o campo de batalha antes e, por vezes, era difícil encontrar terra firme onde pôr os pés. O lago no pomar de cerejeiras estava vermelho do sangue dos feridos que se haviam arrastado até ali para beber. Havia o terrível trabalho de revistar os bolsos dos homens em busca de objectos e cartas para enviar aos entes queridos em casa. E depois os enterros.

Peter suspirou. James sabia porquê, queria mais combates.

Por um momento, James sentiu-se tentado a recordar ao rapaz que tinha de se proteger por Matty, porque ela não seria capaz de aguentar mais uma tragédia na sua vida. Mas, tal como não podia abraçar o rapaz, não podiam falar abertamente dos laços que os uniam.

— Vão dar a esta batalha o nome de Batalha de Shiloh — disse James, baixando e endireitando afectuosamente o boné do rapaz. — Viste aquela pequena igreja caiada de branco junto da qual alguns soldados combateram?

Peter assentiu com a cabeça.

— É o nome dela, «Shiloh». É uma palavra hebraica que significa um lugar de paz. Esperemos que todos os homens que temos de enterrar aqui a encontrem.

CAPÍTULO 25

1863

— Água — pediu o soldado Newton, num gemido rouco, quando Matilda passou pela cama dele.

— Com certeza — disse ela, aproximando-se dele. O jovem soldado tinha um grave ferimento na cabeça e, quando ela deslizou suavemente a mão sob o seu pescoço para levantá-lo o suficiente para que ele pudesse beber pelo copo, viu que a ligadura e a almofada estavam novamente ensopadas em sangue.

— Devagar — advertiu ela quando ele começou a beber sofregamente a água. — Pouquinho de cada vez.

Ele não teria mais de dezassete anos, mas muitos rapazes haviam mentido a respeito da idade para se alistarem. Era um rapaz bonito, com doces olhos castanhos, rodeados por pestanas escuras e espessas, e o pouco cabelo que espreitava por baixo das ligaduras era louro e encaracolado. Mas exibia uma palidez mortal e ela sabia que ele não chegaria ao fim do dia.

— Queres que escreva à tua mãe em teu nome? — perguntou ela. — Tenho um momento livre agora, se fores capaz de me dizer o que lhe queres transmitir.

A expressão nos olhos dele era de gratidão mas também ansiedade pois sabia que, quando a carta chegasse a casa, estaria morto.

— Diga-lhe só que fiz o melhor que podia — disse ele debilmente. — Diga que os meus irmãos têm de tomar agora o meu lugar e tratá-la bem.

Matilda tirou um bloco e um lápis do bolso do avental e apressou-se a anotar as suas palavras. Mais tarde, acrescentaria a sua própria mensagem, dizendo à mãe que ele fora um excelente soldado e que morrera corajosamente. Sempre que escrevia uma destas cartas a alguém, esperava e rezava para que, se James, Peter ou Sidney estivessem numa cama de hospital em algum lado, outra enfermeira como ela tivesse tempo para tomar nota das suas derradeiras mensagens.

— Queres que lhe diga que a amas? — murmurou, apertando a mão que ele lhe estendera.

— Quero — sussurrou ele, uma lágrima rolando-lhe pela face. — Diga também que não tenho dores, não quero que ela se aflija.

Matilda perdera a conta ao número de soldados que haviam mandado dizer às famílias essa mentira piedosa. A guerra era hedionda, na sua destruição e crueldade, mas trazia ao de cima as melhores e mais corajosas emoções.

Se não fosse Tabitha, Matilda nunca teria pensado em tornar-se enfermeira. Chegara aqui, ao hospital The Lodge, em Washington, há sete meses, em Novembro.

A partir do momento em que a guerra começou, o London Lil's tornou-se um lugar extremamente calmo, com a corrida dos jovens para se alistarem, e tornou-se também mais difícil arranjar artistas, pois haviam partido para as cidades mais movimentadas do Leste. Matilda manteve-se ocupada com a agência e as raparigas de Folsom Street mas, depois da Batalha de Shiloh, James foi promovido a brigadeiro e Peter a cabo e ela sabia que nada, a não ser um ferimento, os traria de volta antes de a guerra acabar.

Mais tarde, foi instituído o recrutamento obrigatório e Sidney, Albert e os outros empregados de bar tiveram de partir, levando Matilda a fechar o London Lil's. A bebé de Sidney e Mary, Elizabeth Rose, tinha então um ano de idade e, como Mary estava à espera de um segundo filho, Matilda transferiu-os para o apartamento no andar de cima com ela, pela companhia e para poupar nas despesas.

Mas Matilda sentia-se inquieta. Os dias eram longos já de si mas as noites, sem o bar em funcionamento, pareciam intermináveis. Sentia-se isolada do resto do país pois, tirando as iniciativas públicas para angariação de fundos e a súbita partida de tantos jovens devido ao recrutamento obrigatório, São Francisco quase não fora afectada pela guerra. Queria fazer alguma coisa de útil e estimulante, mas não sabia o quê.

Então, de súbito, chegou um telegrama de Tabitha implorando-lhe que se juntasse a ela em Washington para prestar cuidados de enfermagem.

A sua primeira reacção foi de horror. Achava que não tinha estômago para esse género de trabalho de guerra. Mas, quando se sentou a reflectir, a ideia começou a ganhar um certo fascínio. Seria maravilhoso ver Tabitha de novo e talvez até conseguisse estar também com James, Peter e Sidney. Num momento de pura imprevidência, enviou um telegrama a Tabitha, informando-a de que estava a caminho.

Assim que o despachou, foi assaltada por dúvidas. Seria mesmo capaz de tratar dos feridos? Não seria demasiado velha e arraigada nos seus hábitos para começar a acatar ordens de outras pessoas? Mas tinha a certeza de que Tabitha devia ter tido excelentes motivos para lhe lançar o repto. Dolores olharia pelas raparigas e por Mary e pelos filhos, com a ajuda de Fern. E já tinha uma mulher de confiança à frente da Agência Jennings. Não era necessária aqui.

Só quando chegou a Washington é que descobriu a razão do pedido de Tabitha. Todos os hospitais da União eram organizados pela Comissão de Saúde Federal mas Dorothea Dix, a mulher encarregada de todas as enfermeiras, a quem o trabalho de enfermagem de Florence Nightingale na Crimeia influenciara profundamente, não aceitava mulheres com menos de trinta anos, devido ao receio de que as mais novas pudessem andar em busca de romance.

Tabitha estava desesperada para pôr em prática os seus conhecimentos médicos de forma a aliviar o sofrimento dos milhares de vítimas mas, sabendo que a Comissão a rejeitaria quando visse na sua candidatura que só tinha vinte e dois anos de idade, viajou directamente para Washington para falar pessoalmente com Miss Dix. Talvez a indómita mulher que afirmara que «todas as enfermeiras deviam ser feias» tivesse achado Tabitha suficientemente feia, ou talvez tivesse sido sensata ao ponto de reconhecer que uma rapariga pronta a adiar os seus estudos de medicina até ao fim da guerra era dedicada, porque não a mandou embora imediatamente. Disse que estava preparada para aceitar Tabitha se ela arranjasse uma mulher mais velha para trabalhar ao seu lado e servir de acompanhante.

*

Quando Matilda deu por si na diligência rumando às montanhas, sentiu-se mais exultante do que receosa. Sentia-se ansiosa por estar de novo no centro da acção, por falar com pessoas que lhe dessem mais percepções sobre o progresso da guerra e por ouvir as opiniões delas sobre o conflito, pois sabia que James e Peter omitiam muitas informações nas suas cartas.

Mas, quando se apeou do primeiro dos comboios que a levariam até à Costa Leste, ficou consternada com os pontos de vista dos seus companheiros de viagem. Alguns eram ferozmente patrióticos, muitos manifestavam uma grande compaixão pelos enlutados, mas a vasta maioria, quer fossem do Norte ou do Sul, revelava-se alarmantemente oposta à abolição da escravatura.

Conversou com apoiantes fervorosos da União, que se sentiam horrorizados por escravos libertos e fugitivos estarem a afluir ao Exército e ao Norte em busca de protecção. Quando perguntou que solução preconizavam para este problema, disseram que eles deviam ficar nas plantações, pois era esse o seu lugar. Falou com um sulista de Charleston que estava furioso porque a União estava a recrutar negros para combater o seu povo. — Não está certo que se dê uma arma a um negro para combater os brancos — foi como descreveu a situação.

Ouviu também dizer que os índios estavam a tirar o máximo partido da ausência do Exército no Oeste, assaltando caravanas, armando emboscadas a carroças de provisões e matando colonos. Era ideia geral que deviam ser reprimidos pela força e relegados para as reservas.

Matilda interrogava-se como pessoas nascidas noutros países tinham a desfaçatez de desejar que o seu país de adopção fosse purgado dos seus habitantes nativos. Pareciam ter-se esquecido completamente de que, não fosse os índios terem ajudado os primeiros pioneiros a atravessar a América, esta continuaria a ser um território selvagem.

Mas, quando rebentou uma discussão sobre o recrutamento obrigatório entre um grupo de pessoas abastadas com quem acabou a viajar, enfureceu-se ao ouvi-las alardear abertamente que tinham pagado dinheiro para os filhos escaparem ao alistamento. Achou que era a coisa mais infame que já ouvira e exprimiu esta opinião em voz alta. Não sabia como o país poderia recompor-se depois de a guerra acabar, quando os bravos e leais tinham morrido por uma causa em que poucos verdadeiramente acreditavam e a sorte do seu futuro era deixada nas mãos de oportunistas, cobardes e intolerantes.

O soldado Newton morreu minutos depois de ela lhe apresentar a carta à mãe para ele assinar. Matilda fechou-lhe os olhos, cruzou-lhe os braços sobre o peito e atou as pontas das suas peúgas uma à outra, segundo o método que lhe fora ensinado para preparar os mortos. Mas também o beijou na face, não querendo saber que Miss Dix considerasse o gesto pouco profissional. Afastando-se para pedir uma maca, recordou o dia da sua chegada a Washington.

Era um dia de Novembro cinzento e húmido mas ela sentia-se tão entusiasmada por estar finalmente em Washington que se debruçou na janela do comboio quando este entrou na estação. O fumo e vapor que se elevavam obscureceram a vista por momentos mas, mesmo sobre o ruído das rodas a raspar nos carris, conseguiu ouvir centenas de vozes.

Quando o fumo se dissipou, viu um mar de homens de uniformes azuis em macas, de muletas, muitos deles sem braços ou pernas, com palas sobre olhos perdidos, talas e ligaduras, os rostos pálidos voltados para o comboio. Sentiu as pernas transformar-se em geleia e um formigueiro frio percorreu-lhe a espinha porque, se estes homens estavam em condições de ser transportados, como estariam os que se encontravam no hospital? Aconchegou-se melhor à capa, enfiou o simples chapéu de fitas com firmeza na cabeça e, respirando fundo, pegou no único saco pequeno que levara consigo e apeou-se do comboio.

Ao nível dos homens, a cena era muito pior. Viu as ligaduras ensanguentadas, as cicatrizes lívidas e por sarar nos rostos e as órbitas vazias em lugar dos olhos. Um rapaz novo numa maca estendeu-lhe a mão, talvez pensando, no seu sofrimento, que ela era a mãe.

Era assustador e comovente. Ler sobre as vítimas nos jornais não a preparara para ver tão grande número na realidade. Mas, nesse momento, Tabitha chamou pelo seu nome e começou a furar por entre os homens na sua direcção, e já era demasiado tarde para renegar o compromisso.

— Oh, Matty — exclamou Tabitha, antes de envolvê-la num abraço apertado e caloroso. — Não imaginas como me senti orgulhosa de ti quando recebi o teu telegrama a dizer que vinhas. Passei imenso tempo aflita, convencida de que ias recusar.

O terror que Matilda sentia no peito abandonou-a quando Tabitha a abraçou. Disse a si mesma que, se era capaz de conduzir uma carroça durante mais de três mil quilómetros, tratar da própria filha a morrer de cólera e dirigir um bar, era capaz de fazer curativos a feridas e reconfortar os moribundos.

— Como é que te podia recusar o que quer que fosse? — conseguiu dizer. Compreendeu de imediato que devia tentar mostrar-se à altura da coragem de Tabitha e lançar-se entusiasticamente ao trabalho.

De algum modo, o puro horror dos feridos à sua volta pôs em evidência o que sentia por Tabitha. Amava-a desde a sua primeira infância; alguns dos momentos mais felizes de toda a sua vida e alguns dos mais traumáticos haviam sido passados com ela. E agora, na companhia dela, sentia que podia inspirar-se na força de Lily e Giles, que Tabitha possuía em abundância.

Tabitha não parecia minimamente incomodada pelos homens à sua volta; era como se estivesse no meio de um mercado concorrido. — Arranjei alojamento para nós — disse ela, pegando no saco de Matilda com uma mão e enfiando-lhe a outra no braço. — Não é grande coisa, infelizmente, mas as pessoas por aqui não vêem com bons olhos as pessoas que trabalham no hospital. Suponho que pensam que vamos levar infecções connosco.

Tabitha explicou tantas coisas nesses primeiros minutos que uma grande parte permaneceu uma confusão para Matilda. No fundo, a única coisa que registou foi que estariam na A1, a enfermaria para onde eram transportados os soldados com ferimentos mais graves, Tabitha devido aos seus conhecimentos médicos e Matilda devido à sua maturidade.

Só quando estavam longe da multidão é que Matilda deteve Tabitha. — Deixa-me olhar bem para ti antes de continuarmos.

Tabitha riu-se. — Não estou diferente de quando me viste da última vez no Ohio.

— Quem decide isso sou eu — retorquiu Matilda. — Perdi tanto da tua evolução para uma jovem mulher que tenho o direito de te estudar atentamente agora.

Estava mais alta do que Matilda cerca de cinco centímetros e mais magra do que no Ohio. O seu vestido castanho e simples, sem armação, de acordo com as regras de vestuário impostas por Miss Dix às enfermeiras, conferia uma aparência pálida à sua pele e o seu penteado severo, com risca ao meio e duas tranças enroladas sobre as orelhas, não a favorecia em nada. Contudo, aqueles olhos escuros e melancólicos que, mesmo em criança, sempre haviam dominado as suas feições eram extremamente expressivos e belos.

— O que vês por fora não é importante — respondeu Tabitha com uma leve indignação. — Espero que não estivesses a contar deparar-te com uma beldade, nunca serei assim.

— Tabby, meu amor — disse Matilda, rindo —, serás sempre bela aos meus olhos. Só o facto de estares aqui e quereres tão desesperadamente tratar de soldados feridos basta para eu saber que fui uma boa ama. Mas não sei muito bem se serei tão boa enfermeira.

Ao sair da enfermaria, Matilda viu Tabitha debruçada sobre a última cama, lavando o coto de uma perna amputada. Estas visões já não perturbavam nenhuma delas, eram deveres normais e quotidianos que tinham de executar. Mas sete meses antes, nesse primeiro dia aterrador nas enfermarias do hospital The Lodge, uma visão destas fazia-as desviar os olhos e tapar a boca de náusea.

Matilda ainda tinha as visões, cheiros e sons desse dia indelevelmente gravados no seu espírito, o cheiro nauseabundo de carne em decomposição, os charcos de sangue no chão, os gritos dos homens em agonia. Só nesse dia, haviam morrido mais de vinte. De súbito, ela via o verdadeiro rosto da guerra, jovens corajosos a chorar pelas mães quando o cirurgião lhes amputava uma perna ou um braço com uma serra. Homens com os intestinos de fora, por baixo de ligaduras sujas, poças de sangue e vómito, pus e feridas tão pútridas que eram quase impossíveis de limpar.

Recordava como, na primeira noite passada com Tabitha no seu alojamento, ela vociferara contra um médico que deixara cair um instrumento cirúrgico no chão imundo, o limpara à bata já ensopada em sangue e o voltara a utilizar no doente. Custava-lhe a crer, pelo que aprendera até então nos seus estudos de medicina, que tudo o que os feridos recebiam aqui, antes de uma intervenção cirúrgica de fundo, se limitasse a umas poucas gotas de éter para os acalmar. Não se calava a dizer que era tão bárbaro como na Idade Média e que deviam fazer alguma coisa para levar as pessoas a compreender a gravidade desta situação.

Mas, nas semanas que se seguiram, foram constatando que as enfermeiras e os médicos faziam tudo o que podiam pelos doentes, apesar da séria escassez de medicamentos, ligaduras e roupa. Aprenderam também que eram os brutais hospitais de campanha, para onde os homens eram levados em primeiro lugar, os responsáveis pelos piores horrores. Neles os homens esvaíam-se em sangue por falta de torniquetes, eram abandonados durante tanto tempo no chão que as moscas punham ovos nas feridas abertas, e os membros eram muitas vezes amputados para não se perder tempo precioso a remover balas. Ouviram dizer que alguns soldados tinham uma arma debaixo da almofada para afugentar médicos carniceiros determinados em amputar.

Havia dezasseis hospitais em Washington, mas só alguns haviam sido construídos para o efeito; os restantes, como The Lodge, eram apenas edifícios envelhecidos e desocupados, reactivados devido à guerra. O telhado de zinco de The Lodge deixava entrar água, muitas das janelas partidas estavam entaipadas, os velhos soalhos compunham-se de tábuas nuas que não se conseguia manter limpas e, em tempo frio, era impossível aquecê-lo adequadamente. Mesmo dezasseis hospitais não eram suficientes; algumas vítimas eram tratadas na Casa do Senado e até na prisão de Georgetown.

Habituaram-se às longas horas, ao trabalho árduo, aos odores, aos gritos de dor e às divagações dos delirantes. Acostumaram-se a comer a repugnante comida do hospital e a tolerar o seu quarto exíguo e tristonho, mas era a sensação de impotência que mais as afectava, bem como a todas as outras enfermeiras. Nem os cuidados mais ternos salvavam muitos dos seus doentes, e apenas podiam tornar as suas últimas horas o mais confortáveis possível. Mas com a mesma rapidez com que um homem morria e o seu cadáver era removido, outro homem ocupava a cama. Por vezes, viviam tão pouco tempo que as enfermeiras nem sequer tinham tempo para falar com eles e muito menos reconfortá-los nos seus momentos finais.

Por vezes, quando Matilda e Tabitha deixavam o hospital ao fim da tarde, tinham de parar e sentar-se em qualquer lado, só para respirar um pouco de ar fresco e descansar antes de encontrarem forças para fazer o caminho para casa depois de um turno de doze horas.

Só quando estavam juntas na cama, no pequeno e abafado quarto na casa onde estavam hospedadas, é que conversavam. Recordavam a infância de Tabitha, Primrose Hill, a viagem para a América, os tempos passados em Nova Iorque e no Missouri. Era sobre os momentos felizes que mais se demoravam, os aspectos mais divertidos da trilha para o Oregon e os bons tempos com Cissie e John na cabana.

Com o tempo, Matilda acabou por contar a Tabitha as coisas que lhe escondera em menina. Por que razão a levara a crer que dirigia um restaurante, quem Zandra era na verdade, por que razão se sentira obrigada a ajudar prostitutas, como o seu romance com James começara e que não se importava se nunca se casassem, desde que pudesse passar o resto da vida com ele.

Ainda dois anos antes, não teria passado pela cabeça de Matilda falar destes assuntos a Tabitha, pois sempre houvera uma clara demarcação entre a mulher e a criança. Mas Tabitha já era uma mulher. Podia ter sido protegida das adversidades por que Matilda passara, nunca vivera um amor apaixonado, mas possuía uma grande sensibilidade e inteligência e o dom do pai de se colocar na pele das outras pessoas.

— Quando tinhas a minha idade, já tinhas vivido tantas experiências — disse Tabitha, uma noite, quando estavam na cama. — Já eu, parece que nunca fiz nada.

— Chamas frequentar a Faculdade de Medicina nada! — exclamou Matilda. — Na minha opinião, é muito mais do que tudo o que eu fiz.

— Mas nem quando obtiver o diploma vou poder praticar medicina — disse Tabitha, num tom desolado. — Enfim, suponho que poderei assistir a partos e talvez cuidar dos pobres numa grande cidade. Mas a maioria das pessoas não vê com bons olhos as mulheres médicas.

— Isso há-de mudar — disse Matilda num tom firme. — Espera e verás! Talvez não seja nos próximos anos, mas tenho a certeza que há-de acontecer. Se puder escolher, a maioria das mulheres prefere ser tratada por uma médica.

— Estava à espera que dissesses «dentro de poucos anos, hás-de estar casada e com filhos por quem olhar», é o que quase todas as pessoas pensam — respondeu Tabitha.

— As pessoas também me costumavam dizer isso — disse Matilda, rindo suavemente.— Sei que estou a ficar velha porque já ninguém me diz isso.

— Gostavas que tivesse sido assim?

— Sim, mais do que qualquer outra coisa — admitiu Matilda. — E tu?

— Só se aparecesse um homem muito especial — disse Tabitha, a ligeira quebra na sua voz mostrando que era algo que esperava. — E se sentisse por ele o que tu sentias pelo papá e agora pelo James. Mas eu não atraio os homens, Matty, especiais ou não. Acho que sou demasiado esperta e feia.

— Não é isso — apressou-se Matilda a dizer. Havia notado a maneira respeitosa como os homens reagiam a Tabitha e sabia o que significava. — É porque percebem, assim que te conhecem, que tens coisas importantes para fazer.

Tabitha ficou calada por alguns momentos, como se reflectisse sobre estas palavras. — Sabes o que mais aprecio em ti, Matty?

— Não, diz-me — murmurou Matilda.

— O facto de dizeres sempre a verdade. A mamã disse isso sobre ti um dia, quando estávamos no Missouri. Disse: «Se a Matty te disser alguma coisa, deves sempre acreditar.» No dia em que enterrámos a Cissie e as raparigas, lembras-te do que me disseste depois?

— Que queria que ficasses no Oregon, referes-te a isso?

— Não tanto isso mas teres dito que sempre me consideraste como uma filha. Lembrei-me do que a mamã tinha dito nesse dia e soube que podia acreditar em ti. Fiquei triste por ter de ficar no Oregon. Mas compreendi que não estavas a ver-te livre de mim. E isso reconfortou-me.

— Foi uma época terrível — Matilda suspirou. — Se não tivesse de pensar no teu bem e no do Peter, não sei o que teria feito.

Tabitha pôs os braços à volta dela e apertou-a com força. — Quem me dera poder acabar com esse sofrimento — sussurrou. — Nesse tempo, era demasiado nova para compreender verdadeiramente o que deve ter sido para ti. Mas agora compreendo.

— Será que vamos receber cartas hoje? — disse Tabitha pensativamente, na manhã de 1 de Julho. Eram cinco e meia e ela estava a entrançar o cabelo, preparando-se para um dia no hospital. — Parece ter passado uma eternidade desde que tivemos notícias dos rapazes.

As cartas chegavam normalmente em lotes. Por vezes haviam sido milagrosamente escritas apenas duas semanas antes, mas quase sempre chegavam meses depois. Da última vez que haviam tido notícias de Sidney, ele estava no Fort Henry, no Tennessee. Um ferimento no pé valera-lhe um posto nos armazéns e, ainda sem quaisquer sentimentos de patriotismo, esperava poder continuar aí. Não exprimia qualquer preocupação a respeito da guerra e do seu desfecho, mas apenas pelas pessoas que amava e por chegar depressa o momento de estarem todos juntos de novo.

James e Peter pareciam estar sempre em movimento, de regresso à Virgínia, e pouco falavam dos combates que haviam defrontado durante a longa marcha ou mesmo sobre o que os esperava. As cartas de Peter nunca tinham um tom sério e centravam-se principalmente nos homens que conhecera, na lama, na abertura de trincheiras e nas rações militares. Descrevia os biscoitos como sendo tão duros que podiam ser usados como armadura. Dizia que a única maneira de os comer era embebê-los em café e retirar depois os gorgulhos que eles largavam.

As cartas de James, imediatamente depois de Shiloh, eram alegres e até divertidas, mas depois da derrota da União na Batalha de Fredericksburg, na Virgínia, a sua terra natal, insinuara-se nelas um certo azedume. Felizmente, ele e Peter haviam sido poupados ao envolvimento nessa batalha, na humilhante derrota e na perda de cerca de 12 600 soldados da União, pois ainda estavam em marcha para a Virgínia. Mas James não estava apenas furioso por os «generais da treta» terem levado os seus homens a uma situação que só podia ter um massacre por desfecho, mas sentia-se também horrorizado por a vila ter sido pilhada por soldados da União depois de os Confederados terem instigado os habitantes a partir por uma questão de segurança. Seis mil civis abandonaram a vila, calcorreando a neve sem nenhum lugar para onde ir. Os rebeldes vitoriosos acabaram o que a União começara depois da batalha, incendiando e saqueando até não restar nada para onde os proprietários pudessem regressar. Dizia ele que nunca poderia compreender tamanha iniquidade, nem que vivesse até aos cem anos.

Na carta que escreveu no dia de Ano Novo, depois de o presidente Lincoln ter anunciado a Proclamação de Emancipação, mostrava-se ainda mais inquieto. Embora deliciado por ela pôr fim à escravatura, apontava as suas falhas, referindo que Lincoln não decretara a libertação de todos os escravos mas apenas dos escravos dos estados confederados. Os dos estados leais, como Maryland, Delaware, Missouri e Kentucky, ficavam de fora porque Lincoln estava demasiado ansioso para preservar a boa vontade dos proprietários de escravos nessas regiões. Acrescentava que também nenhuma decisão havia sido tomada relativamente aos milhares de negros que afluíam em barda ao Exército da União em busca de refúgio. Dizia que Lincoln era fraco e que, a não ser que atacasse imediatamente os problemas, o futuro traria conflitos piores.

Mas, embora compreendesse que James se achava com frequência dividido entre os Ianques e os Confederados, a primeira preocupação de Matilda era que ele e Peter permanecessem incólumes. Era exasperante o facto de ele não dizer onde se encontravam ao certo nem em que batalhas estavam envolvidos e, sempre que uma nova fornada de feridos era levada para o hospital, tanto ela como Tabitha estavam sempre a interrogar os homens, na tentativa de lhes arrancar o que sabiam e, pior ainda, perscrutando os seus rostos, aterradas, com medo de que um dia Peter ou James pudesse estar entre eles.

Nesse dia, quando Matilda e Tabitha estavam a sair da enfermaria para irem para casa, chegou a notícia de que estalara um confronto em Gettysburg. Matilda não sabia sequer onde era mas, enquanto se demoravam à porta do hospital a ouvir os rumores, souberam que não passava de uma pequena vila mais para o norte do estado.

Ouviram dizer que a batalha começara por causa de botas. Corria o rumor de que esta vila dispunha de uma grande provisão delas e ambos os exércitos se haviam dirigido para lá e, quando se encontraram, os confrontos tinham deflagrado.

Pareceu a Matilda que não passava de uma escaramuça de somenos importância e ela e Tabitha foram para casa a rir dos homens que se guerreavam por botas.

No dia seguinte, não ouviram mais nada sobre Gettysburg, mas na manhã do dia a seguir, quando se apresentaram ao serviço, não se falava de outra coisa. Aparentemente, vastos números de tropas de ambos os lados haviam convergido na área e, às quatro da tarde do dia anterior, a batalha começara. Algumas das enfermeiras ofereceram-se para ir ajudar nos hospitais de campanha, mas esta proposta foi rejeitada pois ninguém fazia ideia das baixas e, de qualquer modo, eram todas precisas em The Lodge.

Como no dia seguinte era o 4 de Julho, alguns dos homens na enfermaria dos convalescentes haviam feito cordas com bandeirolas para suspender e apareceram na A1 para também pendurar aí algumas e falar com os soldados gravemente feridos. Ao regressarem a casa nessa noite, Matilda pensou que era um dos melhores dias por que passara. Não se registara uma única morte nem haviam chegado feridos. No entanto, sentia um mal-estar no estômago, imaginando que era apenas a acalmia antes da tempestade.

Não houve celebrações do 4 de Julho porque, a meio da manhã, a tempestade da premonição de Matilda rebentou com a chegada da primeira fornada de soldados feridos de Gettysburg. Enquanto as enfermeiras se ocupavam das tarefas com que estavam tão familiarizadas, separando os uniformes dos ferimentos e lavando as feridas para que os médicos pudessem avaliar a extensão dos danos, souberam pelos homens que era a pior batalha até à data. Estes soldado eram quase todos do 20.º Maine e pareciam querer falar de como haviam investido contra o inimigo com baionetas fixas e apanhado os Confederados de surpresa. — Alguns largaram as armas — murmurou um jovem soldado raso a Matilda. — Pensei que estávamos safos mas depois apanhei com uma bala no joelho.

Na verdade, este foi um dos mais afortunados, pois tinha sido posto numa carroça, levado para a segurança das tendas do hospital de campanha e rapidamente despachado para aqui, em Washington, antes de lhe ser sequer encostado um bisturi ao joelho e muito menos a serra do cirurgião.

Matilda e Tabitha não saíram da enfermaria antes da meia-noite. Circulava a história de que haveria milhares de vítimas nos dias seguintes. Isto é, se houvesse carroças suficientes para fazer os homens chegar ao hospital.

Nos dias que se seguiram, «inferno» era a única palavra que, para Matilda, se aplicava àquilo que presenciou. Chegava a Washington um fluxo constante de carroças, todas a transbordar de feridos. Muitos deles haviam ficado durante dois dias em campo raso, sob um sol tórrido, ao lado dos cadáveres de camaradas e inimigos, vendo os corpos inchar e apodrecer ao calor.

Agora não usavam unicamente as camas, mas também o chão e os corredores. Os feridos menos graves eram deixados à porta, no chão, até poderem ser examinados. Todas as enfermeiras faziam turnos de dezasseis horas, pois toda a ajuda era necessária. Não havia tempo para escrever às mães dos soldados, nem tempo para persuadir um homem a beber se ele o não fizesse por sua iniciativa. Muitas vezes nem sequer conseguiam mudar os lençóis ensanguentados das camas entre dois doentes.

Ouviram dizer que haviam morrido 51 000 soldados, 23 000 deles da União. Os Confederados estavam a regressar tropegamente à Virgínia, transportando os seus feridos numa caravana de carroças com vinte e sete quilómetros de comprimento.

Depois trouxeram Peter.

Foi a sua voz que Matilda reconheceu, não o seu rosto, porque, como a maioria dos homens, estava tão enfarruscado de pólvora que as suas feições eram indistintas.

— Tia Matty! — ouviu ela quando a maca passou ao seu lado. — És mesmo tu ou estou a sonhar?

Ela ficou de tal modo espantada que quase entornou o jarro de água que tinha nas mãos. A perna direita das suas calças estava rasgada até à coxa e o penso em redor da ferida estava ensopado em sangue.

— Peter! — exclamou ela, correndo para junto da maca e estendendo instintivamente as mãos para lhe limpar a fronte. — Oh, meu pobre querido, não te queria ver aqui.

Tomou imediatamente providências para que lhe fosse dada a cama no canto, que diziam trazer sorte, pois parecia que a taxa de sobrevivência dos homens que lá se deitavam era maior. Tabitha apareceu a correr, cumprimentou Peter e apressou-se a retirar o penso ensanguentado que o hospital de campanha aplicara sobre o ferimento de bala na sua coxa.

— A bala ainda lá está — disse ela, examinando o ferimento. — Mas parece relativamente limpo comparado com os dos outros homens. A Matty vai lavar-te e eu vou pedir ao médico que venha o mais depressa possível. Estiveste ao relento muito tempo?

— Não, o brigadeiro salvou-me — disse ele, retraindo-se com a dor.

Ambas as mulheres queriam saber mais e perguntar se ele sabia de James, mas Peter estava cheio de dores, perdera muito sangue, a ferida precisava de ser limpa e havia muitos homens a precisar de ajuda ainda mais urgente.

Peter desmaiou com a dor enquanto Matilda limpava a ferida. Depois de a limpar e de lavar a zona circundante da sua coxa, Matilda aplicou um novo penso e começou a despi-lo e a lavá-lo. Já fizera o mesmo a centenas de soldados mas, desta vez, estava embargada de emoção, recordando-o em bebé, aos berros naquela cave enquanto Cissie dava de mamar a Pearl. Recordava igualmente o prazer que sentia ao vê-lo sempre que visitava o Lar para Crianças Abandonadas e Sem-Abrigo, em New Jersey. Era um bebé encantador, rechonchudo e bonito. Mas isso fora há vinte anos, agora era um homem. Não tinha pernas gordas com covinhas que lhe davam vontade de beijar mas apenas músculo duro e tenso.

Contudo, enquanto lhe lavava a cara, voltou a recordar o rapaz que levara para São Francisco depois da morte da mãe, que ainda só tinha uma penugem no queixo, a pequena cicatriz na sua face direita, causada por um tombo de uma árvore na cabana, ainda visível entre as sardas. Ele recuperou os sentidos, os olhos castanho-claros fitando-a com uma expressão maravilhada.

— Sou eu, Peter — sussurrou ela. — E vou pôr-te bom. Agora adormece, o perigo já passou.

Não ia deixá-lo morrer, prometera a Cissie que olharia por ele. Se tivesse de subornar o médico para lhe extrair a bala, subornaria.

A bala foi removida às oito horas dessa noite. Matilda segurou-lhe nas mãos enquanto o médico a extraía, e suturou pessoalmente a ferida. Ele não gritou e a sua resistência recordou-lhe como se comportara quando Cissie e as raparigas estavam a morrer.

— És um homem corajoso — disse ela quando o levantou da maca, com a ajuda de Tabitha, para voltar a deitá-lo na cama. — Nunca senti tanto orgulho em ti.

Matilda mandou Tabitha para casa mas ficou na enfermaria. Havia homens com ferimentos muito mais graves do que o de Peter, poucos aguentariam a noite e precisavam de alguém para os confortar, mas era por Peter que ficava.

Ele tinha um sono irregular, mas sempre que abria os olhos e a via ainda ali, sorria levemente e voltava a fechá-los. De madrugada, a sua cor melhorara um pouco e, quando ela lhe mudou o penso na perna, rejubilou por não detectar sinais de infecção.

— Já me podes contar o que aconteceu? — perguntou por volta das seis, sabendo que em breve uma enfermeira superior viria inteirar-se do seu estado e talvez transferi-lo para uma das outras enfermarias onde os doentes requeriam menos cuidados do que os homens aqui.

— Os rebeldes aproximaram-se por Cemetery Hill a investir contra nós — disse ele num sussurro. — Estavam a acenar com as bandeiras, o sol reflectia-se-lhes nas baionetas, parecia uma floresta inclinada de aço cintilante. Chegaram em uníssono, silenciosos e afoitos, foi o espectáculo mais belo e assombroso que já vi. Pareciam invencíveis, apesar de os uniformes estarem esfarrapados e alguns não terem botas. Depois o general Gibbon percorreu a linha, frio e calmo, e mandou-nos aguentar o fogo até estarem muito próximos.

«Deu-nos sinal de fogo quando eles estavam tão próximos que quase se lhes sentia o hálito. Quando disparámos os canhões detonaram todos ao mesmo tempo. Não acreditavas, Matty! Braços, cabeças, bonés e mochilas a irem pelos ares por cima do fumo. — Fez uma pausa, retraindo-se perante a recordação. — Mas, mesmo assim, os rebeldes continuavam a atacar. Foi corpo a corpo, cara a cara, a partir daí. Os homens a cortar com os sabres, a espetar as baionetas, armas disparadas contra as caras. Foi terrível!»

Calou-se e soltou um longo suspiro. — Fui atingido mas continuei a atirar e a recarregar porque sabia que, se caísse, seria morto à baioneta. Depois, de repente, o James apareceu a galope. Parecia um anjo vingador, Matty, a desferir golpes de sabre. Pensei que nem sequer me tinha visto mas vinha à minha procura, Matty, agarrou-me pelos braços e içou-me para o cavalo.

Matilda tapou a boca com as mãos, os olhos arregalados de choque.

— Acho que devo ter desmaiado porque, quando dei por mim, ele estava a deitar-me na relva, longe de tudo. Disse que eu tinha de ir para o hospital de campanha — disse ele, numa voz alquebrada. — Salvou-me a vida.

Matilda ainda não se refizera do horror do quadro vívido e dramático que ele lhe descrevera.

— Ele voltou para a luta? — perguntou ela debilmente.

— Claro que sim, Matty — retorquiu Peter. — Vi-o afastar-se, agitando o sabre numa mão e disparando a pistola com a outra, agarrado ao cavalo com os joelhos, da maneira que dizia que um índio lhe havia ensinado.

Calou-se subitamente, o seu rosto ensombrando-se. — Mas mais tarde ficou gravemente ferido, Matty.

Matty sentiu que o seu coração acabara de parar. Por um momento, só conseguiu fixar Peter, horrorizada. — Tens a certeza? — murmurou.

— Infelizmente tenho — disse ele, o sofrimento visível nos seus olhos. — O capitão Franklin veio dizer-me. Foi por isso que cheguei aqui tão depressa. Ao que parece, o James deu instruções para eu ser trazido para este hospital, para junto de ti.

Na noite anterior, Matilda já descobrira que a maioria dos feridos ainda estava em Gettysburg, tendo sido levados para casas de pessoas, e pensou que fora apenas uma questão de sorte que Peter tivesse sido trazido para aqui. Mas não se tratava de sorte, fora apenas James a olhar pelo seu menino, como sempre prometera fazer.

— Onde está o James então? — perguntou, o pânico apoderando-se dela.

— Imagino que terá sido levado para onde vão os oficiais — respondeu Peter. — Isto é, se... — Calou-se bruscamente mas não precisava de acabar a frase, já dissera o suficiente.

— Importas-te que eu vá à procura dele? — disse ela apressadamente. — A Tabby entra ao serviço em breve e fica de olho em ti.

— Vai à procura dele — disse Peter. — Diz-lhe. — Mais uma vez calou-se bruscamente, os olhos enchendo-se de lágrimas.

— Digo-lhe que o amas? — murmurou ela.

Ele assentiu e limpou, irritado, as lágrimas. — E diz-lhe que é o homem mais corajoso que alguma vez conheci.

Numa questão de minutos, Matilda descobriu que os oficiais eram transportados para o Hospital Federal e partiu imediatamente, correndo como uma lebre. Ia ser outro dia escaldante, o sol estava a subir depressa no céu e o som das rodas das carroças que traziam mais feridos ouvia-se por toda a parte.

Só quando chegou à porta do Hospital Federal é que se lembrou que tinha o avental manchado de sangue e sentiu o cabelo a soltar-se debaixo da touca, mas era demasiado tarde para fazer o que quer que fosse.

Uma senhora empertigada a uma secretária disse-lhe que o brigadeiro James Russell dera realmente entrada na noite anterior, mas que não era possível visitá-lo agora.

— Insisto — disse ela, olhando para a mulher, como se fosse capaz de lhe pregar um murro se ela voltasse a recusar. — Sou a mulher dele.

Ele estava num quarto ao fundo de um longo corredor, com mais cinco homens e, quando Matilda irrompeu porta dentro, uma enfermeira robusta tentou detê-la.

— Largue-me — disse ela, empurrando a mulher para o lado.

James estava na cama mais perto da janela e, reconhecendo a sua voz, virou a cabeça para ela. — Matty! — sussurrou.

Por um momento, ela pensou que os ferimentos que ele tinha eram de pouca gravidade porque o seu cabelo louro reluzia ao sol da manhã, o seu rosto estava bronzeado, o bigode aparado e a parte superior do seu peito e os braços nus exibiam músculos salientes. Tinha exactamente o mesmo aspecto de há três anos, na última noite que haviam passado juntos. Mas, ao correr para junto dele, viu que não era um lençol que o cobria mas uma ligadura em redor da cintura, e os seus olhos possuíam essa expressão mortiça e distante da morte iminente que ela já vira em muitas ocasiões.

Sentiu que fora atingida por um obus de morteiro, a sua boca secou e o seu coração começou a bater furiosamente. Os ferimentos no estômago eram sempre os piores. Não conhecia um só homem que lhes tivesse sobrevivido. Não era justo, tudo o que planeara e sonhara era para ele e com ele, a sua vida não valeria nada sem ele.

Contudo, conseguiu de algum modo sorrir-lhe e beijá-lo, dizer-lhe que viera a correr assim que soube que ele fora ferido. Estranhou não estar a chorar nem a repreendê-lo por não se ter furtado ao combate, como era próprio de oficiais superiores. Continuou simplesmente a sorrir, a afastar-lhe o cabelo da cara com carícias e a murmurar que o amava.

— O Peter vai safar-se? — perguntou ele, segurando-lhe nas mãos. A sua voz era tão roufenha e débil que a fez sentir-se fraca também.

— Sim, graças a ti, meu amor, ele contou-me o que fizeste.

— Revelou-se um excelente soldado — disse James em surdina. — Não te fica atrás, Matty.

— Pediu-me para te dizer que te ama — disse ela, muito próxima dele e afagando-lhe a cara. — Disse que eras o homem mais corajoso que alguma vez tinha conhecido. Mas, mesmo que se restabeleça o suficiente para ser recambiado para a guerra, hei-de lutar com unhas e dentes para o impedir.

James assentiu em sinal de concordância. — Diz à Tabitha que tem de retomar os estudos depois disto, e que nada a deve impedir de se tornar médica, e diz ao Sidney que lamento não poder ser o padrinho da Elizabeth e que olhe por ti em meu nome.

Ela queria dizer que ele ia melhorar e que veria pessoalmente Elizabeth em breve, e James também, bem como o novo bebé a quem fora posto o seu nome, mas tinha demasiada experiência da morte agora para não deixar que um homem dissesse o que precisava de dizer antes de se finar.

Ele pegou-lhe nas mãos e olhou para elas.

— Não — disse ela, tentando afastá-las. — São muito feias.

— Adoro estas mãos — sussurrou ele, levando-as aos lábios. — Porque sei como ficaram assim. Cada marca conta uma história de uma mulher de coragem e com um coração de ouro. Não imaginas quantas vezes sonhei com elas nos últimos três anos; dizem mais sobre ti do que o teu belo rosto.

— Estou um susto — disse ela, olhando para o avental ensanguentado e para o insípido vestido castanho.

— Aos meus olhos, pareces um anjo — murmurou ele, sem lhe largar a mão. — Lamento não ter podido cumprir as minhas promessas.

— Deste-me mais felicidade do que uma mulher tem direito a ter — disse ela. — Que importância têm algumas promessas quebradas?

Matilda reparou como esta enfermaria era diferente daquela em que trabalhava. Era da mesma dimensão mas aqui havia seis camas, em lugar das dezasseis na sua. Havia biombos para criar privacidade, o soalho estava encerado e polido, mas desta vez não a incomodou que alguns homens privilegiados recebessem tratamento especial. Não quando James era um deles.

— Pedi para ser enterrado em Gettysburg com os meus soldados — disse ele subitamente. — Não suportava a ideia de ser levado para Fredericksburg.

Por um breve momento, ela quis protestar mas viu a expressão nos seus olhos e compreendeu. Não era apenas o facto de a sua terra natal ter sido pilhada ou de já não sentir lealdade para com ela ou a sua família aí. Os seus soldados eram o mais importante para ele e, se tinham de ser enterrados em grosseiras valas comuns, ele desejava estar ao lado deles.

— Posso estar presente? — disse ela, as lágrimas enchendo-lhe os olhos.

— Estava a contar que estivesses — murmurou ele, agarrando-se à sua mão.— E a Tabby também. A tua família sempre foi muito mais importante para mim do que a minha.

— Se ao menos… — começou ela, contendo-se logo de seguida.

— Se ao menos o quê?

— Tivéssemos tido um filho, suponho — disse ela, tentando sorrir.

Ele contemplou-a com um olhar triste. — Pensei que acreditavas em nunca olhar para trás.

— Isso é fácil de dizer mas não é fácil de fazer — sussurrou ela. — Depois do que representámos um para o outro.

Ele retraiu-se com uma dor súbita. A enfermeira apareceu a informar que o médico estava a chegar para examinar o brigadeiro e, ao fazer deslizar o biombo em redor da cama, a sua expressão era afável e pediu mesmo desculpa por ter de pedir a Matilda que esperasse lá fora.

O médico era baixo e idoso e andava de bengala mas ficou com James muito mais tempo do que os médicos em The Lodge passavam com os doentes. Quando saiu, olhou para Matilda com genuína compaixão. — Lamento muito, Mrs. Russell — disse ele. — Fizemos tudo o que podíamos mas, sendo enfermeira, sabe que um ferimento no estômago tão grave como este não tem salvação.

Ela assentiu, satisfeita pelo menos por ele a ter tratado como uma igual. — Quanto tempo é que ele tem? — perguntou.

— Apenas alguns minutos, infelizmente — disse ele suavemente. — Volte para junto dele, Mrs. Russell, e que Deus os acompanhe aos dois.

James aguentou-se por mais dez minutos, com os olhos bem abertos, a mão apertando a dela, e por fim ela encontrou as palavras que nunca fora capaz de dizer antes. — Deste-me um propósito, James, deste-me força suficiente para suportar tudo. Amar-te foi tudo o que sempre desejei. Se pudesse voltar ao princípio, seguir-te-ia para todo o lado, para o forte mais sujo e remoto, para as montanhas e para o deserto. Guardar-te-ei dentro de mim para sempre, no meu coração, no meu corpo e no meu espírito.

Com as lágrimas a correr-lhe copiosamente pelas faces, passou-lhe um dedo pelos lábios, pelo nariz, pelo queixo e pelas orelhas, gravando os mais ínfimos pormenores na sua memória para sempre.

O peito dele emitiu um ruído roufenho, e a sua mão apertou a dela. — Beija-me — sussurrou ele.

Os seus lábios estavam secos e estalados mas ela manteve neles os seus até sentir o seu último suspiro, o afrouxar da sua mão. — Adeus, meu amor — murmurou.

Fechou-lhe os olhos, selando-os com um beijo, e chamou a enfermeira.

— Quer levar os pertences dele consigo agora? — perguntou a mulher num tom afável. — Eu sei que pode parecer um pouco precipitado mas, por vezes, ajuda ter alguma coisa à qual nos podemos agarrar.

Apesar da dor intensa, Matilda sentiu que esta mulher forte e simples também sofrera recentemente uma perda terrível e, por um momento, abraçou-a em silêncio.

— Há o sabre e a pistola dele e o que estava nos bolsos do seu uniforme — disse a enfermeira com lábios trémulos.

Matilda assentiu. Peter ficaria com o sabre e ela guardaria a pistola.

Sentou-se à cabeceira da cama de James depois de a enfermeira sair. Ele tinha o mesmo ar desse dia na praia em Santa Cruz, quando adormecera na areia ao seu lado, e era difícil imaginar que aqueles olhos jamais se abririam e que aqueles lábios não voltariam a sorrir-lhe. Conhecera-o quinze anos antes, fora sua amante durante dez, mas se somasse os dias que haviam passado juntos não totalizariam talvez mais de seis meses.

A morte tornara-se para ela um lugar-comum, de tal modo que começara a imaginar que perdera parte da sua sensibilidade. Mas não era verdade, sentia-se mortalmente ferida, sentia que o seu coração poderia deixar de bater a qualquer momento. A morte de Amelia esmagara-a, mas fora tolerável na medida em que sabia que era inevitável assim que a doença tomou conta dela. Nessa altura, tinha também as outras crianças em que pensar. Mas, desde a morte de Amelia, James fora o seu guia, prometera que envelheceriam juntos e ela acreditara nele.

Era o seu amor, a sua vida, nada tinha qualquer valor sem ele.

Alguns minutos mais tarde, a enfermeira voltou, com o sabre e a pistola embrulhados num pano atado com fio e as palavras «Brigadeiro Russell» escritas numa etiqueta.

— Também havia isto — disse a enfermeira, entregando-lhe uma carteira de couro castanha. — Trazia-a nas mãos quando aqui chegou.

Uma madeixa do cabelo de Matilda caiu quando ela a abriu. No interior estava a sua fotografia que haviam tirado em São Francisco sete anos antes. Estava agora amarelecida e gasta por ser constantemente manuseada. Quando abriu um pequeno compartimento, viu a liga vermelha que ele lhe arrancara naquela noite em Santa Cruz. Também esta perdera a cor e era agora de um rosa esbatido. Tinha a outra em casa, numa gaveta, ainda vermelho-viva. Tencionara usá-la na primeira noite em que ele voltasse para casa.

As lágrimas corriam-lhe pelas faces ao pegar na madeixa de cabelo e ao voltar a pô-la na carteira, juntamente com a fotografia e a liga, entregando-a de novo à enfermeira. — Acho que ele gostaria de a levar com ele — disse ela, simplesmente. — Importa-se de se certificar que vai com ele?

A enfermeira assentiu com a cabeça e pousou uma mão no ombro de Matilda. — Sinto muito — disse ela numa voz doce. — Era um grande homem e um valente soldado.

— O melhor — disse Matilda, entre soluços. Pegando no pesado embrulho e levando-o nos braços, olhou mais uma vez para os olhos da enfermeira. — Estou na enfermaria A1 do hospital The Lodge. Lá sou conhecida por enfermeira Jennings. Pode pedir que me informem de quando é o funeral dele?

As ruas estavam a abarrotar de carroças, havia soldados por toda a parte, e o calor e o ruído eram insuportáveis. Não havia lugar algum para onde ir para estar sozinha senão a pensão. Guardou o embrulho por abrir no armário e depois deixou-se cair na cama, tão entorpecida e desolada que já nem conseguia chorar.

O clamor da rua lá fora, o chocalhar das rodas das carroças e os pregões dos vendedores ambulantes e dos ardinas eram ensurdecedores, mas mesmo assim ela ouvia o zumbido de uma mosca na janela a tentar sair.

Surgiu-lhe no espírito um sem-número de memórias. O chefe da caravana inflexível e muitas vezes insolente. O amigo que embalara a sua bebé recém-nascida nos braços. Recordou a primeira vez em que dançara com ele no London Lil's, a maneira como o seu corpo se alvoroçara quando ele a apertara com firmeza. O seu rosto perturbado quando lhe disse que era casado com outra mulher. O sexo frenético à chuva, junto do Presídio. Tantos beijos inesquecíveis, noites intermináveis de paixão, risos, felicidade e lágrimas.

Convencera-se de que sabia tudo sobre ele, sobre o seu passado, os seus sonhos e aspirações. Conhecia todas as marcas no seu corpo, todas as rugas no seu rosto, a forma dos seus dedos dos pés, o leve assobiar que ele produzia ao adormecer. No entanto, agora que ele morrera, compreendia que grande parte da vida dele, a sua vida militar, era algo da qual nada sabia. Nunca soubera se ele tinha medo antes de uma batalha, se rezava, bebia ou jogava cartas. Lavava-se e barbeava-se para a ocasião? Quando saltava para o cavalo, alguma vez pensaria que seria a última vez? Como se sentia depois das batalhas, ganhas ou perdidas? Choraria por vezes?

Tudo o que tinha dessa faceta da sua vida era um maço de cartas e, embora estas revelassem os seus pensamentos sobre ela, as suas opiniões sobre muitos assuntos e os seus planos para o rancho de cavalos, nunca falara da sensação de ser ordenado a matar.

Agora nunca mais conheceria as respostas a estas perguntas mas sabia que, mesmo no auge da batalha, cumprira a promessa que lhe fizera e olhara por Peter. Guardaria vividamente no espírito a imagem dele a içar o rapaz ferido para o seu cavalo. Era uma imagem infinitamente melhor para guardar dentro de si do que andar a remoer sobre o modo como recebera os seus ferimentos mortais.

E queria ser enterrado com os seus soldados. Talvez fosse este o mais belo de todos os epitáfios.

Nesse momento, as lágrimas vieram numa enxurrada, tão quentes que lhe fizeram arder a cara e ensoparam a almofada sob a sua cabeça. Dizia-se que ela era a mulher que nunca chorava — pois agora estava a chorar porque o seu coração estava desfeito e não tinha mais nada por que viver. Que razão encontraria para se levantar todos os dias? Que lugar poderia ser um lar, sabendo que ele nunca o partilharia com ela?

Os dois exércitos que se digladiassem e matassem até não haver mais ninguém para matar. Haviam-lhe arrebatado o seu homem, o seu amor, o seu futuro. Já nada mais fazia sentido.

CAPÍTULO 26

A diligência sacudia-se na estrada sobre as montanhas da Sierra Nevada. Se os seus oito ocupantes não estivessem tão apertados uns contra os outros, andariam lá dentro em bolandas como maçãs num cesto.

Matilda, com um vestido, capa e chapéu pretos, ia no banco ao lado da janela, voltada para a frente da diligência. Uma almofada enfiada ao lado da anca protegia-a dos piores solavancos e a brisa que entrava pela janela aberta mantinha-a relativamente fresca, mas era o seu torpor que melhor a defendia do desconforto da longa viagem.

Era o mês de Junho de 1865. O general Lee rendera-se em Abril e a guerra terminara. Dois anos inteiros, menos um mês, desde Gettysburg e a morte de James, mas para Matilda poderia ter sido há uma semana, vários meses ou até muitos anos.

O tempo e o lugar já não tinham grande significado para ela. Desde esse dia estival em que James morrera, todas as suas reacções se haviam tornado automáticas. Voltara para o hospital para cuidar dos feridos ao lado de Tabitha. Trabalhava noite e dia, onde era necessária, ministrando aos doentes e moribundos os mesmos cuidados ternos de sempre só porque sabia que James teria desejado que o fizesse, mas por dentro sentia-se fria e vazia.

Tabitha pedira-lhe em muitas ocasiões que explicasse o que sentia. Estava extremamente ansiosa porque Matilda comia e dormia muito pouco e não suportava vê-la tão magra e macilenta. Matilda tentou descrever como era mas falhavam-lhe as palavras; dizer que se sentia simplesmente vazia não era explicação suficiente.

Agora que James partira, já nada era o mesmo. O sabor da comida, a fragrância das flores, o som do chilrear das aves, de algum modo tudo perdera a acuidade. As temperaturas extremas, as estações, o conforto, o desconforto, não a afectavam. Era quase como se vivesse dentro de uma bolha, vendo e ouvindo tudo, mas sem que nada a tocasse.

Assistiu à excitação louca em Washington quando a guerra acabou como se de uma grande distância, incapaz de compreender por que razão a alegria e a felicidade à sua volta não a comoviam. Ficara muito contente por os soldados poderem agora voltar para as mulheres e famílias e extremamente aliviada por não vir a haver mais vítimas, mas como podia sentir alegria com uma vitória ganha à custa de seis milhões de mortos?

Só tinha na memória uma imagem distinta enquanto as pessoas de Washington aclamavam, se abraçavam, beijavam e celebravam. A do funeral de James e as valas longas, algumas já cheias de cadáveres, outras vazias, à espera de receber corpos.

Devido ao posto de James, alguém tapara os montes de corpos à espera com serapilheira. Mas isso não impediu Matilda e Tabitha de inalar o seu cheiro nem de ver a nuvem negra de moscas a zunir em volta. Achava que nunca mais conseguiria libertar-se desse cheiro nem apagar a imagem do espírito.

Tabitha regressara ao Ohio para retomar os estudos de medicina e, quando se despediram na estação de Washington seis semanas antes, Matilda fingiu sentir-se entusiasmada por voltar para São Francisco. A verdade era que, no fundo, lhe era indiferente para onde fosse; se a tivessem mandado prestar cuidados de saúde noutra cidade, teria ido de boa vontade. Era mais fácil estar na companhia de estranhos do que de pessoas que a amavam.

À medida que uma série de comboios a transportava através da América e a Califórnia se ia tornando mais próxima, dizia a si mesma que tinha de sair desta apatia e olhar para o futuro. Tinha a felicidade de ter uma casa para onde voltar, todo o Sul estava em ruínas, as pessoas passavam fome, as suas casas haviam sido saqueadas, e muitas mulheres haviam perdido não só os maridos mas também os filhos.

Sidncy conseguira que o mandassem para casa graças ao pé infectado e, na última carta que recebera dele, aguardava alegremente a chegada de Peter. Sabia que devia estar a fazer planos para o futuro, tinha de reabrir o London Lil's, a Agência Jennings e o lar para raparigas em Folsom Street, mas em lugar de planear limitava-se a olhar pela janela, vendo os quilómetros desfilar sem sequer reparar na paisagem.

Só quando embarcou nesta diligência em Denver e passou pelo hotel onde uma vez ficara com James é que sentiu alguma coisa. Tinham passado aí momentos felizes e ela sabia que ele não haveria de querer que ela se afundasse neste luto. Quase o ouvia sussurrar: «Haverá sempre pessoas que precisam da tua força, Matty, não podes desapontá-las.»

De súbito, a diligência deu um solavanco para o lado, levando os passageiros a suster a respiração. Matilda olhou à sua volta, subitamente consciente de que, apesar de dos vários dias de viagem, os ignorara por completo.

Nenhum deles tinha nada particularmente invulgar, não passavam de pessoas normais, como se vê em qualquer rua ou cidade por toda a América.

Um homem gordo com um fato de xadrez, acompanhado por uma mulher com um ar um tanto desgastado e um rosto afilado e chupado. Dois jovens soldados de regresso a casa, os uniformes em desalinho mas as botas muito engraxadas. Uma jovem mulher com um elegante vestido vermelho e chapéu a condizer, viajando com uma senhora mais velha que podia ser sua mãe e, finalmente, um clérigo baixo e muito encarquilhado, que levava o chapéu de abas largas na mão, rodando-o nervosamente.

Matilda reparara que tinham conversado uns com os outros durante quase todo o caminho. No princípio, alguns deles haviam tentado encetar conversa com ela, mas não tardaram a desistir perante a sua falta de reacção. Mesmo quando paravam, Matilda mantinha-se distante.

O solavanco fora causado pela chegada da diligência ao cume do monte e iam agora a descer do outro lado, ao longo de um precipício rochoso e a pique. Pela primeira vez em toda a viagem, sentiu um leve alvoroço porque se lembrou da viagem de carroça nesse passado longínquo.

O jovem soldado sentado à sua frente deve ter observado o seu súbito interesse porque se debruçou no assento. — Está com medo? — perguntou.

Não passava de um rapaz, talvez com vinte anos, pálido e magro, com uma farripa de cabelo louro caindo-lhe sobre os olhos. Algo nele a comoveu e ela sorriu. — Não, com medo não — respondeu. — Confio no cocheiro. Imagino que já terá passado por aqui centenas de vezes.

Era estranho, mas o simples facto de fazer esta observação animou-a. Se ainda tinha confiança num cocheiro, podia recuperar a fé em si própria.

— Vais para casa? — perguntou ela ao rapaz.

Ele assentiu com a cabeça. — Os meus pais vivem em Sacramento. Espero que não tenham mudado de casa, há dois anos que não recebo cartas.

— Hão-de lá estar — disse ela num tom reconfortante. — Sabem que não te aconteceu nada?

Ele encolheu os ombros e, de algum modo, esse pequeno gesto sintetizou toda a loucura e sofrimento da guerra. Eram enviadas cartas que nunca chegavam ao destino, inúmeras famílias por todo o país não faziam ideia se os seus homens voltariam para junto delas.

— Pois vai haver uma mãe feliz em Sacramento amanhã — disse ela, com um sorriso que vinha do mais fundo de si. — Não percas tempo a ir para junto dela, não te demores pelo caminho.

Ele riu-se, um tanto embaraçado. — Tem filhos de quem está à espera? — perguntou ele.

— Estou a regressar para junto deles — redarguiu ela, acabando por falar-lhe de Sidney e Peter. — Acho que tiveram mais sorte do que a maioria — rematou. — Houve muitos homens que foram obrigados a voltar para a luta, mesmo com ferimentos graves.

Voltou a cair no silêncio, olhando para a paisagem e esforçando a vista para captar o primeiro vislumbre do oceano através das aberturas entre as montanhas. Esta breve conversa, a primeira que tivera com alguém desde a partida de Washington, levara-a a compreender que afinal estava contente por voltar para casa. Talvez o apartamento e o London Lil's lhe trouxessem mais recordações dolorosas de James, mas, rodeada pela família de novo, talvez pudesse superá-las.

— Matty!

Matilda estava a apear-se da diligência em São Francisco quando ouviu o grito de felicidade de Sidney. Virando a cabeça, viu-o a correr para ela pelo meio das pessoas, o seu cabelo ruivo destacando-se como um sinal de boas-vindas.

Ele lançou-lhe os braços à cintura e levantou-a no ar, quase a esmagando e, de repente, Matilda rompeu em lágrimas.

— Oh, Matty — disse ele com um suspiro, espetando-lhe um beijo em ambas as faces. — Não imaginas como é bom ter-te de volta. Então, para que é que estás a chorar? Não é momento para lágrimas. A Mary disse que tenho de pegar em ti e levar-te imediatamente para casa. Há dias que anda a limpar e a encerar em tua homenagem.

Matilda estendeu os braços e, por um momento, tomou-lhe o rosto nas mãos. Ele parecia mais alto do que se recordava, o rosto mais cheio e as sardas menos pronunciadas. Há mais de três anos que se alistara e era agora um homem de trinta anos sem quaisquer vestígios do rapaz. Mas a sua exuberância mantinha-se intacta e ela quase sentiu um degelo anunciar-se em redor do seu coração.

— Amo-te, Sidney — disse ela simplesmente, encostando por um instante a cabeça ao seu peito robusto. — É tão bom estar de volta.

Estava a contar encontrar tudo mudado, mas não. Sempre as mesmas multidões a acotovelar-se, o sol, o barulho, os cheiros, a música e a animação. O seu pequeno cabriolé estava à espera e até *Star* resfolegou em jeito de boas-vindas ao ver a dona

Subindo California Street Hill, Matilda sentiu um nó na garganta ao ver o London Lil's à sua frente. A pintura estava desbotada e a descamar, as portadas ainda fechadas nas janelas do bar mas, apesar da sua aparência negligenciada, continuava a dominar a colina, recordando-lhe o papel importante que desempenhara nesta cidade.

Estava deitado no alpendre um grande sabujo castanho. Quando Sidney parou o cabriolé, ele levantou-se, espreguiçou-se e bocejou antes de correr aos saltos para saudar Sidney. *Treacle* morrera numa idade muito avançada, pouco depois de Matilda partir, e ela imaginou que Mary o tivesse substituído por este cão.

— É o *Lincoln* — disse Sidney, fazendo-lhe festas. — Diz olá à patroa — disse ele. — Vamos, como eu te ensinei.

O cão levantou uma pata, olhando para ela com uma expressão interrogativa. Matilda pegou na pata e apertou-a. — Prazer em conhecer-te, *Lincoln* — disse, com uma gargalhada. — Espero que ninguém te mate!

A porta do bar abriu-se e Mary surgiu, de braços abertos para a receber, com um sorriso rasgado. — Matty! — guinchou, descendo a correr os degraus para abraçá-la.

Uma ou duas horas mais tarde, Matty quase se sentia pisada da quantidade de abraços e beijos que recebera. A sala de estar em cima fora decorada com uma faixa que dizia «Bem-vinda a Casa», lanternas chinesas, serpentinas de papel e uma profusão de flores. A mesa estava posta com comida festiva e não paravam de chegar pessoas para a ver.

Peter ainda coxeava muito e precisava de uma bengala para se deslocar, mas estava novamente com um aspecto robusto e saudável. Mary estava à espera do terceiro filho e custava a crer a Matilda que Elizabeth já tivesse quatro anos e James, o bebé que vira nascer antes de deixar São Francisco, tivesse três, já capaz de andar e falar. As duas crianças tinham o cabelo ruivo de Sidney, com os caracóis de Mary, e haviam herdado a maneira de ser risonha dos pais.

O cabelo de Dolores estava semeado de brancas e a sua aparência era severa como sempre, mas rompera em lágrimas de emoção ao abraçar Matilda e dissera, numa voz rouca, que sentira tantas saudades dela que por vezes achara que ia enlouquecer.

Mas Fern foi a maior das surpresas, pois a rapariga magrizela transformara-se numa bela mulher na ausência de Matilda. A sua pele cor de cobre possuía um brilho delicado, o seu corpo ganhara curvas voluptuosas e os seus olhos melancólicos estavam orlados de pestanas muito espessas e escuras. Os olhares tímidos e assustados haviam desaparecido, ostentava confiança e pose, mesmo na companhia de homens, e só de olhar para ela Matilda sentiu um aperto de orgulho no coração.

Durante todo o dia entraram e saíram pessoas. Henry Slocum, apoiado em duas bengalas, agora velho e fatigado, ficou exultante por ver Matilda de volta. Comerciantes, ex-mineiros de ouro e alguns dos homens de negócios a quem ela vendera madeira em 1850 vieram visitá-la. Matilda pensara que seria insuportavelmente doloroso se alguém falasse de James e apresentasse as suas condolências pela morte dele, mas falaram dele, e o sentido pesar que demonstraram por ela encheu esse espaço vazio na sua alma.

Nessa noite, dormiu na sua velha cama com Elizabeth e, com os braços em volta da criança adormecida, acariciando o seu cabelo sedoso, as poucas lágrimas que derramou eram de felicidade. Ninguém poderia alguma vez ocupar o lugar de Amelia ou James, nunca deixaria de chorar a sua morte, mas compreendia agora que ainda tinha muito por que viver.

Às sete da manhã seguinte, já estava vestida e sentada à sua escrivaninha na sala de estar. O apartamento estava em silêncio, com todos ainda a dormir, mas depois Peter apareceu, ainda de traje de noite e roupão.

— Pensei que ias ficar a descansar hoje depois da agitação de ontem — disse ele. — Não conseguias dormir?

— Dormi como uma pedra — disse ela, sorrindo. — Mas tinha de me levantar, há uma série de coisas que quero começar a fazer.

— Já? — resmungou ele, passando os dedos pelo cabelo despenteado. — Imaginei que primeiro quisesses recuperar o fôlego.

Esta oportunidade de falar a sós com Peter agradava a Matilda. Ele fora o único que não mencionara James no dia anterior nem falara sobre os seus planos para o futuro. Deduzia que o estado de espírito do rapaz fosse muito semelhante ao seu.

— Há quase dois anos que foste ferido e que o James morreu — disse ela numa voz doce. — É tempo de os dois retomarmos as nossas vidas, Peter. Tens de tomar decisões sobre a tua carreira e eu tenho de assumir o controlo aqui.

Ele sentou-se na poltrona ao lado da escrivaninha dela, com uma expressão perturbada nos seus olhos castanho-claros. — O que é que eu posso fazer a andar de bengala? — perguntou ele.

— Eu sei que ainda sofres e que pensas, talvez, que és um aleijado, mas sobreviveste a esse ferimento, só tens vinte e dois anos e há muita coisa que podes fazer.

— O quê, por exemplo, tia Matty? — disse ele, num tom de desalento. — Não posso correr, levantar pesos, movimento-me muito devagar.

— Não há nada de mal com o teu cérebro — disse ela. — Sempre foste bom a aritmética; que tal a contabilidade?

Ele esboçou um sorriso cínico. — Para te tratar da escrita?

— Sim — respondeu ela, sorrindo também. — Mas também de outras pessoas, é uma boa maneira de ganhar a vida, agora que a guerra acabou os negócios hão-de ganhar ímpeto outra vez.

— Não foi o que planeei — disse ele, suspirando, e ela compreendeu que, mesmo depois de todos os horrores da guerra, ele ainda se considerava um soldado.

Estendeu o braço e pousou-lhe uma mão no ombro. — Eu sei. Mas não há nada de cobarde em ser contabilista, Peter. Armado de conhecimentos, podes travar as batalhas das pessoas por elas, angariar e gerir dinheiro para as causas que te interessem. Acho que, se o James ainda estivesse connosco, diria a mesma coisa.

Ele ficou calado por alguns momentos e ela percebeu que ele queria falar sobre James. Esperou.

— Amava-o e admirava-o mais do que qualquer outro homem em todo o mundo — disse ele, por fim, com os lábios a tremer. — Queria ser exactamente como ele.

— Mas és — disse ela, os olhos enchendo-se-lhe de lágrimas. — Não era o facto de ser soldado que fazia dele um grande homem, era a sua bondade, inteligência, coragem e o seu amor pela humanidade. Tu também possuis todas essas qualidades, Peter.

Ele olhou-a nos olhos, viu as suas lágrimas e estendeu ternamente uma mão para as limpar. — Estamos os dois marcados, não estamos? Perdemos a Cissie, a Amelia e a Susanna e agora eu tenho de viver com uma perna coxa e tu com um coração despedaçado. Mas aguentámos. Acho que tens razão, a única maneira de encontrar um sentido em tudo isto é levantarmos cabeça e construirmos uma vida nova.

— É assim mesmo — disse ela, pegando-lhe na mão e beijando-lhe as pontas dos dedos. — Por acaso, preparei uma lista de coisas que precisam de ser feitas. Vamos dar-lhe uma vista de olhos agora?

Peter riu-se.

— Onde é que está a graça? — perguntou ela, indignada.

— Tu, tia Matty! Desde que eu era pequeno, sempre tiveste qualquer coisa na manga. A mamã disse uma vez que estavas sempre dois passos à frente do resto das pessoas.

No dia 1 de Setembro, o London Lil's reabriu com uma festa de arromba. O exterior fora pintado de fresco, haviam sido instalados novos candeeiros a gás e o interior fora completamente remodelado. O velho mural gasto com cenas londrinas fora substituído por outro. O bar e o soalho tinham uma nova camada de verniz, os espelhos rachados e as velhas mesas e cadeiras foram substituídos, o palco foi reconstruído e instalou-se um piso flutuante na pista de dança.

Matilda quis que Sidney, Mary e as crianças ficassem permanentemente com ela e, assim, mandou acrescentar dois quartos ao apartamento em cima, com uma escada privada que levava ao quintal das traseiras. Chamou um jardineiro para transformar parte do quintal num jardim e, no solo inculto na frente do bar, o homem plantara algumas árvores e arbustos. Talvez fosse barulhento à noite para crianças pequenas mas, como Mary realçou, era melhor terem o pai, a tia Matty e o tio Peter por perto e um jardim deles onde podiam brincar do que uma casa silenciosa e monótona.

Matilda relembrou com nostalgia como fora difícil encontrar dançarinas e artistas para a primeira inauguração, as horas de audições infrutíferas e a agonia de pensar que nunca arranjariam gente de qualidade. Desta vez, foi muito diferente — assim que começou a constar que ela ia reabrir, não faltaram agentes teatrais a bater-lhe à porta, oferecendo de tudo, desde encantadores de serpentes a cantores de ópera.

Também desta vez, a inauguração foi exclusivamente por convites. Matilda soube, com um certo divertimento, que muitas das pessoas da alta-roda da cidade, que nunca teriam sonhado em aparecer nos primeiros tempos, estavam agora a oferecer subornos a quem pensassem que podia conseguir-lhes convite.

Às sete da tarde, a banda começou a tocar e as portas abriram de par em par. Sidney, de casaco verde e colete bordado, estava pronto atrás do bar com os novos empregados, os homens de casacos vermelhos, as mulheres com vestidos vermelhos de folhos e um simples toucado com penas.

Quase todas as raparigas haviam sido residentes de Folsom Street e mais tarde criadas ou empregadas de mesa. Mas, assim que souberam que Matilda estava de regresso à cidade, tinham ido falar com Dolores na esperança de ela poder persuadir a patroa a dar-lhes emprego. Ela sentiu um enorme prazer ao ver os seus rostos rejubilantes mas, ao mesmo tempo, não podia deixar de recordar que, em breve, teria de retomar a sua cruzada contra os males da «Costa» pois Dolores dissera-lhe que, desde a emancipação dos escravos, centenas de raparigas negras muito novas estavam a cair nas garras das proprietárias dos bordéis.

Com um novo vestido de noite de veludo preto e um toucado de lantejoulas e penas, semelhante aos das empregadas de mesa, Matilda ia cumprimentando pessoalmente todos os convidados. Jurara fazer luto por James toda a vida mas, como Dolores comentara num tom seco, ao arranjar-lhe o cabelo, «Tem muita sorte que o preto lhe fique bem, Miss Matilda. Há senhoras que parecem corvos velhos. No seu caso, parece um anjo caído.»

Mas, por baixo do vestido e das anáguas, Matilda trazia a liga vermelha que restava. Chorou ao tirá-la da caixa, recordando onde estava o par, enterrada com James em Gettysburg. Mas, ao pô-la, sentiu que estava a retirar do espírito dele forças para chegar ao fim da noite.

Todas as pessoas cuja presença ela realmente desejava estavam aqui. Velhos mineiros, agora comerciantes, donos de hotéis, carpinteiros e pedreiros, estivadores e homens de negócios, quase todos acompanhados de mulheres. Não havia camisas de flanela e botas enlameadas como na primeira inauguração; todas as pessoas apresentavam um aspecto lavado e esmerado. Até Alicia acompanhou Henry, e Matilda sentiu um certo prazer ao ver que ela não estava a envelhecer bem. Perdera os dentes, tinha as faces chupadas e o seu vestido de noite de seda cor de alfazema dava-lhe um ar de matrona à moda antiga.

O espectáculo abriu com as dançarinas a executar o cancã e, embora toda a gente tivesse assistido à dança um sem-número de vezes antes, ficaram tão sideradas como no dia em que Zandra a lançara pela primeira vez. Seguiu-se uma trupe de palhaços acrobatas, pondo o público a rir estrondosamente quando fingiam cair do palco abaixo, aterrando sobre as mãos e erguendo-se rapidamente. No final do número, formaram uma pirâmide humana e provocaram risos até ao fim, titubeando e ameaçando lançar-se para o meio da audiência.

Os empregados e empregadas de mesa andavam num vaivém frenético a encher copos, pois esta noite todas as bebidas eram por conta da casa. Mas tornou-se claro que já todos haviam bebido bastante, pois quando a banda de trovadores negros pediu que cantassem em coro, toda a gente participou ruidosamente, entoando «Oh, Susanna» e muitas outras velhas canções do tempo da corrida ao ouro.

Dolores desceu discretamente do apartamento para assistir ao número final de dança. Estava a tomar conta de Elizabeth Rose e James para que Mary pudesse estar com Sidney. Quando as raparigas deram uma última volta pelo palco aos gritos, antes de correrem para o camarim, apertou o braço de Matilda. — Acho que Miss Zandra voltou esta noite para nos fazer companhia, juntamente com o capitão. Ouço-os rir, acredite.

Matilda não foi capaz de falar. Ouviu as últimas palavras de Zandra na primeira noite.

«Sabes o que é este cheiro? É o cheiro do sucesso.»

Ao fim dessa noite, depois de toda a gente partir, Matilda, Sidney, Peter e Mary tomaram uma última taça de champanhe juntos antes de recolherem aos quartos. O chão estava sujo, encharcado de bebidas entornadas e cheio de pontas de charuto. Havia centenas de garrafas vazias por todo o lado e ainda mais copos.

— Aos amigos ausentes — disse Peter, levantando a taça.

Sidney lançou-lhe um olhar severo, pensando talvez que não fosse o momento de lançar uma sombra numa noite maravilhosa, pois a única pessoa viva que estava ausente era Tabitha.

— Sim, aos amigos ausentes — concordou Matilda. — Que possamos guardá-los no coração, recordá-los com amor, mas olhar sempre para o futuro e valorizar o que temos agora.

— Então, qual é o próximo projecto? — perguntou Sidney a Matilda depois do brinde solene.

— Plural — disse ela com um sorriso. — Tenho vários na manga.

Peter resmungou. — O que é que temos agora?

— Uma pensão para raparigas trabalhadoras solteiras — disse ela. — Um fundo para viúvas de ex-militares. Um esforço concertado para limpar a «Costa». Chega para começar?

Sidney soltou uma gargalhada. — Suponho então que me compete pôr esta casa a render montes de dinheiro — disse ele.

— E eu tenho de aprender a administrá-la — disse Peter, rindo.

Matilda sorriu. — Lindos meninos! — disse ela. Depois, pousando suavemente a mão na barriga volumosa de Mary e baixando-se, murmurou: — E tu trata de seres forte e inteligente, não há-de tardar muito que precisemos de reforços.

CAPÍTULO 27

Nova Iorque, 1873

Tabitha estava hirta de tensão, sentada na ponta do sofá, à espera que os convidados chegassem para celebrar o seu noivado com o Dr. Sebastian Everett. Era o mês de Fevereiro e a Fifth Avenue estava silenciosa porque uma camada de neve espessa abafava os cascos dos cavalos e as rodas das carruagens. Queria que Matilda tivesse aceitado o convite dos Everett para ficar aqui, em casa deles, em lugar de ter insistido em hospedar-se num hotel; talvez então não se sentisse tão nervosa.

Matilda provavelmente tinha razão ao dizer que ela precisava de tempo a sós com os futuros sogros para conhecê-los e que a sua presença constituiria uma distracção. Mesmo ao fim de quatro dias, Tabitha ainda se sentia pouco à vontade com eles. Mrs. Everett fora hospitaleira, cumulando-a de atenções, mas ao mesmo tempo dava fortemente a sensação de a estar a avaliar. Esta noite, seria a vez de Matilda pois Tabitha tinha perfeita consciência de que Mrs. Everett sentia uma curiosidade aguda a respeito da madrasta. Fizera uma série de perguntas sobre ela e, embora não tivesse efectivamente exprimido qualquer reprovação por ela gerir um bar ou por se dedicar a obras de caridade com mulheres perdidas, Tabitha sentia-a.

Tabitha estava ansiosa também a respeito da sua aparência. Sebastian disse que ela estava lindíssima, mas a verdade era que ele dissera o mesmo quando ela estava vestida com o traje mais desinteressante e não era, de maneira nenhuma, a melhor pessoa para avaliar se o seu vestido de noite de veludo vermelho-escuro não seria um pouco arrojado de mais para uma mulher de trinta e três anos, nem se os seus cachos perderiam ou não a forma antes de a noite chegar ao fim.

Lançou um olhar ansioso a Anne Everett, no outro lado da sala, que estava a dar instruções de última hora ao mordomo. Era uma mulher na casa dos sessenta, com cabelo branco, mas um corpo esbelto e um nariz pequeno e arrebitado. Trajava roupa elegante e a sua pele bem tratada conferia-lhe um ar muito mais jovem. Esta noite, estava com um vestido de noite de veludo azul-profundo, um colar de diamantes espectacular e uma pequena touca de renda, presa com ganchos adornados com diamantes. Mas, tal como disfarçava a idade, disfarçava os seus verdadeiros sentimentos. Tagarelava alegremente sobre assuntos insignificantes, fazia muitas perguntas contundentes, mas pouco revelava sobre si mesma.

Tabitha considerava que Anne era como a maioria das mulheres da sua classe, imaginando que qualquer mulher que ainda fosse solteira aos vinte anos tinha obrigatoriamente algum defeito escondido. Sem dúvida que o facto de Tabitha ter trinta e três anos, ser desengraçada, não ser oriunda de uma família ilustre e ter a desfaçatez de entrar no mundo masculino da medicina apenas reforçavam as suas suspeitas. Ainda no dia anterior Tabitha exprimira estes pensamentos a Sebastian, mas ele limitara-se a rir e a dizer que a sua família também não era ilustre, apenas rica, e que, quanto mais não fosse, a mãe sentia um profundo respeito pela inteligência de Tabitha.

Também Albert Everett era um homem inacessível. Estava sentado junto da lareira, a fixar as chamas, com um grande copo de *whisky* na mão. Devia ter sido muito parecido com Sebastian com a mesma idade, pois também era alto e esguio, com o mesmo nariz e orelhas grandes e olhos azul-escuros, mas tinha ombros curvados e restava-lhe muito pouco cabelo.

Falara muito pouco com Tabitha desde que ela chegara mas a verdade era que ela achava que ele não havia verdadeiramente registado o facto de que, num futuro próximo, ela ia casar-se com o filho. Anne dissera que ele se afastara dos negócios, se tornara confuso e perdera o apetite quando o filho mais novo, Aaron, um diplomado por West Point, morrera de um ferimento infectado no último ano da guerra. Tabitha compreendia plenamente esta situação pois a guerra fora responsável por muita infelicidade.

Recordava o júbilo que sentira quando o general Lee capitulara em Abril de 1865. Mas, apenas dias depois, esse júbilo foi despedaçado pela notícia chocante de que Abraham Lincoln fora assassinado, quando se encontrava no teatro The Ford, a dois passos do hospital.

Pareceu ser esse o momento em que a perversidade e a futilidade da guerra haviam atingido finalmente todas as pessoas na América, independentemente do lado da barricada em que estivessem. Seis milhões de homens mortos e uma infinidade de feridos tão graves que nunca poderiam voltar a trabalhar. Todo o Sul estava em ruínas e o exército vitorioso saqueara quintas e plantações e pilhara e incendiara casas.

Os escravos eram finalmente livres mas, para muitos deles, era o princípio de uma era quase pior, pois aqueles que continuavam no Sul passaram a ser alvo de mais perseguições às mãos do Ku Klux Klan. Os que se haviam deslocado para norte ou para oeste não tiveram melhor sorte. Continuavam a sofrer discriminações porque agora os brancos temiam que eles lhes roubassem os empregos. Se conseguissem chegar às cidades, o único abrigo que encontravam era nos bairros mais degradados, e os trabalhos que obtinham eram os mais ingratos e mal pagos. Os que ficavam nas zonas rurais davam por si em terras inférteis e as suas casas eram pouco mais do que tendas ou casebres improvisados.

Tabitha sabia perfeitamente o que era a discriminação. Regressara à Faculdade de Medicina no Ohio, depois da guerra, ansiosa por se qualificar como médica e usar as suas competências para ajudar a mitigar o sofrimento a que assistia à sua volta. Passou nos exames finais com distinção mas não tardou a descobrir que as suas qualificações como médica não significavam necessariamente que pudesse exercer medicina. Candidatou-se praticamente a todos os hospitais na América do Norte, mas foi rejeitada unicamente por ser mulher.

Foi Matilda quem finalmente a persuadiu a ir para junto dela em São Francisco. Com o seu apoio e influência, Tabitha pôde por fim abrir lá um pequeno consultório.

Por mais decepcionante que tivesse sido descobrir que a maioria dos seus doentes apenas a consultavam em situações de emergência, quando não estava disponível nenhum médico, estar perto de Matilda, Peter, Sidney e a família dele mais do que compensavam esta vicissitude. Contudo, com paciência e perseverança, o seu consultório desenvolvera-se o suficiente para lhe permitir ganhar a vida. Gostava do clima ameno da Califórnia e acabou por ganhar amor à cidade vibrante, em rápido crescimento, onde, apesar de todas as suas deficiências, pelo menos, havia menos hipocrisia do que em qualquer outro lugar onde estivera na América. Poderia ter ficado aí para sempre se não tivesse conhecido Sebastian.

Haviam-se conhecido três anos antes, quando ela fora a uma conferência em Denver em que Sebastian estava a dar uma palestra sobre doenças infecciosas. Inicialmente, ficou deslumbrada com a sua controversa perspectiva de que as mulheres deviam ser acolhidas entusiasticamente na profissão médica, e também com a sua voz gutural e melodiosa. Não era um homem atraente, alto, magro e bastante deselegante, com cabelo preto revolto semeado de brancas e uma barba igualmente desalinhada. Mas, depois da sua palestra, ele abordou-a e pediu-lhe que lhe narrasse as suas experiências enquanto mulher médica e, minutos depois, estavam a falar como se se tivessem conhecido toda a vida.

Esta conversa levou a um jantar no hotel dela. Enquanto riam, discutiam e tagarelavam, ela descobriu que já não reparava nas suas orelhas espetadas nem no seu nariz excessivamente grande, vendo antes os seus bonitos olhos azul-escuros, os dedos longos e esbeltos e um sorriso que a fazia sentir-se de novo uma jovem rapariga.

Na manhã seguinte, foram-lhe entregues flores no hotel da parte dele. O cartão que as acompanhava dizia simplesmente: «*Passei toda a minha vida à espera que aparecesses. Sebastian.*»

Ele tinha um consultório em Nova Iorque, ela estava a quase cinco mil quilómetros em São Francisco, e o senso comum dizia-lhe que um médico proeminente com mais de quarenta anos podia perfeitamente ser casado e uma solteirona desengraçada e dedicada não seria uma amante conveniente.

Mas ele escreveu-lhe, ao regressar a Nova Iorque, e disse que mal conseguira pregar olho a pensar nela. Disse que viajaria a São Francisco, assim que pudesse, para a cortejar. Matilda disse que os homens casados não usavam palavras como «cortejar» e que a vida era demasiado curta para atitudes tímidas e ameninadas, por isso, se Tabitha sentia o mesmo que ele claramente sentia, devia escrever-lhe a dizer-lhe isso mesmo.

Agora, três anos depois, estava aqui, na mansão nova-iorquina dos pais dele, à espera dos convidados para o jantar de celebração do seu noivado. O anel que tinha no dedo era um pequeno diamante solitário, mas agora, no esplendor deste salão, compreendia por que razão Sebastian ficara divertido com a contenção da escolha dela. Sobre ela, cintilava um candelabro de cristal, havia pinturas de artistas reputados nas paredes, delicadas mesinhas de apoio com ornamentos soberbos de prata e porcelana, inestimáveis tapetes orientais cobriam o soalho. Só os reposteiros de veludo nas janelas amplas dariam para comprar uma pequena casa geminada, e cada uma das catorze divisões que vira nesta casa era igualmente bela.

Sebastian nunca lhe dissera que o pai era multimilionário. Sabia, naturalmente, que para viver na Fifth Avenue, a morada mais elegante de Nova Iorque, ele tinha de ser rico, mas Sebastian não lhe dera a impressão de ter nascido no proverbial berço de ouro. As suas roupas eram simples, era um homem verdadeiramente empenhado no seu trabalho e sentia-se muito à vontade na companhia de pessoas comuns. Assim, ficara surpreendida com a dimensão e o esplendor da casa dos pais, quando aqui chegara, e desejou que ele a tivesse avisado de como a sua fortuna fora adquirida.

Agora sabia que o negócio de Mr. Everett estava ligado aos caminhos-de-ferro, embora Brett, o filho mais velho, tivesse assumido a direcção da empresa depois da guerra e tivesse concluído a linha férrea desesperadamente necessária e há muito aguardada para a Costa Oeste. O capital inicial que dera origem a esta empresa proviera do avô de Mrs. Everett, que fora proprietário de extensas plantações de algodão no Sul. Tabitha sabia que a maior parte das famílias mais ricas e poderosas da América havia feito a sua fortuna explorando os pobres, de uma ou de outra maneira. Mas, como os caminhos-de-ferro eram essenciais ao desenvolvimento global do país, sentia-se inclinada a ignorar a moralidade dos vastos lucros pessoais amealhados pelos Everett. No entanto, não tinha a certeza se Matilda adoptaria uma visão tão liberal.

Desde a guerra, Matilda tornara-se uma espécie de militante contra a injustiça social. Se as conversas desta noite enveredassem para terreno perigoso, era provável que ela exprimisse as suas arraigadas convicções sobre a mão-de-obra oriental e mal paga nos caminhos-de-ferro, o sofrimento dos negros e dos índios e, uma vez lançada, não era senhora para ter papas na língua.

— Deixa-te de preocupações — sussurrou-lhe Sebastian ao ouvido quando o mordomo anunciou que os primeiros convidados, Mr. e Mrs. MacVeeney, tinham chegado. — Já sei no que estás a pensar, mas sabes tão bem como eu que a Matty pode ser a encarnação da diplomacia quando quer!

Tabitha sorriu; a capacidade de Sebastian de se pôr em sintonia com os seus pensamentos não cessava de a surpreender. Esta noite, ele estava com um aspecto quase atraente, pois o seu cabelo e barba tinham levado um grande corte e usava o *smoking* com estilo. Mas também não era pela figura, posição ou descendência que se ia casar com ele, o que amava nele era, acima de tudo, a sua convicção de que fora posto no mundo para ajudar os doentes e, fossem ricos ou pobres, dispensava-lhes a mesma atenção.

Desprezava em igual medida filantropos indecisos e capitalistas interesseiros. Examinava os seus pacientes abastados em casa deles ou no seu elegante consultório em Washington Square e, se eles pensavam que ele não se afastava do raio de três quilómetros que o rodeava, não se preocupava em esclarecê-los, pois também dispensava cuidados médicos gratuitos numa clínica no Lower East Side e trabalhava como cirurgião em dois hospitais beneficentes.

Em cada uma das suas três visitas a São Francisco, ganhara o mesmo afecto e admiração por Matty de Tabitha. Sabia também que a influência inicial dela sobre Tabitha significava que ela desejaria tratar os destituídos quando se mudasse para Nova Iorque e, embora talvez esperasse que ela o fizesse do mesmo modo discreto que ele, nunca o dissera. Esta postura diplomática era sensata e enternecedora, aos olhos de Tabitha — como Matilda, nunca apreciara pessoas que exibiam as suas boas obras como se fossem emblemas.

Tabitha levantou-se de um salto para cumprimentar os MacVeeney. Mrs. Emily MacVeeney era a irmã mais nova de Anne e Tabitha achou-as extraordinariamente parecidas. Mas o sorriso de Emily parecia muito mais sincero e ela beijou Tabitha na face com afabilidade quando foram apresentadas.

— Tenho imenso gosto em conhecer-te finalmente — disse ela, os seus olhos castanhos avaliando Tabitha, como se gostasse do que via. — O meu sobrinho falou-me muito de ti, minha querida, e estamos muito felizes por vires a tornar-te em breve parte da família.

Mr. George MacVeeney era baixo e forte, com uma pele rubicunda e um nariz protuberante. Apertou vigorosamente a mão a Tabitha e lançou-lhe um sorriso radioso, dirigindo-lhe observações semelhantes.

Emily admirou o vestido de Tabitha e disse que, em rapariga, o vermelho fora a sua cor preferida. — Entristece-me imenso que, com a idade, não se possa usar cores tão garridas. — Baixou os olhos para o seu próprio vestido cor-de-rosa, salpicado de pequenas pérolas, e fez um esgar. — O rosa é um mau substituto do vermelho.

— Está muito bonita — disse Tabitha com sinceridade. — A senhora e a sua irmã são muito elegantes, espero poder contar com conselhos vossos quando escolher a roupa para o meu enxoval. A quantidade de lojas aqui em Nova Iorque deixa-me desorientada, francamente não sei por onde começar.

Matilda chegou às sete em ponto, ao mesmo tempo que Brett, o irmão mais velho de Sebastian, a mulher deste, Amy, Rupert, um primo, e a sua mulher, Sophia. Como Tabitha conhecera Brett, Rupert e as respectivas mulheres no dia anterior, cumprimentou-os rapidamente e virou a sua atenção para Matilda.

Ficou pasmada com o seu ar magnífico e sensibilizada por ela ter claramente passado os últimos quatro dias a preparar-se para esta noite, a fim de criar a melhor impressão possível. O seu vestido de noite de veludo preto estava debruado com penas fofas em redor do decote pronunciado, realçando a sua pele rosada e delicada, e um belíssimo colar e brincos de pingente de safiras, que Zandra lhe deixara, condiziam com os seus olhos. Como sempre, estava de luvas de renda; as desta noite davam-lhe pelos cotovelos, com pequenos botões cor de azeviche nos pulsos. O seu cabelo louro fora cuidadosamente arranjado em caracóis soltos por um cabeleireiro habilidoso e brilhava como ouro sob a luz do candelabro. Tinha agora quarenta e sete anos mas a sua figura permanecera rija e esbelta e as poucas rugas no rosto apenas haviam acrescentado doçura e não idade.

Todos os homens presentes se viraram, lançando-lhe olhares admiradores, e Tabitha sentiu o coração encher-se de ternura e orgulho pois, dez anos antes, quando James morrera, temera que Matilda jamais recuperasse o ânimo e a figura. Desde esse dia que vestia de preto e, durante esse último ano da guerra, Tabitha vira-a emagrecer cada vez mais até ser quase só pele e osso. Praticamente não dormia, fazia o trabalho de três enfermeiras e Tabitha acordava com frequência a meio da noite, deparando-se com ela sentada a chorar em silêncio à janela.

Contudo, por mais profundo que fosse o seu sofrimento, quando regressou a São Francisco, fez um esforço enorme. Reabriu o London Lil's com uma festa estrondosa e, ao fim de apenas algumas semanas, a casa tornou-se tão famosa e popular como fora no tempo da corrida ao ouro e os espectáculos aí apresentados ainda mais sensacionais. Todavia, ainda que pudesse ter parecido apenas um negócio para aumentar a sua fortuna pessoal, quem a conhecia compreendia que a sua verdadeira motivação era usar esta riqueza para melhorar a sorte das classes desfavorecidas.

Quando viu o sem-número de raparigas que haviam caído na prostituição durante a guerra, comprou a casa devoluta adjacente em Folsom Street, para oferecer refúgio a muitas mais. Abriu uma pensão para raparigas trabalhadoras pela mesma razão e diversificou a actividade da Agência Jennings para encontrar trabalho para os muitos soldados que regressavam à cidade com deficiências.

Nessa época, Tabitha estava no Ohio, mas Peter, que estava então a tirar um curso de contabilista, escrevia-lhe, muitas vezes furioso porque Matilda ainda era vexada pela «alta sociedade» da cidade, alegando que os rumores maldosos sobre ela tinham origem neste quadrante. Um deles era que Matilda era supostamente uma proxeneta, que atraía raparigas perdidas à sua porta para as cultivar e enviar posteriormente para bordéis noutras cidades. Diziam que tinha uma série de amantes, que ganhava lucros astronómicos com as suas pretensas obras de caridade e que metia ao bolso grande parte dos donativos públicos, juntamente com a fortuna que fazia no London Lil's.

Como Peter era responsável pela escrita de Matilda, sabia que o pequeno lucro que Matilda fazia com a agência e a pensão, juntamente com todos os donativos, ia directamente para as raparigas para quem se destinava. Um terço da totalidade dos lucros do London Lil's ia para várias instituições de caridade e a que tocava mais o coração de Matilda era a ajuda a viúvas de guerra e aos seus filhos.

Mas, por outro lado, grande parte desta gente da alta-roda que a envilecia aumentara a sua fortuna por meio da especulação e do oportunismo durante a guerra. Os filhos haviam conseguido escapar ao recrutamento obrigatório e alguns eram os proprietários sem escrúpulos de imóveis na Costa da Berbéria e accionistas nos caminhos-de-ferro da Union Pacific.

Quando viam Matilda falar, inflamada, em comícios em prol dos chineses que eram usados aos milhares, quase como trabalho escravo, na construção da via-férrea ou liam os seus apaixonados artigos nos jornais sobre a necessidade de ajuda médica gratuita para os pobres, sobre o facto de os negros terem os mesmos direitos dos brancos, de os índios serem tratados com respeito e de a Costa da Berbéria ser policiada e purgada, tremiam de medo.

Mas Tabitha, Peter e Sidney haviam aprendido, com o tempo, a ignorar a má-língua sobre a mulher que amavam, e Matilda fazia o mesmo, porque o seu trabalho acarretava as suas próprias recompensas e isso satisfazia-a. Por cada mentira espalhada a seu respeito havia dez pessoas com uma dívida de gratidão para com ela que contavam as suas histórias verdadeiras. Tornou-se amplamente conhecido que, nas noites em que ela não estava no bar, estava em Folsom Street a ensinar as raparigas a ler e a escrever, a insistir com a polícia para fazer rusgas aos bordéis para verificar as idades das prostitutas, ou à procura de raparigas necessitadas de ajuda.

Peter dizia muitas vezes que, se ela fosse uma mulher feia, com uma maneira de ser menos extravagante, por esta altura já teria sido santificada, porque os pobres conheciam o seu valor real e amavam-na. Mas uma mulher que se divertia, dançava e bebia um copo com os clientes no seu bar, que conduzia um cabriolé elegante, que conhecia pessoalmente a maioria dos personagens dúbios da cidade, incluindo os políticos, e que suscitava os ciúmes das mulheres, tinha de ser vilipendiada. Matilda gostava das coisas assim, não queria o estatuto de santa e identificava-se com frequência com os pecadores.

— Estás maravilhosa — disse Tabitha, abraçando Matilda, subitamente indiferente ao facto de ela poder vir a incomodar certas pessoas mais tarde nessa noite. — Deixa-me apresentar-te às pessoas.

— Primeiro deixa-me olhar para ti — disse Matilda, com um sorriso tão vivo como os seus olhos. — Esse vestido, Tabitha, é uma inspiração!

Ambas se riram porque Matilda o mandara fazer para ela na sua própria modista em São Francisco. Quando estavam a escolher o tecido, Matilda contara a história de que Lily usara o vermelho por ser a cor da paixão quando Giles a pedira em casamento. Disse que Tabitha devia manter a tradição familiar.

— Não achas que é um nadinha arrojado de mais para mim? — sussurrou Tabitha.

Matilda abanou a cabeça. — É perfeito, a cor aquece-te a pele e realça os teus belos olhos.

Talvez fosse verdade que o amor tornava todas as mulheres belas, pensou. Não sabia quem arranjara o cabelo de Tabitha em cachos que se agitavam de forma sedutora sobre os seus ombros nus, mas essa pessoa merecia elogios, porque eles faziam o vestido sobressair na perfeição.

Por um momento, interrogou-se sobre o que Miss Dix teria pensado desta dramática mudança na aparência da sua enfermeira. Nunca teria decerto deixado Tabitha entrar no hospital dela se soubesse que ela podia exibir esta aparência!

— Pronto — disse ela, os seus olhos a brilhar —, estou pronta para ser apresentada e mais que pronta para lhes dizer o valor que vais acrescentar a esta família.

— Estás a ver, eu tinha razão, ela está a encantar toda a gente — murmurou Sebastian ao ouvido de Tabitha um pouco mais tarde. Matilda estava no centro do grupo familiar, resplandecente e animada enquanto descobria quem eram as pessoas, perguntava pelos filhos e contava histórias engraçadas sobre a viagem longa e gelada que fizera com Tabitha desde a Califórnia.

Quando passaram à mesa do jantar, Tabitha sentia-se mais relaxada. Ela e Sebastian estavam sentados lado a lado, de um lado da mesa magnificamente posta, Matilda e Anne em frente, com Albert e George nas duas cabeceiras e os outros convidados entre eles. O primeiro prato foi um *consommé*, seguido de um prato de peixe, e Matilda estava a desfazer-se em amabilidades, tendo o cuidado de elogiar Anne pela deliciosa comida e pela encantadora casa e tagarelando também com Brett, sentado à sua direita. Tabitha reparara que Anne não tirava os olhos das luvas de Matilda, como que a estranhar o facto de ela não as descalçar, e desejou ter explicado a Anne qual era a razão.

Sebastian conduziu grande parte da conversa, falando da casa de arenito pardo que acabara de comprar perto de Central Park e pedindo a Tabitha que descrevesse alguma da mobília que tinham comprado no dia anterior. O casamento teria lugar no princípio de Abril, na igreja de Trinity, seguido de um copo-d'água ali em casa. As suas três jovens sobrinhas seriam as damas de honor e Amy, a cunhada, interveio, dizendo que as filhas estavam entusiasmadíssimas, e que esperava que Tabitha conseguisse que elas se pusessem de acordo sobre a cor dos vestidos que iam usar.

— Sinceramente, tanto me faz — disse Tabitha, rindo. — Em que cor é que elas estão a pensar?

Com um resmungo, Amy disse que uma queria vermelho, uma azul e a outra cor-de-rosa. Já dissera à mais nova que o vermelho não era uma cor apropriada para um casamento.

Matilda olhou para Tabitha, rindo para si mesma e recordando claramente que a própria Tabitha pedira se podia ir de vermelho quando o pai estava a fazer planos para o casamento com ela.

— Concordo, temos de excluir o vermelho — disse Tabitha, lançando a Matilda uma piscadela de olho furtiva. — Mas, como as pequenas são tão louras e angélicas, porque é que não assentamos no rosa?

Amy, que também era loura, de ascendência alemã, ficou radiante.

— Soube que o teu pai foi ministro na igreja de Trinity — disse ela. — Deve tornar o dia ainda mais especial para ti, Tabitha.

— Sem dúvida — disse Tabitha, sorrindo. — Foi por isso que a escolhemos. Quando eu e o Sebastian lá fomos organizar tudo, fiquei comovida com as recordações todas que me suscitou. Pensei que me tinha esquecido completamente. Mas não. Demos um salto a State Street, onde vivíamos, mas agora a casa foi demolida e no seu lugar está uma companhia de seguros.

Todos falaram das mudanças radicais no que era agora um quarteirão exclusivamente financeiro e George MacVeeney falou do tempo em que a maior parte da área foi arrasada pelo incêndio de 1845. Disse que, nesse tempo, era proprietário de um armazém e que perdera tudo.

— Foi um espectáculo terrível — disse Matilda, manifestando a sua solidariedade. — Na casa de State Street estávamos a asfixiar com o fumo. A Lily, a mãe da Tabby, estava transida de medo que o fogo também lá chegasse, mas felizmente para nós o vento soprou-o na direcção do rio.

— Estava lá então? — perguntou Anne, surpreendida, virando-se na cadeira para olhar para Matilda, os olhos muito castanhos.

— Claro — disse Matilda. — Era a ama da Tabby. Vim para a América com os Milson.

— Ainda não cheguei a falar dessa parte da história da minha família — disse Tabitha, olhando para Anne do outro lado da mesa. — A Matty tornou-se minha ama em Londres quando eu só tinha dois anos. Foi ela quem manteve a nossa família unida nos bons e nos maus momentos. Os meus pais sempre disseram que não sabiam o que fariam sem ela.

Anne lançou um olhar de esguelha a Matilda. — E a Matilda também deu uma mãozinha e casou-se com o reverendo Milson quando a mulher dele morreu.

Esta observação encerrava mais do que uma nota de sarcasmo e Tabitha ficou apreensiva. Matilda era demasiado honesta para mentir bem e já estava a corar.

— Eu tinha uma enorme afeição pela Lily e pelo Giles — disse ela mas, como todas as outras conversas em redor da mesa haviam parado subitamente, a sua voz soou demasiado forte. — Não podia ficar e olhar pela Tabitha sozinha na casa com o Giles, teria havido falatório. Por isso, decidimos casar.

— Foi então um casamento de conveniência? — sondou Anne.

Tabitha engoliu em seco. Sabia que Matilda nunca aceitaria isto, nem sequer para ultrapassar aquela dificuldade.

— Não, por amor — disse ela. — Nasceu da dor partilhada. Infelizmente, o Giles foi assassinado algumas semanas mais tarde e, como eu e a Tabby não podíamos continuar na casa do ministro em Independence, na Primavera seguinte juntámo-nos a uma caravana de carroças para irmos ter com os nossos amigos no Oregon.

Tabitha soltou um suspiro de alívio. Achou que Matilda dera a volta ao texto com mestria, pois não falara num casamento efectivo, não dissera uma única mentira. — Passámos muitas dificuldades na viagem — disse Tabitha, rindo de nervosismo. — A Amelia, a minha meia-irmã, nasceu na carroça antes de chegarmos a The Dalles.

Houve um coro de ruídos compassivos da parte das mulheres e, surpreendentemente, também de Brett, que parecera bastante pomposo e frio quando ela o conhecera no dia anterior. Sophia, a mulher do primo Rubert, uma mulher jovial de cabelo escuro, observou que devia ter sido terrivelmente difícil para Matilda fazer uma viagem tão penosa num momento daqueles e perguntou se Amelia também ia ser dama de honor.

— Infelizmente não, a Amelia morreu de cólera quando tinha seis anos — disse Tabitha. — A tia Cissie e a filha dela, a Susanna, também morreram. Já devem ter-me ouvido falar do Peter, que era o outro filho da Cissie. A Matilda levou-o para São Francisco e criou-o como se fosse filho dela. Considero-o um irmão.

Houve um momento de silêncio constrangido, apenas quebrado pelo pedido de desculpa de Sophia pela sua falta de tacto.

— Não tinha maneira de saber — disse Matilda, lançando a Sophia um sorriso afável. — Há muitas tragédias nas famílias das pessoas mas espero que, com mais médicos como o Sebastian e a Tabby, talvez um dia se descubra a cura para doenças tão terríveis.

Tabitha pensou que Anne esgotara as perguntas insidiosas e, quando o prato principal — faisão assado — foi trazido e servido, ela passou a falar da casa que Sebastian comprara e da sua opinião de que precisariam de contratar uma governanta e uma cozinheira, se é que Tabitha ia *efectivamente* praticar medicina em Nova Iorque depois do casamento.

— Claro que vai, mãe — disse Sebastian, rindo. — A nossa intenção é que ela monte o consultório em nossa casa e eu confio que tu lhe irás mandar todas as tuas conhecidas que não foram bem tratadas por médicos.

Anne não respondeu, e Tabitha achou que a expressão estranha no rosto da futura sogra era de irritação por o filho ter decidido fazer este anúncio em público e não dizer-lhe primeiro em privado. Mas, para sua surpresa, ela virou-se de novo para Matilda. — Porque é que não usa o apelido de Milson? — perguntou.

Era uma questão de que nem Tabitha nem Sebastian se haviam lembrado, e Tabitha desejou que o tivessem feito.

Mas Matilda limitou-se a encolher os ombros. — Jennings era o meu apelido de família. Quando comecei o meu negócio em São Francisco, decidi adoptá-lo novamente.

— Porque tinha medo que as pessoas achassem chocante que a viúva de um ministro dirigisse um bar?

Nem Tabitha nem Sebastian haviam tentado esconder a actividade de Matilda, embora soubessem que as pessoas finas ficavam invariavelmente escandalizadas. Sebastian dissera que a sua família tinha vistas largas e que, quando conhecesse Matilda, veria com os seus próprios olhos que ela era uma mulher excelente.

Mas a observação de Anne destinava-se visivelmente a rebaixar Matilda. Seria ciúme por sentir que esta mulher atraente e interessante cativava toda a gente?

— Nunca tive medo de nada nem de ninguém — retorquiu Matilda, fixando Anne com uma expressão fria. — Tinha duas filhas para sustentar, por isso fiz o que podia por elas.

— E com um sucesso enorme — disse Sebastian num tom firme. — Olhem só para a minha encantadora Tabitha, uma das primeiras mulheres médicas na América. Enche-me de orgulho, mas os elogios devem ir em grande parte para a Matilda porque, se não fosse a sua determinação em proporcionar uma boa educação à Tabby, ela nunca teria aqui chegado. Sabiam que a Matilda também prestou cuidados de enfermagem com a Tabby durante a guerra?

Tabitha sentiu-se sensibilizada com os esforços de Sebastian para desviar a conversa para terreno mais seguro e, como nenhum dos convidados sabia disto, falou-lhes um pouco do hospital em Washington e do alojamento tacanho que lá tinham. Como as questões médicas não eram consideradas um tema apropriado à mesa do jantar, omitiu os horrores, mas acrescentou que, depois da Batalha de Gettysburg, o número de vítimas era tão vasto que quase trabalhavam dia e noite sem parar.

Albert Everett não dissera praticamente nada durante toda a refeição; aliás, nem parecia estar a ouvir as conversas mas, quando Tabitha pensava que as dificuldades estavam todas ultrapassadas, ele interveio de repente.

— Eram as duas enfermeiras que estavam no funeral do brigadeiro Russell? — perguntou ele, inclinando-se para a frente. Os seus olhos azul escuros, muito parecidos com os do filho, estavam subitamente animados. Olhou na direcção de George, o cunhado, na outra ponta da mesa. — Deves lembrar-te desse funeral, George? O brigadeiro Russell foi o homem que insistiu em ser enterrado com os seus soldados em Gettysburg. Ninguém da família dele esteve presente, só as duas enfermeiras. Lemos sobre isso nos jornais, foi só dois meses antes de sabermos que o Aaron tinha morrido.

George pôs um ar um tanto perplexo e atrapalhado. — Recordo-me de ler sobre o funeral. Achámos uma atitude muito nobre da parte do homem querer ser enterrado ali e um conforto para as famílias dos seus soldados. Mas não me lembro das duas enfermeiras.

— Lembras, pois — insistiu Albert. — Estávamos sentados na biblioteca nessa tarde e não falámos de outra coisa. Houve uma grande polémica porque a mulher do Russell era filha do coronel Harding e não foram informados a respeito do pedido.

Tabitha sentiu um calafrio percorrer-lhe a espinha. Não a surpreendia que Albert recordasse o episódio, os correspondentes de guerra tinham feito um grande alarido à volta do funeral de James e, como Aaron também frequentara West Point, como James, teria tido uma importância particular. Mas, por outro lado, a história tocara muitas pessoas em toda a América. Muitas consideraram que era um dos incidentes mais comoventes da guerra. Muitos generais notáveis, incluindo Grant, prestaram homenagem à valorosa liderança de James e à sua inabalável coragem em combate. Até o presidente Lincoln era citado como tendo afirmado que o «brigadeiro Russell era uma inspiração para os seus homens e que o seu pedido para ser enterrado ao lado daqueles que soçobraram com ele devia ser uma marca do seu profundo respeito por eles.» Contudo, alguns dos correspondentes que tinham tomado o partido dos rebeldes haviam relembrado a derrota da União em Fredericksburg, a terra natal de James, e insinuado que era essa a verdadeira razão por que ele não queria que o seu corpo fosse devolvido à localidade para enterramento.

Tabitha pegou na mão de Sebastian debaixo da mesa, e apertou-a, na esperança de que lhe ocorresse alguma coisa para dizer que impedisse que a conversa fosse mais longe.

Mas, mesmo antes de ele ter oportunidade para dizer o que quer que fosse, Matilda falou. — Tem uma excelente memória, Mr. Everett, eu e a Tabby éramos de facto as duas enfermeiras no funeral. O brigadeiro Russell era um velho amigo. Tínhamo-lo conhecido quando ele era capitão, pois foi o chefe da nossa caravana para o Oregon. Quando soube que ele foi trazido para Washington, já ferido, fui visitá-lo, aliás fiquei ao seu lado até ele morrer. Ele pediu-me para estarmos presentes no seu funeral e foi com muito orgulho que fomos.

— Ah, sim! — murmurou Anne Everett, o seu corpo esbelto rígido como um tição. — Estou agora a lembrar-me. Ele era da Virgínia, uma das famílias mais antigas. Havia muitas pessoas que achavam que ele devia ter combatido pela Confederação.

— Ele nunca podia ter combatido desse lado — disse Tabitha. — Era contra a secessão e a escravatura.

— Acho melhor mudarmos de assunto — disse Sebastian. Conhecia a ligação de Russell e Matilda. Embora considerasse a história extremamente comovente e tencionasse relatá-la com orgulho aos seus próprios filhos, receava que apenas trouxesse recordações tristes a Matilda e também de Aaron aos pais.

— Mas porquê, meu querido Sebastian? — disse a mãe, fixando-o com um sorriso radioso. — Porque constava que uma das enfermeiras era amante do Russell?

Algumas das mulheres à mesa sustiveram a respiração. Mas antes que Tabitha pudesse recobrar o fôlego, Matilda virou-se na cadeira para encarar Anne.

Tabitha sabia que Matilda amava James demasiado para alguma vez negar a sua relação com ele. O romance entre ambos era a sua memória mais preciosa. Tabitha viu-a preparar-se para falar dele e nunca a vira tão encantadora: um orgulho imenso nos seus límpidos olhos azuis, a provocação no seu queixo, apenas um leve tremor nos lábios, provando que o seu amor por James estava tão vivo hoje como há dez anos.

— Mrs. Everett — disse ela, numa voz distinta e firme, e Tabitha sentiu que o seu coração se dilacerava por ela —, abundam os rumores a meu respeito, a maior parte baseada na ignorância ou na inveja, e normalmente ignoro-os. Mas vou esclarecê-la a respeito deste porque não é nada de que me envergonhe e, se a Tabby se vai casar com o seu filho, é melhor que não haja segredos entre nós.

«É verdade que eu era amante do James Russell, e que o amava mais do que à própria vida.»

— Na verdade, não posso comentar o seu comportamento, mas não pensou no que um escândalo desses podia fazer à sua filha? — retorquiu Anne, as suas faces corando. — Levá-la consigo ao funeral do seu amante?

Os olhos de Matilda semicerraram-se e ensombraram-se; a expressão no seu rosto era uma que Tabitha vira muitas vezes em criança. Era um misto de fúria e desprezo e desencadeava sempre uma severa descompostura.

— Minha cara Mrs. Everett, a Tabitha foi ao funeral para prestar um último tributo a um velho amigo. Tinha vinte e dois anos nessa altura, não era uma criança — disse ela, num tom de voz gélido.

Anne emitiu uma leve fungadela. Matilda olhou primeiro para Tabitha e Sebastian, do outro lado da mesa, e em seguida passou os olhos pelos rostos chocados em volta da mesa.

— Lamento muito se a minha frontalidade vos ofende — disse ela —, mas sempre defendi que se deve falar a verdade. No entanto, o que quer que decidam pensar de mim, não devem permitir que se reflicta na vossa opinião sobre a minha enteada. Ela possui um carácter irrepreensível, é uma médica excelente e provém de melhor cepa do que qualquer pessoa a esta mesa.

Mrs. Everett soltou um arquejo de incredulidade.

O sangue de Tabitha gelou-lhe nas veias, pois sabia que Matilda lutava sempre para ganhar e, com o sangue quente, a sua língua podia ser tão afiada como uma espada.

— Não concorda? — disse Matilda com um leve sorriso de desdém. — Bem, deixe-me então dizer-lhe isto. A fortuna de uma família, ganha à custa de trabalho escravo e da construção de caminhos-de-ferro que reclamaram a vida de centenas de operários chineses e irlandeses, significa que se é superior a um ministro da igreja, pobre mas esclarecido, que passou toda a sua vida a trabalhar em prol dos outros? Duvido muito.

Fez-se silêncio absoluto por um momento, nem o tilintar de um copo ou o ruge-ruge de um guardanapo. Todas as caras se viraram para Anne Everett e para Matilda.

Tabitha só descobrira como a fortuna dos Everett fora ganha depois de chegar aqui, a Nova Iorque. Não sabia quando nem como Matilda soubera.

Foi Sebastian quem quebrou o silêncio, batendo palmas. — Bem dito, Matilda — exclamou. — Não só tem razão, claro, mas é muito corajosa por dizê-lo. Mas esta noite destinava-se a celebrar o meu noivado com a Tabitha e não para reflectir sobre as virtudes e os erros passados das nossas famílias. Desejo propor um brinde com esse fim. — Pegou no copo de vinho e passou os olhos pela mesa. — Proponho que ponhamos os olhos num futuro risonho em que a tristeza e os velhos preconceitos sejam postos de lado.

Brett ergueu o copo a seguir e lançou à mãe um olhar cáustico. — Ao futuro! — disse ele.

George e Albert, em lados opostos da mesa, estavam um pouco confusos; talvez não tivessem ouvido bem tudo o que fora dito. Mas levantaram os copos e os restantes convidados seguiram-lhes o exemplo.

Tabitha não sabia como o jantar podia agora continuar em harmonia mas, para sua surpresa, Matilda virou-se para Anne e sorriu. — Realmente devíamos ter-nos encontrado antes para esclarecer estas coisas, não acha? Mas agora está feito e é melhor esquecermos.

Agora diga-me onde mandou fazer esse magnífico vestido; tem tanta classe que podia ter vindo de Paris.

Talvez Anne Everett se tivesse apercebido de que cometera um erro grave ao tentar humilhar Matilda porque não fez mais observações sarcásticas e, surpreendentemente, pareceu começar a simpatizar com a frontal convidada. Quando a sobremesa foi servida, já uma esponja fora passada no assunto, pois Matilda havia posto toda a gente a falar, sugerindo que todos contassem a sua história cómica favorita sobre alguém que conhecessem.

A de George era sobre um bom amigo seu, envolvido no projecto paisagístico de Central Park, que foi enganosamente convencido a pagar uma quantia astronómica por árvores, esperando que fossem plantas bem estabelecidas com pelo menos um metro e meio ou dois de altura. Quando elas chegaram, não passavam de rebentos, no máximo com sete centímetros e meio. Rubert, que trabalhava na banca, contou uma história sobre um homem que se fez passar por um lorde inglês, conseguiu ser convidado para todas as festas de sociedade, onde encantava toda a gente, e vigarizou o banco em milhares de dólares. Quando se descobriu que o homem era na realidade irlandês, um imigrante pobre quando chegara a Nova Iorque, já ele fugira para a América do Sul.

Brett instigou o pai, Albert, a relatar-lhes a desastrosa cerimónia de abertura do caminho-de-ferro para Chicago. Os dignitários, incluindo dois senadores, deviam chegar de comboio. Estava a tocar uma banda na estação e Albert e Brett estavam à espera para recebê-los com champanhe. Quando os dignitários e respectiva comitiva não chegavam, Brett e Albert tiveram de se meter numa dresina, dando à manivela ao longo da linha para inspeccionar e acabando por descobrir que, a vários quilómetros da cidade, uns quantos ferroviários loucos haviam decidido remover uma secção de carril por brincadeira. O comboio com a sua carga de dignitários estava ali parado e eles não estavam numa fúria, como Brett e Albert esperavam, mas bêbados, pois havia inesgotáveis provisões de *whisky* a bordo.

Era quase meia-noite quando o grupo finalmente se separou, Matilda sendo a última a partir, e quando Tabitha e Sebastian a acompanharam à porta da rua, onde a carruagem dela estava à espera, Matilda cingiu de súbito Tabitha num forte abraço.

— Desculpa se te embaracei — disse ela. — Mas tinha de esclarecer as coisas.

— Ainda bem que o fizeste — disse Tabitha, abraçando-a também. — Agora está tudo às claras e eu sinto um grande orgulho em ti.

Sebastian sorriu. — Acabou por ser o jantar melhor e mais divertido que a minha mãe já deu — disse ele. — Aposto que vamos todos andar meses a falar dele.

Matilda separou-se de Tabitha e pegou nas duas mãos de Sebastian, olhando para ele. — És um homem bom, Sebastian — disse ela. — Não imagino que outro homem fosse mais digno da minha preciosa Tabby. No fundo, não me importo que a tua mãe pense que eu sou uma vulgar arrivista, provavelmente sou. Mas tinha de fazer ver à tua família, em nome do Giles e da Lily, que a Tabitha é uma igual. Essa era a única questão importante.

Sebastian ficou tocado pela sinceridade das suas palavras. Mesmo através das luvas de renda, sentiu a aspereza das mãos dela nas suas. Diziam muito sobre o seu carácter e esperava que, um dia, a mãe também as visse pois talvez então compreendesse verdadeiramente o que o levava a amar e a respeitar profundamente esta mulher.

— É uma autêntica senhora, mais do que todas as amigas de Lady Astor juntas — disse ele. — Vá, agora vá para o hotel antes que apanhe um resfriado, e durma bem. Eu e a Tabby encontramo-nos consigo para almoçar amanhã.

Enquanto a carruagem rolava, veloz, sobre a neve em direcção ao Fifth Avenue Hotel, Matilda ia a sorrir consigo mesma. Concluiu que, afinal, Tabitha se ia casar no seio de uma boa família. Os homens tinham princípios e ideias justas e os pontos de vista modernos de Tabitha trariam sem dúvida uma lufada de ar fresco às mulheres mais jovens. Mas pensou que seria aconselhável manter alguma distância em relação a Anne Everett. A troca de palavras incisivas de hoje poderia ter sido necessária para esclarecer alguns mal-entendidos mas imaginava que, nas próximas semanas antes do casamento, Anne estaria ansiosamente à espera que ela cometesse uma gafe social e, se isso acontecesse, ela rejubilaria.

Matilda não fazia tenções de se envolver com mais pessoas da sociedade enquanto aqui estava; era essa a principal razão por que optara por ficar num hotel. Assim, tinha a liberdade de ir e vir à vontade, vaguear pela cidade e estar com Tabitha e Sebastian sem a presença de mais ninguém.

Estava espantada com o crescimento e mudança de Nova Iorque desde a sua chegada aqui em rapariga. O extenso e belo Central Park substituíra o horrível bairro que Flynn lhe mostrara uma vez, quarteirões atrás de quarteirões de novas e elegantes casas de ambos os lados das ruas. Havia um comboio aéreo, luzes em todas as ruas e muitas lojas maravilhosas. Até agora a neve impedira-a de explorar a cidade a pé mas, se não passasse em breve, talvez comprasse umas botas resistentes.

Peter e a mulher, Lisette, Sidney, Mary e os filhos chegariam para o casamento e, depois de os noivos partirem em lua-de-mel, tencionavam transformar a viagem de regresso numas férias, parando em cidades diferentes que sempre haviam desejado conhecer.

Sidney tinha agora mais três filhos, John, Cissie e Ruby. Os cinco eram sardentos e tinham cabelo ruivo e encaracolado, e Matilda adorava-os. Peter apenas se casara com Lisette no ano anterior, depois de um longo namoro; ela tinha a aparência e o estilo da mãe francesa e a inteligência do pai advogado, Henry Pollock.

A guerra e a proximidade da morte haviam transformado Peter, como haviam transformado tantos jovens corajosos que nela tinham combatido, pensando que era a suprema aventura. Embora exteriormente jovial e temerário como sempre, quem o conhecia bem via uma maior sensibilidade, cautela e ambição. Seguira o conselho de Matilda e estudara contabilidade e possuía agora um gabinete de sucesso com dezenas de clientes extremamente prósperos. A sua boa educação e os círculos em que se movia agora haviam-lhe conferido uma sofisticação que faltava a Sidney, mas preservara a sua integridade e uma consciência social. Usara o dinheiro que herdara de Cissie para comprar uma casa muito confortável mas, além de tratar de toda a contabilidade de Matilda, era também seu confidente, assessor e apoiante das suas obras de caridade.

Fora Peter, mais do que qualquer outra pessoa, que a ajudara a resignar-se à morte de James, pois partilhara genuinamente da sua perda. Era ele quem sabia sempre quando ela estava a pensar nele e as suas histórias sobre James durante a guerra devolviam-lhe uma pequena parte do homem que ela não conhecera.

*

Quando o órgão na igreja de Trinity começou a tocar a marcha nupcial, Matilda virou-se para ver Tabitha a ser conduzida ao altar por Sidney e as lágrimas fizeram-lhe arder os olhos.

Parecia impossível que esta mulher alta e esbelta, vestida de cetim branco, fosse a menina de colo rechonchuda que ela salvara do caminho do cavalo e da carruagem há mais de trinta anos. Matilda nunca fora capaz de depositar fé verdadeira em Deus, mas hoje estava preparada para reconhecer que Ele talvez tivesse orquestrado essa quase tragédia com um propósito.

Se não tivesse conhecido os Milson, nunca teria vindo para a América. Sem a sua ajuda, talvez Giles nunca tivesse ido a Five Points nem encontrado Sidney e Cissie. Se não fosse Cissie, nunca teria viajado para o Oregon e conhecido James. Todas as suas vidas pareciam inextricavelmente ligadas, e hoje tudo parecia ter sido predestinado.

Olhou de relance ao longo do banco, levando o dedo aos lábios para mandar calar as crianças. Mary estava encantadora de verde-esmeralda, os seus caracóis ruivos espreitando adoravelmente debaixo do chapéu. Sorria serenamente com Ruby, a mais nova, ao colo, talvez recordando o seu próprio casamento. Sidney dizia muitas vezes que se sentia abençoado por tê-la, a ela e aos seus cinco belos filhos; dizia que o facto de poder dar aos filhos o amor e a segurança que nunca tivera em criança apagara qualquer amargura que sentisse a respeito da sua infância.

Olhou por cima do ombro para Peter e para a bonita Lisette, de cabelo escuro, no banco atrás. Lisette estava de braço dado com o marido, fixando-o com alguma surpresa, pois os olhos dele reluziam com lágrimas de emoção ao ver Tabitha com o seu magnífico vestido de noiva. Seria possível que este elegante jovem, com o seu fraque e calças de riscas, tivesse começado a vida numa cave imunda, a poucos quilómetros daqui?

Matilda engoliu em seco para se libertar do nó na garganta. Eram os filhos dela, mesmo que nenhum deles tivesse nascido do seu ventre, unidos como irmãos e irmãs pela mão do destino. O conselho do pai de nunca olhar para trás podia ter-lhe prestado um bom serviço durante a maior parte da sua vida, mas agora era bom olhar para trás, pois aqui, nesta igreja que tão bem conhecera quando era uma jovem ama, via o sentido da longa e por vezes impossivelmente penosa estrada que a conduzira de novo a este lugar.

Embora sentisse a tristeza de nunca ter sido uma noiva, fora abençoada em muitas outras áreas da sua vida. Conhecera o género de paixão com que a maioria das mulheres apenas sonha e o amor sob muitas formas diferentes. Vivera aventuras, tivera bons amigos, gozava de excelente saúde e também enriquecera. Não sentia vergonha de nada e não havia nada de que verdadeiramente se arrependesse. Se morresse amanhã, podia partir alegremente sabendo que *fizera* uma diferença na vida de outras pessoas.

Tabitha e as três damas de honor traziam ramos de flores que Matilda compusera pessoalmente nessa manhã.

Fora ao mercado das flores e comprara-as ela própria, ramos muito mais imponentes do que aqueles que vendera nas ruas, com botões de rosa cor-de-rosa, cravos brancos e delicadas frísias. Mas o antigo talento não a abandonara, apanhara as folhas brilhantes que envolviam as flores de um arbusto em Central Park, enrolara bem o fio em volta dos caules e juntara um círculo de renda e fita para rematar. O seu perfume trouxe-lhe lembranças de Inglaterra e, de um modo estranho, parecia evocar a presença de Lily e Giles.

Sentiu uma dor no peito por James não ter vivido para ver este dia. Teria sido absolutamente perfeito se ele estivesse agora ao seu lado, de mão dada com ela. Mas estava guardado no seu coração e, se o Céu fosse como Giles costumava descrevê-lo, ele estava algures a observar, juntamente com todos os entes queridos que a tinham amado a ela e a Tabitha.

Ao passar por Matilda, Tabitha virou-se para sorrir. O seu rosto estava parcialmente escondido pelo véu mas a sua felicidade irradiava através dele. Quando continuou a avançar, Sebastian voltou-se para trás, junto da balaustrada do altar, e a expressão de puro amor no seu rosto era inconfundível.

— Não te atrevas a começar a chorar já! — sussurrou-lhe Mary, por cima das cabeças das crianças. — Senão começo também!

Brett era o padrinho de Sebastian, e ambos exibiam belas figuras com os seus fraques. Matilda correu o olhar pela nave para observar a família Everett. Havia pelo menos dez vezes mais pessoas do lado deles, desde crianças pequenas a pessoas muito idosas. Anne também estava a enxugar os olhos, magnífica num conjunto de seda rosa, a saia de crinolina tão rodada que enchia o banco, e o chapéu debruado de pequenas flores brancas.

O vestido comprido de Matilda e o pequeno chapéu com véu eram azul-claros. Abandonara o preto habitual apenas para o casamento, pois pensou que James não aprovaria que ela vestisse de luto numa ocasião tão feliz.

Depois de o ministro declarar Tabitha e Sebastian marido e mulher, subiu ao púlpito para proferir o seu sermão, e Matilda esperou que fosse breve, pois as crianças começavam a inquietar-se. Na verdade, nunca se aborrecera quando Giles pregava mas, à parte o reverendo Darius Kirkbright, ele era o único ministro de que se recordava que conseguia prender o seu interesse durante mais de alguns minutos. Fechou os olhos por um instante e recordou o discurso de despedida de Kirkbright aos Milson e os aplausos da congregação. Interrogou-se se ele ainda estaria vivo. Mas duvidava pois teria pelo menos oitenta anos agora.

O Lar para Crianças Abandonadas e Sem-Abrigo ainda existia em New Jersey; tomara o *ferry* para visitá-lo pouco depois de ter chegado a Nova Iorque. Talvez tivesse sido um erro lá voltar, pois não era tão acolhedor como se lembrava, com uma atmosfera gélida, as crianças demasiado caladas e receosas, e suspeitou que também passavam fome. Mas a verdade era que poucas coisas estavam iguais. Nova Iorque conhecera um grande desenvolvimento, a maioria das casas de madeira de que se recordava desaparecera, substituídas por tijolo e ferro fundido, e um serviço de comboio aéreo zunia sobre viadutos e expelia fumo espesso para os prédios de apartamentos degradados do Lower East Side por onde passava.

Sebastian dissera-lhe que estes prédios, na maioria construídos apenas alguns anos antes, eram uma vergonha pública, concebidos unicamente para proporcionarem aos senhorios os maiores lucros possíveis com o espaço mais exíguo imaginável. Mesmo que só uma família ocupasse cada moradia acanhada de três divisões, apenas com uma janela na parede exterior, estaria apinhada, em condições pouco higiénicas, mas a renda era demasiado elevada para os imigrantes pobres e todos subalugavam, havendo por vezes três ou quatro famílias apertadas num apartamento. Com profunda tristeza, Sebastian apontara que, embora as elegantes casas de arenito pardo nos quarteirões na zona de Washington Square e Central Park e, naturalmente, as mansões da Fifth Avenue tivessem água canalizada, os pobres destes prédios de apartamentos tinham de se desenvencilhar com uma sanita e uma torneira para centenas deles.

Matilda fizera um esforço para não visitar estes prédios pois sabia que, assim que os visse, não seria capaz de dominar o seu desejo de fazer alguma coisa para ajudar. Assim, fizera várias viagens ao Macy's, a excelente loja de fazendas que abrira na Sixth Avenue, para comprar rolos de algodão e flanela para levar para casa, para as suas raparigas, a fim de confeccionar roupa de bebé e vestidos para elas. Lembrou a si mesma que estava aqui em Nova Iorque exclusivamente por causa de Tabitha, que São Francisco já tinha problemas que chegassem para a ocupar e que lá estava em melhor posição para prestar ajuda.

Quando finalmente emergiram da igreja, o sol estava a brilhar e, enquanto os convidados do casamento esperavam que o fotógrafo montasse a máquina para tirar fotografias do feliz casal, Matilda recordou Dolores e as suas palavras no dia em que dera com Matilda a chorar sobre a sua fotografia de James. Continuava a ser um mistério para ambas que a imagem de uma pessoa ou de um objecto pudesse ser transferida para uma folha de papel, como era igualmente intrigante que uma mensagem pudesse ser enviada por telégrafo, de um extremo do país ao outro. Mas supunha que os jovens compreendiam estas coisas.

Dolores tinha agora sessenta anos, mas continuava a dirigir o lar de Folsom Street com a mesma energia dos primeiros tempos. Fern tinha trinta e dois e era ainda a governanta da pensão para raparigas trabalhadoras. Duas mulheres maravilhosas!

Ali ao sol, no velho adro da igreja, rodeada pelos outros convidados, recordações de Flynn assaltaram o espírito de Matilda. Nunca se tinham atrevido a andar por aqui, com receio de esbarrar com Giles, mas quase todas as ruas em redor da igreja continham lembranças pungentes dele. Os salões de chá e cafés onde haviam passado muito tempo juntos, tinham, na sua maioria, desaparecido, mas muitas das vielas onde ele a beijara ainda existiam. Um dia deslocara-se a Castle Green e contemplara a baía, recordando os sonhos que haviam aí nascido para ambos.

Interrogou-se sobre o que lhe teria acontecido. Teria feito a fortuna que almejava? Ou ter-se-ia juntado ao exército rebelde, como tantos outros irlandeses, acabando por ser morto?

— Que cara de tristeza é essa? — perguntou-lhe Sidney, apanhando-a de surpresa.

Parecia improvável que Sidney tivesse trinta e oito anos e fosse casado, com cinco filhos. Nos últimos anos, a sua cara tornara-se mais gorda e rubicunda, exibia uma barriga saliente sob o fraque e rugas marcadas em torno dos olhos. Só o cabelo ruivo era o mesmo, continuando a cintilar como uma tocha.

— Recordações, mais nada — respondeu ela, rindo levemente. — Trouxe-te algumas a ti?

— Demasiadas! Houve muitas noites em que dormi aqui no adro da igreja no Verão — disse ele, com um grande sorriso. — E em Castle Green! Só que não vou contar isso a nenhuma destas pessoas elegantes! Mas estava a pensar em pegar na Mary e nas crianças e ir visitar novamente o lar antes de partirmos.

— Não vás — disse ela, pegando-lhe no braço e apertando-o. — Não é o que tens na memória, não há nada de bom para ver e as crianças hão-de ficar incomodadas.

Ele mostrou-se surpreendido, arregalando os olhos cor de âmbar. — Pronto, não vou, se achas que ficam incomodadas. Mas não me consegues dissuadir de levar o Peter a Five Points.

— Não podes, Sidney — disse ela, horrorizada. — Não faz bem a nenhum dos dois.

Sidney tinha a boca fixa num traço determinado. — O Peter precisa de ver onde nasceu. Faz tanto parte da vida dele como a viagem para o Oregon, a morte da Cissie e das raparigas ou a Batalha de Gettysburg. Somos os dois adultos agora, Matty. Não tentes impedir-nos.

Na manhã seguinte, Matilda acordou cedo com o som de murmúrios à porta do quarto do hotel. Reconhecendo as vozes de Peter e Sidney, deduziu que se tinham os dois esgueirado dos quartos e estavam a planear ir agora ao Lower East Side, antes de as mulheres acordarem.

Saiu da cama num ápice e abriu a porta. Eles estavam curvados a calçar as botas. — Venham aqui os dois — ordenou ela num tom severo.

Embora a cerimónia de casamento do dia anterior tivesse sido uma ocasião feliz, o copo-d'água à tarde, na mansão dos Everett, fora uma experiência deprimente para Sidney e Mary. Nenhum deles estava acostumado a festas sofisticadas e o esplendor da mansão e os convidados elegantes haviam-nos deixado constrangidos e sem jeito.

Talvez os filhos também tivessem pressentido o seu mal-estar porque os arreliaram, mexendo em tudo e trepando para a mobília, o que por sua vez criou ainda maior desconforto ao casal.

Mais tarde, Matilda pegara nas crianças e levara-as a dar um passeio de carruagem em Central Park mas, quando regressou, ficou apoquentada ao descobrir que, embora o passeio com as crianças as tivesse acalmado, Sidney e Mary ainda não tinham conseguido relaxar o suficiente para se divertirem. Compreendia porquê. Em São Francisco, eram conhecidos e respeitados, as suas origens e classe eram irrelevantes, mas as suas expressões tensas revelavam que, em poucas horas, o sentimento de inferioridade que experimentavam lhes havia arruinado o dia.

Matilda compadeceu-se; lembrava-se bem do seu próprio dilema quando descobrira que não era carne nem peixe. Na verdade, sabia que continuava nessa situação; podia ter aprendido a aparentar ser e a conduzir-se como uma senhora, o suficiente para ser aceitável, mas uma inspecção atenta traía sempre as suas origens.

Pensou que talvez fosse por isso que Sidney estava tão determinado em levar Peter a Five Points. Haveria uma leve ponta de rivalidade por Peter se encaixar tão facilmente nas classes altas e ele não?

— Presumo que estão com ideias de ir fazer turismo para os bairros miseráveis — disse ela, fechando a porta assim que eles entraram.

Eles acenaram com a cabeça como dois colegiais apanhados a roubar maçãs.

Em rapazes, tinham muitas características comuns, e mesmo agora, em adultos, passavam por irmãos. Ambos eram sardentos, tinham sorrisos descarados e eram da mesma altura e constituição robusta, embora ultimamente Sidney tivesse engordado. O cabelo de Peter era mais cor de areia do que ruivo e os seus olhos eram castanho-claros, ao passo que os de Sidney eram fulvos, mas de resto eram muito parecidos.

O que os distinguia era a sua motivação diferente. Sidney vivia para o momento; dirigir um bar movimentado, com tudo o que isso implicava, era até onde chegava a sua ambição. A sua segurança centrava-se na mulher e na família. Possuía uma natureza generosa e por vezes espaventosa que era visível no seu casaco verde, de excelente corte, e gravata garrida.

Peter, por outro lado, usava roupa discreta, a sua voz era mais suave, era reflectido e agia cautelosamente. Contudo, era ambicioso, planeando meticulosamente o futuro e não tomando decisões precipitadas. A maneira como namorara com Lisette durante muitos anos, antes de finalmente se casar, era prova disto. Sem dúvida que, quando os filhos chegassem, estaria a fazer planos para a sua educação ainda antes de eles largarem as fraldas.

Matilda amava os dois e conhecia os seus pontos fortes e fracos. Sidney era o bem-humorado, um homem impulsivo que irradiava jovialidade. Peter era firme, de absoluta confiança, e ela dependia da sua inteligência. Juntos constituíam uma força temível.

A sua primeira ideia foi proibi-los de ir a Five Points. Podiam ser adultos, mas continuavam a obedecer-lhe quando ela batia o pé. Mas não tinha a certeza de ter o direito de vergá-los à sua vontade. Talvez precisassem de ver o lugar de onde vinham! Ela própria deixaria que alguém a impedisse de visitar Finders Court se regressasse a Inglaterra?

— Vamos lá, digas o que disseres — disse Peter, projectando o queixo, do mesmo modo determinado de quando era rapaz.

— Não nos vai acontecer nada — interveio Sidney. — À noite pode ser perigoso, mas a estas horas da manhã não!

Matilda olhou para um e para o outro e compreendeu que nada do que dissesse, tirando fazer uma cena e acordar as mulheres deles, os demoveria.

— Então também vou — declarou.

Argumentaram com ela mas Matilda levantou a mão para os calar. — Se forem sozinhos, podem meter-se em sarilhos. Além disso, sem mim, não vêem as coisas que lhes podem ensinar alguma coisa de valioso.

Mandando-os ficar onde estavam, dirigiu-se ao quarto de vestir contíguo para se preparar. Escolheu o vestido e capa pretos mais simples que tinha, um par de botas resistentes e um chapéu preto sem adornos, tudo roupas que comprara para andar nas suas próprias explorações.

Tirando de uma gaveta a sua pequena pistola, carregou-a rapidamente e enfiou-a num bolso escondido na cintura. Há muito tempo que não tinha a oportunidade de ameaçar ninguém mas andava sempre com ela e tornara-se um hábito do qual não se conseguia livrar.

Calçou as luvas, ao regressar ao quarto, e olhou para o casaco verde e chapéu de coco cinzento de Sidney com um ar avaliador. Eram demasiado vistosos, mas ela sabia que ele não tinha nada de mais sóbrio aqui em Nova Iorque. O casaco de *tweed* de Peter era caro mas não dava nas vistas. Contudo, como Sidney frisara, era muito cedo e não era provável que os rufiões e gatunos andassem pelas ruas. Por precaução, todavia, ordenou a ambos que deixassem as carteiras e os relógios de bolso no hotel.

O tempo quente e primaveril do dia anterior desaparecera da noite para o dia. Lá fora, na Fifth Avenue, soprava um vento forte e frio e, embora só fossem oito da manhã, a rua estava buliçosa com diligências, carroças e cabriolés. Matilda ainda não tinha saído à rua tão cedo e foi uma revelação ver os varredores, os empregados domésticos a correr para as lojas e para os mercados ao serviço dos patrões e das patroas, as criadas a polir batentes de portas e a lavar degraus. Muitos eram negros mas, a meio da manhã, já teriam desaparecido de vista, para deixar a rua mais elegante de Nova Iorque entregue principalmente aos brancos.

O fiacre que chamaram levou-os pela Broadway mas, quando virou para a Bowery, Sidney ficou em silêncio, olhando atentamente pela janela, claramente a recordar-se.

Matilda apercebeu-se de imediato que era ele que precisava de voltar a ver esta zona, muito mais do que Peter. Há quase trinta anos que ela o levara, juntamente com o seu pequeno grupo, para fora daqui mas, durante os primeiros oito anos da sua vida, estas ruas haviam sido a sua casa e sem dúvida que tinha um milhão de recordações de que nunca falava. Sidney afirmou, na altura em que foi salvo, que a mãe morrera, e ela acreditara. Só agora punha em dúvida este facto porque ele nunca lhe dissera nada sobre ela. Podia ter simplesmente fugido dela, muitas crianças faziam isso quando aparecia um novo homem na vida das mães. Talvez o facto de ter filhos seus o fizesse sentir-se culpado por isso?

Se fosse esse o caso, talvez fosse afinal boa ideia voltar aqui. Podia levá-lo a falar sobre esses primeiros tempos da sua vida.

O fiacre abrandou no tráfego intenso e Matilda viu mais à frente um grupo de rapazinhos andrajosos e descalços, admirando fruta fresca em exposição à porta de uma loja. Só pela maneira como estavam a discutir e a olhar à sua volta teve a certeza de que se preparavam para atacar.

— Observa-os — disse ela a Peter, apontando. Enquanto olhavam, todos os rapazes menos um afastaram-se ligeiramente, deixando este último a aproximar-se sorrateiramente da fruta e a começar a metê-la ao bolso. O comerciante detectou-o, gritou e saiu a correr e o rapaz fugiu com o homem no encalço. Entretanto, o resto do grupo precipitou-se para a loja, agarrou no que pôde e fugiu na direcção contrária.

Peter riu-se com vontade. — Foi quase uma operação militar — comentou.

Matilda acenou sabiamente com a cabeça. A Peter podia parecer uma travessura infantil mas ela sabia que não. — Pode ser a única comida que têm durante dois dias — disse ela.

— Era o que tu costumavas fazer, Sid? — perguntou Peter.

— Pior do que isso, às vezes — respondeu ele com um sorriso presunçoso. — Os meus alvos favoritos eram chouriços pendurados em ganchos. Punha outro miúdo mais pequeno aos ombros, passava a correr e ele apanhava-os. Mas uma vez fizemos isso e eu não dei conta que estava o símbolo de uma barbearia na porta ao lado. O desgraçado do miúdo foi-me derrubado dos ombros e largámos a correr. Mais tarde, soube que ele tinha morrido, deve ter partido a cabeça no passeio.

— Que coisa terrível — disse Peter, soltando um arquejo.

— Era tudo terrível por aqui — disse Sidney, encolhendo os ombros. — Só sobreviviam os lestos e os duros.

— De certeza que é aqui que querem ficar? — perguntou o condutor do fiacre ao deixá-los no princípio de Mulberry Street. — Não é um sítio muito recomendável.

— Temos assuntos a tratar aqui — respondeu Sidney, pagando a corrida. O condutor fez estalar o chicote no cavalo e afastou-se, com um ar espantado por alguém que estava hospedado na Fifth Avenue ter assuntos a tratar nesta zona.

Mulberry Street fora outrora um caminho de vacas para o gado que voltava das pastagens. As velhas casas de madeira que, em anos subsequentes, a ladeavam haviam pertencido a gente abastada mas, como todas as ruas do bairro, haviam sido ocupadas pelos imigrantes mais pobres. Quando Sidney era rapaz, era uma zona quase tão violenta como Five Points, nas imediações, mas a sua aparência bizarra e quase pitoresca conferira-lhe um certo encanto.

Matilda recordava quase com ternura o quente dia de sol em que viera aqui buscar os dois meninos órfãos para os levar para New Jersey. Mas agora a rua não tinha nada de bizarro ou pitoresco.

«A Curva», como era chamado o cotovelo torto a meio da rua, estava ladeada de carrinhos de vendedores ambulantes e de lojas, onde as pessoas estavam a vender mercadoria tão variada como charutos, pão, roupa em segunda mão e peixe. Mas não eram verdadeiras lojas, na maioria não passavam das portas abertas dos edifícios dilapidados e pensões em cima, o vendedor expondo as mercadorias num balde do lixo ou num caixote de madeira virado ao contrário. Já andavam muitas pessoas a cirandar por ali e o contraste entre elas e o género de pessoas com quem haviam convivido no dia anterior era tão marcante que era como se estivessem noutro país. Velhas imundas e esfarrapadas estavam acocoradas em vãos de portas, fumando cachimbos de argila, homens barbudos de expressões sinistras, em mangas de camisas, muitas vezes com uma serapilheira a fazer as vezes de casaco, andavam tropegamente com botas gastas. Mulheres mais jovens regateavam ruidosamente sobre canastras de peixe, as caras tão cinzentas como as criaturas viscosas cujo preço estavam a discutir.

O cheiro era tão nauseabundo que Peter tapou o nariz. — O que é? — perguntou ele.

— Excrementos humanos e animais, corpos por lavar, carne pútrida e cerveja choca — disse Matilda simplesmente. — São Francisco tinha exactamente o mesmo cheiro em 1850 mas, pelo menos, não havia esta miséria. Olha só para esse pão!

Estavam a aproximar-se de duas mulheres italianas, acocoradas junto de um cesto. As suas caras lembravam ameixas secas e elas tiravam pão com a forma de regueifas redondas de sacos sujos com mãos tão encardidas que Matilda sentiu o estômago revolver-se. O pão devia ter vindo de alguma padaria fina da zona alta da cidade, vários dias antes, e fora quase de certeza resgatado de um contentor do lixo.

Viram mais duas mulheres muito velhas a cortar vísceras em nacos e a metê-las em jornal para os clientes. Já cheiravam a podre e as suas roupas e mãos estavam incrustadas de sangue de várias vendas em dias anteriores.

Sidney reconheceu uma velha casa de madeira que marcara uma das cinco pontas[1]. Um grupo de homens com ar desesperado estava sentado no chão à porta, um deles tentando fixar um pedaço de cartão a uma bota praticamente sem sola. Fizeram má cara quando Peter se demorou a olhar para eles um pouco de mais e Matilda instigou-o a continuar.

Mas Five Points, como Matilda e Sidney a conheciam, já não existia. A Velha Cervejaria, o Castelo das Ratazanas e todas essas outras casas de madeira decrépitas haviam sido demolidas e substituídas por fila atrás de fila de prédios de apartamentos de cinco andares com escadas de madeira periclitantes que serpenteavam do lado de fora. Matilda e Sidney estavam paralisados de surpresa. Ela pensou que deviam sentir-se satisfeitos por o lugar que recordavam ter desaparecido, mas não era capaz de experimentar alegria, porque as novas construções eram quase tão más, erigidas tão em cima umas das outras que quase não entrava ar fresco nem a luz do sol.

Sidney, porém, parecia desapontado por não poder mostrar a Sidney o local onde ele nascera. Usou a palavra «melhoria» com um tom pesaroso.

Peter levantou os olhos, horrorizado, para os edifícios macabros, adornados com roupas andrajosas a secar ao longo de cada patamar de madeira. — Isto é uma melhoria em relação ao sítio onde eu nasci?

— Melhoria não, Peter — disse Matilda, vendo pelo canto do olho algumas ratazanas a brincar num monte de detritos. — Excepto talvez para os senhorios que recebem mais renda por cada metro quadrado. Não acredito que uma cidade tão próspera possa tratar tão mal os seus pobres. Olhem só para essas crianças!

Embora fosse cedo, elas andavam por toda a parte, magras, descalças, imundas, com o cabelo empastado, os rostos espectrais e vestidas com andrajos. Os seus olhos famintos e desolados, narizes ranhosos e olhares apáticos eram extremamente perturbantes e era difícil de acreditar que tivessem sido mandadas para a rua para ir para a escola, sendo mais provável que tivesse sido para dar espaço aos adultos dentro de portas.

Sidney não conseguiu identificar exactamente onde ficava o Castelo das Ratazanas nem a cave, na Viela dos Gatos, onde Peter nascera

[1] Five Points. *(N. da T.)*

e, assim, voltaram para «A Curva». Peter já vira o suficiente e declarou que queria regressar ao hotel, mas Sidney insistiu em continuar.

— Tens de ver tudo, Peter — disse ele, pegando-lhe no braço e conduzindo-o a uma das muitas vielas que saíam de Mulberry Street. — Acho que é importante sabermos de onde vimos, quanto mais não seja para percebermos a sorte que tivemos em sair de lá.

O cheiro era ainda mais pestilento pois era o território dos recolectores de trapos. Matilda teve de explicar a Peter como eles andavam pela cidade a apanhar trapos e os separavam depois nas caves destes lugares e os vendiam quando tinham uma carga completa. Tentou aligeirar o relato, falando-lhe do dia em que entrara acidentalmente num desses pátios e encontrara Sidney pela primeira vez, mas agora parecia ainda mais arrepiante do que nas suas recordações. Outra viela estava cheia de garrafas de todos os tamanhos e feitios e crianças pequenas e magras, de olhos encovados, estavam pacientemente a organizá-las.

Havia ex-soldados feridos, alguns cegos, outros sem braços ou pernas, dispondo fósforos ou charutos em tabuleiros e preparando-se para ir vendê-los pelas ruas. Num canto húmido, viram um grupo de rapazes pequenos, enroscados uns contra os outros, ainda a dormir. Matilda imaginou que as suas vidas eram exactamente como a de Sidney fora e, a não ser que alguém interviesse e lhes oferecesse um lar, seriam já patifes calejados quando tivessem doze anos.

Viram crianças que não teriam mais de quatro ou cinco anos a levar uma vasilha para casa, um ou dois quartilhos de cerveja numa lata de metal. Um homem corpulento estava a esfolar uma pequena cabra à porta de casa, sob o olhar de mais três ou quatro, claramente à espera da sua parte do animal que, sem dúvida, tinham roubado.

Mas sobre o cheiro e a esqualidez ecoava o barulho infernal: bebés a chorar, mulheres a berrar umas com as outras de janelas superiores, homens a vociferar e pancadas e raspagens vindas de trabalhos que decorriam fora de vista dentro dos edifícios. E um grande número de pessoas também, apesar de ser cedo, mulheres encolhidas nas soleiras das portas a dar de mamar a bebés, os olhos encovados e as faces chupadas sugerindo que estavam tão necessitadas de alimento como os bebés. Homens reunidos em grupos, a fumar cachimbo, olharam desconfiados para Matilda e os seus dois companheiros quando eles passaram e, durante todo o tempo, andavam de roda deles crianças a mendigar dinheiro.

— Já viram o suficiente? — disse Matilda um pouco mais tarde, pois as vielas estreitas estavam a provocar-lhe náuseas. Algumas que percorreram estavam cheias de negros, outras de irlandeses, italianos ou judeus mas, fosse qual fosse a nacionalidade dominante, todos viviam nas mesmas condições aberrantes. Sentiu-se envergonhada por ter vindo aqui como uma turista, sabendo que dentro de uma hora podia estar de volta ao seu elegante hotel a devorar um excelente pequeno-almoço. Estava a acrescentar a afronta ao fardo do infortúnio que estas pessoas já tinham de suportar.

Havia comentado a Peter que, se toda a gente saísse dos edifícios ao mesmo tempo, duvidava que houvesse espaço para passarem. A verdade era que achava este Five Points pior do que o antigo, onde, pelo menos, os residentes eram na generalidade bandidos, gatunos e os rejeitados da sociedade. Mas agora via, pela extraordinária quantidade de roupa a secar, pelas mulheres com vassouras e pelo ruído dos trabalhos que decorriam dentro dos edifícios lúgubres e arruinados, que estas pessoas eram, na maioria, gente decente que chegara à América com os bolsos vazios e a cabeça cheia de sonhos. A única coisa que haviam conseguido fora trocar um bairro degradado em Cork ou Dublin, em Nápoles ou Roma, por condições ainda piores.

— Já vi mais que o suficiente — disse Peter, numa voz débil. Empalidecera e estava com um ar muito abalado. — Não fazia ideia.

Sidney continuava determinado em prosseguir, mas Matilda recusou e, pegando no braço de Peter, começou a guiá-lo na direcção da Broadway, presumindo que Sidney os seguiria.

— Era muito parecido com isto, na zona de Londres onde eu cresci — disse ela, enquanto avançavam cautelosamente pelas vielas. — Mas é pior para esta gente, Peter, muitas não falam sequer inglês, não compreendem como este país funciona e muitas vezes trazem ideias dos seus países que não se coadunam com as nossas aqui.

«O Sebastian contou-me uma história há pouco tempo sobre uma mulher italiana angustiada que irrompeu pelo consultório dele com um bebé doente a pedir-lhe que o curasse porque não tinha dinheiro para o funeral. Ele disse que demorou uns momentos a perceber o que a mulher queria dizer. Mas era precisamente isso! É que é uma questão de dignidade para os muitos pobres ter um funeral como deve ser, vendem ou empenham tudo o que têm, pedem mesmo dinheiro emprestado que não têm esperança de reembolsar, só para dar aos seus mortos uma boa despedida. Aquela mulher estava menos aflita com a ideia de o bebé morrer, já que a mortalidade infantil é uma ocorrência perfeitamente comum, do que com a despesa do funeral que poria toda a família em risco de morrer à fome. Não é terrível?

Peter concordou e disse-lhe que Tabitha examinara os filhos pequenos de muitas mulheres imigradas, descobrindo que sofriam de raquitismo e de outras maleitas causadas por malnutrição. Disse que Tabitha lhes perguntara o que davam de comer aos filhos e elas tinham admitido que lhes davam o mesmo que elas próprias comiam. E isso, Tabitha descobrira, consistia muitas vezes apenas em *pretzels*, *doughnuts*, cerveja e café. Estas mulheres pobres e ignorantes, que tanto desejavam ser verdadeiras americanas, haviam trocado a dieta simples, barata e nutritiva que comiam no seu país pela alimentação que consideravam americana.

Um balde de água lançado de uma janela superior não lhes acertou por pouco, e eles ao virarem-se, deram conta de que Sidney não ia atrás deles.

Matilda suspirou. Como Sidney era um homem curioso e muito amigável, imaginava que teria entabulado conversa com alguém. Haviam chegado a uma rua mais larga que não cheirava tão mal e, vendo Peter recuperar as cores, não lhe agradava voltar para as vielas estreitas. — É melhor esperarmos por ele aqui — disse ela, num tom fatigado. Estava desesperada por tomar um café, o seu estômago roncava com a falta do pequeno-almoço e, na verdade, achava que esta visita não lhes trouxera benefícios nenhuns, excepto talvez o de dar a Peter uma consciência pesada por ter tanto quando outros não tinham nada.

Após uma espera de cinco ou dez minutos sem que Sidney aparecesse, voltaram relutantemente para trás. Mas, ao virarem para uma viela particularmente fétida, ouviram imediatamente sons de uma briga, homens a vociferar e mulheres aos gritos.

O sexto sentido de Matilda disse-lhe que Sidney estava envolvido e começou a correr na direcção do barulho, abrindo caminho à força pelo meio de mulheres que saíam de portas, interessadas em ver o que se estava a passar.

Ao chegar a um pequeno pátio entre duas casas muito velhas, avistou o inconfundível cabelo ruivo de Sidney por sobre as cabeças das pessoas ali juntas. Abrindo febrilmente caminho à cotovelada, chegou à frente e, para seu horror, viu dois homens a prender Sidney por cada um dos braços, enquanto um terceiro o agredia na cabeça e no peito com o que parecia ser o cabo de um comprido machado. Do lado da cabeça de Sidney corria um fio de sangue, e não lhe pareciam restar forças para resistir aos homens. Uma criança pequena, de cinco ou seis anos talvez, estava com o chapéu cinzento dele.

— Parem! — gritou ela a plenos pulmões. — Ele não vos fez nada.

Peter passou por ela a correr, direito ao homem que estava a atacar Sidney, e tentou arrancar-lhe o cabo de machado.

Matilda olhou em volta. Estavam a chegar cada vez mais pessoas de todas as direcções, enchendo o pequeno pátio. Sabia que seria uma questão de segundos até alguém se atirar a Peter e talvez também a ela, se não fizesse nada.

Tirou a arma do bolso e disparou um tiro de aviso para o ar.

— Já disse que parassem — gritou com toda a força da sua voz. — O próximo a tocar em qualquer um dos meus filhos apanha com a bala seguinte.

Houve um súbito silêncio, as pessoas junto dela afastaram-se, mas os dois homens que prendiam Sidney limitaram-se a fulminá-la com os olhos e continuaram a segurar nele. Era evidente que já estavam a bater-lhe há algum tempo porque ele tinha os olhos quase fechados e até as pernas cambaleavam, como se estivesse a ponto de perder os sentidos.

Peter conseguiu arrancar o cabo do machado ao terceiro homem, assentando-lhe uma pancada de aviso com ele, mas ao acercar-se para tentar afugentar os dois homens que prendiam Sidney, Matilda viu mais dois homens, extremamente altos e fortes, de barba preta e coletes de oleado imundos, sair disparados da multidão para agarrar em Peter.

— Alguém que chame a polícia! — gritou ela. Mas não havia tempo para esperar por ajuda, um dos homens já tinha deitado a mão à lapela do casaco de Peter, o punho erguido para o socar. Matilda apontou a arma à perna do homem e voltou a disparar. Ele saltitou como se tivesse sido picado, vomitou alguns insultos, mas afastou-se.

— Assim, sim — gritou ela, aproximando-se. — Vocês os dois que estão a prender o meu filho, larguem-no, senão um apanha com uma bala. Apontei à perna do vosso amigo, mas agora aponto ao coração.

Um dos homens largou-o e recuou mas Sidney descaiu subitamente e o outro homem levantou o pé para lho espetar na barriga.

Matilda não parou para pensar, disparou contra ele sem fazer pontaria. Com uma sacudidela, o homem titubeou alguns passos e caiu ao chão. Peter saltou para junto de Sidney, que estava agora prostrado por terra mas, embora Matilda quisesse também acudir-lhe, não se atrevia. Assistira a cenas como esta na «Costa da Berbéria». As rixas eram um divertimento e ninguém tomaria o partido de um estranho, nem lhe valeria. O mais provável era ficarem simplesmente a observar e a aclamar enquanto os três eram massacrados.

Virando-se para a multidão atrás dela, tentou apelar ao lado bom das suas naturezas. — Por favor, ajudem-nos — implorou.

— Não me parece que precise de grande ajuda, menina — gritou um homem. — A disparar assim essa arma. Afinal para é que vieram para aqui?

Matilda tomou imediatamente consciência da malevolência que pairava no ar. O pátio estava opressivamente cercado de casas de todos os lados e a roupa que batia nos estendais bloqueava grande parte da luz natural. Viam-se rostos em todas as janelas; Matilda reparou mesmo numa mulher a segurar num balde de dejectos, pronta a despejar sobre ela o seu conteúdo, se ela se aproximasse o suficiente. Sentia a animosidade para com ela e os filhos e só a arma os retinha.

Matilda percorreu lentamente os poucos passos que a separavam dos rapazes, mantendo a arma engatilhada e pronta, para o caso de alguém se precipitar para eles, sempre a olhar de um lado ao outro, atenta a qualquer movimento brusco. Bastou um olhar à figura encolhida de Sidney e ao rosto angustiado de Peter para perceber que ele estava gravemente ferido.

Estava agora apenas a alguns passos deles, mas a populaça estava também a abeirar-se ameaçadoramente, cercando-os por todos os lados. Não precisava de ouvir o que os seus murmúrios indistintos diziam, o ódio nos rostos macilentos era suficiente para saber que estavam sedentos de acção, de desfazê-la, a ela e aos rapazes, à pancada e arrancar-lhes a roupa do corpo.

Caminhava em segurança pelas vielas da Costa da Berbéria porque as pessoas sabiam quem ela era. Aqui, ela e os rapazes não passavam de estranhos bem vestidos e bem alimentados e, como tal, eram alvo de ódio.

O homem que ela ferira na perna estava agora encostado a uma parede, agarrado ao ferimento que sangrava e continuando a insultá-la.

O segundo homem estava caído de barriga para baixo no chão. O coração dela martelava de terror, tinha de segurar na pistola com ambas as mãos para não tremer. Nunca se sentira tão impotente.

De súbito, ouviu um assobio estridente. A multidão também ouviu porque todas as cabeças se viraram.

— Polícia! — sibilou alguém e, quando soaram botas de biqueira de metal a correr na sua direcção, rebentou subitamente um pandemónio. As mulheres gritaram e correram para as portas, os homens escaparam para vielas, outros, incapazes de abrir caminho no meio de tanta gente, encolheram-se contra as paredes.

Quando uma dúzia de polícias, brandindo cassetetes, irrompeu pelo pátio dentro, Matilda estava sozinha no centro, de arma em punho.

— Graças a Deus que vieram — murmurou ela.

Muitas vezes, no passado, Matilda queixara-se amargamente do tratamento diferente que a polícia dava aos ricos e aos pobres mas, desta vez, sentiu-se grata por isso. Não tinha dúvidas de que, se estivesse vestida de andrajos com uma arma fumegante na mão, teria sido arrastada para a cadeia sem lhe ser dado sequer tempo para explicar o que acontecera. Mas, assim sendo, a polícia ouviu-a, ainda antes de verificar os feridos.

As suas atenções e simpatia foram cruciais para Matilda e os filhos. Sidney foi rapidamente colocado numa maca, e disseram a Matilda que podia acompanhá-lo ao hospital. Enquanto corria ao lado dos homens que transportavam a maca, Matilda viu alguns dos polícias dispersar em busca dos outros homens envolvidos, enquanto outros se ocupavam dos dois homens feridos.

O pequeno hospital nas proximidades era tão sinistro como o velho Marine Hospital em São Francisco, sombrio, imundo e apinhado de pessoas desesperadamente pobres que aguardavam pacientemente por tratamento. Numa situação normal, a compaixão de Matilda teria sido despertada à vista de uma mãe com uma criança sem forças, claramente muito doente, nos braços, mas nesse momento não era capaz de pensar em mais nada senão em Sidney. Disse imperiosamente à enfermeira de serviço que o filho necessitava de cuidados imediatos e virou-se, em seguida, para Peter, insistindo para que ele corresse a chamar Sebastian e Tabitha, apesar de isso significar que teriam de adiar a lua-de-mel.

Pareceram passar horas enquanto esperava por eles. Ao ver como as enfermeiras estavam sujas, declinou a sua ajuda e limpou ela própria as feridas. O crânio dele estava rachado do lado direito da cabeça, com pequenas lascas de osso incrustadas na massa ensanguentada por baixo. O seu peito e barriga estavam também cobertos de vergões e pareceu-lhe que tinha costelas partidas. Ele recuperou os sentidos por breves momentos mas não pareceu reconhecê-la.

Depois, Sebastian e Tabitha apareceram subitamente. Num ápice conseguiram que Sidney fosse levado para uma sala de exame privada, mais pequena, e, por sua insistência, Peter acompanhou Matilda a um fiacre para irem ao hotel pôr Mary ao corrente do que sucedera.

Eram oito horas quando partiram nessa manhã e, quando regressaram ao hotel, eram três da tarde. Tanto Mary como Lisette estavam mais irritadas do que ansiosas. Quando descobriram, ao acordar, que os maridos e Matilda haviam saído, sem nenhuma explicação, tinham presumido que o trio partira para tratar de algum assunto privado sem qualquer consideração por elas e pelas crianças. Foi Lisette quem se lançou numa diatribe de protesto dirigida a Peter.

— Como foste capaz de nos deixar sem dizer nada? Já sabes que não nos sabemos orientar por aqui — disse ela, fulminando-o com os olhos. — Eu e a Mary tivemos de levar as crianças ao parque sozinhas e depois passámos um mau bocado ao almoço, porque os pequenitos nos fizeram a vida negra no restaurante.

— E onde está o Sidney? — perguntou Mary, com uma expressão ameaçadora nos olhos.— Se está nalgum bar, vai ouvi-las boas quando chegar.

Não havia alternativa senão dizer-lhes frontalmente onde ele estava e que estava gravemente ferido. As explicações, porquê e como, teriam de ficar para mais tarde.

O rosto de Mary perdeu a cor, a fúria sumindo-se e dando lugar ao medo. Vestiu o casaco e pôs o chapéu e insistiu para que a levassem imediatamente ao hospital.

— Mary, não podes ir para já — disse Matilda, tentando detê-la, passando os olhos pelas crianças que olhavam, em estado de choque, para a mãe angustiada. Elizabeth tinha doze anos, James onze e John oito, todos suficientemente crescidos para compreenderem, mas os outros dois não passavam de bebés. — Para começar, neste momento o Sebastian e a Tabitha estão a operá-lo e depois eu e o Peter temos de explicar como tudo aconteceu antes de o veres.

Nunca nada fora tão difícil a Matilda de explicar. À luz do que sucedera a Sidney, quaisquer razões que pudesse apresentar para as suas acções soariam débeis e completamente irresponsáveis.

— A culpa é tua — gritou Mary a Matilda. — Tu e as tuas acções caridosas!

Os olhos escuros de Lisette pousaram em Mary e depois em Matilda. Sendo a única «intrusa» no grupo, na medida em que sempre tivera uma vida protegida, sentira-se com frequência um pouco embaraçada com a natureza das obras beneficentes de Matilda, desejando que o marido se distanciasse delas.

— Mary, a ideia de ir não foi da Matty — disse Peter, ajoelhando-se diante dela e tentando pegar-lhe nas mãos. — Eu e o Sidney já tínhamos planeado lá ir em São Francisco. Não culpes a Matty, por favor, se não fosse ela podíamos ter ficado todos magoados.

— Mas ela podia tê-los impedido de ir — argumentou Mary, retirando as mãos das dele. — Não há bairros degradados que cheguem em São Francisco para ser preciso ela levá-los também para os daqui?

— Ela não nos podia ter impedido. — Peter abanou a cabeça. — Precisávamos de ver como era. Teríamos ido, independentemente do que ela dissesse, e ela sabia, foi por isso que foi, esperando proteger-nos.

— Pois, espero que estejas satisfeita agora — soluçou Mary. — Se o Sidney morrer, podes dizer aos filhos que foste tu a responsável. Mas também imagino que iremos acabar num sítio desses, sem ele para nos sustentar.

Matilda não era sequer capaz de afiançar que olharia por ela e pelas cinco crianças, se isso acontecesse. Exprimir essa possibilidade fá-la-ia parecer inevitável, e ela não podia aceitar semelhante coisa.

— O Sidney não vai morrer. É um homem resistente — disse pelo contrário. — Com os cuidados do Sebastian e da Tabitha, há-de aguentar-se.

Peter e Lisette encarregaram-se das crianças mais tarde, para que Matilda pudesse levar Mary ao hospital. Esta parara com as suas explosões de histeria, dizendo até que lamentava tê-la culpado, mas a afirmação de que desejava que tivessem ficado em casa e nunca tivessem vindo ao casamento magoou Matilda.

Sebastian ainda estava a operar Sidney quando chegaram ao hospital mas, por sua instrução, foram conduzidas a uma sala de espera privada. Enquanto ali estavam, apareceu um polícia irlandês corpulento para informar Matilda de que o assaltante de Sidney morrera do ferimento de bala e que o primeiro homem contra quem ela disparara perderia com toda a probabilidade a perna. O polícia disse-lhe isto com grande animação, como se ela tivesse livrado a cidade de parte da sua escória. Elogiou a coragem dela e disse que não seria levantado nenhum processo contra ela pois era um caso evidente de legítima defesa. Mas Matilda não sentiu nada, não sentiu qualquer alívio por não ser processada, nem sequer culpa por esses dois homens poderem ter mulheres e filhos. Todos os seus pensamentos se centravam no desejo de que Sidney sobrevivesse.

Enquanto esperavam em silêncio, os dedos entrelaçados para se confortarem reciprocamente, Matilda deu por si a pensar nos vinte e tal anos em que conhecera Mary. Talvez nos primeiros tempos do London Lil's, a lealdade de Mary se tivesse devido à gratidão por Matilda lhe ter permitido um novo começo mas, mais tarde, haviam-se tornado amigas. Quando Cissie e as raparigas morreram, Mary demonstrara uma profunda compaixão para com ela, Sidney e Peter, e mais tarde, quando Matilda abriu a casa em Folsom Street, estava sempre pronta a ajudar em tudo o que pudesse.

Matilda recordava bem o deleite que sentiu quando Mary e Sidney quiseram casar-se. Os primeiros dois anos da guerra teriam sido terrivelmente desoladores se ela não tivesse ido viver para o apartamento com a bebé Elizabeth. O medo partilhado pelos seus homens aproximara-as ainda mais; quando Matilda ajudou ao nascimento de James, tornaram-se como mãe e filha.

Não sabia como teria aguentado sem Mary nos anos que se seguiram à guerra. Os seus modos afáveis e carinhosos, a sua profunda compreensão da perda dela, eram extremamente reconfortantes. Mais tarde, houvera o nascimento dos outros filhos, cada um deles trazendo felicidade à família e afastando a tristeza.

Matilda imaginava o que Mary estaria a pensar agora. Sidney conseguira chegar ao fim da guerra intacto, mesmo a sua infecção no pé ocorrera em virtude de um simples acidente e não de um ferimento de arma. Seria de facto possível que um rapaz que sobrevivera a uma infância tão terrível e acabara por se tornar num dos personagens mais populares de São Francisco pudesse ser-lhe arrebatado agora, no viço da idade, só por ter visitado o lugar onde nascera?

Quando Sebastian e Tabitha entraram juntos, ambos com expressões tensas, Matilda temeu o pior.

— Ele está a registar algumas melhoras — disse Sebastian mas, embora estas palavras se destinassem a animá-las, Matilda viu um ar de derrota nos seus olhos azuis. — Neste momento, não posso afirmar que recupere plenamente, a pancada que apanhou foi de uma brutalidade tremenda. Mas é forte e saudável, o que me dá esperança.

Mary soltou um pequeno soluço e Tabitha abraçou-a para a consolar.

Matilda não foi capaz de dizer nada. Via mentalmente o ferimento na cabeça de Sidney. Sebastian podia ter conseguido extrair completamente as lascas de osso e controlar uma infecção até sarar, mas o que ela vira de fora era massa encefálica. Como Sebastian e Tabitha, queria acreditar em milagres, mas seria uma coisa tão delicada como o cérebro capaz de sarar?

Porque não tinha impedido os rapazes de lá ir? Não seria apenas porque era tão curiosa como eles? Se Sidney não recuperasse, teria de pagar cara essa curiosidade, pois sabia que ficaria na sua consciência para sempre.

CAPÍTULO 28

Nova Iorque, 1900

Quando o relógio na prateleira do fogão de sala bateu as sete, Tabitha pousou o livro no regaço e soltou um profundo suspiro.

Estava escuro e muito frio lá fora e Matty ainda não voltara para casa. — Não te faz bem preocupares-te tanto — disse ela em voz alta.

Sorriu levemente das suas próprias palavras pois, por mais irritante que fosse o comportamento de Matty ultimamente, via o humor nos seus papéis agora invertidos. Tabitha tornara-se a figura maternal e Matty a criança.

Durante muitos anos, Matty parecera muito mais velha do que ela, uma adulta quando ela era uma criança, uma mulher madura quando ela era ainda uma rapariga. Mas a verdade era que a diferença de idades entre elas era de apenas catorze anos, nada quando se tinha sessenta anos, três filhos adultos e cinco netos.

Tabitha levantou-se e estudou-se no espelho sobre o fogão de sala. Também tinha ar de avó, o seu cabelo outrora escuro estava completamente branco, e era anafada, com barbela e rugas. Sob muitos aspectos, gostava do seu aspecto presente porque, embora os doentes encarassem com desconfiança uma mulher médica, achavam que podiam confiar em alguém da sua idade, e o sexo, no fundo, não fazia parte da questão.

Sorriu a si mesma, imaginando como Sebastian se teria divertido com uma declaração destas. Foi no ano em que ele fez sessenta anos, onze anos antes, que venderam a casa de arenito pardo que compraram quando se casaram e se mudaram para este elegante e espaçoso apartamento com vista sobre Central Park. Ele tinha dificuldades com as escadas em casa, mas nunca admitiu que fosse essa a razão da mudança. Disse a toda a gente que era porque queria viver numa casa com vista.

Dois anos antes, ele morrera na poltrona voltada para o parque. Ela estava sentada aqui mesmo junto da lareira, pensando que ele estava a dormir, e só quando se levantou para fechar as cortinas é que descobriu que ele falecera.

Sentia saudades terríveis dele, dos seus modos ternos, da bonita voz gutural, do seu bom senso e diplomacia. Em vinte e cinco anos de casamento, quase não haviam trocado uma palavra azeda — havia, por vezes, discussões acaloradas, mas sempre causadas por divergências de opinião sobre questões médicas, política ou religião, nunca nada de pessoal.

No entanto, não se sentia só porque os filhos viviam todos nas imediações. Giles, agora com vinte e seis anos, entrara para a empresa da família Everett, fundada pelo avô, e casara-se com uma rapariga da sociedade, Lucy Harkness, que apesar de ser cinco anos mais velha do que Giles e considerada um tanto «libertina», surpreendeu toda a gente, produzindo rapidamente filhos gémeos e, um ano depois, uma menina, tornando-se uma mãe excelente.

Alfred, com vinte e quatro anos, estava a estudar para ser médico e pretendia ser cirurgião. O seu empenho na medicina era tão forte como o dos pais mas saía ao avô, Giles Milson, com os mesmos olhos escuros e tristonhos, cabelo escuro e encaracolado e uma forte consciência social.

Lily, a única filha, tinha vinte e dois anos e era muito parecida com a avó Everett. Conhecera John Dearing, herdeiro de um banqueiro proeminente, num baile, quando tinha apenas dezassete anos. Um ano depois, casaram-se, ao fim de três já tinham dois filhos e a sua vida era um permanente turbilhão social.

O toque da campainha da porta sobressaltou Tabitha, que correu para a entrada e viu que Alice, a criada, havia chegado primeiro. Lá estava Matilda, com o seu casaco e chapéu de pele.

— Oh, Matty! Onde é que te meteste? Tenho estado aqui numa aflição — disse Tabitha, correndo para ela e tocando nas faces de Matilda. — Estás gelada! Anda para junto do fogo que eu sirvo-te um *brandy*.

— Estou bem, a sério que estou — insistiu Matilda. — Não te aflijas.

Tabitha pegou em Matilda pelo braço e conduziu-a para o salão. Tirou-lhe o casaco e o chapéu e sentou-a na poltrona mais próxima da lareira, ajoelhando-se à sua frente para lhe desabotoar as botas.

— Estão húmidas — disse ela, fitando a mulher mais velha com uma expressão de censura nos olhos. — E têm manchas de sal. Andaste outra vez pelas docas?

— Andei. Dei uma volta pela baía num rebocador — disse Matilda com indiferença.

Tabitha não fez comentários. Por mais que tentasse afastar Matilda das docas, porque achava perigoso, quanto mais velha ficava, mais obcecada ela parecia com essa zona.

Massajou os pés de Matilda e depois foi ao quarto buscar-lhe os chinelos. Trouxe-os, aqueceu-os à lareira por alguns momentos, e calçou-lhos. Só depois de lhe pôr um xaile quente pelos ombros e de lhe dar um *brandy* é que voltou a falar.

— Não pode ser, Matty — disse ela com firmeza. — Não posso permitir que andes sempre a vaguear por toda a cidade. Podes ser atacada, podes cair e magoar-te, e eu fico numa aflição porque não sei onde estás.

— Ainda sou capaz de olhar por mim, ainda não perdi as minhas faculdades — respondeu Matilda, levantando os olhos ofendidos para Tabitha. — Gosto de falar com as pessoas. Já sabes que não aguento os teus amigos sofisticados durante muito tempo.

Tabitha não ficou minimamente magoada com esta observação, ouvira Matty dizer estas coisas durante quase toda a sua vida. Quanto mais os anos passavam, mais ela procurava a companhia das pessoas comuns. Nada lhe agradava mais que uma conversa com Alice ou com Jackson, o cocheiro.

— Às tantas devias ter ficado em São Francisco — disse Tabitha, empoleirando-se no braço da poltrona. — Tinhas lá muitas pessoas de quem gostavas.

— Não era a mesma coisa depois da morte do Sidney — disse Matilda, os seus olhos enchendo-se de lágrimas. — Fiquei contente quando a Mary voltou a casar-se, mas ela não precisava que eu ficasse por lá a recordar-lhe o passado. A Dolores e o Henry Slocum também morreram. Além disso, o Peter e a Lisette vieram para aqui e os filhos da Mary estão todos em terras diferentes.

*

Os piores receios de Tabitha e Sebastian a respeito da recuperação de Sidney haviam-se concretizado. Tendo sofrido lesões cerebrais, recuperou o suficiente para andar, falar, comer e vestir-se e até o seu cabelo ruivo voltou a crescer sobre a cicatriz, mas era simplesmente como um grande e afável rapaz de seis anos.

Quando Matilda e Mary compreenderam como ia ser, Matilda mandou ampliar o apartamento sobre o London Lil's, para que houvesse mais espaço para todos, e levou Sidney para casa. Ele ainda conseguia carregar com barris de cerveja, varrer o chão e executar tarefas simples, mas já não se punha a questão de ele dirigir o bar ou de ser um verdadeiro marido e pai. Passava a maior parte do tempo sentado no alpendre a contemplar a vista da baía. Matilda contratou um gerente permanente e olhava pelas crianças juntamente com Mary.

Sidney falecera quinze anos antes, aos cinquenta anos; os seus cinco filhos tinham então idades entre os dezasseis e os vinte e quatro e Mary ainda era uma mulher muito atraente de quarenta e sete. O homem com quem casou, um ano mais tarde, fora seu amante durante quase dez anos, mas a única pessoa que estava a par dessa situação era Matilda e a própria Mary só há pouco tempo fizera esta confidência a Tabitha.

Dez anos antes, quando tinha sessenta e quatro anos, Matilda vendeu finalmente o London Lil's. Desde que o milagroso teleférico foi instalado em California Street Hill, passando à sua porta, os terrenos na zona haviam-se tornado de repente os mais procurados em toda a cidade. Os milionários começaram a construir ali mansões e não tardou a ser conhecido por todos como Nob Hill[1]. A Peter e a Tabitha, parecia muito irónico que o London Lil's, que prestara apoio a tantas pessoas e constituíra uma parte tão grande da vida e do carácter de Matilda, a tivesse finalmente transformado numa milionária quando foi demolido.

Mas depois de desaparecer, com todas as suas memórias, pouco parecia restar para prender Matilda a São Francisco. Ficou durante uns tempos, criou vários fundos em *trust* para garantir a continuidade da sua pensão para raparigas trabalhadoras e das duas casas em

---

[1] Colina dos Ricaços. *(N. da T.)*

Folsom Street, e quando Peter veio para Nova Iorque, decidiu que o seu lugar era também aqui.

Tabitha sabia que Matilda sempre se culpara pela lesão cerebral de Sidney, embora ela nunca o dissesse. Amara e protegera Mary e os filhos e cuidara de Sidney até ao fim. Era mais uma doce ironia que o tiroteio, em lugar de causar indignação, lhe tivesse finalmente valido, não só a aceitação da sociedade de São Francisco, mas a admiração que tão intensamente merecia. Tornara-se em vida numa lenda do Velho Oeste e, quando antes as pessoas segredavam histórias obscenas acerca dela, agora proclamavam alto e bom som a sua coragem, as suas boas obras, a sua personalidade brilhante e a sua beleza.

Tabitha sorriu afectuosamente a Matilda e enxugou-lhe os olhos. Por mais velha que fosse, retivera a essência da sua beleza juvenil. Os seus olhos azuis ainda eram encantadores, possuía todos os dentes e o seu sorriso era tão caloroso como quando era rapariga. — Ora, sua mentirosa — disse ela. — Sei qual é a verdadeira razão por que vieste para aqui; não foi por já não teres amigos em São Francisco. Foi porque és demasiado vaidosa para deixares que te vejam envelhecer na cidade!

Matilda sorriu. Sabia que havia um fundo de verdade nisto. — Devia ter voltado para Inglaterra — disse ela. — E acho que vou fazer isso mesmo.

Tabitha abanou a cabeça, com olhos sorridentes. — No fundo, não queres voltar, o teu lugar é aqui, onde és desejada e precisam de ti. Bem, acho que a Alice tem o jantar pronto. Vou-lhe dizer que hoje jantamos diante da lareira. Depois podes tomar um bom banho e eu leio-te uma passagem de *David Copperfield* na cama.

— Tem piada como nos habituamos às coisas — disse Matilda pensativamente. — Como abrir uma torneira e ter água quente e levantar depois uma tampa e vê-la sumir-se. Em Primrose Hill, tinha de carregar com montes de baldes de água pelas escadas acima para o teu banho. Pensava que ia ser sempre assim. Hoje estava a olhar para a Ponte de Brooklyn e custou-me recordar como o rio era antes de ser construída. Esqueci-me do que é limpar os candeeiros de petróleo e usar uma sanita no quintal.

— Acho que não me quero lembrar desse tipo de coisa — disse Tabitha, rindo. — Sempre que acendo a luz eléctrica aqui no apartamento, penso que é um milagre. Não sinto nostalgia nenhuma pelos velhos tempos.

— Eu sinto, mas suponho que é porque estou a ficar muito velha. O Sebastian sempre disse que as pessoas depois dos setenta voltam a ser crianças.

— Nunca hás-de ser verdadeiramente velha. — Tabitha deu-lhe uma palmadinha afectuosa na face. — Bem, vou então tratar do jantar.

Tabitha estava de ouvidos apurados, mais tarde, escutando a água do banho a correr. Matilda adorava banhos, passava horas dentro de uma banheira. Ainda apreciava também belas roupas e *lingerie* delicada; por mais que se esforçasse, Tabitha nunca conseguia fazê-la usar uma camisola interior de lã ou um saiote de flanela. Matilda adorava a sensação da seda e uma profusão de rendas e bordados.

Tabitha não ouviu a porta da casa de banho abrir mas percebeu que abrira pela lufada de perfume francês caro e, mais uma vez, sorriu. O perfume era outro dos luxos de Matty; até para ir para a cama se perfumava. Dar-lhe-ia meia hora para escovar o cabelo e aplicar creme nas mãos antes de lá ir para lhe ler.

Infelizmente, a vista de Matilda estava a deteriorar-se rapidamente, já não via o suficiente para conseguir ler e esta era uma das razões por que Tabitha se preocupava quando ela mandava vir a carruagem e ia passear pelas docas. Jackson insistia sempre que não a largava de vista, mas Tabitha sabia que ele estava a mentir. Matilda seduzia-o, como fizera toda a sua vida com as pessoas.

Reclinou-se na cadeira e fechou os olhos por um momento. Raramente passava um dia na sua vida em que Tabitha não agradecesse a Deus por Matilda. Graças a ela, escapara a um orfanato, tornara-se médica, encorajara Sebastian o suficiente para ele a pedir em casamento, criara três filhos e vivera mais de vinte e cinco anos a dar e a receber amor.

O casamento fora a melhor parte da sua vida, amava os filhos e a sua casa e, contudo, Sebastian dera-lhe também a liberdade de seguir uma carreira sua. Tivera as suas clientes abastadas com os seus problemas femininos, mas também a satisfação de se tornar respeitada por direito próprio por ser uma boa médica, independentemente do facto de ser mulher. Desde que Peter viera para Nova Iorque, ambos haviam dado passos importantes na melhoria das condições de saúde dos imigrantes em Nova Iorque. Enquanto ele angariara fundos para clínicas gratuitas, ela equipara-as e persuadira outras pessoas a participar.

Tabitha e Sebastian haviam pensado que Peter viraria costas aos pobres depois do que acontecera a Sidney, e poucos o teriam censurado. Mas tivera o efeito contrário, levando-o a preocupar-se ainda mais. Com a passagem dos anos, a sua voz elevara-se cada vez mais no seio da alta-roda abastada, levando as pessoas a abrir os olhos para os verdadeiros males da miséria. Fazia campanha a favor de melhor habitação, hospitais, escolas, férias no campo para as crianças dos bairros miseráveis. Conseguia que os ricos abrissem os cordões à bolsa e dotava-os de uma consciência, levando-os a oferecer ajuda, e fazia tudo isto com tanto charme e elegância que preservava a amizade deles.

Ainda havia muito para fazer mas Tabitha sabia que o filho, Alfred, não tardaria a juntar-se ao combate, pois ouvia desde rapazinho as histórias de Matilda, a quem idolatrava. Tabitha pensava muitas vezes que os nomes dos rapazes deviam ter sido trocados. Alfred era muito parecido com o pai, enquanto Giles era como Sebastian. Lily era exactamente como uma flor, alta, elegante e serena. Talvez o tempo dissesse se, além do nome, herdara as doces qualidade da avó.

Tabitha voltou ao presente com um sobressalto e apercebeu-se de que adormecera. Já passava das dez horas e não fora ler a Matty como havia prometido.

Levantou-se de um salto e saiu para o comprido corredor que levava ao quarto de Matty. Um raio de luz brilhava por debaixo da porta dela e Tabitha deduziu que ela adormecera à espera. Avançou em bicos de pés, pois Matty tinha o sono leve e não queria acordá-la.

Matty estava a dormir, as mãos calçadas com as luvas de algodão brancas que punha todas as noites depois de untá-las com creme, abertas sobre os lençóis. O seu cabelo estava penteado, ainda louro, apesar de descolorido agora e um pouco ralo, quase como fio de bordado de cetim, de um tom pálido de dourado. Estava com a sua camisa de dormir mais recente, de seda azul-turquesa, o decote de folhos escondendo o pescoço que ela se queixava de se ter tornado rugoso.

Tabitha entrou em silêncio para apagar o candeeiro da mesinha-de-cabeceira mas deteve-se por um momento porque viu um caderno junto das mãos de Matty. Parecia ser uma lista e ela pegou nela por curiosidade.

«Necessidades para Inglaterra», dizia em cima na sua letra fina e tosca. «Quatro vestidos de baile, chinelos condizentes, fato de montar (veludo). Casaco e chapéu de pele. Sapatos rasos. Dois fatos de saia-casaco para o campo, quatro para a cidade, com chapéus apropriados. 6 vestidos para a tarde.»

A lista interrompia-se abruptamente, o lápis ainda ao lado do caderno. Ao ver a posição do lápis, Tabitha apercebeu-se de que Matilda adormecera enquanto escrevia, a sua mão direita ligeiramente afastada da esquerda.

De súbito, já não era a filha, mas a médica, e um sexto sentido disse-lhe que Matilda partira. Pegou-lhe na mão para lhe tomar o pulso mas, ainda antes de os seus dedos tocarem na pele nua, compreendeu que Matilda estava morta.

Foi puro profissionalismo que a impediu de chamar Alice. Mas caiu de joelhos ao lado da cama, pousando nela a cabeça e soluçando.

Durante praticamente cinquenta e oito anos, amara Matty, desde criança de colo até se tornar avó. Ela estivera ao seu lado em todos os momentos importantes da sua vida: o primeiro dia na escola, a morte dos pais, os seus primeiros passos na enfermagem, quando se diplomara em medicina, no seu casamento, no nascimento do seu primeiro filho e, quando Sebastian morrera, estivera ao seu lado para a confortar. No entanto, não eram todos esses grandes momentos que eram importantes agora, eram as pequenas gentilezas, os cuidados, a partilha e as alegrias. Ela fora na verdade mãe, irmã e amiga, a pessoa mais querida e mais preciosa na sua vida.

— Que vamos fazer sem ela? — disse Peter, as lágrimas correndo-lhe pelas faces ao abraçar Tabitha. Alice correra a casa dele para o chamar e ele viera tão depressa que ainda estava ofegante.

— Ela não havia de querer que disséssemos isso — murmurou Tabitha, passando os braços à volta dele. Mantiveram-se assim abraçados, chorando no ombro um do outro, ambos conscientes, na sua dor, de todos os outros que haviam amado esta mulher mas partido antes dela. — Agora reencontrar-se-á com eles — murmurou Tabitha. — Com o pai, com a Lily, o Giles, o John, a Cissie, a Amelia, a Susanna, a Zandra, a Dolores e o Sidney, mas principalmente com o James.

Depois de Peter ter ido ver Matty, foram para o salão e sentaram-se junto da lareira, chorando juntos e conversando, Tabitha sobre as suas recordações de infância, do Missouri, quando os pais morreram, e da caravana de carroças.

— Quem me dera ter tido idade suficiente para perceber que o James já então a amava — disse ela tristemente. — Eu adorava-o, teria dado tudo para tê-lo como pai. Como as coisas podiam ter sido diferentes se ele tivesse dito à Matty o que sentia.

— Mas, nesse caso, não nos teríamos tornado uma família, pois não? — disse Peter. — Imagina que a Cissie não tinha a Matty com ela quando o John morreu. — Em seguida, falou dos momentos terríveis em que perdera a mãe e as irmãs, das suas primeiras recordações de São Francisco e de ver Matty apaixonada por James.

— O rosto dela iluminava-se quando ele estava presente — disse Peter. — E ele era igual. Sentia-se qualquer coisa no ar entre os dois, uma pessoa ficava a fervilhar só de estar na mesma sala que eles.

— Foi tão corajosa no funeral dele — disse Tabitha, as lágrimas rolando-lhe pelas faces. — Foi terrível, todos aqueles montes de terra e mais valas ainda para abrir para que os restantes fossem enterrados. Sentíamos o cheiro dos cadáveres, apesar de os terem tapado para não os vermos. Ela manteve a cabeça erguida e as costas direitas, comportou-se como um soldado, tanto como os homens que foram prestar o seu último tributo. — Fez uma pausa para limpar os olhos. «Nunca vi tamanha coragem, Peter. Quando soou o último toque de clarim, ela estava a tremer mas avançou para pousar o ramo de flores no túmulo dele. Tinha-o feito nessa manhã, os caules atados com uma ligadura molhada para as flores não murcharem demasiado depressa. Beijou-o e pousou-o e as lágrimas caíam nas pétalas como orvalho.»

Peter puxou-a para os seus braços. Nem Tabitha nem Matilda haviam falado antes sobre o funeral. Ele imaginava que era demasiado doloroso de reviver.

— Não foi justo ela ter perdido tantas vezes — disse ele, a voz embargada pela emoção. — Merecia melhor.

Sentiam ambos uma dor imensa, mas estavam constantemente a dizer que não podiam acreditar que ela tivesse morrido. Mas, ao falar sobre tudo o que ela representara para eles, do que ela fora em jovem e de como considerara frustrante envelhecer, perder a vista outrora apurada, foram-se apercebendo de que uma morte rápida e indolor, como a dela fora, era o que Matilda teria desejado.

— Uma vez disse-me que a única coisa que lhe interessava era ter feito uma diferença na vida das pessoas — disse Tabitha por fim. — E fez, não fez, Peter? Não só na minha e na tua, mas de todas as pessoas que foram tocadas por ela. Se fizéssemos uma lista agora de todas as pessoas cuja vida ela melhorou, ficaríamos aqui a noite toda.

— Até na vida da tua sogra. — Peter sorriu levemente ao recordar. — Lembras-te como ela ficou indignada por a Matty ter matado aqueles homens? O Sebastian pensou que ela ia ter um ataque de coração. Mas depois mudou de tom quando se disse que a Matilda era uma heroína! Ficou exultante, a sua ligação à Matilda serviu-lhe de tópico ao jantar durante anos!

Tabitha também sorriu. Nunca ganhara afeição a Anne Everett, por mais que se tivesse esforçado, e algumas das observações odiosas que ela fizera na altura a respeito de Matty ainda a enfureciam.

— Sabes, ela costumava dizer às pessoas que o homem que a Matty matou tinha roubado e assassinado inúmeros cobradores de rendas. Foi uma coisa inventada. Acho que a polícia nunca descobriu grande coisa sobre o homem. A Anne costumava dizer: «Claro que ela podia ter sido mandada para a prisão mas com os contactos da nossa família, nunca se atreveriam.» Tanto quanto sei, nunca se pôs a questão de a Matty ser acusada de homicídio!

Peter esboçou um sorriso de satisfação. — Mesmo que a tivessem prendido, acho que até o tempo lá dentro ela teria usado de maneira construtiva. Nunca foi pessoa para deixar passar uma oportunidade.

— Achas que a ideia de voltar para Inglaterra era séria? — perguntou Tabitha, lembrando-se de súbito, não apenas da lista de roupa, mas da observação que ela fizera ao princípio da noite sobre o regresso a casa.

— Sabe-se lá. — Peter encolheu os ombros. — Uma vez disse-me que tencionava regressar quando a rainha Vitória morresse, só para assistir ao funeral. Eu disse que era uma ideia mórbida, mas ela limitou-se a rir e disse que ainda era uma pessoa suficientemente comum para se deliciar com um funeral grandioso.

— Bem, essa velha senhora ainda está viva — disse Tabitha, com um sorriso. — Às vezes penso que vai viver mais anos do que eu! Só gostava de saber quais são os segredos da dieta dela, talvez conseguisse dar mais uns anos de vida às minhas doentes.

Peter caiu num silêncio pensativo por alguns momentos. Estava a recordar o seu tempo no hospital e o momento em que Matty voltara à enfermaria, mais tarde nesse dia, depois da morte de James, e continuara a tratar dos feridos quase como se nada tivesse acontecido. Mesmo quando lhe disse que James morrera, reconfortara-o, independentemente do facto de precisar de conforto mais do que ele. Por fora era rija, mas tanto Peter como Tabitha sabiam a que ponto era meiga por dentro. Todos esses anos em que olhara por Sidney, sem nunca se queixar, sem tão-pouco considerar a possibilidade de interná-lo num asilo quando ele se tornou incontinente, limitando-se a carregar o fardo com um sorriso. Lembrou a si mesmo que devia encontrar os seis cêntimos que Sidney lhe dera tantos anos antes. Haveria de os querer no caixão com ela, como haveria de querer a boneca de trapos de Amelia, a manta que fizera com Lily e a fotografia de James.

— Sabes como ela estava sempre a dizer «*Nunca olhes para trás*»? — disse ele ao fim de uns momentos. — Pois parece-me que seguiu essa máxima até ao fim. Acho que a lista era a sua intenção de viver uma última aventura. É muito reconfortante pensar que morreu a planeá-la.

Tabitha soltou um suspiro profundo. — Apesar de todos estes anos aqui na América, continuava a ser muito inglesa, não era? As emoções controladas, aquele orgulho e coragem indómitos.

— Mais para o fim do ano, devemos lá ir por ela — disse Peter. — Visitar todos esses lugares de que ela nos falava, o palácio, o Tamisa e a Torre de Londres.

Tabitha começou a sorrir, um brilho voltando aos seus olhos. — Vi alguns deles quando fui a Inglaterra aqui há tempos, mas será muito melhor contigo, Peter. Havemos de subir ao cume de Primrose Hill e apanhar um barco rio abaixo até onde o pai dela e a Dolly viviam. Talvez até possamos ir a um dos jornais e contar-lhes a história dela. Não achas que ela adoraria?

Peter pegou na mão de Tabitha e apertou-a. — Sabes, quase que a ouço rir.